MW00577161

מקראות גדולות

חמש מגילות

חלק ב׳

THE FIVE MEGILLOTH

VOLUME TWO

מקראות גדולות

חמש מגילות חלק ב׳

מגילת איכה
מגילת קהלת

תורגם מחדש לאנגלית

מתורגם ומבואר עם כל דבורי
רש״י ולקט המפרשים על ידי
הרב אברהם י. ראזענברג

הוצאת יודאיקא פרעסס
ניו יורק תש״ס

Mikraoth Gedoloth

THE FIVE MEGILLOTH

VOLUME TWO

LAMENTATIONS
ECCLESIASTES

A NEW ENGLISH TRANSLATION

TRANSLATION OF TEXT, RASHI
AND OTHER COMMENTARIES BY

RABBI A. J. ROSENBERG

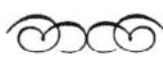

THE JUDAICA PRESS
NEW YORK, 2000

ISBN 1-880582-02-3

Library of Congress Catalog Number: 92-13500

First Printing, 1992
Second Printing, 2000

Manufactured in the United States of America

PREFACE

This volume, the second volume of the Five Scrolls, containing Lamentations and Ecclesiastes, is the tenth and final volume of the Judaica Series of the Holy Writings (Hagiographa). These small books, known as *Megilloth,* or scrolls, are usually printed with the Pentateuch and omitted from the Prophets. This is because they play a prominent part in the liturgy, being read in the synagogue on special occasions, Lamentations on the Ninth of Av and Ecclesiastes on Succoth. Although Ecclesiastes is not read in all synagogues, it is nevertheless read by individuals and studied in preparation for Succoth. Consequently, these two Megilloth are usually included with Deuteronomy, which is read during those seasons.

The Judaica Press, however, wishes to present its readers with a complete set of the Prophets and the Holy Writings. Therefore, the Five Scrolls are presented here as the final volumes of the Judaica Books of the Hagiographa, following the same format as its predecessors. The only difference is that whereas in the previous series, we presented the Hebrew text of the *Nach Lublin*, in this series we present the Hebrew text of the Lewin-Epstein edition, which contains *Rashi*, *Ibn Ezra*, *Sforno*, *Mezudath David* to Ecclesiastes, and *Kitzur Alshich*.

As in the preceding volumes, the text is translated according to *Rashi*'s commentary. In the Commentary Digest, *Rashi* is presented in its entirety and translated verbatim. After *Rashi*, we quote *Ibn Ezra* and *Mezudath David*. Many other commentaries and midrashim are quoted, many from sources previously untapped in any English translation of the *Megilloth*.

The midrash most frequently quoted is *Midrash Rabbah* on these two Megilloth. In addition to this, we quote *Midrash Zuta*, which is very often the source of *Rashi*'s commentary.

We wish to thank Lewin-Epstein Publishers of Jerusalem for permission to use their Hebrew edition of the Five Megilloth.

We also wish to thank the following, who have contributed unstintingly to the editorial and typographical aspect of this volume: Michael Brown, Aaron Friedman, and Chava Shulman.

A. J. R.

Lovingly dedicated
to the memory
of

דאבע לאה ויצחק אייזיק שולמאן ע״ה

Dr. and Mrs. Irving Shulman ע״ה
of Bayonne, New Jersey

טוֹבִים הַשְּׁנַיִם מִן הָאֶחָד אֲשֶׁר יֵשׁ לָהֶם שָׂכָר טוֹב בַּעֲמָלָם (קהלת ד:ט)

"Two are better than one, as they
have a good reward for their labour."

With gratitude to Hashem from
their children & grandchildren,
the fruits of their labor.

Shifra and Ezra Hanon
Vivian and Yale Shulman
Syma and Jerry Levine
Sandra and Ira Greenstein
Carole and Elliot Steigman
Andrea and Ronald Sultan
Gayle and David Newman
Vickie and Elliot Shulman

and Families

RABBI MOSES FEINSTEIN
455 F. D. R. DRIVE
New York 2, N. Y.

OREGON 7-1222

משה פיינשטיין
ר"מ תפארת ירושלים
בנוא יארק

בע"ה

הנה ידוע ומפורסם טובא בשער בת רבים ספרי הוצאת יודאיקא פרעסס על תנ"ך שכבר יצא לאור על ספרי יהושע ושמואל ועכשיו בחסדי השי"ת סדרו לדפוס ג"כ על ספר שופטים והוא כולל הפירושים המקובלים בתנ"ך הנקוב בשם מקראות גדולות ועל זה הוסיפו תרגום אנגלית שהוא השפה המדוברת במדינה זו על פסוקי תנ"ך וגם תרגום לפרש"י מלה במלה עם הוספות פירושים באנגלית הנצרכים להבנת פשוטו של קרא והכל נערך ע"י תלמידי היקר הרב הגאון ר' אברהם יוסף ראזענבערג שליט"א שהוא אומן גדול במלאכת התרגום, והרבה עמל השקיע בכל פרט ופרט בדקדוק גדול, וסידר את הכל בקצור כדי להקל על הלומדים שיוכלו לעיין בנקל ואפריון נמטיה למנהל יודאיקא פרעסס מהור"ר יעקב דוד גאלדמאן שליט"א שזכה ומזכה את הרבים בלימוד התנ"ך שמעורר לומדיה לאהבה וליראה את שמו הגדול ולהאמין בו ובעבדיו הנביאים שהוא יסוד ושורש בעבודתו יתברך ואמינא לפעלא טבא יישר ויתברכו כל העוסקים בכל ברכות התורה וחכמינו ז"ל בברוך אשר יקים את דברי התורה הזאת.

וע"ז באתי עה"ח ביום ה' שבט תשל"ט

משה פיינשטיין

מגילת איכה

•

מקראות גדולות

LAMENTATIONS

מקראות

מגילת איכה

תורגם מחדש לאנגלית

מתורגם ומבואר עם כל דבורי רש"י
ולקט המפרשים על ידי
הרב אברהם י. ראזענבערג

הוצאת יודאיקא פרעסס
ניו יורק • תשנ"ב

LAMENTATIONS

A NEW ENGLISH TRANSLATION

TRANSLATION OF TEXT, RASHI,

AND OTHER COMMENTARIES BY

Rabbi A. J. Rosenberg

THE JUDAICA PRESS
New York • 1992

Manufactured in the United States of America

CONTENTS

Bibliography and Emendations and Deletions (תקונים והשמטות) *to the Hebrew commentaries may be found at the end of this volume.*

INTRODUCTION

I. Authorship

The Talmud (*Bava Bathra 15a*) states: Jeremiah wrote his Book, the Book of Kings, and Lamentations. *Moed Katan 26a* and *Lamentations Rabbah* (Proem 28, 3:1) are more explicit. They identify Lamentations with the scroll dictated by Jeremiah to Baruch the son of Neriah (Jer. 36). The original scroll was burned by Jehoiakim because of the dire prophecies that it contained. It was later rewritten with additions (ibid. verse 32). According to *Rashi* (Lam. 1:1, Jer. 36:32), and *Redak* (ad loc.), the Rabbis hold that Lamentations originally consisted of the first, second, and fourth chapters, each one composed of an alphabetical acrostic. Later, the third chapter was added, this one consisting of a triple acrostic, corresponding to the three acrostics of the original scroll. The fifth chapter was also added at that time.

Rabbi Hama bar Hanina holds that the original scroll consisted only of the first chapter, and that the other four were added in the second scroll. According to the Proem in extant editions of Lamentations Rabbah, all the Sages agree that the original scroll consisted only of the first chapter. The only difference is in the way that they expound the verse to include the other four chapters. In the Midrash proper (3:1), we find that Rav Kahana holds that even the first chapter appeared only in the second scroll. Accordingly, the first scroll consisted of other material (*Asifath Omarim*). Strashun and Luria, however, reject this reading, apparently because Scripture (Jer. 36:32) states explicitly: "And Jeremiah took another scroll and gave it to Baruch the son of Neriah the Scribe, and he wrote on it from the mouth of Jeremiah *all the words of the book that Jehoiakim the king of Judah had burnt with fire*, and there were yet added to them many words like those." They therefore, delete the words: אֵיכָה יָשְׁבָה, i.e., the first chapter, because it appeared in the original scroll. This reading is indeed found in Buber's manuscript edition without the attribution to Rav Kahana.

Ibn Ezra rejects the assertion that the Book of Lamentations is the scroll burnt by Jehoiakim. He maintains that the Book states nowhere explicitly that the king of Babylon would come and destroy the land, as is stated in Jeremiah, (verse 29): "And concerning Jehoiakim the king of Judah you shall say: So said the Lord: You have burnt this scroll, saying: Why have you written upon it, saying: The king of Babylon shall surely come and destroy this land and cause man and beast to cease from it?" This denotes that the scroll stated that the king of Babylon would come. He concludes that the Rabbis did not literally mean that this was the scroll, but that they were referring to another unrelated matter which they cloaked in this expression. *Mezudath David* replies simply that, although the scroll does not state so explicitly, it implies that the king of Babylon would come and destroy the land.

Another support to this tradition is the elegy over Josiah in Chapter 4, (Lam. Rabbah 4:1.) In 4:20: "the anointed of the Lord" appears to refer to Josiah, as most commentators explain it. This matches the account in II Chronicles 35:25: "And Jeremiah lamented Josiah, and all the male and female singers spoke of Josiah in their lamentations until this day, and they made them a statute over Israel, *and behold they are written in the lamentations*."

II. DIVINE CHARACTER

As mentioned above, this Book is traditionally the scroll burnt by Jehoiakim. As Scripture states, Jeremiah was instructed by God to write this scroll. Abarbanel (Jer. 36:4) explains that Jeremiah himself wrote all his prophecies, and that the spirit of prophecy assisted him in recording them. The Scroll of Lamentations, however, was written only through Divine inspiration, a degree lower than prophecy. It was this scroll that Jeremiah dictated to Baruch since God did not assist him in writing it.

Because this Book was written through Divine inspiration, the Rabbis equate it with a Sepher Torah and require rending the garments if one witnesses this scroll being maliciously burned, as in the case of Jehoiakim. See *Moed Katan 26a*.

III. POSITION IN THE CANON

According to the Talmud (*Bava Bathra 14b*), the Book of Lamentations follows the Song of Songs and precedes Daniel. Rashi explains that they are arranged in chronological order, Jeremiah following Solomon and preceding Daniel, who flourished during the Babylonian exile. In printed editions of *Tanach*, it follows Ruth, since Ruth is read in the synagogue on Shavuoth and Lamentations is read on the Ninth of Av, which follows shortly after.

IV. POSITION IN LITURGY

As mentioned above, this Book is read on the evening of the Ninth of Av. This custom is mentioned in the *Tur* and *Shulchan Aruch, Orach Chaim* ch. 559. The earliest mention of this practice is in *Tractate Sopherim 18:4*, which reads as follows:

> "Some read the Book of Lamentations in the evening, and some delay it until the morning after the reading of the Torah, for after the reading of the Torah, [the reader] stands with his head dusty from wallowing in ashes, and his garments dusty, and he reads with weeping and wailing. If he knows how to translate it, very good, and if he does not, he gives it to someone who knows how to translate it well, and he translates it, in order that the rest of the populace, the women, and the children, should understand it, for the women are required to hear it just as the men, and surely the males...."

In accordance with the apparent meaning of this quotation, that the reading is obligatory, many congregations read the Book of Lamentations from a parchment scroll, and in some congregations, especially in the Holy Land, in accordance with *Tractate Sopherim 14:2*, the reader recites the blessing: עַל מִקְרָא מְגִלָּה, just as we do before reading the Book of Esther. This ruling is found in the codes of many early halachic authorities. The *Rama* (Responsum 35) writes that a blessing is recited prior to reading the Book of Lamentations, as does the Gaon Rabbi Elijah of Vilna. However, it is generally regarded as a custom since it is not mentioned in the Babylonian Talmud, and the Book is read from a printed volume without a blessing. Although the *Rama* bases his ruling on *Ta'anith 30a*, where the Talmud states: "And he reads in Job, in Lamentations, and in the dire prophecies of Jeremiah," this actually refers to the parts of the Torah a person may learn on the Ninth of Av, since the study of Torah is generally prohibited because it "gladdens the heart." See "*Sh'eloth u'Teshuvoth HaRama*," Jerusalem 5731, p. 195, fn. 16.

מגילת איכה

•

מקראות גדולות

LAMENTATIONS

א א איכה | ישבה בדד העיר רבתי עם היתה כאלמנה רבתי בגוים שרתי במדינות

ת״א איכה ישבה בדד. מ״ק כו סנהדרין קד זוהר פ׳ תרומה : היתה כאלמנה תענית כ :

תרגום

א א אמר ירמיהו נביא וכהנא רבא איכדין יתגזר על ירושלם ועל עמהא לאתדנא בתירוכין ולמספד עליהון איכה היכמא דאתדנו אדם וחוה דאיתרכו מגינתא דעדן ואספיד מרי עלמא עליהון איכה ענת מדת דינא וכן אמרת על סגיאות חובאה אשתדור די בגווהא ובגין כן תהי יתבה בלחודהא כגבר דמכתש סגירו על בסריה די בלחודיה יתיב וקרתא הות מליא אוכלוסין ועממין סגיאין אתרוקינת מנהון והות דמיא כארמלא ודי מתרברבא בעממיא ושליטיא באפרכיא נהוו מסקין לה מסין הדרת

רש״י

(א) **איכה ישבה בדד.** ירמיה כתב א ספר קינות היא המגלה אשר שרף יהויקים על האח אשר על האש והיו בה שלש אל״ף ביתו״ת איכה ישבה איכה יעיב איכה יועם שוב הוסיף עליו אני הגבר שהוא שלש אל״ף ביתו״ת שנאמר (ירמיה לו) ועוד נוסף עליהם דברים רבים כהמה שלש כנגד שלש: **בדד.** גלמוד מיושביה: **רבתי עם.** יו״ד יתירה כמו רבת עם שהיתה עמה רב יש מדרשי אגדה הרבה ואני באתי לפרש לשון המקרא כמשמעו: **היתה כאלמנה.** ולא אלמנה ב ממש אלא כאשה שהלך

שפתי חכמים

א **כוונתו** בזה מדאמר ירמיה אני הגבר ראה עני בשבט עברתו פירוש היה מתאונן ירמיה לומר אני הגבר ראה עני כפרש״י לקמן וא״כ מאחר שהם אמר אני הגבר ראה שהוא התחלת הענין המשוב שזו המגלה נביא אחר כתב שהרי כמה נביאים נתנבאו על חורבן הבית. לכ״פ ירמיה כתב ספר קינות והיא המגלה אשר שרף וכו׳ שוב הוסיף עליו אני הגבר והוי כמו ענין בפני עצמו ולכן התחיל אני הגבר להורות שכאן הוא התחלת ענין אחר ולא אותה מגלה ששרף יהויקים. ואח״כ ק״ל ומנ״ל דירמיה כתבה דילמא ירמיה לא כתב רק אני הגבר וזה נביא אחר כתב לזה מביא ראיה שנאמר ועוד נוסף עליהם דברים רבים כהמה פירוש כהמה ששרף והתוספה היה שלש כנגד שלש א״כ עכ״ל שאותה מגלה ששרף היה הג׳ אלפא ביתות של׳ ירמיה מתחלה ומה שכתב באל״ף בי״ת מפני שעברו על התורה שנכתבה באל״ף בית כך דרש רבי יוחנן בפרק חלק: ב דאם בא אל ישראל אינה אלמנה ממש אמת דעל׳ שהרי הם חיים

אבן עזרא

אנשי אמת יבינו מדרשי קדמונינו הצדיקים. שהם נוסדים על קשט וביליקת מדע יצוקים. וכל דבריהם כזהב וככסף שבעתים מזוקקים. אכן מדרשיהם על דרכים רבים נחלקים. מהם הידות וסודות ומשלים גבוהים עד שחקים. ומהם להרויח לבות גלאות בפרקים עמוקים. ומהם לאמץ נכשלים ולמלאת הריקים. על כן ידמו לגופות טעמי הפסוקים. והמדרשים כמלבושים בגוף דבקים. מהם כמשי דקים ומהם עבים כשקים. ודרך הפשט הוא הגוף בדברים נבהרים ובחוקים. וכן אמרו שהמקרא כפשוטו והדברים עתיקים:

ואני אברהם בר מאיר מארץ מרחקים. הוצאתני מארץ ספרד אמת המציקים. וספרי אלו בגלותי היו בידי מחזיקים. ויורוני לבאר ספרים בטעמים מנופת מתוקים. וכן אפרש זאת המגלה אחרי הדקדוקים. ואיננה המגלה הנשרפת על יד יהויקים. כי לא נמצא שני דברי השם אשר הם בס׳ ירמי׳ חקוקים. וכן כתוב קח לך מגלת ספר וכתבת אליה את כל הדברים אשר דברתי אליך על ישראל ועל יהודה ועל כל הגוים ועוד כתוב מדוע כתבת עליה לאמר בא יבא מלך בבל והשחית את הארץ הזאת ואין במגלת ספר איכה זכר בבל ולא מלכה: (א) בדד. שם נופל על זכר ועל נקבה עם למ״ד ובהסרונו וכן מלת בטח: רבתי. שרתי. מלעיל להבדיל בין היו״ד הנוסף ובין יודי״ן סימן המדבר

פי׳ הטעמים לראב״ע

(א) **לא** די שישבה בדד במות בניה אחר היותה רבת עם עד שהיא כאלמנה שאין לה בעל והיא נואשת מהיות לה בנים כלל:

קיצור אלשיך

א (א) **איכה** ישבה בדד. כי קרה לה לירושלים כאשה עזובה נצבת מרה ונעצבת על רוב צרותיה הבאות עליה באין הפוגות. הלא הוא כי דרך נשים כי תהיה אשה בעולת בעל ובירכתי ביתה בניה כשתילי זיתים סביב לשלחנה גם עושר גם כבוד היה לה הרבה ויהי היום ועלה מות בחלוניה להמית בניה עד בלתי השאיר שריד ותשאר האשה ואישה. כי הלא כי תחיל תזעק בחבליה מאנה הנחם על בניה הלא הכמות חברותיה תענגנ לה למה תבכי ולמה ירע לבבך ויחי לך אשר לך עטרת תפארת אישך כי הלא הוא טוב לך משבעה בנים כי הוא כבודך ומרים ראשך. אחרי כן קרבו ימי בעלה למות וימת גם הוא כבניו ואז מיהרה האשה לספוד ולבכות כי נותרה לבדה מילדיה ומאישה וכשומען קמו בנות וינחמוה ויאמרו לה הרף מעט ועזוב המה ואל תרבה לבכות כי ברוך ה׳ ואת עשירה ולא יחסר לחמך ואל ימעט ממך תנחומות אלה כי אל תבכי לטת ואל תנודי לו בכי בכה להולך לביתו ובביתו אין להם ואין שמלה ותשאר האשה באלמנותה עניה סוערה ואין כסות בקרה ותחסר לחמה כי גם בעלה ממקומו יפן אל צרתה ויומר לו על צרת אשתו שלמה תהי׳ כעוטיה בפתחי שערי אוהביו לשבוע לחם ואם יקרה שאף גם זאת האשה הנותרת מאישה וילדיה הלחם אזל מכליה ובביתה אין כל עדיין יבקשו מנחמים לה דברי נחמה באמור אליה התנחמי כקשת יום אשר רעתה רבה מרעהך כי אתה נשארת לבדך וריקה נפשך מכל טוב הלא נפש אחת את ובקלות המלאכות האכל בה לחם אך דעי וראי למי אוי למי אבוי כפל ומכופל הלא הוא לבעלת שכול ואלמון וחסרת להם. ועוד לה שעבוד אהרים עליה מנושים ומסים נוגשים אצים אותה וישתוה בתה ומה גם אם האשה

לקוטי אנשי שם

א (א) **איכה** ישבה בדד העיר. וצריך להבין דהול״ל איכה חרבה העיר. כי לשון ישבה הדרכה משמע לשון ישיבה ושלוה. ואח״כ אמר עוד רבתי עם היתה כאלמנה. וצ״ל הנה על זה כבר קונן שנשארה בדד בלא עם. ולמה חזר וקונן ע״ז רבתי עם ונשארה כאלמנה יחידי. והענין כי באמת היה ירמיה מקונן כסדר על הצרות שקרה לנו. על ראשון ראשון ועל אחרון אחרון. כי זה ידוע שבהתחלה בימי יהויקים מלך יהודה אז עלה מלך אשור והגלה כל העשרה שבטים ונשארו כל עריהם חרב מוחרב. וכן גם נ״כ אך יהודה ובנימין וכל הערים שלא החריב תחלה נ״כ. רק העיר ירושלים לבדה נשאר עדיין בישיבה. לכן קונן ירמיה תחילה על כל ערי א״י שהחרבות ושוממות. איכה ישבה בדד העיר. איך נשאר בישיבה רק העיר ירושלים יחידי מכל א״י שהיתה ארבע מאות פרסה, וכל יתר הערים נשארו שממה. ערי קדשיך היו מדבר. וירושלים לבדה נשארה יחידי כתורן בראש ההר. כסוכה בכרם. ולבסוף עלה נ״כ גם על ירושלים ולקח מאתם כל גדולי ישראל. הם יכניה מלך יהודה וכל הסנהדרין והחרש והמסגר. הגם שעוד עדיין נשאר בירושלים עם רב. אכן עטרת תפארת ישראל נלקח מתוכה ואף שנבוכדנצר הושיב בירושלים את צדקיהו למלך ונשאו מאד עכ״ז היו מחויבים לתת לנבוכדנצר מסים וארנונות גדולים לכן קונן ירמיה על גלות יהויכין וגדולי ישראל והסנהדרין והחרש והמסגר. אף רבתי עם. אף שנשאר עדיין בירושלים רבתי עם. עם רב. מ״מ היתה כאלמנה. כמו האלמנה אף שהיא נשארה עדיין על מכונה עם בניה בביתה ובמקומה. אכן תמיד היא ובניה מקוננים כי גדול הבית נלקח מהם. כן מקונן ג״כ ירמיה. אע״פ ברבתי עם. שנשאר עם רב בירושלים. מ״מ היתה כאלמנה. שגדול הבית איננו. כי הגדולים והחשובים נלקחו ממנה. ואח״כ מקונן

1

1. O how has the city that was once so populous remained lonely! She has become like a widow! She that was great among the nations, a princess among the provinces,

1. **O how...remained lonely**—*Jeremiah wrote the Book of Lamentations. This is the scroll that Jehoiakim burned on the brazier that was on the fire* (sic). *It* [originally] *contained three alphabetical acrostics* (*Lam. ch. 1*): *"O how...remained,"* (ch. 2) *"How ... brought darkness,"* (ch. 4) *"How dim ... has become," and he added to it*, (ch. 3) *"I am the man," which contains three alphabetical acrostics, as it is said* (*Jer. 36:32*): *"and there were yet added to them many words like those," three corresponding to three.*—[*Rashi* from *Lam. Rabbah,* Proem 28:3:1] Lest we be inclined to believe that the third chapter, which commences, "I am the man," is the beginning of Jeremiah's writing, and that the first two chapters were written by another prophet, as indeed, many prophets prophesied about the destruction of Jerusalem, *Rashi* states that the first, second, and fourth chapters were written on the scroll that Jehoiakim burned on the fire that was on the brazier. Since the third chapter was added later, it is considered the beginning of a new section and therefore commences, "I am the man." We still have no proof that the first chapters were written by Jeremiah. Perhaps they were indeed written by another prophet! Therefore, *Rashi* states that in Jeremiah, we find that to the text of the original scroll "there were yet added to them many words like those," indicating that the additional chapter is the same length as the original chapters. This coincides exactly with the chapters of the Book of Lamentations.—[*Sifthei Hachamim*] According to other Rabbis, the original scroll bore only the first chapter of Lamentations. All the succeeding chapters were added in the second scroll.

lonely—*solitary, devoid of her inhabitants.*—[*Rashi*]

populous—Heb. רַבָּתִי עָם, great of people. *The "yud" is superfluous, like* רַבַּת עָם*, for her people were many. There are many Aggadic midrashim* [on this verse], *but I have come to explain the language of the Scripture according to its literal meaning.*—[*Rashi*] *Lamentations Rabbah* gives an idea of the population of the land of Israel during the First Commonwealth from the sacrifices that Solomon sacrificed for the dedication of the Temple. Scripture states (I Kings 8:63): "And Solomon slaughtered the peace-offerings that he slaughtered to the Lord, twenty-two thousand oxen, and one hundred and twenty thousand sheep." We learned in the Mishnah (*Yoma* 2:6, 7): A ram is sacrificed by eleven [priests], and a bull by twenty-four [priests], etc. This was in the First Temple. In the Second Temple, King Agrippa wished to take a census. Accordingly, he ordered that everyone take a kidney from

הָיְתָה לָמַס׃ ב בָּכוֹ תִבְכֶּה בַּלַּיְלָה וְדִמְעָתָהּ עַל
לֶחֱיָהּ אֵין־לָהּ מְנַחֵם מִכָּל־אֹהֲבֶיהָ כָּל־רֵעֶיהָ בָּגְדוּ
בָהּ הָיוּ לָהּ לְאֹיְבִים׃ ג גָּלְתָה יְהוּדָה מֵעֹנִי וּמֵרֹב

הג"א בכו תבכה בלילה. סו"ק כו סנהדרין קד : גלתה יהודה מעני. סו"ק סם עקידה שער עא ·

תרגום

למהוי מסכינא ולמתן כרגא להון בתר דנא: ב בכו כד שלח משה נביא אזגדין לאללא ית ארעא ותבו אזגדיא ואפיקו שום ביש על ארעא דישראל והיא ליליא תשעה יומין באב הוה וכד שמעו עמא בית ישראל ית בשורתא בישא הדא דאתבשרו על ארעא דישראל נטלו עמא ית קליהון ובכו בליליא ההוא מן יד תקיף רוגזא דיי בהון וגזר למהוי בכן בליליא הדא לדריהון על חורבן בית מוקדשא וכדו אתאמר בנבואה לירמיהו כהנא רבא למהוי חריבא ירושלם על ידוי דנבוכדנצר רשיעא אין לא תתובון בתיובתא מן יד עאל ואוכח ית עמא בית ישראל וסריבו לקבלא במימריה בכן עאל נבוכדנצר רשיעא וצרא ית ירושלם ובית מוקדשא אוקיד בנורא בתשעה יומין בירחא דאב וביה בכיא כנשתא דישראל בכותא ודמעהא זליג על ליסתהא ולית די ימליל תנחומין על לבהא מן כל טעוותא די רחמתא למיזל בתריהון ובגין כן כל חברהא ארשיעו בה אתהפיכו למהוי לה לבעלי דבבין: ג גלתת איזילו בית יהודה בגלותא על דהוו מענין יתמין וארמלן ועל סגיאות פולחנא דהוו מפלחין באחוהון בני ישראל דאזדבנו להון ולא קרו חירותא לעבדיהון ולאמהתהון דהוו מזרעית ישראל ובגין כן אף אנון אתמסרו ביד עממיא וכנשתא דבית יהודה יתבא בגו עממיא ולא אשכחו ניחא מפולחנא קשיא דשעבידו יתה וכל דהוה רדיף יתה אדביקו

רש"י

בעלה למדינת הים ודעתו לחזור אליה: (ב) **בכו תבכה.** שתי בכיות על שתי חורבנין: **בלילה.** שהמקדש נשרף בלילה דאמר מר לעת ערב הציתו בו את האור. דבר אחר בלילה לילה של בכיית מרגלים בתשעה באב גרמה להם. דבר אחר בלילה שכל הבוכה בלילה השומע קולו בוכה עמו: **ודמעתה על לחיה.** מתוך שהיא בוכה תמיד: **כל רעיה.** ד אוהביה: (ג) **גלתה יהודה.** מאליה: **מעני.**

שפתי חכמים

וקיימים עד ישוב ה' מחרון אפו וישובו אליהם וכ"ש אם שב אל הסתלקות השכינה שאינה אלמנה ממש: ג בפרק חלק בלילה על עסקי לילה ופירש רש"י לפי שבכו אותו לילה בכיית חנם ומסיק בגמרא אמר להם הקב"ה לישראל אתם בכיתם בכייה של חנם ואני אקבע לכם בכייה לדורות ולפי זה יהיה פירוש הכתוב בכו תבכה בשביל עסקי לילה כלומר על מה שבכיתם בלילה: ד דק"ל והיינו לעיל רעים.

פי' הטעמים לראב"ע

(ב) כל הלא ישן בלילה והיא תמיד בוכים ולא די שאין לה מנחם מכל רעיה עד ששבו לאויבי' לה: (ג) כאשר לא יכלה לסבול עני המלכות

אבן עזרא

כמו אויבתי לדוש ועמדה מלת גנובתי יום מלרע בעבור השתנות הבי"ת: רבתי בגוים. איננה כראשונה רק בלשון גדולה כמו ורבי המלך על כל רב ביתו. ונפתחה למ"ד למס להורות על ה"א הדעת הנעדר ולא נדגש המ"ם להקל על הלשון: (ב) וי"ו בכו תחת ה"א כי אותיות אהו"י מתחלפות כמו הסכלת עשו: (ג) יהודה. זכר ונקבה כישראל ומצרים והחזק מצרים. ויש מפרשים המצרים מדברי מעתיקי הדת ז"ל דינא דבר מצרא והישר בעיני מן המצר ואם הוא משוגה מעט והרי"ש ראוי להדגש. נמצא דרך זכר ונקבה כבית ומקום:

לקוטי אנשי שם

ירמיה על גדולי המסים שהטיל עליהם כ"כ. לכ"א אע"פ שעתה רבתי בגוים שרתי במדינות בצדקיהו מלך יהודה שלים היה על חמשה מלכים שמינהו נ"נ עכ"ז היתה לתת ליתן מס גדול לנ"נ. עכ"ז על כל אלה הצרות לא בכו ישראל כ"כ. בכה תבכה בלילה. מתי בכו כל ישראל בכי רב. בלילה. בלילה כשהציתו אש בבהמ"ק. אז בכו כל ישראל בכי רב בקול רעש גדול. ואחר שנשרף הבהמ"ק הגלה נ"נ את יתר הפליטה לבבל ידיהם מקושרים לאחוריהם מהיים על צוארם. ועל זה מקונן ירמיה גלתה יהודה מעוני. בעניים קשים. ומרוב עבודה בעבודה קשה. ואח"כ כשגלו כולם נשאר כל ארץ ישראל שממה. וכ"ב שנה אפילו בהמה ועוף לא עברו בה. ונשמו כל הדרכים וע"ז מקונן דרכי ציון אבלות שעריה שוממין שבת כל עוברי אורח (לקוטי רלב"ג):

קיצור אלשיך

האשה ההיא לא נסתה בראשיתה כ"א בעושר ונכסים ועבדים ושפחות ותהי להיפך כי האשה אשר כל אלה לא תוסיף עצב עמה כ"א חסרון להם כ"א תחת היותה רבתי בגוים ביקר ותפארת עושר ונכסים ושרתי ומושלת על המדינות ועתה היא היתה למס זו ירושלים:

(ב) בכה תבכה בלילה דרך המר והנאנח לבכות לאחד משני סבות או למען יראוהו אוהביו ורעיו וינחמוהו: ויעלו ארוכה למכתו שנית לשכך אש חמתו בוערה בקרבו בימי בכיתו והנה הבוכה מבחינה הא' הלוך ילך ובכה לעין כל במקום רואים אולי רואיו ינחמוהו. אך אשר אין לו מנחם ובוכה מהבחינה השנית. במסתרי' תבכה נפשו כי למה יתבזה לעיני כל לבלתי הועיל. יאמר כי פה היתה הבכיה מהסוג השני וע"כ לא היתה בוכה רק בלילה שאין רואה. וזהו בכו תבכה בלילה ולא ביום. ועכ"ז ודמעתה על לחיה גם ביום מאליה. ולמה בכתה בלילה ולא ביום מחמת שאין לה מנחם מכל אוהביה ע"כ ייחדה זמן בבכייתה בלילה. ומי הגיד לה שלא היו מנחמים אותה אלו בכתה ביום לזה אמר ודמעתה על לחיה ביום מבכית הלילה ומכל מקום אין מנחם לה מן כל אוהביה. כל רעיה בגדו בה. איתא במדרש רעיה אלו מיכאל וגבריאל שתמיד היו מלמדין זכות על ישראל. ובשעת החורבן הם בעצמם הציתו אש בבהמ"ק. והיו לה לאויבים:

(ג) גלתה יהודה מעוני. על שאכלו חמץ בפסח. דכתיב לחם עוני. ועל שגזלו מתנות עניים. שלא נתנו מעשר עני. דבר אחר מעוני שהיו עניים. ומרוב עבודה ששעבדו עמהם הכשדים עבודות קשות. ומחמת שהיא ישבה בגוים כשנכנסו ישראל לא"י לא הורישו את כל הכנענים אשר בה ועברו על לא תחיה כל נשמה. ע"כ לא מצאה מנוח. כמ"ש והיו לשכים בעיניכם ולצנינים בצדיכם. ע"כ כל רודפיה השיגוה בין המצרים. כשהיו הכשדים רודפים את ישראל להכותם ולהרגם. והיו ישראל יכולים להציל א"ע ולא הניחום הכנענים לברוח. והיו בין המצרים. מצר מצד זה הכשדים. ומצר מצד השני הכנענים וישראל

has become tributary. 2. She weeps, yea, she weeps in the night,
and her tears are on her cheek; she has no comforter among all her
lovers; all her friends have betrayed her; they have become her
enemies. 3. Judah went into exile because of affliction and great

each Passover sacrifice and bring it to him. There were 600,000 pairs of kidneys, twice the number of the Jews who left Egypt, and each Passover sacrifice was brought by at least ten people.

She has become like a widow—*but not really a widow; rather, like a woman whose husband went abroad and intends to return to her.*—[*Rashi* from *Sanh.* 104a] *Akedath Yitzhak* divides the verse as follows: How has the city that was once so populous remained lonely! She that was great among the nations became like a widow. A princess among the nations became tributary. He explains the verse as follows: There are three situations that a person cannot tolerate: 1) when one who was accustomed to a social life, enjoying the company of many important people, especially if they were his kinsmen and household members, loses his money and finds himself without a friend; 2) when a respected person who was active in various types of work, accomplishing feats requiring great mental and physical strength, finds himself devastated by the loss of his mental and physical powers; 3) when a person who exerted power over others finds himself governed by others. All these calamities befell Jerusalem. First, Jerusalem, which was densely populated, became lonely, devoid of its people. Second, Jerusalem, which was so active in its great deeds, became like a widow who loses her position which enabled her to perform many deeds as the mistress of her husband's home. Third, the princess of the provinces now became subservient to other nations.

2. **She weeps, yea, she weeps**—*weeping twice over the two destructions.*—[*Rashi* from *Sanh.* 104b]

in the night—*for the Temple was burned at night, as the master said* (*Ta'an.* 29a): *"At eventide, they ignited the fire upon it." Another explanation: because of the night—the night of the weeping of the Spies on the ninth of Av caused it to happen to them* (*Lam. Rabbah* ms. 1:178, *Targum, Sanh.* 104b, *Ta'an.* 29a). [i.e., Because they wept for nothing when the Spies returned with their report about the land of Canaan, they were punished with weeping for generations to come]. *Another explanation: in the night—for whoever weeps at night, the one who hears his voice weeps along with him* (*Lam. Rabbah* 1:24, *Sanh.* ad loc.)—[*Rashi*]

and her tears are on her cheek—*since she weeps constantly.*—[*Rashi*]

among all her lovers—Among all the prophets, for all the prophets at the time of the destruction predicted only doom, as in Jeremiah 38:4: "for this man does not seek the welfare of this people but their harm."—[*Palgei Mayim*]

עבדה היא ישבה בגוים לא מצאה מנוח כל־רדפיה השיגוה בין המצרים: ד דרכי ציון אבלות מבלי באי מועד כל־שעריה שוממין כהניה נאנחים בתולתיה נוגות והיא מר־לה: ה היו צריה לראש איביה שלו כי־יהוה הוגה על־רב־פשעיה עולליה הלכו שבי לפני־צר: ו ויצא מן־בת־ מבת קרי

הו"א דרכי ציון אבלות. שקידה שער עת: בתולותיה נוגות. ברכות כח: היו צריה לראש אויביה. סו"כ כו גיטין נו סנהדרין קד: ויצא מן בת ציון כל הדרה. יומא נג:

יתה כד היא מתחבאה בין תחומיא ואעיקו לה: ד דרכי כל זמן דהוה ירושלם מתבניא סריבו ישראל למיסק לירושלם לאתחזאה קדם יי תלת זמנין בשתא ועל חוביהון דישראל איצטדיאת ירושלם ואתעבידו שבילי ציון אבילן מדלית עאיל בה בזמן מועדיא כל תרעהא צדיין וכהנהא אנחין על די בטילו קורבניא בתולתהא ספדן על די פסקו למיפק בחמשא עשר יומין באב וביומא דכפוריא די הוא בעסרא יומין בתשרי לחינגא בחינוגין אף איהי מריר לבא לחדא: ה היו הוו מעיקהא מתמנן עלהא לרישין ובעלי דבבהא הוו יתבין בשלוה ארום יי תבר יתה על סגיאת מרודהא רביהא אזלו בשביתא קדם מעיקהא: ו ויצא ונפק מן כנשתא דציון כל זיוהא הוו רברבנהא מסתחרן על מיכלא

רש"י

מחמת עוני: ומרוב עבודה. שהכבידו עליה כשדים: היא ישבה בגוים. ובמקום שגלתה ה ויסבה שם לא מלאה מנוח: בין המצרים. שיש גובה מכאן ומכאן ואין מקום לנוס: המצרים. גבולים של שדה וכרם. ומדרש אגדה בין שבעה עשר בתמוז לתשעה באב: (ד) באי מועד. עולי רגלים: נוגות. לשון יגון ואין שורש בתיבה אלא הגימ"ל לבדה: (ה) שלו. יושבים ו בשלוה: הוגה.

שפתי חכמים

לכ"ש הוהביה: (ד"ה מעוני) מחמת דק"ל היולא מעוני ומעבודה פדות וגאולה היא ולא גלות והיך אמר גלתה יהודה מעוני ומרוב עבודה. לכ"פ גלתה יהודה מאללה מעוני מחמת עוני: ה דק"ל אם ישבה בגוים לא מלאה מנוח אז נוח לה שילאה ממנה ולמה מקונן על זה. לכ"פ במקום בגלתה ויסבה שם לא מלאה מנוח: ו דק"ל אם הם אויבים אינם בשלוה עמהם לכן פירש יושבים בשלום לא שהם

אבן עזרא

(ד) באי מועד. שהיו באים במועדים והטוב בעיני שהוא המקדש ונקרא מועד בעבור היות כל ישראל נועדים שם וכן בקרב מועדיך שרפו כל מועדי אל בארץ: שוממין. נו"ן תמורת מ"ם וכן קח לך הטין לקן הימין כי הנו"ן והמ"ם משרתים בסוף המלה סימן רבים ורבות: נוגות. מבנין נפעל וכן נוגי ממועד שהם מלשון הוגה ויגון והתי"ו והנו"ן נוספים: (ה) היו צריה. כל אחד לראש וכן בנות צעדה עלי שור כל אחת מהן: שלו. מגזרת שלוה: הוגה. מן הבנין הכבד הנוסף מיגון וכן תגיון נפשי: הלכו שבי. בחסרון בי"ת כמו הנמצא בית ה': (ו) יחסר מקום אשר אהר כאילים

פי' הטעמים לראב"ע

והעבודה הקשה אשר עובד בה גלתה מארלה גם לא מלאה מנוח במקום שהלכה שם ובאה לשוב ורדפוה והשיגוה במקום צר: (ד) שוממין שעריה בשה נאספו זקני ישראל הבאים ויאנחו כהנים כי אין להם בכורים ומעשר ודאגו שבתולות שהיה מנהגן לחול במחולות בכל חג: (ה) אויביה שם בשלום והיא לבדה בהוגה ועוללים שאין להם עון נשבו ברוב פשעים: (ו) הזכיר בפסוק שלמעלה

קיצור אלשיך

וישראל נהרגו ביניהם. (ד) דרכי ציון אבילות וגו'. איתא במדרש אמר רבי אבדימי דמן חיפא אפילו דרכים מבקשין תפקידן הה"ד דרכי ציון אבלו' מבלי באי מועד. דהנה איתא בזוהר בהיות שכל מצוה שאדם עושה נעשה מלאך גם הפסיעות של עולי רגלים בשירות ותשבחו' ובכונת הלב היו נבראים מלאכים בדרכים ההם והם הם המתאבלים על בלי באי מועד המקנים בם קדושה יתרה בכל פעם שיעלו לרגל על קדושתם הקודמת. וע"כ יצדק שיהיו הדרכים מתאבלים. כי שם היו מלאכים שנבראו ע"י באי מועד. והנביא ירמיה אומר להקב"ה אם אינך עושה בגין ישראל עשה בגין ציון. דרכי ציון שהן אבלות כי המלאכים שנעשו בדרכים הם מתאבלים על העדר ישראל ישובו להיות באי מועד ועשה זאת בגינם. ואם אינך עושה בגינם עשה בגין שעריה היותר קרובים אל הקדושה וגם המה שוממין המלאכים שנעשו בביאת השערים לעבוד את ה'. וכן כהניה המה כהני בית ראשון שעליהם נאמר יראת ה' תוסיף ימים נאנחים על בלי מביאי קרבנות בית ה'. וכן בתולותיהן המשוללות חטא והן נוגות על בחורי ישראל ועשה למען אנחתן וגם למען ציון עצמה לא תחשה כי היא מר לה. כי כלה ה' המתו שפך חרון אפו ויצת אש בציון ותאכל יסודותיה ובמה תנוחם אם תושיע את בניה ותחזירם לה:

(ה) היו צריה לראש וגו'. צ"ל צריה לשון רבים היה לו לומר לראשים ומדוע אומר לראש. אלא כונתו כי האומות שהיו צרים לישראל עם היות שעד עתה היה לאומה אחת עם אחרת מהלוקת ומלחמה ביניהם. עתה כאשר רצו להלהם עם ישראל עשו שלום ביניהם ונעשו כולם לראש אחד וע"כ אמר היו צריה לראש. כי כולם שמו עליהם ראש אחד כדי להצר לישראל ולהלחם בם. והאומות שהיו אויביה שלו. עשו שלום ביניהם. אלו עם אלו כדי להלחם עם ישראל. והטעם. כי ה' הוגה על רוב פשעיה. ואמר עוד עולליה הלכו שבי לפני צר. חז"ל אמרו [ב"ב פ"א] שבי קשה אפילו מחרב. כי השבוי הוא ביד השובה לעשות בו כרצונו. והאויבים שבו דוקא את העוללים לעבוד בהם עבודת פרך:

(ו) ויצא מן בת ציון כל הדרה. אמרו רז"ל גלו ישראל לא גלתה שכינה. גלו סנהדרין ולא גלתה שכינה. גלו תינוקות של בית רבן מיד גלתה שכינה. הה"ד עולליה הלכו שבי לפני צר מיד ויצא

לקוטי אנשי שם

(ד) דרכי ציון אבלות מבלי באי מועד. כל שעריה שוממין. כהניה נאנחים. להבין מה שייך אלו הג' דברים זה לזה. והענין כי על ג' דברים העולם עומד. על התורה והעבודה וגמילות חסדים. ובהיותנו יושבים בארצנו ובירושלים עיר הקודש. בעת שעלו כל ישראל לרגל. אז היינו מחזיקים כל אלו הג' עמודים. בכל שערי ירושלים הי' בית תלמוד תורה. ושם היו כהנים בעבודתם והקריבו קרבנות. ובעת שהיו כל ישראל יחד ברגל היו מפריסים ללבבי העניים במעשר עני ומתנות ליתומים ואלמנות. ומיום שחרבה עירנו בטלו כל אלה. וע"ז מקונן ירמיה ואמר מיום שדרכי ציון אבלות מבלי באי מועד. בטלה הג"ח. שעריה שוממין בטלו בתי תורה. כהניה נאנחים שבטלו הקרבנו' (תולדות נח):

(ה) היו צריה לראש וגו'. חורבן בית ראשון היה ע"י נבוכדנצר ונבוזראדן. והם האמינו כי לא בכחם ועולם ידם כבשו את ישראל. רק ה' הסגירם לידם בעונותיהם כי רבו. והאמינו לדברי הנביא ירמיה. ע"כ הקב"ה לא העניש כאשר העניש את פרעה וסנחריב. כי המה כפרו בה'. פרעה אמר מי ה' לא ידעתי את ה' סנחריב אמר מי בכל אלהי הארצות אשר הציל

servitude; she settled among the nations, [and] found no rest; all her pursuers overtook her between the boundaries. 4. The roads of Zion are mournful because no one comes to the appointed season; all her gates are desolate, her priests moan; her maidens grieve while she herself suffers bitterly. 5. Her adversaries have become the head, her enemies are at ease; for the Lord has afflicted her because of the multitude of her sins; her young children went into captivity before the enemy. 6. And gone is from the daughter

all her friends—*her lovers.*—[*Rashi*]

3. **Judah went into exile**—*from her land.*—[*Rashi*]

because of affliction—Heb. מֵעֹנִי, *because of affliction.*—[*Rashi*]

and great servitude—*with which the Chaldeans burdened her.*—[*Rashi*] The *Targum* paraphrases: because they would afflict orphans and widows and because they would overwork their brethren, the Israelites, who were sold to them, and they did not proclaim freedom to their slaves and maidservants who were of the family of Israel.

she settled among the nations—*and in the place where she was exiled and settled she found no rest.*—[*Rashi*]

[and] found no rest—from the hard labor with which they burdened her.—[*Targum*]

between the boundaries—*where there is a high place on either side, and there is no place to flee.*—[*Rashi*]

the boundaries—Heb. הַמְּצָרִים, *the boundaries of fields and vineyards. The Midrash Aggadah* (*Lam. Rabbah* 1:29) *explains: between the seventeenth of Tammuz and the ninth of Av.*—[*Rashi*] *Ibn Ezra* suggests two meanings: 1) between the boundaries, 2) between the straits. [Obviously, the *Midrash Aggadah* adopts the latter definition, explaining that the straits are the two days of calamity: 1) the 17th of Tammuz when the walls of the city were breached and 2) the 9th of Av when the Temple was destroyed and the population was exiled.]

4. **The roads of Zion are mournful**—[It is as though the roads mourn that the pilgrims no longer traverse them to come to Jerusalem for the pilgrimage festivals.] *Lechem Dim'ah* explains that just as a mourner lets his hair grow and does not cut it, so were the roads of Zion overgrown with grass because they were no longer traversed by pilgrims.

because no one comes to the appointed season—*the pilgrims who went up for the festivals.*—[*Rashi*] *Ibn Ezra* explains: because no one came to the place of meeting, viz. the Temple. The *Targum* explains that the roads were mournful and desolate because the people neglected to make the required pilgrimages on the three festivals.

צִיּוֹן כָּל־הֲדָרָהּ הָיוּ שָׂרֶיהָ כְּאַיָּלִים לֹא־מָצְאוּ מִרְעֶה
וַיֵּלְכוּ בְלֹא־כֹחַ לִפְנֵי רוֹדֵף׃ ז זָכְרָה יְרוּשָׁלִַם יְמֵי
עָנְיָהּ וּמְרוּדֶיהָ כֹּל מַחֲמֻדֶיהָ אֲשֶׁר הָיוּ מִימֵי קֶדֶם
בִּנְפֹל עַמָּהּ בְּיַד־צָר וְאֵין עוֹזֵר לָהּ רָאוּהָ צָרִים שָׂחֲקוּ
עַל־מִשְׁבַּתֶּהָ׃ ח חֵטְא חָטְאָה יְרוּשָׁלִַם עַל־כֵּן לְנִידָה
הָיָתָה כָּל־מְכַבְּדֶיהָ הִזִּילוּהָ כִּי־רָאוּ עֶרְוָתָהּ גַּם־

תו"א היו שריה כאילים. שבת קיט: כל מכבדיה הזילוה כי ראו ערותה. יומא נד זוכר פ' מקץ:

היכמה דמסהבן איליא
במדברא ולא אשכחו אתר
כשר למרעיהון ואזלו בתשות
כחא ולא הוה להון חילא
למערוק לאשתזבא קדם רדפא:
ז זכירה הוות דכירא ירושלם
יומין קדמאין די הוות מדורא
בכרכיא ובפציחין תקיפין
ומרדא ושלטה בכל עלמא וכל
ריגוגהא דהוו לה מן יומין
קדמאין ועל חובא נפל עמה בידוי דנבוכדנצר רשיעא ואעיק להון ולית דסייע לה חזוהא מעיקיא
דאזלא בשביתא חייכו על טובהא די פסק מבינהא: ח חטא חובא רבא חבת ירושלם בגין כן

רש"י

הדאיבה והוא לשון יגון: (ו) כאילים לא מצאו מרעה. כאילים אשר לא מלאו מרעה שאין להם כח לברוח שהוהלא כחם ברעב: לפני רודף. כל רודף שבמקרא חסר וזה מלא שכרדפו רדיפה שלימה") על כן יסד הפייט מלא רודפתי וחסרה שנת גאולי שבה הסר כתיב: (ז) זכרה ירושלם. בגלותה: ימי עניה. ימו חורבנה ז שהביאה לידי עוני: ומרודיה. הוא לשון לער כמו (שופטים יא לז) וירדתי על ההרים (תהלים נה ג) אריד בשיחי ואהימה: כל מחמדיה. וזכרה כל טוב ח מחמדיה שמימי קדם: שחקו על משבתיה שמחו על שביתת משושה חגה חדשה ושבתה ט ומ"א דורשו בלשון אחר שהיו שובתין בגולה בשבתות וימים טובים ושומטים בשביעית והיו העכו"ם משחקים עליהם ואומרים שוטים בארצכם לא שמטתם ועכשיו בגולה תשמטו בארצכם לא שמרתם ועכשיו בגולה תשמרון: (ח) לנידה. לגולה לשון נע ונד אישמוב"ר

שפתי חכמים

בשלוה עמהם. ") על כן יסד הפייט מלא רודפתי וחסרה שנת גאולי ומפרש רש"י דשנת גאולי חסר כתיב: ז דק"ל דברים דסתרי אהדדי כיוסו דאם זכרה ימי עניה אם כן לא היו מחמדיה ואם מחמדים אינם ימי עניה. לכ"פ דאינם בזמן אחד דימי עניה הם אחר החורבן חכרה ימי חורבנה שהביאה לידי עוני וכל מחמדיה שמימי קדם קודם הורבנה: ח לאפוקי שלא תפרש ספרי תורות כמו שפירש בסמוך ידו פרש לר על כל מחמדיה. לכ"פ דהכא פירושו כל טוב מחמדיה דהכא בענין הטובות שהיה לה משתעי: ט וקשה בזה דמשמע דרש"י מפרש שבתותים לשון השבתה וביטול ואה"כ אמר משושה חגה חדשה ושבתה ומשמע דמפרשו לשון שבת ונראה דכוונת רש"י דאי לשון השבת' דבר לחוד הוא וביינו השבת' המקדש כל"ל שחקו על שוממותיה אלא עכ"ל על שביתת חדשה ושבתה. ואם תאמר אם הולך לפרש לשון שבת א"כ למה לא מפרשו כמדרש אגדה שהוא לשון שבת לחוד.

אבן עזרא

וכן כמים ליס מכסים: (ז) ימי עניה. כמו כי שבת ימים עשה ה': ומרודיה. בגלות והמ"ס שרש: (ח) לנידה. ללעג כמו מנוד ראש וניד שפתי והוא מגזרת נע ונד: הזילוה. הפך הכבוד כמו להוציא יקר מזולל רק הוא משורש אחר או טעמו הורידו' או עשו שתזל

פי' הטעמים לראב"ע

שאויבים ראשים וכל הדרה ילא מליון היא המלכות: (ז) אם בזה לזכור בגלותה בנפול עמה ביד צר וכל חמודיה הקדמונים שחקו צריה כי נשבתה ממעשיה אין לה מה שתעשה: (ח) כאשר ראו

קיצור אלשיך

מן בת ציון כל הדרה. הדרה זה הקב"ה שנאמר הוד והדר לבשת. וע"ד הפשט קרא הדרה לשלמים וגדולי הדור. וכונתו על החרש והמסגר שהיו גדולי עולם בחכמה ובחסידות וארז"ל שהוא יתברך הקדים גלותם י"א שנה קודם החרבן שיכינו בבבל ישיבות לתלמוד אתר החורבן פן תשתכח תורה מישראל. וירמיה אמר עולליה הלכו שבי לפני צר. שגלו לבבל. ע"כ ויצא מבת ציון כל הדרה. כל גדולי הדור. כדי שילמדו תורה עם התינוקות. ושמא תאמר מדוע החרש והמסגר הלכו מירושלים י"א שנה קודם והניחו העוללים בירושלים י"א שנה בלא תורה. אל תתמה על זה כי היו שריה [הת"ח הנ"ל] כאילים לא מצאו מרעה. אין לך רחמן בכל החיות כהאיל כמאמרם ז"ל ע"פ כאיל תערוג וגו'. כי בהיות עצירת מטר וכל החיות מבקשים מים הן מתקבצות אל האיל שהוא חסיד שבחיות וחופר ברגלו בארץ ותוקע קרנו בההפירה וגונח וצועק עד שנענה והנה עם רחמנותו על החיות ומה גם על צאצאיו. ועכ"ז כשאין מרעה עוזבת ילדיה והולכת לה כמאמר הכתוב גם אילת בשדה ילדה ועזוב כי לא היה דשא. כי לא תעצור כח לראות במיתתן. וע"ז יאמר פה כי כן היו שריה הם הדרה גדולי חכמי ישראל הנ"ל היו כאילים לא מצאו מרעה שעוזבות ילדיהן והולכות כן החרש והמסגר הניחו עולליהם ותלמידיהם להעדר מזונותם להחיות נפשם ובחרו בהליכתם מהם פן יראו ברעתם. כי מאז היו מזי רעב וכ"כ היה לבם מר על בלתי היות להם יכולת להחזיק בידם שהיו מאריכין פסיעות עד גדר שוילכו בלא כח לפני רודף. עם שהרודף דרכו לרוץ עכ"ז הם בהליכה טבעית בלי ריצה עם היות ההלוך בלא כח היו יכולים ללכת יותר ממרוצת הרודף. כי הוא רודף ותמיד הם לפניו. וזה לבל יראו ברעת התלמידים:

(ז) זכרה ירושלים וגו'. הנה כל הרעות והצרות שהיה להם בהיותם במצרים כאשר הורגלו בהם לא הרגישו בהם כ"כ. רק כאשר בא גזרה חדשה אז הרגישו מחדש. וכאשר באו לא"י והיו שמה ברוב טובה. אז הבינו באיזה רעה וצרה היו במצרים וכאשר הורגלו בטובת א"י לא הרגישו את מתיקת הטובה. וכאשר נתגרשו מא"י. והיו ברעה גדולה. אז הרגישו השלוה שהי' להם בא"י. וזהו אומרו זכרה ירושלים ימי עניה ומרודיה. וגם זכרה כל מהמדיה. אשר שניהם היו לה מימי קדם. תחלה עניה ומרודיה שהיו לה במצרים ואחר זה כל מחמדיה שהיו לה בירושלים ומתי היא זוכרת אותם בנפול עמה ביד צר ואין עוזר לה. ראוה צרים שחקו על משבתיה. איך היא יכולה להיות בשובה ונחת בגולה. ואיננה עושה תשובה שתגאל:

(ח) חטא חטאה ירושלים. הנה ירושלים הורגלה בחטאים כי גם יהושע בן נון הוכיח את ישראל שיעזבו אלהי הנכר והעיד הכתוב כי אחרי מות יהושע והזקנים ויעבדו את הבעלי' ועשו עבירות חמורות ואעפ"כ

לקוטי אנשי שם

אהכם מידי לכן גם לא האריכו בשלותם. אבל נבוזראדן וכ"כ האריכי בשליהם. זש"ס היו לריה לראש אויביה שלו יען האמינו כי ה' הוגה על רוב פשעיה. ע"כ עולליה הלכו שבי לפני לר. גם התינוקות שב"כ שבו והקדימן לפני כל השבוים. להראות בנקל היה לו לכבוש את כל ישראל כתינוקות אלו. מהמת שהקב"ה הסגיר את כל ישראל בידו מחמת עונותיהם:

of Zion all her splendor; her princes were like harts who did not find pasture and they departed without strength before [their] pursuer. 7. Jerusalem recalls the days of her poverty and her miseries, [and] all her precious things that were from days of old; when her people fell into the hand of the adversary, and there was none to help her; the enemies gazed, gloating on her desolation. 8. Jerusalem sinned grievously, therefore she became a wanderer; all who honored her despised her, for they have seen her shame; moreover,

her priests moan—because of the cessation of the sacrificial service.—[*Targum*]

her maidens grieve—Heb. נוּגוֹת, *an expression of grief* (יָגוֹן), *and there is no radical but the "gimel" alone.*—[*Rashi*] *Rashi* follows *Menahem*'s view that a radical may consist of one or two letters. However, later grammarians believe that a radical must consist of at least three letters. The root is therefore יגה. See *Sefer Hashorashim, Redak, Ibn Ganah.*

6. **like harts who did not find pasture**—*like harts who did not find pasture, who have no strength to flee, for their strength has been weakened by hunger.*—[*Rashi*]

pursuer—Heb. רוֹדֵף. *Every* רֹדֵף *in Scripture is defective* (רֹדֵף), *but this one is full* (רוֹדֵף), *for they were pursued with a full pursuit. Therefore the paytan* (the liturgical poet) *composed* (Selichot for High Holy Days, no. 61, recited on the third penitential day according to the Polish rite, and on the second penitential day according to the Lithuanian rite)*: "I was fully pursued, but the year of my redemption is missing,* (גְּאָלַי)." (Isa. 63:4): *"The year of my redemption* (גְּאָלַי) *has arrived" is spelled defectively.*—[*Rashi*] [Note that in our editions, it is spelled גְּאוּלַי.]

7. **Jerusalem recalls**—*in her exile.*—[*Rashi*]

the days of her poverty—*the days of her destruction, which brought her to poverty.*—[*Rashi*]

and her miseries—Heb. וּמְרוּדֶיהָ. *This is an expression of pain, like* (*Jud. 11:37*): *"and I wailed* (וְיָרַדְתִּי) *upon the mountains"*; (Ps. 55:3): *"I lament* (אָרִיד) *in my speech, and I moan."*—[*Rashi*]

all her precious things—*And she remembered all the good of her precious things that were from days of old.*—[*Rashi*] *Ibn Ezra* renders: Jerusalem recalls in the days of her poverty and her miseries all her precious things, etc.

gloating on her desolation —Heb. מִשְׁבַּתֶּהָ. *They rejoiced over the cessation of her festivals, her New Moons, and her Sabbaths; and the Midrash Aggadah (Lam. Rabbah) interprets it as a different expression, that they rested in exile on the*

היא נֶאֶנְחָה וַתָּשָׁב אָחוֹר: ט טֻמְאָתָהּ בְּשׁוּלֶיהָ לֹא זָכְרָה אַחֲרִיתָהּ וַתֵּרֶד פְּלָאִים אֵין מְנַחֵם לָהּ רְאֵה יְהוָה אֶת־עָנְיִי כִּי הִגְדִּיל אוֹיֵב: י יָדוֹ פָּרַשׂ צָר עַל

תו"א טומאתה בשוליה. יומא נז קמא נה: ידו פרש לד. יבמות עו:

בְּטַלְטוּל הֲוַת כָּל עַמְמַיָּא דַהֲווֹ מְיַקְּרִין לָהּ מִלְּקַדְמִין נָהֲגוּ בַהּ זִילוּתָא אֲרוּם חֲזוֹ בִדְקָהָא בְּרַם הִיא מִתְאַנְּחָא וְהִיעַת לַאֲחוֹרָא: ט סְאוֹבַת טְמָאתָהּ דַּם רִיחוּקְהָא בְּשִׁיפוֹלָהָא לָא אִדְכִּיאַת מִנֵּהּ וְלָא תָהֲת עַל חוֹבָאָה וְלָא דְכִירַת מַה דַעֲתִיד לְמֵיתֵי עֲלָהָא בְּסוֹף יוֹמַיָּא וּנְחָתַת וּנְפָלַת וַהֲוָת פְּרִישָׁן וְלֵית דְּמַלֵּיל תַּנְחוּמִין לָהּ חֲזֵי יְיָ וְתֶהֱוֵי מִסְתַּכַּל אֲרוּם אִתְרַבְרַב עֲלַי בְּעֵל דְּבָבָא: י יְדוֹי יְדֵיהּ אוֹשִׁיט נְבוּכַדְנֶצַּר רַשִׁיעָא וּשְׁלַף סַיְפָא וּקְטַע כָּל רִינוּגָהּ אַף כְּנִשְׁתָּא דְּיִשְׂרָאֵל שְׁרִיאַת לְיַלְלָא אֲרוּם חֲזַת עַמְמִין נוּכְרָאִין עָלוּ לְבֵית מוּקְדְּשָׁהּ דִּי פַקֵּדְתָּ עַל יְדוֹי דְּמשֶׁה נְבִיָּא עַל עַמּוֹן וּמוֹאָב דְּלָא יִדְכּוּן

רש"י

בלע"ז: ערותה. קלונה: נאנחה. לשון נפעלה שופיר"ר בלע"ז. שמעו כי נאנחה אני הוא שם דבר שוספוריר"א: (ט) טומאתה בשוליה. לשון נקיי הוא דם נדותה ניכר בשולי בגדיה כלומר הטאותיה גלויין הרבה שאתן בגלוי: לא זכרה אחריתה. כשהיו חוטאין לא נתנו לב מה תהיה אחריתן י לפיכך ותרד פלאים ירידתה נפלאת פלאים הרבה שהכל מפליאים שאירע לה מה שלא אירע לכל עיר: (י) ידו פרש צר. עמון ומואב: על כל

שפתי חכמים

וי"ל דאם כן הל"ל שהקו על בבתים ומדאמר משכתיס ש"מ תרתי כן הוא לפי פשוטו. ומדרש אגדה דורשו לשון שבת נאוד: י דק"ל לא תזכור

אבן עזרא

דמעתה: (ט) פלאים. ירדה ירידה: (י) כי ראתה גוים. על ירושלים שבה:

פי' הטעמים לראב"ע

ערותה נאנחה והשיבה פניה לאחור מפני הכלמה: (ט) כשהיה בתחלה דם הנדות נראה בשוליה לא פחדה לזכור שמא תהיה ערותה בסוף והיה מגולה ירדה למטה לא תראה ראה ה' כי הגדיל אויב לעשות או לדבר. פירוש אחר ותרד פלאים כמו והספוד מעניין וירדתי על ההרים נהי על המון מצרים. והורידוהו. וכן אריד בשיחי וכולם שני עקרים ירד וריד: (י) כאשר ראתה כי באו מקדשה עמון ומואב שלא קדמו אותם בלחם ובמים באחם ממצרים מרוב אכזריות

קיצור אלשיך

ואעפ"כ לא נתגרשו מן הארץ ולא הי' חורבן כמו זה והטעם כי אז היה חטאם בגלוי. וכאשר הצדיקים שבדור ראו הטאם היו מובדלין מהחוטאים. ולא התערבו הצדיקים עם הרשעים. וגם הוכיחו אותם. והחוטאים כאשר ראו כי נבדלו מקהל ישראל חזרו בתשובה. או כאשר שלח עליהם הקב"ה את מואב ומדין ושארי ממלכת הגוים. ויזעקו ישראל לה' וחזרו בתשובה ומחל להם הקב"ה ושלח להם מושיע ויושיעם. וזהו אומרו מכבר חטא חטאה ירושלים כמה חטאים גדולים. בפרסום. ע"כ לנדה היתה. כמו נדה רחוקה מבעלה עכ"ז דרה עם בעלה בבית אחד. ואחרי טהרתה מתחברת עמו. יען כל מכבדיה, האנשים המכובדים שבהם הזילוה. על חטאם. כי ראו ערותה. המכובדים ראו העבירו' שעושים. והיו יכולים להוכיחם. גם היא נאנחה. החוטאים ג"כ נאנחו ותשב אחור מן העבירות ועשו תשובה. אבל בעת החורבן (ט) טומאתה בשוליה. החטאים היו טמונים תחת שולי בגדיהם כמו שכתוב אחרי הדלת והמזוזה שמת זכרונך שהיו מטמינין עבודה זרות שלהן אחורי הדלת בל יראו. ומראין עצמם צדיקים. לא זכרה אחריתה. מה יהא בסופם ע"כ ותרד פלאים. ירידתה גדול מאד. עד שכולם נתפלאו על ירידתה וגלותה ממקומה גם קץ גלותה ונפילתה נעלם מכל אדם ומכוסה. ע"כ אין מנחם לה. לאמר עד איזה זמן תסבול עול הגלות. כמאמר חז"ל מכ"מ ראשונים שנתגלה עונם נתגלה קיצם. אחרונים שלא נתגלה עונם לא נתגלה קיצם. ועכ"ז ראה ה' את עניי. ועשה למען הוציאנו מעניי יען כי הגדיל אויב. האויב אומר כי כחו ועוצם ידו עשה לנו ולא ה' פעל כל זאת. ע"כ עשה למען שמך הגדול שלא יחולל בעמים והוציאנו מן הגלות המר הזה:

(י) ידו פרש צר על כל מחמדיה. איתא במדרש את מוצא בשעה שנכנסו שונאים לבהמ"ק נכנסו עמונים ומואבים עמהם והיו הכל רצים לבוז כסף וזהב ועמונים ומואבים רצו לבוז את התורה כדי לעקור הפסוק לא יבא עמוני ומואבי בקהל ה'. ר"י בר סימון בשם ר"ל בן פרטא משל לדליקה שנפלה בתוך פלטין של מלך והיו הכל רצין לבוז כסף וזהב. עבד רין לבוז את אוניתו. כך בשעה שנכנסו שונאים לבהמ"ק נכנסו עמונים ומואבים עמהם והיו הכל רצים לבוז כסף וזהב ועמונים ומואבים רצו לבוז התורה כדי לעקור לא יבוא עמוני ומואבי בקהל ה'. כי אלו הב' אומות היה להם לבושת ולחרפה בעיני העמים היות כתוב עליהם לא יבוא עמוני ומואבי בקהל ה'. ע"כ רצו לבוז התורה ולעקור ממנה פסוק זה. וכונתם היה כי בראות כל העמים כי הם שולחים יד בספרי התורה ובוזזים אותם ועושים זה להכעיס את אלהי ישראל אשר כתב בתירתו לא יבא עמוני ומואבי. יאמרו כל העמים מבלתי יכולת ה' להלחם עמהם הם בוזזו התורה שלו על אשר כתב בתורתו לא יבא עמוני גם יכלו. ועי"ז כל העמים כאחד יעידון יגידון כי אין בו ממשות. וזה אומרו ידו פרש צר על כל מחמדיה של בית המקדש על כסף וזהב ולא יראו מה'. כי ראתה גוים באו מקדשה איזה גוים? אותם אשר צויתה לא יבואו בקהל לך. זה עמון ומואב. ובוזזו התורה והקב"ה שתק ע"כ גם המה לא יראו מה':

לקוטי אנשי שם

(ט) טומאתה בשוליה וגו'. רלה בזה כי מי שיפול פתאום מן העושר הגדול שהיה לו אל העוני והשפלות ע"י הרפת אש או שודדים אז רבים מצהתפי' בלערו ובאי איש איש לנוד לו ולנחמו. לא כן שיורד ממעלתו אחת אל אחת עד שנמשך השנים נתדלדל מאד אין רבים מרגישים בלערו ולא ינחמוהו. אבל אם שיורד פתאום בבת אחת הוא בעלמו גלגל עליו את המקרה שבאה עליו. שלא שמר את אשו ויגע בהרבע פנות הבית אז גם על נפילתו פתאום לא יאבו לנחמהו כי מידו היתה זאת לו. שלא שמר את גחלתו. עד שלמעלבה ישכב. וזה באמר הנביא טומאתה בשוליה שבהלה לטמא את עלמה אך בשולי בגדיה מה שלא פיערה שיש בזה פגם גדול. כמו הכתם שנופל בשולי הבגד אשר לא ישים הלובש אליו לבו כי לא נגלה הכתם לעיני הרואים. כן היא טמאה א"ע בג' מדות השאחות בקנאה ותאוה וכבוד ולא זכרה אחרים שעתידין המדות הללו להיות מגלגלים ועולים עד להשחית הנפש והגוף וכמו מי שהולא אש בביתו בקיסם אחד קטן והוא לא ידע כי בקיסם הזה הקטן יהי' מדליק ומבעיר את כל סביביו עד שישרוף את כל הבית ולכן הנה שותרד פלאים. שירידתה היה ע"י פלא ולא, בטבע מ"מ אין מנחם לה מפני שכל שומעיה מלעיגים עליה לאמר איך נרחם עליה והלא היא בעלמה גרמה לה הירידה הזאת. משיבה הכנסיה ואמרה באמנם לדיק אתה ה' על כל אשר קרה לי ואני מקבל את עניי ומודי בלב שלם ומצדיק עלי את הדין אך את אשר מר לי מאד היא כשהראה שע"י עניי הגדיל אויב והראה את כל מחמדי ביד אויב ואין לער גדול מזה בראות האדם שע"י שהוא נעשה עני נעשה אויבו עשיר בעושר שלו ושונאו ישמח בו (תולדות נח):

she herself sighed and turned away. 9. Her uncleanliness is in her skirts, she was not mindful of her end, and she fell astonishingly with none to comfort her. Behold, O Lord, my affliction, for the enemy has magnified himself. 10. The adversary stretched forth his hand upon

Sabbaths and festivals and observed the seventh year, and the heathens ridiculed them and said, "Fools! In your land you did not keep the Sabbatical Year, and now in exile you keep it? In your land, you did not keep the Sabbath, and now in exile you keep it?"—[*Rashi*]

8. **a wanderer**—Heb. לְנִידָה, *an exile, an expression of moving and wandering* (נָע וָנָד), *esmo(u)vement in Old French, that which moves on.*—[*Rashi*] *Ibn Ezra* renders: an object of derision, one at whom people shake their heads.

her shame—Heb. עֶרְוָתָהּ, lit. her nakedness, *her shame.*—[*Rashi*]

she herself sighed—Heb. נֶאֶנְחָה, *is in the passive past tense, sospirer in Old French, to sigh,* [a verb]. "*They heard that I am sighing* (נֶאֱנָחָה)" (verse 21) *is a noun, sospirose in Old French, one who sighs.*—[*Rashi*]

9. **Her uncleanliness is in her skirts**—*This is an expression of disgrace. Her menstrual blood is visible in the skirts of her garments, i.e., her sins are conspicuous; she committed them flagrantly.*—[*Rashi*] *Lamentations Rabbah* sees this as representing the Ben Hinnom Valley, situated below Jerusalem, where children were sacrificed to the Molech. The skirts may also symbolize the mountains surrounding Jerusalem, upon which there were many pagan shrines, where many Jews practiced idolatry.—[*Lechem Dim'ah*]

she was not mindful of her end—*When they would sin, they were not mindful of what their end would be. Therefore, she fell astonishingly. Her descent was astonishing, bringing about much bewilderment, for everyone was bewildered that this happened to her, something that did not happen to any other city.*—[*Rashi*]

with none to comfort her—Since her fall was so astonishing, there was no precedent to which to compare her fall and to comfort her by saying that others had already endured similar suffering.—[*Lechem Dim'ah* from *Rabbi Moshe Almosnino*]

for the enemy has magnified himself—Although we have merit of our own, behold our affliction because the enemy has magnified himself. He has become haughty and said, (Deut. 32:27): "Our hand has become high, and the Lord has not done this."—[*Alshich, Palgei Mayim*] The *Targum* renders: has become overbearing over us.

10. **The adversary stretched forth his hand**—*Ammon and Moab.*—[*Rashi* from *Lam. Rabbah* 1:40]

כל מחמדיה כי ראתה גוים באו מקדשה אשר
צויתה לא יבאו בקהל לך: יא כל עמה נאנחים
מבקשים לחם נתנו מחמודיהם יתיר ו' באכל להשיב
נפש ראה יהוה והביטה כי הייתי זוללה: יב לוא
אליכם כל עברי דרך הביטו וראו אם יש מכאוב
כמכאבי אשר עולל לי אשר הוגה יהוה ביום חרון
אפו: יג ממרום שלח אש בעצמתי וירדנה פרש
רשת לרגלי השיבני אחור נתנני שממה כל היום

תו"א לא אליכם כל עוברי דרך סנהדרין קד: ממרום שלח אש בעצמותי שם:

למיעל בקהלא די לך: יא כל
כל עמהא דירושלם אניחן
מכפנא ותבעין לחמא למיכל
יהבו רינוגיהון בסעיד לחמא
לקיימא נפש חזי יי ותהי
מסתכל ארום הויתי
גרגרניתא: יב לוא אשבעית
לכון כל דעברין באורחא זורו
הכא אסתכלו וחזו אין אית
כיבא ככיבי דאסתקיף לי
דתבר יי יתי ביום תקוף
רוגזיה: יג מן מרום מן שמיא שלח
אשתא בברכי תקיפין וכבש
יתהון פרש מצדתא לרגלי ארתיעני קדל בעלי דבבי יהיבני למהוי צדיא כל יומא

רש"י

מחמדיה. ספרי תורות שנאמר ב בהם (תהלים יט יא) הנחמדים מזהב הכל נפנו לבוז כסף וזהב והם נפנים על ספרי תורות כדי לשורפם לפי שכתוב בהם (דברים כג ד) לא יבא עמוני ומואבי וגו': אשר צויתה לא יבאו בקהל לך. אלו עמון ומואב: (יב) לא אליכם. לא תהא כצרה הזאת עוד לכל עוברי על דת. אמרו חכמים מכאן לקובלנא מן התורה ל ראו מה עשה לי הביטו וראו וגו': אשר עולל לי. אשר נעשה לי: אשר הוגה ה'. אותי ביום חרון אפו גה זה לשון יגון: (יג) וירדנה. וירד אותה וישבר אותה ע"י רידוי מ ויסורין לכן הנו"ן דגושה נ לפותרו בלשון יחידית כמו יעשנה יכרסמנה ירענה שהעצם ל' נקבה כמה דאת אמר (יחזקאל לז ד) העצמות היבשות שבר כל אחת ואחת. ד"א וירדנה כמו (שופטים יד ט) וירדהו אל כפיו

שפתי חכמים

הכ"ל ולמה אמר לא זכרה לשון עבר לכ"פ כבסיו מוטאים וכו' וסוסיף לפיכך ותרד פלאים דהל"כ מה ענין זה לזה: ב במדרש רבות ידו פרש צר לא אמר מולא בשעה שנכנסו סונאים לבית המקדש נכנסו עמונים ומואבים עמהם והיו הכל רצים לבוז כסף וזהב ועמונים ומואבים רצים לבוז את התורה כדי לעקור לא יבא עמוני ומואבי וכו' ויהיה פי' הפסוק ידו פרש צר על כל מחמדיה כאשר ראתה גוים באו מקדשה לבוז כסף וזהב ותורות באו עמונים לבוז הספרי תורות אשר צויתה כו לא יבאו בקהל לך ולמה כי פה איגה נתינת טעם כי איך הוא טעם כי ראתה גוים כו' נגזרת ידו פרש צר וכו' ולכאמר פירשתי הוא כוכן והוי כוונת רש"י שהצריך ואמר הכל נפנו לבוז כסף וזהב והם נפנים וכו' לא הל"ל רק ידו פרש צר עמון ומואב על כל מחמדים ס"ת כדי לשורפם לפי שכתוב וכו' ולמה ליה למימר מה שעשו שאר הגוים הלא על"ל כדי לפרש כי ראתה גוים וכו': ל בפסק הלך פרש"י ז"ל להד ליטא לקובלנא כשיש לו לרה ידיעה לרבים וזהו שפי' את"כ ראו מה עשה לי כלו' הודיע' לערה לרבים ופי' זה לאפוקי הפי' השני שפי' בפ' חלק והוא מכאן לקובלנא מן התורה כשאדם מודיע לערו לאחר לריך שיאמר לו לא תבא זאת לך כמו שבא עלי כי קשה הוא לשמוע שפטמים הוזכרת עליו והמקפיד ע"ז אין בו משום ניחוש וכאן לא פי' רק הפי' השני כי נראה לו עיקר דהכי משמע ליטא דקובלנא: מ תחלה פי' מכו וירדנה בה"א וכתב שהוא כמו וירד אותה ואח"כ ק"ל דאין שייך לשון וירד בעלמות לזה פי' וישבר וק"ל והיכן מלינו וירד שהוא ל' שבירה. ל"פ ע"י רדוי ויסורים א"כ מלת וירד מורה על הסבה שגורמת הפעולה לא על הפעולה עלמה: נ כדי לפותרו בלשון יחידית וכו' וכוונת המקון כדי להגדיל המכה דאם הוא לשון יחידית אזי קשה דעלמותי משמע רבים וירדנה משמע יחידה ועל כרחך לריכים לפרש שיבר כל אחת ואחת לאפוקי אם היה נו"ן הרבים כמו שכתב החזקוני בפ' ויחי דהכי וירדנה ברבות משתעי לא הוי משתמע דשיבר כל העלמות גם משמע שסיברם בבת אחת ואין המכה כ"כ גדולה כמו אם שיבר כל אחת ואחת בפני עלמה ותדע שכוונת רש"י כן הוא דאי כוונתו רק לפרש הכתוב הל"ל והנו"ן דגושה מפני שהיא לשון יחידים ומדכתב לכך הנו"ן דגושה כדי לפותרו וכו' על"ל דק"ל

פי' הטעמים לראב"ע

לכן הולרכה לתת להם כל מחמדיה: (יא) לא היו מעטים הרעבים רק כל עמה ואמר שנה:ה כל מחמד באוכל דמתה לזוללה שתתן כל מה שיכיקם ממנה למלאות תאותה: (יב) מתפללת שלא יבא אליכם כמו שהגיע אלי כגידו לי אם יש מכאוב כמכאובי ואתנחם: (יג) דמתה חרון אפו לאש ירדה מן השמים והגיע עד העלם ואין לה יכולת לברוח

אבן עזרא

(יא) זוללה. כמו זולל וסובא: (יב) לוא. יש אומרים מלשון אלה ולא מלאנוהו בלא אל"ף וטעמו לא יגיע אליכם. מה שהגיע אלי: עולל. נעשה לי והוא מהבנין הכבד שלא נקרא שם פועלו בעבור שאיננו בקמץ קטן כמו כונן אשורי: הוגה. כמו הרה: (יג) וירדנה. שב אל האש כי ימצא ל' זכר כמו תאכלנו אש לא נופח וטעמו

קיצור אלשיך

(יא) כל עמה נאנחים. על צרותיהם. והצרה היותר גדולה היא כשיחסר לחמו. כל היסורים יכול אדם לסבול. אך לא יסורי רעב. ומחמת חסרון לחם נתנו מחמדיהם אלו בניהם ובנותיהם החמודות באוכל. ואכלו בשר בניהם ובנותיה' ועשו זה למשיב נפש. ואמרו ראה ה' והביטה כי הייתי זוללה עד שאכלתי בשר בני ובנותי:

(יב) לא אליכם כל עוברי דרך. הנה בנוהג שבעולם. שאין מרגיש איש רק צערו ולא צער זולתו. אם לא מי שגם עליו עבר כוס צרה כיוצא בה. אך מי שלא שתה כוס כמו זה תקל צרת חברו בעיניו. וזה אומרו הנה לא אליכם כל עוברי דרך. אליכם לא באו צרות כאלו אשר באו עלי. כי צרותי לא טעמתם כמוני באופן שיקל מכאובי בעיניכם. עכ"ז אף על פי שלא אליכם בא צרתי אני אומרת הביטו וראו בהבטה אחת תראו אם יש מכאוב כמכאובי כי לעוצם גדלו לא תסתכלו עניני כי אין מכאוב כמכאובי אשר עולל לי אשר הוגה ה' ביום חרון אפו:

(יג) ממרום שלח אש בעצמותי וגו'. כי דרך הנוקם נקמה מאויבו שהרע לו מאד. והנו ת"י ליטול ממנו חייו ביסורין רעים ושיאריך במיתה המשונה שחפץ להמיתו הוא מגיעו אל מדורת האש עד יתחיל ליכוות מעט. ומחזירו אחור להרחיקו מן האש עד שיצטנן ומרגיש צער גדול ואחר כמה שעות מחזירו אצל האש. עד התאחז בו האש יותר ומחזירו לאחוריו שנית. וכן ע"ד זה עשה כמה פעמים. כי כן קרה לי כי שלח אש בעצמותי ולא בפעם אחד. רק אחר שוירדנה טרם אשרף פרש רשת לרגלי השיבני אחור שמרפה לנו רפיון מה וחוזר ע"ד זה וע"י כן איני כלה לגמרי רק נתנני שוממה כמבוהלת ומי יתן ע"י היותי שוממה אהיה כמשתומם הבלתי מרגיש צרתו מחמת שממתו ובהלתו רק כמבוהלת ואני מרגשת כאב תמיד וזהו כל היום דוה שאם היותי שוממה אני כל היום דוה:

נשקד

all her precious things, for she saw nations enter her Sanctuary, whom You did command not to enter into Your assembly. 11. All her people are sighing [as] they search for bread; they gave away their treasures for food to revive the soul; see, O Lord, and behold, how I have become worthless. 12. All of you who pass along the road, let it not happen to you. Behold and see, if there is any pain like my pain, which has been dealt to me, [with] which the Lord saddened [me] on the day of His fierce anger. 13. From above He has hurled fire into my bones, and it broke them; He has spread a net for my feet, He has turned me back, He has made me desolate [and] faint all day long.

upon all her precious things—*the Siphrei Torah, which are spoken of as* (*Ps. 19:11*): *"They are to be desired more than gold." All turned to plunder silver and gold, and they turned upon the Siphrei Torah in order to burn them, because it is written in them,* (*Deut. 23:4*): *"An Ammonite or a Moabite shall not enter, etc."*—[*Rashi* from *Lam. Rabbah* ad loc.]

for she saw—The antecedent is Jerusalem.—[*Ibn Ezra*]

whom You did command not to enter into Your assembly—*These are Ammon and Moab.*—[*Rashi*] Apparently, *Rashi* explains the verse as follows: The Ammonites and the Moabites stretched out their hands upon Israel's precious things, viz. the Siphrei Torah, when the other nations entered the Sanctuary to plunder silver and gold. This accounts for *Rashi*'s lengthy explanation.—[*Sifthei Hachamim*] The Midrash compares it to a fire that broke out in a king's palace. Whereas everyone sought silver and gold, the king's slave sought his title-deed. The same is true in our case. The Ammonites and Moabites sought the document that prohibited them from forever intermarrying with Israel. The *Targum* paraphrases: The wicked Nebuchadnezzar stretched forth his hand and drew his sword and cut up all the precious things. The congregation of Israel commenced to scream because foreign nations entered into the Temple, and You commanded through Moses the Prophet concerning Ammon and Moab that they would not be permitted to enter Your assembly. *Palgei Mayim* explains this verse as a continuation of verse 9, in which Israel beseeches God, "Behold, O Lord, my affliction, for the enemy has magnified himself." He has magnified himself to the extent that he has stretched forth his hand on the Sanctuary and the sacred vessels, which are called her precious things.

for she saw, etc.—after she saw that the nations had entered her Sanctuary, the sanctity of the Temple,

דָוֶה׃ יד נִשְׂקַד עֹל פְּשָׁעַי בְּיָדוֹ יִשְׂתָּרְגוּ עָלוּ עַל־
צַוָּארִי הִכְשִׁיל כֹּחִי נְתָנַנִי אֲדֹנָי בִּידֵי לֹא־אוּכַל קוּם׃
טו סִלָּה כָל־אַבִּירַי | אֲדֹנָי בְּקִרְבִּי קָרָא עָלַי מוֹעֵד
לִשְׁבֹּר בַּחוּרָי גַּת דָּרַךְ אֲדֹנָי לִבְתוּלַת בַּת־יְהוּדָה׃
טז עַל־אֵלֶּה | אֲנִי בוֹכִיָּה עֵינִי | עֵינִי יֹרְדָה מַּיִם כִּי־
רָחַק מִמֶּנִּי מְנַחֵם מֵשִׁיב נַפְשִׁי הָיוּ בָנַי שׁוֹמֵמִים כִּי
גָבַר אוֹיֵב׃ יז פֵּרְשָׂה צִיּוֹן בְּיָדֶיהָ אֵין מְנַחֵם לָהּ צִוָּה

תו"א נתנני ה' בידי לא אוכל קום יבמות ס: סלה כל אבירי. סנהדרין קד: קרא עלי מועד לשבור בחורי. תענית כט שבועות י: גת דרך ה' שם לו: על אלה. גיטין נח: כי רחק. סנהדרין לח.

מַרְחֲקָא וְהַלִּישָׁא׃ יד נִשְׁקַד אִתְיַקַר נִיר מְרוֹדַי בִּידֵיהּ אִתְיַבְשׁוּ כְּשִׁבְשִׁין דְגוּפְנָא סַלְקוּ עַל צַוְרֵי אִתְקַל חֵילִי מְסַר יְיָ יָתִי בִּידוֹי מַן דְלֵית יָכִיל אֲנָא לְמֵיקָם׃ טו סִלָּה כְּנַשׁ כָּל תַּקִיפַי יְיָ בֵּינֵי אַרַע זְמַן עֲלַי לְתַבָּרָא חֵיל עוּלֵימַי וְעָלוּ עַמְמַיָא עַל גְזֵירַת מֵימְרָא דַיְיָ וְסָאִיבוּ בְּתוּלְתָּא דְבֵית יְהוּדָה דִי הֲוָה דְמָהוֹן דִבְתוּלָתְהוֹן מִיתְשַׁד הֵיךְ כַּחֲמַר מִן מַעֲצַרְתָּא בְּעִידָן דְגַבַר מְבַעִיט יַת עִנְבִין חֲמַר עִינְבוֹהִי שַׁדְיָין׃ טז עַל עַל טַפְלַיָא דְאִתְרְטִשׁוּ וְעַל נְשַׁיָא מְעַדְיָתָא דְאִתְבְּקָעוּ כְּרֵסֵיהוֹן אֲמַרַת כְּנִשְׁתָּא דְיִשְׂרָאֵל אֲנָא בָּכְיָא וּתְרֵין עֵינַי זַלְגִין דִמְעָתָא הֵיךְ מַבּוּעָא דְמַיָא אֲרוּם אִתְרְחַק מִינִי מְנַחֵם דִמְקַיֵם יָתִי וּמַלֵיל תַּנְחוּמִין עַל נַפְשִׁי הֲווֹ בְנוֹי צַדְיָין אֲרוּם אִתְגַבַּר עֲלֵיהוֹן בְּעֵיל דְבָבָא׃ יז פְּרַשָׂה פְּרַסַת צִיוֹן יְדָהָא מִן עָקְתָא הֵיכְמָא דִמְפַרְסָא אִיתְּתָא עַל מַתְבְּרָא

רש"י

הריק את המוח גורר ורודה המוח מתוכו: (יד) נשקד על פשעי בידו. אין לתיבה זו דמיון במקרא ובלשון ארמי של פסיקתא קורין לדרבן מסקדא מלמד הבקר ואומר אני נשקד פיינטריל"ט בלע"ז נקודים מנומרים ומסומנים היו פשעי בידו של הקב"ה לזכרון לא נמחה מינים ותגלומיהם: ישתרגו. נעשו קליעות קליעות ועלו על צוארי ל' משנה אין מסרגין את המטות: (טו) סלה. רמס ורפס לבון (ישעיה סב י) סלו סלו המסלה: קרא עלי מועד. יעידה גייסות לבא עלי ורבותינו דרשו מה שדרשו תמוז דההיא שתא מלויי מליוה של ס שנה שניה לצאתם ממצרים לכך אירע חזרתן של מרגלים ליל התשעה באב שעליה הוקבעה בכייהן לדורות: גת דרך. ל' הריגה כמו (ישעיה סג ג) פורה דרכתי לבדי כדורך ענבים להוציא יינם כך רמס הנפשים להוציא דמם: (טז) עיני עיני. כלומר תמיד עיני יורדה מים כפל הלשון מלמד שאין הפוגות: (יז) פרשה ציון בידיה. כמו (ישעיה כה יא) ופרש ידיו בקרבו כאדם המוליך ידיו מוליכם ומביאם ומטעטר בהם. ד"א פרשה ציון ל' שבירה כמו (איכה ד ד) פורש אין להם ולא יפרשו להם על אבל לנחמו על מתו כך חברו מנחם ובל' משנה

שפתי חכמים

למס אמר סגיה בנו"ן דגישה ולא אמר בלא דגושה דהוי נו"ן הסרים מאחר דברבות משתעי לזה כתב לכך סנו"ן דגושה דכוונת הנביא כדי לפוהרו בלשון יחידות וכו' ופירושו שיבר כל אחת ואחת. ואהד כך פירש ד"א וירדנה קאי על הפעולם עלמה ופירושו הריק המוח וכו': ס פירוש לדעת רבותינו פירושו כל מועד כמו יום טוב כדאיתא בפרק קמא דשבועות דקאמר אביי ר"ח נמי איקרי מועד דכתיב קרא עלי מועד ונוכה דנימגלא איתא בפ' בתרא דתענית אמר אביי תמוז דססיא שתא מליי מליוה דכתיב קרא עלי מועד לשבור בחורי ופירש רש"י נקטיל' בחדש הסר שבא אחר חדש מלא עבדינן סני ימים ר"ח להוי יום ראשון ששלמה לראש חודש שלמטלה ממנו לעשותו מלא ומנלאו סני ימים טודים כחדש מלא אחד בהתחלתו ואחד בסופו וס"ק

אבן עזרא

כמו לא ירדנו בפרך: (יד) ומלת נשקד. אין לה אב ואם והטעם כמו נמשך כמו נמהר. והיא ישתרגו. מבנין התפעל ממשפחת השריגים: הכשיל. שב אל עול פשעי ויחסר אשר אחר בידי גם אחר קום עמו או מפניו: (טו) סלה. מגזרת מסלה וכן גת דרך ה' מגזרת דרך רק סלה שרש אחר היא: גת. יקב: בתולת. הסמוכה אל בת ובת יהודה כל השבט והבתולה ירושלים: (טז) בוכיה. כמו פוריה: עיני עיני יורדה מים. עין אנוש דומה לעין המים והעין יורד וכן יזלו מים ושניהם פעלים עומדים: (יז) פרשה. בי"ת בידיה נוסף כמו והשקמו בדמעות

פי' הטעמים לראב"ע

ממול כאש כי רשת פרושה והיא מסיבה לאחור ואש בבעירה עד שיסבה שוממה ויש דוה שחיה לעתים ידועות ואחה כל היום דוה: (יד) דמתה העונות לשריגים של גפן שהילדותם לאחוז עם כל מן גבוה ויגבהו ומלת נתנני כמו עזבני וכן על כן לא נתתיך והטעם ביד העונות ויהכן ביד האויב בעבור הפשעים: (טו) סלה. נתנה ביד לר כי אבירים אנשי המלחמה דרכם סלל במסלה והם בקרבה וכאילו הקדים קריאים לבא לשבור הבחורים בעלי סבה ונגרו דמיהם כדם ענב בגת: (טז) אמרה ירושלים שהיא כבתולת בת יהודה על הרעות שהזכרתי אני בוכה ועת אחר עת הורדנה עיני דמעות ואין לי מנחם ובני שגלו שוממים כי גבר אויב הלך עליהם: (יז) גם ציון טיר

קיצור אלשיך

(יד) **נשקד** עול פשעי בידו. נרשם ונחקק בידו של הקב"ה מה שהעמסתי עמי לשאת העול מפשעי ולא עול תורה ומצות. ואלו הפשעים השתרגו גדלו שריגים וענפים כי עבירה גוררת עבירה עד שעלו על צוארי. כי נטמאתי מעונותי מכף רגלי עד קדקדי. ואף בצוארי ובדבורי חטאתי כנאמר ידברו בצואר עתק. ותלכנה נטויות גרון. אז הכשיל הקב"ה כחי ונתנני בידי לא אוכל קום. או יאמר. כנס"י מתאוננת על הקב"ה מדוע המתין הקב"ה עד שנתמלא סאתם ולא ענשם על כל עבירה בשעתה. וזה אומרו נשקד עול פשעי בידו. מדוע רשם הקב"ה בידו העונשים של העבירות. איזה עונש יענשני על עבירה זו. ואיזה עונש על עבירה זו. ישתרגו. נעשו שריגים וקליעות עד שעלו על צוארי. ועי"ז הכשיל כחי ונתנני ה' בידי לא אוכל קום. ואלו ענשני מעט מעט על כל עבירה ועבירה הייתי שב ומתודה והיו עונותי נמחקים אחת אחת. ולא הכשילו כחותי ולא נתתי בידי לא אוכל קום:

(טו) **סלה** כל אבירי וגו'. הקב"ה הסיר מאתנו כל הגבורים והחרשתי מחמת אדני היה עוד בקרבי ואח"כ קרא הקב"ה עלי מועד וזמן לשבור בחורי. אלו האנשים הת"ה החרש והמסגר. ועוד ההרשתי. ואח"כ גת דרך אדני לבתולת בת יהודה. האויבי' דרכו את בתולות יהודה כמו שדורכים הענבים בגת. ועל כל אלה עוד לא בכיתי (טז) ורק על אלה אני בוכיה וגו' כי רחק כמני מנחם. מה שהקב"ה התרחק ממני אשר הוא ית' כל נחמתי ומשיב נפשי וכאשר הוא ית' נסע ממקדשו היו בני שוממים כי אז גבר האויב:

(יז) **פרשה** ציון בידיה. פרשה לשון פרוסה ושבירה. וציון היא כמפצפצת ושוברת עצמה בידיה

14. The yoke of my transgressions was marked in His hand, they
have become interwoven; they have come upon my neck and
caused my strength to fail; the Lord delivered me into the hands of
those I could not withstand. 15. The Lord has trampled all my
mighty men in my midst, He summoned an assembly against me
to crush my young men; the Lord has trodden as in a wine press
the virgin daughter of Judah. 16. For these things I weep; my eye,
yea my eye, sheds tears, for the comforter to restore my soul is
removed from me; my children are desolate, for the enemy has
prevailed. 17. Zion spreads out her hands [for help], but there is
none to comfort her; the Lord has commanded

and that the sacred vessels were profaned and were no longer present. [Hence, those nations who were not permitted to enter God's assembly, meaning His Temple, could now enter with impunity.]

11. **All her people are sighing**—This too refers back to "behold, O Lord, my affliction." For another reason You should grant us compassion for our great fall, namely, because all her people are sighing, etc. Therefore—

see, O Lord, and behold, how I have become worthless—This translation follows *Isaiah da Trani.* I have been despised in the eyes of all the peoples, and it befits You to prevent Your holy name from being profaned, for our disgrace is Your disgrace, so to speak, for Your name is joined to ours; so should You spare and have compassion upon it.—[*Palgei Mayim*] The *Targum* and *Ibn Ezra* render: for I was a glutton.

12. **let it not happen to you**—*Such a calamity should no longer happen to all those who transgress the Law. Our Sages said* (*Sanh.* 104b): *It is derived from here that "kuvlana" has a basis in Scripture. See what He did to me; behold and see, etc.*—[*Rashi*] In *Sanhedrin, Rashi* gives three meanings to this maxim. The first is that when someone relates his troubles to his friend, that friend has the right to complain to him unless he states explicitly, "May it not happen to you," for fear that it will come upon him, and this is not considered divination. The second meaning is that one should cry about his troubles and relate them in public. The third meaning is that it is derived from the Aramaic word קֳבֵל, *toward*, meaning that when a person tells of his troubles, he should say that he is not directing his speech toward his friend. [*Rashi* appears to be following the second interpretation.]

13. **and it broke them**—Heb. וַיִּרְדֶּנָּה, equivalent to וַיֵּרֶד אוֹתָהּ, *and it broke it*, [referring to each of his bones] *through punishment and*

suffering. Therefore, the "nun" is punctuated with a "dagesh," so that it is interpreted in the feminine singular, like יַעֲשֶׂנָּה*, he will do it;* יְכַרְסְמֶנָּה*, he will gnaw at it;* יִרְעֶנָּה*, will graze upon it; for* עֶצֶם*, bone, is in the feminine gender, as Scripture states* (*Ezek. 36:4*)*: "*הָעֲצָמוֹת הַיְבֵשׁוֹת*, the dry bones." It broke each one. Another explanation:* וַיִּרְדֶּנָּה *is like* (*Jud. 14:9*): *"and he separated it* (וַיִּרְדֵּהוּ) *into his hands." It scrapes and separates the marrow from its midst.*—[*Rashi*] *Ibn Ezra* renders: and it mastered them. The *Targum* paraphrases: He sent a fire into my strong cities from Heaven and conquered them.

14. **The yoke of my transgressions was marked**—Heb. נִשְׂקַד. *This word has no likeness in Scripture, and in the Aramaic language of the Pesikta* (*d'Rav Kahana* p. 153)*, they call a goad* מַסְקְדָא *, an ox goad, and I say that it is equivalent to pointurez in Old French. My transgressions were dotted, spotted, and marked in the hand of the Holy One, blessed be He, for a remembrance. Their number and their recompense were not forgotten.*—[*Rashi*]

Ibn Ezra renders: was extended or hastened. *Isaiah da Trani* renders: appeared. The *Targum* renders: became heavy. *Redak* and *Shorashim* render: clung, supported by *Rav Hai Gaon. Menahem* renders: was bound.

they have become interwoven—Heb. יִשְׂתָּרְגוּ. *They became many plaits, and came up on my neck. This is the language of the Mishnah* (See *M.K.* 1:8). *We may not girth* (מְסָרְגִין) *the bedsteads.*—[*Rashi*]

Menahem, Ibn Ezra, and *Redak* (*Shorashim*) derive the word יִשְׂתָּרְגוּ from שָׂרִיגִים, branches. *Redak* renders: became entangled. *Isaiah da Trani* renders: grew and thickened. The *Targum* renders: dried out like the branches of a vine.

the Lord delivered me into the hands of those I could not withstand—The primary intention of this Book concerns the present exile. When Jeremiah foresaw the pain of the Babylonian exile and especially the present exile, he composed this lamentation.—[*Isaiah da Trani*]

Lechem Dim'ah, apparently following *Rashi*'s derivation, explains as follows:

The yoke of my transgressions was marked in His hand—God kept a record of my transgressions but was not quick to punish me for them.

they have become interwoven; they have come upon my neck and caused my strength to fail—Then they became interwoven and came upon my neck, meaning that I transgressed with my throat, by not using it to study His Torah. He then caused my strength to fail and delivered me into the hands of those I could not withstand.

15. **The Lord has trampled**—Heb. סִלָּה. *He trampled and trod, an expression of* (*Isa. 62:10*)*: "pave, pave the highway* (סֹלּוּ סֹלּוּ הַמְסִלָּה)*,"* [meaning to beat down the road].—[*Rashi*]

He summoned an assembly against me—Heb. מוֹעֵד, *a gathering* *of troops to come against me. And our Sages expounded what they expounded* (*Pes.* 77a, *Ta'an.* 29a, *Sanh.* 104b): *Tammuz of that year was a full* (thirty-day) *month;* [i.e., the Tammuz] *of the second year from the Exodus from Egypt. Therefore, the return of the Spies occurred on the night of the ninth of Av, upon which their weeping was established for generations* (*Ta'an.* ad loc., *Sanh.* ad loc., *Sotah* 35a).—[*Rashi*] According to the Rabbis, מוֹעֵד is a festival, in this case, the New Moon. Since there was an extra day of Rosh Hodesh, the day of the return of the Spies came out on the ninth of Av, establishing it as a day of sorrow for generations to come.—[*Sifthei Hachamim*]

the Lord has trodden as in a wine press—*An expression of massacre, like* (*Isa. 63:3*): "*A wine press I trod alone.*" *As one treads grapes to extract their wine, so did He trample the women to extract their blood.*—[*Rashi*]

16. **my eye, yea, my eye**—*i.e., my eye constantly sheds tears. The double expression indicates that there was no letup.*—[*Rashi*]

The Hebrew word for "eye" is עַיִן, which also means "fountain". *Ibn Ezra*, therefore, comments that when the human eye sheds tears, it resembles a water fountain. The *Targum* also paraphrases: my two eyes shed tears like a fountain of water. [Accordingly, the double expression indicates the tears flowing from both eyes.]

17. **Zion spreads out her hands**—Heb. פֵּרְשָׂה. *Like* (*Isa. 25:11*): "*And he shall spread out* (וּפֵרַשׂ) *his hands in his midst,*" *like a person who moves his hands to and fro and demonstrates his pain with them. Another explanation is: Zion broke, an expression of breaking, like* (*Lam. 4:4*): "*no one breaks it for them*"; (*Jer. 16:7*): "*and they shall not break [bread]* (יִפְרְסוּ) *for them in mourning,*" *to console him for his dead* [kinsman]. *So did Menachem classify it* (*Machbereth Menachem* p. 146). *And in the language of the Mishnah* (*Ber.* 37a), *the broken piece of bread* (פְּרוּסָה) *is intact. And it means that Zion was in pain like a person who clasps his hands and breaks them. I found an addendum.*—[*Rashi*] [It is not clear whether the addendum is the second explanation of the above verse or the commentary on the following verse. Judging from other books, where manuscripts are available, it usually refers to the following verse. However, from Kaffach's addendum to *Rashi*, it appears to refer to the above.]

יהוה ליעקב סביביו צריו היתה ירושלם לנדה
ביניהם: יח צדיק הוא יהוה כי־פיהו מריתי שמעו־
נא כל־עמים העמים קרי וראו מכאבי בתולתי ובחורי
הלכו בשבי: יט קראתי למאהבי המה רמוני כהני
וזקני בעיר גועו כי־בקשו אכל למו וישיבו את־

הו"א צוה ה' ליעקב סביביו צריו. יבמות יז קדושין עב: היתה ירושלים לנדה ביניהם. סנהדרין כ: צדיק ה' כי פיהו. שם כט:

פגינת ולית דמליל תנחומין על לבה פקד יי לבית יעקב פיקודיא ואורייתא למינטר והינון עברו על גזירת מימריה בגין כן אתחרו חזור חזור ליעקב מעיקוהי הות ירושלם במיא לאתתא מרחקא ביניהון: יח צדיק אמר יי במימריה לעמא בית ישראל דלא יעבר קטלין בחרבא בארעהון אזל יאשיהו מלכא שלף סיפא על פרעה חגירא בבקעת מגדו מה דלא אתפקד ולא תבע אולפן מן קדם יי בגין כן רגמו רגומיא גירין למלכא יאשיהו ומית תמן עד דלא נפקת נשמתיה הוה רחיש בספותיה וכן אמר זכאי הוא יי ארום על מימריה עבריה שמעו כען כל עמיא הספידא דאספיד ירמיהו על יאשיהו וחזו כיבי די ערעני בתר מותיה בתולותי ורביי אזלו בשביתא: יט קראתי אמרת ירושלם כד איתמסרת בידוי דנבוכדנצר קרית למרחמי ביני עממיא דקיימית עמהון קיים די יסייעוני ואנון חכימו מני ואתהפכו לחבלא יתי הינון דעלו עם טיטוס ואספסיינוס ובנו כרקומין על ירושלם כהני וסבי בגו קרתא אתנגידו ארום תבעו סעיד

שפתי חכמים

זמן שלי מועד לשבירת בחורי דהכשא כאלו שמגלגלין חובה ליום חייב: ע ומשום שפירש לנדה היינו לשון נע ונד ולא פירש ג"כ לשון ריחוק שהיה גם כן יכול לפרש כן לפי הענין יותר נכון היינו מה דלעיל הוא כדי"ד וכלתי דנם והוא מלשון ויד לרשעים אל הנידוי להכיד רגל ישראל וכולם לשון נע ונד הם ולכן הרגם שמתרגם ג"כ בגין כן בטלטול היה אבל הכא כתיב לנדה הס' יו"ד ובדגש והוא מלשון המנדים ליום רע שהוא אביהם מנדים ומזה הנרגם נדה היה ויכולם פירושם ענין ריחוק ולכן תרגם שמתרגם הות ירושלם דמיא לאיתתא מרחקא ביניהם. לכן פי' רש"י לריחוק שהוא פירושו של לנדה. ואח"כ ק"ל דהל"ל לריחוק. לכ"ש לבוז כלומר לריחוק שמרחקים מאותה מ"ה שהוא דרך בזיון כן היתה ירושלים: פ דק"ל דמשמע שהשיבו את נפשם א"כ

רש"י

פרוסה קיימת ומשמעו כאדם המלטער שהוכק את ידיו ומשברס. תוספת מלאתי: צוה ה' ליעקב סביביו צריו. לוה על יעקב שיהיו לריו סביביו אף כשגלו לבבל ולהשור הגלה סנחריב את אויביהם עמון ומואב והושיבם אליהם והם מקנתרים אותם כמ"ש במס' קדושין הומניא איכה בבבל כולה דעמונאי: לנדה. ע לריחוק לבוז: (יט) קראתי למאהבי. לאותם שמראים עלמם כאוהבים: המה רמוני. כגון בני ישמעאל שהיו יוצאים לקראת הגולי' כשהיו השבאים מוליכי' אותם דרך עליהם ומראים את עלמם כאילו מרחמים עליהם והיו מוליאים להם מיני מלוחים ונודות נפוחים כסבורים שהוא יין ואוכלים ולמאים ורוצים לשתות וכשמתיר הנוד בפיו היתה הרוח נכנסת במעיו והוא מת והוא שאמר הכ' (ישעיה כא יג) ביער בערב תלינו וגו' (שם יד) לקראת למא התיו מים יושבי ארץ תימא בלחמו קדמו נודד: וישיבו את נפשם. כדי שישיבו פ את נפשם:

פי' הטעמים לראב"ע

המליכה בקשה מנחם ואין כי ה' גזר על יעקב ולוה לריו מכל סביביו ויטמאו ירושלם ותהי כנדה: (יח) כלדיקה הדין והיא אומרה שמעו נא כל העמים שראיתם בתולותי ובחורי בשבי כי בעוני נשבו: (יט) קראתי לנכרים שבני אילי יהנו לי עלה והמה רמוני כי לא יועלו מתו ברעב הכהנים המתפללים בעדי והזקנים אנשי עלתי רק נשארו מהבחורים ומן הבתולות שיש להם כח לסבול וגם הם נשבו:

אבן עזרא

שלים: (יח) כל נא בלשון עתה וכן אוי נא לנו כי חטאנו גם אל נא רפא נא לה על כן השיב השם הלא הלכם שבעת ימים. יומת נא. דבר נא. שמע נא. ועם תוספת אל"ף לשון בקשה ובלשון ישמעאל הפוך והוא כמו עתה: (יט) למאהבי. היננו כמו אוהבי וכן טעמו למבקשים שאוהב אותם:

קיצור אלשיך

בידיה. ודרך העולם שעגמה נפשם של רואים את זולתם בכך ומנחמים אותם. ואמר שעם כל זה אין מנחם לה מכל רואי קלונה הקרובים אליה. ואינו מן התימה. כי מה' יצא הדבר. כי צוה ה' ליעקב. בשביל היותם מתוארים בשם יעקב שיהיו סביביו צריו. ואיך ינחמוה. אמנם מה שאני דואנת הוא כי היתה ירושלים לנדה ביניהם. כי לא הכירו כי מה' היה לה רעתה רק כנדה שמקור דמיה ממנה היא בטבע לה:

(יח) צדיק הוא ה' וגו'. תאמר נא כנס"י הנני מצדקת עלי את הדין על כל הבא עלי. כי עם שאין מנחם לי נאמן עלי הדיין. אך זה הוא על הנוגע אל עצמי אשר נואלתי ואשר חטאתי כי פיהו מריתי. אך מכאובי אשר אנכי כואבת ודואגת שעליו אומר שמעו נא כל העמים וגו' הוא כי בתולותי שאין מדרכן להיות בהן חטא וכן בחורי שנקראים בחורים מי"ג שנה ומעלה שלא יומתו בעון אבותם ולא יקבלו יסורים עליהם וגם לשמים אינם חייבים עד היותם מכ' שנה ומעלה. למה הלכו בשבי ואמר שמעו נא כל העמים וגם אומר וראו הוא כי השבי נתפשט בכל העמים כי ע"כ בסוף השבעים שנה לבבל היו היהודים בשבע ועשרים ומאה מדינה שהם אפרכיות של אחשורוש כי ע"כ כתבו ליהודי' בכל עיר ועיר מדינה ומדינה מלכות אחשורוש. וזהו שמעו נא וראו כי שומעים רעות מכל העמים אשר נמצאו שם ורואים אחר כן (יט) קראתי למאהבי וגו' אם תאמר נא אלהי למה בקשתי למנחמים את אויבי באומרי שמעו נא כל העמים ולא הלכתי אחרי מאהבי כהני וזקני ינחמוני או ילמדוני לשוב עד ה' הלא כי הנה קראתי מאז למאהבי המה רמוני בהבל ורוהות של הבל זה אומר אני אעשה חומת מים סביבות ירושלים. וזה יאמר אני אעשה לה חומת אש וזה יאמר אעלה את ירושלים השמימה. והנה אלה קראתים מאז והמה רמוני כי גם שהמלאכים רמו אותי מחמת ששנו את מלאכותיהם לפי האמת המה רמוני שהבטיחוני על שקר כי הלא איזה שר או מלאך יהיה לאל ידו לעשות שלא כרצונו ית'. וא"כ איך ינחמוני הבל. ואם אלך אחר כהני וזקני הלא את עצמם לא יכלו לתקן כי בעיר גועו כי בקשו אוכל למו וישיבו את נפשם ואיך יתקנו אותי באופן נשארה עדיין השאלה במקומה למה בתולותי ובחורי הלכו בשבי כי אנכי מריתי ולא הם:

ראה

concerning Jacob [that] his adversaries shall be round about him;
Jerusalem has become an outcast among them. 18. The Lord is
righteous, for I have rebelled against His word; hear, I pray, all
you peoples, and behold my pain; my maidens and my youths
have gone into captivity. 19. I called to my lovers, [but] they
deceived me; my priests and elders perished in the city, when they
sought food for themselves to revive their

the Lord has commanded concerning Jacob that his adversaries shall be round about him—*He commanded concerning Jacob that his adversaries would surround him. Even when they were exiled to Babylon and to Assyria, Sennacherib exiled their enemies, Ammon and Moab, and settled them beside them, and they taunted them, as is stated in Tractate Kiddushin* (72a): *Humania was in Babylon, entirely occupied by Ammonites.*—[*Rashi*]

an outcast—Heb. לְנִדָּה, *for an outcast and a disgrace.*—[*Rashi*] The *Targum* renders: for an unclean woman.

18. **The Lord is righteous, for I have rebelled against His word**—Lit. righteous He is the Lord. Only the Lord is truly righteous. No other being is truly righteous, for there is no righteous man who does only good and does not sin. Traditionally, (*Ta'an.* 22, *Lam. Rabbah*, and *Targum*) this passage was originally uttered by King Josiah when he was slain by the archers of Pharaoh-Neco of Egypt. According to the Talmud, when Pharaoh-Neco marched on Carcemish on the Euphrates and found it necessary to pass through Judah, Josiah advanced against him without first consulting Jeremiah. He interpreted Moses' prophecy of (Lev. 26:6): "Neither shall the sword pass through your land," to mean that even a sword of peace, i.e., the sword of an army going to invade another land, would not pass through your land. Consequently, he felt confident that God would assist him in preventing Pharaoh-Neco from traversing his land. He was unaware that his generation was idolatrous. Hence, the promise of the Torah did not apply to them. According to *Lamentations Rabbah*, Josiah debated the matter with Jeremiah. The latter quoted Isaiah, who prophesied, (19:2): "And I will stir up Egyptians against Egyptians." As the prophecy continues in verse 4, "And I will deliver the Egyptians into the hands of a harsh master," meaning that Nebuchadnezzar would conquer Egypt, not Josiah (*Maharzav*). Josiah insisted, however, that Moses had prophesied that no sword of peace would pass through the land. He was unaware that the people clandestinely worshipped idols. They would attach half an idol to one door and the other half of the idol to the other door.

When Josiah's inspectors entered and opened the two doors, the idol was concealed. When they left and closed the doors, the two halves would come together, and the idol would be restored. Since Josiah was unaware of this practice, he was confident that he could defy Pharaoh-Neco and prevent him from traversing his land. Josiah proceeded to go to war against Pharaoh-Neco in the valley of Megiddo, where he was shot by the latter's archers (II Chron. 35:23). The Midrash relates that he was shot with three hundred arrows until his body became like a sieve. While Josiah was dying, Jeremiah bent his ear to hear what he was saying. He heard the words, "The Lord is righteous, for I have rebelled against His word."

hear, I pray, all you peoples—the elegy that Jeremiah recited over Josiah and see my pain that befell me after his death; my maidens and youths have gone into captivity.—[*Targum*] *Rokeach* explains simply that Israel justifies God's judgment upon them before the nations.

19. **I called to my lovers**—Heb. לַמְאַהֲבַי, *to those who make themselves appear as lovers.*—[*Rashi*]

[but] they deceived me—*e.g., the children of Ishmael, who went forth toward the exiles when the captors were leading them on the road nearby, as if they were compassionate toward them. And they brought them various kinds of salty foods and inflated skin flasks. They* [the Jews] *thought that these were* [flasks of] *wine, so they ate and became thirsty and wished to drink, and when they untied the flask with their teeth, the air entered their intestines and they died. This is what Scripture says* (*Isa. 21:13f.*): *"In the forest in Arabia you shall lodge, etc. Bring water toward the thirsty! The inhabitants of the land of Tema came before the wanderer with bread."*—[*Rashi* from *Tanhuma Yithro* 5, *Midrash Psalms* 5:8] The *Targum* paraphrases: Jerusalem said: When I was delivered into the hands of Nebuchadnezzar, I called to my lovers among the nations, with whom I had made a treaty that they should help me, but they outsmarted me and turned about to destroy me. They were the ones who came with Titus and Vespasian and built siege works around Jerusalem. My priests and my elders within the city perished, because they sought, etc. *Rokeach* explains that the lovers were the Egyptians and the Ishmaelites. Egypt is often depicted as "a prop of reeds" and the Ishmaelites fed them salty foods and caused them to die of thirst. *Lechem Dim'ah* identifies these lovers as the heavenly angels. Israel says: I called the angels, perhaps they would accept my prayers, for they are all our lovers, but I received no support for they deceived me, as the Rabbis say above on verse 2: "all her friends have betrayed her"—this refers to Michael and Gabriel. Here too, Israel's lovers were the heavenly angels to whom they appealed but were deceived.

my priests and elders perished in the city—This accounts for the fact that the merit of the priests and elders did not save them: the righteous and the elders who were in the city perished before the destruction so that they should not witness the calamity that was to befall the people and so that their merit should not save Jerusalem from destruction. They are called "my priests" and "my elders," indicating that they were truly deserving of their titles. They were the priests who served in the Temple and the elders of the Sanhedrin, who would have saved the people with their merit had they not perished prior to the destruction.—[*Lechem Dim'ah*]

Palgei Mayim explains that these lovers were the nations who led Israel astray from the precepts of God. I gave my lovers honor, but they deceived me; they turned my heart from following God, to the extent that my priests and my elders perished in the city, and I had no pity on them. In *Lamentations Rabbah*, the Rabbis and Rabbi Simeon bar Yohai disagree on the meaning of this verse. The Rabbis identify the lovers as the false prophets. I called to my lovers, to those who made me love idolatry, and they deceived me. They were constantly deceiving me. What did they say to me? Bring heave offerings, bring tithes. They did not stop prophesying false prophecies until they caused me to go into exile. This is the meaning of (2:14): "but have prophesied for you false and misleading oracles." Rabbi Simeon says: These are the true prophets, who made me beloved to the Holy One, blessed be He. They deceived me by telling me to separate the priestly due and the tithes in Babylon although there is no obligation to do so outside the Holy Land. They thereby made me beloved to the Holy One, blessed be He. This is what Jeremiah says, (31:20): "Set up markers for yourself." Make yourself distinguished with the precepts wherewith Israel is distinguished.

to revive their souls—lit. and they shall revive their souls, *so that they should revive their souls.*—[*Rashi*]

נַפְשָׁם׃ כ רְאֵה יְהוָה כִּי־צַר־לִי מֵעַי חֳמַרְמָרוּ נֶהְפַּךְ
לִבִּי בְּקִרְבִּי כִּי מָרוֹ מָרִיתִי מִחוּץ שִׁכְּלָה־חֶרֶב בַּבַּיִת
כַּמָּוֶת׃ כא שָׁמְעוּ כִּי נֶאֱנָחָה אָנִי אֵין מְנַחֵם לִי כָּל־
אֹיְבַי שָׁמְעוּ רָעָתִי שָׂשׂוּ כִּי אַתָּה עָשִׂיתָ הֵבֵאתָ יוֹם־
קָרָאתָ וְיִהְיוּ כָמוֹנִי׃ כב תָּבֹא כָל־רָעָתָם לְפָנֶיךָ וְעוֹלֵל
לָמוֹ כַּאֲשֶׁר עוֹלַלְתָּ לִי עַל כָּל־פְּשָׁעָי כִּי־רַבּוֹת
אַנְחֹתַי וְלִבִּי דַוָּי׃ ב א אֵיכָה יָעִיב בְּאַפּוֹ ׀ אֲדֹנָי אֶת־

לחמא להון למיכל ויקיימון ית
נפשיהון: כ ראה חזי יי ארום
אעיק לי בגין כן מעי אתנגרו
איתהפך לבבי בגוי ארום
מעבר עברית על גזירת
מימרא דיי ומן בגלל הכי
מן ברא תכלי חרבא ומלגיו
חרגת כפנא כמלאכא מחבלא
די ממנן על מותא: כא שמעו
שמעו אומיא ארום מתאנחא
אנא וליה דמנחם לי כל בעלי
דבבי שמעו בישתא די מטת עלי בדחו ארום את הוא יי דעבדת איתיתא עלי יום פורענותא
ערעיתא עלי מערע לצדיאותני כדין תערע עלהון ויהון צדיאן כוותי: כב תבא היעול ליום דינא רבא
כל בישתהון די אבאישו לי קדמך ותסתקף להון היכמא דאיסתקפתא עלי על כל סגיאות מרודי
ארום סגיאו אנחתי ולבי חליש: ב א איכה איכדין יקוץ יי בתקוף רוגזיה ית כנשתא דציון טלק משמיא

רש"י

(כ) חמרמרו. כוולו ויש כזה בלשון משנה נפלה לאור ונחמרו בני מעיה: בבית כמות. בתוך הבית היתה אימת שדים ומזיקים ומלאכי מות ומחוץ חרב האויב משכלת: (כא) כי אתה עשית. אתה גרמת לי שהם שונאים אותי שהבדלתני ממאכלם וממשתיהם ומהתחתן בם אם נתחתנתי בהם היו מרחמים עלי ועל בני בנותיהם: הבאת יום קראת. הלואי והבאת עליהם יום צ המועד שקראת עלי: ויהיו כמוני ברעה: (כב) תבוא כל רעתם לפניך. יזכרו ויפקדו עונותם לפניך: ועולל למו. ופעול למו כמו (משלי כ יא) גם במעלליו יתנכר (ירמיה כא יד) וכפרי מעלליו: (א) איכה יעיב. יאפיל כד"א (מלכים א יח) והשמים התקדרו בעבים: משמים ארץ. לאחר

שפתי חכמים

נמס גועו. לכ"פ כדי שיביאו כו': צ דק"ל דמשמע שכבר הביא ואח"כ קא אמר ויהיו כמוני משמע שעדיין לא הביא רק שמבקש שיביא

אבן עזרא

(כ) המרמרו. כפול העי"ן והלמ"ד וטעמו כמו עכורים וכן פני חמרמרו והוא מגזרת חומר כי הבכי כמים וכן יין חמר: (כא) הבאת יום קראת. תחסר מלת לו טרם הבאת כאילו הוא מתאוה ויתכן להיות כמשמעו: (כב) ועולל. עשה מגזרת עלילותיו והנכון שטעמו כמו סבה וכן ולו נתכנו עלילות: (א) איכה יעיב. י"א יעיב מעב כמו יחשיך והנכון

פי' הטעמים לראב"ע

(כ) והייתי צועקת לשם ומתודה כאשר ראיתי חרב הלך משכלת בחוץ ובבית רעב כמות: (כא) שמעו אוהבי הנזכרים למעלה ואין מנחם מהם והאויבים שמעו לצעקותי ושמחו כי אתה שמחתם וקרבת היום שקראתם והוא כמצוקק עד שהיו כמשלים לי ויתכן להיות פירושו לעתיד לבוא תבוא היום שקראת ביד הנביאים ויארע להם מה שהירע לי: (כב) עשה להם בעבור רעתם כאשר עשית לי בעבור פשעי כי לבי דוי עד שיהיו כמוני כאשר פשעו גם הם כך: (א) איכה יעיב. לא

קיצור אלשיך

(כ) ראה ה' וכו'. אמר הנה עד כה בחשבי כי פיהו מריתי שהוא מרי בלתי כפול דאגתי על כי בתולותי ובחורי הלכו בשבי אך עתה ראה ה' כי שבתי מסברתי והוכפלה אנחתי כי צר לי וגם מעי חמרמרו, והטעם כי הנה נהפך לבי בקרבי מאשר היה בלבי עד כה. כי עד כה חשבתי כי פיהו מריתי שהוא מרי בלתי כפול וע"כ דאגתי על בתולותי ובחורי. אך נהפך לבי בקרבי לומר כי מרה מריתי שהוא מרי כפול וע"כ עזבתי את מכאוב בתולותי ובחורי ודאגתי על כפל מריי. ומה ראיתי שנהפך לבי אל סברא זו. הלא הוא כי ראיתי כי מחוץ שכלה חרב בבית כמות. והוא כי בתורה נאמר מחוץ תשכל חרב ומחדרים אימה ופה נאמר בבית כמות שהוא יותר מאימה:

(כא) שמעו כי נאנחה אני. הנה האיש אשר בא אל האבל והמצטער אם אין כונתו לנחם אותם לא יתיצב לשמוע מפיהם כל פרטי צרתם כי אינו דרך ארץ יקשיב וישמע ויהפוך פניו וילך לו. אך העושה כן הלא יראה כי משנאה הוא עושה שמח באיד משנאו וששׂ כי ישמיע לאזנו ושמח בלבו. על זאת תתלונן הכנסיה ותאמר הלא שמעו מפי כי נאנחה אני כאשר בשפתי ספרתי ואחרי כן ואין מנחם לי. זהו כללות ההמון עמים. אך כל אשר הם בעצם אויבי שמעו רעתי לא בלבד אין מנחם כ"א גם ששו על כי אתה עשית ולא הם באופן ישמח לבם שלא תגיע אליהם הרעה כאשר אם בידם היו עושים שלא יקרם ככל מלכים הקודמים שהצרו את ישראל כפרעה וחילו פלשתים ועמלק וכיוצא בהם כי עשו מעצמם וע"כ לקו משא"כ הם כי מאתך ה'. והנה על מה ששׂו על רעתי. ראוי תשוב אפך ממני ותתך חרונך בהם כדבר שנאמר בנפול אויבך אל תשמח והשיב מעליו אפו וגו' אך ישראל קבוע להם זמן מפלתם מפי הנביא ירמיה עד שבעים שנה. והנה הוא עד בלתי השאיר להם שריד אמנם הנה אנחם גם שלא יכלו וגם שלא תשיב מעלי אפך אם זאת תעשה לי שתביא יום קראת לינקם מהם מעתה וגם שלא יפלו הם כמעוחד להם מפי ירמיה עד בלתי השאיר שריד ואעלה אני רק שיהיו כמוני מספיק לי וזהו הבאת כו' לומר מי יתן והבאת:

(כב) תבא כל רעתם וגו' הנה ידעתי כי תבא כל רעתם לפניך כי אתה ה' מאריך להם עד תתמלא סאתם כי אז תבא כל רעתם יחד לפניך אשר הרעו כדי לכלותם ויהי' לעתיד לבא או לסוף שבעים שנה לבבל. אמנם זה איננו שוה כי אויבי אשר הרעו לי כבר כמות כל אדם ימותו טרם בא הזמן ופקודת כל האדם יפקד עליהם. נמצאו אלה עושים הרעה ובניהם ובני בניהם לוקים. אך שאלתי היא ועולל למו בעצמם גם הם. ואל תאמר למען כלותם בהתמלאות הסאה מה שאין כן אם ילקו כעת. כי הלא די לי שתעולל למו כאשר עוללת לי שהשארת שארית כי רבות אנחותי ודרך המתאנח ע"י האנחות ינוח הלב מכאבו. אך כ"כ רעתי רבה שעם שרבות אנחותי עכ"ז לבי דוי שאינו נח מכאב דאגתו על צרתי ולבי דוי על אשר ששו מרעתי ונוחם יסתר מעיני:

ב (א) איכה יעיב ה' באפו את בת ציון. דברי תלונות הנביא אל ישראל ורוח הקודש משיבה אליו על כל דבר ודבר ודברי התלונה הם איכה וכו' כי הנה יותר יצטער האדם בעקיצת מחט האוהב מבמכת

חץ

souls. 20. Behold, O Lord, for I am in distress, my innards burn, my heart is turned within me, for I have grievously rebelled; in the street the sword bereaves, in the house it is like death. 21. They have heard how I sigh, [and] there is none to comfort me, all my enemies have heard of my trouble [and] are glad that You have done it; [if only] You had brought the day that You proclaimed [upon them] and let them be like me. 22. May all their wickedness come before You, and deal with them as You have dealt with me for all my transgressions, for my sighs are many and my heart is faint.

2

1. How has the Lord in His anger brought darkness upon

20. **burn**—Heb. חֲמַרְמָרוּ, *they became shriveled, and there is an expression like this in the language of the Mishnah* (*Hul.* 3:3)*: "It fell into the fire and its intestines were scorched* (וְנֶחְמְרוּ)*."*—[*Rashi*]

in the house it is like death—*Within the house was fear of demons and destructive beings and angels of death, and from without, the enemy's sword was bereaving them.*—[*Rashi*]

21. **that You have done it**—*You caused them to hate me when You separated me from their food and from their drink and from intermarrying with them. Had I intermarried with them, they would have had compassion upon me and upon their daughters' sons.*—[*Rashi*]

You had brought the day that You proclaimed—*If only You had brought upon them the appointed day that You proclaimed upon me.*—[*Rashi*]

and let them be like me—*in distress.*—[*Rashi*]

22. **May all their wickedness come before You**—*May all their iniquities be remembered and counted before You.*—[*Rashi*]

and deal with them—Heb. ועוֹלֵל *and do, like* (*Prov. 20:11*): *"Also a child can disguise himself with his deeds* (בְּמַעֲלָלָיו)"; (*Jer. 32:19*): *"and in accordance with the fruit of his deeds* (מַעֲלָלָיו)."

2

1. **brought darkness**—Heb. יָעִיב, *brought darkness, as Scripture states* (*I Kings 18:45*)*: "the heavens grew dark with clouds* (בֶּעָבִים)*."*—[*Rashi*]

בַּת־צִיּוֹן הִשְׁלִיךְ מִשָּׁמַיִם אֶרֶץ תִּפְאֶרֶת יִשְׂרָאֵל
וְלֹא־זָכַר הֲדֹם־רַגְלָיו בְּיוֹם אַפּוֹ׃ ב בִּלַּע אֲדֹנָי *לֹא
ולא קרי חָמַל אֵת כָּל־נְאוֹת יַעֲקֹב הָרַס בְּעֶבְרָתוֹ
מִבְצְרֵי בַת־יְהוּדָה הִגִּיעַ לָאָרֶץ חִלֵּל מַמְלָכָה
וְשָׂרֶיהָ׃ ג גָּדַע בָּחֳרִי־אַף כֹּל קֶרֶן יִשְׂרָאֵל הֵשִׁיב
אָחוֹר יְמִינוֹ מִפְּנֵי אוֹיֵב וַיִּבְעַר בְּיַעֲקֹב כְּאֵשׁ לֶהָבָה

תו"א השליך משמים ארץ. חגיגה ה: בלע ה' ולא חמל. גיטין נז: אף כל קרן. גיטין נח:

תרגום

לְאַרְעָא תּוּשְׁבַּחְתָּא דְיִשְׂרָאֵל
וְלָא דְכִיר בֵּית מוּקְדְשָׁא דַהֲוָה
גְלוּנְדְקָא דְרַגְלוֹהִי וְלָא חָס
עֲלוֹהִי בְּיוֹם תְּקוֹף רוּגְזֵיהּ׃
ב בַּלַּע שֵׁיצֵי יְיָ וְלָא חָס יַת כָּל
עִידִית יַעֲקֹב פַּגַּר בְּרוּגְזֵיהּ
כְּרַכֵּי כְּנִשְׁתָּא דְבֵית יְהוּדָה
אַמְטֵי לְאַרְעָא אַפֵּים מַלְכוּתְהָא
וְרַבְרְבָנָהָא׃ ג גְּדַע קְצַץ בִּתְקוֹף
רְגַז יַת כָּל יְקָרֵיהּ דְיִשְׂרָאֵל
אֲתִיב לַאֲחוֹרָא יַד יְמִינֵיהּ וְלָא סַיַּע לְעַמֵּיהּ מִן קֳדָם בְּעֵיל דְבָבָא וְאַדְלִיק בְּבֵית יַעֲקֹב

רש"י

שהגביהם עד לשמים השליכם לארץ בבת אחת ק ולא מעט מעט מאיגרא רמא לבירא עמיקתא: **הדום רגליו.** שרפרף מרגלותיו ר וזה בית המקדש: (ב) **נאות יעקב.** בתי יעקב לשון נוה: **הגיע לארץ.** השפילם לארץ: **חלל ממלכה ושריה.** אלו ישראל ש שהיו קרויים (שמות יט ו) ממלכת כהנים: **ושריה.** מדרש אגדה יש ת אלו שרים של מעלה שהחליפם הממונה על האור מינה על המים והחליף כל הממוני' לפי שהיו ברשעי ישראל בעלי שם המפור' ובוטחי' הם שישביעו את שרי מעלה להצילם מאש וממים ומהרב ועכשיו כשהי' משביע את שר האש בשמו והוא משיב אין ממשל' זו בידי וכן כולם: (ג) **השיב אחור ימינו.** השיב עצמו

שפתי חכמים

דאל"כ הל"ל והיו כמוני. לכ"פ שלואי וכו'· ק דק"ל משמים לארץ הל"ל. לכ"פ לאחר שהגביהם וכו' והיינו משמים ארץ כלומר שנפלו משמים ארץ בבת אחת. ומה שפי' לאחר שהגביהם לפי שק"ל איך כמר שהשליך משמים הלא לא היו בשמים. לכ"פ שסוף דרך משל לאחר שהגביהם עד לשמים כו': ר במדרש רבות אין הדום רגליו אלא בהמ"ק הדא הוא דכתיב רוממו ה' אלהינו והשתחוו להדום רגליו: ש דק"ל הל"ל הגל מלכה כמו שאמר בסמוך מלכה ושרים בגוים לכ"פ אלו וכו': ת דק"ל הם ממלכה כולל כל ישראל בכלל א"כ מהו

אבן עזרא

יגביה עד עב: **הדום.** דמות כסא קטן לרגלים: (ב) אל"ף נאות. במקום וי"ו כמו נות רועים וכן תתאו לכם:

פי' הטעמים לראב"ע

הגביה השם את ציון רק באפו כדי להשליכה ממקום גבוה: (ב) והשפיל השגלרים והגל מלכה שהיו דרים במגדל ובארמון: (ג) גדע כל קרן

(ג) ויבער. פועל עומד ויחסר אף והנכון שהוא שב אל בחרי אף:

לקוטי אנשי שם

ב (א) **השליך** משמים ארץ תפארת ישראל. אמרו רז"ל שהיו זיו איקונין של יעקב חקוקה בכסא הכבוד וכשהיה רואה את ה' ית' היה מרחם על ישראל. לכן מה שה' יתברך כאשר רצה להחריב את בהמ"ק השליך מן השמים לארץ את תפארת ישראל הכא שהוא זיו איקונין של יעקב. ועם זה הפשר שמסיים הכתוב ואמר ולא זכר הדום רגליו ביום אפו. והכונה שהכונים כי מה הועיל השי"ת בהשלכת זיו איקונין של יעקב מן השמים לארץ והרי מלא כל הארץ כבודו ומשגיח לראות בשמי' ובארץ. ואם היה רואה אותה כשהיתה בשמים ג"כ ירחם כביה בארץ. לזה תירץ הכתוב בעצמו ואמר ולא זכר הדום רגליו ביום אפו והכונה ידוע כי השמים כסאו והארץ הדום רגליו וכשהיה זיו איקונין של יעקב בשמים היתה חקוקה בכסא שלו ואינו דומה דבר החקוק בכסא לפניו ית' תמיד אל הדבר אשר סוף תחת רגליו כי בהיותה בהדום רגליו לא זכר אותה ביום חרון אפו:

קיצור אלשיך

חץ מהאויב. והענין כי הנה דרכו ית' **לעשות שפטיו** על החוטאים ע"י מלאכים רעים באף וחמה עברה וזעם והם כאויבי' והנה בצרות ישראל האף שהוא אחד ממשלחת מלאכי הרוגז שלח בהם. אך גם השכינה שהיא שם אדנות שהיא שלנו סייעה. וזאת היא התלונה לומר הלואי היה ית' מניח את האף לבדו ולא יהיה גם הוא ית' משתתף להצר לנו כי הלא הוא אבינו ואיך יהיה גם הוא בפועל נגדנו. וזהו איכה יעיב באפו אדני את בת ציון מי יתן והיה מניח את האף לבדו ולא יעיב באף גם ה' את בת ציון:

משיבה רוח הקודש ואומרת הלא זו לטובה גדולה היתה כי ע"י היות גם ה' פועל הרוגז נמשך כי השם הנזכר השליך משמים ארץ תפארת ישראל ולא זכר הדום רגליו ביום אפו מה שאין כן אם היה האף לבדו כי המשחית לא יערב אל לבו להשליך משמים ארץ דיוקן יעקב וגם לא לשלוח יד במקדש ה' הוא הדום רגליו. אך בהיות גם אדני שם עשה כל אלה ואין טובה גדולה מזו כי ע"י הטיל הכעס באלו היקל מישראל להשאיר מהם פליטה כמדובר: (ב) **בלע אדני ולא חמל וגו'** משיב עוד הנביא ואומר אם להטיל כובד הכעס מעל ישראל שלא יתמו השליך וגו' והחריב הדום רגליו הוא הבהמ"ק א"כ היה די בזה ולמה בלע ולא חמל את כל נאות יעקב הם בתים החשובים והרס בעברתו מבצרי בת יהודה הם המבצרים שבהם ישענו בעלי המלכות והרסם עד היסוד וזהו הגיע לארץ שהוא עד בלתי השאיר אבנים ביסוד כ"א קרקע שתחתיהן שהוא הוראת עבירה גדולה:

משיבה רוח הקדש ואומרת חלל ממלכה ושריה. לומר גם זה רחמים שע"י הטיל הכעס בבתים הגדולים ובמבצר המלכות ולא האביד ממלכה ושריה כי אם שחלל שררתם בלבד וזהו חלל וכו' והוא כי לא נתקיים אבד תאבדון בהם כמו בקצת משפחות מעושי הרע והוא כי מפרץ אמרו רז"ל שיוצאים מלכים ומזרח שרים. כמו שאמרו רז"ל שעל זה שאל שאול בן מי זה העלם מפרץ או מזרח, ואמר כי היה מקום להאביד בהם על כן מה עשה הוא ית' במה שבלע וכו' נמשך שחלל מהם אדר מלכות שלא היו עוד מלכים מפרץ ולא שרים מזרח רק נשיא וריש גלותא מפרץ בלבד וכל זה היה מאשר הטיל הכעס בנאות יעקב ומבצרי בת יהודה שחלל בלבד ולא האביד כמדובר:

(ג) **גדע** בחרי אף כל קרן ישראל. בראשונה גדע ה' בחרי אפו עשרת השבטים שנקראו בשם "ישראל". כי השי"ת היה רחום בדין ולא רצה לעקור יהודה וישראל בפעם אחד. ואחר שגלו אמר הקב"ה די והשיב אחור ימינו מפני אויב. והכונה לפי שבודאי כאשר גדע בחרי אפו כל קרן ישראל. אז בודאי ימינו של הקב"ה היתה הולכת לפני האויב והורג בישראל והאויב שהיה הורג בישראל גברי קטילי קטיל. לפי שהי"ת יצא לפניו ויד ה' היא אשר הרגה בהם. אבל אחר שגדע כל קרן ישראל ורצה להשאיר את יהודה אז השיב אחור ימינו מפני אויב. שהאויב לא יוכל לעשות להם מאומה. ובזה לא נעשתה עוד בפעם ההיא רק ויבער ביעקב לבד כאש להבה. ולא אש ממש. רק להבה שאכלה סביב. רק סביבות ירושלים. רק

the daughter of Zion! He has cast down from heaven to earth the glory of Israel, and has not remembered His footstool on the day of His anger. 2. The Lord has destroyed and has had no pity on all the habitations of Jacob; in His wrath He has broken down the strongholds of Judah; He has struck [them] to the ground; He has profaned the kingdom and its princes. 3. He has cut down in fierce anger all the strength of Israel; He has withdrawn His right hand [that shielded Israel] from the enemy, and He has burned in Jacob like a flaming fire,

from heaven to earth—*After He lifted them up to heaven, He cast them to earth all at once, and not little by little,* [as] *from a lofty roof to a deep pit.*—[*Rashi*]

His footstool—*His footstool; that is the Temple.*—[*Rashi*] *Palgei Mayim* explains this chapter as illustrating God's loving-kindness even amidst the calamity of the destruction of Jerusalem and the Temple. We will present his comment on several verses. Although the verse is understood in the past tense, it is literally the future. *Rashi* (Exod. 15:1) explains such instances as denoting a thought to do something in the future. This verse refers to God's intention to bring darkness upon the daughter of Zion, namely, to exile them. When God intended to bring darkness upon the daughter of Zion, He cast down the glory of Israel, namely the Shechinah, which accompanied them into exile.

and He has not remembered His footstool—He did not remember that the Shechinah was His footstool, [i.e., that it belonged in the Temple].—[*Palgei Mayim*]

2. **the habitations of Jacob**—Heb. נְאוֹת, *the houses of Jacob, an expression of* נָוֶה, *a dwelling.*—[*Rashi*] In this way, too, God showed His loving-kindness, by not first touching the souls of Israel, but by first destroying the habitations of Jacob and the strongholds of Judah.—[*Palgei Mayim*]

He has struck [them] to the ground—lit., He has made them reach the ground, *He humbled them to the ground.*—[*Rashi*]

He has profaned the kingdom and its princes—*These are the Israelites, who were called* (*Exod. 19:6*): *"a kingdom of priests."*—[*Rashi* from *Lam. Rabbah* 2:3] Since the wording differs from that in verse 9: "her king and princes," we deduce that the reference here is to the entire kingdom.—[*Sifthei Hachamim*]

and its princes—*There is a Midrash Aggadah* (*Lam. Rabbah* 2:5) [that states that] *these are the heavenly princes* [whose assignments] *He changed. The one appointed over fire He appointed over water, and He changed all the appointees because there were among the wicked of Israel*

אכלה סביב: ד דרך קשתו כאויב נצב ימינו כצר
ויהרג כל מחמדי־עין באהל בת־ציון שפך כאש
חמתו: ה היה אדני | כאויב בלע ישראל בלע כל־
ארמנותיה שחת מבצריו וירב בבת־יהודה תאניה
ואניה: ו ויחמס כגן שכו שחת מעדו שכח יהוה

כאשתא דמשלהבא אכלת חזור חזור: ד דרך מתח קשתיה ורגם עלי גירין כבעיל דבבא אתעתד על יד ימיניה דנבוכדנצר וסיעיה כאלו הוה מעיק לעמיה ישראל וקטל כל עולים וכל דמרגגין לחזו עינא במשכן כנשתא דציון שדא כביעור אשא רוגזיה: ה היה הוה יי דמי כבעיל דבבא שיצי ישראל שיצי כל ברניתהא חביל כל קירוי פציחתהא ואסגי בכנישתא דבית יהודה אבילותא ואנינותא: ו ויחמס ושרש

רש"י

כמשיב אחור ימינו מלהלחם בעד בניו: (ד) דרך קשתו. לפי שכך דרך דורכי קשת שהם חזקי' לשום רגלו עליהם כשהוא כופפם לכך נכתב בלשון דריכה: שפך כאש חמתו. כך חבור המלות שפך חמתו שהיה כאש כי לא מצינו שפיכה של אש אלא אצל חמה כדכתי' (תהלי' עט ו) שפוך חמתך אל הגוים: (ה) וירב בבת יהודה. הרבה בכנסת יהודה: תאניה ואניה. צער ויללה: וירב. נקוד יו"ד פת"ח קטן א שהוא ל' הרבה את אחרים וירב העם ויעצמו מאד נקוד חיר"ק שהוא לשון רבה הוא את עצמו וכן כל תיבה שפעל שלה בה"א כגון פנה זנה בכה כשדרכה לשמש כשהוא מחסר ממנה ה"א כשהוא מדבר על עצמו נקוד חיר"ק כגון (שמות ז) ויפן פרעה וכשהוא מדבר על אחרים נקוד פת"ח קטן כגון (שופטים טו ד) ויפן זנב אל זנב (מ"ב כה יא) ויגל יהודה מעל אדמתו (שם יח יא) ויגל מלך בבל את ישראל אשורה: (ו) ויחמס.

שפתי חכמים

ושריה הרי הם בכלל ממלכה. נכ"פ מדרש אגדה ע': א פי' סגו"ל עיין מזה לעיל בפ' שמות בפסוק וייטב אלהים למילדות בפרש"י:

אבן עזרא

(ד) נצב ימינו. בנין נפעל ויש ימין זכר כאדרי בכח: (ה) וירב. בג' נקודות תחת היו"ד מהבנין הכבד הנוסף. תאניה התי"ו נוסף מגזרת ואנו ואבלו: (ו) ויחמס.

פי' הטעמים לראב"ע

ישראל השתי ממלכות: (ד) לא די שלא נלחם עם הצר אלא שהשיב אחור ימינו כאילו אין כח לו עד שסב כאויב: וטעם באהל הם הפול העם כי ככל יאכל מיד: (ה) בלע ישראל על גלות שומרון ישיה יהודה אחרי גלות השבטים בלגחה: (ו) ואחר כך גלה סכו בבוא מקום

סדיר. וטעם כגן אשר נפלו עליו. וטעם מלך וכהן שהכהן מורה את המלות והמלך משמר התורה בכחו ולבניהם נתן תורם:

קיצור אלשיך

בעשרת השבטים. אמנם ירושלים. שנקראת „יהודה" ע"ש מלכות בית דוד. עדיין נשארה קיימת. ולא שבו אל ה' עד שבפעם אחרת (ד) דרך קשתו עתה מחדש ונצב ימינו כצר ויהרוג כל מחמדי עין באהל „בת ציון" היא ירושלים ומלכות בית דוד ושם שפך כאש ממש חמתו בהמה שפיכה לפי שכבר התרה בהם בראשונה:

(ד) **דרך** קשתו כאויב. הכונה הקב"ה עשה עם ישראל הפך דרך העולם. כי מדרך העולם האדם המתכעס על חברו ובעת התלהבות הכעס תיכף דורך קשתו וחוגר חרבו על ירכו וכונתו שלא להשאיר לו משתין בקיר אבל בעת שמוציא הדבר לפועל אינו עושה אף חצי מן הרעה שחשב לעשות. אמנם השי"ת לא עשה כן רק כשדרך קשתו היה כאויב שהוא פחות מצר אמנם כשבא לעשות הדבר בפועל ולזרוק חציו בימינו אז נצב ימינו כצר ועשה יותר ממה שחשב לעשות:

(ה) **היה** אדני כאויב וגו'. הנה דרכו ית' אין בעל הרחמים פוגע בנפשות תחלה. נגעי בתים נגעי בגדים נגעי אדם. אבל בעת חורבן הבית היה הקב"ה כאויב תחלה בלע ישראל ואח"כ בלע כל ארמנותיה שחת מבצריו. ועוד כשבא הקב"ה להחריב עשרת השבטים המכונים ישראל היה ה' כאויב ולא אויב ממש, שלא הרע להם כ"כ רק בלע ארמנותיה ושחת מבצריו והניחם פריץ מרובה על העומד אמנם בבת יהודה הרבה להם הרע יותר ויותר כי הרס מבצריה לגמרי, כאומרם ערו ערו עד היסוד בה, ע"כ וירב בבת יהודה תאניה ואניה:

ועוד כשבלע ישראל לבד אז עדיין כיון שנשארה בת יהודה בקיומה לא היתה נרגשת הרעה כ"כ, אמנם עתה שגם נחרבה בת ציון עם בת יהודה שנחרבה נתרבה תאניה ואניה כפולה ומכופלת, כיון שפרצם פרץ על פני פרץ שבר על שבר והוה על הוה בהתחברו שתיהן נעשה תאניה ואניה כפולה:

וענין יהודה וישראל המה כמשל למלך שהיו לו שני בנים וכל אחד היו לו בתים טובים ומשכנות מבטחים, סרח אחד מהם כעס עליו המלך וגרשו מעליו לאפסי ארץ שלא ישוב עוד, ולא נח רוגזו עד שאח"כ הרס בעברתו אהלי אפדנו, סרח אח"כ השני אמר אם אני עושה בו כאשר עשיתי בראשון אשכל גם שניהם, ע"כ מה עשה התחיל במשכנותיו וארמנותיו להחריבם ונח בזה רוב כעסו וכשבא אח"כ ליסר את בנו ביסורים שם מועד לגרושו להשיב שבותו, כך הוא ית' היו לו שני בנים, עשרת השבטים הנקראי' בית ישראל ושבט יהודה ובנימין הנקראים בית יהודה, סרחו ישראל לא היחל לפקוד על מבצריו וארמנותיו כ"א התחיל בבנו ובהתחל' בו עודנו היה בכל כעסו ונרשו גרושין גמורים לאפסי ארץ, ואף שאחר כך שלח ידיו בארמנותיו לא עלתה ארוכת בנו, אבל כשסרחו אח"כ בית יהודה אמר אם אני אתחיל בו כאשר עשיתי בישראל הלא יגורש גם הוא עד עולם, ע"כ כבשו רחמיו את כעסו וגזרה חכמתו להתחיל בבהמ"ק ומבצריו, ע"כ כאשר אחרי כן פקד עליו היהל בפקידה וישם להם מועד שבעים שנה ואחר זה ישובו מארץ אויב, וזה מאמר רוח הקודש היה ה' כאויב במה שבלע ישראל הם עשרת השבטים תחלה, ואח"כ בלע כל ארמנותיה שחת מבצריו וע"כ לא נתקן מה שבלע ישראל כיון שהתחיל בו, וע"כ וירב אף בבת יהודה תאניה ואניה והוא כפירוש המתרגם שמפרש אבילותא ואנינותא, והלא הי' לו להפך אנינותא קודם לאבילותא, אך הוא כי על חורבן הבית יצדק עליו אבלות כמד"א שישו אתה משוש כל המתאבלים עליה, אך לא יצדק אנינות כי אם על מיתת בני אדם, ובכן יתכן כי תאניה שהיא אבלות יהי' על בהמ"ק ואנינות על אשר מתו אנשים בחרב וברעב, ותהי' הכונה לפי דרכנו כי בישראל בלע אותם תחלה ונשארו מבולעים גם שאח"כ בלע כל ארמנותי' שחת מבצריו, אבל בבת יהודה שהיו באחרונה הפך הסדר, וירב בבת יהודה תאניה תחלה, שהיא אבלות על בהמ"ק, ואח"כ אניה על מתי העם, באופן שע"י סדר זה הוקלה רעתם כמדובר]:

(ו) **ויחמוס** כגן שכו וגו'. ידוע כי הבית המקדש נתחלק לשלשה מדרגות, א) בית קודש הקדשים אשר שם השכינה ולא היה נכנס שם זולת כהן גדול ביום הכפורים. ב) העזרות שבהם היו ישראל
משתעשעים

consuming all around. 4. He has bent His bow like an enemy, standing [with] His right hand as an adversary, and He has slain all that were pleasant to the eye; in the tent of the daughter of Zion, He has poured out His fury, [which is] like fire. 5. The Lord has become like an enemy; He has destroyed Israel; He has destroyed all its palaces, laid in ruins its strongholds, and He increased in the daughter of Judah, pain and wailing. 6. And He stripped His Tabernacle like a garden, and laid in ruins His Meeting-Place; the Lord has caused festival and Sabbath to be forgotten

those who knew the Ineffable Name, and they relied [upon the fact] *that they could adjure the heavenly princes to save them from fire, from water, and from the sword. Now, when he would adjure the prince of fire by his name, he would reply, "This dominion is not in my hands," and so, all of them.*—[*Rashi*] Since "kingdom" refers to the entire nation, "princes" must refer to someone else, viz. the heavenly princes.—[*Sifthei Hachamim*] He destroyed the edifices of Judah, so that perhaps the people would repent, and since His anger was assuaged with the destruction of the Temple, Israel was not punished except that God profaned the kingdom and its princes.—[*Palgei Mayim*]

3. **all the strength of Israel**—lit. every horn of Israel. Even after God had broken down all the strongholds of Judah and they did not repent, He nevertheless cut off only the horn of Israel, viz. the greatness and the dominion of Israel, but when He saw that they had not yet repented, and He withdrew His right hand, He still did not kindle fire in Israel but around it, meaning in the Ten Tribes, which were around Jerusalem, but not really within it, and He waited, perhaps they would repent.—[*Palgei Mayim*]

He has withdrawn His right hand—*He withdrew Himself as though withdrawing His right hand from waging war on behalf of His children.*—[*Rashi*]

4. **He has bent His bow**—Heb. דָּרַךְ, lit. trod. *Since this is the procedure of those who bend the bow, who are strong, to place their foot upon them when he bends them; it is therefore worded as an expression of treading.*—[*Rashi*]

He has poured out His fury like fire—*The arrangement of the words is as follows: He poured out His anger, which is like fire, for we do not find pouring of fire, except in conjunction with anger, as it is written* (*Ps. 79:6*)*: "Pour out Your wrath upon the nations."*—[*Rashi*] [i.e., we do not find the verb pouring used in conjunction with fire, but we do find it used in conjunction with wrath.] God's loving-kindness was so great that although they did not repent until the punishment affected the bodies of the Jews in Jerusalem, He first did to them only as one who bends a bow, i.e., He merely frightened them. But when He saw that they had not yet repented—

standing with His right hand as an adversary—The right hand symbolizes the Divine Standard of Mercy. When a surgeon, who is compassionate by nature, comes to a patient upon whom he must perform surgery, and removes infected tissue, lest the infection spread throughout the body, he paradoxically arouses his compassion to behave with cruelty to the patient and remove the flesh so that he can recover. So does the Holy One, blessed be He, act towards Israel when their sins have increased, and He fears that the Adversary will accuse them. He becomes cruel and takes away the righteous so that they will atone for the iniquities of the generation. This is the meaning of, "He has withdrawn His right Hand"—the Divine Standard of Compassion—by slaying all who were pleasant to the eye. Moreover, with His deep compassion, He poured out His wrath upon the Tent of the daughter of Zion [i.e., the Temple], and did not harm the bodies of the Jews.—[*Palgei Mayim*]

Lechem Dim'ah explains that there is a distinction between the terms אוֹיֵב and צַר. The former denotes one who hates another, but who does not necessarily do him any harm. The latter denotes someone who acts upon his hatred to cause another harm. The usual behavior is that an enemy, in the heat of his wrath, intends to inflict much harm on his fellow, but when he comes to execute his wrath, he cools off and does not inflict as much harm as he had planned in his anger. God, however, behaves in the opposite manner. First, He treads His bow like an enemy who does not plan to do much harm. But when it comes to the execution of the harm, He is like an adversary and inflicts more harm than He had originally planned, as the verse continues: "and He has slain all that were pleasant to the eye."

5. **The Lord has become like an enemy**—Although they did not repent, God did not actually become their enemy, but *like* an enemy. For that reason, Scripture states: He has destroyed Israel, but not *all* Israel.—[*Palgei Mayim*]

and He increased in the daughter of Judah—*He increased in the congregation of Judah.*—[*Rashi, Targum*]

pain and wailing—Heb. תַּאֲנִיָּה וַאֲנִיָּה *pain and wailing.*—[*Rashi*]

and He increased—Heb וַיֶּרֶב. *The "yud" is vowelized with a small "pattah"* (seggol), *which is an expression of increasing others.* (*Exod. 1:20*): *"and the people multiplied* (וַיִּרֶב) *and became very strong," is vowelized with a "hirik", which is an expression meaning that he himself increased, and so every word whose radical ends with a "hey," e.g.* פנה, *to turn,* זנה *to go astray,* בכה, *to weep, are vowelized in that manner when the "hey" is missing, when it speaks of itself* [i.e., the simple (קַל) conjugation, not the causative], *e.g.* (*Exod. 7:23*): "*And Pharaoh turned* (וַיִּפֶן)." *But when he speaks of others* [i.e., the causative conjugation (הִפְעִיל)], *it is vowelized with a small "pattah"* (seggol), *e.g.* (*Jud. 15:4*): "*and he turned* (וַיֶּפֶן) *tail to tail*"; (*II Kings 25:21*): "*And Judah went into exile* (וַיִּגֶל) *from his land*"; (*ibid. 18:11*): "*and the king of Babylon* (sic) *exiled* (וַיֶּגֶל) *Israel to Assyria.*"—[*Rashi*]

6. **He stripped**—Heb. וַיַּחְמֹס, *an expression of cutting, and so* (*Job 15:33*): "*He will cast off* (יַחְמֹס) *like a vine*"; (*Jer. 13:22*): "*your steps were cut off* (נֶחְמְסוּ)."—[*Rashi*]

like a garden—*as they cut off the vegetables of a garden.*—[*Rashi*]

His Tabernacle—Heb. שֻׂכּוֹ, *His habitation. It is written* שֻׂכּוֹ, [with a "sin" rather than with a "sammech," intimating] *that He assuaged* (שִׂכֵּךְ) *His anger against His children with the destruction of His House. So it is interpreted in the Midrash of Lamentations* (*Lam. Rabbah*).—[*Rashi*]

and laid in ruins His Meeting-Place—*The Holy of Holies, where He would meet with His children, as it is said* (*Exod. 25:22*): "*And I will meet* (וְנוֹעַדְתִּי) *you there.*"—[*Rashi*]

Palgei Mayim explains:

His Tabernacle—the Holy of Holies.

His Meeting-Place—His Temple, where the Holy One, blessed be He, met with Israel. He destroyed it until He caused festivals and Sabbaths to be forgotten.

Isaiah da Trani interprets שֻׂכּוֹ, as His shelter. This denotes the Temple, which protected Israel. Now, He removed it. מוֹעֲדוֹ, also denotes the Temple, but in the capacity of being God's meeting-place.

king and priest—*King Zedekiah and Seraiah the High Priest.*—[*Rashi* from *Lam. Rabbah*]

בְּצִיּוֹן מוֹעֵד וְשַׁבָּת וַיִּנְאַץ בְּזַעַם־אַפּוֹ מֶלֶךְ וְכֹהֵן׃
ז זָנַח אֲדֹנָי ׀ מִזְבְּחוֹ נִאֵר מִקְדָּשׁוֹ הִסְגִּיר בְּיַד־אוֹיֵב
חוֹמֹת אַרְמְנוֹתֶיהָ קוֹל נָתְנוּ בְּבֵית־יְהוָה כְּיוֹם מוֹעֵד׃
ח חָשַׁב יְהוָה ׀ לְהַשְׁחִית חוֹמַת בַּת־צִיּוֹן נָטָה קָו לֹא־
הֵשִׁיב יָדוֹ מִבַּלֵּעַ וַיַּאֲבֶל־חֵל וְחוֹמָה יַחְדָּו אֻמְלָלוּ׃

הו"א ויאבל חל וחומה. פסוקים פו :

תרגום

כנינתא בית מוקדשיה חבל
אתר מזומן לכפרא על עמיה
אינשי יי בציון חדות יומא
טבא ושבתא ושנא בתקוף
רוגזיה מלכא וכהנא רבא :
ז זנח אשלי יי מדבחיה בעט
מקדשיה מסר ביד בעיל
דבבא שורי בירנייתא קלא
יהבו בבית מוקדשא דיי כקל
עמא בית ישראל דמצליין בגויה ביומא דפסחא: ח חשב חשב יי לחבלא שור כנשתא דציון קאם

שפתי חכמים

ב מדרש רבות לאפוקי שלא תבין מלך שהוא כהן. וזה אינו דסרי מבית ראשון לא היו המלכים מלכי יהודה רק מבית דוד. לכ"פ כל א' בפני עצמו : ג דק"ל מה קול הזה השייך ביום מועד לכ"פ שהיו כו' : ד דק"ל הלא מקונן שהשחית כבר א"כ מהו חשב להשחית. לכ"פ זה

רש"י

לשון כריתה וכן (איוב טו לג) יחמוס כגפן (ירמיה יג כב) נחמסו עקביך: כגן. כמו שגוזזין ירקות הגנה: שכו. מעונתו שכו כתיב שסיכך חמתו על בניו בחורבן ביתו כך נדרש במדרש קינות: שחת מועדו. בית קדשי הקדשים ששם היה נועד לבניו שנאמר (שמות כה כב) ונועדתי לך שם: מלך וכהן. צדקיהו המלך ב ושריהו כהן גדול: (ז) נאר. ביטל וכן (תהלים פט מ) נארתה ברית עבדך: כיום מועד. שהיו שמחים ג ומשוררים בתוכו בקול רם כן נתנו האויבים בהרבנו קול שמחה: (ח) חשב ה' להשחית. זה ימים רבים ד שעלתה על דעתו כך שנא' (ירמיה לב לא) כי על אפי ועל חמתי היתה לי העיר הזאת להסירה מעל פני: נטה קו. של משפט ליפרע על עוניהו:

פי' הטעמים לראב"ע

(ז) חומת ארמנותיה שב אל המקדש וקול נתנו האויבים בבית ה' מרוב שמחתם כאשר היו ישראל עושים במועדם: (ח) נלכד הבית ינפלה

אבן עזרא

השף נחמסו עקביך: סכו. וסכתו כמו הקו והקתו: מועדו. כמו באי מועד : (ז) נאר. הגו"ן שרש נארת ברית עבדך כמו עזב או שנא: (ח) נטה קו. תהו : חל. כמו ותעמוד בחל והוא מקום סביב חומה :

קיצור אלשיך

משתעשעים עם הקב"ה במועדים. וציון גם היא היתה חביבה לפניו ית', אמר על הראשון ויחמוס כגן שכו, הוא בית קודש הקדשים, שהיה שם בעצם וראשונה כשומר הפרדס שעושה לו סוכה בכרם, ואמר שגלה אותה ממכסה אור השכינה החופפת עליו, הוא הדבר הראשון שכתבנו כי תחלת הכל סילק מעל הבית אור השכינה החופפת באופן שלא השליט הוא ית' את האויב בעוד אותה הקדושה היתה שם במקום שנגעו, שחת מועדו, הוא הקדשי קדשים, ששם היה הקב"ה מתועד להשגיח על עולמו :

(ז) **זנח** ה' מזבחו, מתחלה הסיר הקב"ה מהם כל מגן וצנה אשר היה מגן על ישראל, והמגן האחד אשר היה המזבח מכפר על ישראל זנח הקב"ה אותו, וכן המקדש שהיה מגן על ישראל נאר מקדשו, כדי שלא ינן עליהם, וכן כל שאר הצדיקים אשר היו מגינים על הדור והיו להם לחומה ולמחסה ביום זעם את כולם הסגיר ביד אויב, קול נתנו בבית ה', האויבים נתנו קול שמחה בבית ה', כמו ששמחו ישראל בתודה וקול זמרה ביום מועד :

(ח) **חשב** ה' וגו'. והוא בשום לב אל אומרו נטה קו, כי הלא לא ינטה הקו רק לבנות לא להשחית ולהרוס, אך יאמר הנה קרה לו יתברך כמלך שיש לו בן חביב ויבן לו בית מדות ועליות מרווחים וטובים מאד והיה משתעשע לדור עמו שם, ויהי כי ארכו הימים ויעש בנו את הרע בעיני אביו עד היות בן מות ובחמלת המלך על בנו ראה והטיל כעסו על הדירה הנאה ההיא ויתנה ביד שוסים לנתוץ ולהאביד ולהרוס למען ע"י כן יקל כעסו מעל בנו ידידו, ובראותו כי לעומת כוונה זו עומדת טענה שכנגדה לבל השליט אויבי בנו בביתו, וגם כי גם המלך בעצמו היה משתעשע גם הוא שם עם בנו, ומה גם כי לא על שסרח הבן על אביו המה עושים זאת, כי אם מחמת איבה, והם גם אויבי המלך ושמחים לאידו, על כן מה עשה, טרם השליט האויבים בבית ההוא נתן בלבו לשוב לבנותו עשר ידות טוב ויפה ומהודר וגדול מן הראשון ונטה מעתה קו המדה ועמד וימודד כמה ארכו וכמה רחבו וקומתו של האחרון הנחמד ההוא במקום הראשון, אז אמר בלבו לא אחוס על שליטת האויב בבית הזה כי הלא בין כך ובין כך דעתי לבנות הבית האחרון המהודר ומהולל מאד האם איני צריך להרוס את זה, אם כן מה לי משמחת האויב, הלא כבר הכינותי לבנות במקומו טוב מאד ממנו נוסף על עיקר הכונה שהוא להציל ממות נפש בני כי בזה תופר כעסי, ע"כ אינני חושש :

והנה הן זאת אשר קרה לו יתברך עם בית יהודה כי הוא הבן יקיר לו ית' ויבן לו בית המקדש וברוב עונו חייב את ראשו למלך הקב"ה ובחמלתו הגדולה ראה להטיל עיקר כעסו בבית הקדוש ההוא לתת אותו ביד אויביו לשורפו באש וירא כי לעומת זה הלא הוא נגד כבודו ית' גוים מרקדים בהיכלו ויתנו בו קול שמחה כיום מועד על השליטם בביתו ית', ע"כ מה עשה הוא ית' צוה ליחזקאל הנביא יקח קנה המדה ויטה קו וימדוד אורך המקדש האחרון אשר עתיד לבא במהרה בימינו שהוא גדול מאד באיכות ובכמות מן הראשון וכמו שאמרו רז"ל כי בנין הבית האמור ביחזקאל היה על הבית השלישי העתיד, וראוי לדעת למה זה מטרם בנין השני וטרם חורבן הראשון נטה קו אל האחרוי. אך הוא כי לבל יצר לו כביכול על הריסות הראשון ומה גם על ידי אויבים ע"כ מעתה מתנחם על היות עתיד לבנות טוב ממנו במקומו. וזה יאמר חשב ה' להשחית חומת בת ציון, כלומר תדע למה לא חש הוא ית' על שמחת האויבים על השליטם בביתו כי הלא מאז חשב ה' להשחית חומת בת ציון כבר נטה קו ע"י הנביא כמדובר, ועוד כי הלא עיקר השליטה לא היה האויב כי הוא ית' בעצמו היה עיקר בהריסות אלו כי הלא לא השיב ידו מבלע, והוא כי הנה אמרו ז"ל באיכה רבתי שהיה נבוזראדן קץ בחייו והיה רוצה לשוב לארצו עד שאמרו לו אל תירא כי הלא אלהיהם של אלו הוא נגדם והוא בעוכרם כי חטאו לו וזה לך האות מדוד החומה כמה קומתה היום והזור ומדוד אותה מחר, ויעש כן וימצא ביום השני כי נפחת אורך קומתה שני טפחים ועל דרך זה ביום השלישי ורביעי אז ידע כי מה' היה כי היה מבליע החומה בארץ שני טפחים בכל יום למען הקל להאויבים ליכנס ושיכירו כי ממנו ית' הוא כי חטאו לו. ואח"כ לא השיב הקב"ה ידו מבלע יום יום ויאבל חיל וחומה יחדו אומללו, לומר

אם

in Zion, and in His fierce indignation has spurned king and priest.
7. The Lord has rejected His altar, He has abolished His Sanctuary,
He has delivered into the hand of the enemy the walls of her
palaces; they raised a clamor in the House of the Lord, as on a day
of a festival. 8. The Lord determined to destroy the wall of the
daughter of Zion; He stretched out a line; He did not restrain His
hand from destroying; indeed, He caused rampart and wall to
mourn, [and] they languish together.

in His fierce indignation has spurned king—Because of His indignation, He did not pay heed to the kingdom of the house of David, who did not sleep until he discovered the site for the construction of the Temple.—[*Palgei Mayim*]

and priest—He also profaned the priesthood, which is primarily dedicated to the Temple service.—[*Palgei Mayim*]

7. **The Lord has rejected His altar**—Lest you wonder how foreigners achieved power over the earthly Temple, which directly parallels the heavenly Temple, Scripture tells us that the Lord rejected His altar, meaning that He removed the Heavenly Temple, known as *His* altar, and thereby abolished His Sanctuary, viz. the earthly Temple.—[*Palgei Mayim*]

the walls of her palaces—There was no sanctity left in them; they were merely walls.—[*Palgei Mayim*]

He has abolished—Heb. נֵאַר, *and so,* (*Ps. 89:40*): "*You abrogated* (נֵאַרְתָּה) *the covenant of Your servant.*"—[Rashi]

as on a day of a festival—*For they were making merry and singing in its midst with a loud voice. So did the enemies let out a cry of joy when it was destroyed.*—[Rashi]

8. **The Lord determined to destroy**—*It is already many days since this entered His mind, as it is written* (*Jer. 32:31*): "*For this city has aroused My anger and My wrath until this day, to remove it from before My face.*"—[Rashi]

He stretched out a line—*of judgment to be punished for our iniquities.*—[Rashi]

He did not restrain His hand—i.e., He did not go back on His plan until He destroyed it.—[*Palgei Mayim*]

from destroying—Heb. מִבַּלֵּעַ, *from destroying.*—[Rashi]

rampart and wall—*a large wall and a small wall, a low wall opposite a high wall.*—[*Rashi* from *Lam. Rabbah*]

ט טָבְעוּ בָאָרֶץ שְׁעָרֶיהָ אִבַּד וְשִׁבַּר בְּרִיחֶיהָ מַלְכָּהּ
וְשָׂרֶיהָ בַגּוֹיִם אֵין תּוֹרָה גַּם־נְבִיאֶיהָ לֹא־מָצְאוּ חָזוֹן
מֵיְהוָה׃ י יֵשְׁבוּ לָאָרֶץ יִדְּמוּ זִקְנֵי בַת־צִיּוֹן הֶעֱלוּ
עָפָר עַל־רֹאשָׁם חָגְרוּ שַׂקִּים הוֹרִידוּ לָאָרֶץ רֹאשָׁן
בְּתוּלֹת יְרוּשָׁלִָם׃ יא כָּלוּ בַדְּמָעוֹת עֵינַי חֳמַרְמְרוּ
מֵעַי נִשְׁפַּךְ לָאָרֶץ כְּבֵדִי עַל־שֶׁבֶר בַּת־עַמִּי בֵּעָטֵף

תו"א טבעו בארץ שעריה. סוטה ט קמא נט: ישבו לארץ ידמו זקני בת ציון. נדרים סה:

משקולתא ולא אתיב ידיה מלשיצאה ואביל מקפנא ושורא כחדא אתפגרו: ט טבעו טמעו בארעא תרעהא (על די נכסו חזירא ואובילו מן דמיה עליהון) הוביד ותבר מזוזתהא מלכהא ורברבנהא גלו ביני עממיא על דלא נטרו פתגמי אוריתא כאלו לא קבילו יתה בטורא דסיני אף נביאהא אתמנע מנהון רוח נבואת קודשא ולא אתאמר להון פתגם נבואתא מן קדם יי: י יתבין על ארעא שתקין סבי כנשתא דציון אסיקו עפר מקלה על רישיהון קמרו סקין על בסריהון אחיתו לעפרא דארעא רישיהון בתולתא דירושלם: יא כלו ספקו בדמען עיני אידנארן מעי

רש"י

מבלע. ה מהשחית: חל וחומה. שורא ובר שורא חומה נמוכה שכנגד חומה גבוהה: (ט) טבעו בארץ שעריה. מדרש אגדה לפי שחלקו כבוד ו לארון שנאמר (תהלים כד ט) שאו שערים ראשיכם לפיכך לא שלטה בהם בריה וטבעו בארץ ורבותינו אמרו מעשי ידי דוד היו לפיכך לא שלטו בהם אויבים: אין תורה. אין בהם מורה הוראה: (י) ישבו לארץ וגו'. כמשמעו ומדרש אגדה נבוכדנצר הושיבם לארץ כשמרד בו צדקיהו ועבר על שבועתו בא וישב לו בדופנה של אנטוכיא ז ושלח בשביל סנהדרין ובאו לקראתו וראה אותם אנשים של צורה והושיב אותם בקתדראות של זהב אמר להם סדרו לי תורתכם פרשה ופרשה ותרגמוה לי כיון שהגיעו לפרשת נדרים אמר להם אם הוא רוצה לחזור יכול הוא לחזור אמרו לו ילך אצל חכם ויתיר לו אמר להם א"כ אתם התרתם לצדקיהו את שבועתו צוה ומטום והושיבם לארץ וקשרו שערות ראשם בזנבות הסוסים וגררום: (יא) חמרמרו. רגזילי"ט בלע"ז דרך

שפתי חכמים

ימים רבים כו': ה ק"ל הכא לא בלע חומת ציון לכ"פ מהשחית: ו כ"כ במדרש רבות ומ"ש ורבותינו אמרו כו' פי' אבל רבותינו בעלי התלמוד אמרו כו' והוא בפרק ראשון דסוטה כי חילוק הוא בין מדרש ובין אגדה שבתלמוד: ז פי' רבנה כ"פ שצריך בערך דפני:

אבן עזרא

(ט) אבד ושבר. שב אל השם הכתוב בפסוק ראשון: (י) ראשן. שער ראשן או כמשמעו: (יא) חמרמרו. כראשון: בעטף. בחסרון ה"א מבנין נפעל כמו בהרג הרג:

פי' הטעמים לראב"ע

חומת העיר ונבקעה: (ט) כאשר טבעו שעריה הלך המלך בגולה ושאר בלא מבינה תורה וגם הנביאים נפסקה נבואתם מאז בארץ נכרים: (י) על שנפלה גבהות ציון ישבו על עפר הזקנים בגולה והבתולות לא תשמחנה בחופתן: (יא) וכל אחד מן הזקנים אומר כלו בדמעות

קיצור אלשיך

אם הריסת חיל וחומה היה מתייחסת אל האויב היה ראוי להפילם אחת אחת, כי אין האויב יכול לשלוט בפנימית עד יפיל החצונה, אמנם בזה יודע כי הוא ית' היה העושה כי הנה ויאבל חיל וחומה יחדו אומללו ולא זו אחר זו א"כ הוי אומר כי אין זה כי אם מבעל היכולת ומושל בפנימית ובחצונה כאחת:

(ט) טבעו בארץ שעריה וגו'. הנה ידוע מרז"ל כי על שהשערים חלקו כבוד לתורה בעת שהכניס שלמה את הארון לק"ק ע"כ הטביעם ה' בארץ לבל תשלוט בהם ידי האויבים. ונבא אל הענין הנה ישראל מתלוננים ואומרים חבל על עצמנו מלכינו ושרינו כי נגרענו משערי לוח ארז כי הנה טבעו בארץ שעריה לבל ישלטו בהם ידי האויבים אבד ושבר בריחיה הקב"ה בעצמו לבל יעכבו את השערי' מלטבוע, ומלכה ושריה גדולי האומה בגוים המושלים בהם, ולמה גרעו מהשערים אשר המה עץ יבש. משיבה רוח הקודש ואומרת אין תורה, כלומר מן הדין היה כי בכם לא היתה תורה כנודע מרז"ל כי על ביטול תורה גלו כי וויתר הקב"ה על ע"ג וג"ע וש"ד ולא ויתר על ביטול תורה, משא"כ השערים ההם שחלקו כבוד לתורה, וזה אומרו אין תורה, והנה היה מקום להם להשיב ולומר כי אינו מן התימה מה שביטלו עצמן מן התורה בציון וירושלים כי שמעתא בעיא צילותא ומי שהוא עצב אינו יכול ללמוד ואין לך עצבון גדול מנבואות יבהלום מכל הרעה הבאה עליהם ואיך יאשמו על ביטול תורה ולבם בל עמם ללמוד תורה, לזה אמר גם נביאיה לא מצאו חזון מה' [כל נבואות נקראו חזון] הנביאים לא מצאו נבואות קשות על ישראל רק נבואות טובות, וא"כ צילותא ושמחה היה להם ומדוע לא עסקו בתורה, ועל שביטלוה גרעו מהשערים שחלקו כבוד לתורה:

(י) ישבו לארץ וגו'. ידוע כי חכמי ישראל נקראים בשם זקנים, ואחר אומרו כי מלכה ושריה בגוים היה על כי אין תורה שהוא עון ביטול תורה כי בטלו ישיבות התורה ע"כ על הזקנים חכמי ישראל שעליהם מוטל ללמד את הבחורים תורה אמר שלא לנוכח כמדבר עם אחרים ולא עמהם על כי ביטלו לימוד התורה ישבו לארץ, לומר הם דממו מן התורה בשבתם על כסאות ומטות זה עונשם שאעשה מה שעל כרחם ידמו מן התורה והם על הארץ, כי אמית את בניהם וישבו לארץ באבלות עליהם ואז ידמו מן התורה על כרחם, תחת אשר ביטלו התורה בבחירתם הרעה ואחרי כן אתם בני ישראל אשר איגכם אשמים בדבר העלו עפר על ראשם של זקנים, כי אחרי התאבלם על בניהם תקברו אותם גם הם ותעלו עפר על ראשם, ושמא תאמרו למה יכפול עונשם לזה אמר הנה הסבו מיתת הבחורים אשר היו ראוים ללמוד תורה, ובסבתם שלא לימדום מתו, באופן שחגרו שקים והעלו עפר על ראשן בתולת ירושלים על הבחורים ההם אלופי נעוריהן המתים טרם יזדקקו להן, על מה, שהזקנים לא למדום תורת ה':

(יא) כלו בדמעות עיני וגו'. הנה עד כה באה תשובתו יתברך או המקונן בעדו כי על ביטול תורה כלתה אליהם הרעה ושאין תואנה לאמר שמאימת הצרה העתידה לא עצרו כח ללמוד כמדובר, ע"כ משיבה ישראל ואומרים אל יאשימנו אלהינו על זמן קרוב אל החורבן על זאת, כי הלא טרם החורבן גדלה הרעה בארץ עד גדר שכלו בדמעות עיני ומי יעצר כח לעסוק בתורה ובכל הרעות האלה כי הלא לקרוא מקרא שהוא בכתב הנה כלו בדמעות עיני ואיככה אוכל וראיתי במגלת ספר כתוב ועינים אין לראות, ואם לשנות משנה על פה הנה חמרמרו ונשרפו מעי ואיך אשנה על פה, ומה גם בהתמדה כי יתחמצו המעים כמתמיד להרים קול

9. Her gates are sunk into the ground; He has ruined and broken
her bars; her king and princes are [exiled] among the heathens,
[and] there is no more teaching; moreover, her prophets obtain no
vision from the Lord. 10. The elders of the daughter of Zion sit on
the ground in silence, they laid dust on their heads [and] put on
sackcloth; the maidens of Jerusalem bowed their heads to the
ground. 11. My eyes are spent with tears, my innards burn; my
heart is poured out in grief over the destruction of the daughter of
my people, while

9. **Her gates are sunk into the ground**—*The Midrash Aggadah* (*Lam. Rabbah*) *states: Because they imparted honor to the Ark, as it is said* (*Ps. 24:9*)*: "[You] gates, lift up your heads." Therefore, no one had any power over them, and they sank into the ground* (*Lam. Rabbah*). *Our Sages* (*Sotah* 9a) *said that they were David's handiwork; therefore, the enemies did not have any power over them.*—[*Rashi*] This verse illustrates the gravity of the sin of being idle from the study of Torah, as the Sages say: The Holy One, blessed be He, overlooked the sin of idolatry, but did not overlook the sin of the neglect of Torah (*Lev. Rabbah* 22:3). Scripture is here telling us that the gates sank into the ground, and the enemy had no power over them because they imparted honor to the Torah by allowing the Ark to enter, as the Rabbis tell us (*Shab.* 30a).—[*Palgei Mayim*]

He has ruined and broken her bars—i.e., the bars of the gates, so that they should not prevent the gates from sinking into the earth. Unlike the gates, the king and princes were overpowered by the nations, as a result of their neglect of Torah study.—[*Palgei Mayim*]

there is no more teaching—*There is no one among them who gives instruction.*—[*Rashi*]

moreover, her prophets obtain no vision from the Lord—as our Sages said (*Shab.* 30a), the Shechinah does not rest upon a person who is immersed in sadness.—[Addendum to *Rashi, Kaffah*] *Palgei Mayim* explains that the prophets did not study even when they did not experience harsh prophecies known as חָזוֹן.

10. **sit on the ground, etc.**—[This is to be understood] *according to its apparent meaning. But the Midrash Aggadah* (*Lam. Rabbah*) *states: Nebuchadnezzar caused them to sit on the ground when Zedekiah rebelled against him and transgressed his oath. He came and stationed himself in Daphne of Antioch, and sent for the Sanhedrin, and they came toward him. He recognized that they were men of imposing appearance and sat them down in golden chairs. He said to them, "Recite your Torah for me chapter by chapter and translate it for me." As soon as they reached the*

עוֹלֵל וְיוֹנֵק בִּרְחֹבוֹת קִרְיָה׃ יב לְאִמֹּתָם יֹאמְרוּ אַיֵּה
דָּגָן וָיָיִן בְּהִתְעַטְּפָם כֶּחָלָל בִּרְחֹבוֹת עִיר בְּהִשְׁתַּפֵּךְ
נַפְשָׁם אֶל־חֵיק אִמֹּתָם׃ יג מָה אֲעוּדֵךְ אעידך קרי
מָה אֲדַמֶּה־לָּךְ הַבַּת יְרוּשָׁלַםִ מָה אַשְׁוֶה־לָּךְ וַאֲנַחֲמֵךְ
בְּתוּלַת בַּת־צִיּוֹן כִּי־גָדוֹל כַּיָּם שִׁבְרֵךְ מִי יִרְפָּא־
לָךְ׃ יד נְבִיאַיִךְ חָזוּ לָךְ שָׁוְא וְתָפֵל וְלֹא־גִלּוּ עַל־
עֲוֺנֵךְ לְהָשִׁיב שְׁבִיתֵךְ שבותך קרי וַיֶּחֱזוּ לָךְ מַשְׂאוֹת

ת"א מה אעידך מה אדמה לך. זוכר פ' ברכות:

אתשד לארעא כבדי על תביר כנשתא דעמי כדו דרצחו עולמיא וינקיא בפתאות קרתא: יב לאמותם לאמהון אמרין רוביא דישראל אן עיבור וחמר כד הוו צחיין כקטל דחרבא מן צחותא בפתאות קרתא כד יתשד נפשהון מן כפנא לגו עטיף אמהון: יג מה מה אסעיד בך ומה אהא מדמי לך כנשתא דירושלם מה אחביר לך אהי מנחם ליך בתולתא דכנישתא דציון ארום סגי תבריך כסגיאות תביר גללי ימא רבא בעינן נחשוליה ומן הוא אסיא די יסי יתיך מן מרעיך: יד נביאיך נביאי שקרא די בינך הינון איתנביאו ליך

רש"י

בני מעים כשמשליכים אדם לאור הם כוולים ומתהמרמרים: בעטף. פשמי"ר: (יג) מה אעידך ומה אדמה לך. לומר לך מה תתמהי על שברך הלא אף לאומה פלונית אירע כמותך: מה אשוה לך ואנחמך. כשבאה צרה על אדם אומרי' לו אף לפלוני עלתה כך תנחומים הם לו: (יד) שוא ותפל. דברים שאין בהם טעם ובלשון לע"ז אפלטרימנ"ט: ולא גלו על עונך. להוכיח דרכך על פניך: להשיב שבותך. ליסר משובותיך לשון (ירמיה ג) שובבה שובבים

פי' הטעמים לראב"ע

עיני כאשר יזכור ימי הרעב בציון: (יב) האם היא המינקת על כן זכר האמהות ולא האבות: (יג) מי עדים שאירע להם כך ואם השבר גדול כים לא ימלא הוכח התול לו: (יד) כל זה בא אליך בעבור

אבן עזרא

(יב) סי"ן בהשתפך. קודם תי"ו התפעל כמו וישתמר: (יג) אעידך. מגזרת עדות: (יד) ותפל. כמו שוא וכן היאכל תפל שאין לו טעם מדרך ישרה וכן לא נתן תפלה:

לקוטי אנשי שם

(יב) לאמותם יאמרו איה דגן ויין. בספר אפיקי יהודה תמה על זה וז"ל וכנה לא ידענו למה הזכיר בקינתו שאלתם איה יין. וכי מי שאין לו יין מתאחר הוא ברעב וכלמא עד יהיפה המקונן ויפרוש על זה כפיו במלילה קינות. ידוע כי המורגל בטוב התענוג מרגיש הסדרו למאכול ולמשקה. ואשר לא נסה בתענוג. הסדרו לא הלי ולא מרגיש אותו. וידענו עוד אם הסדר הטוב הלוך ילך וחסור מעט מעט לא בענין פתאומי. ישכח מעט מעט כל הטוב שהיה לו מקדם ולא יכאב לו כ"כ. אמנם סיורד מגדולתו פתאום מאגרא רמה לבירא

קיצור אלשיך

קול כגודע, ואם לעיין בגמרא בקושיות והויות ותירוצים להמית עצמי עליה ואני כבר כמתי עולם כי נשפך לארץ כבדי, וכל זה היה על שבר בת עמי שנשברו קודם שבר ששברום האויבים וע"כ מאז חדלנו מן הלימוד ואין עלינו אשמת דבר והלא הצרות הי' מה שכלו בדמעות עיני על ראותי בעטף עולל ויונק ברחובות קריה מקום שדרך למכור שם לחם ומי יעצור כח לראות ברעתם ולא תדמענה עיניו, ובראותם העולל והיונק כי כלו בדמעות עיני ולא יכולתי לראות לבקש למו לחם ויין היו מניחים אותנו. (יב) ולאמותם יאמרו איה דגן ויין בהתעטפם כחלל ברחובות עיר ועל זה חמרמרו מעי ומה שאמרתי נשפך לארץ כבדי הלא הוא בהשתפך נפשם אל חיק אמותם כי אחר התעטפם כחלל לא היו חפצים שתצא נפשם על הארץ כי אם אל חיק אמותם והיו אמותם נוטלים אותם שתצא נפשם בחיקן והיה צער מתחולל לרואי אותם עד שמרוב יגון נשפך לארץ כבדי:

(יג) מה אעידך וגו'. הכונה כי מדרך העולם כי המצטער אשר באו עליו יסורין ינוחם במה שיעידו לו אחרים כי כבר באו יסורים כאלו על אחרים, ועל כן אמר המקונן מה אעידך, כלומר איני מוצא בכל העולם מי שבאו עליו יסורין כיסוריך ואיני יכול להעיד שבאו על שום גברא יסורין כאלו, ואמר עוד מה אדמה לך וגו', וגם אם אפשר שבאו יסורים כאלה על אחרים, עכ"ז צריך שמקבלי היסורין יהיו שוים באיכותם כדי שינוחם האחרון, אבל אם אין איכותם שוה איך ינוחם בן מלך גדול ורם שבאו עליו יסורין במה שיאמרו לו שכבר לקה בן האמה ביסורין כמוהו, לז"א מה אדמה לך הבת ירושלים, וגם אם אומר ואודה ואעיד שכבר באו על אחרים צריך שיהיה אותו האחר דומה אליך, אבל מה אדמה לך הבת ירושלים כי אתה הוא כבתו של מלכו של עולם ושאר כל העולם הם כבנות האמה וזה שאמר הבת ירושלים, ואמר מה אשוה לך וגו', כלומר הכונה בהיות כי השואה היא יותר מדמיון כי דמיון יאמר על הדבר הדומה אל חברו בצד מה אף אם לא יהיה בהשואה וציור גמור ע"כ אומר חלוקה ג' כי גם אם אודה ואומר שימצא בדמיון בצד מה מי שדומה אליך וקבל יסורין כמוך, עכ"ז בהשואה ממש שימצא מי שיהיה שוה ממש אליך ובא עליו מה שבא עליך לא ימצא, וזה שאמר מה אשוה לך בהשואה ממש ואנחמך וכו' כי בזולת ההשואה ממש לא תנוחם, כ"ש וק"ו כי בשתים אלה נבדלת לרעה, אם בכמות ואיכות היסורין כי גדול כים שברך ועצבונך ואם באיכותך וחשיבותך לא ימצא אחר חשוב כמותך שבא עליו מה שבא עליך ולזה אמר מי ירפא לך, כלומר מי אשר יהיה כמוך באיכותך שבאו עליו יסורין כמוך כדי שיהי' הוא רפואה ונחמה אליך, הנה כאשר הים הוא שוקט המים מלמעלה שוים, וכאשר הים סוער והגלים יתרוממו נעשה הים שברים, וכאשר הגלים יתרוממו גל על גל, נעשה הים שברים שברים, וזה אומרו כי גדול כים שבריך, כי הצרות באו עליך תכופות צרה אחר צרה בעוד שלא נתרפא האחת באה השניה והשלישית ושברוך כגלים המשברים את הים. [לחם דמעה] ומי ירפא לך כי אם תאמר נביאיך ירפאוך, הלא (יד) נביאיך חזו לך שוא ותפל, מה שהנביאים נחמוך והיו אומרים כי ה' ישיב שבותך מאשר הגלה נבוכדנצר בימי יהויקים ובימי יכניה כי הוא יתברך ישיב הכלים לירושלים ושלא יחרב הבית חזו לך שוא ותפל כאשר ראית בעיניך ולא תפיל עול אשמתך עליהם כי הלא ותפל, כלומר כי זולת היות שוא גם היה תפל מבלי מלח וטעם, ולא היה לך להאמין כי הלא ולא גלו על עונך להשיב שבותך וכאשר החלו בחזון אחר שהיה שוא ותפל, ושמעת להם, נמשך שהרבו לחזות לך משאות רבים של שוא לא בלבד העדר תיקון על עונך כי אם גם מדוחים להדיחך מעל אלהיך בנבואות רשע וא"כ איך ירפאוך, ושמא תאמר

כי

infant and suckling faint in the streets of the city. 12. They say to their mothers, "Where are corn and wine?" as they faint like one slain, in the streets of the city, while their soul ebbs away on their mothers' bosom. 13. What shall I testify for you? What shall I compare to you, O daughter of Jerusalem? What can I liken to you, that I may comfort you, O virgin daughter of Zion? For your ruin is as vast as the sea—who can heal you? 14. Your prophets have seen false and senseless visions for you, and they have not exposed your iniquity to straighten out your backsliding, but have prophesied for you

chapter dealing with vows, he said to them, "What if he wishes to retract, can he retract?" They said to him, "Let him go to a sage, and he will absolve him of it." He said to them, "If so, you absolved Zedekiah of his oath." He commanded, and they pushed them off [their seats] *and sat them on the ground. They then tied the hair of their heads to the tails of horses and dragged them.*—[*Rashi*] So grave was the sin of neglecting the study of the Torah that Nebuchadnezzar sat the elders of the Sanhedrin on the ground.—[*Palgei Mayim*] [*Palgei Mayim* apparently explains that, although Nebuchadnezzar punished the sages because they absolved Zedekiah of his vow of loyalty, God's intention was to punish them for neglecting the study of Torah.]

the maidens of Jerusalem—The maidens symbolize the righteous men of Jerusalem who never tasted sin. They too were caught in the sins of the generation and punished for them.—[*Palgei Mayim*]

11. **My eyes are spent with tears, etc.**—So grave was the sin of neglecting the Torah that even the infants and sucklings fainted in the street because of it. Therefore, my eyes are spent with tears.—[*Palgei Mayim*] i.e., from much weeping, my vision is impaired, and my eyes fail to see.—[Addendum to *Rashi*]

my innards burn—Heb. חֳמַרְמְרוּ, *regrizi(l)lerent in Old French, have shriveled up. It is usual that when a person casts intestines into the fire, they shrivel up and burn.*—[*Rashi*]

faint—Heb. בֵּעָטֵף, *pa(s)mer in Old French, to faint, swoon.*—[*Rashi*]

while infant and suckling faint in the streets of the city—Because of his hunger, the child goes out into the street to seek food, but he finds none. He attempts to return home but has no strength to walk and faints in the street.—[Addendum to *Rashi*]

12. **Where are corn and wine**—They are found neither in the house nor in the field, for when Israel performed the will of the Holy One, blessed be He, what is written? (Isa. 62:8): "The Lord swore by His right hand and by the arm of His strength: I will no longer give your grain to your enemies,

and foreigners shall no longer drink your wine for which you have toiled." But when they turn away from the ways of the Holy One, blessed be He, they will sow, and strangers will devour it, as it is written: (Jud. 6:3f.): "And it was, when Israel had sown, that Midian came up, and Amalek, and those of the east; and they came up upon it. And they encamped against them, and they destroyed the produce of the earth."—[Addendum to *Rashi*] They did not ask for raw corn, which is not edible.—[*Mattenoth Kehunnah*] Instead, they asked for the most luxurious bread and wine, to which they were accustomed. Rabbi Hanina said: White bread and spiced wine. Rabbi Simon said: White bread and old wine.

Lechem Dim'ah explains that the infants and sucklings did not ask for white bread and spiced wine or white bread and old wine. At a time of famine, there is no reason to ask for delicacies. Rather, they were thinking about the past and reminiscing that at one time they had all kinds of delicacies, but now they were fainting from hunger. i.e., When they fainted like one slain in the streets of the city, they remembered the time when they had eaten white bread and drunk spiced wine. The infants who were already weaned from their mothers' breasts and could talk, asked their mothers, "Where are corn and wine?" The sucklings, however—their souls ebbed away on their mothers' bosoms.

as they faint like one slain, etc.—The Midrash relates an episode of a woman who told her husband to take a bracelet or an earring and go to the market. Perhaps he would find something to eat [in exchange for the jewelry]. He went to the market and searched, but found nothing. He writhed in agony and died. She said to her son, "Go and see what has become of your father." He went out to the market and saw his father dead. He, too, writhed in agony and fell dead upon him. This is the meaning of "when they faint like one slain, etc." The masculine plural refers to the husband and the grownup son.—[*Lam. Rabbah*] *Mattenoth Kehunnah* renders: as they enwrapped themselves, meaning that one fell upon the other.

while their soul ebbs away on their mothers' bosom—This refers to the woman's infant son who wanted to suck but found no milk. He, too, writhed in agony and died.—[*Lam. Rabbah*]

13. **What shall I testify for you? What shall I compare to you**—*to say to you, "Why do you wonder about your destruction? Didn't that also happen to such and such a nation, just like you?"*—[*Rashi*]

What can I liken to you, that I may comfort you—*When trouble befalls a person,* [others] *say to him, "This also happened to so-and-so." These are consolations for him.*—[*Rashi*]

Lechem Dim'ah explains: It is customary that if one is pained because of the misfortunes that have befallen him, he is consoled if he hears of someone else who suffered the same misfortunes. The prophet therefore says, "What shall I testify for you?" I cannot find any nation that has suffered from the calamities that you have suffered. Moreover, even if it is possible to find someone who has suffered from the same misfortunes, his experiences do not console the sufferer unless that party is of equal status. If, for example, a prince is beset by calamities, he will not be consoled by the report that the son of a handmaiden experienced similar calamities. Therefore, the Lamenter says, "What shall I compare to you, O daughter of Jerusalem?" Even if I find others who suffered like you, you are like a princess, whereas the other nations of the world can be compared to sons of handmaidens. Moreover, even if I could find someone similar to you, that would not be a consolation unless he were completely on your level. Therefore, the Lamenter says, "What can I liken to you that I may comfort you, O virgin daughter of Zion?" Surely, in your case, "your ruin is as vast as the sea," meaning that your calamity is incomparable, and "who can heal you?" There is no one equal to you so that his troubles could heal you by consoling you.

14. **false and senseless visions**—*words that have no taste, and in Old French aflestrimant, insipidity, sickliness.*—[*Rashi*] The *Targum* renders: The false prophets among you prophesied lies to you, and there was no substance to their prophecies.

and they have not exposed your iniquity—*to reprove you to your face about your way .*—[*Rashi*]

to straighten out your backsliding —Heb. לְהָשִׁיב שְׁבוּתֵךְ, *an expression of* (*Jer. 8:5*) שׁוֹבֵבָה; (ibid. 3:14) שׁוֹבָבִים, *backsliding*; (*Isa. 57:17*): "*and he went rebelliously,*" (שׁוֹבָב).—[*Rashi*]

שוא ומדוחים : טו ספקו עליך כפים כל־עברי
דרך שרקו ויניעו ראשם על־בת ירושלם הזאת
העיר שיאמרו כלילת יפי משוש לכל־הארץ :
טז פצו עליך פיהם כל־איביך שרקו ויחרקו־שן
אמרו בלענו אך זה היום שקוינהו מצאנו ראינו :
יז עשה יהוה אשר זמם בצע אמרתו אשר צוה
מימי־קדם הרס ולא חמל וישמח עליך אויב

הג"א פצו עליך פיהם. סנהדרין קד : בלע אמרתו . זוהר פ' נח :

שיקרא וליה משש לנבואתהון ולא פרסימו ית פורענותא דעתיד למיתי עליך בגלל חוביך לאהדרותך בתיובתא אלהן נבאו ליך נבואת מגן ומלי טעוותא: טו ספקו שפקו עליך ידיהון כל עוברי אורחא שריקו בספותהון וטלטילו ברישיהון על כנישתא דירושלם אמרו בפומהון הדא היא קרתא דהוו אמרין אבהתן דסלקדמין דהיא גמירת נואי ושופרא חדוה לכל יתבי ארעא : טז פצו פתחו עליך פומהון כל בעלי דבביך שרקו בספותהון ועסיאו בשיניהון ואמרו שיצינא ברם דין יומא דהוינא מתינן אשכחנא חזינא : יז עשה עבד יי מה דחשיב גמר מימר פומיה די פקיד למשה נביא מן יומין קדמאין דאי לא נטרין בני ישראל ית פקודיא דיי עתיד לאתפרע מנהון פגר ולא חס ואחדי עליך בעי

רש"י

(ישעיה כו) וילך שובב : ומדוחים. הדיחוך מעלי : (טו) שרקו. נופה בפיו שיבלי"ר בלע"ז ודרך אדם לעשות כן הרואה דבר הטוב שחרב וכלה: כלילת יופי. כל היופי היה שלה : (טז) פצו עליך פיהם. מפני מה הקדים פ"א לעי"ן מפני שהיו אומרים בפיהם ח מה שלא ראו בעיניהם : (יז) בצע אמרתו. כלה גזרתו כמו (איוב ו ט) יתר ידו ויבלעני: אשר צוה מימי קדם. מ"ש בתורה (ויקרא כו יח) ויספתי ליסרה אתכם שבע

שפתי חכמים

ח (אסכת ליון) כן היה במדרש וגו' ושמעתי בשם אחד בכלם הפ" בתהלה חוץ מא"ב כראשון דכל הרואה לשקר והין אומר קאת חמ

אבן עזרא

משאות . נבואות וכן משא דמשק : ומדוחים . שהדיחו מדרך ישרה : (טו) כלילת יופי . מגזרת כל : (טז) פצו . פתחו . יפצה פיהו : (יז) בצע. כלה . וכן

פי' הטעמים לראב"ע

נביאיך ולא נביאי השם : (טו) יש נאנחים עליך כאשר שממת וי מניעים ראש ומלעיגים : (טז) הרחיבו פה כל האויבים : (יז) כי השם מלא את אשר דבר ביד עבדיו הנביאים הקדמונים

קיצור אלשיך

כי כל האומות עוברי דרך הרואים בצרתך ידאגו עליך וינחמוך , הנה אין ספק כי (טו) ספקו עליך כפים כל עוברי דרך כמצירים ומצטערים על צרתך , אך שרקו כשמחים לאבודך , ומה שויניעו ראשם כמצטערים לא עליך בת ירושלים על עצמך כי אם על עצמם כנודע מרז"ל שאילו ידעו האומות כמה אבדו בהחריבם את בית המקדש לא החריבוהו , כי השפע היה כ"כ גדול כי גם כל העולם היה מתברך יותר ממה שמתברכים אחר החורבן , וזה יאמר פה כי מה שהניעו ראשם ע בת ירושלים היה על כי אמרו אוי לנו כי הזאת העיר שיאמרו שכשהיא כלילת יופי ע"י בהמ"ק היא משוש לכל הארץ שמשיורי ותמצית ירושלים ישישו כל הארץ, נפלה נפילה כזאת מה נעשה אנחנו , גמצי כי כל דאגתם על עצמם ואיך ירפאו לנו , והנה זהו כל עוברי דרך הבלתי אויבים לנו , ומה גם עתה האויבים , כי הלא (טז) פצו עליך פיהם כל אויביך , והוא כי כל עוברי דרך אשר לא אויבים הם טרם ידברו דבר ספק עליך כפים כי תמהו מרוב השממה ואחר כך שרקו להשמיע יתקבצו כל העוברי' לראות ואחרי כן נתנ אל לבם כי גם כל אומה מעותדת ג"כ לצרות ויניעו ראשם באומרם אם הגבירה שמשיורי טובה היה משוש לכל הארץ לקתה כך מה יעשו השאר, אך אויביך לא התחילו בספוק כפים לדאוג כעוברי דרך כ"א שפצו עליך פיהם כל אויביך , ומה שפצו פיהם והתחילו בפה הוא כי שרקו לקבץ יבואו כל השומעי' לראות כבלו את הקודש לשמוח במפלת ירושלים ולא היו כעוברי דרך שאחר ששרקו הניעו ראשם ויצטערו על עצמם כ אם אדרבה ויחרקו שן על מה שלא כלו הרעה וכמזומנים עצמם להרע ואמרו בלענו כלומר ידענו שבמה שעשינו בלענו סתם כלומר גם את עצמנו אך לא יבצר כי זה היום שקוינוהו מצאנו ראינו כלומר ולא נחוש על מה שחסרנו אחר שמלאנו תאותנו זאת. או יאמר ויחרקו שן על מה שלא עשו הם כל הרעה , כי אמרו הן אמת שבלענו אנחנו זה היום המוכן לפורענות הוא תשעה באב מצאנו און לנו שהיה מעיר לעזור לעשות אנו הרעה אך לא כלינו את כולה כ"א ראינו ברעה ע"י הזולת, כלל הדברים כי לא השליט הוא ית' את הע"ג בביה ראשון כי אם שהראם עין בעין כי את מלאכיו צוה להרוס החומה ולהצית אש במקדש גם שלא יבצר שגם המה אויבי ה' מרו ועצבו ועשו רעה:

(יז) עשה ה' אשר זמם. הכונה לפי שמדרך העולם שחצי המחשבה אינה באה לידי מעשה אמנם עתה השי"ת כל מה שזומם וחשב הכל הביא לידי מעשה וז"ש עשה ה' אשר זמם ועוד שהאדם שמתכעס על חברו בדברו מה שרוצה לעשות לו להנקם ממנו אז באותו הדבור הוא מתנחם מעט ושופך כל כעסו באמירה לבד ע"ד וינחם ה' על הרעה אשר דבר לעשות לעמו הרצון בו כי במה שדבר לעשות לעמו שפך חמתו בדבור , וזה היה סיבה כי ניחם ה' על הרעה , אמנם בחורבנה של ירושלים לא עשה כן השי"ת אבל אף אם דבר אותו מקודם אח"כ בעת המעשה בצע והשלים כל אמרתו אשר צוה מימי קדם זהו התוכחות שבת"כ ושבמשנה תורה , ואפילו אותם התוכחו' שאינם נכתבות בפירוש בתורה אלא שנשארו במחשבה , כמ"ש גם כל חלי וכל מכה אשר לא כתובה בספר התורה הזאת גם אותם העלה ה', וזהו עשה ה' אשר זמם ולא דבר, ולא חמל כלל , ועוד עשה אתרת אשר היא שקולה כנגד כולם והוא שמחת האויב , וז"ש וישמח עליך אויב ועוד הרים קרן צריך , הרים קרנם ומלכותם , אף שהם מתגאים כי לא ה' פעל כל זאת, לא פנה הקב"ה לזה כדי להנקם מישראל :

false and misleading oracles. 15. All who passed along the road
clapped their hands at you, they hissed and wagged their heads at
the daughter of Jerusalem: "Is this the city that was called the
perfection of beauty, the joy of all the earth?" 16. All your
enemies have opened their mouths wide against you; they hissed
and gnashed their teeth [and] said, "We have engulfed [her]!
Indeed, this is the day we longed for; we have found it; we have
seen it!" 17. The Lord has done what He devised, He has carried
out His word, which He decreed long ago, [and] has devastated
without pity; He has caused the enemy to rejoice over you,

misleading oracles—*They misled you away from Me.*—[*Rashi*]

15. **they hissed**—*To blow with the mouth, siblir in Old French, to hiss, whistle. It is customary for a person to do this when he sees an important thing that was ruined.*—[*Rashi*]

the perfection of beauty—*All beauty was hers.*—[*Rashi*]

16. **All your enemies have opened their mouths wide against you**—*Why did Scripture place the "pey" before the "ayin"? Because they were saying with their mouths* (פֶּה) *what they did not see with their eyes* (עַיִן).—[*Rashi* from *Lam. Rabbah, Sanh.* 104b] Because the Spies reported things that they had not seen with their eyes. In the first acrostic, the letters are in their proper order. That is because in words of Torah there were still honest people, who said only what they knew to be true. *Lechem Dim'ah* notes that just as the Jews spoke with their mouths before seeing with their eyes, so did the gentiles open their mouths wide against them and boast of their prowess before God delivered Jerusalem into their hands. Therefore, verse 15, which depicts the enemies gloating over the downfall of Jerusalem, precedes verse 16, which states that the Lord did that which He devised.

We have engulfed [her]—Indeed, her punishment was so unusual, as mentioned above in verse 13, that the enemies said, "We have literally engulfed her."—[*Palgei Mayim*]

17. **what He devised**—He fulfilled all the curses written in the Torah, and even those that were not written, but which were in His mind, so to speak, as the Torah states (Deut. 28:61): "Also every illness and every plague that is not written down in the Book of this teaching will the Lord bring upon you until you are destroyed." Nevertheless, He showed us great loving-kindness.—[*Palgei Mayim*]

He has carried out His word—*He completed His decree, like* (*Job* 6:9): *"let loose His hand and finish me off* (וִיבַצְּעֵנִי)*".*—[*Rashi*] Another

הֵרִים קֶרֶן צָרָיִךְ׃ יח צָעַק לִבָּם אֶל־אֲדֹנָי חוֹמַת בַּת־
צִיּוֹן הוֹרִידִי כַנַּחַל דִּמְעָה יוֹמָם וָלַיְלָה אַל־תִּתְּנִי
פוּגַת לָךְ אַל־תִּדֹּם בַּת־עֵינֵךְ׃ יט קוּמִי ׀ רֹנִּי בַלַּיִל*
לְרֹאשׁ אַשְׁמֻרוֹת שִׁפְכִי כַמַּיִם לִבֵּךְ נֹכַח פְּנֵי אֲדֹנָי שְׂאִי
אֵלָיו כַּפַּיִךְ עַל־נֶפֶשׁ עוֹלָלַיִךְ הָעֲטוּפִים בְּרָעָב בְּרֹאשׁ
כָּל־חוּצוֹת׃ כ רְאֵה יְהוָה וְהַבִּיטָה לְמִי עוֹלַלְתָּ כֹּה אִם־
תֹּאכַלְנָה נָשִׁים פִּרְיָם עֹלְלֵי טִפֻּחִים אִם־יֵהָרֵג

תו"א קומי רני בלילה תמיד לג זכר פ' בשלח: אם תאכלנה נשים פרים. יומא לח סנהדרין ז

תרגום

דְבָבָא אֲרֵים יְקַר מְעִיקַיִךְ׃ יח צָעַק צְוַח לִבְּהוֹן קֳדָם יְיָ דְרַחֲים עֲלֵיהוֹן שׁוּרָא יְקָרָא דְצִיּוֹן זִילְגֵי כְּנַחְלָא דִמְעִין יְמָם וְלֵילְיָא לָא תִתְּנִין תַּנְחוּמִין לְצַעֲרִיךְ לְפֵינָא צְלוֹתָא דִי לָךְ וְלָא תִשְׁתּוֹק עֵינָךְ מִלְּמִדְמַע׃ יט קוּמִי קוּמִי כְּנִשְׁתָּא דְיִשְׂרָאֵל דְשַׁרְיָא בְגָלוּתָא עֲסוֹקִי בְּמִשְׁנָה בְּלֵילְיָא אֲרוּם שְׁכִינְתָּא דַיְיָ שַׁרְיָא לְקִבְלִיךְ וּבְפִתְגָמֵי אוֹרַיְיתָא בְּשֵׁירוּי שְׁפַרְפָּרָא שַׁדְיָא הֵיךְ מַיָּא עֲקָמוּמִית לִבֵּיךְ וְהַדְרִי בִתְיוּבְתָא וְצַלַּאי בְּבֵית כְּנִשְׁתָּא כָּל קֳבֵל אַפֵּי יְיָ טוּלֵי לְוָתֵיה בִּצְלוֹ יְדַיִךְ עַל נַפְשַׁת עוּלֵמַיִךְ דְצָחִין בְּכַפְנָא בְּרֵישׁ כָּל מְחוּזִין׃ כ רְאֵה חֲזֵי יְיָ וְתִהֵי מִסְתַּכֵּל מִן שְׁמַיָּא לְמַן אִסְתַּקִּיפְתָּא כְּדְנַן אִם חֲזֵי לִבְנָתָא דְיִשְׂרָאֵל לְמֵיכַל פֵּירֵי בִטְנֵיהוֹן עוּלֵמַיָּא רְגִינָתָא דַהֲווֹ מְלַפְּפִין בִּסְדִינִין דְמֵלָתֵיה עֲנַת מִדַּת דִינָא וְכֵן אֲמָרַת אִם חֲזֵי לְמִקְטַל בְּבֵית מוּקְדְשָׁא דַיְיָ כַּהֲנָא וּנְבִיָּא כְּמָה דִקְטַלְתּוּן יַת זְכַרְיָה בַּר עִדּוֹ כַּהֲנָא רַבָּא וּנְבִיָּא מְהֵימַן בְּבֵית מוּקְדְשָׁא

שפתי חכמים / רש"י

בתחלתו אין מתקיים בסופו :ש אשמור' חלק הלילה כך צריך לפרש: (יח) פוגת. העברה טריש־אלמינ"ט כמו (בראשית מה כו) ויפג לבו: בת עינך. שחור של עין שקורין פרוניל"ט. (יט) אשמורות. שתי חלקי הלילה ט שהלילה נחלקת לשלשה חלקים כמו שאמרו רבותינו במסכת ברכות: העטופים. אשפומי"ן בלע"ז: (כ) עוללי טפוחים. ילדים רכים שעודן גדלים בטפוחי אמותם ור"ד על דואג בן יוסף שהית' אמו מודדתו בטפחים בכל יום ויום לתת זהב להקדש לפי מה שהי' גדל ולבסוף אכלתו: אם יהרג במקדש ה' כהן ונביא. רוח הקודש משיבתם וכי נאה לכם שהרגתם את זכריה בן יהוידע כמו שכתוב בדברי הימים שהוכיחם כשבאו להשתחות ליואש ועשאוהו ע"א (דה"ב כד ב) ורוח

פי' הטעמים לראב"ע

(יח) צועק לב צריך והטעם כי נתנו צעקות כנגד ששם ושם אמרו לחומה בת ציון שתבכה: (יט) ותתחנן על עולליה והמתים ברעב והאמר כן: (כ) שהנשים אוכלות בניהן והנביאים והכהנים יהרגו במקדש והמפרש כי על זכריה ידבר דרך דרש:

אבן עזרא

וידיו תבלענה. (יח) פוגת. דבק והטעם פוגת עין מגזרת ויפג לבו: (יט) רני. הרמת קול בשיר או בנהי וכן ותעבר הרנה הכרוז (כ) טפוחים מגזרת טפח

קיצור אלשיך

(יח) צעק לבם אל ה'. ידוע מאמר חז"ל על פסוק מזמור לאסף קינה לאסף מבעי' ליה. אלא שישמח על אשר הקב"ה שפך חמתו על עצים ואבנים, והציל את ישראל, לזה יאמר המקונן כי אם חומת בת ציון תהי' מתרעמת עליו ית' לאמר לו אם ישראל חטאו אני מה פשעי ומה חטאתי ושפכת המתך עלי האומרים ערו ערו עד היסוד בה, ואם היתה מתרעמת קודם שיחזרו ישראל בתשובה בודאי שהיתה תרעומתה לפוקה ולמכשול לישראל כי אמור יאמר לה הקב"ה אם אינך רוצה לפרוע את חובת ישראל הריני חוזר ופורע את חובי מישראל לכן אמר המקונן כמדבר עם החומה ואומר צעק לבם וגו' כלומר בזמן שישראל ישובו תשובה שלמה ויצעקו אל ה' לא מן השפה ולחוץ רק צעק לבם, יצעקו אל ה' בכל לבבם ונפשם, ואז הקב"ה ימחול להם כל עונותם, אז את חומת בת ציון הורידי כנחל דמעה והתבעי עלבונך, ולא התירא עוד מעונות ישראל שמא יענשו. כי כבר אמר הקב"ה מחיתי כעב פשעיך והטאת' לא אזכור, והנביא ירמיה דמקונן מלמד את חומת בת ציון איך תתפלל אל ה', ואמר הורידי כנחל דמעה, ולא אמר דמעות, ר"ל כל דמעה ודמעה יהי' גדול כנהל, ולא תהי' הבכיה רק בלילה כמ"ש בכה תבכה בלילה, ואת תבכי יומם ולילה ושמא תאמר מי יכול לבכות יומם ולילה מאין הפוגות, ע"כ אמר אינני מדבר מן ההכרח לנוח מעט, רק אתה מעצמך אל תתני פוגת לך, ואל תדום בת עינך [לחם דמעה]:

(יט) קומי רוני בלילה המקונן מלמד את ישראל מתי יצעקו אל ה' בכל לבם, באיזה זמן, ובמה יתרצו אל ה', ע"כ אמר קומי רוני בלילה, כמאמרם ז"ל רנה זו רנה של תורה, שמכאן אמרו עיקר רנה של תורה הוא בלילה כמ"ש על הפסוק יומם יצוה ה' חסדו ובלילה שירה עמי, כל העוסק בתורה בלילה הקב"ה מושך עליו חוט של חסד ביום, וזהו לראש אשמורות בחצי הלילה [כרבי האומר ארבע משמורות הוי הלילה] וארז"ל בספר הזוהר שאז נכנסה השכינה בג"ע להשתעשע עם הצדיקים ואז הוא עת רצון, וכל הצדיקים אומרים בואו ונשמע חברנו פלוני לומד תורה ומקשיבים לקול העוסק בתורה בלילה בעת ההיא, נמצאת בעסקך בתורה שאתה נוכח פני אדני היא השכינה שעם הצדיקים ואין לך עת רצון גדול מזה לכן אז שפכי כמים לבך בדמעה ותפלה ובכוונת הלב שאז אתם נוכח פני ה' ע"י התורה שעסקת, והשכינה תקשב ותשמע ותשם פניה אליך ואז שאי אליו כפיך על נפש עולליך אשר בלי עון יסבלו צרות רבות והם שמתו בלי חטא הם שם בג"ע עם הצדיקים, ובזכותם ירחם ה' לגאלנו, וכמו שע"י עזיבת למוד התורה חרבה עירנו, ושמם בית מקדשנו, כן בזכות התורה ובזכות העוללים יבנה המקדש ב"ב:

(כ) ראה ה' והביטה הנה כנסת ישראל אומרים ראה ה' הצרה מהעוללים העטופים ברעב, והביטה למי מהאומות עוללת כה. אם קרה כזאת בהאומות שתאכלנה נשים פרים כאשר קרה לנו, ולא תאמר שבנינו אינם חשובים אצלנו ואמותם לא אהבום, כי הלא היו עוללי טפוחים, ולמה לא תביט אל צרה זו שהיא כפולה שהבנים בלי חטא היו למאכל וגם צרת האמהות שהגיעו לכך והוא אכזריות רב ואיך תאמר ה' מראש הקינה כי חמלת עלינו, ע"י שפוך חמתך במקדשך, משיב הוא ית' הלא אתם עשיתם רעה משולשת בנושא אחד כי אם יהרג במקדש ה' כהן ונביא שלא הבטתם על מקדש ה' ולא על היותו כהן ולא אל היותו נביא ואיכה תאמרו שלא חמלתי על היות שתים רעות בנושא אחד ואתם עשיתם שלש:

and exalted the might of your adversaries. 18. Their heart cried out
to the Lord: "O wall of the daughter of Zion! Let tears stream
down like a torrent day and night, give yourself no respite, let the
pupil of your eye not rest! 19. Arise, cry out in the night, at the
beginning of the watches! Pour out your heart like water before
the presence of the Lord; lift up your hands to Him [and pray] for
the lives of your infants, who faint because of hunger at the head
of every street." 20. See, O Lord, and behold, to whom [else] have
You done thus! Will women devour their own offspring, children
that are petted? Will priest and prophet be slain

explanation is: He split His word, for in the Torah, the verse ends: "until you are destroyed," but He divided His word and did not fulfill this part of the curse. Instead, He poured out His wrath by mercilessly destroying the Temple, by making the enemy rejoice and raising the horn of the adversaries.—[*Palgei Mayim*]

which He decreed long ago—*that which is written in the Torah* (*Lev. 26:18*): "*and I shall continue to chastise you sevenfold.*"—[*Rashi* from *Lam. Rabbah*]

18. **Their heart cried out to the Lord**—Because of the gravity of these troubles, their hearts cried out to the Lord until the curse of "until you are destroyed" was nullified. The prophet now appeals to the wall of the daughter of Zion to shed tears like a stream.—[*Palgei Mayim*]

respite—Heb. פּוּגַת, *an expression of letting up, tresalemant in Old French, respite, let-up, like* (*Gen. 45:26*): "*and his heart grew faint* (וַיָּפָג)."—[*Rashi*]

the pupil of your eye—*the black area of the eye, which is called prunelle in French, pupil.*—[*Rashi*]

19. **at the beginning of the watches**—[i.e., at the beginning of the final] *two parts of the night, for the night is divided into three parts, as our Rabbis stated in Tractate Berachoth* (3).—[*Rashi*] *Rashi* (Exod. 14:24) explains that the night is divided into the watches of the song of the ministering angels, group after group, into three parts.

who faint—*pâmés in French, faint, swooning.*—[*Rashi*]

20. **See, O Lord, and behold**—all the punishments and the troubles that You have brought upon me.—[*Palgei Mayim*] This was before the enemy arrived, for they suffered famine first.—[Addendum to *Rashi*]

Will women devour their own offspring—Upon which of the nations did You inflict such troubles that they devoured their own children?—[*Palgei Mayim*]

children that are petted—*tender children, who are still being raised with their mothers' pampering. And our Sages expounded on Doeg the son of Joseph, whose mother would*

בְּמִקְדַּשׁ אֲדֹנָי כֹּהֵן וְנָבִיא׃ כא שָׁכְבוּ לָאָרֶץ חוּצוֹת נַעַר וְזָקֵן בְּתוּלֹתַי וּבַחוּרַי נָפְלוּ בֶחָרֶב הָרַגְתָּ בְּיוֹם אַפֶּךָ טָבַחְתָּ לֹא חָמָלְתָּ׃ כב תִּקְרָא כְיוֹם מוֹעֵד מְגוּרַי מִסָּבִיב וְלֹא הָיָה בְּיוֹם אַף־יְהוָה פָּלִיט וְשָׂרִיד אֲשֶׁר־טִפַּחְתִּי וְרִבִּיתִי אֹיְבִי כִלָּם׃ ג א אֲנִי הַגֶּבֶר רָאָה עֳנִי בְּשֵׁבֶט עֶבְרָתוֹ׃ ב אוֹתִי נָהַג וַיֹּלַךְ חֹשֶׁךְ וְלֹא־אוֹר׃ ג אַךְ בִּי יָשֻׁב יַהֲפֹךְ יָדוֹ כָּל־הַיּוֹם׃

דַיְיָ בְּיוֹמָא דְכִפּוּרַיָא עַל דְאוֹכַח יַתְהוֹן דְלָא תַעַבְדוּן דְבִישׁ קֳדָם יְיָ׃ כא שְׁכִבוּ דְמָכוּ עַל אַרְעָא בְּמַחוּזִין עוּלֵימַיָא וְסָבַיָא דַהֲווֹ רְגִילִין לְמִשְׁכּוּב עַל כָּרִין דְמִילַת וְעַל עַרְסִין דְשֵׁן דְפִיל בְּתוּלָתַי וְרוּבַי נְפַלוּ קְטִילִין בְּחַרְבָּא קְטַלְתָּא בְּיוֹם רוּגְזָךְ נְכִיסְתָּא וְלָא חַסְתָּא׃ כב תִּקְרָא תְּהֵי בַּר חֵירוּתָא לְעַמָּךְ בֵּית יִשְׂרָאֵל עַל יַד מְשִׁיחָא הֵיכְמָה דַעֲבַדְתָּ עַל יַד מֹשֶׁה וְאַהֲרֹן בְּיוֹמָא דְפִסְחָא דְאִתְכַּנְּשִׁין עוּלֵימֵי חֲזוֹר חֲזוֹר מִן כָּל אֲתַר דְאִתְבַּדַּרוּ תַמָּן בְּיוֹמָא תְקִיף רוּגְזָךְ יְיָ וְלָא הֲוָה בְהוֹן שֵׁיזְבָא וּשְׁאָרָא דְלַפִּיפִית בְּסָדִינִין וְדִרְבֵּיתִי בְּתַפְנוּקֵי מַלְכִין בְּעַלֵי דְבָבִי שֵׁיצִיאוּנוּן׃ ג א אֲנִי אֲנָא גַבְרָא דַחֲזָא עַנְיֵי בְּחוּטְרָא דְרָדֵי בְּרוּגְזֵיהּ׃ ב אוֹתִי יָתִי דְבַר וְאוֹבִיל חֲשׁוֹכָא וְלָא לְאַנְהָרָא׃ ג אַךְ בְּרַם בִּי יָתוּב יְגַלְגֵל עֲלַי מַחְתֵיהּ כָּל יוֹמָא׃

רש"י

לכשה את זכרי' בן יהוידע והי' כהן ונביא והרגוהו בעזרה: (כב) **תקרא כיום מועד**. כמו קראת ולשון הווה הוא: **מגורי**. שכני הרעים להאסף עלי להשחית: **אשר טפחתי ורביתי אויבי כלם**. הילדים אשר טפחתי וגדלתי אותם בא האויב וכלה אותם: (א) **אני הגבר ראה עני**. היה מתאונן ירמיה לומר אני הגבר ראה עני אשר ראה עוני מכל הנביאים שנתנבאו על חורבן הבית שבימיהם לא נחרב הבית כי אם בימי: **בשבט עברתו**. של רודה ומכה הוא הקדוש ברוך הוא: (ג) **אך בי ישוב**. אני לבדי לוקה

שפתי חכמים

י אני הגבר ראה עני אשר ראה עוני כך הוא ביש ספרי רש"י ולא כתב בהן היה מתאונן כו'. ולכל הספרים צריך להוסיף מלת אשר כי זולת זה הי' קשה אני הגבר ראה עני וכי הוא ראה וכולי עלמא לא ראו הנה כל ה' ראה עני בימיו לכ"פ אשר ראה עוני מכל הנביאים כו': כ ק"ל דהמר בוי"ו הכניי לכ"פ של רודה ומכה. ואחר כך ק"ל הרי לא הזכיר

אבן עזרא

כמנהג הנשים עם ילדיהם קטנים שישנו: (כא) **שכבו**. מטעם ושכבתי עם אבותי: (כב) **מגורי**. מגזרת גורו לכם מפני הרב וי"א שהטעם אנשי מגורי: (א) **אני הגבר**. אמרו קדמונינו ז"ל כי זאת המגלה ירמיה כתבה אם כן יהי' הוא האומר אני הגבר או יאמר כל אחד מישראל: **עני**. סמוך ויחסר מקום השבות או הגלות וראה תחת ראיתי וכן ונשאר אני: **בעברתו**. שב אל אויבי כלם ויש אומרים שהוא שב אל אף השם ואיננו נכון בעיני וזה המקונן אמר כי הצר היה מענה אותו בשבט עברתו: (ב) **ונהג**. אותי ממקומי במקום החשך: (ג) המפרש וי"ו בעברתו על השם יפרש ידו מכתו כמו הנה יד ה' הויה במקנך והמכה ביד:

פי' הטעמים לראב"ע

(כא) מתו נערים וזקנים בתולות ובחורים: (כב) כאילו קראת כל הפחדים שהיו לי וקבלתם סביבי ואשר טפחתי הם הקטנים ואשר רביתי הם הגדולים כמו ורבי המלך. כלם אויב אחד יכול לכלותם: (א) אני הגבר. יספר המקונן שהיא הצר מכהו בשבט עברה: (ב) והיה מוליכו בשבי בהחשך ולא יקוה לאור: (ג) ובכל פעם

קיצור אלשיך

(כא) **שכבו** לארץ וגו'. הנה חושב פה שלשה סוגים, סוג אחד הוא נער וזקן, המה שכבו ומתו ברעב בחוצות, והסוג השני נפלו בחרב אויב, והיתה החמלה מאתך על סוג השלישי שנשארו בחיים אבל הלכו שבי, והם הג' הלוקות שדבר הנביא, אשר לרעב לרעב, ואשר לחרב להרב, ואשר לשבי לשבי ומי יתן שאשר הרגת ע"י אויב ביום אפך היתה הטבה על ידך שהיינו מתים ביד ה' כמות כל האדם, ולא ע"י אויב והוא שלא היית חומל עלי להחריב הבית לבלתי כלות אותנו כ"א שגם הסוג הג' היית מכלה והוא כי מי יתן והיית קורא (כב) כיום מועד שמזמנים קרואים מגורי מסביב הם כל אויבי שיסבבוני מכל ארבע רוחות ארץ ישראל באופן שאהיה מסובב ולא אוכל להמלט משום צד אפילו אחד ממנו שעי"כ לא היה נמלט ביום אף ה' פליט ושריד כי בזה הייתי חפץ מאשר אראה ברע אשר ימצא את אשר טפחתי ורביתי כי אשר וגו' אויבי כלם:

ג (א) **אני** הגבר ראה עני בשבט עברתו, אמרו רז"ל אם עניו' בכף אחת ושאר יסורים בכף שניה העניות מכריע את כולם ובגלל הדבר הזה דרכו יתברך לבלתי יסר את האדם בשני הסוגים רק באחד והלואי יכול עמוד אך בשתים אל יתחתן בו כי מי יעצור כח לסבול יסורים ועוני כאחת, ואמר המקונן כאילו מדבר כאיש אחד הנצב אחר הלהב שבלבו על כפל יסורים מר ונאנח סר וזעף מנהמת לבו אוי לי כי נדמיתי כי אני הגבר ראה עני הוא עניות עם שבט מכת עברתו כאחת, אשר שני הסוגים מי נבר יהיה ולא ימות בהם, והנה דרך אנשים בראותם שני סוגי יסורים נוגשים אצים עליו כי הוא ישאג מנהמת לבו ויתר ממקומו ואין מרפא כי אם רק רע כל היום להרהר חלילה על משפטי צדקו יתברך ולהתיאש מן הרחמים ואומר בלבו כי אל נקמות ה' בשנאה הדפו להנקם ממנו, ולא לנכות עונו ויתן תפלה לאלהים חלילה, והוא הדבר אשר קרה לעם ישראל כאשר גלו מארצם כי הוכפלו עליהם הצרות הנאמרות באמת ויאמרו בלבם בהרהורי דברים אשר לא כן ובכללם לפקפק בכל הטובות המקוות לעתיד בימות משיחנו ותחיית המתים וכל הנחמות אשר השמיע ה' מפי הנביאים קודם החורבן וזה אומר כגונח מלבו כל איש ישראל כאיש אחד אשר גלו ביום אף ה' אני הגבר ראה עני מצורף בשבט עברתו המכה מכות גדולות ונאמנות כאשר יזכירם ואמר כי הנה עוצם רעתם בהתחברם כמעט הייתי מאבד עולמי ונוגע באמונתי, באבוד בטחוני באומרי שאלהים עזבני ולא ישוב ירחמני וזהו (ב) אותי נהג ויולך ומטרידני מן העולם בהשך ולא אור. לא אראה עוד אור (ג) ואך בי ישוב יהפוך ידו הרחמניה כל היום:

לקוטי אנשי שם

ג (א) **אני** הגבר וגו'. אשר ראה אותי הסופר האכזר שמכו עוני בשבט עברתו אשר בידו אותי נהג בשבט זה ויוליכני חשך ולא אור. כלומר על אשר לא אדע כי אפילו בדרך שם מסתר פנים על פני כי לא אדע הנה אני בא. אך בי ישוב ידו. וגם בדרך אשר אני הולך יהפך ידו עלי כל היום ויכני

in the Sanctuary of the Lord? 21. In the streets, on the [bare] ground lie [both] young and old, my maidens and my young men have fallen by the sword; You have slain them in the day of Your anger; You have slaughtered [them] without mercy. 22. You have summoned my neighbors on every side, as though it were a feast day, and on the day of the Lord's anger there was none that escaped or survived; those whom I dandled and reared, my enemy exterminated.

3

1. I am the man who has seen affliction by the rod of His wrath. 2. He has led me and made me walk [in] darkness and not [in] light. 3. Only against me would He repeatedly turn His hand the whole day long.

measure him with [her] *fists every day, to give gold to the Temple according to how much he grew, and she ultimately devoured him.*—[*Rashi* from *Lam. Rabbah (Buber*); *Midrash Zuta, Lam., Yoma* 38b] *Lekach Tov* states that this occurred in the time of the Second Temple.

Will priest and prophet be slain in the Sanctuary of the Lord—*The holy spirit answers them, "Now was it proper for you that you slew Zechariah the son of Jehoiada?" as is written in* (II) *Chronicles* (24:22), *that he reproved them when they came and prostrated themselves to Joash, and deified him.* (*ibid. verse 20*): "*And the spirit of God enveloped Zechariah the son of Jehoiada.*" *And he was a priest and a prophet, and they slew him in the forecourt.*—[*Rashi* from *Lam. Rabbah*] *Lekach Tov* words the *derash* as follows: This was Zechariah the son of Jehoiada the priest, whose blood was seething in the Temple until Nebuzaradan, the chief executioner, came and inflicted a terrible vengeance, as is depicted in Chapter חֵלֶק (*Sanh.* 96b). The nations of the world did not slay prophets in the Temple, but rather the holy spirit said to Israel, "Shall priest and prophet be slain in the Sanctuary of the Lord." Just as you committed an unnatural and terrible sin, so were you punished in a strange and terrible manner.

22. **You have summoned...as though it were a feast day**—Heb. תִקְרָא, like קָרָאתָ, *and this is the present tense.*—[*Rashi*]

my neighbors—*my evil neighbors, to gather about me to destroy.*—[*Rashi*] *Ibn Ezra* renders: my terrors. *Lekach Tov* renders: those who feared me. *Rav Saadia Gaon:* Those whom I feared. Note that the expression מָגוֹר מִסָּבִיב appears in many places in Scripture, e.g., Jer. 6:25, 20:3:10, 46:5, 49:29, and Ps. 31:14. In all these places, the sense is *terror all around.*

there was none that escaped or survived—*No one was spared from retribution.*—[Addendum to *Rashi*] *Palgei Mayim* questions this statement, for there were indeed survivors who went into exile. Moreover, the future tense instead of the past is forced. He therefore explains that this refers back to Israel's complaint to God, that no nation ever suffered to the extent that mothers should devour their own children. Thereupon, God replied that this was the punishment for slaying Zechariah the prophet-priest. Thereupon, Israel retorted: Should You summon all my neighbors on every side and bring them to justice on the day of Your anger, no one would escape or survive because of the great evil that they committed. But You did not judge them at all. Only me did You judge with such fierce anger that those whom I dandled and reared were exterminated by the enemy.—[*Palgei Mayim*]

those whom I dandled and reared, my enemy exterminated—*The children whom I dandled and reared, the enemy came and exterminated them.*—[*Rashi*]

3

1. **I am the man who has seen affliction**—*Jeremiah lamented, saying, "I am the man who has seen affliction," who has seen affliction more than all the prophets who prophesied concerning the destruction of the Temple, for the Temple was not destroyed in their days, but it was in my days.*—[*Rashi*] Jeremiah was not the only person who witnessed the destruction of the Temple. He was, however, the only prophet who prophesied about the destruction and then actually witnessed it.—[*Sifthei Hachamim*] *Ibn Ezra* conjectures that Jeremiah may either be speaking for himself, as *Rashi* explains the chapter, or for each individual Jew who lived at the time of the destruction of the Temple. *Rokeach,* too, explains that Jeremiah is speaking for the people of Israel. *Isaiah da Trani* states that Israel is lamenting the destruction and the exile. In *Lamentations Rabbah,* Rabbi Joshua ben Levi says that Job is lamenting his misfortunes.

by the rod of His wrath—*of the One who chastises and smites, i.e., the Holy One, blessed be He.*—[*Rashi*] Although the antecedent is not mentioned, it is known to be the Holy One, blessed be He.—[*Sifthei Hachamim*] *Ibn Ezra* rejects this interpretation. He sees the antecedent as being "my enemy" mentioned at the end of the preceding chapter, hence the rod of the enemy's wrath.

Palgei Mayim explains that there are two types of smiting. One type is administered mercifully, to bring a person to repentance. This is a kind of cure, like the cutting away of decayed flesh by a surgeon in order to effect a cure, or striking a fainting person in order to revive him. The second is inflicted angrily, out of revenge. The prophet laments and says that he saw prophetically that the affliction would be inflicted with anger, and not with mercy.

As was explained at the beginning of Lamentations, this chapter is composed of three acrostics, corresponding to the three acrostics in the first, second, and fourth chapters. Alternatively, the triple acrostic represents Jeremiah's lamenting the fact that the Jews had transgressed the Torah, the Prophets, and the Holy Writings. A third meaning of the triple acrostic is that he lamented the burning of the Temple, the destruction of Jerusalem, and the exile of Israel.—[Addendum to *Rashi*]

2. **He has led me, etc.**—Leading means holding someone by the hand and pulling him along. Making someone walk means letting him walk alone before the one guiding him. Jeremiah says: In my prophetic vision, I perceived God leading me and making Israel walk, both of us in pitch darkness, without any light. From that vision I realized that the destruction was to be one of wrath, not one of healing, for if it were to be one of healing, light would be visible through the darkness.—[*Palgei Mayim*]

3. **Only against me would He repeatedly**—*I alone am constantly smitten, for the entire repetition of His blows is upon me.*—[*Rashi*] i.e., not upon any other prophet.—[*Sifthei Hachamim*] The Israelites comfort themselves by saying that despite all this, there is no reason to despair of the redemption, because it is the way of the Holy One, blessed be He, to turn His hand and to do good to me, and if we repent, He will bestow compassion upon us.—[*Palgei Mayim*]

Lechem Dim'ah explains that the prophet complains of all the troubles and calamities God inflicted upon the Jews in their exile to Babylon, in contrast with all the miraculous favors He bestowed upon them during the Exodus from Egypt, in the style of the *paytan* (liturgical poet), in *Kinot for the Ninth of Av,* pp. 144f. He commences by contrasting the staff that was in Moses' hand when they left Egypt, with which he performed miracles, to the staff that was now converted into "the rod of His wrath."

[1] **I am the man who has seen affliction, etc.**—Instead of Moses' staff, which was a staff of mercy for Israel, I have now seen affliction with the rod of wrath and the burning anger of the rod of the enemy.

[2] **He has led me, etc. [in] darkness and not [in] light**—In contrast with the Exodus, when "God went before them by day in a pillar of cloud to lead them on the way and at night in a pillar of fire to give them light," He now leads them in darkness and not in light when leaving Jerusalem.

ד בלה בשרי ועורי שבר עצמותי: ה בנה עלי ויקף
ראש ותלאה: ו במחשכים הושיבני כמתי עולם:
ז גדר בעדי ולא אצא הכביד נחשתי: ח גם כי
אזעק ואשוע שתם תפלתי: ט גדר דרכי בגזית
נתיבתי עוה: י דב ארב הוא לי אריה ארי קרי
במסתרים: יא דרכי סורר ויפשחני שמני שמם:

תו"א במחשכים הושיבני. נדרים סד סנהדרין כד ע"ב ט: גם כי אזעק ואשוע. ברכות לב מליצה לט: נתיבותי עוה. ראה הנסה כג:

ד בלה עתק בסרי מסכתשין ומשכי מן מחתא תבר גרמי: ה בנה בנה עלי כרכומין ואקף קרתא נעקר רישי עממיא ושלהי אנון: ו במחשכים בבית יסורין דחשוכא אותבני כמיתין דאזלין לעלמא אוחרן: ז גדר סגר בתרי בגין דלא אפוק מן טריקא יקר על רגלי כבלין דנחשא: ח גם אף ארום אצוח ואצלי אסתתים בית צלותי: ט גדר סגר אורחי בכרמירין פסילן שבילי סרך: י דב דובא מכמן הוא לי אריא דמיטמר בכבישא: יא דרכי אורחי סרך

שפתי חכמים

מי הוא שיאמר עליו בכנוי ידוע' ל"פ הוא הקב"ה והוא הידוע: ל פי' ולא על פום נביא אחר: מ ולפי המדרש י"ל ותלאה כמו את כל התלאה' אשר מצאתם בדרך וכמו וילאו למצוא הפתח ובמקלת ספרים כתוב כן בדברי רש"י: נ דק"ל אם גדר בעדו ויהא כלוא פשיטא שלא ילא. לכ"פ הושיב כו': ס דק"ל מי הוא אשר אמר עליו סתם הוא. לכ"פ הקב"ה ומשמעות הכ' משמע שמעולם הוא לי לדוב אורב והכי

רש"י

תמיד כי כל התשובות ל מכותיו עלי: (ד) בלה בשרי. כמו (ישעי' מד) לבול עץ. ד"א בלה בשרי ועורי. כמו (ישעי' נא ו) והארץ כבגד תבלה כלומר שכבו לארץ הולות נער וזקן ולא היה להם כר וכסת ובלה בשרם כשהם גולים: (ה) ויקף. הקיפני: ראש ותלאה. כמו (דברים כט יז) ראש ולענ'. ומדרש אגדה ראש זה נבוכדנצר ותלאה נבוזראדן שגמר המכה בימי צדקיהו מ והלאני: (ז) גדר בעדי. עשה חומה לנגדי להיות כלוא: ולא אצא. הושיב סביבותי נ מחנות וגייסות של אורבים: הכביד נחשתי עשה לרגלי נחושתים כבדים שלא אוכל לילך פיריי"ש בלע"ז: (ח) שתם תפלתי. סתם הלונות הרקיע בפניה: (ט) נתיבותי עוה אם באתי לצאת איני יוצאה בדרכים הסלולים בדרך ישרה מפני האויבים ואלא דרך עקלתון: (י) דוב ארב הוא לי. הקדוש ברוך הוא ס נהפך לי לדוב אורב: (יא) דרבי סורר. לשון סירים קוצים סורר קוץ אותם מפזר קוצים בדרכי: ויפשחני. לשון פיסוק הרגלים שהעובר על הדרכים שאין מופנים צריך להרחיב צעדיו ויש דוגמא בל' גמר' ההי מאן דפשח דיקלא:

פי' הטעמים לראב"ע

הופך ידו ומכהו: (ד) ומרוב המכות בלו בשרו ועורו ונשברו עצמותיו: (ה) ואחר כך בנה עליו בנין והקיף ראשו: (ו) והוא יושב בחושך: (ז) ושם גדר בעדו ורגליו בכבל: (ח) ואם יצעק אין לצעקתו כשמעת: (ט) ושם גדר בעדו שיהיה מואס והנתיבות שהיה יודע עוה אותם: (י) ועוד רעה אחרת שדוב יצא אליו ובא מדרך לא ידעו: (יא) ויפשחני תרגום ויפסף שמואל ופסח: וטימס שכל רואהו ישום וכן שקון מגומס ובמקום אחר שומם:

אבן עזרא

(ד) הבשר והעור שירגישו בלו. והעצמות שלא ירגישו נשברו: (ה) ויקף ראש. בצרה ותלאות או יהיה כמו ועמי תלואים ויהי' הראש לשון נקבה והה"א נעלם כה"א ושערה לא הפך לבן: (ו) במחשכים מחשך בתוך מחשך: (ז) נחשתי. כבלים: (ח) שתם. בשי"ן כסמ"ך וכן הסירו ולא ממני: (ט) הנתיבות הם ידועות: (י) י"א כי מנהג הדוב להכריע על ההרי והוא רחוק: (יא) יש אומרים סורר. מגזרת סירים. וכן הנני שך את דרכך בסירים והישר בעיני

קיצור אלשיך

(ד) בלה בשרי וגו'. רז"ל אמרו אם נשבר עצם ועליו הופה עור ובשר בריאים הדרא בריא. ואם העור והבשר בלוים אין לו ארוכה, והמקונן אומר בדרך מליצה תחלה בלה בשרי ועורי לבל יהיו ראוים להבריא ואח"כ שבר עצמותי כי מלבד כפל עוני וצרה גם זה צרה כפולה ומשוללת תרופה, ואל יאמר איש הלא תתלונן על שבלה בשרך ועורך ושבר עצמותיך, והיית כגוסס זה ימים רבים, מי יתן והיו הורגים אותי כמו רגע ולא אאריך במיתתי, כי הלא הביטו וראו הלא היה זמן שהאויב (ה) בנה עלי במצרים ויקף, שהיו המצריים נותנים הילדים בבנין ובונים עלי ומקיפים סביביו חומר ולבנים וזהו בנה עלי ויקף, הנה זה היה נקל מעכשיו כי לא היה רק ראש ותלאה כמי שהשקוהו סם המות הממית מיד כי כאשר היו בונים על הילד היה מת מיד, ומה שהיו מעמיסים עליו אחרי כן לא היה מרגיש, אך לא כן אנכי כי הייתי במוקשי מות זה ימים רבים ואילו הייתי מת מיד הייתי נח ובלתי מצטער. (ו) במחשכים הושיבני והייתי כמתי עולם כמתים זה ימים רבים וינוחו בקברם. (ז) גדר בעדי וגו'. הנה דרך השבאים להסגיר השבוי בכלא בחצר אשר לו חומה סביב ודלתים ובריח, בל ימלט על נפשו, וכאשר השובה רואה כי השבוי לא יוכל לברוח, לא ישים עליו כבלים, ואנכי אף שנגדר בעדי ולא אצא, שלא אוכל לצאת, עכ"ז הכביד נחשתי. (ח) גם כי אזעק לא יועיל לי כי סתם פי שלא אוכל להתפלל. (ט) גדר דרכי, הרחבים, שלא אוכל לנוס, ואם אמרתי אמלטה נא בנתיבות הצרים המסתעפים מצדי הדרכי' הלואי היו ישרים, אך נתיבותי עוה. (י) דוב אורב, השונא אורב עלי כדוב וכארי היושב במסתרים לצוד ציד: (יא) דרכי סורר, מלאה סירים, ויפשחני, שברני, שמני שומם, שממה.

לקוטי אנשי שם

עד אשר (ד) בלה בשרי ועורי. כי במכה תחלה נמחץ ונפלע הבשר ואח"כ בהתמיד המכוה נקרע העור ואח"כ נשברו העלמות. (ה) בנה עלי. כשהביאני אל בית הסוהר בנה למעלה מראשי עמוד חזק ויקף בראשי שלשלת של ברזל והלאה מעל ראשי. (ו) במחשכים. ובית הסהר היה במחשכי ארץ אשר שם הייתי כמתי עולם שאי אפשר לצאת מקבורתם. ועכ"ז לא נתקררה נתקררה דעתו עד כי (ז) גדר בעדי. ירצה גדר סביבותי בגדר חזק ואמין מן העלים החזקים או מאבנים אבני גזית כדי שלא אצא ואף כי לא יהיה קולר בצוארי ולא עוד אלא שהכביד נחשתי אשר ברגלי. גם ירצה כי כונתו בכל אלה הסגרים היתה ג"כ נשאלעק ואשוע בקול גדול שלא ישמע קולי. וכל זה לא שוה לו עד שגדר דרכי בקרובים אל המאסר כאילו היה אפשר להגיר עלמי שלא אוכל לצאת לדרך וגם הנתיבות הבלתי מפורסמות עוה אותם בענין שכולם ישובו אל המאסר או סביבותיו (י) דוב. ירצה. ואני בהיותי הוך מאסרי הקשה והמר הזה ומסתריו לא הונח לי משאגת אריה וקול שחל כאילו הייתי במדבר עד אשר הוכרח לי לצאת משם. ירמוז אל היום שהוליאוני משם בעל כרחי לבשפט (יא) דרכי. ירצה שהדרך אשר הוליכוני לבית המשפט היה כולו מלא קוצים ודרקנים וסירים וע"ד הנני שך את דרכך בסירים. ויהיה סורר מגזרתו ומשם הוכה והופלע כל בשרי טרם בואי אל בית הועד. וגם שמני שומם כי שם הותי במקום אשר דנו אותי המשפט אשר אזכיר. וכה היה משפטו אלי שדרך קשתו

4. He has made my flesh and my skin waste away [and] has
broken my bones. 5. He has built up [camps of siege] against me,
and encompassed [me with] gall and travail. 6. He has made me
dwell in darkness like those who are forever dead. 7. He has
fenced me in, so that I cannot get out; He has made my chains
heavy. 8. Though I cry out and plead, He shuts out my prayer.
9. He has walled up my roads with hewn stones, He has made my
paths crooked. 10. He is to me a bear lying in wait, a lion in
hiding. 11. He scattered thorns on my ways, He caused me to
spread my legs apart, and made me desolate.

4. **He has made my flesh and my skin waste away**—Heb. בָּלָה, *like* (*Isa. 44:19*): "*to rotten wood* (לְבוּל עֵץ)." *Another explanation: He has made my flesh and my skin waste away, like* (*ibid. 51:6*): "*And the earth shall rot away* (תִּבְלֶה) *like a garment," i.e., both young and old lay on the ground with neither pillow nor cushion, and their flesh wore out when they were going into exile.*—[*Rashi*]

Palgei Mayim explains that the congregation of Israel complains to God that they have almost despaired of redemption. Just as if the bones are broken and the skin and flesh do not cover the fracture, there is no hope for healing, so it is with me: God has taken all the righteous men from me until I have, God forbid, despaired of redemption. This is based on *Lam. Rabbah,* which interprets the verse homiletically, as follows:

my flesh—This refers to the community.

and my skin—This refers to the Sanhedrin. Just as the skin protects the flesh, the Sanhedrin protects Israel.

[and] has broken my bones—my strong men. *Rokeach* takes this to mean the men strong in Torah, such as Rabbi Akiva and his colleagues.

Lechem Dim'ah explains that this *derash* is based on the difficulty in this verse, which commences with the flesh, which is internal, and then mentions the skin, which is external, and finally, back to the bones, which are even more internal than the flesh. Therefore, the Rabbis interpret the verse figuratively, as referring to the community, the Sanhedrin, and the mighty men. *Likutei Anshei Shem* explains that when someone is beaten, the flesh is wounded before the skin is torn. If he is repeatedly beaten, the skin is torn, and then the bones are broken.

Lechem Dim'ah explains further that the prophet continues to contrast the exile to Babylon with the Exodus from Egypt. In the Exodus from Egypt, "your garment did not wear out from upon you," and now, in their departure from Jerusalem, not only did their garments wear out, but even their flesh and skin wore out, and their bones broke.

5. **and encompassed**—*He encompassed me.—[Rashi]*

gall—Heb. ראֹשׁ, *like (Deut. 29:17): "gall (ראֹשׁ) and wormwood." The Midrash Aggadah (Lam. Rabbah), states:* ראֹשׁ *refers to Nebuchadnezzar in the exile of Jehoiachin.* [Nebuchadnezzar is referred to as "the golden head (רֵישָׁא דִּי דַהֲבָא)" in Daniel 2:38, in the interpretation of his dream of the mighty image.]

travail—*Nebuzaradan, who completed the blow in the days of Zedekiah, and he wearied me.—[Rashi]* In contrast to the Exodus, when Israel was encompassed by the Clouds of Glory, at the departure from Jerusalem, they were encompassed by the enemies, Nebuchadnezzar and Nebuzaradan, who built camps of siege around them to vanquish them.—[*Lechem Dim'ah*]

Palgei Mayim explains this verse in two ways. The first interpretation is that sometimes, even a wound that does not heal spontaneously may be healed by applying medication. Here, the prophet states that the wounds are inaccessible to treatment. It is as though a structure were built over them. The second interpretation is that sometimes a person is smitten in anger. There is then hope that the smiter's anger will subside, and that he will have compassion on his victim and heal his wounds. Should the wounds be inflicted for many reasons and causes, resembling a structure composed brick by brick, surrounding the victim with many troubles and calamities, the situation is much graver, and the hope for redemption is much less.

6. **He has made me dwell in darkness**—lit. in darknesses, in darkness within darkness.—[*Ibn Ezra*] in a prison of darkness.—[*Targum*]

like those who are forever dead—the darkness appearing in the prophecy was a perpetual darkness, like the dead who are long forgotten. Therefore, I despaired of redemption.—[*Palgei Mayim*] The *Targum* renders: like the dead, who go to another world.

Lechem Dim'ah explains verses 5 and 6 in a unique manner:

[5] **He built up around me**—After Nebuchadnezzar exiled me, God built the Temple a second time.

and encompassed me with gall and travail—This time, the Temple was built with gall and travail, for much trouble was involved in its construction.

[6] **He made me dwell in darknesses**—Afterwards, He exiled me again and destroyed the Second Temple. Hence the plural form. The first exile was one period of darkness, and the second exile is another.

like those who are forever dead—This exile is so long that it is as if I have been forgotten like those long dead.

He also suggests that this verse refers to the siege that led to the destruction of the First Temple and the Babylonian exile. Lest you think that Israel had peace within the city, since the enemy could not gain entry, Scripture tells that they were in darkness, brought about by their own people, the renegades, who caused the populace much trouble.

[7] **He has fenced me in**—I was afraid to leave the city because of the enemies who were besieging it.

He has made my chains heavy—within the city because of the renegades.

7. **He has fenced me in**—*He has made a wall opposite me so that I should be imprisoned.*—[*Rashi*]

so that I cannot get out—*He stationed camps and troops of soldiers lying-in-wait around me.*—[*Rashi*]

He has made my chains heavy—*He made heavy fetters for my feet so that I would not be able to walk, f(i)eryes in Old French, chains.*—[*Rashi*] According to the *Targum*, it means copper chains.

8. **He shuts out my prayer**—*He shut the windows of the sky before it.*—[*Rashi*] All the years that Israel are in exile, they cry out to the Holy One, blessed be He, but it is as though He has placed an iron partition between Himself and Israel.—[*Lekach Tov*]

9. **He has made my paths crooked**—*If I wish to go out, I do not go out on roads paved in a straight way, because of the enemies, but I go out on a crooked road.*—[*Rashi*]

10. **He is to me a bear lying in wait**—*The Holy One, blessed be He, turned into a bear lying in wait for me.*—[*Rashi* from *Lam. Rabbah*]

11. **He scattered thorns on my ways**—Heb. סוֹרֵר, *an expression of* סִירִים, *thorns.* סוֹרֵר *means that He "thorned" them, He scattered thorns on my ways.*—[*Rashi*] *Ibn Ezra* renders: He perverted my ways.

He caused me to spread my legs—וַיְפַשְּׁחֵנִי, *an expression of spreading the legs. One who passes on roads that are not cleared must widen his stride, and there is an example of this in the language of the Gemara* (*M.K.* 10b): *"The one who pruned* (דְּפָשַׁח) *a date palm,"* [meaning that he separated the branches from the trunk].—[*Rashi*]

יב דָּרַךְ קַשְׁתּוֹ וַיַּצִּיבֵנִי כַּמַּטָּרָא לַחֵץ׃ יג הֵבִיא
בְּכִלְיֹתָי בְּנֵי אַשְׁפָּתוֹ׃ יד הָיִיתִי שְּׂחֹק לְכָל־עַמִּי
נְגִינָתָם כָּל־הַיּוֹם׃ טו הִשְׂבִּיעַנִי בַמְּרוֹרִים הִרְוַנִי
לַעֲנָה׃ טז וַיַּגְרֵס בֶּחָצָץ שִׁנָּי הִכְפִּישַׁנִי בָּאֵפֶר׃
יז וַתִּזְנַח מִשָּׁלוֹם נַפְשִׁי נָשִׁיתִי טוֹבָה׃ יח וָאֹמַר
אָבַד נִצְחִי וְתוֹחַלְתִּי מֵיְהוָה׃ יט זְכָר־עָנְיִי וּמְרוּדִי

תו"א ותזנח משלום נפשי. שבת כה עקידה שער פז: נשיתי טובה. נדרים נ: ואמר אבד נצחי. עקידה שער פז עקרים עד פ' מח:

תרגום

וְשַׂסְעַנִי שִׁינַי צָדוּ׃ יב דְּרַךְ
מָתַח קַשְׁתֵּיהּ וְעַתְּדַנִי הֵיךְ
פַּלְגָלִיסָא לְגִירָא׃ יג הֵבִיא אָעִיל
בְּכַלְיָתַי גִירֵי תִיקֵיהּ׃ יד הָיִיתִי
הֲוֵיתִי חוּכָא לְכָל פְּרִיצֵי עַמִּי
וּמְזַמְּרָן עֲלַי כָּל יוֹמָא׃ טו הִשְׂבִּיעַנִי
אַשְׂבְּעַנִי מְרִירָת חֵיוָן אַרְוְנִי
גִידָא׃ טז וַיַּגְרֵס וְרַצַּץ בִּפְרִידָן
שִׁנַּי כְּנַע יָתִי בְקִטְמָא׃ יז וַתִּזְנַח
וְקַצַּת מִלְמִשְׁאַל שְׁלָם נַפְשִׁי
אַנְשֵׁיתִי טִיבוּתָא׃ יח וָאֹמַר וַאֲמָרִית אוֹבַד תּוֹקְפִּי וְטוּבָא דַהֲוֵיתִי אוֹרִיךְ מִן קֳדָם יְיָ׃ יט זְכָר

רש"י

(יב) ויציבני כמטרא. העמידני כנגד החץ לירות בי כמטרא אשייל"א בלע"ז: (יג) בני אשפתו. החצים שנותנין בתוך אשפה שקורין קויכר"א: (טז) ויגרס. וישבר ודוגמתו (תהלים קיט יד) גרסה נפשי וכן (ויקרא ב) גרש כרמל: בחצץ. אבנים דקים שבתוך העפר שהיו הגולים לשין עיסתן בתוך הגומות שחופרים בקרקע והאלך נכנס לתוכה כמו שאמ' הקב"ה ליחזקאל (יחזקאל יב ג) עשה לך כלי גולה לחתות בו וללוש בתוכו הררה קטנה כדי שילמדו הם ויעשו כן כענין שנאמר (שם כד כד) והי' יחזקאל לכם למופת והם היו משחקים עליו ולא עשו כן לסוף נשתברו שיניהם: הכפישני. כפה אותי באפר ככלי הכפוי על פיו אראנטי"ר בלע"ז ויש דומה במשנה (יבמות קו) פישון הגמל במדה שהכפושה מדד: (יח) ואומר אבד נצחי. אמרתי בלבי כרוב צרותי פ אבד עולמי וסברי: (יט) ומרודי. אקימפלויינ"ט בלע"ז:

שפתי חכמים

פירוש כן כשעושים רצונו לכ"ס נכסף לו: ע ופי' פישון הגמל שם אדם ופירש רש"י כפושה ל' הכפישני באפר: פ דק"ל הלילה להכניא לו'

אבן עזרא

(יב) כמטרא. שהוא פעל עבר מגזרת כפרה סוררה. אל"ף במקום ה"א הנקבה והוא מגזרת נוטר: (יג) דימה האשפה לבטן ההרה: (יד) לכל עמי עד שהיו עמי שוחקים ממני או לכל העם שהיה תחת ידי. כמו את עמלק ואת עמו או היו"ד נוסף ואין ותפלטני מריבי עמי כמו עמים כי על שאול רמוז וכן אמר בראשית השירה ומכף שאול: (טו) בי"ת במרורים. נוסף וכן בדמעות שליש: (טז) ויגרס. כמו וישבר וכן גרסה נפשי. הכפישני. אין לו אח והטעם גאלני: (יז) ותזנח. כמו ותמאס: (יח) נצחי. עמידתי בנצח שיש לי כמו ויז נצחם על בגדי וכל מלבושי

פי' הטעמים לראב"ע

(יב) ומרחיק הצר יורה עליו חץ: (יג) והביא החצים בכליותיו שהם נסתרים כחצב: (יד) ושב להיות שחוק: (טו) ותחת לחם ומים מרורים ולענה: (טז) ונשברו שניו באבנים ולא יוכל לאכול ומלא הצר פיו באפר או כטעם אפר כלחם: (יז) כאילו לא ירגיש ונשה הטובה: (יח) ואין לו תוחלת שיראה עוד טובה: (יט) כי תמיד יזכור עניו

קיצור אלשיך

(יב) דרך קשתו, האויב דרך קשתו לירות עלי בחציו ויציבני כמטרא להץ אשר לא תתנועע, ומי יתן ירה החצי להעבירני מן העולם מיד, שיבואו בלבי בני אשפתו כי מלבי תוצאות חיים, ואז ינוח לי, אך הביא בכליותי בני אשפתו שהוא מקום שאין החץ ממית בו נמצאתי מצטער וגוסס ואינני מת במהרה, ובזה זולת צערי מכאבי גם (יד) הייתי שחוק לכל עמי אויבי חנם כפריצים שבבית שני שעל חורבן ההוא ידברו ג"כ הקינות כמבואר ברז"ל. ואהי נגינתם כל היום כי יהיו יסורי אלה על הסדר הנזכר לחץ בעיניהם ויערכו שיר וניגון בספרם ענין עוה נתיבותי, דוב אורב וגו'. דרכי סורר וגו' ובא החץ בכליותי למען יתמיד ברעה ולא ימות. (טו) השביעני וגו' לא בלחם אך במרורים רבים מסירים תאות האכילה, הרוני, לא ביין, רק לענה, והוא כי הצרה עצמה משבעת והכעס והדאגה על צרתו היא כשתיה שעל האכילה והיא כלענה שהיא מרירות ודאגת הרעה ואמר הייתי שחוק לכל עמי כמדובר. (טז) ויגרס בחצץ וגו'. הנה סוף הפסוק עם ראשיתו בלתי מתייחסים, אך יאמר אם באתי לשבוע לחם לא אצליח כי דרך אורחים במדברות לאפות ככר לחם בארץ על האפר אחר גריפת האש ולבל ידבקו החול וצרורות בעיסה מרבים עפר תחת האש לבל תדבק העיסה בגרוף הגחלים אמר ויגרס בחצץ שני מהחול שנדבק בעיסה וש"ת הוחסר אפר להרבי' תחת האש לאפות עליו הנה איננו כי הלא הכפישני באפר ולא נשאר להרבות תחת האש ע"כ נדבקו הצרורות בככר ויגרס שני:

(יז) ותזנח וגו'. הנה האדם מורכב מגוף ונפש, וכל ימי היותם על האדמה, המה מחולקים לג' כתות, כת א' המושכים את הנפש אל הגוף, כי כל מה שהגוף מתאוה, הן היתר הן איסור, הנשמה מסייעת את הגוף לעשות את העבירה, ולהיפך הכת הב' הנשמה מושכת הגוף אליה, שיעבוד ה' וילמוד תורה הגוף ביחד עם הנשמה, ויש כת שלישית שיש מחלוקת בין הגוף והנפש פעם הנשמה מתגברת על הגוף ופעם הגוף מתגבר על הנשמה, וזה שאמר הקב"ה למשה שיאמר לפנחס הנני נותן לו את בריתי שלום שיהי' שלום בין הגוף והנפש, ומחמת עונות בית ישראל הי' הנביא מקונן בשם ב"י ותזנח משלום נפשי, נפשי שכחה את שלומה עם הגוף, כי הגוף לא רצה להמשך אחר הנשמה לעבוד ה', ומחמת כי לא עבדו ה' ע"כ נשיתי טובה, כל הטובות נאבדו מאתנו כאילו מעולם לא היה לנו טובה וגם לא יהיה לנו טובה לעתיד, כי (יח) ואומר אבד נצחי וגו' טובתי אשר קויתי להיות לנשמתי הנצחית אבדה, וגם גופי אשר לא יאושר כעת עד בא התוחלת העתיד בתחיה גם הוא אבד. ואל נא יהשדני שומע על המחשבה הרעה הזאת כי הלא (יט) זכר עניי ומרודי, ואין אדם נתפס על צערו כי שתים רעות היו לי שבכל אחת רעה רבת ובהתחברם אין קץ, והוא העוני ועמו יסורים רעים, ואיש אשר שתים אלה לו לא יתפס כי יהרהר, וזה זכר עניי

לקוטי אנשי שם

וזרק בי החץ ויציבני למטרא לכל רובה קשת: (יג) הביא. הנה הוא לא זרק החצים אל נגדי להמיתני בנקלה אך כיון שיבואו החצים בכליותי ובסביבות גופי כאילו הם מונחים באשפה כדי לשחוק ולהתעולל בי כשיראוני הרואים שכל גופי מלא חצים והוא אומרו הייתי שחוק לכל עמי נגינתם כל היום. (טו) השביעני. והנה אחרי כל זה לא האכילוני ולא השקוני ולא שמו בי מזור ובמקום אכילה השביעני במרורים. ותחת השתיה הרוני לענה וחלוף המרקחות המחזקות ויגרס בחצץ שני. ותחת מצע משכב הכפישני באפר. (בעל העקידה):

12. He bent His bow and set me up as a target for the arrow.
13. He has caused the arrows of His quiver to enter into my reins.
14. I have become the laughing stock of all my people, their song
[of derision] all day long. 15. He has filled me with bitterness; He
has sated me with wormwood. 16. Indeed, He has made my teeth
grind on gravel, and caused me to wallow in ashes. 17. And my
soul is far removed from peace, I have forgotten [what] goodness
[is]. 18. So I said, "Gone is my life, and my expectation from the
Lord." 19. Remember my affliction and my misery,

12. **and set me up as a target**—*He set me up opposite His arrows to shoot at me like a target, asenayl in Old French, target.*—[*Rashi*] This symbolizes the fact that God placed us in exile, where all the nations shoot at us, smite us and deride us.—[*Lekach Tov*]

13. **the arrows of His quiver**—lit. the sons of his quiver—*arrows that are placed within the quiver, called cuyvre, quiver.*—[*Rashi*] He compares the quiver to the womb of a pregnant woman.—[*Ibn Ezra*] These arrows symbolize the worries and concerns of the exile.—[*Lekach Tov*]

14. **of all my people**—Heb. עַמִּי. The *Targum* renders: to all the profligate of my people. *Ibn Ezra* explains: They ridiculed me until I became a laughing stock to all my people. He also suggests that it may mean the people under Jeremiah. He further suggests that the "yud" may be superfluous. It is to be understood as לְכָל עַם, *to every people*. *Rokeach* also discusses the matter. He says that if the chapter refers to Jeremiah personally, we can easily understand that he says, "I was a laughing stock to all my people," meaning that the Jewish people ridiculed him. If we explain the chapter as referring to Israel, however, the possessive is difficult. He suggests that Israel considered the other nations as their friends, hence "my people." They ultimately turned out to be Israel's enemies and ridiculed them. *Rav Saadia Gaon* interprets עַמִּי like עַמִּים. This is also the view of *Lekach Tov*, and is found in the Masorah. *Lekach Tov* asks: Why is it written without a "mem"? Because this alludes to the Chaldeans, who were a very lowly nation, as is written (Isa. 23:13): "Behold the land of the Chaldees, this people that has never been."

16. **He has made...grind**—Heb. וַיַּגְרֵס, *and He broke, and an example is* (*Ps. 119:20*): *"My soul is crushed* (גָּרְסָה)"; *and similarly* (*Lev. 2:14*): *"ground* (גֶּרֶשׂ) *when still fresh."*—[*Rashi*]

on gravel—Heb. בֶּחָצָץ, *fine pebbles that are in the midst of the dust, for the exiles would knead their dough in the pits that they would dig in the ground, and the gravel would enter it, as the Holy One, blessed be He, said to Ezekiel* (*12:3*), *"Make* *yourself implements for exile," in which to drink and in which to knead a small cake, so that they should learn and do likewise, as it is stated (ibid. 24:24): "And Ezekiel will be to you for a sign," but they ridiculed him and did not do so;* [so] *their teeth were ultimately broken.*—[*Rashi* from *Lam. Rabbah* 1:2]

and caused me to wallow —*He turned me over in ashes like a vessel inverted on its mouth, adentèr in Old French, to throw flat on one's face. There is a similar word in the Mishnah* (sic) (*Yev.* 107b): *Pishon the camel driver measured with an inverted* (כְּפוּשָׁה) *measure.*—[*Rashi*] *Ibn Ezra* and *Isaiah da Trani* render: He sullied me. *Lekach Tov* renders: He sank me. The *Targum* renders: He vanquished me.

We find in *Lam. Rabbah* and in *Yerushalmi Ta'anith* 4:10, that after the final meal preceding the Ninth of Av, Rav, the *amora,* would dip a piece of bread in ashes to fulfill, "He caused me to wallow in ashes." This has since become the prevalent custom. See *Shulchan Aruch Orach Chaim* 552:6, glosses of *Rama.*

17. **And my soul is far removed from peace**—i.e., my soul has despised peace.—[*Ibn Ezra*] The Rabbis explain this as the absence of Sabbath candles, which assured peace in the house, illuminating the rooms so that no one would stumble.—[*Shab.* 25b]

I have forgotten [what] goodness [is]—The Rabbis understand this to mean that during the existence of the Temple, the Jews were expert chefs, knowledgeable in all types of gourmet recipes. At this time, all had been forgotten.—[*Lam. Rabbah, Ned.* 50b] The Talmud (*Shab.* 25b) explains this to mean that we have forgotten the comfort of bathing in hot water, reclining on a beautiful couch with beautiful linen, and having a well-dressed wife.

18. **So I said, "Gone is my life**— Heb. נִצְחִי. *I said to myself in the midst of my many troubles, "My world and my hope are gone."*—[*Rashi*] *Ibn Ezra* also renders נִצְחִי as *my existence.* The *Targum* renders: my strength. *Palgei Mayim* renders: My hope to remain in existence forever is lost.

Akedath Yizhak writes that, in order to depict the misfortunes and calamities that befell our people, the author compares himself to a man who, while living in security and tranquility, suddenly sees an enemy approaching armed with a rod. The enemy beats him with this rod and leads him away as a prisoner of war with blows and torments to the royal prison. There he fastens a neck iron on his neck, which he attaches to the ceiling, and places his feet in stocks. The prisoner suffers from harsh treatment until he is brought to trial. Then he is roughly dragged out of his prison cell for judgment, and a sentence worse than death is pronounced upon him. The judge does not sentence him to death, but vents his wrath upon him by ordering to torture him and subject him to ridicule and derision. After his skin and his flesh have been lacerated, no one has pity on him. They do not give him to drink, nor do they seek to strengthen him and restore him to health. He finally despairs of any good. He almost denies the existence of God, except that his intellect debates with him and refutes his arguments, restoring him to his faith. Accordingly, the verses are explained as follows:

[1] **I am the man who has seen affliction, etc.**—I am the man who has seen an officer named Affliction with the rod of his wrath in his hand.

[2] **He led me, etc.**—He led me with this rod and made me walk in the dark, where there was no light, i.e., he made me walk to an unknown destination. Even on the way there he blindfolded me so that I should not know where I was going.

[3] **Only against me would he repeatedly turn his hand, etc.**—Even on the way, when I was walking, he would repeatedly turn his hand upon me all day long and strike me until…

[4] **He made my flesh and my skin waste away**—First the flesh was bruised, and then the skin was torn, and finally the bones were broken.

[5] **He built over me**—When he brought me into the dungeon, he built a strong pillar over my head.

and encompassed my head with a hanging chain—He encompassed my head with an iron chain and hung the chain over my head.

[6] **He made me dwell in darkness, etc.**—The dungeon was in the dark recesses of the earth, where I was like those who are forever dead, who cannot leave their graves.

[7] **He fenced me in**—He was not satisfied until he fenced me in. He built a strong fence around me of strong wood or hewn stones so that I could not leave, even if my neck iron were removed, and not only that, but he placed a heavy chain on my feet.

[8] **Though I cry out and plead, he shuts out my prayer**—The purpose of all these imprisonments was also to make my cries and pleading unheard on the outside. In order to enforce this…

[9] **He walled up my roads with hewn stones**—They walled up the roads leading to the dungeon, as if it were possible for me to release myself and escape.

He made my paths crooked—Even the paths that were not well-known, he made crooked, so that they should return to the dungeon or its environs.

[10] **He is to me a bear lying in wait, etc.**—As long as I languished in the dungeon, awaiting my trial, I had no rest. I heard the growls of bears and the roars of lions from my secret prison, until I was forced to go to court for my trial.

[11] **He scattered thorns, etc.**—The road by which he led me to the courthouse was strewn with thorns, so that my flesh was wounded and lacerated before I arrived there.

He made me desolate—He placed me in the place where I was being judged.

[12] **He bent his bow**—The sentence was to bend his bow and

shoot arrows at me and make me a target for archers.

[13] **He caused the arrows to enter my reins**—He did not shoot the arrows into my heart to kill me easily, but aimed the arrows at my kidneys and other parts of my body, as if they were lying in a dung heap, so that the people should deride me and torture me when they would see my body riddled with arrows. That is the meaning of—

[14] **I was the laughing stock of all my people, etc.**

[15] **He filled me with bitterness**—After this ordeal, they gave me neither food nor drink, nor medications. Instead of feeding me, they filled me with bitter herbs, and instead of giving me to drink, they sated me with wormwood. Instead of giving me a tonic to strengthen me, they made my teeth grind with gravel, and instead of giving me a comfortable bed, they made me wallow in ashes.

[17] **And my soul is far removed from peace**—The peace that I hoped for, wherewith I would be healed of my wounds, failed me.

[18] **So I said, "Gone is my life, etc."**—From now on I have no more existence because I can no longer hope for the ruler who judged me until now.

Now see how the Lamenter included in his embittered cry an allusion to all the calamities that befell us from the time we commenced to decline from the heavenly heights until we were humbled to the dust, and the exile was sealed. All this came about after the death of Josiah, about whom Scripture says (II Kings 23:25): "Now, before him there was no king who returned to the Lord with all his heart and with all his soul and with all his possessions, according to the entire Torah of Moses, and after him no one arose." During his lifetime, Judah said (below 4:20): "In his protection, we shall live among the nations." Now that he died, their protection left them, and God with him, and as soon as his son Jehoahaz assumed the throne, the evil commenced, as Huldah the prophetess had predicted (II Kings 22:20). This entire period is alluded to in this bitter allegory. The following is its interpretation:

When it was said concerning Jehoahaz (ibid. 23:32): "And he did that which was evil in the eyes of the Lord," the prophet saw the officer coming toward him "with the rod of his wrath." That was Pharaoh-Neco, whom the Lord made an officer to chastise Israel, as Scripture states (ibid. 33): "And Pharaoh-Neco imprisoned him in Riblah in the land of Hamath, to prevent him from reigning in Jerusalem," and it says further (ibid. 34): "and he took Jehoahaz, and he came to Egypt and died there," as the prophet states further: [2] **He led me and made me walk in darkness and not in light.**

[3] **Only against me would he repeatedly turn his hand, etc.**—This alludes to Jehoiakim his brother, whom Pharaoh-Neco crowned king, and he did not rest or enjoy tranquility, because Nebuchadnezzar

did not take his hand off him, as Scripture states (ibid. 24:1): "In his days, Nebuchadnezzar went up, and Jehoiakim was his vassal for three years." The Chronicler states (II Chron. 36:6): "Nebuchadnezzar the king of Babylon advanced upon him, and bound him in copper chains to bring him to Babylon." This is what the Lamenter means in this verse: Only against me would he repeatedly turn his hand to lead me away and to exile me, but since it was not a complete exile, he says only, "He would repeatedly turn his hand all day long."

[4] **He has made my flesh and my skin waste away**—This alludes to that which occurred in the days of Jehoiachin the son of Eliakim, concerning whom it is written (II Kings 24:11-14): "And Nebuchadnezzar the king of Babylon came to the city, and his servants were besieging it. And Jehoiachin the king of Judah came out to Nebuchadnezzar, to the king of Babylon, etc. And he removed from there all the treasures of the House of the Lord and the treasures of the king's palace, and he stripped off all the golden decorations that Solomon, King of Israel, had made in the Temple of the Lord, etc. And he exiled all Jerusalem and all the officers, etc., ten thousand exiles, and all the craftsmen and the sentries of the gates. No one remained except the poorest of the people of the land." Thereby, the flesh wasted away, and the bones were destroyed and broken. How powerful are the words of our Sages (*Lam. Rabbah*):

my flesh—This is the community.

and my skin—This refers to the Sanhedrin. Just as the skin protects the flesh, so did the Sanhedrin protect Israel.

he broke my bones—the strong ones among me.

After this, "The king of Babylon crowned Mattaniah the son of Josiah, and changed his name to Zedekiah." What is written about him? (ibid. 25:1): "And it was in the ninth year of his reign, etc., that Nebuchadnezzar the king of Babylon came, he and his entire army, against Jerusalem, and encamped against it, and they built works of siege around it." That is what is written here:

[5] **He built [camps of siege] against me, and encompassed my head with a hanging chain**—The head of Israel is Jerusalem, which Nebuchadnezzar encompassed. The word וּתְלָאָה is interpreted as *travail,* for so it is written (ibid. 2ff.): "And the city came under siege until the eleventh year of Zedekiah. On the ninth of the month, the famine became severe in the city, etc. And the city was broken into." The word וּתְלָאָה thus has a double meaning. It means both hanging, as is used in the image, and travail, as in the interpretation of the image. What is written after that? (ibid. 6f.): "And they seized the king and brought him up to the king of Babylon, to Riblah, and called him to account. And they slaughtered Zedekiah's sons before his eyes, and blinded Zedekiah's eyes." This is the meaning of:

[6] **He made me dwell in darkness like those who are forever dead**—Scripture states further: "and he bound him with copper chains and brought him to Babylon." This is what is written:

[7] **He has fenced me in, so that I cannot get out: he has made my chains heavy.**

[8] **Though I cry out and plead, etc.**—When Zedekiah pleaded with him, he did not heed his cries and did not release him, and when he died, he had indeed been fenced in. Nebuchadnezzar's anger, nevertheless, did not abate, and it is still stated (Jer. 52:12): "And in the fifth month, on the tenth of the month—that was the nineteenth year of King Nebuchadrezzar the king of Babylon, etc. And he burnt the House of the Lord." Concerning this grave calamity, the Lamenter says:

[10] **He is to me a bear lying in wait, a lion in hiding**—The lion alludes to Leo, the sign of the zodiac designated to the fifth month, the month of Av. The final "hey" of אֲרִיֵה signifies the fifth month and the fifth sign of the zodiac. Then:

[11] **He scattered thorns on my ways**—The enemy filled the roads of the city with thorns in order to ignite the Temple and the city.

he made me desolate—This denotes the destruction of the Temple.

[12] **He bent his bow**—This denotes the chief executioner's capture of (Jer. 52: 24-27): "Seraiah the head priest and Zephaniah the priest of second rank and the three guards of the utensils. And from the city he took one eunuch, etc. and seven men of those who saw the king's face, who were found in the city, and the scribe, etc. and brought them, etc. And the king of Babylon struck them down and killed them." Concerning them, he says:

[13] **He caused to enter into my reins**—After the flesh, the skin, and the bones, only the innards are left.

[14] **I have become the laughing stock of all my people**—following the episode of the assassination of Gedaliah the son of Ahikam, by Ishmael the son of Nethaniah, described in Jeremiah 40, 41. This episode constituted a mockery to the remnant in the land of Judah, and the majority of them were subsequently slain. Jeremiah alludes to this tragedy in this verse: "I have become the laughing stock of all my people." In this case, he represents the nation, because the mockery came about because of the people, namely, because Gedaliah trusted Ishmael and did not heed Johanan the son of Kareah, who revealed Ishmael's plot to him.

their song—i.e., their wailing. Since this evil came about because Ishmael dined with him and with the officers who were with him, as is written in Jeremiah (41:1f.): "And it came to pass in the seventh month, that Ishmael the son of Nethaniah...of royal descent and officers of the king and ten men with him, came to Gedaliah, to Mizpah, and they ate bread there together in Mizpah. And Ishmael...arose and smote Gedaliah the son of Ahikam, etc. with the sword, and he slew him." The Lamenter says:

[15] **He filled me with bitterness; he sated me with wormwood**—This wording alludes to the tragic outcome of that feast. Those whom he had prepared to strengthen him were those about whom he says:

[16] **Indeed, he made my teeth grind on gravel; he caused me to wallow in ashes**— for the Fast of Gedaliah with its lamentations had already been proclaimed in Israel.

[17] **And my soul is far removed from peace**—for this murder represented "placing the blood of war in peace," for the men were at peace, and Gedaliah kept his covenant when he said to Johanan the son of Kareah, (Jer. 40:16): "Do not do this thing for you speak falsely about Ishmael." The result of the ensuing tragedy was that Israel lost faith in God, as it is stated (ibid. 44:15-18): "And all the men who knew that their wives burned incense to other gods and all the women standing [in] a great assembly, etc., answered Jeremiah, saying, "The word that you spoke to us in the name of the Lord, we will not hearken to you. But we will do everything that has emanated from our mouth, to burn incense to the queen of heaven and to pour libations to her, etc.,...for since we stopped burning incense to the queen of heaven and pouring libations to her, we lack everything, and we have been consumed by the sword and by famine." They concluded that it was futile to worship God. Accordingly, the Lamenter concludes the allegory with:

[18] **Gone is my life, and my expectation from the Lord.**

לַעֲנָה וָרֹאשׁ׃ כ זָכוֹר תִּזְכּוֹר וְתָשִׁיחַ ותשוח קרי עָלַי
נַפְשִׁי׃ כא זֹאת אָשִׁיב אֶל־לִבִּי עַל־כֵּן אוֹחִיל׃ כב חַסְדֵי
יְהוָה כִּי לֹא־תָמְנוּ כִּי לֹא־כָלוּ רַחֲמָו׃ כג חֲדָשִׁים
לַבְּקָרִים רַבָּה אֱמוּנָתֶךָ׃ כד חֶלְקִי יְהוָה אָמְרָה נַפְשִׁי
עַל־כֵּן אוֹחִיל לוֹ׃ כה טוֹב יְהוָה לְקֹוָו לְנֶפֶשׁ תִּדְרְשֶׁנּוּ׃
כו טוֹב וְיָחִיל וְדוּמָם לִתְשׁוּעַת יְהוָה׃ כז טוֹב לַגֶּבֶר

תו"א זאת אשיב אל לבי. עקידה שער מה: כי לא כלו רחמיו. עקידה שער מה: חדשים לבקרים חגיגה יד
זוהר פ' ויקהל: חלקי ה' אמרה נפשי. עקידה שער כח: טוב ה' לקוו. סנהדרין לט:

תרגום

אדכר עניי נפשי ומה דאמרירו בי סנאי ואשקין יתי גידין ורישי חיון: כ זכור מדכר תדכר ותצלי עלי נפשי על סיגופא: כא זאת דא נחמתא אתיב על לבי בגין כן אוריך: כב חסדי טיבותא דיי ארום לא פסקו ארום לא אתמניעו רחמוהי: כג חדשים ניסין חדתין מרחיש בצפריא סגיאה היא הימנותך: כד חלקי חולקי יי אמרית נפשי בגין כן אוריך ליה: כה טוב טב יי לסוברין לפורקניה לנפשא דתבע אולפניה: כו טוב טב לאורכא ולמשתק עד דמטי פורקנא דיי: כז טוב טב הוא לגברא ארום יאלף נפשיה לסוברא

שפתי חכמים

שאבד תוחלתו. לכ"פ אמרתי זכו': צ ותשיח מלת תזכור נסתר לנקב' ולפי המדרש היא נוכח לזכר כי הנוכח לזכר היא כמו נסתר לנקב': ק הפשט הוא כי לא תמו היא בנסתר ואין צריך שום תיקון אבל כי לא תמנו הוא מדבר בעדם וצריך לתקן חסדי ה' הם אשר

רש"י

(כ) זכור תזכור. נפשי את עניי ומרודי ותשוח עלי כך הוא פשוטו לפי ענין שיטת המקרא. ומ"א זכור תזכור ידעתי שסופך לזכור את העשוי לי אבל תשוח עלי נפשי להמתין עד זמן הזכירה ומכאן יסד הפייט בזאת ידעתי כי יש לך לזכור אבל תשוח עלי נפשי עד שתזכור: (כא) זאת אשיב אל לבי. אחר שאמר לי לבי אבדה תוחלתי מה' אשיב זאת אל לבי ואוחיל עוד. ומה הוא זאת שאשיב אל לבי: (כב) חסדי ה' כי לא תמנו. וכל הענין עד מה יתאונן וגו': כי לא תמנו. כמו כי לא תמו. ויש מפרשים כי לא תמנו כמו (במדבר יז כז) האם תמנו לגוע חסדי ה' הם אשר לא תמנו ולא כלינו בעונינו: (כג) חדשים לבקרים. מתחדשים הם חסדיך מיום אל יום: רבה אמונתך. גדולה היא הבטחתך ודבר גדול הוא להאמין בך שתקיים ותשמור מה שהבטחת לנו: (כד) חלקי ה' אמרה נפשי. ה' מנת חלקי ודין הוא שאוחיל לו: (כו) טוב ויחיל ודומם. וי"ו של ויחיל יתירה כמו וי"ו של (בראשית לו כד) ואיה וענה טוב שיחיל אדם וידום ויצפה לתשועת ה'.

פי' הטעמים לראב"ע

שיענה אותו הלר הלענה והרוש והם המרורים מקום לחם: (כ) יש הומרים כי זכור תזכור. (כא) זאת הנחמה אשיב אל לבי כאשר תשיח נפשי: (כב) שאין קץ לחסדי השם: (כג) יתחדשו חסדים של רחמיו כי רבה אמונתך גדולה כמו על כל רב ביתו או לשון רבים: (כד) והוא היה חלקי מימי קדם מכל אנשים: (כה) ואדע כי טוב יעשה לקויו: (כו) טוב שיסבול הדורש השם ויקיל וישב דומם לתשועת השם כטעם דום לה' והתחולל לו כמו דומו עד הגיענו: (כז) בנעוריו

אבן עזרא

אגאלתי על הדם שבו יעמוד החי נלהו: (כ) זכור. שם הפועל כמו בזכור בניהם או ל' בקשה לשם. כאשר תזכור נפשי זאת הרעה תשוח עלי (כא) זאת. התוחלת: (כב) תמנו. כמשמעו או הנו"ן תחת חסרון הכפל: (כג) חדשים. הם החסדים: לבקרים. בכל יום כמו לבקרים אלמית: רבה. גדלה או כמשמעו: (כד) אמרה. לי: (כה) תדרשנו. באמת: (כו) וי"ו ויחיל. כמו פ"ה רפה בלבון ישמעאל: (כז) עול. מוסר:

קיצור אלשיך

עניי, הוא העוני ועמו מרודי שהם שארי יסורים שיחד שניהם יתייחסו ללענה וראש, כי דאגת העוני יתדמה למרירות לענה ומרודי עליה יתדמה לשותה על מרירתו ארס חמת נחש. וזהו וראש דמתרגמינן ראשי חיון, וטעמו וראו מה עצמו רעותי אלה כי הלא (כ) זכור תזכור ותשוח עלי נפשי, כי לא תדמה דאגת החומר לדאגת הנפש בהעותם ובא עליהם רעה, כי הלא החומר עפר יסודו ואין רעתו כרעת הנפש שהיתה בהיכלי מלכו של עולם והיא חלק אלוה ממעל מלחם אביה תאכל ותתענג בדשן טרם תבא פה ובהתחברה אל הגוף ויחטיאנה ישפילנה עד אבדון תאכל מרורת פתנים ומי גרם לה כל הרעה הגדולה הזאת אם לא הגוף אשר באה בו זולת כל צרות ויסורים אשר תסבול בחברת הגוף פה שהיא גם היא תרגיש חלקה, והנה הדעת נוטה תשמח בפוד שונאה הוא הגוף בזכרה כל הטובה עודנה בשמים עם ה' אלהים ואת אשר היסב לה הגוף בהחטיאו אותה אמר הביטו וראו כי מר לי מאד על רעותי כי רבו ועצמו מאד. כי הלא זכור תזכור שהם שני זכירות. א) מעלתה טרם תבא פה. ב) אשר הרע לה בחברתי ואעפ"כ במקום היותה שמחה לאידי אדרבה ותשוח עלי נפשי כי תדאג על שברי ואין זה רק על כי רעתי רבה וא"כ אין לתשפני על צערי אם חשבתי זמנתי ואומר אבד נצחי. אבל (כא) זאת אשיב אל לבי על כן אוחיל ולא אובד תקותי (כב) באומרי חסדי ה' כי לא תמנו. הלא לא עזבני ה' ולא שכחני כי הלא רואה אני כי עוד ידו הרחמניה נטויה להיטיב כי הלא אשר לא כלינו באפו. היה רק חסדי ה' כי לא תמנו לגמרי ע"כ אבטח שישוב להרבות להיטיב ועוד אשיב אל לבי כי הלא (כג) חדשים לבקרים. הקב"ה מחדש נפשותינו בגופותינו בכל בקר מזה אדע כי כה יעשה לעתיד לבוא. וזהו רבה אמונתך. באופן שעל משמרתי אעמוד ליחל לאל ממעל יעשה את אשר יחלתי. ותהי עוד נחמתי כי הנה (כד) חלקי ה' אמרה נפשי ר"ל נפשי אומרת כי ה' הוא חלקי. לא אני חלקו. כי אני רואה שהקב"ה מתנהג עמי כאילו הוא חלקי ולא אני חלקו כי הלא בכל מקום שגלותי שכינה הלכה ונמשכה אחרי כאילו אני הייתי הכל והוא החלק וכיון שכן הוא ע"כ אוחיל לו. וגם (כה) טוב ה' לקוו. אף להגוף טוב ה'. לנפש תדרשנו. מחמת שהנפש דורש טובת הגוף כי הנשמה בלא הגוף לא יכלה לעבוד את עבודת ה' ומגיע להגוף שכרו כמו להנשמה. ע"כ (כו) טוב ויחיל ודומם לתשועת ה', כמאמרם ז"ל בכמה מקומות מצינו שתשועת ה' ותשועתן של ישראל אחת היא כי משכון גדול יש לנו כי לא יניח שכינתו בגולה. וע"י כן נגילה ונשמחה בישועתו. כי בהושיע שכינתו אז יושיענו. וזהו טוב ויחיל ודומם לתשועת ה'. ועל היסורים הבאים בינתים (כז) טוב לגבר כי ישא עול בנעוריו, שיש בו כח לישא אותם. וממ"נ אם הם יסורין תוכחות על עונותיו בודאי מוכרח לישא ולסבול אותם. כי לעת זקנתו שתש כחו בודאי לא יוכל לסובלם. ואם הם יסורים של אהבה לא

יאמר

wormwood and gall. 20. My soul well remembers and is bowed
down within me. 21. This I reply to my heart; therefore I have
hope. 22. Verily, the kindnesses of the Lord never cease! Indeed,
His mercies never fail! 23. They are new every morning; great is
Your faithfulness. 24. "The Lord is my portion," says my soul;
"therefore I will hope in Him." 25. The Lord is good to those who
wait for Him, to the soul that seeks Him. 26. It is good that one
should wait quietly for the salvation of the Lord. 27. It is good for
a man

19. **and my misery**—Heb. וּמְרוּדַי, *complèynt, wailing.*—[*Rashi*]

20. **well remembers**—*My soul* [well remembers] *my affliction and my misery and is bowed down within me. This is the simple meaning according to the context of the verse. The Midrash Aggadah* (*Lam. Rabbah*), *however*, [explains it as follows:] *I know that You will ultimately remember what was done to me, but my soul is bowed down within me waiting for the time of remembrance. On this the liturgical poet based* [his poem]: *"With this I know that You have to remember, but my soul is bowed down within me until You remember."*—[*Rashi*]

21. **This I reply to my heart**—*After my heart said to me that my hope from the Lord was gone, I will reply this to my heart, and I will continue to hope. Now what is it that I will reply to my heart?*—[*Rashi*]

22. **Verily, the kindnesses of the Lord never cease**—*and the entire section until* (*v. 39*): *"Why should [a living man] complain? etc."*—[*Rashi*]

Indeed, His mercies never fail—Heb. כִּי לֹא תָמְנוּ, like כִּי לֹא תַמּוּ, *indeed, His mercies never fail. And some explain*: כִּי לֹא תָמְנוּ , [for we have not ended] *like* (*Num. 17:27*): *"Are we then altogether given* (תַּמְנוּ) *to die?" It is* [because of] *the kindnesses of the Lord that we have not ended, that we have not perished because of our iniquities.*—[*Rashi*] Both these interpretations are also suggested by *Ibn Ezra*. The *Targum* and *Isaiah da Trani* adopt the former interpretation. The latter appears in *Zohar* vol. 3, 305a, addendum.

23. **They are new every morning**—*Your kindnesses are renewed from day to day.*—[*Rashi*]

great is Your faithfulness—*Your promise is great, and it is a great thing to believe in You that You will fulfill and keep what You promised us.*—[*Rashi*].

24. **"The Lord is my portion," says my soul**—*The Lord is my portion; it is therefore proper that I should hope in Him.*—[*Rashi*]

26. **It is good that one should wait quietly**—Heb. טוֹב וְיָחִיל וְדוּמָם. *The "vav" of* וְיָחִיל *is superfluous like the "vav" of* (*Gen. 36:24*): *"Ayyah* (וְאַיָּה) *and Anah." It is good that a*

כי ישא על בנעוריו: כח ישב בדד וידם כי נטל
עליו: כט יתן בעפר פיהו אולי יש תקוה: ל יתן
למכהו לחי ישבע בחרפה: לא כי לא יזנח לעולם
אדני: לב כי אם הוגה ורחם כרב חסדו חסדיו קרי:
לג כי לא ענה מלבו ויגה בני איש: לד לדכא תחת
רגליו כל אסירי ארץ: לה להטות משפט גבר
נגד פני עליון: לו לעות אדם בריבו אדני לא
ראה: לז מי זה אמר ותהי אדני לא צוה: לח מפי

תו"א ישב בדד וידום כי נטל עליו אבות פ"ג: יתן בעפר פיהו אולי יש תקוה. חגיגה ד: כי לא יזנח לעולם ה'. חולין ז: כי לא ענה מלבו. מגילה יב: מי זה אמר ותהי. עקידה שער לג:

ניר פקודיא בטליותיה: כח ישב
יתיב בלחודוהי וישתוק
ויסבול יסורין דאתין עלוהי
בגין יחודא דשמא דיי
דמשתלחין לאתפרע מיניה
על הובא קלילא דחב בעלמא
הדין עד כד יחוס עלוהי
ויטלינון מניה ויקבל אפי שלים
לעלמא דאתי: כט יתן יהן
בעפרא פומיה וישתטח קדם
רבוניה מאים אית סבר: ל יתן
יושיט למחיה ליה ליסתא בגין
דחלתא דיי יסבע קלנא: לא כי
לא ישלי יי לעובדוי לעלם למסרינון בידא דסנאיהון: לב כי ארום אלהן ברישא יתבר
ובתר כן יתוב וירחום לצדיקיא בסגיאות טיבותיה: לג כי ארום מן בגלל דלא עני גבר ית נפשיה ואעדי
זחוהה מלביה בגין כן גרם לאסתקפא תבירא בבני אנשא: לד לדכא למכבא ולכבשא תחות
רגלוי כל אסירי ארעא: לה להטות למצלי דין דגבר מסכן כל קביל אפי עילאה: לו לעות לסרכא אנש
מסכן במצותיה אפשר דמן קדם יי לא יתגלי: לז מי מן הוא איניש דאמר והוה בישתא מתעבדא
בעלמא אלהן מן בגלל דעבדו מה דלא אתפקדו מן פומא דיי: לח מפי מפי אלהא לא תיפוק

רש"י

(כח) ישב בדד. מי שאירע לו אבל וצרה ישב גלמוד ויצפה לעזרה: וידום. לשון המתנה כמו (שמואל א יד ט) אם כה יאמרו אלינו דומו דיהיבתן: כי נטל עליו. כי בעל הגזרות נשא עליו הגזרה זו: (לא) כי לא יזנח לעולם אדני. לכן טוב לידום: (לב) כי אם הוגה את האדם מביא עליו יגון בשביל עונו ואחר כך ורחם כרוב חסדיו: הוגה ויגה. לשון תוגה הם: (לג) כי לא ענה מלבו ויגה בני איש. מלבו ומרצונו כי העון גורם: (לד) לדכא תחת רגליו. מוסב על כי לא ענה מלבו להיות מדכא תחת רגליו וגו'. ולא להטות משפט גבר וגו'. ולא לעות אדם בריבו כל אלה ה' לא ראה לא נראה לו ולא עלתה לפניו במחשבתו לעשות כן: (לו) לא ראה. לא הוכשר בעיניו שיעוותו בית דין של מטלה אדם בריבו כמו מה ראית כי עשית וגו': (לז) מי זה אמר ותהי וגו': (לח) מפי

אבן עזרא

(כח) כי נטל עליו. העול: (כט) ישתחוה לעושהו עד בא העפר בפיו: (ל) בי"ת בחרפה. נוסף כבי"ת השביעי במרורים: (לא) יזנח. ימאס: (לב) ורחם. כמו ירחם וכן דרך הלשון והיה ה' לי לאלהים: (לג) מלבו. מרצונו: ויגה. אל"ף תחת ה"א והוא מהבנין הכבד הנוסף כמו הילא אתך: (לד) לדכא. אל"ף לדכא שרש: (לה) מלת הטה עם משפט כמו עוות: (לו) לא ראה. בהכמה להיות כן:

פי' הטעמים לראב"ע

אולי המקונן נער היה כאשר נשבה או יחזיק לב סנטרים: (כח) כי נטל שב אל עול שאמור למעלה: (כט) ילכט לעפר: (ל) יתן ברצונו: (לא) יש אומרים יזנח כמו ישכח והוא הנכון וכראיה ותזנח משלום נפשי' (לב) רק הוגה ורחם: (לג) מלבו. לא עלה במחשבתו: (לד) דמה השם יושב בשמים ובני אדם אסירים בארץ סגורי' במסגר האופן: (לה) להטות הדין בעבור היותו עליון ויעשה בדרי מטה רצונו: (לו) אלה* הג' הפסוקים דבקים וטעם לא ראה כטעם לא היה כי כל יש השם רואהו: (לז) אם כן מי גזר הגזירה על בני אדם וכנה השם לא צוה וטעמו לא גזר וכן כי הוא צוה ונבראו: (לח) השם לא יגזור רע או טוב מן כמעשים רק הם ברשות אדם:

קיצור אלשיך

יאמר לא הן ולא שכרן. רק יקבלם באהבה ויתוסף לו שכרו על שכרו. והסימן לידע איזה יסורים של אהבה. אם אין בהם ביטול תורה ותפלה. ואם (כח) ישב בדד וידום שלא יוכל ללמוד תורה ותפלה. כי נטל עליו היסורים. וסימן הוא שהיסורים הם על עונותם. ע"כ צריך להתודות על עונותיו (כט' ויתן בעפר פיהו. להתודות בכריעה והשתחויה על עפר הארץ. אולי יש תקוה שהקב"ה ימחול לו עונותיו וכל זה אם היסורים באו עליו ע"י הקב"ה בעצמו. לא ע"י שלוחי בני אדם. ואם הוא ע"י שלוחי בני אדם (ל) יתן למכהו לחי ישבע בחרפה. ויהיה זאת נכיון על עונותיו (לא) כי לא יזנח לעולם אדני. הקב"ה לא יזנח לעולם החוטא רק עד שישוב. (לב) כי אם הוגה. אם הוגה ומצטער האדם על עונותיו. ורחם. תיכף ירחם ה' עליו ויטיב לו כרוב חסדיו (לג) כי לא ענה מלבו. לבו של הקב"ה אינו רוצה לענות ברואיו. להגות בני איש. ואינו רוצה להעציב בני איש. אדרבה רצונו לשמח בריותיו ויעבדוהו בשמחה ובטוב לבב. ואין הקב"ה רוצה (לד) לדכא תחת רגליו כל בני אדם. כי כל אסירי ארץ. כל הברואים בארץ. אסורים הם כבמאסר. כי אנה יברחו מתחת יד ה' והשגחתו. כמ"ש דוד הע"ה אנה אלך מרוחך ואנה מפניך אברח וגו'. ואולי יאמר האדם (לה) להטות משפט גבר. הקב"ה הטה משפטו. והביא עליו יסורים יותר מאשר חטא. אל יאמר כן כי זה נגד פני עליון. הנה אסף אמר אלהים נצב בעדת אל שלא יטו משפט. והדיינים הם יושבים נגד פני עליון. ואם הקב"ה משגיח על הדיינים שלא יטו משפט. ואיך יתכן לומר שהוא עצמו יטה משפט (לו) (לעות אדם בריבו) אף שיש להקב"ה ריב עם האדם החוטא עכ"ז לא יעות הקב"ה משפטו, אדני לא ראה. ואף אם הקב"ה רואה חטאי אדם עושה עצמו כלא רואה כמ"ש וירא און ולא יתבונן ואולי יאמר האדם מי יודע שהיסורים באו תוכחות על עונות אולי באו במקרה ע"פ טבע ע"כ אמר (לז) מי זה אמר ותהי. רבות פעמים יקרה שאדם אומר לחברו שיעשה לו טובות או רעות. ולסוף דבריו אינם יוצאים מכח אל הפועל. כי לא יכול לעשות שום דבר. לא הטובות ולא הרעות. לכן אמר מי זה אמר. ותהי. לומר יוכל אדם הרבה. אבל ותהי. שיהיה כמו שאמר. אם ה' לא צוה שיהי' כן (לח) אם מפי עליון לא תצא הרעות והטוב. אם הרעות והטובות לא יצאו מפי הקב"ה שיהיו. לא יכול

that he bear a yoke in his youth. 28. Let him sit solitary and wait,
for He has laid [it] upon him. 29. Let him put his mouth into the
dust; there may yet be hope. 30. Let him offer his cheek to his
smiter; let him be filled with reproach. 31. For the Lord will not
cast [him] off forever. 32. Though he cause grief, He will yet have
compassion according to the abundance of His kindness. 33. For
He does not willingly afflict or grieve the sons of man. 34. [Or]
crush under His feet all the prisoners of the earth. 35. [Or] turn
aside the right of a man in the presence of the Most High. 36. To
subvert a man in his cause, the Lord does not approve. 37. Who
has commanded and it came to pass, unless the Lord ordained it?
38. [And] by the command

man wait and remain silent and hope for the Lord's salvation.—[*Rashi*]

27. **It is good for a man that he bear a yoke in his youth**—The *Targum* paraphrases: It is good for a man to accustom himself to bearing the yoke of the commandments in his youth.

Lechem Dim'ah explains that the entire life in this world is called "youth," for this is a person's first life. The life in the hereafter is referred to as "old age," since it comes later. Scripture says that it is good for a person to bear the yoke of pains and troubles in this world, referred to as "youth," so that he will be cleansed of his sins and will be prepared for the feast in the World to Come.

28. **Let him sit solitary**—*Whoever was befallen by mourning and trouble should sit solitary and hope for the best.*—[*Rashi*]

and wait—Heb. וְיִדֹּם, *an expression of waiting, like* (*I Sam.* 14:9): *"If they say thus to us, 'Wait!* (דֹּמּוּ)'" *about Jonathan.* —[*Rashi*]

for He has laid [it] upon him—*for the Lord of decrees has laid this decree upon him.*—[*Rashi*] The *Targum* renders: Let him sit alone and be silent and suffer the agonies that come upon him for the sake of the unity of the name of the Lord, which are sent to punish him for the minor sins that he committed in this world, until He has pity on him and removes them from him and he receives the Presence of the Perfect One in the World to Come.

Isaiah da Trani explains these two verses as follows:

[27] **It is good for a man**—that he bear a yoke in his youth and suffer for his sins, for, although he suffers now, he will rejoice later on, for he will already have paid his debt. Woe to the nations of the world, who have not yet paid their debt. Therefore,—

[28] **Let him sit solitary**—now.

and be silent—and accept his troubles with love.

Lechem Dim'ah finds in this verse a striking similarity to Aaron's plight when his two sons, Nadab and Abihu, died in the midst of the dedication of the Tabernacle. Although he remained solitary, bereft of his two sons, he remained silent, and the Rabbis state: He was rewarded for his silence.

He quotes his mentor, who explains the verse similarly, as follows: Although his troubles have reached an extreme, viz. that he has been reduced to solitude and childlessness, he should remain silent and accept the decree of the Almighty, for he has brought it upon himself. Through his own sins, he has been made to suffer.

29. **Let him put his mouth into the dust**—in exile, as in Isaiah 52:2: "Shake yourselves from the dust." Another explanation: Let him put his mouth into prayer in the merit of Abraham, referred to as "dust and ashes."—[*Rokeach*]

Another explanation: Let him prostrate himself to the ground before the Holy One, blessed be He, until dust comes into his mouth.—[*Targum, Ibn Ezra, Rokeach*]

there may yet be hope—This passage parallels Jeremiah 31:16: "And there is hope for your future, says the Lord, and the children will return to their own land."—[*Rokeach*]

Lechem Dim'ah quotes his mentor, who suggests the following interpretation of these three verses.

[28] **Let him sit solitary, etc.**—When a person sees that he is beset by sufferings, he should sit solitary and be silent, for then his mind will be unoccupied with mundane matters, and he will be able to ponder over the matter and determine the cause of his woes, namely, his iniquities. He will then surely be silent and not complain about God's decree, which He placed upon him. This is the meaning of the verse: Let him sit solitary, and then he will surely remain silent when he has accepted upon himself the sufferings, and with this, he will recognize the truth and—

[29] **Let him put his mouth into the dust**—willingly, on the chance that perhaps there is hope, for he will recognize that he deserves this suffering and perhaps worse than this. Not only will he do this, but he will pursue suffering as one who is pursuing life, as the ancients used to do. They would request pains and ailments to come upon them, and say, "Come, my brethren, come my friends." That is what Scripture says: "Let him put his mouth into the dust"—willingly, and joyfully—let him offer his cheek to his smiter; let him be filled with reproach. This means that they will not eat and be sated from their food until they are reproached and disgraced. Otherwise, it will seem to them that they have not eaten anything.

31. **For the Lord will not cast [him] off forever**—*It is therefore good to wait.*—[*Rashi*]

32. **Though he cause grief**—*If a man brings grief upon himself because of his iniquity, afterwards— He will yet have compassion*

according to the abundance of His kindness. The words הוֹגָה וַיַּגֶּה *are expressions of* תוּגָה, *grief.*—[*Rashi*]

33. **For He does not willingly afflict or grieve the sons of man**—*from His heart and from His will, but the iniquity causes* [it].—[*Rashi*]

34. **[Or] crush under His feet**—*This refers back to, "For He does not willingly afflict to crush under His feet, etc., or pervert the righteous judgment of a man, or distort a man's dispute, etc." All these the Lord did not approve. He did not approve of them, and it did not enter His thoughts to do so.*—[*Rashi*]

36. **does not approve**—Heb. רָאָה, lit. He did not see. *He does not approve that the heavenly tribunal should distort a person's dispute, like* (*Gen. 20:10*): "*What did you see that you did, etc.*"—[*Rashi*]

37. **Who has commanded and it came to pass, etc.**

38. **[And] by the command of the Most High, etc.**—*And if you attempt to say that this evil did not come to me from His hand, that it is happenstance that it has befallen me, this is not so, for both evil occurrences and good occurrences —who has commanded and they came to pass, unless the Lord ordained? And by His command both evil and good come. But why should a living man complain? A man for his sins. Every man should complain about his sins, because they are what bring the evil upon him.* (**By the command of the Most High, neither good nor evil come**—*Said Rabbi Johanan: Since the day that the Holy One, blessed be He, said,* (*Deut. 30:15*): "*See, I have set before you today life and good, etc.,*" *neither evil nor good has come from His command, but the evil comes by itself to the one who commits evil and the good to the one who does good.*—[*Lam. Rabbah*]). *Therefore, what should a man complain about, if not about his sins?*—[*Rashi*]

עליון לא תצא הרעות והטוב: לט מה־יתאונן אדם
חי גבר על־חטאו חטאיו קרי: מ נחפשה דרכינו
ונחקרה ונשובה עד־יהוה: מא נשא לבבנו אל־
כפים אל־אל בשמים: מב נחנו פשענו ומרינו
אתה לא סלחת: מג סכותה באף ותרדפנו הרגת
לא חמלת: מד סכותה בענן לך מעבור תפלה:
מה סחי ומאום תשימנו בקרב העמים: מו פצו עלינו
פיהם כל־איבינו: מז פחד ופחת היה לנו השאת

ת״א מפי עליון לא תצא. עקידה שם : מה יתאונן אדם חי. קידושין פ עקידה שם : נחפשה דרכינו. ברכות ה : נשא לבבנו אל כפים. תענית ח יד יבמות קה : סכותה. בענן לך. ברכות לב :

בישתא אלהן על ברת קלא רמיזא בגין חטופין דאתמליאת ארעא ובעידן דבעי למגזר טובא בעלמא מן פום קודשא נפקא : לט מה ממון ישבח אנש דיחוב על יומי חיוהי גברא רשיעא על חובוהי: מ נחפשה נבלוש אורחנא ונבקר ונתוב בתיובתא קדם יי: מא נשא נטול לבבנא בריר ונרמי חטוף ונגילן מן ידנא ונתוב קדם יי אלהנא דשכינתיה בשמי מרומא : מב נחנו נחנא מרדנא סרבנא ומן בגלל דלא הדרנא לותך אנת לא שבקת : מג סכותה טללתא עלנא ברגז ורדפתנא בגלותא קטלתא ולא חסתא : מד סכתה טללתא שמיא בענני יקרי דילך מן בגלל דלא תעבר לותך צלותנא : מה סחי טלטולין ורטושין שויתא יתנא ביני עממיא : מו פצו פתחו עלנא פומהון כל בעלי דבבנא למגזר עלנא גזירין בישין : מז פחד

שפתי חכמים

לא תמצי מי': ר כוונת רש"י לקשר הפסוקים הסמוכים זה לזה ולכן במקלת ספרים בפסוק נשא לבבנו אל כפים כתוב בדברי רש"י על כן נשא לבבינו אל כפים כשאנו נושאי' את כפינו אל השמי' נשא אף לבבינו עמהם לשוב לבבינו לפני המקום ע"כ והוא ג"כ לקשר פסוק זה עם שלפניו : ש דק"ל מהו מקונן הלא בדין הוא מאחר שמריבו דין הוא

רש"י

עליון וגו'. ואם באת לומר ר לא מידו באה אלי הרעה הזאת מקרה היא שהי' לי אין זאת כי אם בין רעות ובין טובות מי זה אמר ותהי אם ה' לא צוה ומפיו לא תצא הן רעה הן טובה אבל מה יש להתאונן אדם חי גבר על חטאיו כל איש ואיש יתאונן על חטאיו כי הם המביאים עליו הרעה. (מפי עליון לא תצא) אמר רבי יוחנן מיום שאמר הקב"ה (דברים ל טו) ראה נתתי לפניך היום את החיים ואת הטוב וגו' לא יצא רעה וטובה מפיו אלא הרעה באה מאליה לעושה רע והטוב לעושה טוב לפיכך מה יתאונן למה יתרעם האדם אם לא על חטאיו : (מא) **נשא לבבנו אל כפים**. כשאנו נושאים את כפינו אל השמים נשא אף לבבנו עמהם לשוב לשבור לבבנו לפני המקום ברוך הוא. דבר אחר **אל כפים**. אל העננים אל שמים כמה דאת אמר (מלכים א יח) והנה עב קטנה ככף איש עולה וכן (איוב לו לב) על כפים כסה אור. ומדרש רבותינו נשא לבבינו באמת להקב"ה כאדם הרוחץ בנקיון כפיו שמשליך מידיו כל טינוף כי מודה ועוזב ירוחם והמודה ואינו עוזב כטובל ושרץ בידו : (מב) **נחנו פשענו ומרינו**. זה דרכנו על ידי ש יצר הרע: **אתה לא סלחת**. ולך היתה נאה הסליח' כי כן דרכך (מג) **סכותה באף**. הגנת את האף להיות מחיצה בינך ובינינו ותרדפנו בו : (מה) **סחי ומאום**. הוא ניע בלשון משנה כיחו וניעו שניסח מתוך הריאה ויוצא דרך הגרון : **תשימני**. לשון הווה הוא. (מז) **פחד ופחת**. כשנכנסו מפני הפחד נפלנו אל הפחת

פי' הטעמים לראב"ע

(לט) אם כן למה יתאונן בדבור וכן כמתאוננים והעד וישמע ה': (מ) רק יחפש אדם דרכיו: (מא) יתן לבו דורון בכפיו או יהיה לבו נשוי בכפיו: (מב) יודה ישראל כי לא שבו אל השם על כן לא סלה: (מג) שמת כוכת אף עלינו ולא נראה אנס נכרת ותרדפנו: (מד) דרך משל כאילו הענן יבדיל בין התפלה ובין השם: (מה) טלטול עם מיאום: (מו) פלו עלינו פיהם. מלעיגים: (מז) כאשר תפחד הנפש והפחת לפני

אבן עזרא

(לט) יתאונן. מגזרת און: (מ) נחפשה. מבנין הקל: (מא) נשא לבבנו. כטעם וישא משאת: (מב) הנ"ף אנחנו נוסף. (מג) סכותה. מפעלי הכפל (מה) סחי. מגזרת וסחיתי עפרה כטעם טלטול. (מו) פצו. פתחו: (מז) השאת. כמו השואה יהיה האל"ף ראוי להראות:

קיצור אלשיך

יכול שום אדם להביאם. ע"כ (לט) מה יתאונן אדם חי אין לו להתאונן על שום דבר כי הכל מאתו יתברך. רק גבר על חטאיו. רק על חטאיו יש לו להתאונן ולהתגבר על היצ"ה שלא יחטא. ואולי יאמר איש הלא חסיד אני כי בכל יום אני מתפלל ערבית שחרית מנחה. ובאם מזדמן לי עני ויש אתי איזה פרוטות אני נותן לו. ואת מי עשקתי ואת מי רצותי ומי יתן כל עם ה' כמוני. ע"ז אמר (מ) נחפשה דרכינו ונחקורה. ואז נמצא חטאים רבים. בין אדם למקום ובין אדם לחברו ונשובה עד ה'. דהיינו תשובה מאהבה שמגעת עד ה' עד כסא הכבוד. וענין נחפשה ונחקורה. תחלה נחפשה דרכינו ונראה הנהגותנו. מעשינו הטובים והרעים. ואח"ז נחקורה מה שבא עלינו. ונראה אם זה מדה כנגד מדה. ואז (מא) נשא לבבנו אל כפים אל אל בשמים. ר"ל כשאנו נושאים כפינו בתפלה יהי' בכוונת הלב. ואז תבא תפלתנו אל אל בשמים. ומה נאמר בתפלתנו (מב) נחנו פשענו ומרינו. כאדם שדרכו לפשוע אבל אתה שדרכך לסלוח, לא סלחת. (מג) סכות באף ותרדפנו. לא סכות עלינו כבמדבר בעננים שלא יכנו שרב ושמש. רק סכות עלינו באף ותרדפנו. הרגת אותנו בלי (מד) סכות בענן לך. לא עלינו סכות בענן, רק לך סכות. שלא יבואו תפלתנו אליך (מה) סחי ומאום תשימנו עשית אותנו שנהיה נמאסים בין העמים ולא ירצו להתערב עמנו ונהיה בעיניהם ככלי נמאס (מו) פצו פתחו עלינו פיהם בנדופים ובזיונות ובקללות נמרצות. (מז) פחד ופחת. הכונה כי בזמן החורבן היו לכל ישראל ב' רעות הא' השאת. והוא השממון אשר היתה כל העיר לשמה ולשאיה ונשמו הבתים. ועוד היה השבר אשר נשבר מטה עוזם. מטה המלוכה. ועוד נוסף על זה הפחד כד"א והבאתי מורך בלבבם ורדף אותם קול עלה נדף וברדפם מפני הפחד נפלו אל הפחת וז"ש פחד ופחת היה לנו. ועכ"ז כשאני בוכה ומתאבל איני בוכה ומתאבל

על

of the Most High, neither good nor evil come 39. Why should a
living man complain? A man for his sins. 40. Let us search and
examine our ways, and let us return to the Lord. 41. Let us lift up
our hearts to our hands, to God in heaven. 42. We have rebelled and
have been disobedient; You have not forgiven. 43. You have
enveloped Yourself with anger and pursued us; You have slain
without mercy. 44. You have enveloped Yourself in a cloud, so that
no prayer can pass through. 45. You make us as scum and refuse
among the peoples. 46. All our enemies have opened their mouth
wide against us. 47. We had terror and pitfalls, desolation

39. **Why should a living man complain? A man for his sins.**—Many beautiful homiletic interpretations have been given for this verse. *Midrash Rabbah* states the following: It is sufficient for him that he is alive. Rabbi Levi said: Said the Holy One, blessed be He: Your existence is in My hand, and you are alive, and you complain? Said Rabbi Huna: Let him stand up like a brave man and confess his sins and not complain.

Midrash Lekach Tov states the following: Rabbi Judan says: Why should a living man complain? i.e., Why should a man complain and say, "My hope is lost because I have sinned?" As long as he is alive, he can repent of his sins.

A man for his sins—Heb. חֲטָאָו, his sins. The word is spelled defectively, and can be read חֶטְאוֹ, *his sin*. A person must repent even for one sin. He must overpower his temptation and repent before the Lord. A similar idea is found in Ecclesiastes (9:4): "for there is hope for anyone who is joined to all the living."

40. **Let us search and examine**—*Midrash Lekach Tov* explains: After we have searched our ways and examined our deeds, let us return to the Lord.

and let us return to the Lord—This reflects the Talmudic maxim: Repentance is great, for it reaches the Throne of Glory.—[*Lekach Tov*]

41. **Let us lift up our hearts to our hands**—*When we lift up our hands to heaven, let us also lift up our hearts with them to return, to bring back our hearts before the Omnipresent, blessed be He.* (*Lam. Rabbah* ms.). *Another explanation:*

to our hands—*to the clouds, to the heavens, as Scripture states* (*I Kings 18:44*): *"There is a cloud as small as a man's palm, rising." And similarly,* (*Job 36:32*): *"Over the clouds* (כַּפַּיִם) *He covers the rain." And* [according to] *the Midrash of our Sages: Let us lift up our hands sincerely to the Holy One, blessed be He, like one who washes his hands with cleanliness, who casts from his hands all contamination, for "he who confesses* [his sins] *and abandons* [them] *will obtain mercy, but he who confesses* [his sins] *but does not abandon* [them] *is like one who immerses himself while holding a* [dead] *reptile in his hand.*"—[*Rashi* from *Ta'an.* 16a] *Lekach Tov* explains: Let us repent and pray to God with all our hearts and spread out our hands in prayer.

42. **We have rebelled and have been disobedient**—*This is our way,* [that we sinned] *because of the evil inclination.*—[*Rashi*]

You have not forgiven—*And for You, forgiveness is fitting, for so is Your way.*—[*Rashi*]

43. **You have enveloped Yourself with anger**—*You set anger up to be a barrier between You and us, and You pursued us with it.*—[*Rashi*] The image is that of a warrior who places a shield before him and holds a sword in his hand. The shield is for protection. Here too, the shield functions, so to speak, for God's protection, lest He have compassion on Israel.—[*Lekach Tov*]

44. **You have enveloped Yourself in a cloud, etc.**—so that even at the time of prayer, it should not pass, as Samuel said to Rabbi Hanina bar Papa: I heard that you are a master of the Aggadah. What is the meaning of, "You have enveloped Yourself in a cloud"? He replied, "Prayer is likened to a mikveh, and repentance is likened to the sea. Just as a mikveh is sometimes open and sometimes locked, so are the gates of prayer sometimes open and sometimes locked. But just as the sea is always open, so are the gates of repentance always open."

Said Rabbi Anan: Even the gates of prayer are never locked. This is what is written (Deut. 4:7): "like the Lord our God whenever we call upon Him," and calling means only prayer, as is written (Isa. 65:24): "And it shall be, when they have not yet called, that I will respond." Said Rabbi Jose bar Halafta: There are times for prayer, for so did David say before the Holy One, blessed be He: "Lord of the Universe, when I pray before You, may my prayer be in an acceptable time," as it is written (49:14): "But, as for me, may my prayer to You, O Lord, be in an acceptable time."—[*Lam. Rabbah*]

The Rabbis also stated that prayers are not acceptable on a cloudy day. The clouds are indicative of a barrier between God and Israel. Therefore, Rava would not proclaim a public fast on a cloudy day.—[*Ber.* 32b]

The Midrash also tells us that Rabbi Akiva was standing on trial before Tineius Rufus, and Joshua the grits-handler was standing in prayer with him. A cloud descended and enveloped them, and the latter said, "It appears to me that the cloud has descended and enveloped only us so that the rabbi's prayer should not be heard," as it is said: "You have enveloped Yourself in a cloud, so that no prayer can pass through."

45. **scum and refuse**—*That is* נִיעַ *in the language of the Mishnah* (*B.K.* 3b), כִּיחוֹ וְנִיעוֹ, *his phlegm and his mucus, which is drawn out through*

the lungs and emitted through the throat.—[*Rashi*]

You make us—*This is in the present tense.*—[*Rashi*] [Although the word is grammatically in the future tense, the sense is in the present.] Because You have enveloped Yourself in a cloud and have lengthened our exile, and the many supplications and requests that Israel offers daily and in every generation, generation after generation, are not accepted, we have been made as scum and refuse among the nations, for they themselves are dismayed by the length of our exile and how our God has abandoned us for so long. They know that the Babylonian and the Egyptian exiles were temporary, but this one is very long, and they wonder why God is so patient with them and so wroth with His children. This is only because You have enveloped Yourself in a cloud.—[*Lekach Tov*]

46. **have opened their mouth wide**—to issue harsh decrees against us.—[*Targum*] *Rokeach* explains this figuratively. They opened their mouths wide against us to swallow us up. *Akedath Yitzchak* compares this verse to (Isa. 9:11): "and they devoured Israel with every mouth." *Ibn Ezra* interprets these words as an expression of derision.

47. **We had terror and pitfalls**—*When we fled because of the terror, we fell into the pit.*—[*Rashi*]

desolation—Heb. הַשֵּׁאת, *an expression of desolation* (שְׁאִיָּה).—[*Rashi*] The last two words are left untranslated because *Sifthei Hachamim* deems them an error. This originates from *Beer Hetev*.

Jeremiah foresaw the length of the exile in which terror and quaking would seize us because of the nations. Those troubles are likened to pits and snares, bringing desolation and ruin with which the nations of the world will break our hearts, by taking us away from the Torah of our God.—[*Lekach Tov*]

והשבר: מח פלגי מים תרד עיני על שבר בת
עמי: מט עיני נגרה ולא תדמה מאין הפגות:
נ עד ישקיף וירא יהוה משמים: נא עיני עוללה
לנפשי מכל בנות עירי: נב צוד צדוני כצפור איבי
חנם: נג צמתו בבור חיי וידו אבן בי: נד צפו מים
על ראשי אמרתי נגזרתי: נה קראתי שמך יהוה
מבור תחתיות: נו קולי שמעת אל תעלם אזנך
לרוחתי לשועתי: נז קרבת ביום אקראך אמרת
אל תירא: נח רבת אדני ריבי נפשי גאלת חיי:
נט ראיתה יהוה עותתי שפטה משפטי:

ת"ר"א עיני עוללה לנפשי סוטה מט גיטין נח קמא פג : צמתו בבור חיי ערכין טו :

אימתא וזיעא הוה לנא מנהון
דתיתא ותבירא: מח פלגי היך
יבלין דמיא זלגת עיני דמען
על תבירא דכנישת עמי:
מט עיני עיני זלגת דמע ולא
תשתוק מלמבכי מדלית פאיג
עקתי ומכלל תנחומין לי: נ עד
כדו דיסתכי ויחזי עולבני יי
מן שמיא: נא עיני בכותא דעיני
אסתקפת למרע נפשי על
חורבן פילכי דעמי ונוול בנתא
דירושלם קרתי: נב צוד כמנא
כמנו לי היך כצפרא בעלי
דבבי על מגן: נג צמתו עברו
בגובא חיי ורגימו אבנא בי:
נד צפו שטו מיא על רישי
אמרית במימרי אתגזרית מן עלמא: נה קראתי צליתי לשמך יי מן גוב ארעיתא: נו קולי צלותי קבילתא
בזימנא ההיא וכען לא תכבי אודנך מלקבלא צלותי לארווחותני בגין בעותי: נז קרבת קריבת מלאכא
לשיזבותני ביומא דצליתי לך אמרת במימרך לא תדחל: נח רבת נציתא יי לעבדין מצותא
דנפשי פריקתא מן ידיהון חיי: נט ראיתה חזיתא יי סרוך דסריכו לי דון דיני:

רש"י

סוחה: השאת. לשון שאייה ת כמו השאת: (מט) מאין הפגות. מאין חליפין והעברה. (נא) עיני עוללה לנפשי מכל בנות עירי ירמי' ממשפחת כהנים היה ואמר עיני בדמעה עוללה וניוולה פני עלי נפשי מכל בנות עירי: עוללה לשון נוול כמו (איוב טז טו) ועוללתי בעפר קרני: מכל בנות עירי. משפחתי יש לה לבכות מכל משפחות העיר שהית' נבחרת לקדוש' ולעבודת הקב"ה מכל ישראל: (נג) צמתו בבור חיי. בבית הכלא: צמתו. אסרו כמו צומת הגידין (שיר ד א) מבעד לצמתך אישרייטו"ר: וידו אבן בי. על פי הבאר כך עשו לדניאל וירמיה ראה ברוח הקודש: צמתו בבור חיי. ואע"פ שצמתו בבור חיי שאיני יכול לעלות מתוכו לא שתו לבם גם לזאת עד שידו אבן בי: (נד) צפו מים וגו'. א שבזמן שבא אדם במים עד מתניו עדיין יש תקוה אבל אם צפו המים על ראשו אז אומר אבדה תקותי אבל אני איני עושה כן אלא קראתי וגו': צפו מים. ב עכו"ם: (נז) קרבת ביום אקראך. כך היית רגיל בימים הראשונים לקרב אלי ביום קראי: (נח) רבת ה' ריבי נפשי. בימים שעברו: (נט) ראיתה ה'

שפתי חכמים

שלא יבא לגו. לכ"פ זה דרכנו על ידי יסו"ר. ולכן סיפה נאמר הסליחה כי כן דרכך ואתה לא סלחת: ת השאת לשון שאיה כל"ע ותו לא והשאר שעות שוא ונכ"א אינו: א מתחלה מקשר הכתובים ואח"כ פי' הפסוק: ב דק"ל והיכן מצינו שצפו מים על ראשם. לכ"פ

אבן עזרא

(מח) נהרים פלגים הם: (מט) תדמה. כטעם לא תדמה לכל עינו והוא רחוק וה"א הפוגו' כמו תי"ו תרומו': (נ) ישקיף. כאילו יש לשמים חלון שישקיף ממנו: (נא) י"א עיני עוללה האחרון ויפרשו עוללה כעוללות בציר. והישר בעיני מגזרת ועולל למו: (נב) חנם. שב אל אויבי: (נד) צפו. כמו שהוא מגזר' אשר הציף: (נה) תחתיות. מתחתיות התחתיות: (נו) לרוחתי. שתעשה לי רוחה או עת רוחתי ושועתי: (נז) קרוב מלאכיך: (נח) מה שהייתי אני רב רבת אתה ה': (נט) עותתי

פי' הטעמים לראב"ע

סגוף מיד יפול ונכה באה שלאת הנפש ונשבר הגוף בפחת: (מח) דברי המקונן: (מט) תמיד בוכה: (נ) עד שיראה השם פלגי מים שירדו מעיני: (נא) יותר עוללה עיני בכי לנפשי מכל בנות עירי שמנהג הנשים לבכות: (נב) וכל זה הבכי בעבור שאני תפוש כצפור: (נג) והושמתי בבור ושמו אבן גדולה על פי הבור או היו משליכים אבן בי לדעת אם אני חי: (נד) ואין הבור ריק רק הוא מלא מים: (נה) ואם הבור היה קרוב הייתי מתנחם רק הוא בתחתית: (נו) ואדע כי אתה השם שמעת קולי ואם אני בתחתיות: (נז) ומקדם מלאכיך קרוב בעת שקראתיך: (נח) וכמה פעמים רבת בעדי: (נט) כאשר ראית אפס העיות שעשו ליקח משפטי:

קיצור אלשיך

על צרותי רק (מח) פלגי מים תרד עיני על שבר בת עמי. אפילו מעין אחת ירדו פלגי מים וכ"ש משתי העינים (מט) עיני נגרה. נתרוקנה העין עצמה. ולא הדמה. ואין לה עוד התדמות לעין בריא מאין הפוגות לבכות. (נ) עד ישקיף וירא ה' משמים. ידוע כל השקפה לרעה וראיה לטובה. ואומרו עד ישקיף על אויבינו לרעה וירא עלינו לטובה. ומדוע בכיתי כ"כ עד שעיני נתרוקנה מהמת כי (נא) עיני עוללה פעלה על נפשי דמעות עיני פעלו על נפשי שנפשי תשוב אל ה' יותר מאשר פעלו על נפשי כל בנות עירי. האויבים שבאו לעירי: (נב) צוד צדוני כצפור. שתי פעמים צדוני צידה אחר צידה ופעם אחר פעם. ואומרו כצפור. כמו שצדין הצפור כך צדוני. אבל מי שצד הצפור הוא צודו להנאתו ולטובתו. אמנם אלו אויבי צוד צדוני על חנם לא לעזר ולא להועיל להם (נג) צמתו בבור חיי. כרתו חיי בבור. בבית האסורים. וידו אבן בי הניחו אבן על הבור שלא אוכל לצאת ממנו (נד) צפו מים על ראשי. ר"ל כאשר המים הם האומות צפו על ראשי להטביעני. שבאו מים עד נפש. אז אמרתי נגזרתי (נה) קראתי שמך ה' מבור תחתיות. כאשר הייתי בירידה התחתונה ורק קראתי שמך. מן המיצר קראתי יה. והעלתני מבור תחתיות (נו) קולי שמעת וגו' לפנים כאשר רק קולי שמעת לא העלמת אזנך לרוחתי לשועתי (נז) קרבת ביום אקראך. ר"ל באותו יום. תיכף כאשר קראתיך קרבת עצמך אלי ואמרת אלי אל תירא (נח) רבת ה' ריבי נפשי. בעת שהמקדש היה קיים כאשר באו עלי מקטריגים על עונותי לקטרג על גופי ונשמתי. היית אתה מריב עמהם עבור נפשי להצילה. גאלת מהם את חיי והיום (נט) ראיתה ה' עותתי. עוות הדין שעושים עמי ואתה שותק. כההוא עובדא דאדריגים

and ruin. 48. My eyes shed torrents of water over the destruction
of the daughter of my people. 49. My eye streams and is not silent,
without respite. 50. Till the Lord looks down from the heavens and
beholds. 51. My eye sullies my soul more than all the daughters of
my city. 52. My enemies have hunted me like a bird, without
cause. 53. They have confined my life in the dungeon and have
cast a stone upon me. 54. Water flowed over my head; I thought,
"I am cut off." 55. I called on Your name, O Lord, from the depths
of the pit. 56. You did hear my voice; hide not Your ear from my
sighing [or] from my crying. 57. You did draw near when I called
on You; You did say, "Do not fear." 58. You did plead my cause, O
Lord; You did redeem my life. 59. You have seen wrong done to
me, O Lord; judge my cause.

49. **without respite**—*without change or cessation.*—[*Rashi*]

51. **My eye sullies my soul more than all the daughters of my city**—*Jeremiah was from a priestly family, and he said, "My eye, with its tears, sullies my face over myself more than all the daughters of my city."*—[*Rashi*]

sullies—Heb. עוֹלְלָה, *an expression of sullying, like (Job 16:15): "and sullied (וְעוֹלַלְתִּי) my radiance."*—[*Rashi*]

more than all the daughters of my city—*My family has more to cry for than all the daughters of the city, for it was chosen for sanctity and for the service of the Holy One, blessed be He, over all Israel.*—[*Rashi*]

53. **They have confined my life in the dungeon**—Heb. בַּבּוֹר, *in prison.*—[*Rashi*]

They have confined—Heb. צָמְתוּ, *they bound, like the converging* (צֹמֶת) *of the sinews* (*Hul.* 76a); (*Song* 4:1): *"from within your kerchief (לְצַמָּתֵךְ)," estrèyture in Old French, restriction, tightening.*—[*Rashi*]

and have cast a stone upon me—*on the mouth of the dungeon. That is what they did to Daniel, and Jeremiah foresaw it with the holy spirit.*—[*Rashi*]

They have confined my life in the dungeon—*And although they confined my life in the dungeon so that I cannot ascend from within it, they did not pay attention to this until they cast a stone upon me.*—[*Rashi*]

54. **Water flowed, etc.**—*When a person enters water up to his waist, he still has hope, but if the water flows over his head, he then says, "My hope is gone," but I do not do this, but "I called, etc."*—[*Rashi*]

Water flowed—*the heathens.*—[*Rashi*]

57. **You did draw near when I called on You**—*So were You accustomed in the early days to draw*

ס רָאִיתָה כׇּל־נִקְמָתָם כׇּל־מַחְשְׁבֹתָם לִי׃ סא שָׁמַעְתָּ
חֶרְפָּתָם יְהֹוָה כׇּל־מַחְשְׁבֹתָם עָלָי׃ סב שִׂפְתֵי קָמַי
וְהֶגְיוֹנָם עָלַי כׇּל־הַיּוֹם׃ סג שִׁבְתָּם וְקִימָתָם הַבִּיטָה
אֲנִי מַנְגִּינָתָם׃ סד תָּשִׁיב לָהֶם גְּמוּל יְהֹוָה כְּמַעֲשֵׂה
יְדֵיהֶם׃ סה תִּתֵּן לָהֶם מְגִנַּת־לֵב תַּאֲלָתְךָ לָהֶם׃
סו תִּרְדֹּף בְּאַף וְתַשְׁמִידֵם מִתַּחַת שְׁמֵי יְהֹוָה׃
ד א אֵיכָה יוּעַם זָהָב יִשְׁנֶא הַכֶּתֶם הַטּוֹב תִּשְׁתַּפֵּכְנָה

תרגום

ס רְאִיתָה גְּלֵי קֳדָמָךְ כׇּל נִקְמַתְהוֹן כׇּל מְזִימַתְהוֹן עֲלָי׃ סא שָׁמַעְתָּ שְׁמִיעַ קֳדָמָךְ כִּסּוּפֵיהוֹן יְיָ כׇּל מְזִימַתְהוֹן עֲלָי׃ סב שִׂפְתֵי סִפְוָת קָמִין עֲלַי וְהֶגְיוֹנְהוֹן עֲלַי כׇּל יוֹמָא׃ סג שִׁבְתָּם מוֹתְבֵיהוֹן וְזַקְפַתְהוֹן אִסְתַּכַּל אֲנָא זְמָרֵיהוֹן׃ סד תָּשִׁיב תָּתִיב לְהוֹן גְּמוּלָא בִּישָׁא יְיָ כְּעוֹבָדֵי יְדֵיהוֹן׃ סה תִּתֵּן תִּתֵּן לְהוֹן תְּבִירוּת לִבָּא וְשַׁלְהוּתָךְ שַׁלְּהֵי לְהוֹן׃ סו תִּרְדּוֹף תַּדְלְקִינוּן בְּרוּגְזָא וּתְשֵׁיצִינוּן מִתְּחוֹת שְׁמֵי מְרוֹמָא דַיְיָ׃ ד א אֵיכְדֵין הִיכְּרִין (כְּהָה)

רש"י

עותתי בלרה הזאת שעוותו בי אויבי: שפטה משפטי כאשר עשית נ כבר (סה) מגנת לב. שבר לב כמה דאת אמר (הושע יא ח) אמגנך ישראל (בראשית יד כ) אשר מגן צריך בידך. ד"א מגנת לב. אוטם הלב לרה ואנחה אשר הוא כמגן כנגד לבם. והמפרשו בלשון תוגה ויגון טועה שאין נו"ן נופלת בו שהנו"ן בינון אינה שורש אלא כנון נו"ן של המון מגזרת המו גוים וכנון נו"ן של קלון מגזרת נקלה וכנו"ן של ליון מגזרת ליה וכן נו"ן של שברון מגזרת שבר (וכנון נו"ן של שממון ד שגעון נ"ל שגע"ל וק"ל): תאלתך. לשון (ישעיהו יג) כאלו שרי לוען: (א) איכה יועם זהב. קינה זו נאמר' על יאשיהו כמו שנאמר בדברי הימים (ד"ה ב לה כה) הלא היא כתובה על ספר הקינות ועמה היכר בתוך הקינה את שאר בני ליון: יועם. יכהה כמו דאת מתרגם (ויקרא יג) כהה עמיא: זהב מראית פנים ה המאהיב כזהב · ישנא. ישתנה

שפתי חכמים

סדומים לנמים: ג דיוקו של רש"י מדכתיב שפטה ולא אמר ששפת בלשון עבר כאשר אמר קרבת רבת: ד פירוש וכן ס"ן של שממון ושל שגעון אינה שורש: ה דק"ל וכי בשביל שאבד האיב יועם הזהב

פי' הטעמים לראב"ע

(ס) מה שיש בלבם גם תשמע דבריהם: (סג) בשבתם וקימתם תמיד יגנו על אידי: (סד) כמעשיהם שמוני בכור עשה להם: (סה) מגנת לב. סתר בלב שלא יראו האלה שתביא להם: (סו) תרדפם באפך כי תשיגם ותשמידם: (א) איכה יועם. איכה ישלה הזהב וידמה לאחרים שהם בשם הכתם הטוב שאלי הפעול ואם משל לפסוק שלא אחריו:

אבן עזרא

העוות שיעשו לי: (ס) נקמתם. כפרסיה: (סא) והרפתם. בגלוי *(סב) עלי. לרעתי: (סג) מלגינתם. כמו נגינתם והמ"ם נוסף: (סד) גמול. בסמוך וכמוכרת שוה: (סה) מגנת. יש אומרים שדגשות הנו"ן נוסף והוא מגזרת מגן לריך על משקל הכילה והנכון בעיני שהוא מן גנון והליל: תאלתך. מגזרת אלה והתי"ו נוסף כמו תאנתה מי ישיבנה: (סו) שמי ה'. הוא כמו שמיך כמו ואל משה אמר עלה אל ה': (א) איכה יועם. יש אומרים יועם כמו השך תרגום

לקוטי אנשי שם

ד (א) או יאמר איכה יועם זהב. ידוע כי הזהב אינו כהה בעלמו ואם הוכהה או הועם נראה בו שנתלף במין אחר שבמתכות אשר יקבלו הכהות והשחרות. והוא העתק תעלם אל עלם. ג' ישנא הכתם הטוב. הוא ודאי שנוי מטוב אל רע. והוא העתק באיך. ג' תשתפכנה אבני קודש בראש כל חולות. הוא העתק מקומי. אחר שהניח המשל ביאר הנמשל. על העתק בעלם אמר באמרו איכה יועם זהב. יאמר כי בני ליון היקרים המסולאי' בפז שהוא הזהב היותר משובח איך נחלף למין היותר פחות. והיותר רחוק מהחשיבות. והוא היותם לנבלי חרש כי אחרי שנכרם אין בהם שום ממש, ועל העתק באיך אמר גם תנין ידבק. כי הם בנוי באיך ומהטוב לרע גדול. שהיה אדם הגדיב אשר מדרכו לרחם על הבריות נהפך לאכזרי כ"כ עלום שלא יחמול על קטן בניו. והוא אומר כי לא נהפכה אל מדת תנין ואם היא מדה פחותה ורחוקה מאדם כי הן הללו עד שיניקו גוריהן והיא נהפכה לאכזר כיענים במדבר. וכי תאמר מאחר שדבק לשון יונק אל חכו בלמא והין שומע קולו לכן אין מרחמין עליו. הנה עוללים שאלו להם ופורש אין להם אפילו פרוסה קטנה כי ידע עינם בכניסם. והנה זהו העתק אשר עליו ישנא הכתם הטוב. והמגם על מה שאמר תשתפכנה. אמר האוכלים וזה כי נעתקו מהיות האוכלים למעדנים בהלריהם ובטירותם אל היותם שוממים על פני חולות. מהיותם אמונים עלי תולע להבק אשפתות וכו' (בעל העקידה):

קיצור אלשיך

דאדרינוס. המלך אדרינוס הלך בחוצות קריה ועבר יהודי אחד ואמר לו צפרא טבא. וצוה לחתוך ראשו. כי אמר לו מי אתה יהודי נבזה מלאך לבך לתת לי שלום. וחתכו את ראשו. וכששמעו היהודים משפטו ויקרה עוד כי עבר יהודי לפניו לא נתן לו שלום מפחד שלא יצוה להרגו. אבל אדרינוס צוה להרוג גם את זה כי אמר לו גברא רבה אתה שאין כבודך לתת שלום למלך, והרגוהו ואמרו לו שריו אדוננו המלך להראשון הרגת על שנתן לך שלום. ולהשני הרגת על שלא נתן לך שלום. ואיך יעשו כאשר יפגעוך. השיב להם כלום אני עושה אלא למצוא להם עילה כדי להורגם ועל עוות הדין הזה אמר המקונן ראה ה' עותתי שפטה משפטי. (ס) ראיתה כל נקמתם מה שעשו לי עד היום וכל מהשבותם לעשות לי עוד. (סא) שמעת חרפתם ה'. מה שהם מהרפים ומגדפים אותך וגם שמעת כל מהשבותם עלי מה שהם חושבים רעות וצרות להביא עלי (סב) שפתי קמי והגיונם עלי כל היום. מה שקמי מדברים וחושבים כל היום זה רק עלי איזה צרה יביאו עלי (סג) שבתם וקימתם הביטה. בעת ישיבתם ועמידתם ראה כי אני מנגינתם. שהם מנגנים ומזמרים ועשו טיאטראות מחורבני. (סד) תשיב להם גמול וגו'. התפלל המקונן שלפחות ישיב להם ה' גמולם כמעשה ידיהם. כמו שעשו הם לנו. (סה) תתן להם מגנת לב. שיהיה להם שבירת לב. תאלתך להם. האלות שכתבת עלינו בתורתך תביא עליהם (סו) תרדוף באף ותשמידם מתחת שמי ה':

ד (א) איכה יועם זהב. הנה בזמן המקדש היו שני מיני אושר אחד גשמי כתם וזהב ודומיהם. שני אושר רוחני אשר היה בבית אשר חמד אלהים לשבתו הוא בית עולמים וכולם לקו בזמן החורבן עם ישראל עמו. ועל מעמד שלשתן אמר המקונן ברוח הקודש הקינה הזאת ממנה עשה עיקר הוראת דאגתו כי היחל מעט בעושר ירושלים ובמקדש ועזב אותם ודאג לנו כי על צרותינו האריך הרחיב והוא באומרו איכה יועם זהב ישנא הכתם הטוב שהוא העושר ועל המקדש כאמרו תשתפכנה אבני קודש וגו'. ועל כולם נשא קינה בדרך קצרה בפסוק א' ועל בני ציון היקרים בהם האריך כי מזה עשה עיקר אלא שעל הכתם ועל הזהב

60. You have seen all their [acts of] vengeance, all their devices
against me. 61. You have heard their insults, O Lord, all their plots
against me. 62. The utterances of my assailants and their thoughts
are against me all day long. 63. Behold their sitting down and their
rising; I am their song [of derision]. 64. Requite them, O Lord,
according to the work of their hands. 65. Give them a weakness of
heart; may Your curse be upon them. 66. Pursue them in anger and
destroy them from under the heavens of the Lord.

4

1. How dim the gold has become, [how] changed is the fine gold
jewelry! The holy stones are scattered

near to me on the day I called.—[*Rashi*]

58. **You did plead my cause**—*in days past.*—[*Rashi*]

59. **You have seen wrong done to me, O Lord**—*in this trouble, that my enemies wronged me.*—[*Rashi*]

judge my cause—*as You have already done* [in times past].—[*Rashi*]

60. **all their [acts of] vengeance**—in public.—[*Ibn Ezra*] *Lekach Tov* renders: See all that they are doing to me and wreak vengeance upon them.

all their devices against me—in secret.—[*Ibn Ezra*] *Lekach Tov* renders: all their thoughts are against me. Whenever they meet in their temples and in their banquet halls, all their thoughts are only about me.

61. **You have heard their insults, O Lord**—that they are insulting us, as it is written (Ps. 89:52): "that Your enemies have taunted, O Lord."—[*Lekach Tov*]

all their plots against me—All their thoughts are to attack me and devise false and wicked accusations.—[*Lekach Tov*]

62. **The utterances of my assailants and their thoughts**—Those who rise up against me—their utterances and their thoughts are about me all day long. They say, "How did this nation fall into our hands, and how were they not yet remembered?" They themselves wonder about the longevity of their dominion, because they know that they have no substance, and we are therefore their conversation piece all day long. The Psalmist expresses this sentiment as follows (Ps. 102:9): "All day long my enemies revile me," meaning generation after generation. He also states (ibid. 4:23): "For it is for Your sake that we are killed all day long"; (ibid. 16): "All day long, my disgrace is before me."—[*Lekach Tov*]

63. **I am their song**—Heb. מַנְגִּינָתָם. *Midrash Lekach Tov* renders מַנְגִּינָתָם like מַרְגִּינָתָם, *their murmuring.*

Lechem Dim'ah explains that these three verses allude to the three exiles: the exile in Egypt, the exile in Babylon, and the present exile:

[61] **You have heard their insults, O Lord**—This probably alludes to the exile in Egypt, hence the past tense. In the past, You heard their insults, their blasphemy against You, O Lord, when they said, "Who is the Lord that I should hearken to His voice? I do not know the Lord." You heard their insults, how they blasphemed Your name, and also, all their plots against me, when they said, "Come, let us deal wisely with them." This is the meaning of "all their plots against me."

[62] **The utterances of my assailants**—This alludes to the Babylonian exile, in which we were attacked in Babylon with the speech of our captors and with their plots and devices, for instance, their plot against Daniel. This is the meaning of, "The utterances of my assailants and their thoughts are against me all day long."

[63] **Behold their sitting down and their rising**—This alludes to the present long exile, in which the other nations live in their own lands and rise and gain strength. The Lamenter exhorts God: "Behold their sitting down and their rising,"—behold their settling with tranquility and confidence, and behold their rising up, that for a lengthy period, they have risen, whereas I am at my lowest ebb, for they deride me, and I am the subject of their songs.

Alternatively, I am always the topic of their song, for they laugh and deride me and mock me, and this is not once or twice, but whether they are sitting or rising. Behold and see that I am always in their song, whether they are sitting down or rising.—[*Lechem Dim'ah*]

64. **Requite them, O Lord, according to the work of their hands**—He wishes to curse them in all ways, corresponding to what they did to Israel. Concerning the harm that they did with their deeds, it is written: "You have seen all their [acts of] vengeance." Corresponding to this, he says, "according to the work of their hands." They are not punished for executing what the Almighty decreed upon Israel, because they are agents of the Almighty, but the harm to Israel that they added on their own volition is called "the work of their hands," and they should be punished for it.—[*Lechem Dim'ah*]

65. **Give them a weakness of heart**—Heb. מְגִנַּת לֵב, *a breaking of the heart, as Scripture says:* (*Hosea 11:8*): "*I shall break you* (אֲמַגֶּנְךָ), *O Israel*"; (*Gen. 14:20*): "*who broke* (מִגֵּן) *your adversaries in your hand.*" *Another explanation*: מְגִנַּת לֵב, *stopping up of the heart, trouble and sighing, which are like a shield against the heart. But he who explains it as an expression of grief* (תוּגָה וִיָגוֹן) *is in error, for there is no "nun" in this word, for the "nun" in* יָגוֹן *is not a radical, but is like the "nun" of* הָמוֹן *from the root of* הֲמוֹ גוֹיִם *and like* קָלוֹן *from the root of* נִקְלֶה, *and like the "nun" of* צִיּוֹן *from the root of* צִיָּה *and so the "nun" of* שִׁבְרוֹן *from the*

root of שֶׁבֶר *(and like the "nun" of* שִׁגָּעוֹן *שִׁמָּמוֹן. It appears to me that this is the correct reading, and this is easy to understand.)*—[*Rashi*] [The intention of the editor is obscure. We do not know what other reading he wishes to negate.]

Lechem Dim'ah explains that this is their punishment for their evil plots, for plots are devised in the heart.

Your curse—Heb. תַּאֲלָתְךָ. This translation follows *Lamentations Rabbah, Lekach Tov, Ibn Ezra, Isaiah da Trani*, and *Redak*. They derive this from the root אלה, which appears in the word אָלָה, *curse*. Let all the curses that You wrote in the Torah fall upon them. *Rashi*, however, writes: *An expression of* (*Isa. 19:13*): "נוֹאֲלוּ שָׂרֵי צֹעַן, *The princes of Zoan have become foolish.*"—[*Rashi*] [We have deviated from our general practice, viz. to translate the text according to *Rashi*, because it is unclear how *Rashi* renders the text, how "Your foolishness" would make sense.] The *Targum* appears to render: bring about Your weariness upon them.

Lechem Dim'ah explains that God, so to speak, suffers when Israel has troubles. The prophet says to Him, "Let Your pain be upon them."

66. **from under the heavens of the Lord**—that they should no longer be remembered.—[*Lekach Tov*]

עמא דהב בית מוקדשא אשתני זיו פלטין בחיר משתדין מרגלאון קדישין בריש כל מחוזין: ב בני ציון יקירין דמתילין איקוניהון לדהב טב היכדין הוו עמימין מסאבין מחתין יתהון מלקביל (ס"א בליקביל) ערסיהון ומסתכלין בהון בגין דילדון נשיהון בנין שפריא כשופריהון ואתחשבו לגינין דחסף עובדי ידי פחרא: ג גם אף בנתא דישראל מפנקתא לבני עממיא דדמין לחורמנא תלען תדיהן ורבי כנשתא דעמי מסירין לאכזראין ואמהון ספדן עליהון כנעמיא במדברא: ד דבק ארביק לשן עולימא לטורינה בצחותא טליא תבעו לחמא מושיט לית להון: ה האכלים דהוו רגילין למיכל תפנוקין אשתממו במחוזין דאתרביאו על צבע זהרין גפיפו קקלאתן: ו ויגדל וסגיאת חובת כנשתא דעמי מן חובת סדום דאתהפכת כשעתא ולא שריאו בה נביאיא לאתנבאה

אבני־קדש בראש כל־חוצות: ב בני ציון היקרים המסלאים בפז איכה נחשבו לנבלי־חרש מעשה ידי יוצר: ג גם־תנין תנים קרי חלצו שד היניקו גוריהן בת־עמי לאכזר כיענים כיעינים קרי במדבר: ד דבק לשון יונק אל־חכו בצמא עוללים שאלו לחם פרש אין להם: ה האכלים למעדנים נשמו בחוצות האמנים עלי תולע חבקו אשפתות: ו ויגדל עון בת־עמי מחטאת סדם ההפוכה כמו־

תו"א בני ציון היקרים. גיטין נח: איכה נחשבו לנבלי חרש. עקידה שער סג: בת עמי לאכזר כיענים. חולין סד: ויגדל עון בת עמי. סנהדרין קד:

רש"י

ממראיתו: הכתם. קבוצת כלי נוי הזהב שהם לעדי קרוי כתם: אבני קדש. בנים המאירים כאבנים טובות ומ"א כל רביעית דם שיצא מאחיהו בכל חן וחן שנעלו בו היה ירמיה קוברה במקומה ועליה הוא קורא התשפכנה אבני קדש: (ב) המסלאים בפז. המהוללים והנערכים כפז הרואה אותם אומר ראו תוארם של אלו כמראית פז וכן (איוב כח טז) לא תסולה בכתם אופיר (שם) בכתם טהור לא תסולה (תהלים סח ה) סולו לרוכב בערבות ל' הילול וערך הן: לנבלי חרש. כדי חרש שנותנים בהם יין כגון נבלי יין (ירמי' כה יב) ונבליהם ינפצו: (ג) גם תנין. אף ע"פ שאכזרי הוא חולץ שד כשרואה את בנו בא מרחוק רעב חולץ שדיו מתוך נרתיקו שיש לו כיסוי על דדיו ומוציאו מתוכו כדי שלא יראהו בנו מכוסה ויחזור לאחוריו והיניקו גוריהן: בת עמי לאכזר. רואים את בניהם צועקים ללחם ואין פורס להם שחייהם קודמים להם לחיי בניהם מחמת הרעב: (ה) האמונים עלי תולע. על בגדי ז צבעונין. האמונים. לשון (אסתר ב ז) ויהי אומן את הדסה: אשפתות. אשפות של זבל שוכבים על האשפות כחוץ: (ו) ויגדל עון וגו'. פורענותם מוכיח עליהם ח שגדול עונם משל סדום: ההפוכה כמו רגע. שהרי סדום

שפתי חכמים

סדומם. לכ"פ מרגלים וכו': ו דק"ל מאחר דבבני אדם משתעי א"כ איך סמך לו תשתפכנה אבני קודש. ועוד אם אבני כמשמעו גמה מכנה אותם בקודש. לכ"פ בנים המאירים וניחא נמי דקרי להו אבני קודש: ז ולכיה הנגדים על שם הלבע: ח דקשה לרש"י מדכר ומקונן בפורענות ואמר ויגדל עון. לכן פי' פורענותם מוכיח כו' וכוונתו פי' על הפורענות לא על העון ואם קשה ליה ובמה מוכח לזה כתב ההפוכה כמו רגע שהרי סדום כו' א"כ ק"ל דאמר מחטאת סדום

אבן עזרא

והנה ככה הנגע עמיא מכהא והישר בעיני כמו לא עממוהו ומשקלו לחם יודק: ישנא. מגזרת שנים: (ב) אל"ף המסלאים. תחת ה"א השרש כי הה"א הנעלם לא ימלא בתוך המלה: (ג) חלצו. כמי והללה נעלו. יש לשון זכר ונקבה: (ד) פורש. כמו פרוס לרעב והוא פת להם פתותה: (ה) האוכלים. שיתעדנו: תולע. כתולעת שני: (ו) חלו. מלשון חיל ואחרים אמרו כמו על

פי' הטעמים לראב"ע

(ב) בפז. אבן יקרה ויש אומרים כי הוא כסף וזהב מופז יכהיהם: (ג) הזכרים יקחו שד הנקבות ויניקו גורי הנקבות ובת עמי לא עשתה כן ויש אומרים גם תנין הללו שד נבי לאן ויניקו גוריהן: (ד) החלב ליונק מקום להם ומים והעוללים גדולים מן היונקים כדמות עוללות סגפן: (ה) נשמו. שב שממו בפרהסיא כל רואים ישום חבקו אשפתות. כי הם מושלכים כדומן ואין קובר: (ו) יש חטאת ואשם

קיצור אלשיך

הזהב ועל אבני קודש נשא קינה אחת. ועל בני ציון היקרים לבדם נשא קינה בפני עצמה:

(ב) בני ציון היקרים המסולאים [הנערכים] בפז. איכה נחשבו לנבלי חרש ומי יתן ויחשבו לנבלי חרש שלמים. כי אם נדמו לנשברים שאין להם עוד תקנה. וזהו מעשה ידי יוצר. כי כלי חרש בהיותו שלם ב' דברים נמצאו בו. א' כותלי הכלי והם מעשה ידי היוצר. ב' התוך בית הקבול אשר לו. אמנם בהשתברו אין לחרשים זולתי מעשי ידי היוצר כי התוך אשר לא עשה היוצר רק נמצא עשוי מאליו איננו. באופן שזולת שפלות הדמותם לכלי חרש מחרשי אדמה גם עוד גדלה מפלתם להדמות אל הנשבר אשר לא יצלח לשום דבר. (ג) גם תנין חלצו שד. הכונה כי עד עתה ספר ברע אשר מצא את האנשים בני ציון היקרים. עתה סיפר הרע אשר הגיע לבנות ציון והוא כי הנשים אשר בציון המניקות היו האויבים מכריהים אותן שיהיו מניקות את בניהם של האויבים [וכינה עתה את האויב לתנין. כי אין לך תנין כמוהו שנשך והמית את ישראל] וז"ש גם תנין חלצו שד. האויבים חלצו והוציאו השדים של בנות ציון להניק גוריהן בניהם ובנותיהם היונקים ומחמת שבת עמי היו מוכרחות להניק בניהם ובנותיהם של התנינים, האויבי', ולא נשארו חלב בדדיהן להניק בניהן ובנותיהן. ע"כ היו בת עמי לאכזר על בניהן ובנותיהן. כיענים הצועקים במדבר ואין עונה אותם. כך האמות אין עונות לילדיהן. כי אין להן מה ליתן לבניהן. כי אין להן חלב בדדיהן. ועי"ז דבק לשון יונק אל חכו בצמא עוללים שאלו לחם, עוללי היהודים שאלו לחם מן האויבים תמור שאמותיהן מניקין בניהם. אבל פורש אין להם. אפילו פרושת לחם לא נתנו להם. (ה) האוכלים למעדנים. הבלתי אוכלים לשובע נפשם וגופם רק למעדנים לרוב ענוגם. עתה נשמו בחוצות בלי שיוכלו לסבול חרפת רעב עד הגיעם אל ביתם למות על מטתם. וזהו אומרו למעדנים בלמ"ד. שבתחלה היו אוכלים בשביל מעדנים. והאמונים עלי תולע. לא אמר בתולע בלבשם בגדי תולע. אלא עלי תולע שהתולע שהוא המשי היו מציעין תחתיהם על הארץ והלכו עליהם. ועתה חבקו אשפתות. (ו) ויגדל עון בת עמי

at the head of every street. 2. The precious children of Zion,
praised with fine gold; how they are regarded as earthen pitchers,
the work of a potter's hands! 3. Even the sea-monsters offer the
breast [and] suckle their young; the daughter of my people has
become cruel, like the ostriches in the wilderness. 4. The tongue of
the suckling child cleaves to his palate through thirst; the young
children beg [for] bread, [but] no one breaks it for them. 5. Those
who used to eat dainties are perishing in the streets; they that were
reared on crimson clasp the dunghills. 6. The iniquity of my
people is greater than the sin of Sodom, which was overthrown as

4

1. **How dim the gold has become**—*This elegy was recited about Josiah, as it is stated (II Chronicles 35:25): "Behold it is written in the Book of Lamentations," and with it he joined, in the midst of the elegy, the rest of the children of Zion.*—[*Rashi*] Note that the verse reads: "and behold they are written in the lamentations." *Rashi* (ad loc.), however, writes: in the Book of Lamentations. The *Targum* renders: and behold they are written in the book that Baruch wrote by the word of Jeremiah about the lamentations.

dim—Heb. יוּעַם, *dim, as in (Lev. 13:6) where* כֵּהָה *is translated by the Targum as* עֲמֵיָא.—[*Rashi*]

gold—*the appearance of a face that shines like gold.*—[*Rashi*] *Lekach Tov* writes: How dim the gold has become, i.e., how dark the gold has become! This refers to the beauty of the people of Jerusalem, whose complexion resembled gold.

changed—Heb. יִשְׁנֵא, *changes its appearance.*—[*Rashi*]

the gold jewelry—Heb. הַכֶּתֶם. *A collection of beautiful gold articles used as ornamentation is called* כֶּתֶם.—[*Rashi*] This refers to their bodies, which resembled precious stones and pearls and were of unusual appearance.—[*Lekach Tov*]

The holy stones—*children who shine like precious stones, and the Midrash Aggadah* (*Lam. Rabbah*) [states]: *Every fourth-part* [of a log] *of blood that came out of Josiah with each arrow that they thrust into him, Jeremiah buried in its place, and he called out concerning it, "the holy stones are scattered."*—[*Rashi*] *Lekach Tov* writes that this refers to the blood of the righteous of Israel, which resembled holy stones, and which was shed at the head of every street.

2. **The precious children of Zion**—They are called precious because of their modesty.—[*Lekach Tov*] *Lamentations Rabbah* tells of the many ways in which the people of Jerusalem were called precious, i.e., spoiled and pampered. One is that if a man from another town married a woman from Jerusalem, he would

give her her weight in gold, and if a Jerusalemite married a woman from another town, she would give him her weight in gold. Another way was that if one would marry a woman of higher status than he, he would make the tables more costly than the wedding feast. If he married a woman of lower status, he would make the feast more costly than the tables. Also, if one of them was invited to a banquet, he would not go unless he was invited twice. They were also precious insofar as they never begot defective or blemished children.

praised with gold—*who were praised and equated with gold. Whoever saw them said, "See, the complexion of these is like the appearance of gold," and so, (Job 28:16): "It cannot be praised (תְסֻלֶּה) with jewelry of Ophir"*; (ibid. 19): "*it cannot be praised* (תְסֻלֶּה) *with jewelry of fine gold"; (Ps. 68:5): "praise* (סֹלּוּ) *Him Who rides in Aravoth"; these are expressions of praise and value.*—[*Rashi* from *Lam. Rabbah*] The Talmud (*Gittin* 48b) words it in the following manner: They would shame gold with their beauty, i.e., their beauty was praised more than gold. The Talmud relates further that the gentiles would originally engage in coitus before beautiful pictures so that the child born would be beautiful. Later, they would tie a Jew to the foot of the bed because the Jews were more beautiful than the pictures. The same appears in the *Targum.*

earthen pitchers—Heb.נִבְלֵי, *earthen pitchers in which they pour wine, like wine flasks. (Jer. 48:12): "and they shall smash their jars* (נִבְלֵיהֶם)."—[*Rashi*]

the work of a potter's hands—For man is likened to clay in the hands of a potter, as Jeremiah states (18:5): "Behold, as clay in the potter's hand, so are you in My hand, O House of Israel."—[*Lekach Tov*]

3. **Even the sea-monsters**—*Even though it is cruel, it offers the breast. When it sees its offspring coming from afar, hungry, it uncovers its breasts from their sheath, for it has a cover over its breasts, and takes them out so that its offspring should not see them covered up and retreat. And they suckle their young.*—[*Rashi* from *Tan. Behukkothai* 3] *Lamentations Rabbah*, elaborated upon by *Lekach Tov,* explains that the sea monster is cruel even to its own offspring and does not suckle them until they cry for a long time. Then, it covers its face so as not to see the face of its offspring, lest it devour them. Nevertheless, this cruel creature uncovers its breasts and suckles its young. Buber identifies this animal as a jackal.

the daughter of my people has become cruel—*They see their children crying for bread, and they do not break it for them, for their own lives come before their children's lives because of the hunger.*—[*Rashi*] *Palgei Mayim* explains this verse figuratively. The sea-monsters and their young symbolize the enemies and their children. They force the women to uncover their breasts and suckle the enemies' children. Consequently, the daughter of my people, i.e., the Jewish women, who deprive their own children of milk, are deemed cruel, like the ostriches in the desert.

4. **young children**—older than sucklings, beg for bread, etc.—[*Ibn Ezra*]

5. **Those who used to eat dainties**—Heb. לְמַעֲדַנִּים, lit. for dainties. Even though they were no longer hungry and had no appetite, they would eat dainties purely for the enjoyment thereof, but now, because of their sins, they were perishing in the streets, without the barest necessities.—[*Lechem Dim'ah*]

are perishing in the streets—because they saw good foods in the street, but had no money to purchase them.—[*Palgei Mayim*]

they that were reared on crimson—*on colored garments.*—[*Rashi*]

they that were reared—Heb. הָאֱמֻנִים. *An expression similar to* (*Esther 2:7*): "*And he brought up* (אֹמֵן) *Hadassah.*"—[*Rashi*]

clasp the dunghills—*heaps of dung; they lie on the dunghills in the street.*—[*Rashi*] They kiss the dunghill where they find a place upon which to recline.—[*Palgei Mayim*]

6. **The iniquity of my people is greater, etc.**—*Their punishment proves about them that their iniquity is greater than that of Sodom.*—[*Rashi*] Otherwise, the two segments of the verse would not follow, because it commences with the iniquity of Israel and concludes with the punishment of Sodom.—[*Sifthei Hachamim*]

רגע ולא־חלו בה ידים: ז זכו נזיריה משלג צחו
מחלב אדמו עצם מפנינים ספיר גזרתם: ח חשך
משחור תארם לא נכרו בחוצות צפד עורם על־
עצמם יבש היה כעץ: ט טובים היו חללי־חרב
מחללי רעב שהם יזבו מדקרים מתנובות שדי:
י ידי נשים רחמניות בשלו ילדיהן היו לברות למו

תו"א צפד עורם על עצמם יבש היה כעץ. כתובות: טובים היו חללי חרב מחללי רעב. בפרא ח: ידי נשים רחמניות. סנהדרין קד:

תרגום

לאהדרותה בתיובתא: ז זכו
הוו בריין נזירהא יתיר מתלגא
שעעו יתיר מן חלבא סמיקו
חיזו יתיר מן יוהרין (ס"א
מזהורין) וכשבזיזא פרצופיהון:
ח חשך חשך מן אוכמתא
דגלותא ריוהון לא אשתמודעו
במחוזין אדק משכיהון על
גרמיהון פריך הוה כקיסא:
ט טובים מעלי הוו קטילי סייפא
יתיר מן קטילי כפן דקטילי סייפא דייבין כד אינון מבזעין כריסיהון מן מה דאכלו מעלל חקלא ונפיחי
בכפנא פריך כריסיהון מן מיכלא: י ידי ידי נשיאדהון מרחמין על מסכנין בשילו עולימיהון הוו למסעד

שפתי חכמים

ההפוכה כמו ע"כ דאינו כפשוטו דהרי לא היה סדום אחר אשר צריך ליתן הבדל כאלו אמר איזה סדום אותה ההפוכה כמו רגע אלא ע"כ שבא לומר שחטאת סדום לא היה כ"כ גדולה כדפירש רש"י. ואחר כך קשה ליה מתחיל ויגדל עון וגו' ומסיים בפורענות שפורענותה היתה גדולה. לכן פי' פורענותם מוכיח כו' וכוונת רש"י פה כי האדון השופך חמתו על עבדו ומלוה שיהרג על יד אחד מאוהבי האוהב למען ידאג מבמחה שהאויב עליו וכן מלוה שיומת מיה' משול' שיעמידוהו במכאובות זמן מה בטרם ימות וכן היתה צרת ישראל גדולה וארוכה וע"י האויבים באופן כי רבה צרתם מצרת סדום שנהפכה כמו רגע וצרתם היתה קצרה ושנית לא חלו בם ידי האויבים כי השם צוה להפכה כמו רגע ע"י מלאכיו וזהו שמסיים רש"י לא חלו בה ידי האויב: ט מתחלה מקשר הפסוקים ואח"כ פירש הכתוב ומדסלק חשך תאר' מפחמים פתח בו לפרש קודם שיפרש עצם אף שהוא מוקדם בקרא וה"פ חשך תארם מפחמים. וא"כ היכן מוזכר פחמים בקרא לזה כתב משחור הוא פחם דאין לפרש כפשוטו חשך יותר מן השחרות כמו שפי' הראב"ע דאיך יצויר לומר שיהיה דבר יותר שחור מן השחרות אשר לא יהיה נכלל תחת שם שחרות כי שחרות כולל כל שחרות עד הקלה האחרון ע"כ רש"י ז"ל שם אותו בנושא מיוחד שהוא הפחם כי אז אפשר לומר שימצא דבר יותר שחור מהפחם או מכל איזה פרטי: י דקשה לרש"י היאך משבח אותו בתואר אדמימות הרי הוא מכוסה בעור ובשר

רש"י

לא נמשכה צרתם וכרגע אחד נהפכה: **ולא חלו בה ידים**. ידי האויב כי ע"י המלאכים נהפכה. ויש מדרשי אגדה ואינו מיושב על סדר המקראות: (ז) **זכו נזיריה**. שריה כמו נזר וכתר ואני אומר נזיריה ממש שהיו מגודלי שער ונאים ביותר ומוסב על בת עמי: **אדמו עצם מפנינים**. אותם שהיו מראיהם אדום ט מפנינים וגזרתם כמו ספיר חשך תארם מפחמים (ח) **משחור** הוא פחם: **עצם**. לשון מראה י כמו (שמות כד י) וכעצם השמים לטוהר קול"ר בלע"ז: **צפד**. נקמט ונתחבר ואין לו דמיון: (ט) **שהם יזבו מדוקרים וגו'** חללי הרעב היו נפוחים מריח תנובות השדה שהיו האויבים צולים בשר על העשבים חוץ לחומה והריח נכנס בתוך נפוחי הרעב וכריסו נבקעת ופרשו זב והרי זה מיתת ניוול יותר מהרוגי חרב: **מדוקרים**. מבוקעים בין נפיחת רעב בין ביקוע חרב קרוי דקירה: **מתנובות שדי**. משרשים ועשבים שמלקטים ואוכלים רב פרשם ומאוסם: (י) **לברות**. למאכל כמו (שמואל ב יב יז) ולא ברה אתם לחם (שם ג) להברות את דוד:

פי' הטעמים לראב"ע

בקרבן שטעמו עקב העון והחטאת והוא השכר הרע ויקרא מזל רע וכן כי לא שלם עון האמורי אם יכפר עון בדבר הזה גדול עוני מנשוא והפסוק הבא אחריו לעד והטעם כי הרעה הבאה על ישראל גדולה מרעת סדום שהיא נהפכה כמו רגע ולא היו הידים בכל עת בחיל בעבור שאין להם כח או טעמו שלא חלו בה ידים כטעם יחולו על ראש יואב: (ז) זכו נזיריה. בימי השבע: (ח) חשך תארם ברעב: (ט) המדוקרים שיזובו דם מתנובות שדי שהם שבפים. טובים היו מחללי רעב: (י) הנשים הרחמניות נהפכו לאכזריות מרוב הרעב:

אבן עזרא

ראש רשעים יחול: (ז) משלג ומחלב. כפול וכן ספיר כמו פנינים וכן טעמו מ"ם מפנינים מושך עצמו ואחר עמו כמ"ם מאל אביך כאלו נגזרו מספיר ולבנת כמו לבנה והעד כמעשה ובמקום אחר אבן: (ח) משחור. יותר מן השחרות והוא שם: צפד כמו דבק והוא שם לבדו: (ט) שהם יזובו. והם מדוקרים: (י) לברות. מגזרת

קיצור אלשיך

עמי. ר"ל ויגדל עונש עון בת עמי מעונש חטאת סדום בשני דברים. א' אנשי סדום לא הרגישו צער מתחולל ימים רבים רק נהפכה כמו רגע. שנית כי לא חלו בה ידי אויב. משא"כ אנחנו בני ישראל שמתנו ברעב שהיו גוססין כמה ימים ומי יתן ומתנו כרגע. גם שם לא חלו בם ידים. ופה גם במתים ברעב היה בם משלוח ידים. ולו היו הלושי המזג ביום או ביומים ימותו ברעב ולא היו גוססין ימים רבים. אך (ז) זכו נזיריה משלג. הנזירים והפרושים שבהם היו זכים משלג צחו יותר מחלב. אדמו עצם [נופם] יותר מפנינים [כמו וכעצם השמים]. ספיר גזרתם. גופם חזק יותר מאבן ספיר. ועכ"ז (ח) חשך משחור תארם. לא נכרו בחוצות. אם הם אותם האנשים שהיו קודם החורבן בהיותם בשלוה. צפד עורם על עצמם. עם היות שיבש היה כעץ. והיבש קשה לידבק בלי לחלוחית. או שכ"כ נדבק בעצם עד העשותו כעצם אחד בממשותו שלא יורגש התנועעות בעור על העצם כלל. (ט) טובים היו חללי חרב. אומר האנשים הטובים וישרים בלבותם היו אותם שהיו חללי חרב. כי מיתת חחרב קלה ביותר ממיתת הרעב. שהם. המתים מרעב. יזובו מדוקרים מתנובות שדי. שמחמת הרעב אוכלים הנובות שדי. שאינם ראוים לאכילה. וכריסם מתנפח ונבקע. ואומר שדי ביו"ד ולא שדה. אף שהשדה שלי של ישראל עכ"ז לא אכלו הפירות הראוים לאכילה. כי אותם אכלו האויבים. והגרועים שהניחו בשדה אותם אכלו היהודים מחמת רעבון עד שנבקע כריסם. (י) ידי נשים רחמניות וגו'. הנה מהראוי היה תרע עינה מלבשלם ע"י עצמן או אחר בשלם אותם ירד לבדם מלאוכלם. וע"ז אמר כי הנה בשלו ילדיהן ואח"כ היו לברות. ולא תאמר אחר שבוע רעבתנותם פעם אחד לא ישנו פעם שנית רק יקברו הנותר אך לא כן עשו רק היו לברות שאכלו והצניעו לפעם אחרת שיאכלו כמה פעמים. ולא עצרו כח להחליף זו עם זו. לומר אכלי את שלי ואוכל את שלך. מפני עגמת נפש. רק הם בעצמם אכלו בשר בניהם. וזהו אומרו למו. רק האמות לבדן אכלו. ולא נתנו מזה לבניהם הניתרים אף שהם היו ג"כ רעבים. וזה היה בשבר בת עמי טרם באו האויבים. כלה

in a moment, and no hands fell on her. 7. Her Nazirites were purer than snow, they were whiter than milk, their appearance was ruddier than coral, [and] sapphire was their form. 8. [But now] their appearance has become darker than charcoal, they are not recognized in the streets; their skin is shriveled on their bones; it has become as dry as a stick. 9. Better off were the victims of the sword than the victims of hunger, for they ooze, pierced by the fruits of the field. 10. The hands of compassionate women boiled their own children; they have become their food

which was overthrown as in a moment—*The distress of Sodom was not prolonged; it was overthrown as in one moment.*—[*Rashi*]

and no hands fell on her—[i.e.], *the hands of the enemy, but through angels it was overthrown. There are also Aggadic midrashim, but they do not fit the sequence of the verses.*—[*Rashi*] *Rashi* is probably alluding to *Lam. Rabbah* and *Gen. Rabbah* 28:5, which explain that the Lamenter asks the following: If the iniquity of Judah was greater than that of Sodom, why was the latter overthrown as in a moment and completely destroyed? He replies that they did not extend their hands to perform the commandments, whereas Judah did extend their hands to perform the commandments. An example is given from verse 10. The Midrash renders: "The hands of compassionate women have boiled their own children," as follows: The case is that of a family that had only one loaf of bread for the husband, the wife, and their son. When their neighbor's child passed away, they gave that loaf of bread to feed the mourners their first meal after the burial, as is customary. By depriving their own son of the bread and causing him to die of starvation, it was as though they had boiled him in order to feed their neighbors. See *Maharzav, Gen. Rabbah* ad loc. *Rashi,* apparently, rejects this as *peshat* because of the distance between this verse and verse 10.

The simple meaning is that the iniquity of Judah was deemed greater than that of Sodom because the Sodomites were not obligated to perform the commandments of the Torah and were held liable only for not supporting the poor, as in Ezekiel 16:49.—[*Palgei Mayim*] The *Targum* renders: and the prophets did not commence to prophesy to bring her back in repentance.

7. **Her Nazirites were purer**—Heb. נְזִירֶיהָ, *her princes, like* נֵזֶר *and* כֶּתֶר, *a crown, but I say that* [it means] *real Nazirites, who had long hair and were remarkably handsome, and the antecedent is "the daughter of my people."*—[*Rashi*] [*Rashi* does not identify the author of the former interpretation. Perhaps the former interpretation is that of *Rashi*, and the latter is the addendum of a copyist.

The fact that the latter interpretation is omitted in the commentary of *Rabbi Moshe beRav Yosef Albelidah* lends support to this theory. However, this is not conclusive proof because many comments of *Rashi* are omitted in this commentary. On the other hand, the former interpretation does not appear in any other commentaries.] *Lekach Tov* explains this verse like *Rashi's* former interpretation, but with a different derivation. He derives נְזִירֶיהָ from the root נזר, *to separate*, because the princes are separate from the rest of the populace by their wealth and appearance.

their appearance was ruddier than coral—*Those whose appearance was ruddier than coral and whose forms were like sapphire—their complexions became darker than charcoal.*—[*Rashi*]

Lechem Dim'ah explains that the most beautiful complexion is pure white skin that glistens, with a combination of ruddiness. This was the complexion of the princes, according to the former interpretation, or, according to the latter interpretation, of the Nazirites, who were separated from the pleasures of this world. Even though they were not permitted to drink wine, they were, nevertheless, white and ruddy.

8. **than charcoal**—Heb. מִשְּׁחוֹר. *This is charcoal.*—[*Rashi*] According to *Lam. Rabbah*, it is חַרְתָּא, which is defined by *Aruch* as a black dye used for dyeing leather or making black ink.

appearance—Heb. עָצְם, *an expression of appearance, like* (*Exod.* 24:10): "*like the appearance of* (וּכְעֶצֶם) *the heavens in purity,*" *couleur in French, color, complexion.*—[*Rashi*]

is shriveled—Heb. צָפַד, *shriveled and adhered, and there is no similar word.*—[*Rashi*] *Rashi* (*Keth.* 10b) quotes *Dunash* (*Teshuvoth Dunash* p. 91), who defines צָפַד as *adhered*, (which is also the opinion of *Lekach Tov, Ibn Ezra, Isaiah da Trani, Redak, Ibn Ganah,* and the *Targum.*) *Menahem* defines it as *became blackened. Rabbenu Tam* (*Teshuvoth Dunash* ad loc.) defines צָפַד as *shriveled. Rashi* appears to have combined the definitions of *Dunash* and *Rabbenu Tam*. In the commentary of *Moshe Berav Yosef Albelidah*, however, the second definition is omitted. If that is his version of *Rashi, Rashi's* definition coincides with that of *Rabbenu Tam. Rav Saadia Gaon* defines it as *dried.*

9. **for they ooze, pierced, etc.**—*The victims of hunger were swollen from the smell of the fruits of the field, for the enemies would roast meat on the grass outside the wall, and the aroma would go into those swollen from hunger, and their stomachs would split, and their feces would ooze. Now this is a more ignoble death than those who are slain by the sword.*—[*Rashi*]

pierced—Heb. מְדֻקָּרִים. *Being split either by the swelling of hunger or by the stabbing of the sword is called* דְקִירָה, *piercing.*—[*Rashi*]

by the fruits of the field—*Because of the roots and grasses that they* *gathered and ate, their feces increased and were loathsome.*—[*Rashi*] *Rav Saadia Gaon* renders: for they ooze, as though stabbed, because of [lack of] the fruits of the field, i.e., body liquids oozed from those who died from hunger. Hence, they were as though stabbed, and were in worse condition than those slain by the sword. *Lekach Tov* explains: for they, the ones slain by the sword, ooze with blood, pierced by the sword, and expire more quickly than those who die from hunger, from want of the fruits of the field. He suggests another interpretation: for they, those who die from hunger, when they taste the fruit of the field, they overeat, and their intestines, which are shrunken from hunger, split , and their body oozes the contents of the split intestines.

Isaiah da Trani explains that because of their hunger, they would eat thorns and thistles which would pierce their intestines, and their bodies would ooze the contents of the punctured intestines.

10. **The hands of compassionate women boiled their children**—i.e., compassionate women, who usually took the best care of their children and were concerned by every discomfort they suffered, now boiled their children with their own hands. This may also mean that the children boiled their mothers' hands. The compassionate women allowed their children to cut off their hands to boil them and eat them because of the famine.—[*Be'er Moshe*] Because they were cruel to the righteous, they became cruel to their own children.—[*Palgei Mayim*]

food—Heb. לְבָרוֹת, *for food, like* (*II Sam. 12:17*): "*neither did he eat* (בָרָה) *bread with them*"; (*ibid. 3:35*): "*to serve* (לְהַבְרוֹת) *David bread.*"—[*Rashi*]

בְּשֶׁבֶר בַּת־עַמִּי: יא כִּלָּה יְהוָה אֶת־חֲמָתוֹ שָׁפַךְ חֲרוֹן
אַפּוֹ וַיַּצֶּת־אֵשׁ בְּצִיּוֹן וַתֹּאכַל יְסוֹדֹתֶיהָ: יב לֹא
הֶאֱמִינוּ מַלְכֵי־אֶרֶץ וכל כל קרי יֹשְׁבֵי תֵבֵל כִּי יָבֹא
צַר וְאוֹיֵב בְּשַׁעֲרֵי יְרוּשָׁלָםִ: יג מֵחַטֹּאת נְבִיאֶיהָ
עֲוֹנֹת כֹּהֲנֶיהָ הַשֹּׁפְכִים בְּקִרְבָּהּ דַּם צַדִּיקִים: יד נָעוּ
עִוְרִים בַּחוּצוֹת נְגֹאֲלוּ בַּדָּם בְּלֹא יוּכְלוּ יִגְּעוּ
בִּלְבֻשֵׁיהֶם: טו סוּרוּ טָמֵא קָרְאוּ לָמוֹ סוּרוּ סוּרוּ אַל־
תִּגָּעוּ כִּי נָצוּ גַּם־נָעוּ אָמְרוּ בַּגּוֹיִם לֹא יוֹסִפוּ לָגוּר:
טז פְּנֵי יְהוָה חִלְּקָם לֹא יוֹסִיף לְהַבִּיטָם פְּנֵי כֹהֲנִים
לֹא נָשָׂאוּ זְקֵנִים וזקנים קרי לֹא חָנָנוּ: יז עוֹדֵינָה עודינו קרי
תִּכְלֶינָה עֵינֵינוּ אֶל־עֶזְרָתֵנוּ הָבֶל בְּצִפִּיָּתֵנוּ צִפִּינוּ

הר״א ויצת אש בציון. קמץ ס:

לְהוֹן בְּיוֹם תְּבַר כַּפְנָא דִי אִתְּבְרַת כְּנִשְׁתָּא דְעַמִּי: יא כלה סַף יְיָ יַת חֵימְתֵיהּ שְׁדָא עַל יְרוּשְׁלֵם יַת תְּקוֹף רוּגְזֵיהּ וְאַסִיק בְּאוּר לַפִּיד אֶשָׁתָא בְּצִיוֹן וְאַכְלַת אֲשָׁוָתְהָא: יב לא לָא הֲווּ מְהֵימְנִין מַלְכְּוַת אַרְעָא וְכָל דָיְרֵי תֵבֵל אֲרוּם יֵעוֹל נְבוּכַדְנֶצַּר רַשִׁיעָא וּנְבוּזַרְאֲדָן בְּעֵיל דְבָבָא לְנִכְסָא עַמָא בֵּית יִשְׂרָאֵל בִּתַרְעַיָא דִירוּשְׁלֵם: יג מחטאת עֲנַת מִדַּת הַדִּין וְכֵן אֲמָרַת לָא הֲוַת כָּל דָא אֱלָהֵין מֵחוֹבַת נְבִיאֶהָא דְמִתְנַבְּאָן לָהּ נְבִיאוּת שִׁקְרָא וּמֵעֲוָיַת כַּהֲנָהָא דְאַסִיקוּ קְטוֹרֶת בּוּסְמִין לְטַעֲוָתָא וְאִינוּן גָרְמוּ לְאִתְּשַׁד בְּנַוְהּ דַם זַכָּאִין: יד נעו אִיתַטַלְטְלוּ עוּרִין בְּמַחוֹזִין אִטְנַפוּ בִדַם קְטוּלִין בְּחַרְבָּא וְעַל דְלָא הֲווּ
יָכְלִין לְמֶחְמֵי קְרִיבוּ בִּלְבוּשֵׁיהוֹן: טו סורו זוּרוּ זוּרוּ מִמְסַאֲבָא קְרוֹ עַמְמַיָא זוּרוּ זוּרוּ לָא תִקְרְבוּ בְהוֹן אֲרוּם
אִתְקוֹטְטוּ אַף אִתְטַלְטְלוּ אֲמָרוּ בִּמְהֶוֵיהוֹן בְּשַׁלְוַתְהוֹן דִבְנֵי עַמְמַיָא לָא יוֹסִיפוּן לְמֵידַר: טז פני מִן קֳדָם
אַפֵּי יְיָ אִתְפַּלִּיגוּ לָא יוֹסִיף לְאִסְתַּכָּלָא בְהוֹן בְּגִין כֵּן אוּמַיָא רַשִׁיעַיָא אַפֵּי כַהֲנַיָא לָא סְבַרוּ וְעַלֵי סָבַיָא לָא חָסוּ:
יז עודינו עוֹד סַפָּן עֵינָנָא לְאִסְתַּכָּלָא לְסַיְעֲנָא דַהֲוֵינָא מְהֵימְנָן לְנוּכְרָאֵי דְאִתְהַפִּיךְ לְנָא

רש"י

(יא) כלה ה' את חמתו. אשר בערה בו כמה שנים עתה כלה אותה בהנקמו מהם: (יג) מחטאת נביאיה. של שקר היתה לה הרעה הזאת: (יד) נעו עורים בחוצות. כשהיו העורים הולכים בשוק היו נעים ורגליהם נשמטים בדם ההרוגים שהיו הרשעים הורגים בתוכה: נגאלו בדם. נתלכלכו בדם עד אשר לא יכלו הקרובים אליהם ליגע בלבושיהם והיו קוראים אליהם: (טו) סורו. מעלינו אתם הטמאים המלוכלכים בדם: כי נצו לשון סרחון ולכלוך כמו (ויקרא א טז) מוראתו בנוצתה דמתרגמינן באוכליה כך חברו מנחם: גם נעו. נשמטו בדם: (טז) פני ה' חלקם. פנים כ' של זעם מאת הקב"ה חלקם והפרידם בעכו"ם למען אשר פני הכהנים לא נשאו בהיותם בשלותם: (יז) עודינו תכלינה עינינו אל עזרתנו הבל. כשבאה עלינו הרעה עדיין היו עינינו צופות אל חיל פרעה שנאמר בהם (ישעיה ל ז) ומצרים הבל וריק יעזורו שהיו מבטיחים אותנו לעזרה ולא באו כמו שנאמר בהם (ירמיה לז ז) הנה חיל פרעה היוצא לכם לעזרה שב לארצו מצרימה. מצינו במדרש קינות שהיו באים בספינות רמז הקב"ה לים והציף לפניהם נודות נפוחים כמין מעי אדם נגערים במים אמרו זה לזה הנודות הללו הם אבותינו

שפתי חכמים

ועוד אדמו עלמות מיבעי ליה. לכן פירש לשון וכו': כ דקשה לרש"י סרי פני הוא טוב וכו' והסתרת פנים הוא רע כמו דכתיב והסתרתי פני

אבן עזרא

להכרות את דוד והם שני בניים: (יא) דמה האף לאש: (יב) תבל. מקום היישוב: (יג) דם צדיקים. דם כל צדיק וצדיק וכן בלב חכמים: (יד) עורים. כעורים וכן אש אוכלה הוא: נגאלו. מלה מורכבת מבנין נפעל ובנין שלא נקרא שם פועלו: (טו) סורו. גוי טמא: נצו. יש להם נוצה כעוף וכן נצה תצא: (טז) פני ה'. זעף כי בפנים יראה כמו ופניה לא היו לה עוד: (יז) בצפיתנו. אין לו

פי' הטעמים לראב"ע

(יא) והרעב כגוף ידמה לאש שהיא דולקת ונוגעת עד יסוד העולם: (יב) ובעבור הרעב בא צר בירושלים: (יג) מחטאת נביאי הבעל וכהני הבמות נהרגו שחסידים כדברי אסף: (יד) והחיים נעו בהילות העורי' והתגאלו בדמי החללי' עד שלא יכלו הנוגעי' שיגעו במלבושיה' ובא פועל אחר פועל והטעם יוכלו שיגעו וכן ונדעה נרדפה: (טו) היו קוראים על נפשם סורו כטמא וכראשון נכון ויחסר מקום הקוראים ואמרו בגוים כי עוד לא יוסיפו לשוב אל ארצם. לגור כאשר היו: (טז) כי אף כשם חלקם בארצות ולא יוסיף להביט אליהם כמו ויזעקוך על כן לא השאו לעשות נקמה בזקנים ובכהנים: (יז) ועוד

קיצור אלשיך

(יא) כלה ה' וכו'.. הנה מחמת גודל חטאי ישראל היה מוכרח הקב"ה לכלות חמתו ולשפוך חרון אפו ולהצית אש בציון ואף יסודותיה אכלה האש. כי לולא זאת לא היה ח"ו נשאר מישראל שריד ופליט (יב) לא האמינו כל מלכי ארץ ויושבי תבל לא האמינו כי יוכלו לבא בשערי ירושלים ולא יגזקו מרוב קדושתו. ולא ידעו כי הקדושה כבר עברה ותהי להיפך כי טמאוה. (יג) מחטאת נביאיה שהרגו, ועונות כהניה שהרגו, ואשר שפכו דם צדיקים בתוכה. נטמא הארץ. ומחמת רוב החללים שהיו מושלכים בחוצות. ע"כ (יד) נעו עורים בחוצות ולא יכלו לילך במישור. ונגואלו בדם. עד לא יכלו ליגע בלבושיהם. ע"כ כל הולכי בחוצות כשראו העורים נמאסים בדם החללים. קראו אדם לחברו (טו) סורו מאנשים אלו הטמאים שנטמאו בהחללים אל תגעו בהם כי נצו גם נעו. שנסרחים הם מהדם גם נעים ונדים הם אנה ואנה מחמת כי עורים הם ע"כ על הפקחים לשמור עצמם ולהתרחק. וכאשר שמעו הגוים את כל מעשיהם של ישראל אמרו לא יוסיפו עוד לגור בארצם. כי אלהיהם יגרשום מארצם. (טז) פני ה' חלקם. כעסו של הקב"ה חלקם (הרחיק') מאצלו ולא יוסיף להביט עליהם מחמת שפני כהנים לא נשאו. לא נתנו כבוד להכהנים המכפרים בעדם. ולא ירחמו על הזקנים:
(יז) עודינו תכליגה עינינו אל עזרתנו. שאנחנו בעצמנו נוכל להושיע אותנו כמאמרם ז"ל שהיו אומרים שישביעו השרים של מעלה. את שר האש שיקיף את ירושלים באש. ואת שר המים שיקיף את

in the destruction of the daughter of my people. 11. The Lord has spent His fury, He has poured out His fierce anger, and He has kindled a fire in Zion, which has consumed her foundations. 12. The kings of the earth did not believe, nor all the inhabitants of the world, that a foe or enemy could enter the gates of Jerusalem. 13. [It was] for the sins of her prophets, the iniquities of her priests, who shed in her midst the blood of the righteous. 14. The blind stagger through the streets, they are defiled with blood, and none can touch their garments. 15. "Depart, unclean!" they called out to them, "Depart, depart, do not touch!" for they are foul, even slipping; they said, "They shall no more sojourn among the nations." 16. The anger of the Lord divided them; He will regard them no longer; they respected not the presence of the priests; they favored not the elders. 17. Our eyes still strained for our futile help; in our expectations we hoped

11. **The Lord has spent His fury**—*which burned in Him for many years; He now spent it when He avenged Himself upon them.*—[*Rashi*] This is the fulfillment of Deut. 32:23: "I will spend My arrows against them," meaning that God's arrows will be spent, but they, the Jews, will not be spent. Another meaning is that God spent His fury, but His mercies were not spent. He poured out His fierce anger, and nothing was left of it. This was accomplished by kindling a fire in Zion and consuming her foundations.—[*Lekach Tov*]

and He has kindled a fire in Zion—God's fury was so great that even after He had spent His fury and poured out His wrath, He still had to pour out His wrath and kindle a fire in Zion, for had He not poured out His wrath on the Temple, there would have been, God forbid, a complete annihilation of the Jewish people.—[*Palgei Mayim*]

12. **The kings of the earth did not believe**—for Sennacherib and all the other nations were unsuccessful in their attacks upon them.—[*Lekach Tov*]

that a foe or enemy could enter the gates of Jerusalem—that any nation would rule over them.—[*Lekach Tov*] Behold you see that it has been destroyed because of your sins. The kings did not believe that this could occur, for this was surely supernatural, and perforce it was because of the sins of the prophets.—[*Palgei Mayim*]

13. **for the sins of her prophets**—[i.e., because of the sins of her] *false* [prophets], *this evil has befallen her.*—[*Rashi*]

the iniquities of her priests—as in Micah 3:11: "and its priests teach for a price, etc." Another explanation:

for the sins of her prophets—For the sins that the people perpetrated against her prophets and against her priests, for they would strike the prophets and the priests.

who shed in her midst the blood of the righteous—the blood of the righteous of the prophets and the priests, such as the blood of Zechariah.—[*Lekach Tov*]

14. **The blind stagger through the streets**—*When the blind would walk in the street, they would stagger, and their feet would slip on the blood of the slain, whom the wicked were slaying in their midst.*—[*Rashi*] *Ibn Ezra* explains: They staggered like blind men through the streets.

they are defiled with blood—*They were so sullied with blood that those near them could not touch their clothes, and would therefore call out to them.*—[*Rashi*] Another explanation: They were defiled with innocent blood until others or even they themselves could not touch their garments.—[*Lekach Tov*]

15. **Depart**—*from us, you unclean ones, who are sullied with blood.*—[*Rashi*]

for they are foul—Heb. נָצוּ, *an expression of foulness and filth, like* (*Lev. 1:16*): "*its crop* בְּנֻצָתָהּ," *which is translated by the Targum as* בְּאוּכְלֵיהּ. *So did Menahem associate it* (not found in our editions of *Machbereth*).—[*Rashi*]

even slipping—*They slipped in the blood.*—[*Rashi*]

Palgei Mayim explains these verses figuratively: The blind are those who are blind in knowledge.

[14] **through the streets**—They sinned in public, and no one protested, as the Rabbis say that Jerusalem was destroyed because one did not protest against the other's sins.

they are defiled with blood—They sinned so much that they became defiled with the sin of bloodshed, and they shed so much blood that no one could touch their garments because of their contamination with blood.

[15] **Depart !**—Since all this trouble came about through the sins of the prophets, depart from them.

Unclean they called them—They called them unclean. [Note how this commentator punctuates the verse.]

Depart, depart, do not touch—Invert the verse and explain it. The prophet says: Separate immediately from those false prophets! You see that they are foul and that their counsel is foul. They have constantly said to you, "They will no longer sojourn among the nations." But the truth is that you shall go into exile and you shall wander. You yourselves will then call out aloud in haste and say to the false prophets, "Depart, depart, do not touch!" Therefore, hearken to my counsel and depart from them immediately and call them unclean.—[*Palgei Mayim*]

16. **The anger of the Lord divided them**—Heb. פְּנֵי, lit., the face

of the Lord, *the angry face of the Holy One, blessed be He, divided them and separated them among the heathens, because they did not respect the presence of the priests when they were in their* [state of] *tranquility.*—[*Rashi*] *Palgei Mayim* explains: Those prophets and priests who led the populace to sin and provoked the Holy One, blessed be He, with their deeds—their provocation of the Holy One, blessed be He, separated them from the Jewish community, which will not continue to look up to them because of their sin of not respecting the priests and not favoring the elders. *Lekach Tov* explains: The anger of the Lord separated them and scattered them among the nations. He will regard them no longer to return them from exile.

they respected not the presence of the priests—Because they did not respect the priests, the enemies did not favor the elders. *Lekach Tov* notes that the masoretic spelling is זְקֵנִים, *elders,* but it is read וּזְקֵנִים, *and elders.* The Jews were paid in kind. Just as they respected not the presence of the priests, and they favored not the elders, so did the gentiles not respect the presence of the priests or favor the elders.—[*Lekach Tov*]

17. **Our eyes still strained for our futile help**—*When the evil befell us, our eyes were still looking forward to Pharaoh's army, concerning whom it is said* (*Isa. 30:7*)*: "And the Egyptians help in vain and to no purpose," for they would promise us aid but they would not come, as it is stated concerning them* (*Jer. 37:7*): *"Behold, Pharaoh's army, which has come out to aid you, is returning to its land, Egypt." We find in Midrash Kinoth that they were coming in ships. The Holy One, blessed be He, hinted to the sea and caused inflated flasks like human intestines to float before them, moving around in the water. They said to each other, "These flasks are our forefathers, the men of Egypt who drowned in the sea because of these Jews, and we are going out to aid them?" They stopped and turned around.*—[*Rashi*] *Lekach Tov* renders: When we were still in our land, our eyes strained, for we were still hoping for our futile help. This is the army of Egypt, etc.

we hoped—Heb. צִפִּינוּ, *we waited.*—[*Rashi*]

אל־גוי לא יושע: יח צדו צעדינו מלכת ברחבתינו
קרב קצנו מלאו ימינו כי־בא קצנו: יט קלים היו
רדפינו מנשרי שמים על־ההרים דלקנו במדבר
ארבו לנו: כ רוח אפינו משיח יהוה נלכד
בשחיתותם אשר אמרנו בצלו נחיה בגוים:
כא שישי ושמחי בת־אדום יושבתי בארץ עוץ

תו"א קלים היו רודפינו. רלה השנה כל עקידה שער מד: רוח אפינו משיח ה'. תענית כב:

לחבלו בסכותנא דאסתכינא לנוכראי דאנון עמא דלא יפרוק: יח צדו הינון צדין שבילנא מלמיהך לרוחצן בפלטיתנא אמרנא קרב סופנא אתמליאו יומנא ארום מטא סופנא: יט קלים קלילין הוו רדפנא יתיר מנשרי שמיא על טוריא אדליקו יתנא במדברא כמנו לנא: כ רוח מלכא יאשיהו דהוה חביב לנא כנשמת רוח חיין דבאפנא והוה מתרבי במשח רבותא דיי אתחד במיצד חבוליהון דמצראי דהוינא אמרין עלוהי בטלל זכותיה נחי ביני עממיא: כא שישי חדיאי ובדיחי

שפתי חכמים

מהם והיה לאכול. לכן פירש פנים של זעם: ל דקשה לרש"י איך אמר המקונן שישי ושמחי בלי טעם כלל ויבאר טעם להפך באומרו גם עליך תעבר כוס הפורענות והדרכה זאת היא הנה שרצוי שתבכה. לכ"פ שישי ושמחי לפי שעה כלומר השמחה תהיה לפי שעה אבל סופך

רש"י

אנשי מצרים שטבעו היה מחמת היהודים הללו ואנחנו יואלים לעזרתם עמדו וחזרו לאחוריהם: צפינו. הכינו: (יח) צדו צעדינו. אויבינו ארבו את צעדינו מלכת ברחובותינו כמו (שמות כא יג) ואשר לא צדה (ש"א כד יב) ואתה צודה את נפשי: (כ) משיח ה'. הוא יאשיהו כמו שנאמר בד"ה (ד"ה ב לה כה) ויקונן ירמיהו על יאשיהו: בשחיתותם. בגומות שחפרו: (כא) שישי ושמחי בת אדום. נתנבא ירמיהו על חורבן בית שני שיחריבוהו רומיים: שישי ושמחי. לפי שעה ל אבל סופך שגם עליך תעבר כוס הפורענות ותשכרי ממנו: ותתערי. ותקיאי כמו (בראשית

פי' הטעמים לראב"ע

נקוה שיבאו מצרים והשיר לעזרתינו: (יח) והם לא באו רק צדו צעדינו שלדו אותנו ברחובותינו וקרב קצנו כי מלאו ימינו שבישועתנו ובא קץ גלותנו: (יט) ולא יכולנו לברוח: (כ) יש אומרים כי ירמיהו על יאשיהו יקונן וראיה לדבר והנם כתובים על הקינות וזה איננו נכון כי אחרי מות יאשיהו באו הגלות ופה אמר תם עונך והנכון בעיני כי על צדקיהו ידבר שהפקידו מלך בבל בירושלים והוא היה באחרית הגלות: (כא) שישי כטעם שמה בחור בילדותך כי בסוף תבא במשפט והטעם כי אדום היה תחת יהודה וביום מפלתם שמחו וכן זכור ה' לבני אדום את יום ירושלים שהיו עומדים לבבליים ערו ערו עד היסוד בה. ותתערי כטעם וישכר ויתגל:

אבן עזרא

משקל. (יח) כאילו צדו צעדינו: (יט) וכן ויאמר דלקונו. כמו כי דלקת אחרי: (כ) בשחיתותם. כמו בשחתם נתפש: (כא) עוץ. שנים הם והם ארמים:

לקוטי אנשי שם

(יט) גם אמר שרמז למה דאיתא במדרש קלים היו רודפינו וגו'. טרכינס הרשע ילדה אשתו בט' באב והיו כל ישראל אבלים. ונשתתק הילד בחנוכה אמרו ישראל נדליק או לא נדליק. אמרו נדליק וכל מאי דבעי לימטי עלן ימטי. אדליקו אזלין ואמרין ליטנא דיטא לאשתו של טרכינוס אלין יהודאין כד ילידה הוו מתאבלין וכד מיית ולדה אדליקו בוצינא כתבה ושלחה לבעלה עד דאת מכבש ברבריין בוא וכבוש אלין יהודאין דמרדו בך סליק לאילפא וחשיב למיתי בעשרה יומין ואייתיתיה רוחא בה' יומין אתא ואשכחינון דהוו עסקין בהדין פסוקא ישא ה' עליך גוי מרחוק מקצה הארץ כאשר ידאה הנשר אמר להו אנא הוא נשרא דחשיבי למיתי בי' יומין ואייתיתני רוחא בה' יומין הקיפן לגיונותיו והרגן וגם נשים רבות הרגו והיה הדם זוקע והולך עד שהגיעו לקפרוס הנהר:

קיצור אלשיך

את ירושלים במים. אבל כל זה הבל. כי הקב"ה החליף השרים את שר האש שם על המים. ואת שר המים שם על האש. ולא ידעו ישראל איך להשביעם. עוד תקוה היה להם על מצרים שיעזרו אותם להלחם עם הכשדים. אבל גם זה הבל. וזה אומרו בצפיתנו צפינו אל גוי לא יושיע. ומחמת כי לא השגנו ישועה ע"כ באו עלינו הכשדים וכל כך היינו מפחדים מהם עד אשר (יח) צדו צעדינו מלכת ברחובותינו. רגלינו היו כמו שבוים לשבת בית ולא לצאת ברחובות (קרב קצנו) הקב"ה קרב קצנו וסופנו לכלותנו מארצנו. מלאו ימינו למות. כי בא קצנו היינו הכשדים באו לעשות קץ וסוף מחיינו:

(יט) קלים היו רדפינו מנשרי שמים כתיב רדפינו חסר וא"ו לרמוז אל כל אשר נשאו לבו לרדוף אחר ב"י אפילו היה חגר ופסח שאינו ראוי להיות רודף נעשה רודף מלא. וקל כנשר. וזהו רק מהמת שהיו רודפינו. ואילו היו רוצים החגרים והפסחים לרדוף אחרי אחרים לא היו יכולים. רק אחרינו היו יכולים לרדוף. ואמר עוד על ההרים דלקונו רודפינו. כדי ליגע אותנו. ואח"כ במדבר ארבו לנו. היהודים שהיו מתחבאים בין ההרים ובמדבר. שונאינו היו רודפים אחריהם להרגם:

(כ) רוח אפינו משיח ה' וכו'. אמר עוד היתה גורמת רעתנו הלא הוא העדר הצדיק יאשיהו כי בו חסינו לומר בצלו נחיה. ולא עוד היתה רעתנו כ"א שהראה הקב"ה השגחתו כי אין לבטוח בגוי לא יושיע הוא פרעה ועמו כי הלא רוח אפינו משיח ה' נלכד בשחיתותם של גוי לא יושיע הוא פרעה נכה וחילו ואחרי מות יאשיהו היינו עוד בוטחים בגוי הרע ההוא, ואומרי' ישראל הלא האשמנו את עצמנו לומר שהיה גוי לא יושיע ואליהם צפינו ובטחנו בם, ועל מה קראנוהו לא יושיע הלא הוא כי הנה רוח אפינו משיח ה' נלכד בשחיתותם של הגוי ההוא ואיך יושיעונו אם הם למודי הרע אותנו שלכדו את אשר אמרנו בצלו נחיה בגוים:

(כא) ששי ושמחי בת אדום. ששי אדום בעמדך על הפרק בחורבן ראשון ושמחי בהרחיב ירושלים בשני אך דעי כי לא לעולם חוסן גם עליך תעבר כוס ולא תוכל לשתות כולו. והוא ענין מאמרם ז"ל על פסוק ויסרתיך למשפט ונקה לא אנקך ועל פסוק רק אתכם ידעתי וגו' ע"כ אפקוד עליכם את כל חטאתיכם. כי משלו משל למלך שהי' לו שני לווים א' אוהב וא' שונא אל האוהב אמר תפרע לי מעט מעט בהזדמן לך דינר או איסר או פונדיון הריצהו לי והלוה עושה כן לסוף הזמן נמצא שפרע את כל חובו עד בלתי השאיר כלום ולא נצטער כלל. לשונאו אמר אינני חפץ ליקח חובי מעט מעט רק ליקח את הכל בסוף הזמן כאחת והיה האיש ההוא כל מעות המזדמנות לו אוכלם ובהגיע ימי הפקודה לשלם אין לו מאומה מה ליתן והיה המלך נוגשו עדי אובד. כך הקב"ה נושה בכל אומה ואומה מכל חטאתם וכל פשעיהם. ואך את ישראל יום יום יעמס למו פקודת אשמתם וכמו שאמר הכתוב לעשות משפט עבדו ומשפט עמו ישראל דבר יום ביומו ועי"כ נמצאו פורעים הכל. והקב"ה אין מוותר להם כלום ויכולים לסובלו וזהו ויסרתיך למשפט ונקה לא אנקך לא כן אצל

האומות

for a nation that could not save [us]. 18. They dogged our steps
[and prevented us] from walking in the streets; our end drew near,
our days were fulfilled, for our end had come. 19. Our pursuers
were swifter than the eagles of the heavens; they chased us on the
mountains, they lay in wait for us in the wilderness. 20. The breath
of our nostrils, the Lord's anointed, was captured in their pits, of
whom we had said, "Under his protection we shall live among the
nations." 21. Rejoice and be glad, O daughter of Edom, who dwells
in the land of Uz;

18. **They dogged our steps**—Heb. צָדוּ. *Our enemies stalked our steps and prevented us from walking in our streets, like* (*Exod. 21:13*): "*but if he did not lurk* (צָדָה)"; (*I Sam. 24:12*): "*but you are stalking* (צֹדֶה) *my soul.*"—[*Rashi*] A person could not go out into the street, for they would immediately befall him and shout, "There goes a Jew!" Another meaning is: Our ways became desolate. In that case, צָדוּ is an Aramaism.—[*Lekach Tov*]

19. **Our pursuers were swifter than the eagles of the heavens**—Similarly, we find (Hab. 1:8): "And their steeds are swifter than leopards, and they are fiercer than the wolves of the evening." Here the Lamenter compares them to eagles, which fly aloft and gaze into the distance. So were the Chaldean soldiers eager to fall upon Jerusalem.—[*Lekach Tov*]

they chased us on the mountains—No one evaded them.—[*Lekach Tov*]

they lay in wait for us in the wilderness—to seize us.—[*Lekach Tov*]

20. **The breath of our nostrils, the Lord's anointed**—*That is Josiah, as it is stated in Chronicles* (*II Chron. 35:25*): "*And Jeremiah lamented Josiah.*"—[*Rashi*] *Isaiah da Trani* also explains the verse as referring to Josiah.

The *Targum*, too, paraphrases: King Josiah, who was as dear to us as the breath of life in our nostrils, and who was anointed with the Lord's anointing oil, was captured in the traps of Egypt. We had said about him, "Under the protection of his merit we shall live among the peoples."

Alshich comments: Another calamity caused by our iniquities was the loss of the righteous King Josiah, for we trusted in him, saying, "Under his protection we will live." Our evil was indeed great. When God showed us His Providence, He warned us not to rely on a nation that could not save, namely, Pharaoh and his people, for "the breath of our nostrils, the anointed of the Lord, was captured in their pits," namely, the pits of Pharaoh-Neco and his army, but after his death, we still relied on that evil nation. Israel is therefore announcing: We admit our guilt in calling Egypt "a nation that could not save," yet " in our expectations, we hoped for them." Now, why do we call them "a nation that could not save"? Because "the breath of our nostrils, the anointed of the Lord, was captured in their pits." Now, how can they save us, if they are accustomed to harming us, for they captured the one under whose protection we expected to live among the nations!

Ibn Ezra, however, writes that although some say that Jeremiah was lamenting Josiah, bringing proof from (II Chron. ad loc.): "and behold they were written in the lamentations," that is not correct, because all the troubles commenced after Josiah's death, and here it says (verse 22): "[the punishment for] your iniquity is complete." Therefore, he feels that the Lamenter is referring to Zedekiah, whom the king of Babylon appointed in Jerusalem, and he was at the end of the exile. *Lekach Tov* writes that the Jews hoped that if he would remain alive, the king of Babylon would appoint him as a governor over them, and they would pay him tribute.

Rokeach includes several other kings, known as the Lord's anointed, who were slain by the gentiles. The first was Saul, who was slain by his enemies. He was called the Lord's anointed in I Samuel 26:23. This also includes the Messiah, the son of Joseph, who will be slain by the hordes of Gog and Magog, who are descended from Edom.

in their pits—*in the pits that they dug.*—[*Rashi*]

21. **Rejoice and be glad, O daughter of Edom**—*Jeremiah prophesied about the destruction of the Second Temple, which the Romans would destroy.*—[*Rashi*] *Lekach Tov*, too, writes that Jeremiah lamented both the First and Second Temples. He addressed Edom—namely Titus and Vespasian, who destroyed the Second Temple.

Rejoice and be glad—*for the time being, but ultimately, the cup of retribution will pass also over you, and you will become drunk from it.*—[*Rashi*] *Rashi* wishes to reconcile the apparent difficulty inherent in the verse. The Lamenter first tells Edom to rejoice and then gives them a reason to be sad. Therefore, *Rashi* says that he means that they should rejoice for the time being, for ultimately they will meet their doom.—[*Sifthei Hachamim*] *Lekach Tov* words it as follows: Rejoice and be as happy as you can, for you will not be happy forever. The cup will also pass upon you, the cup of weakness, the cup of wrath. As you have done, so will be done to you. Your recompense will come back upon your head. Similarly, Jeremiah says (49:12): "For so said the Lord: Behold, [if] those who did not deserve to drink the cup nevertheless shall drink; should you then be cleared? You shall not be cleared, but you shall surely drink." *Palgei Mayim* explains this as being in the present tense: "Now you are rejoicing and are glad over our downfall. But you should know that ultimately, the cup of retribution shall also pass upon you." In many places in Ecclesiastes, the imperative is used instead of the present tense.

and vomit—Heb. וְתִתְעָרִי, *like* (*Gen. 24:20*): *"and she emptied* (וַתְּעַר) *her pitcher."*—[*Rashi*] *Ibn Ezra* renders: and strip yourself bare.

Ibn Ezra and *Lekach Tov* in his second interpretation explain this verse and the following one as referring to the kingdom of Edom neighboring the land of Israel. This country was subordinate to Judah, and at the time of the destruction of the Temple, the Idumeans rejoiced. This is what the Psalmist states (137:7): "Remember, O Lord, for the sons of Edom, the day of Jerusalem, those who say: Raze it, raze it, down to its foundation!" *Lekach Tov* explains these words as referring to a person who sees his friend committing a sin. He says to him [sarcastically], "Sin all you can, but be aware that for all these God will bring you to judgment." Here, too, the prophet saw Edom rejoicing over Israel's downfall. He said, "Rejoice and be glad, but the cup that has passed over Israel shall also pass over you, and you will drink it until you have drained the entire cup. Woe to the nations who have not yet tasted the cup of weakness and are destined to drink it, and fortunate is Israel who has already drunk from the hand of the Lord the cup of His wrath." You will no longer drink it, as is stated further: "The punishment of your iniquity is complete, O daughter of Zion." He has revealed your sins, and you have already suffered.

גם־עליך תעבר־כוס תשכרי ותתערי: כב תם־
עונך בת־ציון לא יוסיף להגלותך פקד עונך בת־
אדום גלה על־חטאתיך: ה א זכר יהוה מה־היה
לנו הביט* הביטה קרי וראה את־חרפתנו: ב נחלתנו
נהפכה לזרים בתינו לנכרים: ג יתומים היינו *אין
ואין קרי אב אמתינו כאלמנות: ד מימינו בכסף
שתינו עצינו במחיר יבאו: ה על צוארנו נרדפנו

תו"א תם עונך בת ציון. ברכות נז עקרים מד פמ"ב: מימינו בכסף שתינו. יבמות קח: על צוארנו נרדפנו זוהר פ' ויגש:

ברתא דאדום דיתבא בארעא דעוץ (בת"ק הנירסא חדיאי ובדוחי קרתא דמתבניא בארע ארמניאה) בסגיאין אוכלוסין דמן עמא נוכראי אוף עליך עתיד למיתי פורענותא ויצדיין יתיך פרסאי ותעבר עליך כס דלווט תרוי והתרוקני: כב תם ובתר כן ישלם עויתך כנשתא דציון ותתפרקין על ידי דמלכא משיחא ואליהו כהנא רבא ולא יוסיף יי תוב לאגלותך ובההיא זימנא אסער עויתך ברתא דאדום דמתבניא דמלאה אוכלוסין וייתון פרסאי ועיקון לך ויצדון יתך ארום אתפרסם קדם יי על חובותיך: ה א זכור הוי דכיר יי מה דאתגזר למהוי לנא אסתכל מן שמיא וחזי ית כסופנא: ב נחלתנו אחסנתנא אתהפכת לחלונאי ביתנא לעמין נוכראין: ג יתומים היינן מתילין ליתמין דלית להון אבא אמהתנא כארמלן דאזלו גבריהון בקרוי ימא ומספקא להון אם אינון קיימין: ד מימינו מימנא בכספא שתינא קיסנא בדמין ייתון: ה על על פירקת צוורנא אטעננא כד הוינא אזלין בשביתא חמא נבוכדנצר רשיעא סרכיא דבני ישראל דאזלין ריקנין פקיד לחייטא ולמעבד מנהון גואלקן ומליאו יתהון מן

רש"י

כד כ) ותער כדה. (כב) תם עונך בת ציון. לקית על כל חטאתיך: לא יוסיף להגלותך. מגלות אדום ולהלן עוד: (ד) מימינו בכסף שתינו. שהיינו יראים לשאוב מים מן הנהר מפני האויבים והיינו קונים מהם בכסף: (ה) על צוארנו נרדפנו. מעול עבודה קשה: יגענו. לאסוף ממון וכנסים: ולא הונח לנו. יגיענו

אבן עזרא

(כב) לא יוסיף. שב אל עונך ועליו ישוב פקד או ישוב אל השם הנזכר ברוח אפינו: (א) זכור. הזכור בלב והמבט בעין והטעם כל הצרה שעברה עלינו קודם הגלות והחרפה שאנחנו בה: נחלתנו. שדות וכרמים מכורה לזרים שהם בארצנו: (ג) יתומים. ועוד היינו עם הגרים עלובים כאילו יתומים היינו ואין אב ידוע שמנהג משפחת האב לעזור היתומים: (ד) מימינו. אפי' המים והעצים שאינם ברשות אדם נקנה אותם במחיר רב כי העיר יושבת במצור מן אויב: (ה) על. ואם אנחנו מביאים המים או העצים על צוארנו נרדפנו הצר

קיצור אלשיך

האומות כל אשמותם צרורות בשמלותם על שכמם עד סופם ובכן לעת קץ אין בהם די לשלם אפילו אחד מני אלף מחובתם. וזה אומרו גם עליך תעבר כוס הפורענות. תשכרי ותתערי. תשכרי מצרותיך. ותתערי ותשתברי:

(כב) תם עונך בת ציון. עונש עונך תמה. כבר קבלת ענשך על עונותיך בשלמות כנ"ל. ע"כ לא יוסיף להגלותך עוד. וכעת הקב"ה פקד עונך בת אדום גלה על חטאתיך. כל עונותיך נתגלו לקבל עונשך עליהם בפעם אחת:

ה (א) זכור ה' וכו'. הן אמת כי מרגלא בפומי דכל ב"א כי אינו דומה צער העני אשר מימיו לא ראה עושר לעשיר גדול ובא עד ככר לחם. כי אשר לא ראה טובה מעולם נעשה לו עניו כדבר טבעי והוא צער בינוני מתמיד בו. אך העשיר ונתרושש אין כהה לשברו ומאנה הנחם נפשו כי מר לו מר. ומה גם בהראות בבגד עדים ופת יבש נקודים בפני האנשים אשר ראוהו ביקר תפארת גדולתו כי אחת אפים על חוסר לחמו ירגיש חרפתו כי יחרד לבבו. וזה היה מאמר בני הגלות אשר ירדו לשערים בגלות המר והנמהר באומרם זכר ה' וגו' לומר כי נפילתינו היתה מגבוה על גבוה עד תהום רבה. כי אילו היינו מתחלה ממלכה שפלה לא גדלה חרפת ירידתנו כל כך. אך זכור ה' מה היה לנו בזמן מלכותנו. וע"י זכרך גודל גדולתנו הביטה את אשר לנו כעת בגולה. וראה את חרפתנו עתה לעומת הכבוד שהיה לנו אז. (ב) נחלתינו וגו'. בזמן העבר כאשר יצאנו ממצרים והנחילנו הקב"ה את הארץ נהפכה הארץ מהבעלים הראשונים הכנענים אלינו שהיינו זרים אצלה באותה שעה. ועכשיו אפילו בתינו שבנינו לא נהפכו לזרים לבד כי אם לנכרי' אשר לא היו ראוים אליהם בשום פנים:

(ג) יתומים היינו וגו'. לשעבר אפילו שהיו מתים האבות באומה הזאת הנה הבנים נשארו יתומים ולא מאב ע"ד האמת כי אבינו שבשמים חי וקים הוא והוא אבי יתומים וכמו שאמר מרע"ה בנים אתם לה' אלהיכם. וכן אמר הנביא כי אתה אבינו. ועתה אפילו בחיי האבות בו"ד אנחנו יתומים כי אבינו האמתי הקב"ה התרחק מאתנו. ועוד אמותינו אפילו בחיי בעליהם הם כאלמנות לפי שאין כח בהם לעשות חיל:

(ד) מימינו בכסף שתינו. מימינו שהיו לנו. מתוך בארותינו. היינו מוכרחים לקנותם מהשונאים. כי גזלו ממנו בארותינו. וכאשר היינו צריכים למים לשתות היינו מוכרחים לקנותם בכסף. עצינו במחיר יבואו.

או יאמר לשעבר מימינו בכסף שתינו. כי היה לנו כסף לרוב שהמים שתינו בכלי כסף. ועצינו להסקה לא הלכנו ליער לחטוב עצים. אלא הגוים הביאו לנו עצים במחיר. וכעת מוכרחים אנחנו לשאת העצים על צוארנו. ואחרי כל היגיעה הזאת האויבים רודפים אחרינו לקחת העצים מידינו. וזהו (ה) על צוארנו, נרדפנו. ואחרי אשר יגענו ורצינו לנוח ולא הונח לנו. לא נתנו לנו מנוחה. רק הוכרחנו לעבוד עבודת הפרך עבור השונאים. והנה אם עושה אלה היו אנשים אשר מעולם לא קבלו טובה מאתנו החרשנו

upon you also shall the cup pass, you shall become drunk and vomit. 22. [The punishment of] your iniquity is complete, O daughter of Zion; He will no longer send you into exile; [but] your iniquity, O daughter of Edom, He shall punish—He will reveal your sins.

5

1. Recall, O Lord, what has befallen us; behold and see our disgrace. 2. Our heritage has been turned over to strangers, our houses to aliens. 3. We have become orphans and fatherless, our mothers are like widows. 4. Our water we have drunk for payment; our wood must needs come by purchase. 5. We are pursued [with a yoke] on our necks;

22. **[The punishment of] your iniquity is complete, O daughter of Zion**—*You suffered for all your sins.*—[*Rashi*]

He will no longer send you into exile—*from the exile of Edom and further.*—[*Rashi*] The antecedent is ambiguous. It may mean: Your iniquity will no longer send you into exile. It may also mean: The Lord, mentioned in verse 20, will no longer send you into exile.—[*Ibn Ezra*]

Palgei Mayim explains that the Lamenter draws a contrast between Israel and Edom. After Israel is punished, their sins are expiated, because they accept God's punishment with love. That is the meaning of, "[The punishment of] your iniquity is complete, O daughter of Zion; He will no longer send you into exile." The other nations, however, blaspheme God when they endure suffering; the sins that are hidden in their hearts are then revealed. That is the meaning of, "Your iniquity, O daughter of Edom, He shall punish; He will reveal your sins." When you are punished for your sins, your sin, which is hidden in your heart, will immediately be revealed. That is also the meaning of the preceding verse: "you shall become drunk and revealed." When you become drunk because of the cup of retribution which will come upon you, then all the disbelief concealed in your heart will be revealed before everyone.

5

1. **Recall, O Lord, what has befallen us**—i.e., that our blood has been shed in Jerusalem and in its environs.—[*Lechem Dim'ah*]

behold and see our disgrace—i.e., the disgrace of the living survivors.—[*Lechem Dim'ah*]

Another interpretation offered by *Lechem Dim'ah*, also found in *Palgei Mayim*, is that if a person suffers misfortune, he feels it more acutely if he was previously accustomed to

יגענו *לא ולא קרי הונח־לנו: ו מצרים נתנו יד אשור
לשבע לחם: ז אבתינו חטאו *אינם ואינם קרי *אנחנו
ואנחנו קרי עונתיהם סבלנו: ח עבדים משלו בנו פרק
אין מידם: ט בנפשנו נביא לחמנו מפני חרב
המדבר: י עורנו כתנור נכמרו מפני זלעפות רעב:
יא נשים בציון ענו בתלת בערי יהודה: יב שרים
בידם נתלו פני זקנים לא נהדרו: יג בחורים טחון

תו"א נשים בציון ענו. יבמות יז קדושין עה:

תרגום

פרידא די על ספר פרת וטען יתהון על צווריהון ובי היא זימנא לעינא ולא הות ניחא לנא: ו מצרים מצרים יהבנא סטר (בת"ק סעד) לאתפרנסא תמן ולאתור למסבע לחמא: ז אבתינו אבהתנא חבו וליתיהון בעלמא ונחנא בתריהון עויתהון סוברנא: ח עבדים בנוי דחם דאתיהיבו עבדין לבנוי דשם אינון שליטו בנא פריק לית מידהון: ט בנפשנו בסכנת נפשנא נייתא לחם פרנסותנא מן קדם קטול דחרבא דאתי מן סטר מדברא: י עורנו משכננא היך תנורא אתקדרו מן קדם כפח כפנא: יא נשים נשיא דהוו נסיבן לגבר בציון אתעניאו מן ארמאי ובתולתא בקירוי יהודה מן כשדאי: יב שרים רברבנין בידיהון אצטליבו אפי סביא לא סברו: יג בחורים רובין ריחיא נטלו וטליא בצליבת קיסא

שפתי חכמים

שגם עליך תעבר כו' לא שגם עליך תעבר כו' כוס נתינת טעם לשמחה: מ דקשה לרש"י כל אדם מביא לחם. לכ"פ בסכנת כו':

רש"י

בידינו כי האויבים היו גוזים וחוטפים הכל במסים וגולגליות וארנוניות: (ו) מצרים נתנו יד. דרך אדם הנופל ורוצה לעמוד מושיט יד למי שאללו לעזור לו ואף כאן למצרים הושטנו יד שיעזרונו ולאשור. שישביעונו בלחם. נתנו. כמו נתננו דגשות הנו"ן משמשת במקום נו"ן שניה וכן (ד"ה א כט יד) כי ממך הכל ומידך נתנו לך וכן (בראשית לד טז) ונתנו את בנותינו לכם: (ט) בנפשנו נביא לחמנו. בסכנת נפשנו מ היינו מסוכנים כשהיינו מביאים מזונותינו מן השדה מפני חרב המדבר: (י) נכמרו. נתחממו וכן (שם מג ל) כי נכמרו רחמיו ובלשון גמרא יש הרבה על הכומר של ענבים מכמר בישרא: זלעפות רעב כמו (תהלים יא ו) ורוח זלעפות לשון שריפה: (יג) טחון נשאו. כשהיו האויבים מוליכין אותם בקולרין היו נותנים על כתפיהם רחים ומשאות כדי לייגעם. וכן בעץ כשלו. כשל כחם. ולשון כשלון נופל בתשות כח כמו שנאמר בעזרא (נחמיה ד) ויאמר יהודה כשל כח הסבל וכן (לעיל א) הכשיל

אבן עזרא

רדפנו ויגענו הנה כי לא יניח לנו מה שהיינו מביאים: (ו) מצרים נתנו יד. דגשות הנו"ן במלת נתנו תחת נו"ן השרש כי זאת הנו"ן סימן המדברים ונתינת היד שבועה והנה נתן ידו והטעם כתקיעת כף כי נשבעו למצרים ואשור ואולי נשבע: (ז) אבותינו. זאת הרעה הבאה עלינו בעבור עונותינו שהתחברו עם עונות אבותינו והם נמלטו ולא אנחנו כטעם פוקד עון אבות על בנים: (ח) עבדים. ועבדינו נותני מס לנו כאדום משלו בנו: פורק. כמו מציל כמו ויפרקנו מצרינו ושניהם מגזרת מפרק הרים: (ט) בנפשנו. בתחלה היו עבדינו מביאים לחמנו ועתה אנחנו בעצמנו והישר בעיני שטעמו בסכנת נפשנו וכן כי בנפשותם הביאום: (י) עורנו. ואם לא נסתכן להביא לחם נמות ברעב: נכמרו. כמו יבערו ויקדו ונכמרו כי נכמרו רחמיו: זלעפות. כמו ורוח זלעפות כטעם סערה: (יא) נשים. לא די צרת הרעב עד שענו העבדים נשינו וכל שכיבה באונס והיא כדרכה תקרא ענוי: (יב) שרים. אין לנו שרים שיושיעו נשינו כי אפילו הם נתלו בזרועם ויש אומרים כי בידם שב אל העבדים הנזכרים למעלה: (יג) נשאו. בחורים לטחון ויהי' טחון שם הפועל כמו נלאיתי נשוא וכשל כח הנערים בהגיע עץ הטחנה ויש אומרים שהוא

קיצור אלשיך

ההרשנו. אך היו אשר (ו) מצרים נתנו יד שהיו ישראל מוליכים שמן למצרים וקונים בו חטים ומשלחים אותם חנם לאשור להשביעם לחם. עתה שגלינו לאשור הגמול אשר הם משלמים כי אנחנו היינו טורחים והולכים למצרים וקונים החטים בדמים להשביעם לחם והם מימינו שלנו לשתות בדמים יתנו לנו ובעצינו שקנינו ברמינו בם יכו אותנו על צוארנו ואף כי יגענו לא הונח לנו:

(ז) אבותינו חטאו ואינם. הנה חז"ל אמרו אין מיתה בלא חטא ואין יסורין בלי עון. כי מיתה פחות מיסורין. ועל החטאים מיתה מכפרת. אבל על עונות מיתה אינה מכפרת רק יסורים מכפרים. ואמר המקונן אבותינו חטאו. ואינם. ומיתתם כיפרה חטאתם. ואין לנו לסבול עבור חטאם. אבל עונותיהם שלא נתכפרו במיתתם נשארו עלינו ואנחנו סובלים עונשם ביסירים:

(ח) עבדים משלו בנו. עבדים שהם תחת רשות אדוניהם ימשלו בנו ע"כ פורק אין מידם. כי לעבדים אין רשות לעשות אותנו חפשי בלי רשות אדוניהם:

(ט) בנפשנו נביא לחמנו. בסכנת נפשותינו נביא לחמנו. מפני האנשים האורבים לנו במדבר בחרבותם:

(י) עורנו כתנור נכמרו מפני החורב ביום לקצור התבואה תחת השמש הבוער כאש. ולעשות גדיש וגורן ואחרי כל התלאה. עורנו כתנור נכמרו מפני זלעפות רעב. כי האויבים אכלו יגיעתנו ומחמת שכל היום היינו בשדות לשמור תבואותינו ומעט ממנו הנשארים בעיר ע"כ (יא) נשים בציון ענו ובתולות בערי יהודה:

(יב) שרים בידם נתלו. ר"ל כי השרים הם בעצמם אבדו את עצמם לדעת ותלו את עצמם בידם שלא יתעללו בהם האויבים על היותם שרי המדינה לעשות בהם משפטים בל ידעום. ואומרו פני זקנים לא נהדרו הכונה אותם השרים אשר בידם נתלו היו עדיין בחורים ועדיין לא נהדרו בפני זקנים. עדיין לא באו לזקנה. ועכ"ז לא חסו על חייהם ואבדו את עצמם בידם (יג) בחורים טחון נשאו. ועוד נושא קינה על הבחורים שנשארו בחיים על גודל חולשתם מרוב צרותם. אפילו הבחורים שהיה כוחם רב ועצום לא נשאר בהם כח לעשות שום מלאכה רק מלאכת הטחינה שהיא מלאכה קלה להכות הסוס בשוט שבידו שילך במרוצה סביב הריחים. והנערים שתש כוחם ביותר

we toil but it does not remain with us. 6. We have stretched out our
hands to Egypt [and to] Assyria to get enough food. 7. Our fathers
have sinned and are no more, and we have borne their iniquities.
8. Slaves rule over us, [and] there is none to deliver [us] from their
hand. 9. With our lives we bring our bread, because of the sword
of the wilderness. 10. Our skin is parched as by a furnace because
of the heat of hunger. 11. They have outraged women in Zion
[and] maidens in the cities of Judah. 12. Princes were hanged by
their hands, elders were not shown respect. 13. Young men carried
the millstones,

greatness. The Lamenter therefore cries out: Recall, O Lord, what we had previously. Behold and see our present disgrace. *Ibn Ezra* explains:

Recall—the troubles that befell us before the exile.

behold—the disgrace that we are now suffering.

2. **Our heritage**—Our fields and vineyards are delivered to strangers in our land.—[*Ibn Ezra*] *Palgei Mayim* explains that this refers to the Temple, as the Rabbis explain (Deut. 12:9): "For you have not yet come to the rest and to the heritage," to mean that you have not yet come to Shiloh or to Jerusalem (*Sifré* ad loc.). The Temple, which was once the resting place of the Shechinah, has now been turned over to strangers; those are the evil forces that surround us, as is known to those versed in the Kabbalah. *Lekach Tov* explains similarly: This verse is parallel to (Ps. 79a): "A song of Asaph. O God! Nations have come into Your heritage." Jeremiah, however, calls it "our heritage." See *Lamentations Rabbah*.

our houses—the First and Second Temples.—[*Lam. Rabbah*]

to aliens—For they were originally Holy of Holies, and now they are defiled by the hands of aliens.—[*Lekach Tov*]

3. **We have become orphans**—We are humiliated by strangers, as if we were orphans, without a known father, for it is the custom of the father's family to aid the orphans.—[*Ibn Ezra*] *Palgei Mayim* explains the verse figuratively. We were like orphans without a father—we are like living orphans because our Father in Heaven has caused His Shechinah to depart from us.

4. **Our water we have drunk for payment**—*We were afraid to draw water from the river because of the enemies; we therefore bought* [it] *from them with money.*—[*Rashi*] *Ibn Ezra* explains: Even water and wood, which are usually ownerless, cost us large sums of money because the city was under siege.

5. **We are pursued [with a yoke] on our necks**—*because of the yoke of hard labor.*—[*Rashi*]

we toil—*to gather money and property.*—[*Rashi*]

but it does not remain with us—[the fruits of] *our toil* [do not remain] *in our hands, because the enemies would collect and seize everything for taxes, head taxes, and property taxes.*—[*Rashi*] *Ibn Ezra* explains: Even if we were to bring the water or the wood on our necks, we would be pursued; the enemy would pursue us, and our toil would be futile because they would not let us keep what we toiled to bring.

6. **We have stretched out our hands to Egypt**—*It is customary for a falling person who wishes to stand up to stretch out a hand to someone nearby to help him. Here too, we stretched out a hand to Egypt that they should help us.*—[*Rashi*]

[and to] Assyria to get enough food—*that they sate us with their bread.*—[*Rashi*]

We have stretched out—Heb. נָתַנּוּ, *like* נָתַנְנוּ. *The dagesh in the "nun" takes the place of the second "nun," and so* (*I Chron. 29:14*): *"For all is from You, and from Your hand we have given it* (נָתַנּוּ) *to You"; and so* (*Gen. 34:16*): *"and we will give* (וְנָתַנּוּ) *our daughters to you."*—[*Rashi*]

8. **Slaves rule over us**—The *Targum* interprets this: the sons of Ham, who were made the slaves of the children of Shem, rule over us. *Ibn Ezra* explains: Those who were previously our vassals, who paid tribute to us, such as the Idumeans, now rule over us.

9. **With our lives we bring our bread**—*with the peril of our soul. We were endangered when we would bring our food from the field because of the sword of the wilderness.*—[*Rashi*] *Ibn Ezra* first renders: By ourselves, we bring our bread. Whereas previously, our servants brought us our bread, we now bring it ourselves. However, he concludes in favor of *Rashi's* interpretation. This view is shared by the *Targum* and *Rav Saadia Gaon* as well. *Isaiah da Trani* renders: With our very selves we bring our bread, meaning with great difficulty and fear.

because of the sword of the wilderness—because of the slaying of the sword that comes from the wilderness.—[*Targum*] *Isaiah da Trani* explains: because of the sword of the enemies who stalk us in the deserts and the on the roads.

10. **is parched**—Heb. נִכְמָרוּ, *became heated, and so* (*Gen. 43:30*): *"for his mercies were stirred up* (נִכְמְרוּ)*"; and in the language of the Gemara there are many instances* [of the use of this word]*:* (*Yev.* 97a): *"a heating vessel* (כּוֹמֶר) *of olives"; (Pes.* 58a): *"for the heating* (מִכְמָר) *of the flesh."*—[*Rashi*]

the heat of hunger—Heb. זַלְעֲפוֹת, *heat, like* (*Ps. 11:6*): *"and a burning wind* (רוּחַ זִלְעָפוֹת)*," an expression of burning.*—[*Rashi*] If we do not endanger our lives to bring our bread, we will die because of the burning heat of the prevailing hunger. Our skins will burn because of the tempest of hunger.—[*Ibn Ezra*]

11. **They have outraged women in Zion [and] maidens in the cities of Judah**—The *Targum* paraphrases:

Married women were abused in Zion by the gentiles and maidens in the cities of Judah by the Chaldeans. [This distinction is based on the tradition that Nebuchadnezzar prohibited his soldiers from having relations with married women under the threat of punishment. Therefore, the *Targum* states that the ones who outraged the women in Zion were members of other nations, who took advantage of the turmoil in Jerusalem and seized married women to gratify their lusts. There were no single women in Jerusalem, because they all took advantage of Nebuchadnezzar's decree to protect themselves by becoming nominally married. In the other cities of Judah, however, which were not under siege, it appears that the women did not take precautions to get married. Consequently, many of them were raped by the Chaldean soldiers.] The Midrash, however, sees in the word בְּתֻלֹת, spelled defectively, an allusion to the Aramaic word בִּתְלַת, *with three*, denoting that three women did not avail themselves of Nebuchadnezzar's decree, and were raped in the cities of Judah. *Ibn Ezra* writes: It was not enough that we suffered from the famine, but our slaves outraged our women.

12. **Princes were hanged by their hands, etc.**—Even our princes could not save our women from disgrace, because they were hanged by their hands, i.e., by the hands of the Chaldeans. It may also mean by the hands of the slaves mentioned above.—[*Ibn Ezra*] *Lamentations Rabbah* relates that when a governor would enter a city, he would take the best young men and hang them. When the elders would plead that they be spared, he paid them no heed. *Rokeach* writes that the princes were hanged because the elders were not shown respect. *Palgei Mayim* explains that the princes hanged themselves with their own hands because of the sin of disrespect for the elders.

13. **Young men carried the millstones**—*When the enemies led them away in neck irons, they would place millstones and burdens on their shoulders in order to tire them. Similarly: and youths fail under [loads of] wood, meaning that their strength failed. The expression of failing applies to the weakening of the strength, as is stated in Ezra* (*Neh. 4:4*), *"And Judea said: The porter's strength has failed* (כָּשַׁל)." *Similarly,* (*above 1:14*) *"and caused my strength to fail* (הִכְשִׁיל)."—[*Rashi*]

נָשָׂאוּ וּנְעָרִים בָּעֵץ כָּשָׁלוּ: יד זְקֵנִים מִשַּׁעַר שָׁבָתוּ
בַּחוּרִים מִנְּגִינָתָם: טו שָׁבַת מְשׂוֹשׂ לִבֵּנוּ נֶהְפַּךְ
לְאֵבֶל מְחוֹלֵנוּ: טז נָפְלָה עֲטֶרֶת רֹאשֵׁנוּ אוֹי־נָא לָנוּ
כִּי חָטָאנוּ: יז עַל־זֶה הָיָה דָוֶה לִבֵּנוּ עַל־אֵלֶּה
חָשְׁכוּ עֵינֵינוּ: יח עַל הַר־צִיּוֹן שֶׁשָּׁמֵם שׁוּעָלִים
הִלְּכוּ־בוֹ: יט אַתָּה יְהוָה לְעוֹלָם תֵּשֵׁב כִּסְאֲךָ לְדוֹר
וָדוֹר: כ לָמָּה לָנֶצַח תִּשְׁכָּחֵנוּ תַּעַזְבֵנוּ לְאֹרֶךְ יָמִים:
כא הֲשִׁיבֵנוּ יְהוָה| אֵלֶיךָ וְנָשׁוּבָ* ונשובה קרי חַדֵּשׁ
יָמֵינוּ כְּקֶדֶם: כב כִּי אִם־מָאֹס מְאַסְתָּנוּ קָצַפְתָּ עָלֵינוּ

תו"א זקנים משער שבתו. סוטה מח: אוי נא לנו כי חטאנו. עקידה שער נט: שועלים הלכו בו. מכות כס: השיבנו ה' אליך ונשובה. עקידה

תרגום:
תקלו: יד זקנים סביא מתרע
סנהדרין אתבטלו ורובין מן
בית זמריהון: טו שבת בטילת
חדוות לבבנא איתהפיך
לאבלא חינוגנא: טז נפלה נפלת
כלילא דרישנא ווי לנא ארום
חבנא: יז על זה על דין בית
מוקדשא דאצתדי הוה חליש
לבבנא ועל אלין עמא בית
ישראל דאזלו בגלותא מתמן
הוו חשיכן עיננא: יח על הר על
טורא דציון דהוא צדי תעלין
הליכו ביה: יט אתה את הוא יי
לעלם בית מותבך בשמי
מרומא כורסי יקרך לדרי
דריא: כ למה למה לעלמין תשלינא תשבקיננא לאוריכות יומין: כא השיבנו אתיב יי יתנא
לותך וניתוב בתיובתא שלימתא תחדת יומנא לטב כזמן יומיא טביא דהוו מלקדמין: כב כי ארום

רש"י
כהי: (יז) על זה היה דוה לבנו וגו'. על המפורש במקרא של אחריו. על הר ציון ש שמם. ושועלים הלכו בו: (יט) אתה ה'. ידענו כי לעולם תשב והואיל וכן הוא: (כ) למה לנצח תשכחנו הלא נשבעת לנו ם כך כשם שאתה קיים כך שבועתך קיימת: (כב) כי אם מאום

שפתי חכמים
נ וסייעו מדכתיב אחריו על כך ציון ששמם דמשמע דהדלעיל קאי: ס דהל"כ מה שייך למה לנלה לענין אתה ה' לעולם תשב:

חסלת מגלת איכה

אבן עזרא
כמשמעו והטעם כי כל מחנה צריכה לטחון ולעצים: (יד) זקנים. מנהגם הי' לשבת בשערי ירושלי': (טו) שבת. על הקרבנות שנכרתו: ומחולנו. המחוללים והמשוררים: (טז) נפלה. בית המקדש מקום השכינ': (יז) על זה הי' דוה לבנו. והעין חשכה מרוב הבכי: (יח) על הר ציון ששמם. פועל עבר כמו כאשר אהב: הלכו בו. המהלכים כמו ויהגנו אותו ויהי' הלכו כטעם הליכ' מהבנין הכבד והוא פועל עומד ובעבור שמלאתי ערוס הלכו הוצרכתי לדקדוק הראשון. והשועלים מנהגם להיות בחורבות: (יט) אתה ה'. ידענו כי מלכותך לא תסור ולדור ודור אתה יושב על כסא המלוכה: (כ) למה. בעבור שאתה עומד לנצח למה תשכחנו סלה: (כא) השיבנו. לעיר משכן שמך ונשוב לעבדך כימי קדם: (כב) כי. השיבנו מהרה אלא אם מאסתנו בעונינו כבר קצפת עלינו קצף גדול. והישר

קיצור אלשיך
ביותר ולא היה בהם כח אף לילך ברחובות קריה ע"כ באיזה עץ שהיה מונח בדרך נכשלו ונפלו. (יד) זקנים משער שבתו וגו'. צריך להבין הקינה על שאין הבחורים משוררים? והענין כי בזמן המקדש היו הלוים משוררים ומנגנים בעת הקרבת הקרבנות. היינו רק הבחורים עד חמשים שנה. ומחמשים ואילך לא היה עוד משורר ומנגן והיה שוער לשמור השערים ולהגפת הדלתות. וכשהרב המקדש נתבטל עבודת הלוים איש איש מעבודתו. לכ"א זקנים. הלוים הזקנים משער שבתו. נשבתו מעבודת שמירת השערים. בחורים הלוים הבחורים נשבתו מנגינתם לזמר ולנגן בעת הקרבת הקרבנות. הקב"ה ישיב לנו הלוים לשירם ולזמרם:

(טו) **שבת** משוש לבנו. הנה משוש לבנו הוא תואר לבית המקדש שהיה משוש לבנו. שבו היינו שמחים כולנו. ור"ל שבת ונשבת המקדש שהיה משוש לבנו ומזה נמשך שנהפך לאבל מחולנו. כי מחולנו היה ראות הבית בנוי לתלפיות. ועתה היותנו רואים אותו חרב הוא לאבל לנו ונמצא מה שהיה קודם לכן מחולנו ושמחתנו הוא עתה אבלנו וזה אומרו נהפך לאבל מחולנו:

(טז) **נפלה** עטרת ראשנו. זה המקדש שנחרב. ע"כ אוי נא לנו כי חטאנו. ואין מקדש לכפר חטאתינו:

(יז) **על** זה היה דוה לבנו. שבחטאינו חרב בית קדשנו. על אלה חשכו עינינו (יח) על הר ציון ששמם כל כך עד ששועלים הלכו בו:

(יט) **אתה** ה' לעולם תשב וגו' הכונה שאמרו ישראל להקדוש ברוך הוא רבון העולמים אם היה אמת שבמה שחטאנו העוינו והרשענו והיינו סיבה לחרבן ביתך ושממות היכלך. אם בזה היינו עושים רושם או פגם בך ח"ו היה ראוי שלנצח תשכחנו ואל תשוב תרחמנו. כיון שעשינו בך כביכול פגם או רושם. אבל אין הדבר כן כד"א אם חטאת מה תפעל בו וגו'. וזה אומרו אתה ה' לעולם תשב. לא בשביל שחרבנו ביתך ומקום משכן כבודך אתה הולך ומטולטל ואין לך מושב בעולם לשבת. זה אינו כי אתה ה' לעולם תשב בשובה ונחת כי השמים ושמי השמים לא יכלכלוך. וכסאך נכון לדור ודור וא"כ שלך ה' לא הרעונו במעשינו כלל. א"כ למה לנצח תשכחנו תעזבנו לאורך ימים והכונה על אורך גלותנו זה. (כא) השיבנו ה' אליך תהלה. אתה תהיה המתחיל לחזק לבבנו לשוב אליך ונשובה כמ"ש משכני. אחריך נרוצה. ואל תחשבנו למקשים לשאול כי לא די שתסייענו תהיה אתה המתחיל. אמנם ה' אם הטובה זו לא היית עושה מעולם החרשנו. אך הלא למוד אתה ה' לעשותו כי הלא מקדם עשית כן במצרים. שהיו כולם עובדי גלולים ואתה צוית להם שיקחו הצאן תועבת [קדושת] מצרים לשחטם לעיניהם ותיכף מסרו חייהם לסכנה גדולה ועשו רצונך ומאין בא להם בפתע פתאום לב טהור מטמא. תמול עבדו לטלה והאמינו בו. והיום מסרו נפשם על קדושת השם? רק הקב"ה שלח עליהם שפע קדושה משמים כמ"ש וזרקתי עליכם מים טהורים. ותיכף עשו תשובה. כן חדש ימינו עתה כקדם. (כב) כי אם מאום מאסתנו וגו'. אם תאמר נא ה' איך אשיבכם אלי

[and] youths stumbled under [loads of] wood. 14. The elders have ceased from the [city] gate, the young men from their music. 15. The joy of our heart has ceased, our dancing has turned into mourning. 16. The crown of our head has fallen, woe to us, for we have sinned. 17. For this our heart has become faint, for these things our eyes have grown dim. 18. For Mount Zion, which has become desolate; foxes prowl over it. 19. [But] You, O Lord, remain forever; Your throne endures throughout the generations. 20. Why do You forget us forever, forsake us so long? 21. Restore us to You, O Lord, that we may be restored! Renew our days as of old. 22. For if You have utterly rejected us, You have [already] been exceedingly wroth

14. **The elders have ceased from the [city] gate**—It was customary for the elders to sit in the gates of Jerusalem.—[*Ibn Ezra*] The *Targum* paraphrases: The elders have ceased from the gate of the Sanhedrin. *Palgei Mayim* quotes commentators who interpret the verse as referring to the Levites. The elders would serve as gate sentries, and the youths would serve as singers. Hence, the elders ceased from the gate and the youths from their music.

15. **The joy of our heart has ceased**—As soon as the youths ceased from their music, the joy of our heart ceased because the crown of our head fell.—[*Palgei Mayim*] *Ibn Ezra* explains:

The joy of our heart has ceased—because the sacrificial service has been discontinued.

our dancing has turned into mourning—*Ibn Ezra* renders: Those who play the flute and those who sing have been turned to mourners.

16. **The crown of our head has fallen**—the Temple, the seat of the Shechinah.—[*Ibn Ezra*]

17. **For this our heart has become faint, etc.**—*because of that which is delineated in the following verse: "For Mount Zion, which lies desolate, and foxes prowl over it."*—[*Rashi*] Although we have suffered so much, our heart has become faint only because of Mount Zion, which lies desolate.—[*Palgei Mayim*]

18. **foxes prowl over it**—as they usually do in ruins.—[*Ibn Ezra*]

19. **[But] You, O Lord**—*we know that You will remain forever. Now since that is so...*—[*Rashi*]

20. **Why do You forget us forever**—*Have You not sworn to us Yourself that just as You exist, so does Your oath exist?*—[*Rashi*]

21. **Restore us** —to the city that is the dwelling place of Your name, and we will return to worship You as in days of old.—[*Ibn Ezra*]

תרגום

עַד־מְאֹד׃ סקהל יחזר לומר השיבנו ואמ"כ הסמן׃ כג הֲשִׁיבֵנוּ יְהוָה אֵלֶיךָ וְנָשׁוּבָה חַדֵּשׁ יָמֵינוּ כְּקֶדֶם׃ סימן יתק"ק

אֱלָהֵן מִקָץ הֲיקוּץ בְּנָא רְגִיזְתָּא עִלָנָא עַד לַחֲדָא׃

נשלם ספר איכה תהלה לאל המעלה לעמו ארוכה

תולדות אהרן

שפר ט : קצפת עלינו עד . פקידס שם :

סכום פסוקי איכה מאה ותמשים וארבעה . וסימן טוב ויחיל ודומם לתשועת ה'. ופרקיו חמשה והרמז בן בג בג אומר לפוס לערא אגרא. והיו לדכא תחת רגליו :

רש"י

מאסתנו. בשביל שהטאנו לא היה לך להרבות קצף עד מאד כאשר קצפת : (כג) השיבנו ה'. מפני שמסיים בדברי תוכחה הוצרך לכפול מקרא שלפניו פעם אחרת וכן ישעיה ותרי עשר וקהלת : חסלת מגלת איכה

אבן עזרא

בעיני להיותו כי אם מאסתנו בעונינו כבר קצפת עלינו יותר מדאי והוא ברחמיו ירחם עלינו וכל האבלים. וינחם את האבלים. ויעמיד השר מיכאל. להלין טוב על ישראל. ובא לציון גואל:

קיצור אלשיך

אלי תחלה אחרי שמאום מאסתי אתכם שהם ב' מאיסות על שני חורבנין . לזה אנו אומרים כ"א הוא שמאום מאסתנו. זה אי אפשר כי הלא אם כן הוא נמצא כי קצפה עלינו עד נדר מאד . ואי אפשר כי מאמרך גודע שאמרת על אויבינו אני קצפתי מעט והמה עזרו לרעה. ואם מאום מאסתנו עד מאד קצפת ולא מעט. ובזה גם פסוק זה הוא תחנה ולא תלונה כ"א לומר וע"י הכרח זה שאלתנו כאמור תתחיל להשיבנו ראויה היא כי מגיננו ה':

against us. 23. Restore us to You, O Lord, that we may be restored!
Renew our days as of old.

22. **For if You have utterly rejected us**—*because we have sinned, You should not have been exceedingly wroth as You have been wroth.*—[*Rashi*]

From the comment of *Lamentations Rabbah* on this verse, we see that the Rabbis of the Midrash explained it in somewhat the opposite manner. Said Rabbi Simeon ben Lakish: If there is rejection, there is no hope, but if there is wrath, there is hope, for whoever is wroth will ultimately be appeased. According to this, the verse should be rendered: For if there is rejection, You have utterly rejected us. We wish that You would rather be exceedingly wroth with us. Or, if You have been wroth with us, let it be with a measure, עַד מְאֹד, being derived from מִדָּה, *measure.*—[*Mattenoth Kehunnah*]

23. **Restore us...O Lord**—*Since he concludes with words of reproof, he had to repeat the preceding verse again, and so it is in Isaiah, the Twelve Prophets, and Ecclesiastes.*—[*Rashi*]

Midrash Lekach Tov connects these verses as follows:

[22] **For although You have utterly rejected us [and] You have been exceedingly wroth against us**—for the innocent blood that we have shed exceedingly much, and because we have provoked You exceedingly much—nevertheless,

[23] **Restore us to You, O Lord, that we may be restored! Renew our days as of old.**

Note that in the Prophets and Megilloth written on parchment, used in many congregations for the reading of the Haftorahs and the Megilloth, the penultimate verse is not written a second time. The reader, however, repeats it to avoid ending the reading with an unfavorable verse.

מגילת קהלת

●

מקראות גדולות

ECCLESIASTES

מקראות

מגילת קהלת

תורגם מחדש לאנגלית

מתורגם ומבואר עם כל דבורי רש"י
ולקט המפרשים על ידי
הרב אברהם י. ראזענברג

הוצאת יודאיקא פרעסס
ניו יורק • תשנ"ב

גדולות

ECCLESIASTES

A NEW ENGLISH TRANSLATION

TRANSLATION OF TEXT, RASHI,
AND OTHER COMMENTARIES BY
Rabbi A. J. Rosenberg

THE JUDAICA PRESS
New York • 1992

Manufactured in the United States of America

CONTENTS

Bibliography and Emendations and Deletions (תקונים והשמטות) *to the Hebrew commentaries may be found at the end of this volume.*

INTRODUCTION

I. Authorship

The Talmud (*Baba Bathra* 15a) ascribes the recording of Ecclesiastes to Hezekiah and his company, i.e., his disciples who succeeded him. The author of the Book itself, however, is traditionally accepted as being King Solomon, as will be discussed further. No reason is given for Solomon's failure to write Ecclesiastes himself, as *Rashi* gives for Isaiah's failure to write his Book. In any case, it may mean that the final draft, as it appears today, was recorded by Hezekiah and his company. It is also possible that Solomon recited it orally, andthat it was committed to writing by Hezekiah and his company. It appears so in *Rashi* (ibid. 14b). However, in *Song Rabbah* (1:1.10), we read: He *wrote* three books—Proverbs, Ecclesiastes, and the Song of Songs. See also Introduction to Ezekiel. Perhaps Hezekiah and his company recorded the book of Koheleth because it was originally hidden away and considered apocryphal, until Hezekiah and his company vindicated it and rewrote it as Holy Writ. See *Midrash Mishlé* 25:1, mentioned below.

The view that Solomon authored the Book of Ecclesiastes is not only an oral tradition, but is intimated by the opening verse of the Book. This is explained by Ramban in his discourse on "the words of Koheleth," which he delivered in the synagogue of Gerona before his departure for the Holy Land. At the beginning of his discourse, Ramban undertakes to prove that the author of Koheleth was definitely King Solomon. He bases this on the first verse of the Book. Since Koheleth was the son of David and a king in Jerusalem, he could be none other than Solomon, since no other son of David occupied the throne. Moreover, no one by the name Koheleth is mentioned among the sons of David. Solomon was given this appellation as a pseudonym. Some explain that he was given this name because he had amassed all wisdom in his soul. The Rabbis of the Midrash, however, explain that he was given this name because all his words were said in assembly, as it is stated (I Kings 8:1): "Then Solomon assembled." He would assemble all Israel in Jerusalem on an appointed day, and expound before them on his wisdom. Other nations, too, would hear of this occasion and come to hear his discourse.

Reuben Margolioth (*Hamikra vehaMesorah*, pp. 25-26) sees in this Book (4:13-15) the fear of the impending rift in the kingdom and the secession of the Ten Tribes, led by Jeroboam the son of Nebat. He considers this strong evidence of the Solomonic authorship of the Book. He describes how the Book depicts, "Solomon, who had reached the pinnacle of his success, standing at the end of his days, reviewing the events of his life and his accomplishments on this earth, and he, who was destined for greatness as the son of a mighty king and possessing phenomenal talents, sees that his hopes have not been fulfilled and that the pillars of his edifice are trembling. The echo of the prophecy, (I Kings 11:11): "I will surely tear the kingdom from you, and I shall give it to your servant," was reverberating in the air. Dissatisfaction and the beginning of the splintering of the country portended that the duration of the unity of the kingdom would be short-lived."

Solomon saw that his son Rehoboam would not rule as he had. Moreover, Abijah, the second child, who Margolioth views as Rehoboam's successor, afforded Solomon little consolation.

Solomon also saw that Jeroboam the son of Nebat, who was much more talented than Rehoboam, would take away the ten northern tribes. He was the child who emerged from prison to reign (Ecc. 4:14); i.e., from his exile in Egypt. Rehoboam, Jeroboam's senior, was the "old and foolish king, who knows not to receive admonition." (ibid 4:13) He did not know to follow the advice of his elders, who advised him to lighten his yoke from the people.

The author also meditates sadly over the one who will follow him and rule over all his toil. There is no doubt that this is Rehoboam, who reduced Solomon's kingdom to shambles.

Margolioth also brings up an interesting point concerning Jeroboam's rebellion during Solomon's reign, as Scripture states (I Kings 11:26): "he raised his hand against the king." This alludes to a crucial political event, after which God told Solomon through His prophet, (I Kings 11:34): "I will make him a king all the days of his life," indicating that he had lost his throne. Solomon pondered over this when he said, "I was a king over Israel in Jerusalem."

II. DIVINE CHARACTER

Because of the philosophic nature of Ecclesiastes, its divine character was questioned by the Sages. As regards the ritual contamination that the Holy Writ imparts to the hands, as decreed by Rabbinic legislation, the status of Ecclesiastes is disputed. This dispute appears in the Mishnah in *Yadaim* 3:5 and *Eduyoth* 5:3, and in the Gemara in *Megillah* 7a. This was originally a dispute between the schools of Hillel and Shammai. The school of Hillel ruled more stringently, attributing ritual contamination to the Book of Ecclesiastes. The school of Shammai ruled more leniently, claiming that Ecclesiastes is not of divine origin, but merely Solomon's wisdom. As is apparent in these

Mishnayoth, other *Tannaim* joined in the fray. This matter was discussed on the day that Rabbi Eleazar the son of Azariah was installed as the *nassi* of the Sanhedrin. The assembly accepted the view that Ecclesiastes was written with the divine spirit and that a scroll of Ecclesiastes imparts ritual contamination to the hands. This is the view of *Rambam, Hilchoth Avoth Hatumah* 9:8 and the glosses of *Mordecai*, *Meg*. ch.1, who prescribes that a blessing be recited before reading any of the Five Megilloth. However, *Hagahoth Minhagim*, customs of the Intermediate Sabbath of Succoth, explicitly states that no blessing is to be recited because Solomon composed Ecclesiastes from his own wisdom, and it was not divinely inspired. This appears to be the view of all those authorities who prescribe a blessing for the other four Megilloth, but not for Koheleth. See below IV.

We also find (*Shab*. 30b; *Lev. Rabbah*, beginning of ch. 28; *Ecc. Rabbah* 1:4, 11:13; *Pesikta Rabbathi* 18:1; *Mid. Mishlé* 25:1; *Pesikta d'Rav Kahana* 68b) that the Sages wished to suppress the Book of Ecclesiastes because of several passages that they found objectionable, to the extent that they tend toward heresy. Eventually, they reconciled these difficulties and did not suppress this Book. See Commentary Digest to Ecclesiastes 10:9. This criticism was levelled at a much earlier time, as is evidenced by *Midrash Mishlé* 25:1 and *Avoth d'Rabbi Nathan* 1:2, which state that Solomon's books—Proverbs, Ecclesiastes, and the Song of Songs—were hidden away from their inception until Hezekiah's reign. They were regarded as mere parables, bereft of divine inspiration, and were put aside as apocryphal. In Ecclesiastes, they found objectionable passages, as explained above. Hezekiah, however, inspired the wise men of his time to delve into them and draw out the sanctity found in these three works. See Proverbs, Preface, p. xiv.

III. POSITION IN THE CANON

According to the Talmud (*Baba Bathra 14b*), Ecclesiastes follows Proverbs and precedes the Song of Songs. *Rashi* explains that Proverbs and Ecclesiastes, which are books of wisdom, are grouped together. The Song of Songs, *Rashi* conjectures, was composed in Solomon's later years. See Introduction to the Song of Songs. In printed editions of *Tenach*, Ecclesiastes follows Lamentations, since the latter is read in the synagogue on the Ninth of Av, and the former is read on Succoth, which follows shortly after.

IV. POSITION IN LITURGY

As mentioned above, this Book is read in many congregations on the Intermediate Sabbath of Succoth. Should Succoth commence on the Sabbath, it is read on Sh'mini Atzereth. This custom is mentioned by many early authorities, such as *Mordecai, Maharil, Minhagim, Abudarham*, etc., and by many later authorities, such as *Matteh Moshe, Bach, Levush*, and *Rama* in his Responsa, ch. 35, *Darchei Moshe* on *Tur Orach Chayim*, and in his glosses on *Shulchan Aruch Orach Chaim* 490:9. Unlike the reading of the other Megilloth, the reading of Koheleth is not mentioned in *Tractate Sopherim* 14:3, which states that one must recite the blessing עַל מִקְרָא מְגִלָּה before reading Ruth, the Song of Songs, Lamentations, and the Scroll of Esther. Note that Ecclesiastes is conspicuously absent. Although it is possible that Koheleth is excluded only from the recitation of the blessing, but not from the reading, we still have no explicit mention of the reading of this Book. This is the view of many authorities quoted in *Magen Avraham* 490:9. As mentioned above, these authorities believe that Koheleth was not divinely inspired. Therefore, no blessing is to be recited before reading it. However, on the basis of the conclusion in the Mishnah of *Yadaim*, mentioned above, where the Rabbis concluded that Koheleth does impart a ritual contamination to the hands, the *Gra* included Koheleth with the other Megilloth mentioned in *Tractate Sopherim* and asserted that a blessing must be pronounced upon this reading. See glosses to *Tractate Sopherim* 3 and to *Shulchan Aruch Orach Chayim* 4909.

Many reasons are given for the reading of this Book on Succoth. *Abudarham* (p. 240) states that it is read on *Sh'mini Atzereth* because it is written (Ecc. 11:2): "Give a portion to seven and even to eight." The Talmud (*Eruv*. 40b) interprets this verse as referring to the seven days of Succoth (or the seven days of Passover) and the eighth day of Atzereth because these are festivals of ingathering. Solomon wishes to warn the people about the priests' dues, the tithes, and the vows, that no one should transgress the prohibition of delaying to fulfill a vow to bring a sacrifice. This was required on the three festivals. Should someone fail to bring his sacrifice for three consecutive festivals, he transgresses a negative prohibition.

Another reason that Ecclesiastes is read on Succoth is that Solomon addressed the people when they were all assembled in the Temple court, as the Torah commands (Deut. 31:10f.): "In the appointed season of the year of release, on the festival of Succoth, when all Israel come to appear, etc., assemble the people: the men, the women, and the young children," and it says (I Kings 8:2): "And all the men of Israel assembled themselves to King Solomon at the feast in the month Ethanim, which is the seventh month." Solomon recited Ecclesiastes at that assembly on Succoth to reprove Israel. Therefore, it is proper to recite it on Succoth. All this is written by *Even Yarchi* (*Hamanhig*, Laws of the Festival, 57).

Matteh Moshe quotes Rabbi Joseph Ibn Yachya, who elaborates on this topic and explains that Succoth was chosen for Solomon's discourse for several reasons: 1) because it is a festival superior to the others insofar as all Jews would go to Jerusalem, men, women, and children; 2) it was the feast of the ingathering, when even the most impoverished had all they needed from the gleanings, the forgotten sheaves, and the grain at the corners of the fields; 3) because of the temperate weather, when all could easily make the journey to

Jerusalem, even the most feeble, and they would all enjoy listening to the reading of the Torah. It was obligatory for the king to read the Book of Deuteronomy at that time and to admonish them to keep God's commandments for their own benefit. Now since Ecclesiastes is a book of questions and answers for people to whom all matters in the world appear to be crooked and unjust, the wise man explains to them what to reply to a heretic. Moreover, this book teaches the people to view mundane matters as vanity, and guides them to honesty and to the fear and love of God, by saying, "The end of the matter, everything having been heard, fear God and keep His commandments." This includes both the fear of and the love of God, from which the observance of the commandments stems. Ecclesiastes is read together with the Torah to guide the people to the way of life and to prevent them from falling into Gehinnom. The Book is called Koheleth because it was recited when the people were gathered to hear the reading of the Torah.

Hagahoth Minhagim suggests that we read Koheleth on Succoth because Succoth is the season of our joy, and Koheleth praises joy, for whoever rejoices with his portion and does not pursue money, but derives pleasure from what he has, is blessed with a gift of God.

מגלת קהלת

הקדמת אברהם אבן עזרא ז"ל

שְׁמַע אִמְרֵי שֶׁפֶר. לְאַבְרָהָם סוֹפֵר. כְּתָבָם עַל סֵפֶר. לְרוּחַ מַשְׂכֶּלֶת:
בֶּן־מֵאִיר נִקְרָא. מְכוּנֶּה בֶּן־עֶזְרָא. וּמְצוּרוֹ עֶזְרָה. כְּבוֹדוֹ שׁוֹאֶלֶת:
לְהַגִּיהַּ חָשְׁכּוֹ. לְהַצְלִיחַ דַּרְכּוֹ. אֲשֶׁר נִשְׁאַר עַד כֹּה. כְּאֵלָה נוֹבֶלֶת:
וּמֵאַרְצוֹ נִפְרַד. אֲשֶׁר(הִיא)בִסְפָרַד. וְאֶל רוֹמִי יָרַד. בְּנֶפֶשׁ נִבְהֶלֶת:
וְשָׂם לִבּוֹ כוֹנֵן. לְפָרֵשׁ וּלְשַׁנֵּן. וְאֶל אֵל מִתְחַנֵּן. וְלוֹ הַתּוֹחֶלֶת:
לְהַרְבּוֹת לוֹ עָצְמָה. וְהוּא יִתֵּן חָכְמָה. וִיסַלַּח כָּל־אַשְׁמָה. בְּפֵירוּשׁ קֹהֶלֶת:

בשם אשר לו הממשלת . אחל לפרש קהלת:

אורח חיים למעלה למשכיל למען סור משאול מטה כי כאשר יתאוה המורה שנשבה לשוב אל ארץ מולדתו להיות עם משפחתו כן תכסף הרוח המשכלת להאהז במעלות הגבוהות עד עלותה אל מערכות אלהים חיים שאינמו שוכני בתי חומר כי הגויות נמשלות לבתים ובעפר יסודם וכענין די מדרהון עם בשרא לא איתוהי וזה יהיה אם תתלבן הרוח ותתקדש מטומאות תאוות הגויות המגואלות המטנפות הקודש להתערב בשאול מטה ותשיב אל לבה לדעת יסודה ולראות סודה בעיני החכמה שלא תכהינה והרחוק כקרוב לפניה והלילה כיום אז תהי נתכנת לדעת קשט אמרי אמת ויהיו מחוקקין עליה שלא ימחו בהפרדה מעל גויתה כי המכתב מכתב אלהים הוא כי למען הראותה הובאה הנה על כן נכלאה במסגר עד עת קץ וכל זה להועיל ולהטיב לה ואם סבלה עמל שנים במספר כן תגוה ותשמח עולמי עדי עד בלי קץ כי כל מעשה יפרד והיה לארבעה ראשים טוב כולו או טוב רובו ורע בקצתו או רע כולו או רע רובו וטוב בקצתו והחלק הראשון הוא מנת בני אלהים והחלק השני הם החיים אשר על פני האדמה והשנים הנשארים נעדרים לא יתכן המצא כי לא יעשה ה' אלהים דבר כי אם טוב כי הכל לעולם הוא טוב וכן כתוב וירא אלהים את כל אשר עשה והנה טוב מאד ואם היה שם רע היה בקצתו כי בעבור רע מעט אין בדרך החכמה העליונה למנוע

טוב

קהלת

טוב רב ושורש הרע מהסרון המקבל ואם אין לנו יכולת לדמות מעשה אלהים כי אם אל מעשיו בעבור היות הכל מעשיו הנה ראינו ילבינו הבגדים השטוחים לשמש ויחשכו פני הכובס והלא הפועל אחד יוצא מפועל אחד לכן ישתנו הפועלים בעבור השתנות תולדת המקבלים ומחשבות בני אדם משתנות כפי תולדת גוייה וגוייה והשתנות התולדות בעבור השתנות המערכות העליונות ומקום השמש והמקבל כהה והמדינות והדתים והמאכלים ומי יוכל לספר אותם וכל דרך איש זך בעיניו. ויער ה׳ אלהי ישראל את רוח שלמה ידידו לבאר דברי חפץ ולהורות הדרך הישרה כי כל מעשה שיעשה נוצר לא יעמוד כי כל הנבראים ילאו לברוא עצם שהוא שורש או להכחידו עד שיהיה נעדר רק כל מעשיהם דמות ותמונה ומקרה להפריד מחובר ולחבר נפרד ולהניע נח ולהניח נע על כן מעשה בני אדם תהו וריק כי אם יראת ה׳ ולא יוכל איש להשיג אל מעלת יראתו עד עלותו בסולם החכמה ויבנה ויכונן בתבונה:

הקדמת רבינו עובדיה ספורנו ז״ל

מאז העיר לי אזן הנשיא כמה״ר חננאל ספורנו אחי יצ״ו לדרוש ולתור באור נכון בענין ספר קהלת אשר בו לפי הנראה בתחלת העיון דברים סותרים זה את זה. וקצתם כמו עצה נבערה בוערה כאש רשעה לאחוז בסכלות תענונות בני אדם בעפר יסודם אשר לא כתורתנו עד שבקשו ראשי עם אנשי השם לגנזו להרים מכשול מדרך עמנו:

אני עובדיה יצ״ו בכמה״ר יעקב ספורנו זלה״ה.

בהביטי אל כוונת ספר קהלת הנזכר וסדרו מצאתי ראיתי היות ההקדמה בו עד אמרו אני קהלת הייתי מלך. ובה הודיע איך העירוהו לחבר זה הספר קצת פעולות במציאות מבהילות את תועי רוח אשר בהן יבין כל מתבונן מה יקר חסד אל כל היום להוציא יקר מזולל כי חפץ חסד הוא:

ואמר בכלל הקדמתו הנזכרת שבהיות שכל אישי הדברים אשר תחת השמש הם נפסדים הנה התכלית המכוון מהם מצד מה שהם נפסדים הוא תכלית נרוע בהכרח הנקרא אצלו הבל. ובכן ההשתדלות בקיום מיניהם וחזרת אישיהם חלילה הוא הבל בלי ספק. ובהיות שהמשתדלים בזה הם הגרמים השמימיים ומניעיהם והטבע ומנהיגיו אשר הם נכבדים מאד ונצחיים ולזה ראוי שתהיה כל פעולתם לתכלית נכבד מאד. הנה בהיותה לתכלית נרוע מאד ראוי שתקרא הבל הבלים באופן שאם היה זה התכלית האחרון היה ראוי ליחס להם או למסדר הכללי חטא נפלא אשר לא יקרה לפחות שבבעלי אומנות והגיד זאת להבין ולהורות שמכל זה יתחייב שיש בהכרח תכלית נכבד מאד מכוון ומושג באמצעות הנפסדים ובהכרח אין זה כי אם שלמות צלם אלהים הנקנה בעיון ובמעשה שהם תורה ומעשים טובים אשר בהם ידמה האדם לבוראו כמו שבאר בספרי כאמרו והתקדשתם והייתם קדושים כי קדוש אני:

ואחר ההקדמה הנזכר׳ ספר המחבר את רב השתדלותו להתבונן ולראות דעות חכמי דורו וחכמי הקדמונים עם דעות ההמון וטענותיהם והגיד סתירתם במופתים שכליים. והודיע מה היה לנו למרות ה׳ בתורתו ואיך שדדנו ותהי לחרפות לנו. והגיד על זה עצות תוריות ומדיניות לסור ממוקשי מות ולמצוא חן ושכל טוב בעיני אלהים ואדם. ובהיות דברי זה הספר וסדרו בלתי מובנים על נקלה באופן שלפעמים יובן ממנו הפך כוונתו בתחלת העיון עד שבקשו חכמי הדורות לגנזו. קמתי אני לפתוח פתח דברים יאיר לקצת מתבוננים בו למצוא דברי חפץ וכוונת המחבר והקל מעליהם המה ישאו קולם ובקצה תבל מליהם לפקוח עיני עבדים עורי לב להביט נפלאות מתורתנו למען סור משאול מטה לאור באור החיים אולי יתעשת האלהים לקרוא שנת רצון לפלטת עם מרעיתו וצאן ידו וימלא כבודו את כל הארץ אמן ואמן:

הקדמה לבעל המצודות

הפעם אודה את ה׳ ואברכו במקהלות על ביאור קהלת אשר ברחמיו גמלני. וברוב חסדיו אמני. וזבד טוב זבדני. לפרש את המגלה הזאת זכני, אשר ברוב שרעפי בקרבי עוד הייתי משוטט בארצות בקשתי דברי חפץ וכתוב יושר. די באר דברי המגלה הזאת. בקשתי ולא מצאתי פס כי עיני ראו פירושים שונים הא דאתא לעלמא אשר רוזנים חקקו לדק. הא מגלת אחרים ספרי כ״י. הן דעתם שגבה ממני על כי לא דרכו בעקבות הפשט אשר אחריו כל אדם ימשוך. אף כי אמרתי אחכמה ללקט אמת הנה ואמת הנה בדרך אשר דרכתי בנ״ך ובנ״א ובכתובים ובש״ה נלאתי נשוא כי מעט היו לפני שנים שלשה גרגרים בראש אמיר והמלאכה גדולה ורחבה. לזאת משכתי את ידי ממנה ועזבתיה למי שלבו שלם. כמעט קט עוררני לבי לאמר מה לך נרדם קום קרא אל אלהיך וקח קסת הסופר בידך ועשה מה שתמצא ידך. אולי יהיה אלהים עמך הוא יחונך דעה ויורך את הדרך אשר תלך בה עד להוציא כלי למעשהו. פהני ואפת. אולם מאד הרבה יגעתי על כי לא היה לפני כי אם שלשה מטיבי שעד התרגום ורש״י וא״ע. וה׳ עזרני. וחיל אזרני. עד השלמתי הביאור עד תכליתו. וגם פי׳ המגלה הזאת חלקתי לשנים וכמו אלה הנזכרים. ואקוה לה׳ שיקובל על לב אנשים אשר כגילי כי בכל כחי עבדתי בהן לא נחתי ולא שלותי. לכן קבלו האמת ממי שאמרו. וקמו אחרי בינה אשר יחקרו מעשה בני האדם אשר יעשו במספר ימי חייהם. ישימו לדרך פעמיהם. למען ירשו את מורשיהם:

מגילת קהלת

●

מקראות גדולות

ECCLESIASTES

א א דִּבְרֵי֙ קֹהֶ֣לֶת בֶּן־דָּוִ֔ד מֶ֖לֶךְ בִּירוּשָׁלִָֽם׃ **ב** הֲבֵ֤ל הֲבָלִים֙ אָמַ֣ר קֹהֶ֔לֶת הֲבֵ֥ל הֲבָלִ֖ים הַכֹּ֥ל

תו"א דברי קהלת בן דוד מלך בירושלים. כנהדרין כ: הבל הבלים אמר קהלת. בארת ק עקידה שער ו עזר פרשה וילה:

תרגום

א (א) פִּתְגָמֵי נְבוּאָה דְּאִתְנַבָּא קֹהֶלֶת הוּא שְׁלֹמֹה בַּר דָּוִד מַלְכָּא דַּהֲוָה בִּירוּשְׁלֵם: ב הֲבֵל כַּד חֲזָא שְׁלֹמֹה מַלְכָּא דְיִשְׂרָאֵל בְּרוּחַ נְבוּאָה יַת מַלְכוּת רְחַבְעָם בְּרֵיהּ דַּעֲתִיד לְאִתְפַּלְּגָא עִם יָרָבְעָם בַּר נְבָט וְיַת יְרוּשְׁלֵם וּבֵית מוּקְדְּשָׁא דְּאִינוּן עֲתִידִין לְמֶחֱרַב וְיַת עַמָּא בְּנֵי יִשְׂרָאֵל דִּי אִינוּן עֲתִידִין לְמִגְלֵי אֲמַר בְּמֵימְרֵיהּ הֲבֵל הֲבָלַיָּא עָלְמָא

רש"י

(א) **דברי קהלת.** כל מקום שנא' א דברי אינו אלא דברי תוכחות. (דברים א) אלה הדברים אשר דבר משה. (שם לב) וישמן ישורון ב (עמוס א) דברי עמוס (שם ז) שמעו את הדבר הזה פרות הבשן (ירמיה א) דברי ירמיהו (שם ל) שאלו נא וראו אם יולד זכר וגו׳ (שמואל ב כג) אלה דברי דוד (שם) ובליעל כקוץ מונד כלהם. דברי קהלת. וזרח השמש. כל הנחלים הולכים אל הים. כינה את הרשעים בחמה ולבנה ויש שאין להם מתנת שכר כך שנוי׳ בספרי. ולמדתי משם ג שהענין מדבר ברשעים והמשילם לתגבורת החמה שסופה שוקעת. תוס׳ ד"א כל הנחלים הולכים אל הים מה ת"ל. בעובדי ע"ג נאמר שוטים המשתחוים למים סבורים שיש בהם ממש לפי שרואין את הים הגדול שכל הנחלים הולכים בו והוא אינו מלא ואינן יודעין להבין כי אל המקום שהנחלים הולכים שם הם שבים ללכת שמימי הנהרות ההולכים לתוך הים הם המי׳ עצמם שהלכו כבר הם נובעות מתחת התהום והולכים למעל׳ מן הקרקע עד הים וחוזרים ונובעים לפיכך אין הנהרות פוסקים ואין הים מלא ולא מפני שיש בהן ממש ע"כ: קהלת. על שם שקיהל הכמות הרבה וכן במקום אחר קורהו (משלי ל) אגור בן יקה שאגר כל החכמ׳ והקיאה וי"א שהיה אומר כל דבריו בהקהל· **מלך בירושלים.** עיר ד החכמה: (ב) **הבל הבלים אמר קהלת.** קהלת

שפתי חכמים

א דקשה לרש"י וכי לא נתנבא שלמה אלא אלו בלבד והלא שלשה ספרים כתב לכך כתב כ"מ בנאמר דברי כו׳ וכ"ה בספרי: ב אע"ג דכל הסדרה כולה ענין הוכחה מ"מ לא מלינו בהדיא בקרא שנין תוכחה רק בסוף קרא. ועוד דכל הענין כולו מיירי בדור המדבר שכבר מתו אבל לא בדורו של משה לכך מייתי קרא שהוכיח לבני דורו לא ממה שמספר בלשעבר: ג דק"ל מהו וזרח השמש ובא השמש וכי אין אנו יודעים שזרח השמש ובא השמש. לזה כתב ולמדתי מ׳ כלו׳ זה היה קשה לי אבל למדתי מסוגיא דספרי שהענין מדבר ברשעים וממשילם לתגבורת החמה שסופה שוקעת: ד דקשה לרש"י

ספורנו

א (א) **דברי** קהלת. נפש שכלית שאספה אליה כל החכמות כאמרו ויחכם מכל האדם. וידבר על העצים וידבר על הבהמה ועל הרמש וגו׳: בן דוד. שהרבה להתבונן ולהשכיל בחכמה האלהית כאמרו מכל מלמדי השכלתי כו׳ מזקנים אתבונן כו׳: מלך. והיה לאל ידו לקבץ אליו חכמי דורו ולרדת לסוף דעתם: בירושלים ששם היו נמצאים אז רב חכמי הדור כאמרו ולציון יאמר איש ואיש יולד בה: (ב) הבל הבלים. הנה

אבן עזרא

(א) **דברי.** כתיב וידבר שלשת אלפים משל ויהי שירו וגו׳ והמשל הוא שנמשל בו דבר אחד כמו חוד חידה ומשל משל והוא הנשר הגדול והנמשל נבוכדנצר ודרך השיר להיות תהלה או דבר עתיד להיו׳ ובעבור היות חפץ שלמה להבר הדברים שיעלו על הלב החל במלת דברי ואיננו כן כל דברי כי הפסוק שיש אחריו יורה עליו או הוא בעצמו ג"כ יורה הפסוק השני בספר הזה על הראשון וקהלת הוא שלמה כי לא היה מבני דוד משיח ה׳ מלך רק הוא לבדו ונקרא כן על לשון החכמה שנקהלה בו וזכר שם מקום ממלכתו בעבור תפארתו הלא תראה כי נקרא מלך ירושלם מלכי לדק כי היא שלם ויורה עליו ויהי בשלם סוכו וכן אדני לדק בעבור היותו אדון מקום הלדק וכן על דברתי מלכי לדק והוא דוד המלך: (ב) הבל. אמר על דברי הבלי העולם

מצודת ציון

א (א) **קהלת.** הוא ענין קבוץ ואסיפה כמו קהלת יעקב (דברים ל"ג) והמלך שלמה הי׳ נקרא כן על שהקהיל הדעות המנגדות לצרף וללבן כלודק מסלתי לודק: (ב) **הבל.** ענינו דבר שאין בו ממש והוא מושאל מלשון הבל פה המוזכר בדרז"ל וכן וילכו

מצודת דוד

א (א) **דברי** קהלת. ידוע שהחקירה המעולה לא תשתלם אלא בשלשה פנים גם יחד. האחת אספת הענין כשהסים בקבוצת דעות מחולפות להתבונן בזה לעומת זה להבחין איזהו יכשר. השנית אספת הקבלה מאדם רשום בחכמה וביראה. והמעולה ביותר אם המוסר הקבלה ימסרנו לבנו לפי שהאב רוצה הוא בתקנת בנו ומסרכה בענין יפה ומעמידו על האמת. השלישית אספת האמת שמכוון והכוונין מהדברי׳ שמתהוי׳ וכ"ש אם יתהוו הדברי׳ במקו׳ מורית חכמי׳ משכילים להתבונן אמתת הענין כפי מה שהוא. לכן אמר שמעתיק בפתיחת הספר דברי קהלת כו׳ ר"ל הדברים האלה נחקרו ע"י קיבוץ קהלת דעות מחולפות בלרוף הקבלה מאדם רשום בחכמה וביראה והוא דוד המלך והמקבל היה בנו אשר ינק שדי אם ת ולרוף המהכה מהדברים המתהווים בירושלים עיר מלכותו אשר אסיפת חכמי לבב משכילים אמתת הענין והנה כל דבר לא נכחד מן המלך המולך בה וכאומר בהיות כן הנה מאד נחקרו הדברים בשלימות כב שאין למעלה הימנו: (ב) הבל הבלים אמר קהלת. ר"ל בזה הספר אמר

קיצור אלשיך

א (א) **דברי** קהלת בן דוד מלך בירושלים. שלשה תוארים נאמר בפסוק זה על שלמה. על הג׳ זמנים שעברו עליו. כמאמר חז"ל שאשמדאי השליך את שלמה ארבע מאות פרסה רחוק מירושלים והיה מחזר על הפתחים ואומר אני קהלת. יש אומרים שלא חזר למלכותו ויש אומרים שחזר למלכותו. ונראה כי חזר למלכותו אך לא חזקה ממשלתו כבראשונה בכל גלילות העמים כ"א בירושלים וגלילותיה ומכלל דבריהם למדנו כי מה שנקרא „קהלת" בעצם היה קודם היותו הדיוט בראשית מלכותו שהיו מקהלות כל רבים עמים מתכנסים לשמוע חכמתו:

ונבא אל הענין והוא כי היה מקום לומר כי בעודנו ביקר תפארת גדולתו בראשית ממלכתו שאליו יבואו מאפסי ארץ סרים אל משמעתו לא היה אז מהביל העולם כי גדול כבודו בעיניו אך אחרי נפלו והיה הדיוט מחזר על הפתחים וראה כי להבל דמה אז הסכים ואמר כי הכל הבל, ע"כ אמר דעו איפה כי בכל מעמד שלשת זמניו הבל ההביל את העולם ויבז אותו בלבו, וזה אומרו דברי קהלת, שהוא הזמן הראשון שהיה מקהיל קהלות ישראל והעמים. וכן בהיותו משולל אדר מלכות ולא היה תוארו רק בן דויד ולא מלך. וזהו בן דוד. וכן כשחזר להיות מלך שלא פשטה מלכותו רק בירושלים. תמיד היו דבריו אחדים. כי מאז היה קהלת וגם אחרי כן בשני זמנים הנותרים תמיד היה אומר הבל הבלים. וזהו הבל הבלים אמר מאז נקרא קהלת. ולהמשיך סוף הפסוק בזה יהיה שיעור הכתוב „דברי קהלת" שהוא הזמן הראשון, וגם בשני שהיה בן דוד משולל תואר מלכות. וגם בשלישי כשהיה מלך בירושלים לבד. תמיד היה דברו באופן אחד. ופירש ואמר הנה (ב) הבל הבלים אמר קהלת בזמן הראשון שהיה בתוקף מלכותו. אך משכלו בלבד. כי לא נתנסה עדיין. אך אח"כ בזמן השני לא בלבד

אמר

1

1. The words of Koheleth son of David, king in Jerusalem. 2. Vanity of vanities, said Koheleth; vanity of vanities,

1

1. **The words of Koheleth**—*Wherever it says, "the words of," it refers to words of reproof.* (*Deut. 1:1*): *"These are the words that Moses spoke."* (*ibid. 32:15*): *"And Jeshurun became fat."* (*Amos 1:1*): *"The words of Amos."* (*ibid. 4:1*): *"Hearken to this word, O cows of Bashan."* (*Jer. 1:1*): *"The words of Jeremiah."* (*ibid. 30:6*): *"Ask now and see whether a male gives birth, etc."* (*II Sam. 23:1*): *"And these are the words of David."* (*verse 6*): *"But the wicked are all as thorns thrust away." "The words of Koheleth...The sun rises...All the rivers run into the sea." He refers to the wicked as the sun, the moon, and the sea, which have no reward. So it was taught in Sifré* (*Deut. 1:1*). *I learned from there that the section deals with the wicked and compares them to the rising of the sun, which ultimately sets. Addendum: Another explanation: All the rivers run into the sea. What is the meaning of this? This is stated concerning idolaters, the fools who prostrate themselves to the water and think that it has substance since they see the Great Sea, into which all the rivers run, and it is not full, but they do not know that to the place where the rivers flow, they repeatedly go, for the water of the rivers that flow into the sea is the very same water that already flowed. They flow from under the deep and go above the ground until the sea and repeatedly flow. Therefore, the rivers do not stop, and the sea does not become full, and not because they have substance. End of addendum.*—[*Rashi*]

Koheleth—*Because he gathered* (קָהַל) *many wisdoms, and similarly, elsewhere* (*Prov. 30:1*) *Scripture calls him Agur the son of Jakeh, because he gathered* (אָגַר) *all the wisdom and vomited it* (וְהֵקִיאָהּ), *and some say that he would say all his words in an assembly* (בְּהַקְהֵל).—[*Rashi* from *Ecc. Rabbah* 1:1, *Tan. Va'era* 5]

king in Jerusalem—*the city of wisdom.*—[*Rashi*]

Mezudath David explains that the most superior philosophy is that which is arrived at through three methods: 1) a thorough study of the subject by comparing the divergent views to decide which of them is superior; 2) the transmission of the subject matter by a person noted for his wisdom, especially from a father to son, who seeks his son's benefit and transmits the truth to him; 3) proof from experience, especially if the events transpire in the home of many sages, who carefully and thoroughly examine the matters. Therefore, the copyist prefaced Ecclesiastes with the following title: *The words of Koheleth*, indicating that the words in this book were arrived at by collecting many words of wisdom, from many sources, and scrutinizing them assiduously. *The son of David,* noted for his wisdom, transmitted the

הֲבֵל׃ ג מַה־יִּתְרוֹן לָאָדָם בְּכָל־עֲמָלוֹ שֶׁיַּעֲמֹל תַּחַת
הַשָּׁמֶשׁ׃ ד דּוֹר הֹלֵךְ וְדוֹר בָּא וְהָאָרֶץ לְעוֹלָם עֹמָדֶת׃

תו״א מה יתרון לאדם בכל עמלו. שבת ל גיטין סח עקידה שער ע זוהר פ׳ ויחי ופ׳ משפטים ופ׳ חקת: דור הולך

הדין הבל הבליא כל מה דטרחית אנא ודוד אבא כולא הבלו: ג מה מותר אית לאנש בתר די ימות מן כל טורחיה דהוא טרח תחות שמשא בעלמא הדין אלהן למעסק באורייתא לקבלא אגר שלים לעלמא דאתי קדם מרי עלמא: ד דור אמר שלמה מלכא ברוח נבואה דרא טבא דצדיקיא דאזיל מן עלמא

רש״י

קורא תגר ואומר על כל יצירת שבעת ימי בראשית ״) שהכל הבל של הבלים הוא: הבל. הבל נקוד חטף פתח לפי שהוא דבוק כלומר הבל שבהבלים שבעת הבלים כנגד מעשה שבעת ימי בראשית: (ג) מה יתרון. ה שכר ומותר: תחת השמש. תמורת התורה ו שהיא קרויה אור שנאמר (משלי ו) ותורה אור כל עמל שהוא מחליף בו את עסק התורה מה שכר בו: (ד) דור הולך ודור בא. כל מה שהרשע ז יגע ועמל לעשוק ולגזול אינו מבלה את מעשיו כי הדור הולך ודור אחר בא ונוטל הכל מיד בניו כענין שנאמר (איוב כ) בניו ירצו דלים: והארץ לעולם עומדת. ומי הם

שפתי חכמים

והלא היה מלך בכל ישראל כמו שאמר בספר משלי שלמה בן דוד מלך ישראל. לכ״פ עיר החכמה ירצה מאחר שבספר זה מדבר בחכמות על כן מזכיר שהוא מלך בעיר ההכנה ורומז היות שופעת החכמה מלך אביו ומלך עיר הקודש שהיא מלאה חכמה:״) ואומר על כל יצירת שבעת ימי בראשית כולי דייק כמו שכתב אח״כ שבעת הבלים כנגד שבעת ימי בראשית: ה דק׳ לרש״י אין שייך ל׳ יתרון אלא בשני חלקים שא׳ יותר מחבירו לכ״פ שיתרון פירושו שכר ומותר: ו דקשה לרש״י אם הוא כמשמעו חלילה שלא יהיה לו שכר אם עמל בתורה ובמצות ואיך אמר מה יתרון לאדם בכל עמלו שיעמול תחת השמש לכ״פ תמורת שהורה ויהיה פי׳ תחת כמו עין תחת עין ישלם שור תחת השור. ובכל מה שיעמול תמורת התורה אין לו יתרון אבל אם עמל בתורה יש לו יתרון: ז דקשה לרש״י דבפסוק הקודם איירי שאין לו יתרון ואיך יסמוך לזה דור הולך כו׳. לכ״פ כל מה שהרשע כו׳ והם

ספורנו

כל מחודש בלתי מכוון אל תכלית נאות למעלת הדושו יקרא הבל והדבר מהם אשר תכליתו יותר גרוע יקרא הבל הבלים כמו שיקרא היותר קדוש קדש קדשים: אמר קהלת. אמר שמצא זה בהתבוננו שיש דברים במציאות אשר פעולתם בתכלית ההבל בהיות תכליתו יותר גרוע מכל תכלית דבר בלתי נחשב: הבל הבלים הכל הבל. ואמר שהוא הבל יותר משאר ההבלים אשר הפועל והפעולה והתכלית בהם הבל כי בהיות הפועל והפעולה נכבדים והתכלית גרוע ראוי שיקרא הבל הבלים בלי ספק: (ג) מה יתרון לאדם בכל עמלו שיעמול תחת השמש. ואמר זה על עמל האדם תחת השמש בענינים הנפסדים כי מה תכלית בזה שיהיה ראוי שישתדל בו כ״ב צלם אלהים להשיגו: (ד) דור הולך ודור בא והארץ לעולם עומדת וכמו כן

אבן עזרא

וסמך הבל אל הבלים ואם לא ימצא מהשמות שהם על משקל ארץ שישתנה הוץ מהדר משכבך וסגור דלתך מספה המתק גם אלה בפת״ח וזה בליר״י וסמיכת היחיד לרבים בענין אחד על שני דרכים לגדולה כמו מלך מלכים ולהפך כמו עבד עבדים והבל הבלים כמוהו כענין אך הבל בני אדם כזב בני איש במאזנים לעלות המה מהבל יחד והמ״ם תחת יותר כמ״ם מכל שהיו לפני בירושלים. ומ״ם מכל מלמדי השכלתי. והענין אם יעלו בני אדם במאזנים עם ההבל היו יותר קלים מהבל. וכפל הבל הבלים להורות על כל זמן כענין נשאו נהרות ה׳ נשאו נהרות קולם וכן שבוני גם שבבוני פעמים רבות ושלא יאמר אדם בלבו שיש בדברי העולם הבל ויש בו שורש עומד הנה אתם הכל הבל: (ג) מה יתרון. על משקל זכרון והוא שם מהפעלים שהפ״ה שלהם איננו שלם ובנין הפעיל יורה עליו והענין אחר שהכל הבל מה יועיל לאדם בכל עמלו. וענין תחת השמש הוא הזמן המתהפך כי השמש לבדו יוליד הזמן כי היום תלוי בשמש מעת זרחו ועד בואו והלילה הוא מעת בוא השמש עד זרחו יראו הכוכבים או הלבנה או לא יראו וכן זרע וקציר וקור וחום וקיץ וחורף על פי נטות השמש לפאת צפון או דרום אע״פ שיש לירח בנהרות ובלחים הלהים ובמוח מעשים נאים וכימה לקשר וכסיל לפתח אין מעשה כולם כנגד מעשיו כי אם חלק מהלקים רבים ואם השמש אחד ישתנו מעשיו כפי השתנות המה׳ ועשרים מחברות השבעה והשתנות תהלוכות כולם עם נוע גובה גלגל המוצק היוצא על כן לא תמצא מתכונת מלאכת השמים נמשלת למתכונת אחר׳ רגע אחד ועל זה נזכר בספר יצירה שתי אבנים בונות שנים עד תשע שאין הפה יכול לדבר ולא האזן יכולה לשמוע והעמל לבקש חכמה עד שתתברר רוחו יש לו יתרון כי אין הרוח של אדם תחת השמש: (ד) דור. בעבור היות כל נמצא תחת השמש מורכב מארבעה מוסדים מהם יצאו ואליהם ישובו והם האש

מצודת דוד

קהלת לבני אדם והזהירם להבדיל ולהמאים את ההבלים ומוזר ומפרש המריו ואמר הכל את ההבלים מה שהכל הבל אשר בשום אופן לא ימצא מהם תכלית ראוי ויקר [הבל ההבלים המסבבים דאחרונה תכלית המועיל אין מהראוי להבדיל אותם ולהמאיסם יען נמצא בהם דבר טוב ומועיל]: (ג) מה יתרון. הלא דברי קהלת שפתח ואמר מהו היתרון הבא לאדם בכל העמל שיעמול בדבר הנתון תחת ממשלת השמש והיה עמל אסיפת הקנינים המסור ביד מערכת השמים (ויזכר השמש לפי שהיא הפועלת הרבה בתחתונים וגדולה היא מכולם ולכן תקרא מלכת השמים מלשון מלוכה וכמ״ש לקטר למלכת השמים (ירמיה מד) וכאומר מהי התועלת בהלו הקניינים הלא למחר ימות כהוספם ולא יקח מאומה בידו. או תחת השמש ר״ל בזה העולם במקום זריחת השמש מה ריוח יש בהעמל שיעמול בו להוסיף קניינים). (ד) דור הולך. ר״ל אף אם אמנם כשהדור הזה הולך למות במקומו הנה בא דור אחר עכ״ז אין מקום להשיב לעמול ולאסוף קניינים

מצודת ציון

אחרי ההבל (ירמיה ב׳): (ג) יתרון. מל׳ מותר וריוח: תחת השמש.

קיצור אלשיך

אמר שהוא אמירה בלי נסיון כי גם ראה וחתם כי כן הוא וזהו שחזר ואמר הבל הבלים סתם כלומר כי בא זמן שלא הוצרך לאמרו והוא הזמן השני הנזכר באומרו בן דוד. ולא תאמר כי אולי כשבא למלכותו אחרי נפלו חזר לומר כי טוב לו עתה מאז נפל שדוד ויהיה הטוב הזה חשוב בעיניו לזה אמר כי גם בזמן השלישי הסכימה דעתו כי הכל הבל, בין בהיותו מלך בין בהיותו הדיוט, וזהו הכל הבל. נמצא כי אומרו הבל הבלים אמר קהלת חוזר אל אומרו תחלה דברי קהלת. ומה שחזר ואמר הבל הבלים חוזר אל אומרו בן דוד. ואומר הכל הבל חוזר אל אומרו מלך בירושלים במדובר:

(ג) מה יתרון וכו׳. הלא אמרתי לך כי הכל הבל גם האדם אשר בשבילו נברא העולם. אך דע איפה כי איננו מקיים העולם השפל כי אם בבלתי עשות עיקר ממנו זולתי בעניני העולם העליון, וזהו מה יתרון וכו׳ לומר פקח עיניך וראה כי מה יתרון ושלמות יקנה ויהי׳ לאדם בכל עמלו אשר יעמול בדברים אשר המה למטה באו״ץ תחת הגלגל היומי ארציים וחומריים ולא להביט אל עושהו לעבוד עבודתו ולשמור משמרתו ולהגות בתורתו הרוחנית אשר על השמים כבודה. כי היא ומצותיה הן הנה המקנים השלמות הנצחי העליון הרוחני עד אין תכלית. (ד) דור הולך ודור בא וגו׳ קהלת מביא ד׳ מופתים מן ד׳ ראיות

all is vanity. 3. What profit has man in all his toil that he toils under the sun? 4. A generation goes and a generation comes, but the earth endures forever.

wisdom to his son. *King in Jerusalem,* the city of many sages, assuring that no truth would be concealed from the king reigning there. Consequently, the statements found in this book were examined thoroughly by numerous wise men.

2. **Vanity of vanities, said Koheleth**—*Koheleth complains about the creation of the seven days of Creation, that all is vanity of vanities.*—[*Rashi*]

Vanity of—Heb. הֲבֵל *is punctuated with a hataph pattah because it is in the construct state; i.e., the vanity of the vanities. Seven vanities* [are mentioned], *corresponding to the seven days of Creation.*—[*Rashi* from *Ecc. Rabbah*] The Midrash proceeds to bring Biblical references, illustrating that all the things created in the six days will one day be destroyed. The seventh day, too, is vanity insofar as it is the cause of death for its willful profanation.

Mezudath David renders הֲבֵל as a verb: Declare vanities to be vanity, said Koheleth. i.e., With this book, Koheleth exhorts the people to reject all vanities, and to declare them vain, and he explains his statement by saying: Declare vanities to be vanity, i.e., everything that is vanity, from which no desirable end can be attained, [but it is not proper to reject those vanities from which a desirable end can be attained].

The *Targum* explains this as Solomon's vision of the future of the kingdom: When Solomon the king of Israel saw with the spirit of prophecy the kingdom of Rehoboam his son, which was destined to split with Jeroboam the son of Nebat, and when he saw Jerusalem and the Temple, which were destined to be destroyed, and the people of Israel, who were destined to be exiled, he said with his words: Vanity of vanities is this world; vanity of vanities. All that I and my father David toiled to acquire is vanity.

3. **What profit** —*reward and remainder.*—[*Rashi*]

under the sun—*in lieu of the Torah, which is called light, as it is stated (Prov. 6:23): "and the Torah is light." All the toil which he does instead of engaging in the Torah—what reward is there in it?*—[*Rashi*] *Rashi* interprets the verse: What profit does man have with all his toil that he toils in lieu of the sun, to mean in lieu of the Torah. *Ecclesiastes Rabbah* explains: What profit does man have in all *his* toil? i.e., in all his toil in mundane matters, but in the toil of Torah, he does have profit. R. Huna and R. Aha said in the name of R. Hilfai: A man's labor is under the sun, but his treasury of reward is above the sun. R. Judan said: Under the sun he has no profit, but he has it above the sun. The *Targum* also renders: What profit does man have after he dies, from all his toil that he toiled under the sun in this world, except to engage in

ה וזרח השמש ובא השמש ואל־מקומו שואף זורח הוא שם: ו הולך אל־דרום וסובב אל־צפון סובב |

הו"א ודור בא. חגיגה ה: חרת השמש ובא השמש. יומא לח קידושין עב עקידה שער פ זוהר פרשת ויגא: הולך אל דרום וסובב אל צפון. עירובין נו בתרא כה זוהר פ' תולדות ופ' פקודי ופ' חקת:

תרגום

בגין חובי דרא בישא דרשיעא דעתידין למיתי בתריהון וארעא לעלמי עלמין קיימא לסוברא פורענותא דאתי על עלמא בגין חוביהון דבני אנשא: ה וזרח וידנח שמשא ביממא מן סטר מדינחא ואעיל שמשא לסטר מערבא בליליא ולאתריה שחיף ואזל אורח תהומא ודנח למחר מן אתר דהוא נח תמן מאתמלי: ו הולך אזיל כל סטר דרומא ביממא ומחזר לסטר צפונא בליליא אורח תהומא מחזר מחזר

שפתי חכמים

כן פסוק זה יורה על פסוק הקודם למה אין לו יתרון: ח דקשה לרש"י מתחיל בתוכחת הרשעים ומכיים והארץ לעולם עומדת מה ענין זה לכאן ועוד וכי לא ידעינן שהארץ לעולם עומדת. לכ"פ מי הם המתקיימים כו': ט דקשה לרש"י דאמר הולך אל דרום כו' סובב סובב וכל זה בשמש מדבר ואח"כ איך נכנס בשמש ויגא כרוח לכ"פ

רש"י

המתקיימים ח הענוים הנמוכי' המגיעין עצמם עד לארץ כענין שנאמר (תהלי' לז) וענוים ירשו ארץ. ומדרש תנחומא אומר כל צדיקי ישראל נקראו ארץ שנאמר (מלאכי ג) כי תהיו אתם ארץ חפץ: (ה) וזרח השמש וגו'. דור הולך ודור בא כאשר השמש תזרח שחרית ותשקע ערבית ותלך כל הלילה שואפת לשוב אל מקום אשר זרחה אתמול משם שתזרח שם גם היום: (ו) הרוח. רוחו של שמש ט טלנ"ט בלעז כמו (יחזקאל א) אל אשר יהיה שמה הרוח ללכת: ועל סביבותיו שב. גם מהר כל היקף וסיבוב שסבב אתמול הוא מקיף וסובב היום: הולך אל דרום. לעולם ביום: וסובב אל צפון. לעולם בלילה: סובב סבב הולך. אל פני מזרח ומערב שפעמים מהלכתן ביום ופעמים מסבבתן

ספורנו

אמר זה על חזרת חלילה שנמצאת בדורות הנפסדים בפעולת הטבע או מנהיגו ההוה תמיד בחכמה נפלאה כי לא יושג בה שום תועלת לא לאישי המינים ולא לכללות זה המציאות כי גם שישתנו הדורות הארץ לעולם עומדת על ענין אחד באיכות וכמות הנמצאים בה בלתי תוספת וגרעון: (ה) וזרח השמש ובא השמש. וזה בעצמו אמר על חזרת חלילה הנמצאת בהקיפי גלגל השמש ממזרח למערב: (ו) הולך אל דרום וסובב אל צפון. וזה אמר גם כן על

אבן עזרא

והרוח הנה שהוא האויר והמים והארץ זכר ארבעתם והחל בארץ שהיא כמו היולדת ואחר כן זכר השמש מקום האש בעבור רוב חומה והיא האש המולדת ואחר כן הרוח והמים ואמר על הארץ שכל הנולדים ממנה אליה ישובו כענין כי עפר אתה ואל עפר תשוב והיא עומדת ודור בא ודור הולך יתכן היות ענין דור כמו גרים וכמוהו מדור באהלי רשע: (ה) וזרח כבר בארו אנשי המדות והחשבון מכל הנראים הנראים על עשרה חלקים והשמש גדול מכולם ואין אחד כמוהו והוא הפרש במלאכת שמים כדמות הנקודה בחכמת המדות והא' בחכמת החשבון והענין אע"פ שיש לו תנועה ויזרח ויבא ישוב אל מקומו כבראשונה ומקום זרחו היום קרוב ממקום זרחו מחר ובעבור התנועתו לצפון ולדרום יזרח שני פעמים בשנה ממקום אחד וממקום סוף הדרום והצפון פעם אחת עד מלאת לו שנה תמימה וכן מקרה הלבנה והחמשה כוכבים גם כל צבא השמים יזרח ויבא. לכן זכר הגדול כענין ולשמש שם אהל בהם שלא הזכיר הכוכבים. וענין שואף כמו באות נפשה שאפה רוח כאילו הוא שואף הרוח מרוב תאותו לשוב אל מקומו: (ו) הולך. י"א כי גם הפסוק הזה על השמש ידבר שפעם נוטה אל צפון ואל דרום ויפרש הרוח פאה וזה איננו נכון ויורה עליו ועל סביבותיו שב הרוח וכל הפסוק הוא בענין הרוח שפעם יתנועע האויר לפאת צפון ופעם לפאת דרום ויסוב מדרום לצפון על פאת מזרח ומצפון לדרום על פאת מערב על כן אמר סובב

מצודת ציון

במקום השמש: (ה) ובא. ענין שקיעה כמו כי בא השמש (בראשית כה): שואף. ענין השקפה והתאוה אל הדבר כמו כעבד ישאף צל

מצודת דוד

להסביר לבניו אחריו כי והארץ כו' כלה לומר וכי הארץ עלמה לעולם עומדת הלא גם היא כנגד הבנה ויהמו אם כן יושביה עם הקיימים כולם א"כ אין זה דבר המתקיים לעד: (ה) וזרח השמש. הנה התוכנים הקרו אשר השמש מהלכו העצמי בגלגלו הוא ממערב למזרח אולם גלגל היומי מכריחו לשוב לאחוריו כלפי המערב ולזה אמר הנה השמש בהיותו קרוב לבית מבואו שוקק הוא לזרוח עוד על פני האדמה כי יאחז דרכו ללכת במהלכו למזרח אולם בע"כ ישקע בעונתו כי גלגל היומי הוא המכריחו לשוב ללכת כלפי המערב ולשקוע: ואל מקומו שואף. ר"ל וכן בהיותו קרוב למקום עליתו חושק הוא ללכת אל המקום אשר יצא משם לבל יזרח על פני האדמה וגלגל היומי הוא המכריחו לשוב לאחור ובע"כ זורח הוא שם במקום שמחזירו גלגל היומי: (ו) הולך אל דרום. בהיותו הולך בפאת המזרח הנה באמת הולך הוא כלפי הדרום בהכרחת גלגל היומי ואם כי הוא יסבב בגלגלו

לקוטי אנשי שם

(ו) הולך אל דרום וגו'. הנה הז"ל אמרו הרוצה להחכים ידרים והרוצה להעשיר יצפין. פירוש דברי חז"ל ע"פ פי' רש"י ז"ל והש"ע בעת תפלתו יטה פניו לדרום מעט ויהיה סגולה להכמה. וכשיטה פניו מעט לצפון בעת תפלתו יהיה סגולה לעשירות. והמנהג מורה בדרום ושלחן בצפון. ונוכל עוד לומר כי ללמוד תורה טוב יותר בעיר קטנה אשר אנשיה מעט והסוחרים קטנה. ואין מי שיבטל אותו מלמודו. אבל למסחר וקנין טוב יותר עיר גדולה כי רבים המה המוכרים והקונים. ובימי הגמרא היה עיקר ישוב בצפון. וע"כ אמרו הרוצה להחכים ידרים ידור בדרום כמ"ש חכמי הנגב. ששם הישוב מעט ויוכל לעסוק בחכמת התורה. ולהעשיר יצפין. ידור בצפון. בין אנשים רבים. ושמה נתרבה הממו"מ. ויוכל להתעשר. וכין כה וכה דרום מכונה על

קיצור אלשיך

ראיות חושיים, והם ראיית ארץ, ושמש, ורוח, ומים, איך שהעין רואה ראיה הושיית בהם שכל דבר היוצא ונפרד ומתרחק מהשורש ישאף לשוב ולהתבלל בשרשו ויסודו. והשורש והיסוד לא יבוטל לעולם. והיוצא והנפרד מהשורש ישאף לשרשו ונעשה כמוהו. ומהם ילמד האדם דעת שגם הוא בעצמו ישוב לשרשו. ועתיד ליתן את הדין אם לא יהשוב את דרכיו להכנים רוח חיים מלמעלה בפעולותיו לכבוד קונו. [א] ראיית הארץ. (ד) דור הולך מן הארץ ודור בא על הארץ. והארץ שהיא היסוד והשורש של הגופות של בני האדם לעולם עומדת ואיננה נחסרת ונאבדת והיא יען כי היסוד והשורש לא יבוטל לעולם. אבל הגופות אשר נבראו ויצאו ונפרדו ממנה שואפים לה כטבע החלק ששואף אל הכל ויתהוו ארץ ועפר כמוה. הרי שהדבר היוצא מן הארץ שואף ליסודו ושרשו. [ב] ראיית השמש. (ה) וזרח השמש במזרח והזריח. ובא השמש. בבקר תצא השמש. לערב תבא ותשקע במערב. כי זאת ידוע ליושבי תבל שבשעה שהשמש זורחת במזרח לילה היא במערב, וכשזורחת במערב לילה הוא במזרח וחוזר חלילה. ואל מקומו שזורח השמש היום שואף כל השנה. זורח הוא לשנה הבאה. שם על אותו המקום בעצמו בזה היום על הסדר הזה כמו שמבאר. והוא (ו) הולך השמש בימי החורף אל דרום. וסובב בימי הקיץ אל צפון ובא אל מקומו הראשון שיצא משם. הרי שהשמש שואף למקורו ושרשו.

ראיית

5. The sun rises and the sun sets, and to its place it yearns and rises
there. 6. It goes to the south and goes around to the north; the will
goes around

the Torah to receive a complete reward in the World to Come, before the Lord of the Universe.

Mezudath David explains: These are the words of Koheleth, which he commences and says: What is the profit that comes to man in all his toil that he toils at matters placed under the rule of the sun? That is the toil of accumulating possessions, an occupation placed under the rule of the heavenly bodies. [He mentions the sun because that body has the most influence on the earth, and it is larger than any other heavenly body. Therefore, it is called the queen of heaven (Jer. 44:18). It is as if to say: What is the use of these acquisitions? Tomorrow their owner will die and will take nothing with him. It may also mean that in this world, where the sun shines, what profit does a man have with the toil that he toils there to accumulate possessions?]

4. **A generation goes and a generation comes**—*As much as the wicked man toils and labors to oppress and to rob, he does not outlive his works, for the generation goes and another generation comes and takes all away from his sons, as it is stated* (*Job 20:10*): *"His sons will placate the poor."*—[*Rashi*] *Mezudath David* (ad loc.) explains: Perforce they will placate the poor because of what their father stole from them. According to the *Malbim* edition of Job, *Rashi* reads: The poor will crush his sons. [*Rashi* to our verse appears to coincide with that of *Malbim.*]

but the earth endures forever—*But who are the ones who endure? The humble and low, who bring themselves down to the earth, as it is stated* (*Ps. 37:11*): *"But the humble shall inherit the earth." And Midrash Tanhuma states: All the righteous of Israel are called earth* [or land], *as it is said* (*Mal. 3:12*): *"for you shall be a desirable land."*—[*Rashi*] [Note that this quotation is not found in extant editions of either edition of *Tanhuma*. In *Ecclesiastes Rabbah,* however, we find: These are the Israelites, who are called earth, as it is said, etc.]

Mezudath David renders: A generation goes and a generation comes, and does the earth endure forever?—Although, when this generation expires, another generation succeeds it, will the earth itself endure forever? Will not the earth too wear out like a garment and its inhabitants disappear with all their possessions? If so, it is not permanent.

The *Targum* paraphrases: King Solomon said with the spirit of prophecy: A good generation of righteous men that goes away from the world because of the sins of an evil generation of wicked men, who are destined to succeed them, and the earth will endure forever to bear the

סֹבֵב הוֹלֵךְ הָרוּחַ וְעַל־סְבִיבֹתָיו שָׁב הָרוּחַ׃ ז כָּל־הַנְּחָלִים הֹלְכִים אֶל־הַיָּם וְהַיָּם אֵינֶנּוּ מָלֵא אֶל־מְקוֹם שֶׁהַנְּחָלִים הֹלְכִים שָׁם הֵם שָׁבִים לָלָכֶת׃ ח כָּל־

תו״א כל הדברים יגעים. יומא יט זוהר פ׳ מקץ:

וְאָזִיל לְרוּחַ עִיבַר דָּרוֹמָא בִּתְקוּפַת נִיסָן וְתַמּוּז וְעַל סַחֲרָנוּהִי תָּיִב לְרוּחַ עִיבַר צִפּוּנָא בִּתְקוּפַת תִּשְׁרִי וְטֵבֵת נָפִיק מֵחַרְכֵּי מְדִינְחָא בְּצַפְרָא וְאָזֵיל לְחַרְכֵּי מַעַרְבָא בְּרַמְשָׁא׃ ז כָּל נַחֲלַיָּא וּמַבּוּעֵי מַיָּא אָזְלִין וְנַגְדִין לְמֵי אוֹקְיָנוּס דְּמַסְחַר לְעָלְמָא כְּגוּשְׁפַּנְקָא וְאוֹקְיָנוּס לֵיתוֹהִי מִתְמַלֵּי וּלְאַתַר דְּנַחֲלַיָּא אָזְלִין וְנַגְדִין תַּמָּן אִינוּן תַּיְבִין לְמֵיזַל מִצִּנּוֹרֵי תְּהוֹמָא׃ ח כָּל כָּל פִּתְגָּמַיָּא

רש״י

בלילה. בתמוז מהלכתן ובטבת סובבתן. אף הרשעים כל מה שממשן זורחת סופן לשקוע כל מה שהם הולכי׳ ומתגברי׳ סופם לשוב אל מקום לחנתם. ממקום הטנופת באו ולמקום הטנופת ילכו. וכן: (ז) **כל הנחלים הולכים אל הים והים איננו מלא.** לפי שאינן נשארי׳ בתוכו כי ים אוקיינוס הוא גבוה מכל העולם כולו שנא׳ (עמוס ה) הקורא למי הים וישפכם וגו׳. ומהיכן אדם שופך מלמעלה למטה והנחלים הולכים במחילות תחת ההרים מאוקיינוס והוזרים ונובעים וזהו אל מקום שהנחלים הולכים שם הם שבים אף הרשע כל עומת שבא כן ילך: (ח) **כל הדברים יגעים וגו׳ לא תשבע**

אבן עזרא

סובב הולך הרוח ובסוף ישוב על סביבותיו כשוב השמש כי היא סבת רוב תנועות הרוח ויורדי הים ידעו מהם שהם על דרך אחד ביום לשנה: (ז) כל הנחלים. אע״פ שהנחלי׳ הולכים אל הים לא יהיה מלא עד שיעבור ההוק ויכסה הארץ בעבור שהמים שהלכו אליו הם ישובו ללכת על מקומם פעמים אין קץ להם כי תמיד יעלה אד מהים אל הרקיע והם רוב העננ׳ והמים המתוקים יעלו בעבור קלותם והאד ישוב גשם כענין הקורא למי הים וישפכם ומימי המעיינים מהגשם וכל הנחלים יבאו מהמעיינים הלא תראה כי בשנת בצורת ייבשו רובי המעיינים וכתוב ויבש הנחל כי לא היה גשם בארץ וזה ענין אל מקום שהנחלים הולכים ולא באר שלמה סבת שוב המים אל מקומם כאשר לא באר סבת שוב השמש מהמערב למזרח אם למעלה מהרקיע או על הצדדים או על דרך שהארץ עגולה והיא באמצע הגלגל העליון כי אלה הדברים צריכים ראיות ושורש ספור לדבר על כל דבר נראה לעין ולא יצטרך לראיות והענין בזכירת אלה ארבעתם שהם השמש שהוא מקום האש והרוח והמים והארץ בעבור היות כל הנמצאים תחת השמש נולדים מהם הנמהי׳ והחיו׳ ובני אדם והעוף ודגי הים ואם הם שהם השרשים מנהגם לשוב אל מקום כשהיו איך יעמדו הנולדים מהם ואם היו בראשיתם הכל כן יהיו באחריתם ואם האדם הכל אף כי מעשהו שהוא כמו מקרה לו ואף כי מחשבותיו שהם כמקרה המקר׳ כענין ה׳ **יודע מחשבות** אדם כי המה הבל: (ח) כל

ספורנו

חזרת חלילה הנמצאת בהקיפי השמש כגלגל הנוטה. **כי** לא יתחדש מהם דבר לא בעצמם ולא במה של מעלה מהם ואם כל הכונה בזה היא בשביל הנפסדים הנה הכליתם גרוע מאד בלתי נאות לפעולתם מזולת מה שנראה שנטייתי בלתי מועלת לנפסדים אבל מזקת מאד ברב ההשתנות הנמשך ממנו: (ח) כל הדברים יגעים לא יוכל **איש לדבר**

מצודת דוד

להפנות כלפי הצפון: סובב סבב כו׳. ר״ל אף שבכל פעם שיסבב הוא ללכת מהלכו למחוז חפצו לא מילא תשוקתו והרלון הולך ממנו כי יד גלגל היומי גברה עליו ובטל רצונו: ועל סביבותיו כו׳. ר״ל עכ״ז חוזר עליו הרצון בכל פעם לסבב על סביבותיו כאשר מאז: (ז) הולכים אל הים. נמשכים המה לשפוך מימיהם אל תוך הים וכאלו חושבים למלאותו על כל גדותיו: והים איננו מלא. עכ״ז עינינו רואות שאין הים מלא ולא יגיעו אם כן הומלתם: אל מקום. הסיבה היא שאל המקום שהנחלים נמשכים לשם הוא הים: הם שבים ללכת. הנחלים בעצמם חוזרים משם ללכת תחת הארץ אל מקום מוצא המים והם הם החוזרים ונובעים למעלה ושבים ללכת אל הים ואם כן הם עצמם משמיטים פרי מחשבתם ומיסב הוא למעלה לחזק אמריו להמאים עמל הקנינים כהומרו הנה מלבד שאין בהם תועלת גלתי עוד כמלא בהם דבר רע כי לא יבטח להשינם עם העמל פעם בסיבת הוולת וכדרך השמש אשר יגיעו לריק בסיבת גלגל היומי ופעם בסיבת עצמו וכדרך הנחלים אשר המה עמלים לתוהו בסיבת עצמם: (ח) כל

מצודת ציון

(איוב ז׳): (ז) הרוח. ענינו רלון כמו הנני נותן בו רוח (ישעיה לז): (ח) הדברים. הענינים כמו על דבר הכסף (בראשית מג):

קיצור אלשיך

[ג] ראיית הרוח, סובב סובב הולך הרוח ועל סביבותיו שב הרוח. [ד] ראיית המים (ז) כל הנחלים הולכים אל הים ומדוע הים איננו מלא על כל גדותיו ולא ישטוף את העולם ולא יעבור גבולו. הוא יען שמיד האלהים אבי הטבע ב״ה וב״ש נטבע הטבע הזאת להם שכן יהיה טבעם לעד והוא אל מקום שהנחלים הולכים שם להים. משם מהים בעצמו הם שבים ללכת אל מקומם שיוצאים משם. סובבים סיבבים והוזרים חלילה ובאים אל מקורם תמיד ושואפים לשורשם. הרי שגם המים שואפים ליסודם ושרשם. ובכלל כולם אינם משנים מדתם כפי אשר נגבלו מהלכם רק כל אחד ואחד שואף אל מקומו ויסודו ושרשו. וא״כ יאמר החכם כמתוכח ונוצח במופתיו כיון שעינינו רואות בחוש שטבע כל יסוד ויסוד שואף למקורו ושרשו א״כ חושנו תלמדנו שאף דבר המורכב מכמה יסודות נ״כ כל יסוד ויסוד שואף ובא אל מקורו ושרשו. והגוף המורכב מארבע יסודות הנאמרים עפר רוח מים אש. במות האדם יסוד הרוח והאש הולכים תיכף ממנו. ויסוד העפר והמים כלים באדמה בקברו. ונשמת הצדיק אשר היא חלק אלהי׳ שואפת ג״כ לבוא ליסודה ושרשה כאשר אמרה אביגיל לדוד והיתה נפש אדוני צרורה בצרור החיים את ה׳ אלהיך. אך מחמת שנתלכלכה בעוה״ז בחטאים ועונות איננה יכולה לבוא לשרשה עד אשר תטהר מחלאתה. ואחרי זה עוד תצטרך לשוב לעה״ז לתקן התורה והמצוה אשר חדלה מעשות בפעם הראשונה בהיותה בזה העולם. ועד שלשה פעמים צריך האדם לבוא להתגלגל בזה העולם ואחרי זה תעלה הנשמה למקומה אשר ממנה לוקחה. וזהו וזרח השמש. שמשו של הצדיק בזה העולם בחייו, ובא השמש אחרי מותו. ואל מקומו שואף זורח הוא שם. נפש הצדיק אשר כל ימי חייו היה שואף למקומו. ע״כ אחרי מות הגוף זורח נשמתו שם בג״ע. ואולי תשאל איך תאמר שהאדם בא לעולם לקנות שלמות ע״י התורה והמצוה וזה הוא עיקר בריאתו הלא הוא אפשר כי כאשר ראינו סבוב הנחלים ההולכים אל הים ואינו בשביל שלמות שמגיע אל הים או אל הנחלים. כן יקרה אל האדם בסבובי גלגוליו והוא כי הנה כל הנחלים הולכים אל הים ולא שהים קונה בזה שלמות כי הים איננו מלא ע״י סבובי הנחלים והליכתם אליו. וגם הנחלים בעצמם אין קונים שלמות בזה. וזה משני טעמים הא׳ שלמקום שהנחלים הולכים שם הם שבים שהרי בכל סבוביו אינו קונה מקום מובחר מהראשון וגם אינו שב לנוח כמדובר ברוח הצדיק כ״א ללכת שהוא להזור ולהלוך. ע״כ יוכל איש לגזור אומר ולומר כי גם (ח) כל הדברים יגעים מבלי תועלת ותכלית כמשל הנחלים וכי העולם מתנהג כך

and around, and the will returns to its circuits. 7. All the rivers flow into the sea, yet the sea is not full; to the place where the rivers flow, there they repeatedly go. 8. All

punishment that comes upon the world because of the sins of mankind.

5. **The sun rises, etc.**—*A generation goes and a generation comes as the sun rises at dawn and sets at eventide, and it goes throughout the night, yearning to rise from the place whence it rose yesterday, that it will rise from there also today.*—[*Rashi*]

The *Targum* renders: And the sun rises by day from the east, and the sun sets at night in the west, and to its place it yearns and goes by way of the deep and rises on the morrow from the place whence it rose yesterday.

6. **the will**—Heb. הָרוּחַ , *the will of the sun, talant in Old French, like* (*Ezek. 1:12*): "*wherever would be the will* (הָרוּחַ) *to go.*"—[*Rashi*]

returns to its circuits—*Also on the morrow, the entire circuit and encircling that it encircled yesterday, it encircles and goes around today.*—[*Rashi*]

goes around and around—*to the eastern and western sides, which it sometimes goes through by day, and sometimes goes around at night. In Tammuz it goes through them, and in Teveth it goes around them.* [*Rashi* alludes to the Talmudic explanation in *Baba Bathra* 25b: Rabbi Joshua says: The world is like a tent, of which the north side [also] is enclosed, and as soon as the sun reaches the northwestern corner, it encircles and goes around behind the dome, as it is said: "It goes to the south and goes around to the north, etc." It goes to the south by day and goes around to the north at night. "The will goes around and around, and the will returns to its circuits." These are the eastern and western sides, which it sometimes goes around and sometimes goes through.] *Also the wicked, no matter how much their sun rises, they will ultimately set. No matter how much they gain power, they will ultimately return to the place of filth. From the place of filth they came, and to the place of filth they will go.*—[*Rashi*] *Rashi* (ad loc.) explains the astronomy as follows:

like a tent—a tent, which is completely encircled.

to the northwestern corner—at night, for the sun always goes around the northern side at night, and from the west it faces the north, for so is its course: from east to south, from south to west, and from west to north.

and goes around behind the dome—through an aperture.

It goes to the south—The daily course is called going, for that is within the space, and the nightly encircling is called going around, for it encircles outside, and by day it always goes to the south; even on a short day, it does not go less than the southern side.

and goes around to the north at night—Even in a short night of the season of Tammuz, it does not go around less than the northern side.

sometimes goes through—on a long day of the season of Tammuz, when it emerges from the northeastern corner and sets in the northwestern corner.

sometimes goes around—on a short day, when it emerges in the southeastern corner and sets in the southwestern corner, and encircles three sides at night.

The *Targum* also renders: It goes along the entire southern side by day and goes around to the northern side at night by way of the deep. Around and around to the end of the southern side in the seasons of Nissan and Tammuz, and on its circuits, it returns to the end of the northern side in the seasons of Tishri and Teveth. *Ibn Ezra* appears to be quoting the *Targum* when he states that, "some say that this verse refers to the sun, which sometimes turns towards the north and sometimes to the south, and they explain רוּחַ as "end" or "corner." This is, however, incorrect, as is evidenced by, "and upon its circuits the רוּחַ returns." Rather, the entire verse is referring to the wind, stating that sometimes the movement of the air is to the north and sometimes to the south, and it turns from south to north in the east and from north to south in the west. Therefore, Koheleth states: Around and around the wind goes, and ultimately, it returns on its circuits, when the sun returns, for that is the cause of most of the movements of the wind, and the seafarers know about them, for they occur on the same day each year.

and so, 7. **All the rivers flow into the sea**—*because they do not remain therein, for the ocean is higher than the entire world, as it is said* (*Amos 5:8*): *"He calls the water of the sea and pours it, etc." Now from where does a person pour? From above downward, and the rivers flow in the tunnels under the mountains from the ocean and repeatedly flow, and this is the meaning of: "to the place where the rivers flow, there they repeatedly go." Also, the wicked man,* (below 5:15) "*wherever he came from, so he will go.*"—[*Rashi*]

Mezudath David explains:

flow into the sea—Their waters flow into the sea, and it is as though they intend to overflow its banks.

yet the sea is not full—Nevertheless, we see with our own eyes that the sea is not full, and they, accordingly, do not achieve their goal.

to the place—to the place where the rivers flow, i.e., the sea.

they repeatedly go—Those very rivers go back from there to go underground to the place of the source of the water, and they are the rivers that return and flow above and repeatedly flow into the sea. If so, they themselves destroy their own plans. This refers back to strengthen what Solomon said to reject the work of acquisition of wealth, by saying: In addition to the fact that there is no permanent gain, there is a disadvantage, viz. that one cannot rely on his toil to acquire wealth, either because of prevention by others, as the sun, which is prevented from acquiring anything because of its orbit, or because of prevention by itself, like the rivers, which toil for nothing, because of their desire to return to their source.

Ibn Ezra explains that, although all the rivers flow into the sea, the sea cannot be filled up unless it violates [natural] law and inundates the land, because the waters that flowed into it return to their place innumerable times: they continuously ascend to the sky in the form of vapor to become clouds, and the vapor is converted to rain , as Scripture states (Amos 5:8): "He Who calls the water of the sea and pours it upon the face of the earth." Hence, the waters of the springs come from rain, and all the rivers originate from the springs.

8. **All things are wearisome, etc. the eye shall not be sated from seeing, nor shall the ear be filled**—*This refers back to, "What profit* [has man]" *if he exchanges the study of Torah to speak wasteful words? They are only wearisome, and he will not be able to acquire them all, and if he comes to engage in the vision of the eye, it will not be satisfied, and if in the hearing of the ear, it will not be filled.*—[*Rashi*]

Mezudath David explains: When a person toils and achieves his goal, he stops and ceases to toil, but when he does not achieve his goal, he toils and wearies himself endlessly. Koheleth says that all the matters in this world are wearisome, because in nothing does one achieve his goal.

הַדְּבָרִים יְגֵעִים לֹא־יוּכַל אִישׁ לְדַבֵּר לֹא־תִשְׂבַּע עַיִן לִרְאוֹת וְלֹא־תִמָּלֵא אֹזֶן מִשְּׁמֹעַ׃ ט מַה־שֶּׁהָיָה הוּא שֶׁיִּהְיֶה וּמַה־שֶּׁנַּעֲשָׂה הוּא שֶׁיֵּעָשֶׂה וְאֵין כָּל־

דַעֲתִידִין לְמֶהֱוֵי בְּעָלְמָא אִשְׁתַּלְהִיאוּ בְּהוֹן נְבִיַּיא קַדְמָאִין וְלָא יָכִילוּ לְמִשְׁכַּח סוֹפֵיהוֹן בְּרַם הָכֵי לֵית לֵיהּ רְשׁוּ לִגְבַר לְמַלָּלָא מַה דַעֲתִיד לְמֵיתֵי בְּתְרוֹהִי וְלָא יְכִילָא עֵינָא לְמֶחֱזֵי כָּל מַה דַעֲתִיד לְמֶהֱוֵי בְּעָלְמָא וְלָא יְכִילָא אוּדְנָא לְאִתְמְלָאָה מִלְמִשְׁמַע כָּל פִּתְגָמֵי דְכָל דַיָירֵי אַרְעָא׃ ט מַה מַה דַהֲוָה מִן קַדְמַתָא הוּא עָתִיד לְמֶהֱוֵי בָּתַר כֵּן וּמָה

רש"י

עין ולא תמלא אזן. מוסב על מה יתרון י אם מהליף הוא עסק התורה לדבר בדברים בטלים הרי הם יגעים ולא יוכל להשיג את כולם ואם במראית העין בא לעסוק עינו לא תשבע ואם בשמיעת האזן אזנו לא תמלא: (ט) מה שהיה הוא שיהיה וגו'. בכל מה כ שהוא למד בדבר שהוא חליפי השמש אין בו חידוש לא יראה אלא מה שהיה כבר שנברא בששת ימי בראשית. אבל ההוגה בתורה מוצא בה תמיד חידושי טעמים ל כענין שנאמר (משלי ה) דדיה

שפתי חכמים

כוחו של שמש: י דק"ל מה ענין זה לכל הנחלים הולכים אל הים סקודם לו. לכ"פ מוסב על מה יתרון כו' כדמפרש ואזיל: כ דק"ל מה שייך זה לענין הקודם. לכ"פ בכל מה שהוא כו': ל דק"ל דמשמע דבר שהוא חלופי השמש אין בו חדוש אבל בתורה יש חדוש מה שלא

אבן עזרא

הדברים. יש מפרשים יגעי' כמו מלאים וזה לא יתכן בעבור היות יגעים פועל עומד כמו האחד עיף ויגע ואילו היה כענין פירושם היו מיגעים מבנין פועל הדגוש מן אל תיגע שמה. אכן ישוב יגעים על הדברים בעצמם והפך שהם נלאים וחסרים אין כח בהם על כן לא יוכל איש לדבר. ואחר שהודיע הארבעה השרשים שהם עומדים על מתכונתם ואם תקרה להם תנועה בסוף ישובו כשהיו אמת ידענו הכלל והפרטים הנולדים מהם לא יעמדו רגע אחד על מתכונת אחת ע"כ לא יוכל אדם לספור אותם והעין לא תשבע מראותם כי סבת ראות העין התמונות שהם מתדמות באויר הזך ולא יעמדו רגע אחת והאזן לא תמלא משמוע הפרטי' כי גם סבת השמיע' הכנסת האויר שיש בו תמונות הקולות גם הם לא יעמדו על כן לא תוכל העין לשלוט בפרטם ולא האזן לשמוע מספרם כי אין קץ ומספר להם אל בני אדם לכן היוצר לבדו ידע הכלל והפרט כי מעשה ידיו כלם: (ט) מה שהיה. אמר המשורר על הבריאות העליונות כי הוא צוה ונבראו ויעמידם לעד לעולם ועל הבריאות של מטה אמר כי נשגב שמו לבדו והענין כי תהו המה כלם וענין מה שהיה הוא על הגלגלים ולבאותם כי הם כמו עגולות חוזרות הלילה וראשיתם כסופם וסופם כראשיתם. ומה שנעשה הוא שיעשה. על הכללים

ספורנו

ועם זה הנה כל הדברים היגעים מפני שכחם בעל תכלית על הפך הגרמים השמימיים שהם בלתי נלאים הם רבים באופן שלא יוכל איש לספרם אם כן התמדתם הנצחית במין אינה מצד טבעם הנלאה אבל מצד איזה נצחי משגיח בזה שהוא בלתי נלאה: ולכן לא תשבע עין לראות. לא תשבע עין השגחתו ולא תלאה מראית והשגיח: ולא תמלא אזן משמוע. באופן שלא תחדל אזן הטבע משמוע את מצות העצם הנבדל המצוה עליו כי הטבע מצד עצמו פועל בלתי כוונה: (ט) מה שהיה הוא שיהיה. ובזה ראוי להתמה על זה הנבדל המצוה לטבע לחזור חלילה בלתי התחדש מזה

מצודת דוד

הדברים יגעים. הנה כשהאדם עמל ומשיג תוחלתו אז ינוח ולא ייגע עוד אבל כשאינו משיג אז הוא עמל ויגע עד אין תכלית ולזה אמר לא יוכל איש לדבר. כאומר אם אדבר לפרט את כל הענינים שאינם משיגים תוחלתם אי אפשר כי בן אדם לא יוכל לספר את כולם כי רבים המה מאד. לא תשבע עין. אמר במשל מבן אדם השבע מאד עד שא"א לו לאכול עוד כלומר אם הענינים האלה יראה בעיניו הנה העין לא תשבע במה שראה מאז עד שיהיה מן המנע לראות עוד כי כולן כלו ואין עוד מה לראות כי לא כן הוא כי באמת יש עוד מה לראות: ולא תמלא אזן. חזר ואמר במשל מכלי מלא עד שא"א לתת עוד מה בתוכו כלומר אם הענינים האלה ישמע באזניו לא תמלא האזן במה ששמעה מאז עד שיהיה מן המנע לשמוע עוד כי כולן כלו ואין עוד מה לשמוע כי לא כן הוא כי באמת יש עוד מה לשמוע: (ט) מה שהיה. כאומר ופן יסיה לב האדם נפתה עליו לומר הן אמת כן היה בימים הראשונים אשר שום ענין מהענינים האלה לא השיג תוחלתו בעמל סיגיעה אבל לא כן הוא בהימים האלה לזה אמר דע לך מה שהיה מאז הוא

מצודת ציון

(ט) כל חדש. שום הדש וכן לא תעשה כל מלאכה (שמות כא):

קיצור אלשיך

כך מאליו ולא שגלגולי רוח כל בשר איש הולכת להשתלם ושבכל פעם הולכת אל מקום מובחר מהקודם עד השלישית שמגעת אל מכונתה העליונה כי אולי במקרה כל הנחלים עם הים גם לה יקרנה ולא הוצאת תולדה זו מהשמש למה שכל העולם צריך וזה תכליתו משא"כ לנחלים כי גם מקצת נחלים משקים קצת מקומות אינו בכולם. וזה אומרו כל הנחלים וגו' כי אמר מלת כל לכלול כולם ע"כ לסתור תולדה זו אמר לא יוכל איש לדבר. לאמר לא יוכל איש לדבר כדבר הרע הזה. והראיה כי הלא לא תשבע עין והוא כי הנה ההוקרים הכריחו ואמתו חדוש העולם והיותו לתכלית אשר פעלו יוצרו ובלתי מקריי לשלשה סבות. א' מצד רוב גדלו וכמות ארץ ושמים וכל צבאם. ב' מצד חכמת סידורו ותיקון סבובו והשתלשלותו יורה כי כולם בחכמה עשה הוא ית'. ג' לרוב התמדתו. ועל שלש אלה גזר אומר כי העולם בלתי מקריי ונברא לתכלית. וזה יאמר קהלת הנה לא איש לדבר כי כי הדברים יגעים לבלתי שלמית תכלית כי הלא לא תשבע עין מלראות העולם ומלואו כי מי יוכל לראות את הכל. הרי הטעם האחד. ועל הב' האחרות אמר ולא תמלא אוזן משמוע כ"א יאמרו לאיש מסדורו של עולם וחכמת ענינו או מרוב התמדתו מאז נברא אין צ"ל שלא ישיג מדעתו כ"א גם אם יוגד לו לא תמלא אוזן איש משמוע ואיך יתכן יהיה כל זה לבלי תכלית ושלמות וזהו שלא נאמר ולא תשבע בוא"ו כ"א לא וכו' להיות שהוא תחלת ענין לומר הראיות כמדובר:

(ט) מה שהיה הוא שיהיה וגו'. אחרי אומרו כי יש תכלית טוב לעולם כ"א יתוקנו ברואיו ועוד יתחלפו פעמים שלש עד יצא כנוגה צדקת הצדיק השם מנמתו חיי העולם הבא כי ישית עמלו בתורה ובמצות ולא יפנה אל הבלי העולם הזה כמו זר יחשב שיבת הנפש אחרי מותה בעיני הנמשכים אחר הטבע ושתהיה פה מתוקנת להזור לעתיד בגוף ומה גם עתה החומר כי עפר הוא ואיך יתוקן אחרי שובו אל הארץ כשהיה. והנה

לקוטי אנשי שם

עסק הסהרה. ולפון מכוכב על עשירות. וסליכה נקראת על דרך ישרה. וסובב נקראת המסבב מדרך סיסר לדרך לדרי. ושלמה אמר הולך אל דרום. האדם נקרא שילך בדרך התורה ומצות וסובב אל לפון לעשירות. סובב סובב. עד שהוא סובב הולך ממנו הרוח היא הנשמה. ועל סביבותיו. ומחמת סביבותיו של סלום. מוכרחת הנשמה לשוב עוד פעם ושתים לעולם הזה ולהתגלגל לתקן את אשר עיותה עד כה:

things are wearisome; no one can utter it; the eye shall not be sated from seeing, nor shall the ear be filled from hearing. 9. What has been is what will be, and what has been done is what will be done, and there is nothing

no one can utter it—If I would wish to enumerate all the matters in which a person cannot achieve his goal, it would be impossible, because they are so many that a human being cannot enumerate them all.

the eye shall not be sated—He uses a man who is sated from food until he can eat no more as an example. i.e., If he sees these matters with his eyes, the eyes will not be sated from what they saw before, for there is always much more to see.

nor shall the ear be filled from hearing—He uses a vessel that is full to the brim until it can hold no more as an example. i.e., If a person hears these matters with his ears, the ear will not be filled with what it heard previously, to the extent that it will not be able to hear any more, because there is always more to hear.

The *Targum* paraphrases: All the things that are destined to be in the world, the early prophets became weary of them and were not able to find their end; indeed, a person has no permission to speak of what is destined to happen after him, and the eye cannot see what is destined to be in the world, and the ear cannot be filled from hearing all the words of all the inhabitants of the earth.

9. **What has been is what will be, etc.**—*In whatever he learns, in a matter that is an exchange for the sun, there is nothing new. He will see only that which already was, which was created in the six days of Creation. But one who meditates on the Torah constantly finds new insights therein, as it is stated (Prov. 5:19): "her breasts will satisfy you at all times." Just as this breast, whenever the infant feels it, he finds a taste in it, so are the words of Torah* (*Er.* 54b), *and so we find in Tractate Hagigah, that Rabbi Eliezer ben Hyrcanus said things that the ear had never heard, concerning the account of the Celestial Chariot.*—[*Rashi*] [Note that in extant editions of *Eruvin*, we read: Just as this breast, whenever the infant feels it, he finds milk in it, so are the words of Torah, whenever a person meditates on them, he finds new insights. Note also that the account of Rabbi Eliezer ben Hyrcanus does not appear in *Tractate Hagigah*. On the contrary, Rabbi Eliezer ben Hyrcanus prided himself with his manner of not saying anything he had not heard from his mentors (*Succah* 27b, 28a, *Yoma* 66b). A similar account is given of Rabbi Eleazar ben Arach, but not in the wording quoted by *Rashi*. See also *Magen Avoth* on *Avoth*, ch. 2, p. 29, where this account is brought to indicate Rabbi Eleazar's superiority over Rabbi Eliezer's in his originality. See *Avoth d'Rabbi Nathan* 1:3; *Pirkei d'Rabbi Eliezer*, Introduction of *Redal*, p. 6; ch. 2, fn. 13, where *Redal* theorizes that *Rashi's* reading was

חָדָשׁ תַּחַת הַשָּׁמֶשׁ׃ י יֵשׁ דָּבָר שֶׁיֹּאמַר רְאֵה־זֶה
חָדָשׁ הוּא כְּבָר הָיָה לְעֹלָמִים אֲשֶׁר הָיָה מִלְּפָנֵנוּ׃
יא אֵין זִכְרוֹן לָרִאשֹׁנִים וְגַם לָאַחֲרֹנִים שֶׁיִּהְיוּ לֹא־

תו״א אין כל חדש תחת השמש, ברכות נט שבת ל נדרים לט סנהדרין קי:

דְאִתְעֲבִיד מִן קַדְמַת דְנָא
הוּא עָתִיד לְאִתְעוֹבָדָא עַד סוֹף
כָּל דָרֵי עַלְמָא וְלֵית כְּלוּם
פִּתְגָם חֲדַת בְּעַלְמָא הָדֵין
תְּחוֹת שִׁמְשָׁא׃ י יֵשׁ אִית פִּתְגָם
דְיֵימַר אֱנָשׁ חֲזֵי דֵין פִּתְגָם
חֲדַת הוּא הָא כְּבַר הֲוָה לְעַלְמִין בְּיוֹמֵי דָרַיָא דִי הֲווֹ לְקַדְמָנָא׃ יא אֵין לֵית דָכְרָנָא לְדָרַיָא
קַדְמָאִין וְאַף לְבַתְרָאִין דַעֲתִידִין לְמֶהֱוֵי לָא יְהֵי לְהוֹן דָכְרָנָא עִם דָרַיָא דִיהוֹן בְּיוֹמֵי

רש״י

ירווך בכל עת מה הדד הזה כל זמן שהתינוק ממשמש בו מוצא בו טעם אף ד"ת כן וכן מצינו במסכת חגיגה שאמר רבי אליעזר בן הורקנוס דברים שלא שמעתן אזן במעשה מרכבה: (י) יש דבר. בא לידך תחת השמש שיאמר לך האומר עליו ראה זה דבר חדש הוא ואינו חדש שכבר היה בעולמים שעברו לפנינו אלא שאין זכרון לראשונים לכך דומה להיות חדש: (יא) וגם לאחרונים שיהיו. לאחרינו לא יהיה להם זכרון בדורות שיהיו לאחרונה להם. ומדרש

אבן עזרא

שהם שומרים כמין אדם ומין סוס ומין כל חי ומין כל צמח ותולדת אלה מתנועות העליונים ואם העליונים עומדים יעמדו הכללים שהם בתבנית מערכות המזלות והענין אע"פ שלא אוכל לספור הפרטים כלליהם שמורים וידועים וספורים ועל זה הדרך תראה עולם שלמעלה ועולם שלמטה עומד על דרך אחד ואין כל חדש: (י) יש דבר. ימצא יש ברוב בלשון הקדש על הדבר הנמצא לפרקים מעטים כמו ויש אשר יהיה הענן. יש מפזר ונוסף. ויש רשע מאריך. כי ברוב שנות רשעים תקצרנה. ואם יראה לאדם דבר חדש כבר היה לעולמים ופירוש עולמים כמו זמנים וכן צור עולמים. מלכותך מלכות כל עולמים תשועת עולמים נצח וזמנים רבים: (יא) אין זכרון. אם תאמר אלו היה כמו זה הדבר החדש בימים הקדמונים כאשר שמענו שמעו אין זכרון לראשונים גם כי יקרה לאחרונים עם האחרוני האחרונים עד

ספורנו

דבר: (י) יש דבר שיאמר ראה זה חדש הוא. ואמרתי שאין כל חדש כי גם שיקרה דבר בימינו שנחשוב שהוא חדש. כבר היה לעולמים. לפי הנמצא בדברי הימים שלהם: (יא) אין זכרון לראשונים. והסבה שאותו הדבר הוא חדש

מצודת דוד

לבדו מה שיהיה גם עתה ומה שנעשה מאז הוא לבדו מה שיעשה גם עתה והיא כפל ענין במ"ש: ואין כל חדש. אין שום דבר חדש במקום זריחת השמש היא העולם כולו וכאומר כמו שלא נשתנה להתחדש שום דבר בע"נס כן לא נשתנה גם זאת כי עד עולם אין שום ענין משיג תוחלתו בעמל שיגיעה כאשר לא השיג מאז: (י) יש דבר. עם כי יש דבר נמצא בעולם אשר עליו יאמר האומר ראה והבן שזה דבר חדש הוא כאומר וכן עי"ז תחשוב כמי שנשתנה להתחדש דבר זה כן נשתנה גם זאת שמעתה יוכל האדם להשיג תוחלתו בעמל שיגיעה: כבר היה. כאומר אל תאמין אל האומר אשר חדש הוא זה כי באמת כבר היה כזה במשך הזמנים הארוכים אשר כל אחד מהם היה בימים אשר לפנינו טרם נולדנו: (יא) אין זכרון. אלא שאין זכרון אל שמעשים הנעשים בימים הראשונים כי נשכחו מלבות בני האדם: וגם לאחרונים שיהיו. וכן גם אל המעשים אשר יהיו בימים שהאחרונים לא ישאר להם זכרון מה למען שישוו עם המעשים אשר יהיו אחר הזמן ההוא לומר אז המעשים אשר נעשו עתה דומים הם אל המעשים אשר נעשו מאז כי השכחה גוברת והולכת אצל האמת שאין דבר חדש בעולם:

מצודת ציון

(י) לעולמים. כמו בעולמים והלמ"ד במקום הבי"ת וכן כי בוחר אתה לבן ישי (ש"א כ') ומשפטו דבן ישי ומלת עולמים יורה על זמנים רבים כמו ועבדו לעולם (שמות כא):

קיצור אלשיך

והנה מאמר רז"ל בגמרא על קושי אמונות התחיה מאי דלא הוה הוה מאי דהוה לא כל שכן, ומדרש חזית על פסוק מה שהיה כבר הוא אם יאמר לך אדם וכו' אמור הרי כבר היה זה בעולם כי הרי אליהו ואלישע ויחזקאל החיו מתים, ועל דרך זה יאמר פה לפי דרכנו לומר אל תתמה באמרי כי הנפש תשוב לתקן כי לא מה שהיה וכו' והוא כי מה שהיה הוא הנפש הנקראת הויה כד"א ויהי האדם לנפש חיה היא בעצמה אשר תשוב תהיה לעתיד, ומה שנעשה והוא הגוף כד"א נעשה אדם הוא עצמו שיעשה וא"כ אל יפלא בעיניך הדבר כי הלא ראינו כיוצא בו בעולם לעיני הכל. ולבל תאמר אם מה שהיה הוא שיהיה וכו' הלא טוב טוב היה ישאר הדבר מתחלתי כשהיה ולא יצא יצוא ושוב כמה פעמים. ע"כ אמר ואין כל חדש תחת השמש, כלומר מה שאין כל חדש הוא תחת השמש, שהוא בעולם השפל, אך למעלה יש ויש, כי כל אשר סיגל תורה ומצות בעולם הזה ויתר אורות וחופו' ותקונים למעלה עד אין מספר. וע"כ שולחה הנפש פה לחדש האורות הגדולים ההם כנודע ליודעי חן, וגם כי לעומת זה לא יעדרו עונות וחטאות, הנה מהם יתמרקו בגיהנם בגלגולים עד יאבד זכרם ואורות תורה ומצות יהיו חיים וקיימים עולם ועד למעלה מן השמש בעולם העליון שלמעלה מהגלגל היומי:

(י) **יש** דבר וגו'. הלא אמרת כי אין כל חדש תחת השמש, והלא יש דבר שיאמר האיש הנזכר למעלה לעתיד לבא ראה זה חדש הוא, אינו כי כבר היה וכו'. והוא ענין מאמרם ז"ל במדרש על פסוק מה שהיה כבר הוא, שאם יאמר אדם איך יהיה לעתיד אדם בגוף ונפש חי לעולם. אל תתמה שהרי אליהו הוא חי וקיים לעולם. וזה יאמר פה לפי שנותינו הנה יש דבר אשר יאמר ראה זה חדש הוא. שהוא כי נראה לעתיד אדם חי לעולם. והנה זה חדש הוא כי לא נראה כדבר הזה, ואפילו הארבעה שלא חטאו מתו בעטיו של נחש ואיכה תאמר כי אין כל חדש תחת השמש. אל תאמר כדבר הזה כי הנה כבר היה לעולמים וכו' והוא אליהו כי חי לעולמים. וש"ת אולי לא יהי' חי לעולם, לזה אמר אשר היה מלפנינו, כלומר מזמן הרבה מלפני דורותינו אלה ועודנו חי ולא נשתנה, כי הנה הוא בהויתו אשר היה מלפנינו, כי אם היה משתנה מחמת זקנה היה ניכר, אך מהיות הוא אשר היה מלפנינו בלי שנוי יראה כי לעולם יהי כן מברכת מלכו של עולם:

(יא) **אין** זכרון לראשונים וכו'. הנה אמרת כי מה שהיה הוא שיהיה כי התחיה לא תפלא כי כבר היתה בימי אליהו ואלישע ויחזקאל, ושמא תאמר הלא יש תשובה כי אין העולם נתקן לישאר קיים נצחי כי הלא גם בתחיות ההם לא נתקיימו לעולם, לזה אמר אל תשוה אלי לאלו כי הנה אין זכרון לראשונים הם אשר החיה אליהו ואלישע וגם לאחרונים שיהיו ע"י יחזקאל עם אשר יהיו באחרונה בתחיית המתים כי יתקיימו לעד, כי גם הומרם יהי' כ"כ זך שידמו למלאכי השרת בעלי כנפים כאשר יתבאר במקומו בס"ד:

אני

new under the sun. 10. There is a thing of which [someone] will say, "See this, it is new." It has already been for ages which were before us. 11. [But] there is no remembrance of former [generations], neither will the later ones that will be

that Rabbi Eliezer ben Hyrcanus lectured on the secrets of the Celestial Chariot. Rabban Johanan ben Zakkai entrusted him with the secrets of Kabbalah rather than Rabbi Eleazar ben Arach because he foresaw that the latter would forget the Torah he had learned.]

Mezudath David explains:

What has been—Lest a person be persuaded to believe that it was true only in the early days that one could not attain his goal through toil and labor, but that nowadays one can achieve one's goal in this manner, Koheleth emphasizes that what was true in the earlier days will continue to hold true in our days as well, and what has been done, will continue to be done in our days.

and there is nothing new—There is nothing new throughout this world upon which the sun shines. It is as if to say that there is nothing new in the world, including the fact that a person will never attain his goal through toil and labor.

10. **There is a thing**—*that comes to your hand under the sun about which the speaker will say, "See, this is a new thing!" But it is not new, for it has already been so for ages that have passed before us, but "there is no remembrance of former [generations]." Therefore, it seems to be new.*—[*Rashi*] *Mezudath David* explains the verse just as *Rashi* does, adding that you may believe that, just as this thing has changed, so has this matter changed, that from now on, a person can attain his goal.

It has already been—That is to say that you should not believe anyone who says that this thing is new, because it has already existed for ages that were before we were born.

11. **There is no remembrance**—But there is no remembrance of the deeds committed in early days, because they have been forgotten from the hearts of men.—[*Mezudath David*]

neither will the later ones that will be—*after us have any remembrance in the generations that will be after them. And the Midrash Aggadah interprets this as referring to the obliteration of the remembrance of Amalek, and his remembrance will ultimately be obliterated, as it is said* (*Obadiah 1:18*): *"and the house of Esau will have no survivors."*—[*Rashi*]

Ecclesiastes Rabbah reads:

There is no remembrance of former [generations]—This refers to the Egyptians.

neither will the later ones—This refers to the Amalekites. And to whom was it commanded to obliterate the remembrance of Amalek? To Israel, as it is said (Deut. 25:19): "You shall blot out the remembrance of Amalek." [It is doubtful that *Rashi* is referring to this

יִהְיֶה לָהֶם זִכָּרוֹן עִם שֶׁיִּהְיוּ לָאַחֲרֹנָה׃ יב אֲנִי קֹהֶלֶת
הָיִיתִי מֶלֶךְ עַל־יִשְׂרָאֵל בִּירוּשָׁלִָם׃ יג וְנָתַתִּי אֶת־
לִבִּי לִדְרוֹשׁ וְלָתוּר בַּחָכְמָה עַל כָּל־אֲשֶׁר נַעֲשָׂה
תַּחַת הַשָּׁמָיִם הוּא ׀ עִנְיַן רָע נָתַן אֱלֹהִים לִבְנֵי

הו"א אני קהלת הייתי מלך. גיטין סח סנהדרין כ׳

מלכא משיחא: יב אני כד הוה שלמה מלכא יתיב על כורסי מלכותיה אתגאה לביה לחדא על עותריה ועבר על גזירת מימרא דיי וכנש סוסון ורתיכין ופרשין סגיאין וצבר כספא ודהבא לחדא ואתחתן בעממין נוכראין מן יד תקיף רוגזא דיי עלוהי ושדר לותיה אשמדאי מלכא דשידי וטרד יתיה מן כורסיה מלכותיה ונטל גושפנקיה מן ידיה בגין דיהך מטלטל וגלי בעלמא לאוכחותיה והוה מחזר על כרכי פילכי וכרכי ארעא דישראל בכא ופגן ואמר אנא קהלת דהוי שמיה שלמה מתקרי מן קדמת דנא הויתי מלכא על ישראל בירושלם: יג ונתתי ומסרית ית לבי למתבע אולפן מן קדם יי בזמן דאתגלי לי בגבעון לאללותי ולמשאל יתי מה אנא צבי מניה ואנא לא תבעית מניה אלהין

שפתי חכמים

היך ומהו המחדש שייך בה. לכ"פ הבל הכוגה בתורה כו׳: מ דק"ל אני קהלת הייתי מלך הל"ל ותו לא למה הוצרך לומר על ישראל בירושלים. לכ"פ על כל העולם כו׳ ומ"ש ולבסוף על מקלו ליכנא דתלמודא נקט (סנהדרין דף כ׳) ולבסוף לא מלך אלא על מקלו: נ ק"ל היכן נתן לפניהם הרע. לזה מביא הפסוק את החיים וגו׳ ואת המות וגו׳. ואח"כ מפרש שמלת ענין ומלת לענות בניהם ענינם מנהג שיתנהג בה האדם: ס פי׳ ויהיה כו"ן ענין נוספת כמ"ש מעון ובורש שיהם עון וכאשר יחייהם לאנשים העמידם במעין כי שם בית׳ ומנכנם ככה יחייהם אליהם העמידם במנהג אשר הוטבעו בו ופה א"א לפרשו אם לא על המנהג לא על סדירה: ע פי׳ שמעיין ומחשב במנהגו

רש"י

אגדה דורשו כנגד אבוד זכר עמלק וסופו למחות שנאמר (עובדיה א) ולא יהיה שריד לבית עשו: (יב) אני קהלת הייתי מלך. על כל העולם מ ולבסוף על ישראל ולבסוף על ירושלים לבדה ולבסוף על מקלו שהרי נאמר הייתי מלך בירושלים אבל עכשיו איני מלך: (יג) ונתתי את לבי לדרוש. בתורה היא החכמה ולהתבונן בה על כל המעשה הרע האמו׳ למעלה הנעשה תחת השמש וביונותי בה שהוא הענין הרע אשר נתן הקב"ה לפני בני נ האדם (דברים ל) את החיים ואת הטוב ואת המות ואת הרע: ענין רע. מנהג רע להם: לענות בו. להתנהג בו. ענין יש לפותרו לשון מעון ס ודירה ויש לפותרו ל׳ עיון ע ומחשבה וכן לענות

ספורנו

בעינינו הוא שאין זכרון לראשונים: (יב) אני קהלת הייתי מלך על ישראל בירושלים. והיה לאל ידי להקהיל חכמי הדור ולחקור דעות מחקרי לב חדשים גם ישנים: (יג) ונתתי את לבי. ועם זה שהיה לאל ידי הרביתי ההשתדלות הראוי להשיג את המכוון כאמרם ז"ל יגעתי ולא מצאתי אל תאמן: בחכמה. עיונית ומחקרית: על כל אשר נעשה תחת השמים. התחלתי חקירתי בנפסדים כמשפט כל חוקר

אבן עזרא

הנה דברי שלמה על דרך כלל ועתה יחל לבאר כל הדברי׳ שיעלו על לב: (יב) אני קהלת. ענייני הספר יורו כי באחרית ימיו חיברו כאילו יאמר לדורות הבאים כך וכך נסיתי בימי חיי ויכולתי לנסות כל דבר בעבור היותי מלך וענין על ישראל בעבור שהיו גם לעולם נביאים וחכמי לב כמו בני זרח. ולא כבני קדר השכונים באהלים והענין שהייתי מלך על עם חכם ונבון ואמר בירושל׳ בעבור היות מקומ׳ נכון לקבל החכמה. כי ידוע שהיישוב נחלק לשבע׳ חלקים ולא יתכן היות ישרי לב לקבל החכמה כי אם בשלשה חלקים האמצעיים כי החלקים הראשונים והאחרונים ימנע רוב החום או הקור להיות תולדת אדם ישרה וידוע כי רוחב ירושלם שלשים ושלש מעלות והוא חצי היישוב כי לא יתכן יישוב כי אם אחר מעלות נטות השמש בצפון או בדרום: (יג) ונתתי. יתכן היות ענין זה הפסוק דבק עם הבא אחריו והוא שחקר בחכמה וכן ענין לתור כמו מתור הארץ לראות דברי הפך ועיקרי כל המעשים אע"פ שהוא ענין רע בעבור שיתעסק האדם בדבר שלא יועיל. ופי׳ לענות בו מענין וי"א שהוא מל׳ ענוי ויאמר כי כמוהו אני עניתי מאד וענה גאון

מצודת ציון

(יב) הייתי. דבר ההוה נופל בו לשון עבר ולשון עתיד כמ"ש והלכו בניו כו׳ ככה יעשה איוב (איוב א): (יג) ונתתי. ושמתי כדרז"ל נתן בו עיניו (שבת לד): ולתור. ענין חפוש וחקור כמו לתור את הארץ (במדבר יד): ענין רע. דבר רע ובדרז"ל יש סרבה: נתן. ענינו עזיבה כמו ולא נתן סיחון (שם כא): לענות. מלשון כנענים תחת השמים בזה העולם: הוא ענין רע. ר"ל הבנתי שזה

מצודת דוד

(יב) אני קהלת. כאומר אני הוא הנקרא קהלת ע"ש שקבלתי דעות מוחלפות לצרף וללבן ולברר האמת: על ישראל. והן עם חכם ונבון: בירושלים. אשר היא עיר החכמה וכאומר בהיות כן הרבה החכמה ראש לבי: (יג) ונתתי את לבי. שמתי את לבי לדרוש ולבקר לא במראית העין רק בחכמה ובהבנת השכל הקרתי על כל הדברים הוא דבר רע במה שעזב אלהים והניח כל המעשים לבני האדם כתת

קיצור אלשיך

(יב) אני קהלת וגו׳. הלא אמרתי לך כי כל טובות העוה"ז הבל המה הנה ממני תראו כי הנה אני קהלת מקהיל קהלות כל רבים עמים כי מושל בכיפה הייתי ועכשיו אינני רק מלך על ישראל בירושלים לבד ולא בשאר העולם, ושמא תאמר הלא אמרת כי מה יתרון לאדם שיעמול במה שהוא תחת השמש שהם עניני העה"ז אך לא כן לעושה עיקר מתורה ומצות והלא אתה עסקת בם והיית מקהיל קהילות להדריכם לזכותם ולמה ירדת לשערים בכל הרעה הבאה עליך, דע לך כי הנה נתתי אל לבי לדרוש מהזולת מאנשי החכמה וגם לתור אני בחכמה לחפש כתייר הזה להבין מתוכה על כל אשר נעשה תחת השמים אם הוא מבחינת השגחה או מהמזל וכיוצא וכאשר אמרתי לדרוש מבני אדם כן עשיתי לראות מה יענו והנה אומרם הוא ענין רע הוא מה שנתן אלהים לבני האדם לענות ולהשיב בדרוש הזה וזהו נתן וגו׳ לענות בו: כי לא ישיגו מראות דברים בלתי ראוים כענין רשע וטוב לו צדיק ורע לו או כמות זה כן מות זה כצדיק כרשע וההיקש ביתר דברים רעים לכל מראה עיני הרואה כ"א אומר הוא ענין רע אך לכוון אל פרטות הדבר הגורם לכל דבר ודבר לא ידעו ולא יבינו, ומה שנתתי אל לבי לתור ולחקור בחכמה כתייר הזה היוצא מעירו חוצה אל עיר זולתה לחפש אם טובה היא אליו הלא הוא כי ראיתי את כל המעשים שנעשו תחת השמש בלי השקפה אל סוד הנעלם אשר מעל לשמש כבודו כי אין רואה אותו והנה רואה אני שתים רעות המבלבלות דעתי, א׳ כי הכל הבל הוא ונפסד ובלתי מתקים. ומה בצע בעולם כזה, שנית ורעות רוח כי אם היו כל האדם משלימים נפשם ורוחם פה טרם מותם ההרשתי כי יקבלו שכרם אחרי כן בעולם העליון ולא היה לריק

אשר

have any remembrance among those that will be afterwards. 12. I
am Koheleth; I was king over Israel in Jerusalem. 13. And I
applied my heart to inquire and to search with wisdom all that was
done under the heaven. It is a sore task that God has given to the

sons

Midrash, because a different verse is quoted.]

Mezudath David explains: **neither will the later ones**—And so also, the later deeds will have no remembrance in order to compare them to the deeds that will take place after that time, to say that the deeds that are performed now resemble the deeds that were done then, for forgetfulness becomes progressively stronger, but the truth is that there is nothing new in the world.

The *Targum* renders: There is no remembrance of former generations, neither will the later ones, which are destined to be; they will have no remembrance with the generations that will be in the days of the King Messiah.

Ibn Ezra explains that until this point, Solomon spoke in generalities, and from here on he will be specific.

12. **I am Koheleth; I was king**—*over the whole world, and later, over Israel, and then, over Jerusalem alone, and finally, [only] over my staff, for it says: "I was king in Jerusalem," but now, I am no longer king.*—[*Rashi* from *Gittin* 68b] The *Targum* relates this account briefly, as follows: When King Solomon sat on his royal throne, his heart became very haughty because of his wealth, and he transgressed the decree of the word of God, and he gathered many horses, chariots, and horsemen, and he gathered much silver and gold, and he intermarried with gentile nations. Instantly, God's wrath was kindled against him, and He sent to him Ashmedai, the king of the demons, who banished him from his royal throne and took his signet ring from his hand, in order that he wander in exile over the world, to chastise him, and he went around the cities of the provinces and the walled cities of the land of Israel, weeping and crying, and he said, "I am Koheleth, whose name was Solomon. I was previously king of Israel in Jerusalem."

Mezudath David explains:

I am Koheleth—I am the one called Koheleth because I received various opinions, to clarify the matter and discover the truth.

over Israel—an erudite and astute people.

in Jerusalem—the city of wisdom. Consequently, my heart saw much wisdom.

Ibn Ezra explains: The topics of this book indicate that he composed it at the end of his days, as if to say to the later generations: The following I tried in the days of my life, and I was able to try everything because I was king. He mentions Israel because in Israel there were always prophets and savants, such as the sons of Zerah, not like the Kedarites, who dwell in tents. Thus he is saying that he was a

האדם לַעֲנוֹת בּוֹ: יד רָאִיתִי אֶת־כָּל־הַמַּעֲשִׂים שֶׁנַּעֲשׂוּ תַּחַת הַשָּׁמֶשׁ וְהִנֵּה הַכֹּל הֶבֶל וּרְעוּת רוּחַ:
טו מְעֻוָּת לֹא־יוּכַל לִתְקֹן וְחֶסְרוֹן לֹא־יוּכַל לְהִמָּנוֹת:
טז דִּבַּרְתִּי אֲנִי עִם־לִבִּי לֵאמֹר אֲנִי הִנֵּה הִגְדַּלְתִּי

הג"א ראיתי את כל המעשים. זוהר פרשת בשלח: מעות לא יוכל לתקן. ברכות כב חגיגה ט יבמות כב:

חוּכְמְתָא לְמִדַּע בֵּין טַב לְבִישׁ וְסוּכְלְתָנוּ עַל כָּל מַה דְאִתְעֲבִיד תְּחוֹת שִׁמְשָׁא בְּעַלְמָא הָדֵין וַחֲזֵית כָּל עוֹבָדֵי בְנֵי אֱנָשָׁא חִיבָא גַּוָן בִּישׁ דִי יְהַב יְיָ לִבְנֵי אֱנָשָׁא לְאִסְתַּגְפָא בֵיהּ: יד רָאִיתִי חֲזֵיתִי־ית כָּל עוֹבָדֵי בְּנֵי אֱנָשָׁא דִי אִתְעֲבִידוּ תְּחוֹת שִׁמְשָׁא בְּעַלְמָא הָדֵין וְהָא כֹּלָא הֲבָלָא וּתְבִירוּת רוּחָא: טו מְעֻוָּת גְּבַר דְסָרִיכָן אוֹרְחָתֵיהּ בְּעַלְמָא הָדֵין וּמִית בְּהוֹן וְלָא הֲדַר בִּתְיוּבְתָּא לֵית לֵיהּ רְשׁוּ לְאִתַּקְנָא בָּתַר מוֹתֵיהּ וּגְבַר חֲסַר מִן אוֹרַיְיתָא וּפִקּוּדַיָא בְּחַיּוֹהִי בָּתַר מוֹתֵיהּ לֵית לֵיהּ רְשׁוּ לְאִתְמַנָּאָה עִם צַדִּיקַיָא בְּגִנְתָּא דְעֵדֶן: טז דִּבַּרְתִּי

רש"י

בו: נתן אלהים. הניח פ לפניהם: (יד) ורעות רוח. שבר רוח כמו (ישעיה ה) רועו עמים וחתו. רוח טלכ"ט סוף המעשה בא לידי כאב צ לב: (טו) מעות. בהיין לא יוכל לתקון משמת מי שטרח בערב שבת יאכל בשבת ורבותינו פירשו על הבא על הערוה והוליד ממזר או על ת"ה הפורש מן התורה שהיה ישר מתחלתו ונתעוות: וחסרון לא יוכל להמנות זה שהיסר עלמו ממנין הכשרים לא יוכל להמנות עמהם בקבול שכרם: (טז) דברתי אני עם לבי. עכשיו שירדתי מגדולתי אני נותן לבי לאמר מי יאמר עלי ק שאבא לידי מדה זו: אני הנה הגדלתי וגו':

שפתי חכמים

שיתנהג בו: פ מה שלא פי' על הפסוק עלמי בפרשת נלבים ראה נתתי לפניך את החיים ואת הטוב ואת המות ואת הרע. דהתם כתיב בסדיא דקרא לפניך ע"כ פירושו הנחהי לפניך אבל פה כתיב נתן אלהים לבני אדם ק"ל הלא אין רע יורד מלמעלה. ל"פ הניח לפניהם: צ כ"ל דכ"פ דכשבא לסוף המעשה אז הוא מתאוה יותר ומעילם לא יבא אל תכלית כוסף התאוה וכשהוא בא לסוף המעשה ורואה שלא עלתה תאותו בידו הוא בא לידי כאב לב כדכך כל מי שלא יבא לידי תוחלתו ותקותו כדכתיב תוחלת ממושכה מחלת לב ודרשו בפרק הרואה סוף בא לידי כאב לב לכן נקט הרב האי לישנא: ק הוסיף מי יאמר עלי כו' מפני שדברתי אני עם לבי משמע שהיה מחשבה ועיון

אבן עזרא

ישראל ויותר נכון הוא היות וענה מן לא תענה ברעך. וגם עניתי כמו ויענאיוב ויור' עליו הבא אחריו אני אמרתי בחפזי. וכן ישמע אל ויענם יענה כם. או ישיב תשובה להם. וכאשר התעסק לראות שרשי המעשים מלא שהם הבל ורעות רוח ויהיה פירוש תחת השמים כמו תחת השמש. ויתכן שרמז במלת תחת השמים כמו תחת השמש לגלגל העליון שהם כל לבא השמים וחכמת סוד המזלות על שמנה וארבעים צורות הגלגל ואחר שהסתכל בדרך החכמה לדעת עיקר כל המעשים שהם נולדים מכח השמים וראה שהוא ענין רע וקשה בעבור קוצר דעת בני אדם לספור המולידים ואף כל הנולדים ואין מספר לגדודי שמים ולא יכלו הקדמונים להכיר כי אם אלף ושנים ועשרים ויורה על זה שאמר תחת השמים עת לכל זמן וכן השני שהוא בפסוק תרתי בלבי: (יד) ראיתי. פי' ורעות רוח כמו אפרים רועה רוח ורודף קדים שלא יועיל ולא ישביע וענין רוח כמו הבל בעבור רובי תהלוכותיו שלא יוכל אדם לתפסו ביד כענין כי רוח יזרעו וכן כי רוח עברה בו ויתכן היות ורעות כמו מחשבת ויורה עליו רעיון רוח ומשקלם דמות ודמיון מהפעלים שהלמ"ד שלהם איננו שלם: (טו) מעוות. פעול כמו מדובר והם שני שרשים והענין אחד שלם ושאיננו שלם. ומלת לתקון פועל עומד והענין על דרך הפירו' הראשון על שני הפסוקים שהם לפני זה אחר שראה שהכל הבל לא יוכל ההבל לשוב כמו עומד. כי המעוות לא יוכל להיותו נתקן כי תולדתו מעוות ובעל החסרון אין בו יכולת להמנות עם השלימים וזה הפירוש בחסרון בעל מחסרון או יהיה שם התאר כמו ראשון ואחרון או ישוב על מעוות ויהיה מעוות לבדו בתולדתו ומעוות חסרון מחסרונו ועל הפירוש השני שנולד במערכה הכירה אין בו כח להשלים נפשו והנה נמלא המתעסק לחקור עיקר התולדות ממלאכת השמים מתעסק בתוהו וזה נכון ברוב מבני אדם וברוב ממעשיהם: (טז) דברתי. בעבור היות הלב משכן הרוח והוא הנברא בגוף בתחלה

ספורנו

להתבונן מהם אל מה שלמעלה מהם: הוא ענין רע. ומצאתי שלבי ושכלי המתבונן הוא ענין רע וחסר שהוא כחיי בלבד לא שכל בפועל: לענות בו. להכנע לפניו בהכירו את חסרונו ולא יתגאה בבחירתו שיחשוב היותו בפועל דומה ליוצרו כמו שקרה למלך צור כאמרו אל אני מושב אלהים ישבתי אבל ישתדל להדמות אליו לרצון לפניו: (יד) ראיתי את כל המעשים אשר נעשו תחת השמש. שהם הנפסדים. וראיתי שהם הבל. שתכליתם מצד עצמם גרוע ודבר בלתי נחשב: ורעות רוח. באופן שכל מה שישמח האדם בהם הוא רעות רוח כי הוא בזה רועה ונזון ברוח בלבד כענין אפרים רועה רוח: (טו) מעות לא יוכל להקון. וזה כי לכל הנפסדים יקרה דרך עולה תמיד בצמיחה עד תכלית הגידול ותכף יתעות אותו הדרך וקו הצמיחה מעלייתו ויטה אל הירידה באופן שלא יוכל לתקון ולחזור אל קו עליית הצמיחה ולא אל תכלית הגידול: וחסרון לא יוכל להמנות. ועם זה מצאתי במין האנושי שהוא הנכבד מכלם חסרון דברים הכרחיים לקיומו כענין השגת לחם ושמלה באופן שלא יוכל להמנות רבוי פרטיהם כאמרם ז"ל כמה טרחות טרח אדם הראשון עד שלא אכל פת. וכמו כן כמה טרחות טרח עד שלא לבש: (טז) הגדלתי והוספתי חכמה. בעיונית: ולבי ראה הרבה חכמה. חקירת קדמונים: ודעת. דעות נמשכות

מצודת דוד

להם הבחירה לעשות כחפצם למען עונשם בגמול מעשיהם בעבור הפסית הבחירה כי לולי הבחירה אין עונש: (יד) ראיתי. במראית העין ראיתי את כל המעשים הנעשים בדבר הנתון תחת ממשלת השמש והם אסיפת הקניינים הממסור ביד מערכת השמים וזכר השמש לפי שהיא הפועלת הרבה בהתחדשות כו' וכמ"ש למעלה בתחלת הספר או בזה העולם במקום זריחת השמש ראיתי כו': והנה הכל הבל. בעיני ראיתי שכולם הבל המה מבלי תועלת עוד יש בהם שבר רלון כי לא ישיג השוקקו ונכזבה תוחלתו: (טו) מעות. אם אירע במעשיו דבר מעוות ומקולקל אין בידו לתקן הקלקול: וחסרון. דבר הנחסר במעשיו אין בידו להשלימו להיות נמנה במנין הדברים אשר לא חסרו: (טז) דברתי כו'. ר"ל חשבתי בעצמי ולא דברתי אל הזולת: הגדלתי. הייתי בגדולה רבה וזה מביא להוד השכל

מצודת ציון

עינוי ויסורים: (יד) ורעות. ענין שבירה כמו תרועם בשבט ברזל (תהלים ב): רוח. רלון: (טו) מעות. ענין קלקול והשחתה כמו ודרך רשעים יעות (שם קמו): להמנות. מלשון מנין ומספר: (טז) לאמר. הוא מושאל על הבנת הדבר וכן ראה דבריך טובים (ש"ב

קיצור אלשיך

אשר בהבל בא, אך רואה אני רעות רוח שאדרבה מרעיעים ומשברים רוחם באשר לא טוב יעשו. ואיך נאמר שבאים לעולם בני אדם לתקן את אשר עותו והנה הרעות רוח שאני רואה הוא כי (טו) מעות לא יוכל לתקן כי ימות בלי חמדת תקון ואשר לא בא לתקן עוותו רק להשלים הכרון עשה טוב הצריך לנפשו כדי להמנות בכלל השלשים צדיקים שבכל דור לקיים בם את העולם, רואה אני אותו בלתי משתלם באופן כי לא יוכל להמנות והולך הסר מן העולם כאשר בא: (טז) דברתי אני. דבור מפורש וגלוי. עם לבי אשר בה

of men with which to occupy themselves. 14. I saw all the deeds that were done under the sun, and behold, everything is vanity and frustration. 15. What is crooked will not be able to be straightened, and what is missing will not be able to be counted. 16. I spoke to myself, saying, "I acquired

king over a wise nation. He mentions Jerusalem because its site was well-suited to receive wisdom, for it is known that the inhabited world is divided into seven regions, and only the people in the three central regions can have outstanding intelligence to absorb wisdom, because the first and last regions are either too hot or too cold for the people to have the proper equilibrium, and it is known that the width of Jerusalem is in the thirty-third degree, which is the center of the inhabited world, etc. *Sforno* explains: I therefore had the ability to assemble the wise men of the generation and to delve into theories, both new and old.

13. **And I applied my heart to inquire**—*in the Torah, which is wisdom, and to ponder over it concerning all the evil deeds mentioned above, which are committed under the sun, and I pondered that it is a sore task that the Holy One, blessed be He, set before the children of men.* (*Deut.* *30:15*): "*life and good, and also death and evil.*"—[*Rashi*]

a sore task—Heb. עִנְיַן רָע. *They have evil behavior.*—[*Rashi*]

with which to occupy themselves—Heb. לַעֲנוֹת בּוֹ, *to behave with it.* עִנְיָן *may be interpreted as an expression of an abode* (מָעוֹן) *and a dwelling, and it may also be interpreted as an expression of study* (עִיּוּן) *and thought, and the same is true of* לַעֲנוֹת בּוֹ.—[*Rashi*]

has given—*has placed before them.*—[*Rashi*]

Mezudath David explains: **I applied my heart**—to seek and to investigate, not with the vision of my eyes but with wisdom and logical discerning, I delved into all the things that are done under the heavens in this world.

that is an evil matter—I understood that it is an evil matter that God left over all deeds to the sons of men and gave them free choice to do as they wish, in order to afflict them with punishment for their deeds because of their freedom of choice, for without free choice, there would be no punishment. Note that *Mezudoth* interprets לַעֲנוֹת בּוֹ as *to inflict therewith. Ibn Ezra*, too, quotes this interpretation. This is the interpretation of the *Targum*, as will be illustrated below.

The *Targum* paraphrases: And I applied my heart to request knowledge from before the Lord at the time He appeared to me in Gibeon, to test me and to ask me what I wished from Him, and I requested from Him only wisdom to discern between good and evil with regard to what is done under the sun in this world, and I saw all the deeds of evil men, the evil way that the Lord gave to the sons of men with which to be afflicted.

14. **I saw**—With my physical eyes, I saw all the deeds that are performed under the rule of the sun, i.e., the acquisition of wealth, which is under the rule of the heavenly bodies. He mentions the sun because of its great influence on the earth. It may also mean all things done in this world, under the shining of the sun.—[*Mezudath David*]

and behold, everything is vanity—With my own eyes I saw that everything is vanity, without use.—[*Mezudath David*]

and frustration—Heb. וּרְעוּת רוּחַ, *the breaking of the will, like (Isa. 8:9): "Shatter (רֹעוּ), O peoples, and be broken." רוּחַ is synonymous with talant in Old French, will. The end of the deed is that he comes to heartache.*—[*Rashi*] i.e., When he comes to the end of the deed, he desires more, and he will never come to the end of his desire, and when he comes to the end of the deed, and he sees that he has not attained his desire, he experiences heartache, as is so with anyone who does not achieve his goal, as it is written: (Prov. 13:12): "Hope deferred makes the heart sick."—[*Sifthei Hachamim*]

15. **What is crooked**—*during his lifetime, will not be able to be straightened after he dies. Whoever toiled on the eve of the Sabbath will eat on the Sabbath, and our Sages explained this as referring to one who was intimate with a woman forbidden to him and begot a mamzer, or to a Torah scholar who parted with the Torah, who was originally straight and became crooked.*—[*Rashi* from *Hagigah* 9a]

and what is missing will not be able to be counted—*One who excluded himself from the number of the righteous will not be able to be counted with them in their reception of reward.*—[*Rashi*] Similar to this, we find in the *Targum*: A man whose ways are crooked in this world and died with them and did not repent, has no permission to rectify them after his death, and a man who is lacking of Torah and commandments in his lifetime, has no permission to be counted with the righteous in the Garden of Eden after his death.

Alshich explains these verses as follows:

[12] **I am Koheleth, etc.**—Did I not tell you that all the benefits of this world are vanity? You can see this from me, for behold, I am Koheleth, who assembled assemblies of all the many nations. I was the supreme ruler of the world, but now, I am king only over Israel in Jerusalem, but not over the rest of the world. Perhaps you will retort, "But did you not say that, 'what profit has man in all his toil that he toils under the sun,' refers only to mundane matters, and not to cases where one makes one's main pursuit the Torah and the commandments? And since you called together assemblies to guide them and bring them merit, why did you fall so low?" You should know that behold, I applied my heart to inquire of others, of men of wisdom, and to search out wisdom like a spy, to understand from it everything that occurs under the heavens, whether it is the result of Divine Providence or of the

constellations and the like. And when I decided to inquire of these people, I did so to ascertain what they would answer, and behold, their statement is a sore task, which God has given to the sons of men to answer (לַעֲנוֹת) concerning this matter. This is the meaning of, "God gave to the sons of men to answer concerning it," for they do not grasp matters that appear unseemly, like the problem of the wicked man who enjoys prosperity and the righteous who suffer, or the fact that just as one dies, so does the other die, both the righteous and the wicked, and other matters that appear evil to the human intellect. Everyone says that this is an evil matter, but they do not understand the reasons for every occurrence. I put my heart to inquire and to search with wisdom, like a tourist who leaves his city to see another city, to determine the appropriatenes of people's fates. Likewise, I saw all that happens under the sun without seeing the secret of the matters, which is above the sun, and behold, I saw two evils, which confused me: 1) that all is vanity, i.e., that all is transitory and what is the use of this world; 2) and frustration, i.e., if all people would perfect their souls here before their deaths, I would be silent, for they would receive their rewards afterwards in the upper world, and it would not be for nought that they came in vanity. I saw it as evil, however, that they do not perfect their souls, but break their spirits by doing evil. How then can we say that the sons of men have come to this world to rectify that which they have spoiled? Behold, I see that they have spoiled their souls.

[15] **What is crooked will not be able to be straightened**—for he will die without having the desire to rectify his deeds. As for the one who has not come here to amend what he has spoiled, but to complete what he was lacking, so that he can be counted with the thirty-six righteous men in every generation, in whose merit the world exists, I see that he too does not complete what he was to complete. If so, he cannot be counted among the righteous, and has come to this world for nought.

16. **I spoke to myself**—*Now that I have sunk from my greatness, I set my heart , saying, "Who would have said about me that I would come to such a state?"*—[*Rashi*] *Mezudath David* explains: I thought to myself but did not speak to anyone else.

Look, I have acquired great wisdom, etc.

והוספתי חכמה על כל־אשר־היה לפני על־ירושלם
ולבי ראה הרבה חכמה ודעת: יז ואתנה לבי לדעת
חכמה ודעת הללות ושכלות ידעתי שגם־זה הוא
רעיון רוח: יח כי ברב חכמה רב־כעס ויוסיף דעת

הו"א כי ברוב חכמה רב כעס. נדרים כה: ויוסיף דעת יוסיף מכאוב. סוכה מב:

תרגום

סליית אנא בהרהור לבי למימר אנא הא אסגיתי ואוסיפית חוכמתא על כל חכימיא די הוו קדמי בירושלם ולבי חזא סגיאות חוכמתא ומנדעא: יז ויהבית לבבי למדע חוכמתא וחולחלתא דמלכותא ומנדעא וסוכלתנו בחגית למדע דאף דין הוא תבירות רוחא לגבר דמשתדל למשכח יתהון: יח כי ארום גבר דמסגי חכמתא כד ייחוב ולא יתיב בתיובתא מסגי רגיז

רש"י

(יז) ואתנה. עכשיו את לבי לדעת את טיב החכמה מה סופה ואת טיב ההוללות והסכלות: הוללות. שעמום וטירוף הדעת לשון ערבוב כמו (ישעיה א) מהול במים: ושכלות. שטות: ידעתי. עתה שגם החכמה יש בו שבר רוח כי ברוב החכמה אדם סומך על רוב חכמתו ואינו מתרחק מן האיסור ובא רוב כעס להקב"ה אני אמרתי ארבה סוסים ולא אשיב את העם מצרימה ובסוף השיבותי אני אמרתי ארבה נשים ולא יסורו לבבי והרי נכתב עלי (מלכים א יא) נשיו הטו את לבבו וכן הוא אומר שעל רוב חכמתו הוא סמך ועשה כמה דברים שנא' (משלי ל) נאום הגבר לאיתיאל לאיתיאל ואוכל:

ספורנו

להקדמותיהם: (יז) ואתנה לבי לדעת חכמה. האמת בעיון: ודעת הוללות. ולדעת כמו כן דעות של קדמונים המשובשות: וסכלות. ודעות של סכלות מחסרון הקדמות: ידעתי שגם זה רעיון רוח. והכרתי בלי ספק שהוא דבר בלתי נחשב: (יח) וזה כי ברב חכמה. של אותם קדמונים: רב כעס כי לפי דעתם אין שום משגיח ואין שום נפש אישיית נצחית מגלגל הירח ולמטה באופן שהצדיק והרשע שוים אחר מות הגוף: ויוסיף דעת. ומי שבוסיף דעת ומכיר שיש מסדר מכוון להכלית: יוסיף מכאוב. על רוע הסדר ההוה במציאות לפי דעתו:

אבן עזרא

כי הוא דמות מלך והמוח שר צבא היה הלב כנוי לחכמה ולשכל ולטעם ולמחשבות הבינה בעבור היותו המרכבת הראשונה לנשמת האדם העליונה וכן יכנו הדבורים בלשון שפה בעבור לאת הדבורים ממנה ועל כן הוא אומר לב הכס ונכון קורר לב אהב נפשו ועניין הגדלתי והוספתי חכמה שחיבר ולמד חכמת הקדמונים והוסיף עליהם. ולבי ראה הרבה חכמה שלא הבר אותה ומלת הרבה שם ימלא על יחיד ורבים כמו כי הרבה יהיו וכן מלת ריקם ושם הפועל קמוץ הרבה ארבה: (יז) ואתנה. אחר שלמדתי החכמות והוספתי נתתי לבי לדעת עיקר ההוללות כמו ויתהולל בידם ועיקר השכלות שהוא הפך ההוללות אף על פי שזה רעיון הכל: (יח) כי כאשר ביקש לדעת השכלות ראה כי המשכיל המכיר דברי העולם ברוב חכמתו תמיד יהיה לו כעס ומכאוב ולא ישמח בבנים בעבור דעתו שאחרית' למות בחייו או אחריו ולא בעושר כעוף יעופף וגם לא יועיל ויושיע ביום איד ויום המות נתון בין שתי עיניו:

מצודת ציון

טז): (יז) הוללות. ענין שיעמום וערבוב הדעת כמו ושופטים יהולל (איוב יב): ושכלות. כמו וסכלות בסמ"ך והוא ענין שטות: רעיון. ענין שברון כמ"ש למעלה ורעות רוח:

מצודת דוד

בעבור הרחבת הלב: והוספתי חכמה. מאד הייתי עוסק להוסיף חכמה בתוספת מרובה על כל המלכים שהיו לפני על ירושלים (ויתכן שאמר על מלכי הגוים כי דוד אביו לבד מלך בירושלים ולא עוד): ולבי ראה. ר"ל בהבנת הלב הסתכלתי בהרבה חכמה ודעת: (יז) ואתנה לבי. שמתי לבי לדעת להבחין מעלת החכמה ולדעת ענין השיעמום והשטות להעריך זה מול זה להבחין יתרון החכמה על הסכלות: ידעתי. הן הכרתי שגם החכמה היא שברון רוח: (יח) כי ברוב חכמה. כמי שנמלא בו הרבה חכמה בו נמלא הרבה כעס כי מאוד ישכיל מעשה בני אדם על אמתותם וכשרואה שאינם טובים יכעס בעצמו כי הדברים ההם אינם כפי רצונו ובזה יכעס ומה מאוד מזיק הכעס: ויוסיף דעת. מי שמוסיף דעת להבין דבר מתוך דבר הנה בזה יוסיף מכאוב לעצמו כי בעבור הבנת דבר מתוך דבר

קיצור אלשיך

בה החכמה נתונה, וכמו שהלב הגשמיי משפיע הדם לכל האברים הגשמיים יען שהיא נקודת החיים של כל הגוף, כן הלב הרוחני אשר בה החכמה משפעת החכמה לכל האברים הרוחנים לאמר, אמרתי לה כדברים האלה, אני, הלא אני הנה הראשון אשר הגדלתי והוספתי חכמה על כל החכמים והמלכים אשר היה לפני על ירושלים העיר אשר היא הגורמת להשפעת החכמה כידוע, והנה לפעמים המוסיף חכמה יוסיף רק לפנים כמו להתגדל ולהתהדר לפני גדולים אבל לבו בל עמו שהחכמה לא נשתרשה ולא עשתה לה קן בלבו ואינו דבוק בה יען שהוא רק לפנים. וזה האיש נוח להתקלקל יען שאין תוכו היא לבו הפנימית כברו, אבל אנכי ולבי הנקודה השרשית של החיים שלי הדבוקה בחיי החיים של הא"ם ב"ה וב"ש בחכמה העליונה של הבורא יתברך ראה והבין הרבה הכמה ודעת שהיה תוכי כברי. לכן את לבי דברתי מפורש ובגלוי אליה בלי שום פחד ומורא:

(יז) ואתנה את לבי לדעת הכמה ולא עשיתי ממנה עיקר לבדה כי אם צרפתי עמה לדעת הוללות העושר לשלוח אנשים באניות להביא לי זהב מאופיר ולהרבות סוסים ותענוגי בני אדם וגם שכלות הוא רבוי נשים המסירות הלב והדעת כי בחכמה שהקדמתי חשבתי שהיא תעמוד לי לבלתי אקלקל לעשות עיקר מהבלי העולם וזהו לדעת חכמה ובבטחי בה סמכתי ולדעת הוללות ושכלות. והנה אשמתי גדולה מאד משאר בני אדם הבלתי יודעים כמוני כי מרה תהיה באחרונה וזה ידעתי שגם זה הוא רעיון רוח, לומר כי הנה גם מתחלה ידעתי כי גם זה הוא רעיון רוח, כי גם להתחיל בחכמה הוא שברון הנפש כי לא על חנם מנע הוא יתברך את המלך מכל אלה מסוסים נשים כסף וזהב כ"א שההמדה הציקתני לחלק ביני ובין זולתי כי אני לא יסור לבבי ועל כן על שאני ידעתי מתחלה שגם זה הוא רעיון רוח ולא עצרתי כח נגד יצרי גדלה אשמתי ואין להקל מאשמתי באמור כי רוב חכמתי גרמה לי כי במחתי בה שהיא תעמוד לי לבלתי אחטא כי הלא נהפוך הוא כי הלא (יח) ברוב חכמה רב כעס לו יתברך עמי כי היה לי להיות יותר דבק עמו יתברך לבלתי עבור מצותיו בשום תואנה בעולם כי סמך היות דעתי גדולה מזולתי אינו בטהון שלא יסור לבבי כי הלא ויוסיף דעת יוסיף מכאוב כי הגדול מחברו יצרו גדול ממנו. על כן אמרתי

and increased great wisdom, more than all who were before me
over Jerusalem"; and my heart saw much wisdom and knowledge.
17. And I applied my heart to know wisdom and to know madness
and folly; I know that this too is a frustration. 18. For in much
wisdom is much vexation, and he who increases knowledge,

17. **And I applied**—*my heart now to know the nature of wisdom, what its end is, and the nature of madness and folly.*—[*Rashi*]

madness—Heb. הֹלֵלוֹת, *dullness and confusion of thoughts, an expression of mixing, like* (*Isa. 1:22*): "*diluted* (מָהוּל) *with water.*"—[*Rashi*]

and folly—*foolishness.*—[*Rashi*]

I know—*now that also wisdom has frustration in it, for in great wisdom, a person relies on his great wisdom and does not distance himself from prohibition, and much vexation comes to the Holy One, blessed be He. I said, "I will get many horses, but I will not return the people to Egypt," but ultimately, I returned* [them]. *I said, "I will take many wives, but they will not turn my heart away," but it is written about me,* (*I Kings 11:4*): "*his wives turned away his heart.*" *And so he says,* (*Prov. 30:1*): "*The words of the man concerning, 'God is with me'; yea, God is with me, and I will be able.*"—[*Rashi* , based on *Tan. Va'era* 5]

Mezudath David explains:

[16] **I have become great**—I have been granted much greatness, which is conducive to increasing wisdom because of the tranquility involved in this position.

and I have increased wisdom—I was always engaged in acquiring wisdom and increasing it more than all the kings who preceded me over Jerusalem (probably the gentile kings, for there were no Jewish kings before him except his father David).

and my heart saw—With the understanding of my heart, I pondered upon much wisdom and knowledge.

[17] **And I applied my heart**—I applied my heart to discern the advantage of wisdom and to examine the matter of stupidity and folly, to compare one to the other, to discern the advantage of wisdom over folly.

I know—I discerned that wisdom too is a frustration.

[18] **For in much wisdom**—In a person possessing much wisdom is found much vexation, for he will judge people's deeds in their true light, and when he discovers that they are not good, he will be angry, and the anger will hurt him.

and he who increases knowledge—to understand one thing from another, will understand the results of the corrupt deeds, and he will experience heartache.

יוֹסִיף מַכְאוֹב׃ ב א אָמַרְתִּי אֲנִי בְּלִבִּי לְכָה־נָּא
אֲנַסְּכָה בְשִׂמְחָה וּרְאֵה בְטוֹב וְהִנֵּה גַם־הוּא הָבֶל׃
ב לִשְׂחוֹק אָמַרְתִּי מְהוֹלָל וּלְשִׂמְחָה מַה־זֹּה עֹשָׂה׃
ג תַּרְתִּי בְלִבִּי לִמְשׁוֹךְ בַּיַּיִן אֶת־בְּשָׂרִי וְלִבִּי נֹהֵג
בַּחָכְמָה וְלֶאֱחֹז בְּסִכְלוּת עַד אֲשֶׁר־אֶרְאֶה אֵי־זֶה
טוֹב לִבְנֵי הָאָדָם אֲשֶׁר יַעֲשׂוּ תַּחַת הַשָּׁמַיִם מִסְפַּר

תו"א לשחוק אמרתי מהולל שבת ל: ולבי נהג בחכמה. זוהר פ' תזריע.

תרגום

קֳדָם יְיָ וּדְמוֹסִיף מַנְדְּעָא וִימוּת בְּטַלְיוּתֵיהּ מוֹסִיף כְּאֵיב לִבָּא לְקָרִיבוֹי׃
ב א אֲמָרִית אֲנָא בְּלִבִּי אֵיזֵל כְּעַן הָכָא וְאַבְחֵין בְּחֶדְוָא וְאֶחֱזֵי בְּטוּב עָלְמָא הָדֵין וּכְדוּ מְטָא עֲלַי צַעֲרָא וְסִיגוּפָא אֲמָרִית בְּמֵימְרִי הָא אַף דֵּין הוּא הֲבָלוּ׃
ב לִשְׂחוֹק לְחוּכָא אֲמָרִית בְּעִידָן צַעֲרָא לְצַנְעוּתָא הוּא וּלְחֶדְוָא מַה הֲנָאָה אִית לְגַבַר דִּי עַבְדִינָהּ׃
ג תַּרְתִּי אֲלֵלִית בְּלִבִּי לְנַגְּדָא בְּבֵית מִשְׁתְּיָא דְּחַמְרָא יָת בִּסְרִי וְלִבִּי דְּבַר בְּחוּכְמְתָא וּלְאַחֲדָא בְּשְׁטוּת עוֹלֵמַיָּא עַד דִּי בְּחָנִית וַחֲזֵית אֵידִין מִנְּהוֹן טָב לִבְנֵי אֱנָשָׁא דְּיַעַבְדוּן עַד דְּאִינוּן

רש"י

(א) אמרתי אני בלבי. הואיל וכן הוא אחדל לי מן החכמה ואעסוק במשתה תמיד: אנסכה. לשון מסך יין לשתות כמו (משלי ט) מסכה יינה עירוב יין במים לתקנו או עירוב בשמים ביין לקונדיטון: וראה בטוב. כמו וראות בטוב: והנה גם הוא הבל. שהרי ראיתי בנבואה שהרבה קלקולין באים מתוך שחוק. בלשאצר מת מתוך משתה אנשי דור המבול נשטפו מתוך רוב טובה שהשפעת להם. (ב) לשחוק אמרתי מהולל. מעורבת בבכי ואנחה: ולשמחה מה זה. טובה ש עושה הרי סופה תוגה: (ג) תרתי בלבי. חזרתי לתור בלבי להחזיק בכולן במשתה בחכמה ובסכלות ולמשוך ולעדן במשתה היין את בשרי. כל סעודת עונג קרויה על שם היין: ולבי נוהג בחכמה. אף אם בשרי נמשך ביין לבי מתגלגל בחכמה להחזיק בתורה: ולאחוז בסכלות. בדברים הדומים לי לסכלות שאמרתי עליהם (משלי ל) לאיתיאל ואוכל וכגון לבישת שעטנז וכלאי הכרם שהשטן ואומות העולם

שפתי חכמים

בלבו ואם הוא כפשוטו של כתיב מהו העיון והמחשבה. ל"פ מי יאמר עלי כו' א"כ מלת לאמר קדייק דאם הוא כפשוטו דברתי אני עם לבי אני הנה וגומר מיבעי ליה לאמר למה לי אלא ע"כ לאמר קאי אמחשבה שהיה מחשב מי יאמר כו': ר פי' אינו לווי אלא מקור: ש דק"ל הלא עושה שמחה ומשמח לבב אנוש. לכ"פ מה זו טובה עושה לומר אף אם היא שמחה מה זו טובה עושה הלא סופה תוגה: ת ק"ל אם סכלות פי' שטות כמו שפירש לעיל אם כן קשה איך

אבן עזרא

(א) אמרתי. ידבר עם נפשו בעיקר ההוללות: לכה נא אנסכה בשמחה. אם החכמה תוליד כעס תעזב ואשוב להתעסק בדברי שמחה ולנסך היין. כענין ושתו ביין מסכתי ואם הם שני שרשים והוא מהבנין הדגוש כמו אדברה. וינסך כמו וידבר. ויש אומרים כי הוא מן נסה והכ"ף לדמות הנוכח כענין אנסה אותך כמו אהוך שמע לי. אנכך ולא ידעתני: (ב) לשחוק. אמרתי כי הנוט' לשחוק שהוא מהולל ואמרתי בעבור השמח' מה זה עושה מה תועיל ומה טוב תעשה והלמ"ד כמו למ"ד אמרי לי אחי הוא ואמר פרע' לבני ישראל: (ג) תרתי. כאשר ראיתי שהחכמה לבדה תוליד כאב והשחוק לבדו לא יועיל חפשתי דרך לחבר בין שניהם ומשכתי בשרי ביין כדי שאשמח ועניין בשרי גופי. ולבי נוהג בחכמה לבי תמורת שכלי ונשמתי. ונוהג פועל יוצא והפעול חסר ועניינו ולבי נוהג דבריו בחכמה ויאחז מעט מהסכלות שהוא תאות זה העולם וכל זה עד שיורה אי

ספורנו

(א) אנסכה בשמחה. אתנהג במלכותי ונסיכותי בשמחת תענוגים: וראה בטוב. ולבזות את הטוב הרוחני והשגת הנצחיות כחושב אותה לנטע: והנה גם הוא הבל. גם התנהג בתענוגים שאמרתי הוא דבר בלתי נחשב: (ב) כי אמנם לשחוק אמרתי מהולל. בלתי מכוון לתכלית נאות: ולשמחה. גם שיהיה בה איזה הרחבה לנפש החיונית: מה זה עושה. הנה המושג ממנה דבר נפסד ובלתי נחשב: (ג) תרתי בלבי. בהיותי כ"כ אדוק בעיון ומתמיד בו וחשבתי שלא יהיה לבבי פונה כלל אל המדיניות זולתי בהשתדלות רב: תרתי למשוך ביין את בשרי. למשוך בשרי באיזה תענוג באופן שיהיה לבי בקצת פונה גם אל המדיניות וצרכי חיי שעה: ולבי נוהג בחכמה. וזה עשיתי בעוד שהיה לבי נוהג בחכמה ומתמיד בעיון פן ימאס ההכרחי לחיי שעה: ולאחוז בסכלות. וכמו כן תרתי לאחוז בסכלות התענוגים ולכבוש את יצרי שלא יגדיל עלי עקב פן אוקש בו: עד אשר אראה איזה טוב לבני האדם. וזאת ההנהגה למשוך בשרי ביין לא הסכמתי להתמיד אותה זולתי עד אשר

מצודת דוד

ישכיל אף את הנולדות מן המעשים המקולקלים ומביא מכאוב אל לבו:

ב (א) אמרתי אני בלבי. הסבתי בלבי ואמרתי אל עצמי עתה זהו עצמך בדבר הנסיון כי אנסה אותך בהתעסקות בשמחה וראיית דברים טובים הנחמדים לעין ומשמחים את הלב לבחון ולראות אולי זו היא הדרך הנכונה: והנה. אבל השכלתי שגם ענין השמחה הוא הבל: (ב) לשחוק. כי על השחוק הבאה מן השמחה אמרתי עליה שהיא הוללות ועל השמחה אמרתי מה זו תועלת עושה: (ג) תרתי בלבי. חפשתי בלבי למלאות דרך נכון להחזיק בשלשת הדברים גם יחד לעסוק במשתה היין המעדן את הבשר וממשיכו להתרבות ולהשמין ולבי יתנהג להשכיל בחכמת התורה וגם לאחוז בדברי סכלות הם הדברים שאינן נכנסין לתוך הגוף ועכ"ז בני האדם משתוקקים להם כבנינים נאים וכלי שיר והדומים ועל שהם

מצודת ציון

ב (א) לכה. הוא ענין זרוז כמו ועתה לכו ונהרגהו (בראשית לז) ויוסף הלא בא להיכה. נא. עתה: אנסכה. מל' נסיון והה"א יתירה ור"ל אנסה אותך כמו למה הככה (ש"ב ב) ופי' אכה אותך: (ב) מהולל. ענין שיגעון: (ג) תרתי. ענין חפוש וחקור כמו ולתור בחכמה (לעיל א'):

קיצור אלשיך

ב (א) אמרתי אני בלבי אנסכה את המכאוב בשמחה באופן שלא תהיה שמחה יתרה רק מזינת מכאוב ובאמרי כך אל לבי ואמרתי לו ואתה לבי ראה בטוב אל תהי פנייתך אל השמחה מפאת עצמה רק בטוב הנמשך ממנה לעבוד את קונך. והנה גם הוא הבל כי הנה לא יבצר או השמחה לא תהטיאני כ"א שתמשיכני אחר שחוק והתול או תביאני לידי מיני חטאים המתרגשים ממנה. אם לידי שחוק הנה (ב) לשחוק אמרתי מהולל ואם לשמחה להיות שמחה תמיד שלא יהיה פריה שחוק רק היותי שמח בעצם הנה לשמחה אמרתי מה זו עושה. כלומר כמה רעה גדולה זו עושה ויהיה אומר מה כמו מה רב טובך וגו' כי השמחה יתרה תביא גאוה וכל מיני רעות כי כל מקום שיש שמחה יתרה השטן מקטרג להחטיא ולהביא פורענות ח"ו. (ג) תרתי בלבי וכו', הלא ראיתי הפלגתי להבדיל עניני עוה"ז וקראתי תגר על השמחה כי רעה בעיני אדון העולם היא והנה עיניכם הרואות כי אנכי חזון הרביתי ולא כן עשיתי כי הרביתי מאכל שלחני כנודע מסעודות שלמה ואמרו רז"ל כי לכל אחת מנשיו היה עושה כך בכל יום ובניתי לי בתים

אשר

increases pain.

2

1. I said to myself, "Come now, I will mix [wine] with joy and
experience pleasure"; and behold, this too was vanity. 2. Of
laughter, I said, "[It is] mingled"; and concerning joy, "What does
this accomplish?" 3. I searched in my heart to indulge my body
with wine, and my heart conducting itself with wisdom and holding
onto folly, until I would see which is better for the children of men
that they should do under the heavens, the number

2

1. **I said to myself**—*since that is so, I will refrain from wisdom, and I will constantly engage in drinking.*—[*Rashi*]

I will mix—Heb. אֲנַסְּכָה, *an expression of mixing wine to drink, like* (*Prov. 9:2*): *"she has mingled* (מָסְכָה) *her wine," the mingling of wine with water to improve it or the mingling of spices with wine for conditum* (spiced wine*)*.—[*Rashi*]

and experience pleasure—Heb. וּרְאֵה, *like* וּרְאוֹת בְּטוֹב.—[*Rashi*] i.e., It is not a command but a gerund.—[*Sifthei Hachamim*] i.e., If wisdom causes vexation, I will abandon it and return to engage in joy and in mixing wine.—[*Ibn Ezra*] *Ibn Ezra* also suggests that the root of אֲנַסְּכָה is נסה, *to test*. Hence, the word means *I will test you*. This assertion is also found in the *Targum* and the *Midrash*. *Isaiah da Trani* and *Mezudoth* adopt this latter interpretation. *Mezudath David* explains the verse as follows: I thought in my heart and said to myself, "Now hasten to the matter of testing for I will test you with engaging in joy and in seeing attractive, enjoyable sights, to examine and to see whether that is the right way."

and behold, this too was vanity—*For I saw through prophecy that many misfortunes come about through laughter. Belshazzar died through a banquet, and the people of the Generation of the Flood were inundated because of the abundant goodness that You lavished upon them.*—[*Rashi*] *Mezudath David* explains simply: I discerned that joy, too, is vanity.

2. **Of laughter, I said, "[It is] mingled"**—*mixed with weeping and sighs.*—[*Rashi*] *Mezudoth* interprets מְהוֹלָל as madness. *Isaiah da Trani*, too, interprets it in this manner. He explains: Of laughter, I said, "It is foolishness and vanity," for sometimes a person laughs and is happy when he should weep, for he does not know what happened to him during his laughter. If so, what does this joy accomplish for man, and what profit does he have?

and concerning joy, what—*good*

יְמֵי חַיֵּיהֶם: ד הִגְדַּלְתִּי מַעֲשָׂי בָּנִיתִי לִי בָּתִּים נָטַעְתִּי
לִי כְּרָמִים: ה עָשִׂיתִי לִי גַּנּוֹת וּפַרְדֵּסִים וְנָטַעְתִּי
בָהֶם עֵץ כָּל־פֶּרִי: ו עָשִׂיתִי לִי בְּרֵכוֹת מָיִם לְהַשְׁקוֹת
מֵהֶם יַעַר צוֹמֵחַ עֵצִים: ז קָנִיתִי עֲבָדִים וּשְׁפָחוֹת
וּבְנֵי־בַיִת הָיָה לִי גַּם מִקְנֶה בָקָר וָצֹאן הַרְבֵּה הָיָה

תרגום

קַיָּמִין בְּעָלְמָא הָדֵין תְּחוֹת שְׁמַיָּא מִנְיַן יוֹמֵי חַיֵּיהוֹן: ד הַגְדֵּלִית אַסְגֵּיתִי עוֹבָדִין טָבִין דִירוּשְׁלֵם בְּנֵיתִי לִי בָּתִּין בֵּית מוּקְדְּשָׁא לְכַפָּרָא עַל יִשְׂרָאֵל וּבֵית מְקֵירָה מַלְכָּא וְאִידְרוֹן פְּסִילִין בֵּי מֶדְרְשָׁא דְרַבָּנָן וְאוּלָם וּבֵית דִינָא אַבְנִין פְּסִילָן דְהַתַּמָּן יָתְבִין חַכִּימַיָּא וְדַיָּנִין יָת דִּינָא עֲבָדִית כּוּרְסַיָּא דְשֵׁן דְפִילָא לְמוֹתַב מַלְכוּתָא אַנְצֵיבִית לִי כַּרְמִין בְּיַבְנֶה בְּקָבֵל כַּרְמִין דְעִנְבָא לְמִשְׁתֵּי מִנְהוֹן חַמְרָא אֲנָא וְרַבָּנֵי סַנְהֶדְרִין וְאַף לְנִסְכָּא חֲמַר חֲדַת וְעַתִּיק עַל מַדְבְּחָא: ה עֲשִׂיתִי עֲבָדִית לִי גִּינַת שַׁקְיָן וּפַרְדֵּסִין וּזְרָעִית תַּמָּן כָּל מִינֵי עִסְבִּין מִנְהוֹן לִצְרוֹךְ מֵיכְלָא וּמִנְהוֹן לִצְרוֹךְ מִשְׁתְּיָא וּמִנְהוֹן לִצְרוֹךְ אַסְוָתָא וְכָל מִינֵי עִסְבֵּי בּוּסְמִין נְצֵיבִית בְּהוֹן אִילָנֵי סְרָק וְכָל אִילָנֵי בּוּסְמִין דְאַיְתִין לְוָתִי מַלְאֲכֵי וּמַזִּיקֵי מִן הִנְדְּקָא וְכָל אִילָן דְעָבֵיד פֵּירִין וְתַחוּמֵי מִן שׁוּר קַרְתָּא דְבִירוּשְׁלֵם עַד כֵּיף מַיָּא דְשִׁלּוֹחַ: ו עֲשִׂיתִי בְּחָנִית בֵּית מַשְׁקַיָּא דְמַיָּא אֵידִין חֲזֵי לְאַשְׁקָאָה אִילָנַיָּא וְאֵידִין חֲזֵי לְאַשְׁקָאָה עִסְבִּין וַעֲבָדִית לִי פַּרְקְטָנִין דְמַיָּא לְאַשְׁקָאָה מִנְהוֹן אֲפִילוּ חוּרְשָׁא דִי מְרַבֵּי קִיסִין לְאַסָּקָא: ז קְנֵיתִי קְנֵיתִי

שפתי חכמים

אמר שיאחז בסכלות. לכ"פ בדברים הדומים לי לסכלות כמ"ש פה סך נ"ש אחר כך וכן הוא אומר טוב אשר תאחז כו' קשה להלוס דבריו דאם כוונתו להביא ראיה דגם על שאול אמר שיאחז בדבר שנדמה לו לסכלות כמו שאמר פה לאחוז בסכלות אם כן קשה מה כוונתו בזה שכתב והיא מצות המקום וקורא אותה סכלות ואם עיקר ראיתו הוא שקורא למצות המקום סכלות ובכן ילדק אומרו והיא מצות המקום וקורא אותה סכלות עדיין קשה היכן מצינו שקרא שלמה או שאול להוהה מצות סכלות. ונראה שבתחלה לריך אתה לדעת מה שפירש רש"י לקמן ומתוך דבריו יובן מה שפירש פה והוא שכתב לקמן אל תהי לדיק הרבה כשאול שדימה להיות לדיק וריחם על הרשעים ואל תתחכם יותר לדון ק"ו של בהמה ומה על נפש אחת וכו' פי' כמו מעשה שאול אותו ק"ו כמו שדרש במסכת יומא פרק בראשונה טוב אשר תאחז בזה וגומר אם אומר הנביא הלדיק הדבר שהוא דומה לך לרשע כגון שאמר שמואל לשאול אל יקל בעיניך לפקפק בו ויצא את כלם ידי שניהם יקיים החכמה והסכלות כהלכתן כך הוא בספרים מדויקים הרי שאמר אל תתחכם יותר כשאול כמלא דשאול היה רולה להתחכם ע"כ היה בעיניו כסכלות ועל זה אמר טוב אשר תאחז וגומר כי ירא אלהים יצא את כולם פירוש החכמה והסכלות כדפירש לקמן

רש"י

מטיבין עליהם וכן הוא אומר (להלן ז) טוב אשר תאחוז בזה וגם על שאול שנדמה בעיניו סכלות להרוג מאיש ועד אשה מעולל ועד יונק והיא מצות המקום וקורא אותה סכלות: (ד) הגדלתי מעשי. בימי גדולתי: (ה) עץ כל פרי. שהיה שלמה מכיר בחכמתו את גידי הארץ איזה גיד הולך אל כוש ונטע בו פלפלין איזה הולך לארץ חרובין ונטע בו חרובין שכל גידי הארצות באים לציון שמשם משתיתו של עולם שנא' (תהלים נ) מציון מכלל יופי לכך נאמ' עץ כל פרי במדרש תנחומא: (ו) ברכות מים. כמין ביבריס של דגים שחופרין בקרקע:

ספורנו

אראה איזה חלק מחיי שעה ראוי שיבחרו בו בני אדם: מספר ימי חייהם. בימי חייהם שהם מעטים: (ד) הגדלתי מעשי. ולהשיג זאת המשיכה מן ההתבודדות בעיון אל ההשתדלות בצרכי חיי שעה הגדלתי את המעשים הראוים לי כמו מלך והוספתי בהם יותר מן המורגל לשאר המלכים. ובכן בניתי

אבן עזרא

זה דרך הטוב: (ד) הגדלתי. עשיתי מעשים גדולים או הגדלתי הוני כמו עשה את כל הכבוד הזה: (ה) עשיתי. גן לשון זכר גן נעול ולשון נקבה לעבדה ולשמרה ורבים גנים וגנות והגן יש בו אילנים רבים ממינים רבים והפרדס הוא ממין אחד והראיה פרדס רמונים: (ו) עשיתי לי ברכות מים. שיתחברו ממטר השמים להשקות יער צומח עצים שאין להם פירות כמו ארזים וברושים: (ז) קניתי. ובני בית שנולדו בביתי ומלת צאן כלל לכשבים ולעזים והראיה

מצודת ציון

(ה) גנות. מקום זרוע ירקות ופרחים: ופרדסים. מקום נטוע אילנות בעלי פרי: (ו) ברכות. מקום בנוי באבנים ובסיד ושם מתכנסים המים וכן בתעלת הברכה (מ"ב י"ח):

מצודת דוד

דברים שהן לגוף קורא להם סכלות: עד אשר אראה. בכון האחוז עד אשר אראה מהו הדרך היותר טוב לפני בני האדם אשר יעשו בזה העולם תחת השמים בכל מספר ימי חייהם וכאומר אחר שאראה איזה יכשר אאחוז בזה לבד ואשמיט ידי מהדרכים האחרים: (ד) הגדלתי מעשי. ר"ל כן עשיתי ואחזתי בשלטון כי עשיתי מעשים גדולים ומופלאים וחוזר ומפרש בניתי לי בתים רבים ונטעתי לי כרמים רבים: (ה) עץ כל פרי. אילנות מכל מיני פרי: (ו) להשקות. למען השקות מאלו הברכות את היער הצומח אילני סרק למען יהיו ענפיו רעננים וגדולים הנחמדים לעין הרואה: (ז) ובני בית. הם הממונים על צרכי הבית להשגיח בדבר הצורך ולא יעשו מלאכה כעבד ושפחה: מכל שהיו כו'. יותר מכל המלכים שמלכו לפני בירושלים (ועל מלכי הגוים יאמר וכמ"ש למעלה):

קיצור אלשיך

אשר אין כמוהם בכל הארץ והוצאתי בבנינם זמן י"ג שנה וכרמים ופרדסים לא חסרה מהם כמ"ש ז"ל אפילו מנטקסה ופלפלין ועבדים ושפחות ושרים ושרות והתענוגי בני אדם ואיך אגעל בשמחה וגם אהביל עיני עוה"ז, ע"כ אמר דעו איפה כי לא לכוונת ההנאות ביין מאכלות או בראות עיני בבתים וכרמים ופרדסים עשיתי כ"א שתרתי בלבי כתייר הזה לראות ולחפש ולנסות בכל הדברים עד היכן יד עניגה מגעת עד אשר אראה בחוש איזה טוב לבני האדם וכו' ללמדם דעת במה יוציאו מספר ימי חייהם ואומר הנה כל טובות העולם נסיתי והמה הבל לכן השמרו לכם מעשות עיקר מהם כי הבל המה, וז"א תרתי בלבי וכו' כי אשר היה נחת שלחני מלא דשן ומה גם ביין בוגד ומתעה וגם לאחוז בסכלות ופתיות הבלי העולם טובותיו ותענוגיו הלא לא היה רק עד אשר אראה בחוש איזה טוב לבני האדם אשר יעשו וכו' למען אוכל לתת להם דבר ועצה במה יעסקו ומה יהבילו. ולבל יאמרו לו לא טובה העצה אשר יעצת למשוך ביין כי יין ותירוש יקח לב. ע"כ אמר למשוך ביין את בשרי. אבל לבי נוהג בחכמה ולאחוז בסכלות אחיזה מה. ולא עשותו עיקר חלילה:

(ד) הגדלתי מעשי וגו'. הענין כי רצה ליהנות בכל ה' חושיו, בחוש המשוש במה שבניתי לי בתים לדור בהם. ולחוש הטעם (ה) נטעתי לי כרמים וגנות ופרדסים. ולחוש הריח נטעתי לי עץ כל פרי שבעולם. אפילו פלפלין וכל מיני בשמים. ולחוש הראות (ו) עשיתי לי ברכות מים להשקות מהם יער צומח עצים אף שלא יגדלו פירות. ומה הנאה היה לי מהם. רק ראות עיני. (ז) קניתי לי עבדים וגו' יותר מכדי צרכי רק למען הנאת חוש הראות.

וגם

of the days of their lives. 4. I made myself great works; I built myself houses, and I planted myself vineyards. 5. I made myself gardens and orchards, and I planted in them all sorts of fruit trees. 6. I made myself pools of water, to water from them a forest sprouting with trees. 7. I acquired male and female slaves, and I had household members; also I had possession of cattle and flocks, more than

does it accomplish? Behold, its end is grief.—[*Rashi*]

The *Targum* paraphrases: Of laughter, I said that at the time of pain it is scorn, and of joy I said, "What benefit does a person have, that he should experience it?"

3. **I searched in my heart**—*I returned to search in my heart to maintain all of them: feasting, wisdom, and folly, and to indulge and to pamper my body with wine feasting. Every feast of enjoyment is called* [מִשְׁתֶּה] *because of the wine.*—[*Rashi*]

conducting itself with wisdom—*Even if my body is being indulged with wine, my heart is being conducted with wisdom, to hold onto the Torah.*—[*Rashi*]

and holding onto folly—*to things that appear to me as folly, concerning which I said,* (*Prov. 30:1*): *"God is with me; yea, God is with me, and I will be able," for example, the wearing of shaatnez and mingled species in a vineyard, which Satan and the nations of the world dispute, and so he says* (*below 7:18*): *"It is good that you should take hold of this," and also, concerning Saul, to whom it appeared folly to slay both man and woman, both infant and suckling, but it was the commandment of the Omnipresent, and he called it folly.*—[*Rashi*]

Mezudath David explains: I searched my heart to find the correct way to hold onto the three things together: to engage in wine feasting, which indulges the flesh and causes it to increase and become fat, and to conduct my heart with the wisdom of the Torah, and to hold onto words of folly, i.e., things that do not enter the body, but that people yearn for, such as beautiful edifices, musical instruments, and the like.

until I see—I will hold onto all of them until I see what is the best way for the children of men to behave in the world under the heavens the number of the days of their lives. That is to say that when I determine which way is the best, I will choose that way alone and abandon the others.

Isaiah da Trani explains:

I searched in my heart—i.e., to fathom wisdom, for wisdom alone is not good, as I have already stated: "In much wisdom is much vexation." I likewise desired to fathom joy, which is also not good alone, as I said, "and concerning joy, what does it accomplish?" What then shall I do? I will indulge my flesh with wine, and enjoy the mundane pleasures.

and my heart conducting itself with wisdom and holding onto folly—i.e., neither with this alone nor with that alone. I will hold onto both together and examine these two ways.

until I would see which—one of them.

is better for the children of men—to practice them, that they should have profit when they practice them.

4. **I made myself great works**—*in the days of my greatness.*—[*Rashi*] I performed great deeds, or I increased my possessions, like (Gen. 31:1): "acquired all this wealth."—[*Ibn Ezra*] So I did, and I held onto all three ways, for I performed great and remarkable deeds, and Koheleth returns to elaborate: I built myself many houses; I planted myself many vineyards.—[*Mezudath David*] The *Targum* renders: I made many great works in Jerusalem; I built myself houses: the Temple to atone for Israel, and the cooling house of the king, and the Chamber of Hewn Stone for the Study Hall of the sages, and the Hall and the Tribunal of Hewn Stone, where the wise men sat and judged. I made an ivory throne for the seat of the kingdom. I planted myself vineyards in Javneh in order to grow grapes for wine for myself and the rabbis of the Sanhedrin, and also to perform libations of new and old wine on the altar.

Isaiah da Trani explains that Solomon now explains how he first adopted the way of enjoying pleasures.

Sforno explains that Koheleth wished to determine how much of each element should be adopted in a person's conduct.

5. **gardens and orchards**—Gardens contain many trees of many species, whereas an orchard contains trees of one species, as in Song of Songs (4:13): "a pomegranate orchard."—[*Ibn Ezra*]

all sorts of fruit trees—*for Solomon recognized with his wisdom the veins of the earth: which vein goes to Cush, and there he planted peppers; which one goes to a land of carob fruits, and there he planted carob trees. For all the veins of the lands come to Zion, from where the world was founded, as it is said (Ps. 50:2): "From Zion, the all-inclusive beauty." Therefore, it is said: "all sorts of fruit trees." Midrash Tanhuma* (*Kedoshim* 10).—[*Rashi*]

The *Targum* paraphrases: I made myself watered gardens and orchards, and I sowed there all types of herbs, some of them for food, some of them for beverages, and some of them for medicinal purposes, and all types of aromatic herbs. I planted therein non-fruit-bearing trees and all types of aromatic trees, which shadowy demons and other demons brought me from India, and all trees that produce fruit, and the boundaries were the wall of the city of Jerusalem until the banks of the water of Siloam.

6. **pools of water**—*Like a sort of vivaria for fish, which they dig in the ground.*—[*Rashi*] *Ibn Ezra* explains that these are pools where the rain water gathers, to water a forest

sprouting with trees that do not produce fruit, such as cedars and junipers. *Mezudath David* also explains that the purpose of the pools was to water the forest of non-fruit-producing trees in order to increase their foliage and afford pleasure to those who beheld them.

The *Targum* paraphrases: I tested the irrigation ditches: which were fit to water the trees and which were fit to water the herbs, and I made myself fountains of water to water with them even a forest that sprouts wood for kindling.

7. **household members**—They are the appointees over the needs of the house to supervise over what is needed, but they do not work like slaves.—[*Mezudath David*] *Ibn Ezra* identifies the household members as those slaves born of other slaves, in contrast with those who are purchased.

The *Targum* paraphrases: I acquired male and female slaves from the children of Ham and other foreign nations, and I had appointees who were appointed over the food of my house to sustain me and my household for the twelve months of the year, and one to sustain me in the extra month of the leap year; I also had possession of cattle and flocks, more than all the generations that were before me in Jerusalem.

לי מכל שהיו לפני בירושלם: ח כנסתי לי גם־כסף
וזהב וסגלת מלכים והמדינות עשיתי לי שרים
ושרות ותענגות בני האדם שדה ושדות: ט וגדלתי
והוספתי מכל שהיה לפני בירושלם אף חכמתי
עמדה לי: י וכל אשר שאלו עיני לא אצלתי מהם
לא־מנעתי את־לבי מכל־שמחה כי־לבי שמח

תו"א עשיתי לי שרים ושרות. גיטין סח: וזה היה חלקי מכל עמלי. סנהדרין כ

עבדין ואמהן סכניהון דהם
ושאר עממין נוכראין ונדברין
די מכנן על מזונא דביתי הוו
לי לפרנסא יתי וית אנשי ביתי
תרי עשר ירחי שתא וחד
לפרנסותי בירחא דעיבורא
אף קנין תורין ועאן הוה לי
יתיר מכל דריא די הוו קדמי
בירושלם: ח כנשית לי
אף אוצרין דכסף ודהב דאפילו
מתקלין ומואדנין דקשוט עבדית מן דהב טב ומסברי מלכין ופלכין אתיהיבו לי לכרנא עבדית
לבית מוקדשא זייני זמרא לזמרא בהון ליואי על קורבניא וקתרוסין ואבובין לזמרא בהון זמריא וזמרתא
בבית משתיא דחמרא ותפנוקי בני אנשא ודימסיא ובי בנין מרזבין דשדן מיא פשורי ומרזבין
דשדין מיא חמימי: ט וגדלתי ואסגיתי טובא ואוסיפית עותרא מן כל דריא די הוו קדמי בירושלם ברם
חכמתי קמת לי והיא סיעא יתי: י וכל מה דבעו מני רבני סנהדרין לדכאה ולסאבא

רש"י

(ח) וסגלת מלכים. גנזי מלכים זהב וכסף ואבן יקרה שהמלכים מסגלים בגנזיהם: והמדינות. סגולת כל סוחרים: שרים ושרות. מיני כלי זמר: שדה ושדות. מרכבות כוי עגלות צב ובלשון גמרא יש שדה תיבה ומגדל: (ט) אף חכמתי. גם חכמתי לא הנחתי בשביל כל המעשים האלה ועמדה לי ולא שכחתיה. ד"א עמדה לי לעזרה מכל אלה: (י) לא אצלתי. לא רחקתי להבדיל מהם א וכן (במדבר יא) ויאצל מן הרוח ויתן על הזקנים כמנורה שמדליקין ממנה נרות הרבה ואין אורה חסר כלום: וזה היה חלקי. והרי עשותי כל אלה אין לי מכולם אלא זה. רב ושמואל חד אמר מקלו וחד אמר קידו. מקידה ב של חרס

שפתי חכמים

יהכא ככי פירושו ולאחוז בסגלות דברים הדומים לי לסגלות כו' ואחר כך סיקם' לנפשיה ואיך שייך לומר דקורא למלות סמקום סגלות לזה מביא ראיה וכ"ם אומר טוב אשר תאחז בזה על שאול כו' ומלת גם טעו' סוא וה"פ אמר על שאול טוב אשר תאחז בזה שנדמה לך סגלות שהרי היה רוצה להתחכם כדפרישית ומדאמר טוב אשר תאחז בזה פשיטא שיש לאחוז במלוה המקום אלא פירושו אפי' שנדמה לך לסגלות וכן סיפא דקרא כי ירא אלהים יצא ידי שניהם פי' יקיים החכמה והסגלות ככי שקורא מלות המקום סגלות וזהו שמסיים רש"י והיא מלות המקום וקורא אותה סגלות כלומר אם כן אף שפירשתי זה במלות המקום מליצו כה"ג שקורא למלות המקום סגלות: א דקשה לרש"י הרי ל' אצילות הוא כשמאציל דבר מדבר ואותו דבר שמאציל ממנו חסר אותו דבר שנאצל ופה אף אם היה נאצל ולא עשה מה שראו עיניו לא היו עיניו חסר בזה כלום. לכ"פ ומביא לשון ויאצל כה"ג שאינו חסר כלום ויאצל מן הרוח כו' כמנורה שמדליקין כו' ואי לא היה כוונת רש"י רק להביא לשון ויאצל שה א ל' הבדל לא ה"ל להביא רק הפסוק לחוד כדרכו ולמה ליה להביא המשל כמנורה שמדליקין כו' וכפי מה שפירשתי הוא ניחא: ב ומה שפירש רש"י מקידה של

אבן עזרא

משכו וקחו לכם צאן: (ח) כנסתי. הברתי כמו לך כנוס את כל היהודים. ומלת סגולה דבר נחמד שמור להתפאר בו כמו האבנים היקרות הנמצאות אצל המלכים ודברים נחמדים ימצאו במדינה אחת לבדה. וענין שדה ושדות הם הנשים ויורה עליו ותענוגות בני האדם. ועוד שהזכיר דברי כל תאוות העולם. מבנין ונטיעה ומקנה וסגולה ושמוע שירים ואין זכרון לנשים. ונחלקו המפרשים במלת שדה והטוב שכולם שהוא מן שדד הנשים השדודות הנלקחות בחזקה בשוד ושביה שיבחר מהן כפי תאותו וענין שדה ושדות אחת ורבות כמו רחם רחמתים לראש גבר בעלת רחם אשה אחת ושתים והענין שלא תאמר אחת לבדה כי יש מי שתפש שתים: (ט) וגדלתי. פועל עומד הייתי גדול בכל דברי והוספתי גדולה בדברי העולם אף חכמתי עמדה לי: (י) וכל. יש אומרים אצלתי שהוא מן אצל והענין לקחתי כך מאצלו והוא מהבנין הקל ומלת ויאצל מהבנין הכבד והיה

ספורנו

נטעתי עשיתי קניתי כנסתי: (ח) וסגלת מלכים. אבנים טובות ומרגליות: והמדינות. וכמו כן סגלת מדינות כמו עצי אלמוגים ומהם עשיתי לי שרים ושרות בבלי שיר של עצי אלמוגים: שדה. וכמו כן עשיתי מהם שדה לסגלת מלכים: ושדות. לזהב ולכסף: (ט) וגדלתי. בעיני הגוים: והוספתי. על המורגל כאמרו ויעש שלמה כסא שן לא נעשה כן לכל הממלכות: אף חכמתי עמדה לי. ועם כל אלה לא חדלתי מן העיון והתבוננות: (י) וכל אשר שאלו עיני. שהתאוו עיני שכלי להשכיל גם שלא היה מחקר אלהי: לא אצלתי מהם. כאמרו וידבר על העצים כו' וידבר על הבהמה כו'. ובכן לא מנעתי את לבי מכל שמחה רוחנית המושגת בהשיג השכל איזה מושכל שיחפוץ בו: כי לבי שמח מכל עמלי. כי אמנם קרה לשכלי תוספת שמחה וחוזק בעמל ההשתדלות להשיג על הפך מה שיקרה בעמל הכחות החמריות שהם ילאו ויצטערו בו: וזה היה חלקי מכל עמלי. וזה בלבד שהשגתי מן המושכלות היה חלקי ואין לזרים אתי על הפך מה שעמלתי בנפסדות שהיה גם

מצודת דוד

(ח) כנסתי לי. אספתי לעצמי: וסגלת מלכים. דברים נחמדים מה שהמלכים גונזין באוצר: והמדינות. מה שסגלות המדינה מגנזת באוצר המיוחד לכל בני המדינה: ותענוגות. דברים שהמדים מה שבני אדם מתענגין בהם: שדה ושדות. ר"ל אחת מיוחדת בכל מיני יופי ועוד מרכבות רבות: (ט) וגדלתי. ועשיתי מעשים גדולים ומופלאים בתוספת מרובה יותר מכל המלכים שמלכו לפני בירושלים: אף חכמתי עמדה לי. אף שהייתי עוסק בכל אלו הדברים עכ"ז אף חכמתי נתקיימה בי ולא שכחתי' בעבור מרבית הטרדות בענינים מחולפים: (י) שאלו עיני. לפי שאין הלב חומד כ"א אחר שראה את

מצודת ציון

(ח) וסגלת. כן יקרא דבר נחמד הגנוז באוצר וכן והייתם לי סגלה (שמות יט): עשיתי. תכנתי והכנתי כמו וכן הבקר אשר עשה (בראשית יח): שרים. משוררים זכרים: ושרות. משוררות נקבות: שדה. מרכבה מוקפת מחיצה ממעל דומה לתיבה ובדרז"ל שדה תיבה ומגדל (שבת קכ): (ט) עמדה. נתקיימה. וכן לשמור את בריתו לעמדה (יחזקאל יז): (י) אצלתי. ענין הפרשה והבדלה כמו

קיצור אלשיך

וגם (ח) כנסתי לי כסף וזהב. אף שהכסף היה לי לרוב, כאבנים בחוצות. רק למען הנאת חוש הראות. ולחוש השמע היה לי שרים ושרות. אף שדה ושדות מכל מיני המוטאה לראותם בלבד. ולא בקטנותי בלבד הבנתי לי כ"ג. רק אף (ט) וגדלתי והוספתי עוד מכל אשר היו לפני בירושלים. ואף חכמתי הוא התורה שלמדתי בילדותי לא שכחתיה רק עמדה לי כמו שלמדתיה. ועכ"ז (י) וכל אשר שאלו עיני וגו' וזה השמחה היה חלקי מכל עמלי. שהיה לבי שמח מראות עיני:

ופניתי

all who were before me in Jerusalem. 8. I accumulated for myself
also silver and gold, and the treasures of the kings and the
provinces; I acquired for myself various types of musical
instruments, the delight of the sons of men, wagons and coaches.
9. So I became great, and I increased more than all who were
before me in Jerusalem; also my wisdom remained with me.
10. And [of] all that my eyes desired I did not deprive them; I did
not deprive my heart of any joy, but my heart rejoiced

8. **I accumulated**—Heb. כָּנַסְתִּי, I gathered together.—[*Ibn Ezra*]

and the treasures of the kings—*the treasures of the kings, gold, silver and precious stones, which the kings collect in their treasure houses.*—[*Rashi*]

and the provinces—*the treasure of all merchants.*—[*Rashi*] *Ibn Ezra* explains: a rare thing kept to show off, such as precious stones owned by the kings and desirable things found only in one province. *Mezudath David* explains: that which the province in general hides in a treasure house designated for the people of the province.

various types of musical instruments—שָׁרִים וְשָׁרוֹת, *various types of musical instruments.*—[*Rashi* from *Gittin* 68a] *Ecc. Rabbah*, followed by *Mezudath Zion*, renders: male and female singers.

the delight of the sons of men—desirable things, which people enjoy.—[*Mezudath David*]

wagons and coaches—Heb. שִׁדָּה וְשִׁדּוֹת. *beautiful coaches, covered wagons, and in the Gemara*, [we find] *a coach* (שִׁדָּה), *a chest, and a closet.*—[*Rashi*] The Talmud (*Gittin* 68a) defines these words as male and female demons. *Ibn Ezra* defines them as: a captured woman, captured women. *Isaiah da Trani* defines them as other types of musical instruments.

The *Targum* renders: I accumulated for myself also treasures of silver and gold, for even true weights and scales I made from fine gold, and treasures of the kings and the provinces were given to me as tribute. I made for the Temple types of musical instruments for the Levites to play upon with the sacrifices, and lyres and flutes for male and female singers to sing at the wine feast, and the pleasures of the children of men, and rows of building stones and buildings, pipes issuing forth warm water and pipes issuing forth hot water.

9. **So I became great**—I became great in all my affairs, and I added greatness in the affairs of the world; also my wisdom remained with me.—[*Ibn Ezra*] I performed great and wondrous deeds, surpassing all the monarchs who reigned before me in Jerusalem.—[*Mezudath David*]

also my wisdom remained with me—*Also, I did not forsake my wisdom because of all these affairs, and it remained with me; I did not* *forget it. Another explanation: It stood by me to aid me against all these*.—[*Rashi*]

10. **I did not deprive**—*I did not distance them to separate from them, and so* (*Num. 11:25*): *"and He held back* (וַיָּאצֶל) *some of the spirit...and placed* [it] *on...the elders," like a candelabrum from which many candles are kindled, and its light is not at all diminished.*—[*Rashi*]

and this was my portion—*And after doing all these, I have nothing* [left] *of all of them but this. Rav and Shmuel* [differ]: *One says, his staff, and one says, his cup.* קִידוֹ is *an earthenware cup, from which* [people] *drink* (*Gittin* 68b). *Others in the Midrash Aggadah* (*Ecc. Zuta* 2:8) *interpret the entire section as referring to study halls, students, and synagogues*, [as follows]:

[6] **a forest sprouting with trees**—*the ignorant people, for the work of fields and vineyards.*—[*Rashi*] [*Rashi's* intention is that the midrash interprets the entire section as referring to the synagogues and the study halls, and the "forest sprouting with trees" as referring to the ignorant people, who come to listen. Now, why are the ignorant people referred to as a forest sprouting with trees? Because they do the work of the fields and vineyards.—[*Sifthei Hachamim*]

The following is the wording of *Midrash Koheleth Zuta*:

[4] **I built myself houses**—synagogues and study halls.

I planted myself vineyards—As we learned (*Keth.* 4:6): The following interpretation did Rabbi Eleazar ben Azariah give to the "vineyard" in Yavneh. Now, was there a vineyard there? Rather, rows of Torah scholars were sitting [in a formation] like a vineyard.

[5] **I made myself gardens and orchards**—These are the great Mishnayoth, such as the Mishnah of Rabbi Akiva, the Mishnah of Rabbi Hoshaia, the Mishnah of Rabbi Hiyya, and the Mishnah of Bar Kappara.

and I planted in them all sorts of fruit trees—This is the Babylonian Talmud, which is mingled with them [i.e., with these Mishnayoth].

[6] **I made myself pools of water**—Said Rabbi Haninah: These are the preachers.

to water from them a forest sprouting with trees—These are the peoples of the provinces, who come and listen. [This is Buber's version. *Yalkut Shimoni* reads: These are the ignorant people, who come and listen. This appears to be *Rashi*'s reading.]

Rabbi Hiyya said: pools of water: These are teachers of Scripture and Mishnah.

Alshich explains that Koheleth illustrates here how he indulged his five senses:

[4] **I made myself great works, etc.**—The idea is that he wished to derive pleasure with all his five senses: with the sense of touch by building houses in which to dwell.

and I planted myself vineyards.

[5] **I made myself gardens and orchards**—For the sense of taste, I planted vineyards, gardens, and

orchards, and for the sense of smell, I planted myself all the fruit trees in the world, even peppers and all aromatic trees.

And for the sense of sight, [6] **I made myself pools of water, to water from them a forest sprouting trees**—although they do not yield fruit. Now, what pleasure do I derive from them, but the sight of my eyes?

[7] **I acquired male and female slaves, etc.**—more than I needed, only to indulge my sense of sight.

[8] **I accumulated for myself also silver and gold**—although I had much silver, until it was like stones in the streets, only to indulge my sense of sight.

And for the sense of hearing, **I acquired for myself various types of musical instruments.**

male and female demons—of all sorts of unclean powers, only to gaze at them, and not only in my youth, but,

[9] **I grew up, and I increased more than all who were before me in Jerusalem; also my wisdom**—the wisdom of the Torah that I learned in my youth, I did not forget, but it remained with me.

[10] **And [of] all that my eyes desired, etc.**—And this joy was my portion from all my toil, that my heart rejoiced from the sight of my eyes.

The *Targum* paraphrases: And all that the Sages of the Sanhedrin asked of me to declare clean or unclean, to declare innocent or guilty. I did not withhold from them the solution of the matters, and I did not deprive my heart of any of the joy of Torah, for I had time, for my heart rejoiced with the wisdom that was given me from before the Lord, more than any other person, and I rejoiced with it more than with all my toil. And this was my good portion that was prepared for me to receive a good reward in the World to Come from all my toil.

מכל־עמלי וזה־היה חלקי מכל־עמלי: יא ופניתי
אני בכל־מעשי שעשו ידי ובעמל שעמלתי
לעשות והנה הכל הבל ורעות רוח ואין יתרון תחת
השמש: יב ופניתי אני לראות חכמה והוללות
וסכלות כי | מה האדם שיבוא אחרי המלך את
אשר־כבר עשוהו: יג וראיתי אני שיש יתרון

תרגום

לזכאה ולחייבא לא כליתי סנהון פשר מיליא ולא מנעית ית לבבי מן כל חדות אוריתא ארום הוה לי פנאי די לבבי ברח בחכמתא די אתיהיבת לי מן קדם יי מן כל אנשא וחדית בה יתיר מכל טרחותי ודין הוה חולקי טב דאזדמן לי לקבלא עלוהי אגר שלים לעלמא דאתי מכל טרחותי: יא ופניתי ואסתכלית אנא בכל עובדי די עבדו ידי ובטורחתי די טרחית למעבד והא כולא הבלו ותבירות רוחא ולית מותר בהון תחות שמשא בעלמא הדין אלהין אית לי אגר שלים על עובדא טבא לעלמא דאתי: יב ופניתי ואסתכלית אנא למחזי חוכמתא וחלחולתא דמלכותא וסוכלתנו ארום מה הנאה אית לגבר לצלאה בתר גזירת מלכא ובתר פורענותא דהא כבר אתגזרת עלוהי ואתעבידת ליה: יג וראיתי וחזית אנא ברוח נבואה דאית מותר

שפתי חכמים

הכם סוא פי׳ של קידו: ג לריך להיות ויער לומה עלים וכן סוא בספרים מדויקים והיינו קאי על הפסוק אך דברי רש״י הוא וקאי אמה שפי׳ ויש פותרים במדרש אגדה כל הענין בבתי מדרשות כו׳ ובאותו מדרש דרשו יער לומח עלים אלו עמי הארץ שבאים ושומעים וקשה לרש״י למה קרא עמי הארץ יער לומח עלים ויסיה דברי רש״י יש פותרים במדרש אגדה כל הענין בבתי מדרשות כו׳ ויער לומה עלים דרשו עמי הארץ ולמה קוראם לומח עלים לפי שהם למלאכת שדות וכרמים (אם כן ויער לומח עלים דרשו עמי הארץ למה נקראו עמי

רש״י

שהותין בה ויש פותרים במדרש אגדה כל הענין בבתי מדרשות ותלמידים ובבתי כנסיות · יער צומח עצים. עמי הארץ ג למלאכת שדות וכרמים. (יא) ופניתי. עתה בכל מעשי ורואה אני שאין יתרון בהם כי מכולם אני הסר: (יב) ופניתי אני לראות חכמה. פונה אני מכל עסקי להתבונן בתורה והוללות וסכלות עונש עבירות: כי מה האדם שיבא אחרי המלך. להתקן לו על גזרה שגזרו עליו וככר עשאוהו למעשה הגזרה לגוזרה טוב לו להתבונן תחלה במעשיו ולא יצטרך לבקש: (יג) מן הסכלות. הוא

ספורנו

לאחרים: (יא) ופניתי אני בכל מעשי. וכאשר הבנתי זה פניתי אל כל מעשי בנפסדות ואל כל העמל שעמלתי להשיגם לראות מה התועלת המושג לי מהם והנה הכל הבל ורעות רוח. תכלית גרוע ובלתי נחשב: ואין יתרון תחת השמש. ושבכל מה שתחת השמש אין שום יתרון לנפש השכלית: (יב) ופניתי אני לראות חכמה. מאמתת נצחיות הנפש: והוללות וסכלות. ולראות גם כן דעות משובשות מכחישות זה את זה בטעות או מחסרון הקדמות לראות איזה יכשר: כי מה האדם שיבא אחרי המלך את אשר כבר עשהו. והיה הספק אצלי בזה כי מה שנחשוב שתהיה החכמה שלמות לשכלנו הכחיי נקנה בהשתדלותנו הנה היא נראה בלתי אפשר כי מה האדם שיבא להשלים מה שעשה המלך אשר תמים פעלו ומה שעשה באמצעות הגרמים השמימיים ומניעיהם אשר כבר עשו את האדם במצות המלך: (יג) וראיתי אני שיש יתרון לחכמה. המושגת בכח שכלי: מן הסכלות. המשיג את המוחש בלבד בלתי התבוננות: כיתרון

אבן עזרא

ראוי להראות האל״ף כמו יהזק כמעוזי שהוא מן ההזיק. ושמחתי בעמלי היתה שכר יגיעתי והיא לבדה היתה הלקי: (יא) ופניתי. וכמו שפניתי בכל מעשי ראה לבי שהכל הבל: (יב) ופניתי. הענין אני התעסקתי בהכמה ובהוללות שהוא היין בעבור שהמשתכר ממנו יתהולל ויתגע וסכלות הוא הבנין וקנות ההון. כי מה האדם כענין ה׳ מה אדם ותדעהו וכן מה אנוש כי תזכרנו. והענין כאשר ראיתי שמיך וירה וכוכבים שהעולם כמו תחת כוכב אחד עומד אמרתי מה אנוש כי תזכרנו ועשית לו גדולה ומעלה יתירה והענין כי מה יכולת תהיה באדם שיבוא אחרי המלך וכל מה שיעשה כבר עשוהו אחרים ויחסר מלת העושים כמו ויאמר ליוסף שלא זכר שם האומר וכן אשר ילדה אותה ללוי ורבים כמוהם. ויש אומרים כי המלך מן וימלך לבי עלי והענין כי מה הענין והתשובה שיבא אחרי העלה וירדוף אחרי כל אשר עשו הקדמונים ואיננו נכון: (יג) וראיתי.

מצודת ציון

והללתי מן הרוח (במדבר יא): (יא) ופניתי. מלשון פנה וסבוב: ורעות. ענין שבירה: רוח רלון: יתרון. מותר וריוח: תחת. במקום: (יב) והוללות. שיגעון: וסכלות. שטות:

מצודת דוד

הדבר לזה אמר שאלו עיני ר״ל כל הדברים שבקש לבי וחמד אותם לא הבדלתי את עלמי מהם מכל שמחה מכל דבר המשמח: כי לבי כו׳. ר״ל אם אמנם שבעסק אלו הדברים היה לי עלבון מה לפי העמל שהיה בהם עכ״ז לא עזבתי אותם לפי שערך השמחה שהיה ללבי בהם גברה מערך העלבון שהעמל שהיה בעיני כמעט קט מול שמחת הלבב: וזה היה חלקי. השמחה לבדה היה חלקי מכל עמלי אף שבהעמל היה עלבון ושמחה עכ״ז לקחתי לעלמי חלק השמחה והלק העלבון הבלעתי מנגד ר״ל לא חששתי על העלבון כ״א על השמחה לבדה: (יא) ופניתי. אחרי עשותי את כל אלה פניתי פני להסתכל ולהתבונן בכל מעשי ובעמל. ר״ל בהמעשים שעשיתי בעמל והוא כפל ענין במ״ש: והנה הכל הבל. על כי לא בא מהם תועלת נלחי: ורעות רוח כי בעשותי כל אלה היה הרלון שיהיו מתמידים ונשבר הרלון כי לא כן הוא: ואין יתרון. ולא יש יתרון בהדברים שעסקתי בזה העולם במקום זריחת השמש: (יב) ופניתי. אח״ז פניתי פני להסתכל בהכמה וגם בהוללות וסכלות ר״ל לאחוז בשתיהן פעם בזה ופעם בזה: כי מה האדם כו׳ מה נחשב האדם למאס בסכלות ולבא להתחכם אחרי מלכו של עולם את אשר כבר עשה וברא את הסכלות וכאומר איך יתכן למאס בדבר שברא ה׳ וכי להם ברלו: (יג) וראיתי אני. אח״כ ראיתי בחוש השכל שאף אם אמנם ראוי למאס בסכלות מ״מ לא להם ברלו כי מה שיש יתרון

קיצור אלשיך

(יא) ופניתי אני וגו׳. לראות בכל מה שעשו ידי בעבר ובכל מה שעמלתי והכנתי לעשות עוד. הכל הוא רעות ושברון רוח ואין יתרון תחת השמש. ואפילו מה שעמלתי בתורה אין יתרונו ומתן שכרו בעולם הזה שתחת השמש רק בעולם העליון: (יב) ופניתי אני לראות בחוש בעצם מה הוא חכמה באמת ומה היא הוללות ומה הוא סכלות. כי עין בעין ראיתי בהתעסקי בשלשתן כי תורת ה׳ היא חכמה באמת. ודחיצונית היא הוללות. ותענוגות העולם הזה הם סכלות. ומה שאני אומר שהחכמה חצונית הוא הוללות. הלא הוא כי מה האדם שיבא אחרי המלך שכבר עשוהו: (יג) וראיתי אני שאני בעל החכמה. שיש יתרון לחכמה. ובמה הכרתי יתרון החכמה. הלא הוא מן הסכלות. כי מתוך פחיתות הסכלות הכרתי יתרון החכמה. כאשר יוכר יתרון האור מן החשך

with all my toil, and this was my portion from all my toil. 11. Then
I turned [to look] at all my deeds that my hands had wrought and
upon the toil that I had toiled to do, and behold everything is
vanity and frustration, and there is no profit under the sun. 12. And
I turned to see wisdom and madness and folly, for what is the man
who will come after the king, concerning that which they have
already done? 13. And I saw that wisdom has an advantage over
folly, as the advantage

11. **Then I turned**—*now in all my deeds, and I see that there is no profit in them, for from all of them I am lacking.*—[*Rashi*] *Mezudath David* explains: After I did all this, I turned my face to look at and ponder over all my deeds and the toil, i.e., the deeds that I had performed with toil.

and behold, everything is vanity—because no perpetual gain emanates from them.—[*Mezudath David*]

and frustration—For when I did them all, my desire was that they should endure, but my will was broken because it was not so.—[*Mezudath David*]

and there is no profit—There is no profit in the affairs in which I engaged in this world, in the place where the sun shines.—[*Mezudath David*] The *Targum* renders: but there is a complete reward for good deeds in the World to Come.

12. **And I turned to see wisdom**—*I turn from all my affairs to ponder over the Torah and madness and folly,* [meaning] *the punishment for transgressions.*—[*Rashi*]

for what is the man who will come after the king—*to supplicate him concerning a decree that they decreed upon him, and they already executed the decree. It is better for him to ponder at first upon his deeds, and he will not find it necessary to beg.*—[*Rashi*]

13. **over folly**—*That is wickedness.*—[*Rashi*] Here *Rashi* does not explain סִכְלוּת as foolishness because here Koheleth is dealing with the punishment for transgressions, and foolishness per se is not subject to punishment. Therefore, he identifies folly with wickedness, for a person does not commit a sin unless a spirit of madness enters into him.—[*Sifthei Hachamim*] *Mezudath David* explains:

[12] **And I turned**—Afterwards, I turned to ponder wisdom as well as madness and folly, i.e., to adhere to both of them, sometimes to one and sometimes to the other.

for what is the man—Of what importance is man to reject folly and to philosophize after the King of the World, Who already made and created folly? i.e., How is it possible to reject a thing that the Lord created? Did He create it for nought?

[13] **And I saw**—Afterwards, I saw with my intellect that it is indeed fitting to reject folly. Nevertheless, it

לְחָכְמָה מִן־הַסִּכְלוּת כִּיתְרוֹן הָאוֹר מִן־הַחֹשֶׁךְ׃
יד הֶחָכָם עֵינָיו בְּרֹאשׁוֹ וְהַכְּסִיל בַּחֹשֶׁךְ הוֹלֵךְ וְיָדַעְתִּי
גַם־אָנִי שֶׁמִּקְרֶה אֶחָד יִקְרֶה אֶת־כֻּלָּם׃ טו וְאָמַרְתִּי
אֲנִי בְּלִבִּי כְּמִקְרֵה הַכְּסִיל גַּם־אֲנִי יִקְרֵנִי וְלָמָּה
חָכַמְתִּי אֲנִי אָז יֹתֵר וְדִבַּרְתִּי בְלִבִּי שֶׁגַּם־זֶה הָבֶל׃
טז כִּי אֵין זִכְרוֹן לֶחָכָם עִם־הַכְּסִיל לְעוֹלָם בְּשֶׁכְּבָר

תו"א יתרון לחכמה מן הסכלות. זוהר פ' תזריע עקידה שער ס בשני מקומות מהשער: החכם עיניו בראשו. פסחים קו עקידה שער ח עיקרים מ"ב פכ"ט; והכסיל בחשך הולך. עירובין ו ראש השנה יד חולין מד:

לְחוּכְמְתָא מִן שְׁטוּתָא יַתִּיר כְּמוֹתַר נְהוֹר יוֹמָא מִן חֲשׁוֹךְ לֵילְיָא: יד הֶחָכָם חַכִּימָא מִסְתַּכַּל בְּרֵישָׁא מָה דַעֲתִיד לְמֶהֱוֵי בְּסוֹף וּמְצַלֵּי וּמְבַטֵּל גְּזֵירְתָא בִישְׁתָא מִן עָלְמָא וְשַׁטְיָא בַּחֲשׁוֹכָא אָזֵל וִידַעַת אַף אֲנָא דְאִי לָא מְצַלֵּי חַכִּימָא וּמְבַטֵּל גְּזֵירְתָא בִישְׁתָא מִן עָלְמָא כַּד יֵיתֵי פּוּרְעָנוּתָא בְּעָלְמָא אִירְעוֹן חַד יָאֱרַע יַת כּוּלְהוֹן: טו וְאָמַרְתִּי וַאֲמָרִית אֲנָא בְּלִבְּבִי כְּאִרְעוֹן שָׁאוּל בַּר קִישׁ מַלְכָּא דְסָט בְּסַטְוּתֵיהּ וְלָא נְטַר תַּפְקִידְתָּא דְאִתְפַּקַד עַל עֲמָלֵק וְאִתְנַטְּלַת מִינֵיהּ מַלְכוּתָא אַף אֲנָא כְּדֵין יַעְרְעַנַּנִי וְלָמָה דֵין חַכִּימִית אֲנָא בְּכֵן יַתִּיר מִנֵּיהּ וּמַלֵּילִית אֲנָא בְּלִבִּי דְאַף דֵּין הֲבָלוּ וְלֵית אֱלָהֵן גְּזֵירַת מֵימְרָא דַיְיָ: טז כִּי אֲרוּם לֵית דָּכְרָנָא לְחַכִּימָא

רש"י

ד הרשע: (יד) החכם עיניו בראשו. בתחלת ה הדבר מסתכל מה יהא בסופה: וידעתי גם אני. גם אני (ידעתי) אשר משבח את החכם מן ו הכסיל יודע אני ששניהם ימותו: (טו) ואמרתי אני בלבי וגו'. כלו' לפי ששניהם ימותו שמא אהרהר בלבי ז מעתה כמקרה הרשע גם אני יקרני ולמה אהיה לדיק אז יותר: ודברתי בלבי. שאם אהרהר כן הבל הוא כי אין זכרון החכם והכסיל שוין אחרי מותן לא יזכרו שניהם יחד שזה זכרונו לטובה וזה זכרונו לרעה: (טז) בשכבר הימים הבאים הכל נשכח.

שפתי חכמים

ד ולא פירש כמו שפירש הוללות וסכלות שטות. דהכא בעונש עבירות קמיירי ושטות כמשמעו אין בו עונש. לכן פירש ססכלות פה היא הרשע וקורא אותו רוח של שטות: ה ויש פירוש בראשו כמו ראש דבר אמת: ו דקשה לרש"י מהו גם לכן פי' גם אני אשר משבח את החכם מן הכסיל יודע ששניהם ימותו כו"ל. ומלת ידעתי שאחר אני ומלת אני שאחר יודע טעות סוא וכמ"ש אין: ז דקשה לרש"י חלילה להכניא סהרון לפי שהם לנרכי סהרון למלאכת שדות כו'):

אבן עזרא

כמו שיבדיל האור הגורות ויראה הקרובים והרחוקים ויעמיד כל דבר על מתכונתו כן דרך החכמה: (יד) החכם. דמה החכם לפקח שיש לו עינים בראשו שילך לכל מקום שירצ' ויראה הדרך הישרה והעקלקלו' והכסיל בחשך ילך לא ידע במה יכשל וזה ידעתי וגם ידעתי שמקרה אחד יקרה את כלם: (טו) ואמרתי. זה המקרה הוא שיקרה לכל בני העולם מטוב ומרע וענין ולמה חכמתי בכל מה שהתעסקתי בדברי העולם שעמלתי ושחכמתי תחת השמש ודברתי בלבי שגם זו החכמה היא הבל: (טז) כי.

ספורנו

האור מן החשך. שהוא העדר האור: (יד) וזה כי החכם עיניו בראשו. רואה את הנולד העתיד עד שלפעמים ימאס העונג הזה לברוח מאיזה היזק עתיד ומזה יתחייב שיהיה זה השכל כח בלתי גשמי שופט על העתיד: והכסיל בחשך הולך. בלתי רואה את העתיד ובזה יוקש: וידעתי גם אני. ועם זה ידעתי כי מקרה אחד. שהוא מקרה המות יקרה את כלם. להחכמים ולכסילים: (טו) ולכן אמרתי אני כמקרה הכסיל גם אני יקרני ולמה חכמתי אני אז יותר. באופן שאמרתי שבלי ספק גם זה הבל: (טז) כי אמנם אין זכרון לחכם עם הכסיל לעולם בשכבר.

מצודת דוד

ומעלה אל החכמה שהיא באה מפאת הסכלות כי לולא הסכלות לא היה נודע מעלת החכמה כי אין דבר ניכר אלא מפאת הפכו וכמו שלא נודע טובת האור כ"א מן החושך שהוא הפכו וכאומר א"כ בעבור זה ברא את הסכלות להיות ניכר ע"י מעלת החכמה: (יד) החכם עיניו בראשו. עכשיו יפרש איך ניכר מעלת החכמה מפאת הסכלות וטובת האור מפאת החשך ואמר הנה החכם יודע ומכיר שעיניו קבועות בראשו במקום גבוה למען יסתכלו למרחוק ולזה כן יעשה ולמרחוק יסתכל להתבונן בדרכיו ולא יכשל בהם אבל הכסיל לא יבין את זאת ועיניו לא יביטו למרחוק והרי הוא כאלו הולך בחושך מקום שא"א לראות ונוגף רגליו באבני מכשול וא"כ לולי הכסיל שאינו מביט בדרכיו ובזה נכשל במהלכו לא היה א"כ ניכר טובת החכם המביט שאינו נכשל ולולי החושך המונע ראות העין לשמור בעליו מגור מכשול והרי הוא נכשל לא היה א"כ ניכר מתיקה האור אל העין המציל מן המכשול: וידעתי גם אני. הוא מקרא מסורס והראוי ואני גם ידעתי ומוסב למעלה שאמר מסכלוי למאס בסכלות ואמר בזה אף שגם ידעתי שמקרה אחד הוא מקרה המיתה שגם יקרה את כולם החכם יהיה או סכל עכ"ז יש למאס בסכלות: (טו) ואמרתי בלבי. ר"ל אף כי הרהרתי בלבי הואיל ובדבר מקרה המיתה יקרה גם אותי עם כי הכמתי וכמו מקרה הכסיל א"כ על מה חכמתי אני אז קודם זמן המיתה יותר מן הכסיל מה תועלת בא לי עתה אחר המיתה במה שהחכמתי אז: ודברתי. הנה השיב אמרי' הלי שגם זה ההרהור הוא הבל: (טז) כי אין זכרון. אפי' אחר המיתה בא תועלת כי עד עולם

מצודת ציון

(יד) המקרה. המאורע: (טו) ולמה. על מה ר"ל מה תועלת:

קיצור אלשיך

החשך. או כפשוטו כי הכיר שהיתרון הוא מעין יתרון האור מן החשך. והוא כי אשר לו חכמה ידמה ליושב באור שעיניו יקבלו מן האור ויראו כנודע מטבע ראיית העין בקבל מן האור אך אשר לו סכלות הוא הון ועושר וטובות העולם הזה הוא דומה ליושב בחשך שאין לו ממה יקבל אור לראות ואיננו רואה. והענין כי הנה היה יכול לדבר ולומר איש אם עסק התורה טוב גם עסק ההון ועושר טוב לפזר ולתת לכל מיני צדקות אין מספר. לז"א הנה מהתורה אשר היא אור עיני שכלך יחזו לבא לידי מעשה אבל בעושר הנמשך לחשך לא תקבל אור לראות לשמור ולעשות כי הנה החכם עיניו אינם בפניו לימשך אחר מה שיראה לעיני בשרו. רק עיניו בראשו במוחו במקום השכל לשפוט לפי שכלו ע"פ התורה. אך הכסיל משולל חכמה והון ועושר בביתו הנמשך להשך כאמור. כי הנה ידעתי גם אני החכם כי מקרה אחד יקרה את כולם כי למראה עיני אראה מה שיראה הכסיל כי כמות הצדיק כן מות הסכל ההולך אחר מראה עיניו והיה מקום לטעות כאשר יטעה הכסיל המשולל חכמה וכן (טו) אמרתי אני בלבי הנה כמקרה הכסיל גם אני יקרני שאמות כמוהו ולמה חכמתי אני אז יותר ולא נמשכתי אחרי טובות העוה"ז לבדה. אמנם למה שאני חכם ועיני בראשי חזרתי ודברתי בלבי שגם זה הבל מה שלא יעשה כן הכסיל שבחשך הולך בטובות העוה"ז שמהם לא יקבל אור להשיב אל יצרו כמוני מהחכמה. כי הנה ראיתי שכלי ללמד מחכמתי כי גם שנראה לחכם וכסיל תצא נפשם מהם במותם. אינו דומה חלילה. כי (טז) אין זכרון לחכם עם הכסיל כלומר שלא יזכרו בשוה החכם

עם

of light over darkness. 14. The wise man has eyes in its beginning, but the fool goes in the darkness, and I too know that one event happens to them all. 15. And I said to myself, "As it happens to the fool, so will it happen to me too, so why then did I become wiser?" And I said to myself that this too is vanity. 16. For there is no remembrance of the wise man even as of the fool forever, seeing

was not created for nought, because the reason that wisdom has an advantage is only because there is folly, for were there no folly, the glory of wisdom would not be known, because nothing is manifest except in contrast with its opposite, just as the goodness of light is known only in contrast with darkness, its opposite. Similarly, God created folly to make manifest the glory of wisdom. The *Targum* renders: And I see with the spirit of prophecy that wisdom has an advantage over folly, as the advantage of the light of day over the darkness of night.

The *Gra* is reputed to have said that this verse alludes to the questions of the wise and the wicked son on the night of Passover. The Haggadah relates that the wicked son asks, "What is this service to you?" upon which he is sharply criticized for saying, "to you," implying that he has no share in it. The wise son is presented as asking, "What are these testimonies, statutes, and ordinances that the Lord our God has commanded you?" Yet he is not criticized for saying, "you," rather than "us." The *Gra* explains that the difference between the two is that the wise son mentions the name of God, whereas the wicked son does not. We find this same distinction in Genesis 1:5, which reads: "And God called the light day, and the darkness He called night." God's name is not specifically mentioned in connection with the darkness of night. Thus, the Preacher says: "And I saw that wisdom has an advantage over folly,"—i.e., the wisdom of the wise son over the wickedness of the wicked son—"as the advantage of light over darkness"—i.e., like the passage in Genesis that mentions both the light and the darkness. God's name is mentioned in connection with wisdom just as it is in connection with light. In the case of wickedness, however, it is not mentioned, just as it is absent in regard to darkness.

14. **The wise man has eyes in its beginning**—*In the beginning of the matter, he observes what will be at its end.*—[*Rashi* from *Targum*] *Sforno* also explains the verse in this manner:

The wise man has eyes in its beginning—He sees future developments, to the extent that he sometimes rejects present pleasures because of future injuries. From this we see that intellect is a non-physical power which judges the future.

but the fool goes in the darkness—without seeing the future, and thereby he stumbles. *Ibn Ezra*, however, explains the verse according to its apparent meaning: The wise man has eyes in his head. He compares the wise man to a seeing person who has eyes in his head so that he can go anywhere he wishes, and he will see the straight road and the crooked road, but the fool goes in the darkness and does not know on what he stumbles. This I know, but I also know that one fate happens to them all.

and I too know—*Also, I, who praise the wise man over the fool, know that they both will die.*—[*Rashi*]

Mezudath David explains: He now explains how the glory of wisdom is manifest through folly and the goodness of light through darkness. The wise man knows that he has eyes in his head, in a high place, in order to see for a distance. Accordingly, he does that and observes the way from afar, so that he should not stumble. The fool, however, does not understand this, and his eyes do not look in the distance, and it is as though he walks in the darkness, a place where one cannot see, and he strikes his feet on rocks. Therefore, without the fool, who stumbles because he does not look on the roads, the advantage of the wise man, who observes the roads, would not be manifest. Likewise, were it not for darkness, which prevents one from seeing pitfalls on the road ahead, the advantage of light, which keeps one from stumbling, would not be manifest.

and I knew too—lit. and I too knew. This clause is inverted. The meaning of the clause is: I knew too that one fate befalls them all. Although I knew that one fate befalls them all, that both the wise man and the fool will die, it is nevertheless proper to reject folly.—[*Mezudath David*]

The *Targum* paraphrases this verse, as follows: The wise man considers in the beginning what is destined to happen at the end, and he prays and annuls the evil decrees from the world, but the fool goes in darkness; I also know that if the wise man does not pray and [does not] annul the evil decrees from the world, one fate befalls them all when retribution comes upon the world.

15. **And I said to myself, etc.**—*i.e., Since they will both die, perhaps I will think in my heart from now on that as it happens to the wicked man, so will it happen to me. So why should I be more righteous?*—[*Rashi*]

And I said to myself—*that if I think so, that is vanity, for the remembrances of the wise man and the fool are not equal. After their deaths, both of them will not be remembered together, for this one will be remembered for good, and this one will be remembered for evil.*—[*Rashi*] The *Targum* identifies the fool as King Saul, who behaved foolishly by not keeping God's commandment to destroy Amalek. Koheleth muses: And I said to myself, "As it happened to Saul the son of Kish, the king who turned away with his perversity and did not keep the commandment that he was commanded concerning Amalek, and the kingdom was taken from him, so will it happen to me. So why did I become wiser than he?" And I said to myself that this too is vanity, and there is nothing but the decree of the statement of the Lord.

Mezudath David also explains the verse in this manner, elaborating upon it as follows:

And I said to myself—I thought to myself that death will happen to me despite my wisdom, just as it happens to the fool. If so, why did I become wise before my death more than the fool? What use will the wisdom that I gained be to me after my death?

And I said to myself—I replied to myself that this thought is also vanity. *Isaiah da Trani* explains: I said to myself that the advantage that wisdom has over folly is vanity. This too is vanity. Also what I toiled is vanity.

16. **For there is no remembrance**—Even after death, there is a gain, for eternally, the two will not be remembered equally, but one for praise and the other for disgrace.—[*Mezudath David*]

The *Targum* paraphrases: For there is no remembrance of the wise man with the fool in the World to Come, and after a man dies, what happened in his days, when the days destined to come after him will come, everything will be forgotten; so how do people say that the end of the righteous is like the end of the wicked?

הימים הבאים הכל נשכח ואיך ימות החכם עם
הכסיל: יז ושנאתי את־החיים כי רע עלי המעשה
שנעשה תחת השמש כי־הכל הבל ורעות רוח:
יח ושנאתי אני את־כל־עמלי שאני עמל תחת
השמש שאניחנו לאדם שיהיה אחרי: יט ומי יודע
החכם יהיה או סכל וישלט בכל־עמלי שעמלתי

תרגום

עם שטיא לעלמא דאתי ובתר מיתת גברא מה דהוה כבר ביומוהי כד ייתון יומיא דעתידין למהוי בתרוהי כולא אשתכח ואיכדין יימרון בני אנשא דהיא סופא דצדיקיא כסופא דחייבא: יז ושנאתי וסניתי אנא ית כל חיין בישין ארום ביש עלי עובדא בישא די אתעביד על בני אנשא תחות שמשא בעלמא הדין ארום כולא הבלו ותבירות רוחא: יח ושנאתי וסניתי אנא ית כל טרחותי די טרחית תחות שמשא בעלמא הדין בגין דאשבקיניה לרחבעם ברי דאתי בתרי וייתי ירבעם עבדיה ויסב מן ידוי עשרתי שבטיא ויחסין פלגות מלכותא: יט ומי ומן ידע החכם יהא או טפש מלכא דעתיד למהוי בתרי וישלט בכל טרחותי די טרחית בעלמא

רש״י

בשביל אשר אני רואה את הרשעים אשר היו כבר והצליחו מאד ובימים הבאים אחריהם נשכחה כל גבורתם והצלחתם: ואיך ימות החכם עם הכסיל. אני רואה הצדיקים מצליחים במיתתם ומועילים לבניהם כגון (ויקרא כו) וזכרתי את בריתי יעקוב וגו׳ (ירמיה ב) זכרתי לך חסד נעוריך (יז) ושנאתי את החיים. שהיה מתנבא על דורו של רחבעם שהיו רשעים: (יט) גם זה הבל. גם זה אחד מן ההבלים שנבראו בעולם שהחכם יגע והכסיל יורשו:

ספורנו

במה שעבר אין זכרון לחכם כמו שאין זכרון לכסיל הימים הבאים הכל נשכח. וכן בימים הבאים יהיה נשכח גם מה שהוא הוה עתה: ואיך ימות החכם עם הכסיל. אמנם נמנע שימות החכם בלתי השארות נצחי כמו הכסיל כי מאחר שהחכם עיניו בראשו לשפוט בעתיד כנזכר לעיל וזה יעשה בלי ספק בכח בלתי גשמי כי אין דרך לשום כח גשמי להשיג זולתי המוחש ההוה יתחייב מזה שאותו הכח יהיה איזה עצם נבדל מחומר שלא יקבל הפסד הקורה לכסיל: (יז) ושנאתי אני את החיים. וכאשר ראיתי במופת שיש אצלינו איזה דבר בלתי נפסד שהוא בהכרח עצם נבדל נצחי שנהגתי עסקי חיי שעה אשר תכליתם: תחת השמש. שהוא נפסד ובזה הוא הבל: (יח) ועם זה שנתתי את כל עמלי שאני עמל בעסקי חיי שעה: שאניחנו לאדם שיהיה אחרי. והנני בזה כמצטער על עילם שאינו שלי: (יט) ומי יודע החכם יהיה. באופן שאקוה להיות זוכה במה שאניח עמלי וקניני לחכם

אבן עזרא

בעבור שהכל יסור גם ישכח והוא שאמר שגם זה הכל בעבור שאין זכרון לחכם עם הכסיל ואם היה לו זכר ימים או שנים מעטים בימים הבאים הכל נשכח והרעה הקשה שימות החכם עם הכסיל ומלת בשכבר בעניניה איננה נמצאת בכל המקרא רק בספר הזה ואמר אחד מן המפרשים שהיא תורה על דבר עבר וכאשר עמד בפניו בשכבר הימים הבאים אמר היה ראוי להיות כשכבר וענין כי הכל יהיה נשכח בימים הבאים כמו בזמן שעבר ויותר נכון היות פירושו כמו הן: (יז) ושנאתי. יש חיים בלשון הקודש שם התואר לרבים כמו חיים כולכם היום ויש חיים שהוא שם ולא תואר כמו מות והחיים ולא בא ממנו לשון יחיד כמו נעורים וזקונים ושלמים ומלואים ורבים כמוהם והחיים בפסוק הזה הוא שם התואר: (יח) ושנאתי כל עמל בספר הזה ברוב יגיעת מעשה כמו אשר לא עמלת בו ויפרד ממנו מעט. והביט אל עמל. ורהבם עמל ואון. ועמל ואון. וענינו ימי שנותינו ספורים יש להם תחלה וסוף וימי הממשלת והרהב רובם עמל ואון. והם ימי הנעורי׳ והים יכרתו ויגוזו מהרה כאילו נעוף: (יט) ומי. לעולם ה״א התימה בשוא ופת״ח הוץ אם יהיה אחריו שוא נע ופת״ח כמו הבמהנים ומלת

מצודת דוד

לא יזכרו בניסם יחד בדמיון אחד שזה זכרונו לשכח וזה לגנאי: בשכבר הימים הבאים. תחשב מלת הלפו ומאליו יובן החסרון. והמ״ן של בשכבר הוא במקום אשר ור״ל באשר אף כי כבר חלפו הימים הבאים אחרי מות החכם והכסיל וכי הכל נשכח בתמי׳ הלא מדיין זכורים כפי הבריות מעשיו של זה ומעשיו של זה ולפיכן נזכר זה לשבח וזה לגנאי: ואיך ימות כו׳. ר״ל ואיך אפשר להדמות מיתת החכם עם מיתת הכסיל הואיל והכרין מיתתו של זה היא כיבה אל השבח ושל זה אל הגנאי: (יז) ושנאתי את החיים. אני שונא ומואס את החיים אשר עודני חי ורואה את המעשה הנעשה בזה העולם במקום זריחת השמש כי רע עלי המעשה ולא ישרה בעיני כי הכל הבל. כל המעשה הוא הבל ולא נמצא בו שום צד תועלת ועוד יש בו שבר רצון כי בשום מעשה לא נתמלאה רצון העושהו כפי מחשבתו: (יח) ושנאתי. אני שונא ומואס את כל עמל שאני עמל לאסוף קניינים למען אניחם לרשת לאדם שיהי׳ אחרי: (יט) ומי יודע. כאומר

קיצור אלשיך

עם הכסיל, כי יבא זמן שיזכר החכם ולא הכסיל עם שכתו בזמן אחד, וזה יהיה בשכבר הימים הבאים הכל נשכח, כאשר יעברו ימים רבים אז יזכר החכם לבדו כענין לעתות בצרה אז יזכר החכם שתעמדו לנו זכותו כענין זכור לאברהם וגו׳, משא״כ לכסיל גם כי עשיר היה לא יזכר. וא״כ איפה יתכן ימות החכם עם הכסיל לומר שכמות זה כן ימות זה הלילה כי אם שהחכם גם במותו היא חי באמת וזכותו תגן משא״כ להבלתי חכם:

אחרי אומרו כי מות החכם אינו מות לפי האמת כי חייו במותו אמר עתה (יז) ושנאתי את החיים של העוה״ז מה שלא היה אומר אם היה עושה עיקר בצד מה מחיי העוה״ז, וזה אומרו ושנאתי את החיים כי רע עלי המעשה איזה מעשה אני אומר הלא הוא אשר נעשה תחת השמש הוא העולם הזה על דבר כי הכל הבל ועל הכל יש להם רעות ושברון הנפש זהו על המון העם, אך הנוגע אל עצמי שאני חכם ואיני מאבד רוחי על טובות העוה״ז לא אשנא על שלי את החיים כי אם (יח) ושנאתי את כל עמלי של טובות העולם הזה לא על היות לי בה רעות רוח כ״א על שהוא עוסק במה שאניח פה ולא במה שאוליך עמי בעולם הבא כעסק תורה ומצות וזהו ושנאתי אני במה שאני חכם ובלתי עושה עיקר מהטובות האלה לאבד על הנוגע אלי אין רעתי רבה לשנוא את החיים רק את כל עמלי שבניתי ושעמלתי תחת השמש, והטעם כי אין לי בם רעות רוח רק דאגה שאטרח במה שאניחנו לאדם שיהיה אחרי, ואלו היה חכם שלא יאבד רוחו ונפשו ויהיה לו עזר לעבוד את ה׳ על ידי מה שהכינותי לו מבלי יעמול הוא בעניני העולם הזה כי הכל מוכן ויעמול בתורה ומצות החרשתי, אך (יט) ומי יודע החכם יהיה או סכל וישלוט וגו׳, אף גם זה הבל כי קנאה זו אין בה טמש כי מה לי בשישלוט

מי

that in the coming days, all is forgotten. And how shall the wise
die with the fool? 17. So I hated the living, for the deed that was
done under the sun grieved me, for everything is vanity and
frustration. 18. And I hated all my toil that I toil under the sun, that
I should leave it to the man who will be after me. 19. And who
knows whether he will be wise or foolish. And he will rule over all
my toil that I have toiled

for seeing that in the coming days all is forgotten—*Because I see the wicked who already lived, and who were very successful, and in the days that came after them, all their heroism and their success were forgotten.*—[*Rashi*]

And how shall the wise die with the fool—*I see the righteous prospering in their deaths and availing their children, for example* (*Lev. 26:42*): "*And I shall remember My covenant with Jacob, etc.*"; (*Jer. 2:2*): "*I remember for you the love of your youth.*"—[*Rashi*]

17. **So I hated the living**—*for he was prophesying about the generation of Rehoboam, who were wicked.*—[*Rashi*] *Ibn Ezra* too interprets חַיִּים as "living." *Mezudath David*, however, interprets it as "life," explaining the verse as follows: I hate and despise life while I am still alive, and I see the deeds that are done in this world, where the sun shines, for it grieves me, and is not pleasing in my eyes.

for everything is vanity—All that is done is vanity and has no use. Moreover, it is frustrating, for in no deed does the performer experience satisfaction or realize his expectations.—[*Mezudath David*]

18. **And I hated all my toil**—*I hate and despise all the toil that I toil to accumulate possessions, in order that I should leave them for the man who will be after me.*—[*Rashi*] The *Targum* paraphrases: And I hated all my toil that I toil under the sun in this world, for I shall leave it for my son Rehoboam who will come after me, and his servant Jeroboam will come and take from his hand the Ten Tribes and inherit half the kingdom.

19. **And who knows**—It is as if to say that if he is wise, there is nothing to worry about, but who knows whether he will be wise or foolish? And however he will be, he will rule over all my possessions which I acquired through my toil and the strategies of my wisdom while I was still in this world.—[*Mezudath David*]

this too is vanity—*This too is one of the vanities that were created in the world, that the wise man toils, and the fool inherits him.*—[*Rashi*]

Sforno explains: **And who knows whether he will be wise**—in a manner that I can hope to merit [to bequeath] my toil and my possessions to a wise man, who will use them to a good end, viz. to perfect his intellectual soul, so that it will attain perpetuity by fulfilling the will of its Creator, so that I too will be

וְשֶׁחָכַמְתִּי תַּחַת הַשָּׁמֶשׁ גַּם־זֶה הָבֶל׃ כ וְסַבּוֹתִי אֲנִי
לְיַאֵשׁ אֶת־לִבִּי עַל כָּל־הֶעָמָל שֶׁעָמַלְתִּי תַּחַת
הַשָּׁמֶשׁ׃ כא כִּי־יֵשׁ אָדָם שֶׁעֲמָלוֹ בְּחָכְמָה וּבְדַעַת
וּבְכִשְׁרוֹן וּלְאָדָם שֶׁלֹּא עָמַל־בּוֹ יִתְּנֶנּוּ חֶלְקוֹ גַּם־זֶה
הֶבֶל וְרָעָה רַבָּה׃ כב כִּי מֶה־הֹוֶה לָאָדָם בְּכָל־עֲמָלוֹ
וּבְרַעְיוֹן לִבּוֹ שֶׁהוּא עָמֵל תַּחַת הַשָּׁמֶשׁ׃ כג כִּי כָל
יָמָיו מַכְאֹבִים וָכַעַס עִנְיָנוֹ גַּם־בַּלַּיְלָה לֹא־שָׁכַב לִבּוֹ

הדין ובכל מה דאתקיניה בחוכמתי תחות שמשא בעלמא הדין ותהית בלבי ותביה למימר אף ית הדין הבלו: כ וסבותי וחזרית אנא ליאשא ית לבי על כל טורחא די טרחית למקני ודחכימית לתקנא תחות שמשא בעלמא הדין: כא כי ארום אית גבר די טורחיה בחוכמתא ובסוכלתנו ובצדקו וימות בלא ולד ולגבר דלא טרח ביה יתניניה למהוי חולקיה אף דין הבלו ובישתא רבתא: כב כי ארום מה הנאה אית ליה לגב בכל טורחיה ובתבירות לביה די הוא טרח תחות שמשא בעלמא הדין: כג כי ארום כל יומוהי כאיב

רש״י

(כ) וסבותי אני ליאש. שלא לייגע ולעמול: (כא) כי יש אדם משמעו כפשוטו. ומדרש אגדה בתנחומא מכנהו כלפי הקב״ה שנא׳ בו (יחזקאל א) ועל דמות הכסא דמות כמראה אדם: שעמלו בחכמה. שנאמר (משלי ג) ה׳ בחכמה יסד ארץ בדעתו תהומות נבקעו ולבריות שלא עמלו בו נתן חלק בו: גם זה הבל ורעה רבה. והם נמ[...] דור של הבל ורבה רעת האדם בארץ בדור המבול (כב) כי מה הוה וגו׳. כי מה מותר הוה לאדם בכ[...] עמלו ושברון לבו בעמל ודאגה שהוא עמל ומניח לאחרי[...] (כג) ענינו. מנהגו: גם זה. אחד מן ההבלים הנוהגי[...]

אבן עזרא

הייטב בעיני ה׳ ואחר ה״א הידיעה דגש ואם אחרי הה״א אחת מאותיות אהח״ע ופת״ח של ה״א התימה ופעמים בעין ה״א הידיעה והרוב קמוץ ובא החכם בפת״ח קטן בעבור כובד הלשון בעבור שיש אחריו שני קמצין ואין הפרש בין החכם עיניו בראשו ובין ההכם יהיה ובלשון רבים יפתח של ה״א התימה ושל ה״א הידיעה קמץ: (כ) וסבותי. כאדם שהוא מסב פניו לדרך אחרת והוא ליאש הפך הדרך הראשונה ומלת ליאש מן הבנין הכבד והיה ראוי להדגש לולי היות האל״ף מן הגרון וכמוהו וכואש ממנו שאול: (כא) כי יש. שעמל בדברי העולם ברוב חכמתו והשיג אל תאות לבו שרדף אחריה ואדם אחר שלא עמל בו יתננו לו חלקו וזה הענין הוא שלמענה שאמר שאני עמלתי והכמתי תחת השמש ודע שמלת חכמתי מהפעלים העומדים ופירוש שעמלתי בחכמה והיורש אותו יקח הכל בלא עמל ויתכן היות מלת יתננו כמו יתן לו כי הוא פועל יוצא לשנים פעולים וכמוהו כי ארץ הנגב נתתני וענין חלקו החלק שיצא בגורלו מן השמי[ם] כמו שאמרו קדמונינו ז״ל בני חיי ומזוני: (כב) כי מה יהיה לו היתרון בכל עמלו ורוב מחשבותיו כי ידוע שהעשיר בפח[ד] ומחשבות רבות: (כג) כי כל היום שהוא בהקין כל ענייניו בכאב נפש וכעס בעבור שלא יתכנו לו דבריו תמיד כפ[...]

ספורנו

שישתדל בהם להשלים את נפשו השכלית עד שתקנ[ה] נצחיות לרצון בוראה באופן שאזכה גם אני בהיותי עו[ד] לזה: (כ) וסבותי אני ליאש את לבי ולא אקוה שבזכו[ת] חכמתי אזכה להניח קניני לאדם חכם שישלים נפש[ו] באמצעותם ואזכה עמו: (כא) כי יש אדם שעמלו בחכמה כי הנסיון יעיד על הפך זה. כי אמנם יש חכם קונה נכסי[ם] בעמלו ולאדם שלא עמל בו יתננו חלקו. והנה חלקו ומזו[נו] של מוריש יתננו לאדם שלא עמל בו ולא השתדל כלל להשי[ג] הירושה ולפעמים בזולת רצון המוריש: גם זה הבל. תכלי[ת] גרוע בהצטער האדם על עולם שאינו שלו לגמרי: ורע[ה] רבה שיעשה זה לפעמים המזל נגד רצון המוריש: (כג) כ[י] כל ימיו מכאובים. ואמרתי שכל זה עם שהוא הבל הו[א] גם כן רעה רבה כי בהשתדלות הקנינים הנפסדים יקר[ה] לאדם לא עמל בלבד אבל גם מכאובים וצער באופן שיטרדוה מהתבונן ומהשתדל לקנות שלמות נצחי ובכן מצאתי כ[י] אין טוב באדם שיאכל ושתה אין דרך טוב באדם בהנהג[ת] מטה שיאכל ושתה ההכרחי בלבד ולא יבקש מותרות

מצודת דוד

אם חכם יהיה אין להצטער ע״ז אבל מי יודע מה יהיה אם חכם או סכל ואיך יהיה ישלוט בכל הקנינים שאספתי בעמלי ובתחבולות חכמתי עודי בזה העולם: גם זה הבל. אסיפת הקנינים להניח לרשת לבבא אחריו הוא הבל: (כ) וסבותי. סבבתי עצמי ליאש את לב ר״ל שלא לחשוב בה ולשנאותה והוא ענין מלילה: על כל העמל. בעבור כל העמל שעמלתי תחת השמש לאסוף קנינים בהסתת לב ועל הסכל הכתוב: (כא) כי יש אדם. לפעמים ימצא בן אדם אשר עמלו באסיפת הקנינים היה בחכמה וביושר והיה א״כ מהראוי שיתקיים בידו עד יום מותו ולרשת לבניו אחריו והנה לא כן היה כי עודו חי יתננו בע״כ לאדם שלא עמל בו להיות לו לחלק ועם שאינו ראוי לירשו וא״כ בזה האסיפה יש בו גם הבל כי לא מלא בו תועלת גם רעה רבה של בהיה מוכרח לתת לאחר עודו חי והיה מוס[...] למעל׳ נומר מהראוי ליאש את לבי על אשר הייתי להסוף קניני׳ ולא השגח פן כתקרה הזה יקרני: (כב) כי מה הוה לאדם. מה טובה בא לאדם בהעמל ושברון הלב שיש לו בו עד שיהיה נפתה לעמל תחת השמש: (כג) כי כל ימיו. אשר כל ימיו מלאים ממכאובים מפנ[י]

מצודת ציון

(כא) ובכשרון. ענין יושר: (כב) הוה. מלשון היה: וברעיון

קיצור אלשיך

מי שיהיה בעמלי ואין לי לדאוג רק על הוצאת זמני לריק:

(כ) וסבותי וגו׳. יאמר ע״י חקירתי הייתי סבה ליאש את לבי על כל העמל שעמלתי תחת השמש, כלומר גם אשר איכותו מעל לשמש כמעשה המצות אחר שמציאת העמל היא תחת השמש, והטעם (כא) כי יש אדם וכו׳ והוא כי הנה ידענו ענין הגלגול כי לא יבצר לפחות פעמים שלש באופן שאם יעשה הקב״ה עיקר מהגוף האחרון להקימו בתחיה או מהשנים ויתן חלק מאותו הנפש בכל אחד משניהם אך בראשון ינעל יאבד הגוף ההוא על כי לא הושלם עם שלא יבצר שטרח בחכמה ובדעת ובכשרון, כי אפילו רקנין שבישראל מלאים מצות כרמון ואם כן איפה גם שהנפש מקבלת באחרונה שכר הכל הלא יתחמץ לבב אנוש על צער גופו אשר יגע וטרח ולא נהנה בעולם הזה אשר הוא עמל ויגע בו ולא אחר התחייה כי לא יקום, וזהו כי יש אדם שעמלו בחכמה ובדעת ובכשרון ואח״כ לאדם שלא עמל בו יתננו חלקו והוא האדם הבא אחריו שנפשו בא בו, גם זה הבל, אחר שהנפש שהוא העיקר זוכה בכל אך על כל זה רעה רבה היא מצד עצמו (כב) כי מה הוה לאדם הוא הגוף בכל עמלו וברעיון לבו בטורח מחשבתו המחלשת הגוף מה שכרו במה שהוא עמל (כג) כי הלא כל ימיו מכאובים בהתעסקו בעבודת ה׳, שאין עולם

and that I have gained wisdom under the sun; this too is vanity.
20. And I turned about to cause my heart to despair concerning all
the toil that I toiled under the sun. 21. For there is a man whose
toil is with wisdom and with knowledge and with honesty, and to a
man who did not toil for it he will give it as his portion; this too is
vanity and a great evil. 22. For what has a man out of all his toil
and the breaking of his heart that he toils under the sun? 23. For all
his days are pains and his occupation is vexation; even at night his
heart does not rest;

rewarded because I was instrumental in this.

20. **And I turned about to cause my heart to despair**—*not to toil and labor.*—[*Rashi*] *Mezudath David* explains: not to think about this matter. *Sforno* explains: I will cease to hope that in the merit of my wisdom, I will merit to leave my possessions to a wise man who will perfect his soul through them, so that I will be rewarded with him.

21. **For there is a man**—*Its apparent interpretation is according to its simple meaning, but the Midrash Aggadah in Tanhuma* (Buber, vol. 1, p. 24) *interprets it as an expression referring to the Holy One, blessed be He, concerning Whom it is said* (*Ezek. 1:26*): "*and on the likeness of the throne was a likeness like the appearance of a man.*"—[*Rashi*]

whose toil is with wisdom—*as it is said* (*Prov. 3:19f*): " *The Lord founded the earth with wisdom...With His knowledge the depths were split,*" *and to the creatures who did not toil in it, He gave a share in it.*—[*Rashi*]

this too is vanity and a great evil—*And they became a generation of vanity and the evil of man became great on the earth in the Generation of the Flood.*—[*Rashi*]

Mezudath David explains: Sometimes, there is a man whose toil in acquiring possessions is with wisdom, with knowledge, and with honesty, and it would therefore be fitting that he should retain them until his death and then bequeath them to his children after him. But it is not so, for while he is living, he gives it, against his will, to one who did not toil for it, to have it as his portion, nor was he fit to inherit him. If so, this accumulation of goods is vanity, because it is to no avail. It is moreover a great evil, for he was compelled to give it away during his lifetime. This refers to the preceding verse. It is therefore proper to cause my heart to despair for enticing me to accumulate wealth and not anticipating that such an incident might befall me.

22. **For what has, etc.**—*For what profit has a man in all his toil and the breaking of his heart with toil and worry, which he toils, and leaves*

גַּם־זֶה הֶבֶל הוּא: כד אֵין־טוֹב בָּאָדָם שֶׁיֹּאכַל וְשָׁתָה
וְהֶרְאָה אֶת־נַפְשׁוֹ טוֹב בַּעֲמָלוֹ גַּם־זֹה רָאִיתִי אָנִי
כִּי מִיַּד הָאֱלֹהִים הִיא: כה כִּי מִי יֹאכַל וּמִי יָחוּשׁ
חוּץ מִמֶּנִּי: כו כִּי לְאָדָם שֶׁטּוֹב לְפָנָיו נָתַן חָכְמָה
וְדַעַת וְשִׂמְחָה וְלַחוֹטֶא נָתַן עִנְיָן לֶאֱסֹף וְלִכְנוֹס לָתֵת
לְטוֹב לִפְנֵי הָאֱלֹהִים גַּם־זֶה הֶבֶל וּרְעוּת רוּחַ:

ת"א כי לאדם שטוב לפניו נתן חכמה ודעת. מגילה י:

תרגום

ותקיף רוגזיה נגניה אף בליליא לא דמיך מן הרהורי ליביה אף דין הבלו הוא: כד אין לית דשפיר באנשא אלהן די ייכול וישתי ויחזי ית נפשיה טב קדם בני אנשא למעבד ית פקודיא דיי למהך באורחן דתקנן קדמוהי בגין דיוטיב ליה מן טורחיה אף דין חזית אנא דגבר דמצלח בעלמא הדין מן ידא דיי הוא דאתגזר למהוי עלוהי: כה כי ארום מן הוא די עסיק בפתגמי אוריתא ומן הוא גברא דאית ליה חששא מן יום דינא רבא דעתיד למיתי בר מני: כו כי ארום לאנש דתקנן עובדוהי קדם יי יהב חוכמתא ומנדעא בעלמא הדין וחדוא עם צדיקיא לעלמא דאתי ולגברא

רש"י

בעולם: (כד) אין טוב באדם. בתמי' שיאכל וישתה ויראה את נפשו טוב כלומר יתן לבו לעשות משפט וצדקה עם המאכל והמשתה וכן נאמר ליהויקים (ירמיה כב) אביך הלא אכל ושתה ועשה משפט וצדקה אז טוב לו: (כה) כי מי יאכל וגו'. למה לא אשמח בחלקי במאכל ובמשתה מי ראוי לאכול את יגיעי ומי ימהר לבולעה מבלעדי: חוץ ממני. מבלעדי. זו מדת הרשעים היא שאוספים לצורך האחרים: (כו) כי לאדם שטוב לפניו. לפני האלהים הנזכר למעלה כי מיד האלהים היא: נתן חכמה ודעת ושמחה. לב לעסוק בתורה ובמצות ולשמוח בחלקו במאכל ובמשתה וכסות נקיה: ולחוטא נתן ענין. מנהג ודאגה לאסוף ולכנוס ולתת לטוב לפני האלהים כענין שנא' (אסתר

ספורנו

(כד) וראה את נפשו טוב בכל עמלו. וישתדל בעמלו ובקניניו עם נפשו לראות טוב ואושר נצחי: גם זו. זאת הבחירה: ראיתי אני כי מיד האלהים היא. שציוה לעשות כן באמרו ולעבדו בכל לבבכם ואכלת ושבעת שהוא המספיק ההכרחי בלתי צמצום ולא כתב והורשת לזולתך: (כה) כי מי יאכל ומי יחוש חוץ ממני. כי בזה האופן לא יהיה עמלי לזולתי כלל: (כו) כי לאדם שטוב לפניו נתן חכמה ודעת. בעיון ובמעשה: ושמחה. בקנינים כמו שעשה לאברהם: ולחוטא. כמו לבן: נתן ענין לאסוף ולכנוס לתת לטוב לפני האלהים. כאמרו ויצל אלהים את מקנה אביכם ויתן לי: גם זה הבל. ומזה התבאר שההשתדלות במותרות גם שיהיה בלתי רב עכל הוא הבל שתכליתו דבר בלתי נחשב: ורעות רוח. ולפעמים בלתי משיג שום תכלית:

אבן עזרא

מחשבתו גם בלילה לבו בהלוס לא ינוח כי רוב החלומות כפי מחשבות היום: (כד) אין טוב. טוב לא מלא זה העמל בכל יגיעתו חוץ מן המאכל והמשתה ויחסר מקום רק או הדומה לו וכן הוא אין טוב באדם רק שיאכל וישתה וכמוהו כי אינם יודעים לעשות רע וענין כי מיד האלהים היא שהמקבץ הממון הוא כמו שומר ואין לו רשות לגעת בו עד שיתן לו האלהים רשות: (כה) כי. זה תימה למה לא יחשוב העמל לקבץ ממון ולא יאכל כל מה שיתאוה כי מי יאכל ממונו לבד ממנו והענין היש מי שהוא ראוי לאכול אותו כמוני וידוע כי האומר לבד מזה ענינו הבל ודבר זה לבדו יצא מן הכלל וכן ענין חוץ ואין כלשון הזה במקרא כי אם בדברי הקדמונים מעתיקי המצות ז"ל. ויחוש הוא ימהר לכל תאותו. כמו מהרה חושה: (כו) כי לאדם. יש אדם שהוא טוב לפני האלהים ולא נתן לו עמל רק נתן לו חכמה ודעת ושמחה בממון אחר שייגע בו כענין יכין וצדיק ילבש או יהיה פי' שמחתו שמחו בחלקו אסרב אם מעט ולחוטא נתן עסק להתעסק לאסוף ממון ויתנהו בסוף לאדם שהוא טוב לפני האלהים והנה נמצא המתעסק בקבוץ ממון

מצודת ציון

ובהרהורין: (כה) יחוש. הוא מל' חשש הידוע בדרז"ל: (כו) ורעות רוח. שבר רצון:

מצודת דוד

הזמן ובכל ענייניו ההכרחים ימלא כעס כי ע"פ רוב לא נעשה כחפצו וזה שמחשב לאסוף קנינים לא שכב לבו לנוח גם בלילה בעבור מרבית טרדות המחשבה: גם זה. טרדות המחשבה לבדם מבלי עמל האסיפה גם זה הבל יחשב: (כד) אין טוב באדם. בתמי' וכי אין זה דבר טוב באדם שיאכל וישתה כאות נפשו ולא יקמץ למען הניח העושר לבניו אחריו: והראה. ולהראות טוב לנפשו בהעושר הבא לו בעמל ר"ל לעשות בו צדקה וחסד למען תראה נפשו טובה גמול העמל: גם זה. ר"ל אף שזהו ביד האדם עכ"ז ראיתי בשכלי אשר היא מתנה לאדם מיד האלהים להנטות לבו לזה על כי נראה שרוב בני האדם לא יעשו כן: (כה) כי מי יאכל. מוסב למעלה לומר כי מיד האלהים היא לחשוב כן ולומר כי מי ראוי לאכול משלי ומי הוא חוץ ממני ראוי לחשוב בשלי שלא ילך לאבוד ולמסור להנות ממנו: (כו) שטוב לפניו. לפני האלהים הנזכר בענין ור"ל למי שמעשיו רצויים לפני האלהים: נתן חכמה ודעת. לעשות בחייו צדקה וחסד: ושמחה. לאכול ולשתות כאות נפשו: ולחוטא. אבל לחוטא נתן בלבו ענין והבל לאסוף הון רב למען יהיה משומר לאדם צדיק שהוא יקח הכל: גם זה הבל. ר"ל אף שבא ההון שקבץ ליד אדם צדיק עכ"ז גם זה הבל כי יותר היה לו תועלת אם היה עושה בו צדקה וחסד בעצמו מרצונו: ורעות רוח. על כי נלקח ממנו בע"כ שלא בטובתו נגד רצונו:

קיצור אלשיך

עולם הבא נקנה אלא ע"י יסורין גם וכעס ענינו שענין הגוף תמיד בכעס, שהוא יגע וכלה ונפסד, וגם בלילה לא ישן ולא ינום בהרהורין על משכבו והנה גם זה הבל הוא (כד) כי הנה אין טוב באדם לתקן הנוגע אל החומר כ"א שלא יהיו ימיו מכאובים רק שיאכל ושתה להנהות את הגוף וגם יעשה מצות באופן שהראה את נפשו טוב ע"י עמלו והוא כי בצאת נפשו ממנו יהיו מראים לה טוב שכרה כמ"ש ותשחק ליום אחרון באופן שאם לא יזכה הגוף אחר כך לא יבצר ממנו הנאה בעולם הזה ולנפש בעולם הבא, אמנם הנה ראיתי אני כי אין זה תקון שישמח הגוף במה שיאכל ושתה כי הנה מיד האלהים היה מתת שיראה את נפשו טוב וישמח ויעלוז הגוף באכול ושתה למעדנים (כה) כי הנה מי יאכל כמוני ועכ"ז לא שמחתי. כי מי יחוש חוץ ממני כי תמיד אני חושש ומצטער על זה כי מה הווה לאדם וגו', כי המאכל והמשתה והתענוג אינו משמח לבן דעת, ומה שאמרתי כי מיד האלהים היא הלא הוא (כו) כי לאדם שטוב לפניו נתן חכמה ודעת ושמחה משא"כ לזולת כי לא ישמח כמדובר, אמנם לחוטא נתן ענין לאסוף טובות עוה"ז ולכנוס ולכגל מצות לתת לטוב לפני האלהים אשר הבא נפשו בו וישאר הראשון אשר עמל במכאובים לאסוף ולכנוס, ועל היותו

this too is vanity. 24. Is it not good for a man that he eat and drink and show himself enjoyment in his toil? This too have I seen that it is from the hand of God. 25. For who will eat and who will hasten [to swallow it] except me? 26. For to a man who is good in His sight, He has given wisdom and knowledge and joy, but to the sinner He has given an occupation to gather and to accumulate, to give to him who is good in God's sight; this too is vanity and frustration.

for others.—[*Rashi*] What good comes to a man with the toil and heartbreak that he has in it, that he should be enticed to toil under the sun?—[*Mezudath David*]

23. **For all his days**—All his days are filled with pains from the misfortunes of the times, and in all his necessary occupations, he will find vexation, because usually, his affairs are not arranged as he would like them to be, and he who plans to accumulate wealth—even at night his heart does not rest because of his many troubling thoughts.—[*Mezudath David*]

his occupation—Heb. עִנְיָנוֹ, *his custom.*—[*Rashi*]

this too—*is one of the vanities that prevail in the world.*— [*Rashi*] Other editions read: *that prevail forever.*

24. **Is it not good for a man**—*This is a question.* [Is it not good for a man] *that he eat and drink and show himself enjoyment? i.e., Let him pay heed to performing justice and righteousness with the eating and the drinking, and so it was said to Jehoiakim* (*Jer. 22:15*): " *Your father—did he not eat and drink and perform justice and righteousness? Then it was well with him.*"—[*Rashi*] In *Ecc. Rabbah* and *Zuta*, the wording is as follows: All the references to eating and drinking in this Scroll refer only to Torah and good deeds. The proof of this is (below 8:15): "and that will accompany him in his toil the days of his life." Now do eating and drinking accompany a man to the grave? What accompanies him to the grave? Only Torah and good deeds!

Mezudath David explains:

Is it not good for a man—Is it not a good thing for a man to eat and drink to his heart's content [rather than] to be miserly in order to leave over his wealth to his descendants?

and show himself enjoyment—with the wealth that comes to him with toil, i.e., to perform righteousness and kindness with it, in order to show his soul enjoyment, viz. the eternal reward.

This too—i.e., Although this is in a person's hand, I saw with my intellect that it is a gift to man from the hand of God to incline his heart to do this, [i.e., to use his money for charity], for most people do not do so.

25. **For who will eat, etc.**—*Why shall I not rejoice with my portion in eating and drinking? Who is fit to eat what I toiled for, and who will hasten*

ג א לַכֹּל זְמָן וְעֵת לְכָל־חֵפֶץ תַּחַת הַשָּׁמָיִם: ב עֵת
לָלֶדֶת וְעֵת לָמוּת עֵת לָטַעַת וְעֵת לַעֲקוֹר נָטוּעַ: ג עֵת
לַהֲרוֹג וְעֵת לִרְפּוֹא עֵת לִפְרוֹץ וְעֵת לִבְנוֹת: ד עֵת
לִבְכּוֹת וְעֵת לִשְׂחוֹק עֵת סְפוֹד וְעֵת רְקוֹד: ה עֵת
לְהַשְׁלִיךְ אֲבָנִים וְעֵת כְּנוֹס אֲבָנִים עֵת לַחֲבוֹק וְעֵת

תנ"א ועת לכל חפץ תחת השמים. עקידה שער כה זוהר פ' מקץ.

חייבא יהב גון ביש למכנש ממון ולמצבר קנין סגי למהוי מתנסיב מיניה ולמהוי מתיהיב לגבר דשפיר קדם יי אף דין הבלו הוא לחייבא ותבירות רוחא: ג א לכל לכל גבר ייהי זמנא ועידנא לכל עסקא תחות שמיא: ב עת עידן בחיר למילד בנין ועידן בחיר לקטלא בנין מסרבין ומרגזין לקטלותהון (בת"ק הגירסא למטלותהון וכן בת"י) באבנין על מימר דיניא עידן בחיר למנצב אילן ועידן בחיר לשרשא אילן נציב: ג עת עידן בחיר לקטלא בקרבא ועידן בחיר לאסאה שכיב מרע עידן בחיר לפרכא (בת"ק לכפרא) בנייניא ועידן בחיר למבני חורבנא: ד עת עידן למבכי על שכיבא ועדן בחיר למחדי בחוכא ועדן בחיר למספדא על קטילא ועידן בחיר לטפזא בהילולא: ה עת עידן בחיר לפקחא דגור אבנין ועידן בחיר למצבר אבנין לבניינא

רש"י

ח) ותשם אסתר את מרדכי על בית המן: **גם זה.** אחד מן ההבלים שנתנו לבריות שהם עמלים ואחר נוטל: (א) **לכל זמן.** אל ישמח האוסף בהון מהבל כי אם עכשיו הוא בידו עוד יירשוהו צדיקים. אלא שעדיין לא הגיע הזמן כי לכל דבר יש זמן קבוע מתי יהיה: **לכל חפץ.** לכל דבר. כל הדברים קרויים חפצים בלשון משנה: (ב) **עת ללדת.** לתשעה חדשים: **ועת למות.** קצב שנות של כל דור ודור: **עת לטעת.** גוי וממלכה: **ועת לעקור.** עת יבא להעקר · (ג) **עת להרוג.** אומה שלימה כשמגיע יום פקודתה כמו שנאמר (ישעיה יד) ושאריתך בחרב יהרג: **ועת לרפא.** שברם כענין שנאמר במצרים (שם יט) ושבו עד ה' ונעתר להם ורפאם: **עת לפרוץ.** חומת העיר כשנגזר עליה שנאמר (נחמיה א) וחומת ירושלים מפורצת: **ועת לבנות.** שנא' (עמוס ט) ובניתיה כימי עולם: (ד) **עת לבכות** כתשעה באב: **ועת לשחוק.** לעתיד לבא שנא' (תהלים קכו) אז ימלא שחוק פינו: **עת ספוד.** בימי אבל: **ועת רקוד.** בחתנים וכלות: (ה) **עת להשליך אבנים.** בחורי ישראל מושלכים בחורבן הבית (איכה ד) תשתפכנה אבני קדש: **ועת כנוס.**

אבן עזרא

כמתעסק בהבל ורעות רוח: (**א**) לכל זמן. אנשי שקול הדעת יפרשו אלה העתים שהם סמוכות לבן אדם כי חייב אדם לעשות כל דבר בעתו ותחלת העתים וסופם שהיתו פירושם האחד עת ללדת ועת למות והאחרון את הכל עשה יפה בעתו. ויש אומרים כי אלה השמנה ועשרים עתים כנגד כ"ח צורות גלגל המזלות שהלבנה נראית בהן בכל חדש גם זה הבל והנכון שיש לכל חפץ תחת השמים עת וזמן כי בהשחתת המתכונת המולידה ימות הילוד ותתחדש מתכונת תעשירנו והפך העושר כי עתים קצובים הם ובבא העת יתנועע אדם לאשר הוא מוכן לו ותהיין תנועותיו כתנועת הגלגל כענין אך בצלם יתהלך איש ואם כן אך הכל יהמיון ופירושו יקבצו ממון וכמוהו מהמון רשעים רבים וכן מי אוהב בהמון לא תבואה והראיה השלמ' הפסוק יצבור ולא ידע מי אוספם (**ב**) עת ללדת. הזכיר ראשית האדם וסופו גם אמר כי אין העתים קצובות על בן אדם לבדו כי הנה הנטיעים כן הם: (**ג**) עת להרוג ענינו כמו למחוץ ולרפוא יורה עליו גם העתים הם קצובות על המקומות שאין בהם צמחים כמו עץ לפרוץ: (**ד**) עת לבכות. עת דאגה עד שיבכה הדואג. ועת ספוד ועת רקוד עם אחריב: (**ה**) עת להשליך. אפילו שמקרה המקרה יש לו עת כמו עת להשליך אבנים שיזיקו לו במגוריו ועת כנוס אותם המושלכים לצורכו: עת לחבוק. אפילו התאוה הנטועה ברוח בן אדם יש

ספורנו

ג (א) לכל זמן. **אמנם** אין ראוי למאוס לגמרי ההשתדלות להשיג חיי שעה אבל ראוי שלא יהיה כל ההשתדלות תמיד בהם: כי אמנם לכל זמן. ועל זה יעיד הנסיון בטבעיות ובמלאכיות כמו שספר: (ב) עת ללדת ועת למות. כי אמנם

מצודת דוד

ג (א) **לכל** זמן. ר"ל אין שום דבר בא במקרה והזדמן בזמן זולת זמן כ"א בזמנו בא בעבור סיבה הקודמת: **ועת לכל חפץ.** לכל הדברים שהאדם חפץ בו גם לזה יש עת כי לא בכל עת יחפוץ בדבר אחד כי פעם יחפוץ בדבר מה ופעם בחלופו וכאשר יפרש במקראות שלאחריו. **תחת השמים.** ר"ל לכל הדברים הנעשים בזה העולם: (ב) עת ללדת. עכשיו מפרש הדברים אשר בעת אחת חפץ בזה ובעת אחרת יחפוץ בחלופו ואמר בעת אחת חפץ האדם ותשקו ללדת ובעת אחת רוצה בחלופו שימות הנולד וכן כולם עד סוף הענין: לעקור נטוע. לעקור מן הארץ את האילן הנטוע: (ג) להרוג. ר"ל אף להמית מי בידים: לרפוא. שהוא עצמו ירפאו מן החלי למען לא ימות: לפרוץ. לעשות פרצות בחומה: לבנות. לסתום את הפרצות: (ד) עת ספוד. כשמת לו מת חפצו להספידו כי בזה תניח הלער: ועת רקוד. בעת שמחת נשואין וכדומה אז יחפוץ האדם לרקוד ולדלג לעורר השמחה: (ה) להשליך אבנים. יזרקם מן הבית למען לא יכשל בהם: כנוס אבנים. לבנות בהם דבר הצורך: לחבק. לרדוף

מצודת ציון

ג (א) **חפץ.** ענינו כמו רצון: (ב) לטעת. מלשון נטיעה: (ד) רקוד. ענין דלוג וקפיצה של שמחה: (ה) כנס.

קיצור אלשיך

היותו חוטא לא יהנה מכל עמלו כי הבא אחריו, הוא הענין אומרו כי יש אדם שעמלו וגו':

ג (א) **לכל** זמן וגו'. הנה שלמה בא לחקור אם עניני ומקרי בני אדם המה ע"פ המזל שהאדם נולד בו, או הכל בהשגחה פרטית מאת הקב"ה, והעלה כי זה וזה אמת, ולא יגגד זה את זה, אך הוא מאז ברא אלהים השמים וכסיליהם והיה גלוי לפניו יתברך כל אשר יעשה האדם מטוב ועד רע וכל אשר יהיה ראוי להביא עליו טובה או יסורין לפי מעשיו ומאז בחכמתו הגדולה עמד וימודד ותיקן שמים באופן לא ישפטו על האדם רק לפי הראוי אליו לפי מעשיו כי לא יביאהו אל העולם רק בעת ישפוט מזלו הראוי לו, וזה יאמר שלמה בהכמתו לכל זמן ועת שהוא עת המזל ואותו העת הוא לכל חפץ ובחירת האדם תחת השמים כי עת המזל והחפץ אחד הוא כי העת נתקנה לפי החפץ. וזהו לכל שינוי העתים עת ללדת וגו'.

לקוטי אנשי שם

ג (א) **לכל** זמן וגו'. דע והבן מה שעלה ברצון הקב"ה על דבר שילא מכח אל הפועל מוכרח לצאת אל הפועל. ומה שלא יצא עד עתה אל הפועל. רק עתה בזו העת. וע"י זה שהאדם. הוא מחמת שכך עלה ברצונו הקדום שהזמן והעת והאדם עד עתה לא היו מוכשרי'

ובהתימו

3

1. Everything has an appointed season, and there is a time for
every matter under the heaven. 2. A time to give birth and a time
to die; a time to plant and a time to uproot that which is planted.
3. A time to kill and a time to heal; a time to break and a time to
build. 4. A time to weep and a time to laugh; a time of wailing and
a time of dancing. 5. A time to cast stones and a time to gather
stones; a time to embrace

to swallow it, except me?—[*Rashi*]

except me—lit. outside of me, *except me. This is the trait of the wicked, who gather for others* [i.e., they gather wealth that will ultimately go to others.]—[*Rashi*]

Mezudoth renders: For who will eat and who will be anxious except me? This refers to the preceding verse: It is a gift from the hand of God to think in this manner and to ask who is fit to eat my property and who, except me, is fit to think about my property that it should not be wasted, and to hasten to derive benefit therefrom.

The *Targum* renders: For who engages in the Torah, and who is the man who fears the great Day of Judgment, which is destined to come, except me?

[26] **For to a man who is good in His sight**—*in the sight of God, mentioned above, "that it is from the hand of God."*—[*Rashi*] i.e., the one whose deeds are acceptable to God.—[*Mezudath David*]

He has given wisdom and knowledge and joy—*a heart to engage in the Torah and in the commandments and to rejoice in his portion of eating, drinking, and clean clothing.*—[*Rashi*]

but to the sinner He has given an occupation—*a habit and a concern to gather and to accumulate, and to give to him who is good in God's sight, as it is stated* (*Esther 8:2*): *"and Esther placed Mordecai in charge of the house of Haman."*—[*Rashi* from *Ecc. Rabbah*] *Mezudath David* explains: But He gave into the heart of the sinner the occupation and the desire to gather much wealth, in order that it be preserved for a righteous man, who will take it all.

this too—*is one of the vanities that were given to the creatures, that they toil, and someone else takes* [the fruits].—[*Rashi*] Although the wealth that he gathered goes to a righteous man, this is still vanity, because he would have had more use from it had he performed charity and kindness through his own volition.—[*Mezudath David*]

and frustration—because it is taken away from him against his will.—[*Mezudath David*]

The *Targum* paraphrases: For to a man whose deeds are proper in His sight, He has given wisdom and knowledge in this world and joy with the righteous in the World to Come, but to the sinner, He has given an evil tendency to gather money and to accumulate many possessions, to be taken from him and to be given to the man who is good in God's sight. This too is vanity and frustration for the sinner.

3

1. **Everything has an appointed season**—*Let not the gatherer of wealth from vanity rejoice, for even though it is in his hand now , the righteous will yet inherit it; only the time has not yet arrived, for everything has an appointed season when it will be.*—[*Rashi*]

for every matter—Heb. חֵפֶץ, *for every thing. All things are called* חֲפָצִים *in the language of the Mishnah.*—[*Rashi*]

Solomon speculates whether the things that happen to a man are the result of the constellation under which he was born or whether they are the result of individual Providence from the Holy One, blessed be He. He concludes that both hold true; they are not in opposition to one another, and this is the way reality functions. When God created the heavens and their constellations, it was revealed to Him everything that man was going to do, whether good or evil, and what was fitting to befall him, whether good or evil, according to his deeds. With His great wisdom, He stood and measured and fixed the heavens in such a way that they would judge a man only according to what is fitting to come upon him because of his deeds. He brings a man into the world only at the time when his constellation will judge him according to what he deserves. This is what Solomon says in his wisdom: "Everything has an appointed season, and there is a time for every desire and choice that man makes under the heavens," for the time of the constellation and the desire are one, for the time was designated according to the desire, and this holds true for all the changes of the times, as is explained further.—[*Alshich*]

Sforno explains: While it is not proper to completely reject the endeavor to acquire temporal life, it is also not proper to constantly immerse oneself in it, because "everything has an appointed season," which experience in natural and man-made phenomena will attest to.

2. **A time to give birth**—*at nine months.* —[*Rashi*]

and a time to die—*the limit of the years of every generation.*—[*Rashi*]

a time to plant—*a nation and a kingdom.*—[*Rashi*]

and a time to uproot—*A time will come for it to be uprooted.*—[*Rashi*]

3. **A time to kill**—*an entire nation, when the day of its visitation arrives, as it is said* (*Isa. 14:30*): "*and he shall slay your remnant with the sword* (sic)."—[*Rashi*] [Note that the word בַּחֶרֶב, *with the sword,* does not appear in Isaiah. Isaiah prophesies the end of Philistia.]

and a time to heal—*their ruin, as it is written concerning Egypt* (*ibid. 19:22*): *"and they shall return to the Lord, and He shall accept their prayer and heal them.."*—[*Rashi*]

a time to break—*the wall of the city, when it is decreed upon it, as it is said* (*Neh. 1:3*): "*and the wall of*

Jerusalem is breached."—[*Rashi*]

and a time to build—*as it is said* (*Amos 9:11*): "*and build it up as in the days of yore.*"—[*Rashi* from *Ecc. Rabbah*]

4. **A time to weep**—*on the ninth of Av.*—[*Rashi* from *Ecc. Rabbah*]

and a time to laugh—*in the future, as it is said* (*Ps. 126:2*): "*Then our mouths will be filled with laughter.*"—[*Rashi* from *Ecc. Rabbah*]

a time of wailing—*in the days of mourning.*—[*Rashi* from *Ecc. Rabbah*]

and a time of dancing—*with bridegrooms and brides.*—[*Rashi* from *Targum*]

5. **A time to cast stones**—*the youths of Israel scattered during the destruction of the Temple:* (*Lam. 4:1*): "*The holy stones are scattered.*"—[*Rashi* from *Ecc. Rabbah*]

and a time to gather—*them from the exile, as it is written* (*Zech. 9:16*): "*And the Lord God* (sic) *shall save them on that day like the flocks of His people, for crown stones are exalted on His land.*"—[*Rashi*] [Note that the correct reading is, "And the Lord their God, etc."]

a time to embrace—(*Jer. 13:11*): "*For, just as a girdle clings* [to a man's loins, so have I caused the entire house of Israel and the entire house of Judah to cling to Me], *etc.*"—[*Rashi*, see *Ecc. Rabbah*]

תרגום

לרחק מחבק: ו עת לבקש ועת לאבד עת לשמור
ועת להשליך: ז עת לקרוע ועת לתפור עת לחשות
ועת לדבר: ח עת לאהב ועת לשנא עת מלחמה
ועת שלום: ט מה־יתרון העושה באשר הוא עמל:
י ראיתי את־הענין אשר נתן אלהים לבני האדם

ת״א מה יתרון העושה. פסחים מג ע״א

עידן בחיר לנפפא אתתא ועידן בחיר לרחקא מנפפא בשבעת יומי אבלא: ו עת עידן בחיר להבוע נכסיא ועידן בחיר למיבד נכסיא עידן בחיר למנטר עסקא ועידן בחיר למשדי עסקא ביומא בעידן נחשולא רבא: ז עת עידן בחיר למבזע לבושא על שכיבא ועידן בחיר לאחאה בזיעה עידן בחיר למשתק מלנצאה ועידן בחיר למללא פתגמי מצותא: ח עת עידן בחיר לרחמא חד לחבריה ועידן בחיר למסני לגבר חייבא עידן בחיר לאגחא קרבא ועידן בחיר למעבד שלמא: ט מה מה מותר אית לגבר פלח די הוא טרח למעבד אוצרין ולמכנש ממון אילולי מסתייע במזלא דלעילא: י ראיתי חזית ית גנן איסורין ופורענותא

שפתי חכמים

שיאמר כן שיהיה מקרא אחד נכלם. לכן פירש כלומר כו': ח ולא ידעתי למה לא הביא הפסוק וימינו תחבקני כמו שהביאו במדרש

רש״י

אותם מן הגולה כמ״ש (זכריה ט) והושיעם ה' אלהים ביום ההוא כצאן עמו כי אבני נזר מתנוססות על אדמתו: עת לחבוק. (ירמי' יג) כי כאשר ידבק האזור ח וגו': ועת לרחוק מחבק. (ישעיה ו) ורחק ה' את האדם: (ו) עת לבקש. כענין שנאמר (יחזקאל לד) ואת האובדות אבקש. לענין נדחי ישראל: ועת לאבד. ועת שאבדם בגולה שנאמר (ויקרא כו) ואבדתם בגוים: עת לשמור (במדבר ו) יברכך ה' וישמרך כשאתם עושים רצונו: ועת להשליך. (דברים כט) וישליכם אל ארץ אחרת: (ז) עת לקרוע מלכות בית דוד (מלכים א יד) ואקרע את הממלכ' וגו': ועת לתפור. (יחזקאל לז) והיו לאחדים בידך ולא יחצו עוד לשתי ממלכות עת לחשות פעמים שאדם שותק ומקבל שכר שנא' (ויקרא י) וידום אהרן וזכה שנתייחד הדבור עמו שנאמר (שם י) וידבר ה' אל אהרן יין ושכר אל תשת: ועת לדבר (שמות טו) אז ישיר משה (שופטי' ד) ותשר דבורה (הושע יד) קחו עמכם דברים: (ח) עת לאהוב. ואהבך: ועת לשנא. שנאמר (שם ט) כל רעתם בגלגל על כן שנאתים: (ט) מה יתרון העושה. מה יתרון של עושה רע בכל שהוא עמל גם הוא עתו יבא והכל אבד: (י) הענין. המנהג: לענות. להתנהג:

ספורנו

אם לא היה המות לא תהיה ולא תתמיד הלידה וחוזרת חלילה אבל יכלה החמר וכן יקרה במלאכותיות שאם יתמיד לעולם אחד מההפכים לא יהיה לעולם ההפך אפילו בעת הראוי: (ט) מה יתרון העושה באשר הוא עמל. ובזה יולד ספק על הבורא המכוין שיושג השלמות האנושי איך הצריכו לעמול ולהשתדל בצרכי חיי שעה: (י) ראיתי את הענין. והתבוננתי שלא היה זה אלא לענות בו. כדי שיהיה האדם נכנע ולא יזיד למרוד בו כמו שעשה אדם הראשון. ועכ״ז:

אבן עזרא

לה עת והוא לחבק השוכבת בחיק ולרחוק ממנה: לחבוק. מהבנין הקל: ומחבק. מן הבנין הדגוש הכבד והענין אחד: (ו) עת לבקש. ועת לאבד מבוקש. ועת לשמור ועת להשליך השמור: (ז) עת לקרוע. לחשות מן החשו שהוא פועל עבר במשקל העלו עפר על ראשם ואילו היה לשון ציווי לעתיד היה הה״א פתוח והענין כאשר אמר להם גם אני ידעתי החשו ממנו והנה הזכיר שלמה אפילו הדבור יש לו עת: (ח) עת לאהוב. גם האהבה גם השנאה תלויה בעת וזמן: (ט) מה יתרון. אחר שכל הדברים תלוים בעת וזמן. מה יתרון לאיש בכל עמלו שיתכן שתבא עת תשחת עמלו ותסור הונו וישאר ריקם: (י) ראיתי. כאשר ראיתי כל עניני

מצודת ציון

ענין אסיפה וקבוץ: לחבוק. הוא סביבת הזרוע בגוף בעבור האהבה: (ז) לחשות. ענין שתיקה כמו ויחשו גליהם (תהלים קז): (י) נתן. ענין מסירה: לענות. מל' עינוי ויסורים:

מצודת דוד

אחר אהבת מי ולחבקו: לרחוק מחבק. עוד ירחוק א״ע ממנו למען לא יבא לידי חבוק: (ו) לבקש. לחפש את דבר האבוד: לאבד. הדבר ההיא יאבד אף בידים: לשמור. שלא יקחנו מי: להשליך. במקום שמופקר למען יקחהו כל הרוצה: (ז) לקרוע. בגד או יריעה. לתפור. את הדבר שקרע: לחשות. לבל ישוב דבר למחרפו: ועת לדבר. להשיב חורפו דבר כאשר עם לבבו: (ח) לאהוב. דבר מהדברים: לשנא. הדבר הזה בעצמו: עת מלחמה. בעת אחת חפץ האדם ותקנו לערוך מלחמה עם שונאו ובעת אחרת ירצה בחלופו להיות עמו בשלום: (ט) מה יתרון. מוסב למעלה לומר הואיל ודרך האדם אשר בעת אחת יחפוץ בדבר מה ובעת אחרת ירצה בחלופו א״כ מה יתרון בא לאדם העושה בדבר אשר הוא עמל בו למען השיג חפצו הלא עת לכל חפץ ופן למחר יחפוץ בחלופו והיה א״כ עמלו לריקה: (י) ראיתי את הענין. ראיתי את הדבר אשר מסר האלהים לבני אדם להשתמש בו ולעשות אותו בכל עת שירצה: לענות בו. ר״ל כאלו מסרן בידם לענות אותם בו כי הם ישתמשו בו לעשותו בעת זולת עת ובזה המה מעונים ומיוסרים על ידו כי אם עשאום בזמנם

לקוטי אנשי שם

לזה. ואותו זמן והעת והאדם שעלו ברצונו הקדוש שיהיו מוכשרים לזה הדבר לצאת אל הפועל. אז בבוא העת היא מוכרח הדבר ללבוש צורה מוחשית וגשמיית ולא תאחר אף רגע ותצא אל הפועל. והסופר ומונה בענינים שאדם יכול לטעות בהם. למשל אם עברו כמה שנים בהאשה אחר חתונתה ולא הולידה. ועשתה לזה כמה תחבולות ולא הועילו שתאום הביאו לפניה איזה רפואה או סגולה ונתעברה וילדה. אולי יאמר אדם אילו הביאו לה הסגולה או הרפואה הזאת מכמה שנים קודם היתה אז ילדה. ע״ז אמר שלמה „עת ללדת". העת בא שתוליד ע״כ הקדים הקב״ה לפניה הסגולה או הרפואה ואילו הביאו לה הסגולה או הרפואה הזאת קודם העת הזה לא היתה מועיל כלום. וכן בעת המיתה. אם ישאל אדם איזה סיבה הביאה מיתה על איש זה יאמרו לו שהתקרר. או אכל מאכל מזיק. לא יאמר אדם הקרירות או המאכל הביאו לו המיתה רק עתו בא למות. הזמין לו הקב״ה הסיבה שימות על ידה. ואילו התקרר בעת אחרת קודם סיום הזה לא היה מת על ידה. זהו עת ללדת. העת הביאה הלידה לא הסיבה. עת למות. העת הביאה המיתה לא הסיבה. וכן כולם:

קיצור אלשיך

ובהתימו ספור העתים להכריח מאמרו אמר (ט) מה יתרון העושה באשר הוא עמל אחר היות עתים מזומנים מחייבים כל דבר ומה בצע לעמול בתורה ומצות להאריך ימים גם בעולם הזה ע״י, אם המזל יגנד לאריכת ימיו. אמנם (י) ראיתי את הענין אשר נתן אלהים לבני אדם לענות בו ולהשיב בדבר הזה

לענות

and a time to refrain from embracing. 6. A time to seek and a time to lose; a time to keep and a time to cast away. 7. A time to rend and a time to sew; a time to be silent and a time to speak. 8. A time to love and a time to hate; a time for war and a time for peace. 9. What profit has the one who works in that which he toils? 10. I have seen the occupation that God gave to the sons of men

and a time to refrain from embracing—(*Isa. 6:12*): *"And the Lord removes the people far away."*—[*Rashi* from *Ecc. Rabbah*]

6. **A time to seek**—*As it is stated* (*Ezek. 34:16*): *"I will seek the lost," concerning those of Israel gone astray.*—[*Rashi*]

and a time to lose—*and a time that He lost them in exile, as it is said* (*Lev. 26:38*)*: "And you will become lost among the nations."*—[*Rashi*]

a time to keep—(*Num. 6:24*): *"May the Lord bless you and keep you," when you do His will.*—[*Rashi*]

and a time to cast away—(*Deut. 29:27*): *"and cast them into another land."*—[*Rashi* from *Ecc. Rabbah*]

7. **A time to rend**—*the kingdom of the House of David, as it is said* (*I Kings 14:8*): *"And I tore the kingdom, etc."*—[*Rashi*]

and a time to sew—(*Ezek. 37:17*): *"and they shall be one in your hand"*; (*ibid. verse 22*): *"neither shall they any longer be divided into two kingdoms."*—[*Rashi* from *Ecc. Rabbah*]

a time to be silent—*Sometimes a person is silent and receives a reward, as it is said* (*Lev. 10:3*): *"and Aaron was silent," and he merited that the Divine speech be especially addressed to him, as it is said* (*ibid. verse 8*): *"And the Lord spoke to Aaron: Drink neither wine nor strong drink."*—[*Rashi*]

and a time to speak—(*Exod. 15:1*): *"Then Moses...sang"*; (*Jud. 5:1*): *"Now Deborah...sang"*; (*Hos. 14:3*): *"Take words with you."*—[*Rashi*]

8. **A time to love**—(*Deut. 7:13*): *"and He will love you."*—[*Rashi*]

and a time to hate—(*Hos. 9:15*): *"All their evil is in Gilgal; therefore* (sic) *I hated them."*—[*Rashi*] [Note that many of *Rashi*'s comments on these verses are very similar to those of *Ecclesiastes Rabbah* and *Zuta*, but with different references. It is puzzling that *Rashi* does not quote the references of the Midrash.]

9. **What profit has the one who works**—*What is the profit of the one who does evil in all that he toils? He too—his time will come, and all will be lost.*—[*Rashi*]

Mezudath David explains:

[1] **Everything has an appointed season**—There is no happenstance; everything occurs in its time because of a cause that brings it about.

and there is a time for every desire—For everything that a person desires there is also a time, for a person does not desire the same thing at all times, but at one time he desires one thing, and at another time he desires the direct opposite, as is delineated in the following verses.

under the heaven—i.e., all the things that are done in this world.

[2] **A time to give birth**—He now explains these matters. At one time a person desires one thing, and at another time, its opposite; at one time a person desires to give birth, and at another he wishes that the child born should die, and so on throughout the passage.

to uproot that which is planted—to uproot a tree that has been planted.

[3] **to kill**—even to kill someone directly.

to heal—that he himself should heal him lest he die.

to break—to make breaches in a wall.

to build—to close up the breaches.

[4] **a time of eulogizing**—When a kinsman dies, he wishes to eulogize him, because he thereby assuages his grief.

and a time of dancing—At a wedding or other joyous occasion, a person wishes to dance to arouse his joy.

[5] **to cast stones**—He casts them out of his house lest he stumble on them.

and a time to gather stones—to build what is necessary.

to embrace—to pursue a person's love and to embrace him.

to refrain from embracing—He will distance himself from a person to keep from embracing him. [The *Targum* renders: There is an appropriate time to embrace one's wife, and there is an appropriate time to refrain from embracing one's wife, viz. during the seven days of mourning.]

[6] **to seek** —a lost article.

to lose—even to destroy an article directly.

to keep—so that no one should take it.

[7] **to rend**—a curtain or a garment.

to sew—the torn garment.

to be silent—not to reply to one who insults him.

and a time to speak—to reply to the one who insults him, as he desires.

[8] **to love**—something.

to hate—that very thing.

a time for war—At one time a person desires to wage war against his enemy, and at another time he wishes to live peacefully with him.

[9] **What profit**—This refers to the preceding verses, saying that since a person sometimes desires one thing and at other times desires the very opposite, what profit does one have from his toil to attain his desire? Perhaps tomorrow he will no longer desire this, but just the opposite.

The *Targum* paraphrases:

[1] For every man, a time will come, and there is a time for every matter under the heaven.

[2] A choice time to bear sons and daughters, and a choice time to slay children who rebel and anger, with stones by the verdict of the judges. A choice time to plant a tree, and a choice time to uproot a tree that was planted.

[3] A choice time to kill in war and a choice time to heal the sick; a choice time to destroy a building and a choice time to build ruins.

[4] A choice time to weep over a deceased and a choice time to rejoice with laughter; a choice time to bewail the slain and a choice time to dance at a wedding.

[5] A choice time to remove a heap of stones and a choice time to gather stones for building; a choice time to embrace a woman and a choice time to refrain from embracing, during the seven days of mourning.

[6] A choice time to seek possessions and a choice time to lose possessions; a choice time to guard merchandise and a choice time to cast merchandise into the sea, at the time of a great gale.

[7] A choice time to rend garments for a deceased and a choice time to sew the rend; a choice time to be silent from quarreling and a choice time to speak words of quarrel.

[8] A choice time to love one another and a choice time to hate a wicked man; a choice time to wage war and a choice time to make peace.

[9] What profit has the one who works, who toils to acquire treasures and to accumulate money, if he is not assisted by the celestial constellations?

10. **the occupation**—Heb. הָעִנְיָן, *the behavior*.—[*Rashi*]

לַעֲנוֹת בּוֹ: יא אֶת־הַכֹּל עָשָׂה יָפֶה בְעִתּוֹ גַּם אֶת־
הָעֹלָם נָתַן בְּלִבָּם מִבְּלִי אֲשֶׁר לֹא־יִמְצָא הָאָדָם אֶת־
הַמַּעֲשֶׂה אֲשֶׁר־עָשָׂה הָאֱלֹהִים מֵרֹאשׁ וְעַד־סוֹף:
יב יָדַעְתִּי כִּי אֵין טוֹב בָּם כִּי אִם־לִשְׂמוֹחַ וְלַעֲשׂוֹת
טוֹב בְּחַיָּיו: יג וְגַם כָּל־הָאָדָם שֶׁיֹּאכַל וְשָׁתָה וְרָאָה

תו"א את הכל עשה יפה בעתו. ברכות מג זוהר פרשת אחרי מות אשר לא ימצא האדם. עקרים מ"ג פל"א: ידעתי כי אין טוב בם כי אם לשמוח. עקידה שער פה:

די יהב יי לבני אנשא די אינון רשיעין לסגפותהון ביה: יא את אמר שלמה מלכא ברוח נבואה ית כולא עבד יי שפיר בעידניה דחזיא דהות מצותא דהות ביומי ירבעם בר נבט למהוי ביומי שבע בר בכרי ואתעכבת והואת ביומי ירבעם בר נבט דאילו הות ביומי שבע בר בכרי לא הות מתבני בית מוקדשא על עיסק עיגלין דדהב די עבד ירבעם חייבא ושוינון חד בבית אל וחד בדן ומני פרזדוון על שבילא ופסקו עולי רגלאין ובגין כן אתעכבת עד זמן די יתבני בית מוקדשא בגין דלא יעכבון ישראל למבני יתיה אף ית שמא רבא דהות כתיב ומפרש על אבן שתיא כסי מנהון דאשתמודע קדמוהי יצרא בישא די בלבהון דאילו הוה מסיר ביד אנשי הוה משמש ביה ומשכח בנוה מה דעתיד למהוי בסוף יומיא עד עלמי עלמיא ואוף יום מותא כסי מנהון בדיל דלא יהודע לגבר מן רישא מה דעתיד למיתי בסופא: יב ידעתי אמר שלמה מלכא ברוח נבואה ידעית ארום לית טב בהון בבני אנשא אלהן למחדי בחדות אוריתא ולמעבד טב ביומי חיוהי: יג וגם ואוף כל אנש דייכול וישתי ויחזי טב ביומוי ויחסין לבנוי בעידן

רש"י

(יא) יפה בעתו. בעת הטובה יפה הוא לבא תשלום שכר מעשה הטוב. ובעת הרעה ראויה היא להשלום מעשה הרע: גם את העלם נתן בלבם וגו'. גם את חכמת העולם אשר נתן בלב הבריות לא נתן הכל בלב כל אחד ואחד אלא זה קצת וזה קצת כדי שלא ימצא האדם את כל מעשה הקב"ה לדעת אותו ולא ידע את עת פקודתו ובמה יכשל כדי שיתן לב לשוב שידאג ויאמר היום או מחר אמות ולכך כתוב כאן העלם חסר לשון העלמה שאם ידע האדם יום מיתתו קרובה לא יבנה בית ולא יטע כרם לכך הוא אומר שהכל עשה יפה בעתו זה שיש עת למיתה דבר יפה הוא שסומך האדם לומר שמא עדיין עת מיתתי רחוק ובונה בית ונוטע כרם וזו יפה שנעלם מן הבריות: (יב) ידעתי.

אבן עזרא

האדם שיתעסקו בו: (יא) את הכל. הכרתי שהכל עשה האלהים יפה בעתו המות בעת הזוקן וכל דבר בעתו על פי מתכונת החכמה העליונה ומלת עולם בכל המקרא לא מצאנוה כי אם על זמן ונצח וכן אלהי עולם ה' כמו אלהי נצח או אלהי קדם וכן ומתחת זרועות עולם. וענין גם את העולם נתן בלבם שבני אדם מתעסקים כאילו יחיו לעולם ובעבור התעסקם לא יבינו מעשה האלהים מראש ועד סוף ויש מפרשים כי זה העולם כמו שהוא בלשון קדמונינו ז"ל והענין תאות העולם: (יב) ידעתי. אלו הפסוקים עד ועוד ראיתי דבקים וכבר הזכיר שאין טוב לאדם רק שיאכל וישתה ואיננו מדבר על כל האדם כי על האדם הנזכר המתעסק ביום ובליל' לקבץ ממון ואמר אין לו ממנו אלא מה שיאכל שיתכן שהוא שומר אותו למי שייטב בעיני האלהים לקחתו וגם הזכיר פעם שנית זה הענין בעבור העתים והענין הנה דבר העתים לכל דבר לעלות אל עושר או לרדת ממנו ועליו אין להוסיף וממנו אין לגרוע על כן אין לעמל טוב כי אם לשמוח בחלקו או בהונו לעשות טוב בחיין שיחיה חיים טובים או יהיה פירושו שיעשה טוב בחיין שיקבל עליו שכר טוב במותו: (יג) וגם. וגם זה שאמר שישמח לא יוכל לשמוח אם

ספורנו

(יא) את הכל עשה יפה בעתו. נתן מזונותיו בזמניהם: גם את העולם נתן בלבם. נתן בלבם מושכלות ראשונות להשיג בהם כוללים אשר הם לעולם על אופן אחד ובזה יתחייב שיהיה עצם נבדל מחמר פשוט בכללים שלא ישיגם שום כח חמרי אבל הפרטים לא ישיג בשכלו כמו שישיגו הנבדלים: מבלי אשר לא ימצא האדם את המעשה אשר עשה האלהים מראש ועד סוף. בהיותו שכל גרוע ולא תקיף ידיעתו בהם וירבה בזה השתדלות בלתי תועלת. ומכל אלה: (יב) ידעתי הכרתי: כי אין טוב בם. במיני השתדלות האדם אשר הוא עמל וטורח: כי אם לשמוח. בעיון שבו תושג שמחה שכלית ורוחנית שהיא גדולה מכל שמחה חמרית: ולעשות טוב. במעשיות להדמות לבוראו: בחייו. שהוא יכול על זה: (יג) וגם כל האדם שיאכל ושתה. וכמו כן הוא

מצודת דוד

יפה היה להם: (יא) את הכל. כל מה שברא ועשה הקדוש ברוך הוא בעולמו הכל יפה אבל להשתמש בהם בעתם המיוחד להם לא בעת זולת עת: גם את העולם. גם כל דרכי העולם ותועלותיו נתן בלב בני אדם להבינם עד תכליתו אם יעמיקו בהשכל רב. מבלי. ר"ל מלבד זאת אשר לא מצא האדם די חכמה לדעת ולהבין את המעשה כו': מראש ועד סוף. אף אם האמנם יכול הוא להשיג מה מהם מ"מ לא ישכיל הכל עד התכלית: (יב) ידעתי. ואני הנה השכלתי לדעת דרכי העולם ותועלותיו והן ידעתי שאין טוב ומאושר בבני אדם כ"א מי שדרכו לשמוח ולעשות טוב חסד וצדקה בעוד שהוא חי: (יג) וגם כל האדם. אף מי שלא השכיל זאת מדעתו כ"א טבעו השטה את לבבו

מצודת ציון

(יא) מבלי. ענינו כמו מלבד: (יג) מתת. מל' מתנה:

קיצור אלשיך

והוא (יא) כי את הכל עשה הוא ית' יפה בעתו. כי סידר הוברי השמים ולידת כל איש באופן יהיה יפה בעתו ולא ינגד המזל אל הבחירה, ואין צריך לומר איש כמוני כי ראיתי בחכמתי איך יסודרו הדברים כ"א גם את העולם הוא המון העם נתן ה' בלבם יאמרו כן דרך אמונה, כי הלא אם יאמרו מפני יש צדיק ורע לו, רשע וטוב לו, אל תתמה כי הנה מה שהיה כבר הוא, כלומר האיש שהיה כבר פעם אחת או שתים הוא ההוה עתה, והאיש אשר יהיה עתיד להיות כבר היה מקודם, וע"כ ממציאים לו כפי הראוי לו ע"פ הקודם, כי ההשגחה איננה על האדם לפי מעשיו של אותה השעה כ"א לפי הראוי אליו מהפעמים הראשונים, ויש צדיק לוקה על הקודם ויש רשע אוכל זכות הקודם, באופן כדי לאמת אמונה זו כי (יא) הכל עשה יפה בעתו, והעת והחפץ אחת היא ראוי ידע האדם כל מה שקרה לצדיק ורע לו בפעמים הקודמות למען יראה שלפי ההשגחה תאות רעתו לו וההקש ברשע וטוב לו. לדעת את הקודם לו ולמה עשה ה' ככה (יב) הנה ידעתי כי אין טוב בם באמונתם זו. כי אם לשמוח ולעשות טוב בחייו, כי לולא אמונה זו היו עצבים ולא יעבדו את ה':

(יג) וגם כל אדם שיאכל ושתה הוא טוב העולם הבא

וגם

with which to occupy themselves. 11. He has made everything beautiful in its time; also the [wisdom of] the world He put into their hearts, save that man should not find the deed which God did, from beginning to end. 12. I knew that there is nothing better for them but to rejoice and to do good during his lifetime. 13. And also, every man who eats and drinks and enjoys

to occupy themselves—Heb. לְעַנוֹת, *to behave.*—[*Rashi*] *Mezudath Zion* defines it as an expression of oppression and pain. *Mezudath David* renders: I saw the matter that God gave man to use and to do as he desired with it.

to be afflicted by it—It is as if He gave it into their hands to afflict them, for they will use it in the wrong time. Therefore, they are afflicted by it. But if they would utilize it in the right time, they would benefit from it. The *Targum* renders: I saw the type of pains and the retribution that the Lord gave to the wicked with which to oppress them. *Sforno* explains:

[2] **A time to give birth and a time to die**—For indeed, if there were no death, birth would not continue, and so vice-versa, but life as we know it would cease to be, and so it would happen with all human endeavors, for if one of the opposites would persist, its opposite would never come about, even at the proper time.

[9] **What profit has the one who works**—From this, someone may entertain a doubt about the Creator, Who intends that we attain human perfection. Why does He cause people to work and to toil to acquire [mere] temporal life?

[10] **I have seen the occupation**—and I have fathomed it, that this was instituted only in order that man should be humble and should not willfully rebel against Him, as Adam did.

11. **everything beautiful in its time**—*At the time of good, it is beautiful that the reward be given for good deeds, and at the time of evil, it is fitting for the recompense for evil deeds.*—[*Rashi*] *Mezudath David* explains: Everything that the Holy One, blessed be He, created in His world, is all beautiful, but it should be used in its designated time, not in any other time.

also the world He put in their hearts, etc.—*Also the wisdom of the world that He put into the hearts of the creatures—He did not put it all into the heart of everyone, but* [He gave] *a little to this one and a little to that one, in order that man should not comprehend the entire deed of the Holy One, blessed be He, to know it; and he will not know the day of his visitation* [i.e., the day of his death] *and on what he will stumble, in order that he put his heart to repent, so that he will be concerned and say, "Today or tomorrow I will die." Therefore,* הָעֹלָם *is written here defectively, an expression of concealment* (הַעֲלָמָה), *for* *if man would know that the day of his death was near, he would neither build a house nor plant a vineyard. Therefore, he says that He made everything beautiful in its time. The fact that there is a time for death is a beautiful thing, for a person relies and says, "Perhaps the time of my death is far off," and he builds a house and plants a vineyard, and it is* [therefore] *beautiful that it is concealed from people.*—[*Rashi*] i.e., The fact that death usually occurs to the elderly, as is designated by divine wisdom, is a beautiful thing, as *Rashi* explains. This is *Ibn Ezra*'s interpretation. He proceeds to explain: Also perpetuity He put in their hearts, i.e., they engage in their work as though they will live forever, and because of their occupation, they will not understand God's deed from beginning to end. He also quotes others who explain: also the world, meaning the desire of the world. *Mezudath David* explains: Also the world, meaning the ways of the world and its benefits, He put into people's hearts, to understand them thoroughly if they delve into them profoundly.

save—Save this that man should not find enough wisdom to know and to understand the way of the world from beginning to end, i.e., although he may fathom part of it, he will not fathom it from beginning to end.

The *Targum* paraphrases: Said King Solomon with the spirit of prophecy: God made everything beautiful in its time, for the rift that took place in the time of Jeroboam the son of Nebat was fit to occur in the days of Sheba the son of Bichri, but it was delayed, because had it taken place in the days of Sheba the son of Bichri, the Temple would not have been built because of the golden calves that the wicked Jeroboam made, one of which he placed in Bethel and the other in Dan, and he posted sentries on the roads, so that the pilgrims ceased [to go to Jerusalem]. Therefore, it was delayed until the time that the Temple would be built, in order that Israel should not be delayed from building it. Also, the great Name that was written explicitly on the foundation stone, He concealed from them, for the evil inclination that was in their hearts was known to Him, for if it had been given over into the hands of men, they would have used it and discovered in it what is destined to transpire at the end of days to eternity. Also the day of death He concealed from them, so that a person should not know from the beginning what is destined to happen at the end.

Sforno explains:

He has made everything beautiful in its time—He gave their sustenance in its time.

also [the wisdom of] the world He put into their hearts—He instilled them with general knowledge, with which to master general truths, which are always the same, and from this it is evidenced that there is a spiritual Being, Who rules over the general matters that no mortal can grasp, and the details cannot be grasped by any mortal, only by spiritual beings.

save that man should not find the deed that God did, from beginning to end—Since his intellect is inferior, and his knowledge does not encompass them, and he strives in this matter to no avail.

12. **I knew**—*now, since the time of visitation is concealed, that there is no* [other] *good for man but to rejoice with his portion and to do that which is good in the sight of his Creator, as long as he lives.*—[*Rashi*]

Mezudath David explains:

And since I studied to know the ways of the world and its benefits, I know that there is no one better or more praiseworthy among the human race than he who is accustomed to rejoicing and to doing good, kindness and charity, as long as he lives. The *Targum* paraphrases: to rejoice with the joy of the Torah.

Sforno explains:

I knew—From all these, I recognized that —

there is nothing better for them—among all types of man's strivings, in which he works and toils—

but to rejoice—with study, through which he will achieve intellectual and spiritual joy, which is greater than any material joy.

and to do good—with his deeds, to be like his Creator.

during his lifetime—as long as he is able to do so.

13. **And also, every man**—This refers to one who does not fathom this with his intellect, but his nature influences him to eat and drink and enjoy what is good, meaning to choose to do charity and kindness with the wealth that he has accumulated with his toil and labor.—[*Mezudath David*]

and enjoys what is good—*The Torah and the commandments.*—[*Rashi*]

טוֹב בְּכָל־עֲמָלוֹ מַתַּת אֱלֹהִים הִיא׃ יד יָדַעְתִּי כִּי כָּל־
אֲשֶׁר יַעֲשֶׂה הָאֱלֹהִים הוּא יִהְיֶה לְעוֹלָם עָלָיו אֵין
לְהוֹסִיף וּמִמֶּנּוּ אֵין לִגְרוֹעַ וְהָאֱלֹהִים עָשָׂה שֶׁיִּרְאוּ
מִלְּפָנָיו׃ טו מַה־שֶּׁהָיָה כְּבָר הוּא וַאֲשֶׁר לִהְיוֹת כְּבָר

הו"א מתת אלהים היא. מקרים מג. פל"א: וממנו אין לגרוע. מקרים בס: והאלהים עשה שיראו מלפניו. ברכות נה גט שבת לא:

מוטיה כל טרחותיה מתנן דאתיהיבה ליה מן קדם יי הוא: יד ידעתי ידעית ברוח נבואה ארום כל די יעביד יי בעלמא בין טב לביש כל דאתגזר מפומיה הוא יהא לעלם עלוהי לית רשו לגבר לאוספא ומנה לית רשו לגבר לבצרא ובעידן די ייתי פורענותא בעלמא יי הוא דעבד בגין די ידחלון בני אנשא מן קדמוהי:
טו כה מה דהוות מן קדמת דנא הא כבר הוא ומה דעתיד למהוי בסוף יומיא הא כבר הוה

שפתי חכמים

קהלת: ט דקשה לרש"י ואיך תלה והאלהים עשה שיראו מלפניו. לכן פירש וכשנשתנה כו': י דיוקו של רש"י דאם לא כן מה ענין והאלהים יבקש וגומר לאשר להיות כבר היה. אלא כך פירושו מה שהיה כבר הוא ויש לנו להעיד שראינוהו שהקב"ה בקש את הנרדפי' ואשר להיו' כבר הי' כו' אין הקב"ה משנה מדותיו וכאשר בקש הנרדפים כן יבקש לעתיד את הנרדף ליפרע מן הרודף ומ"ם לפיכך

רש"י

עתה הואיל ונעלם עת הפקודה כי אין טוב בבריות כי אם לשמוח בחלקו ולעשות הטוב בעיני בוראו בעוד שהוא חי: (יג) וראה טוב. תורה ומצות: (יד) ידעתי כי כל אשר יעשה. הקדוש ברוך הוא במעשה בראשית הוא ראוי להיות לעולם ואין לשנותו לא בתוספת ולא בגרעון

וכשנשתנה ט האלהים נזה ועשה שישתנה כדי שייראו מלפניו אוקיינוס פרץ גבולו בדור אנוש והציף בליסו של עולם והאלהים עשה שיראו מלפניו שבעת ימים נשתנה הלוך החמה בדור המבול לזרוח במערב ולשקוע במזרח כדי שיראו מלפניו המה הזרה לאחוריה עשר מעלות בימי חזקיהו ובימי אחז אביו נתקצר היום ונתרבה הלילה ביום מותו כדי שלא יהא נספד כל זה כדי שיראו מלפניו לפיכך אין טוב לאדם לעסוק אלא במצות ולירא מלפניו: (טו) מה שהיה כבר הוא. מה שהיה מלפנינו כבר הוא עשוי וראינוהו או שמענוהו מאחרים שראוהו ויש לנו להעיד עליו שראינו שהקב"ה מבקש את הנרדפים יעקב נרדף עשו רודף (מלאכי א) ואהב את יעקב ואת עשו שנאתי מצרים רודפים את ישראל מצרים טבעו בים וישראל הלכו ביד רמה: ואשר. עתיד להיות עוד באחרונה הוא דוגמת מה שכבר היה. כאשר בראשונה כן באחרונה אין הקב"ה משנה מדותיו

כפורנו

מפורסם שאם ישיג האדם את המספיק לו בחיי שעה: וראה טוב בכל עמלו. ובכל עמלו ורב השתדלותו יראה וישיג טוב עיוני ומעשי: מתת אלהים היא. שתעזרתו להשיג ולעמוד על ההתפקות: (יד) ידעתי כי כל אשר יעשה האלהים. בלתי אמצעי והם מיני הנבראים: הוא יהיה לעולם. יהיה דבר בלתי נפסד כאמרו כי הוא צוה ונבראו ויעמידם לעד לעולם וזה כי אין מציאותם שופע ממציאות שום נמצא זולתי מהבורא שיהיה תמיד על ענין אחד: עליו אין להוסיף וממנו אין לגרוע כי לא היה שום חסרון ידיעה אשר בו יחסר שלמות פעלו באופן שיצטרך לתקון: והאלהים עשה. השהנות בטבע מפסיד השלמות כענין ארורה האדמה וכענין עוד כל ימי הארץ וכו': שייראו מלפניו בני אדם ולא יוסיפו למרוד כענין אדם הראשון ודורות המבול: (טו) מה שהיה כבר הוא הנה מה שהוא עתה הוא הדבר שהיה כבר מאז שהשתנה הטבע במצות בוראו: ואשר להיות. ומה שעתיד להיות בימי גאולת ישראל העתידה כאמרו השמים החדשים והארץ החדשה אשר אני עושה: כבר היה קודם המבול: והאלהים יבקש את נרדף וכאשר יעשה זה שכבר היה*כאמרו ואתם תלוקטו, וכמו כן יבקש את הנפש השכלית אשר השיגה שלמות בעיון ובמעשה אשר

אבן עזרא

אין העת נכונה לו כפי מתת אלהים בתחלת בריאותו: (יד) ידעתי פירוש והאלהים עשה שלא יוכל נוצר להוסיף על מעשהו או לגרוע כדי שייראו בני אדם מלפניו: (טו) מה שהיה. מעשה האלהים על דרך אחת. ומה שהיה כבר הוא ענינו הן הוא. ויש כמוהו. ואשר להיות כבר היה כמוהו. ונרדף הוא העומד שכינה אותו במלת הוא והוא בין עבר ועתיד והענין שהאלהים בקש מן הזמן שיהיה נרדף זמן רודף אחר זמן ולא יפסק כי הזמן שעבר שב עומד ואשר להיות שב כמו עבר ושב הזמן אחד ואם יתחלק לזמן עתיד ועבר וזה ענין יתבאר בגלגל שבל חלק ממנו ירדוף אחר הנקודה האמצעית והיא המולק ונקראת מולק בעבור נוקי המקום והקו הראשון הוא הרחב וכן רחב לא מולק תחתיה וישוב החלק שהיה במזרח במערב והפך ואין למקום תנועת הגלגל ראשית שיחל ממנו כי כל ראשית אחרית וכל אחרית ראשית והנרדף הוא המולק והנה כאשר

הוא דבר נרדף בכל שאר הכחות האנושיות שהם המריות כאמרם ז"ל הקב"ה מניח ס"ת בחיקו ואומר מי שעסק בזה

מצודת דוד

שיהלל וישמח ולהיות טוב ר"ל לבחור לעשות לדקה וחסד עם ההון שקבץ בעמלו ויגיעה: מתת. ר"ל זהו מתנה מן המקום ב"ה אשר סותק כן בטבעו: (יד) הוא יהיה לעולם. כזה השיעור שהגביל היה: עליו. על זה השיעור אין ביד מי להוסיף ואין ביד מי לגרוע ולהפחית ממנו: והאלהים עשה. המלא מה שעשה האלהים בזה השיעור לא עשהו כן לכוונת תועלתו כ"א למען ייראו הבריות מלפניו ולא ימרו פיו ורק בזה השיעור הוא מבוא אל היראה ולא בשיעור זולתי עם כי אמתו לא נדעהו זהו מקוצר הדעת: (טו) מה שהיה כבר הוא. מה שהיה מאז כבר הוא עשוי ואין להשיב ר"ל אם מי רדף אחר חבירו ועשה עמו רעה מה שעשה עשוי: ואשר להיות. וכן אשר עתיד להיות עוד באחרונה שירדוף מי אחר חבירו לעשות עמו רעה כבר היה הגזרה נגזרה טרם עשותו ויהיה סבה בידו להשלים חפצו: והאלהים.

קיצור אלשיך

וגם ראה טוב, כי בעת סלוקו של הצדיק מראין לו כל עושר תורה שעמל בהם, אף שאכל ושתה והתענג בעולם הזה זכה שגם בעת סלוקו יראה טוב בכל עמלו של תורה ומע"ט ולא ינכו לו דבר בטובות העוה"ז זו מתת אלהים. ומי ומי יזכה לזה, וכל זה שאני אומר הוא להמון העם שניתן לפו אמונה זו בלי ידיעה, אך אני כי רבה חכמתי להשיג במעשה האלהים (יד) ידעתי כי כל אשר יעשה האלהים עליו אין להוסיף מאשר כונן שמים וכפיליהם וממנו אין לגרוע, ופחות שאין אנו יודעים מה היה עם הצדיק בגלגוליו הראשונים ומה היה עם הרשע בגלגוליו הראשונים. ע"כ אנו תמהים על צדיק ורע לו ורשע וטוב לו. והאלהים עשה כן כדי שייראו מלפניו מסדור המערכת המזלות, ובדבר הזה יצדק (טו) והאלהים יבקש את הנרדף, כמו שכתב הרמב"ם ז"ל שאם היה המזל מחייב תפול התורה חלילה כי למה התורה הצוה עלינו להמית את כל אשר ירצח את רעהו והלא המזל חייב את ראובן להרוג ואת שמעון ליהרג אלא ודאי שאין המזל מחייב. וזה שאמר שלמה הנה אמרתי שאין המזל מחייב כי הכל בהשגחה הנה בזהיאות מת שאלהים

what is good in all his toil, it is a gift of God. 14. I knew that everything that God made, that will be forever; we cannot add to it, nor can we subtract from it; and God made it so that they fear Him. 15. That which was is already [done], and that which is [destined] to be, already

a gift—It is a gift from the Omnipresent, blessed be He, that this was ingrained in his nature.—[*Mezudath David*]

14. **I knew that everything that God made**—[i.e.], *that the Holy One, blessed be He,* [made] *in the Creation, is fit to exist forever, and it cannot be changed, either by adding or by subtracting, and when it is changed, God commanded and caused it to be changed, in order that they should fear Him. The ocean broke through its boundary in the generation of Enosh and inundated a third of the world, and God did this so that they would fear Him. Seven days, the course of the sun was changed in the Generation of the Flood, to rise in the west and set in the east, in order that they fear Him. The sun went back ten steps in the days of Hezekiah, and in the days of Ahaz his father, the day was shortened and the night was lengthened on the day of his death, so that he should not be eulogized. All this was so that they would fear Him. Therefore, there is nothing better for a man to occupy himself with than with His commandments and to fear Him.*—[*Rashi*]

Mezudath David explains:

that will be forever—in the measure that He established. No one has the power to add to it or to subtract from it.

and God made it—That which God made, He did not make for His own benefit, but so that people should fear Him and not rebel against His command, and only with this measure does He bring people to fear, and not with any other measure, and we do not understand it because of our limited intelligence.

15. **That which was is already**—*That which was before us, was already done, and we saw it or heard it from others who saw it, and we can attest to it, for we saw that the Holy One, blessed be He, seeks the pursued. Jacob was pursued,* [and] *Esau was a pursuer,* (*Mal. 1:2f*): *"And I loved Jacob. And I hated Esau." The Egyptians pursued Israel. The Egyptians drowned in the sea, and Israel went with a high hand.*—[*Rashi*, see *Ecc. Rabbah*]

and that which—*is destined to be at the end is a model of what already was. As it was in the beginning, so will it be at the end. The Holy One, blessed be He, does not change His standards in the world.*—[*Rashi*]

and God seeks the pursued—*to punish the pursuer. Therefore, what is the profit of one who does evil in what he toils? He is destined to be called to account.*—[*Rashi*]

Mezudath David explains:

That which was is already—That which was from early times was

היה והאלהים יבקש את־נרדף: טז ועוד ראיתי
תחת השמש מקום המשפט שמה הרשע ומקום
הצדק שמה הרשע: יז אמרתי אני בלבי את־
הצדיק ואת־הרשע ישפט האלהים כי־עת לכל־
חפץ ועל כל־המעשה שם: יח אמרתי אני בלבי

תו"א ועוד ראיתי תחת השמש מקום המשפט. עקידה שער לה: אמרתי אני בלבי וגומר. עקידה שער פד זוהר פ' שלח לך כל ד' פסוקים:

תרגום

ולי‍ום דינא רבא בעתיד יי למתבע חשוכא ומסכינא מן ידוהי דרשיעיא דרדיף ליה: טז ועוד חזית תחות שמשא בעלמא הדין אתר בית דינא דדייני שקרא תמן יחובון לזכאה למיפק חייבא בדיניה ואתר דמשתכח תמן גבר זכאי תמן משתכח גברא חייבא למשלט ביה בגין חובי דרא בישא: יז אמרית אנא בלבי ית זכאה וית חייבא ידין יי ביום דינא רבא ארום עידן מתעבד (בת"ק מתעתד) לכל עסקא ועל כל עובדא דעבדו בעלמא הדין אתדונון תמן: יח אמרית אנא בלבי על עיסק בני אנשא דייתי עליהון מכתשין ומרעין בישין

רש"י

בעולם: והאלהים יבקש את נרדף. ליפרע מן הרודף לפיכך מה יתרונו של עושה הרעה באשר הוא עמל הרי סופו להשתלם: (טז) מקום המשפט וגו'. ראיתי ברוח הקודש מקום לשכת הגזית בירושלים שהיתה (ישעיה א) מלאתי משפט שמה ישפטו כ רשע כמו שנא' (מיכה ג) ראשיה בשוחד ישפטו וראיתי פורענותם: מקום הצדק. שער התווך שהיה מקום התוך הלכות: שמה הרשע. שם ישבו שר סכום רב סרים נרגל שראצר רב מג ונבוכדנצר וחיילותיו ודנין את ישראל ביסורים קשים ומשפטי מות: שמה הרשע. טעמו למעלה ל לומר שהוא שם דבר כמו הרשע (והיה ראוי לינקד בסגו"ל הרי"ש אלא לפי שהוא סוף פסוק נהפך לינקד קמ"ץ גדול מ ואף על פי שבכל מקום לא מלינו לו עוד שמתהפך באתנחתא וסוף פסוק): (יז) אמרתי אני בלבי וגו'. לפיכך אני אומר את הכל שופט הקב"ה לאחר זמן ואע"פ שמתעכב הדבר סופו לבא אל שעתו. כי שעה יש לכל חפץ אף לפורענות. ולפקודת הדין יש עת מתי יבא: ועל כל המעשה. שעשה האדם שם ישפטוהו בבא עת הפקידה. שם באותו העת ניתן זמן לכל המעשה להשפט עליו נ אבב הוטרי מילי ס ואבי דרי הושבנא: (יח) אמרתי אני בלבי. בראותי כל זאת: על דברת בני

שפתי חכמים

מה יתרונו כו' כדי לחברו עם הפסוקים שלפניו: כ דקשה לרש"י תרתי ל"ל. לכן פירש דמקום שמשפטי שמה הרשע קאי על מה שיעשו ברשע ראשי' בשוחד ישפטו ומקום הצדק שמה הרשע קאי אפורענותם: ל פי' בתחלת התיבה תחת רי"ש לומר שהוא שם דבר פירוש שם דבר של רשעה כמו הרשע דרישים דקרא: מ פי' דבסוף פסוק ואתנחתא' נהפך הסגו"ל לקמ"ץ כמו פלא אחת פלא הראשון בסגו"ל והשני בקמ"ץ: נ פירוש בבא עת הפקודה שאדם בסכנה ומזכירים עונותיו אם ראוי להנצל שם מזכירים כל מה שעשה: ס פירוש רעיא חיגר ועיזין רהיטין קלה לרון והרוע' ספיסח אינו יכול לרון ולהגיע אותם כשמגיע בשפר

אבן עזרא

לנו כי כל מעשה האלהים על דרך אחת: (טז) ועוד. המקום שהיה ראוי להיו' שם המשפט שמה הרשע וכפל הענין כמו אבורנו ולא קרוב קוש בלק ושמע ורוב הנכואו' כן: (יז) אמרתי. אחר שתמהתי איך יעשה שהוא מעשה האלהים ידעתי כי את הצדיק ואת הרשע ישפוט האלהים וענין שם רמז לעולם הבא כמו וערום אשוב שמה רמז למקום הקבר ואם ישוב שמה אל האדמה אשר לוקח משם ישוב גם זה הענין אחר שימות: (יח) אמרתי אני. אמרתי בלבי בעבור בני האדם שבחרם האלהים מכל תולדות הארץ וראיתי שהם כמו בהמות הם לנפשם במחשבותם ומלת על דברת כמו בעבור על דברתי מלכי צדק בעבור שאתה מלך צדק ולמ"ד לברם כמו אמרי לי אחי הוא וברם על משקל ראם והוא מן ברו לכם איש וי"א כי לברם שם הפועל והיה הרי"ש ראוי להדגש ועיקרו לבררם כמו לברר וללבן וזה רחוק כי בבנין

ספורנו

יבא ויטול שכרו: (טז) מקום המשפט. של בעלי הדין: שמה הרשע. בטענות שקר: ומקום הצדק. של פסקי דינין: שמה הרשע. של שופטים מצדיקי רשע עקב שוחד: (יז) אמרתי אני בלבי את הצדיק ואת הרשע ישפוט האלהים. ולכן אמרתי שהאל יתעלה ישפוט את* הצדיק ואת הרשע: כי עת לכל חפץ ועל כל המעשה שם. כי אמנם ישפוט את הכוונה הרעה כמו שישפוט את המעשה הרע ולכן גם שישפוט את הרודף על המעשה הרע ישפוט גם הנרדף על החפץ הרע שלא הוציאו לפועל מבלי אין לאל ידו: (יח) וכמו כן אמרתי אני בלבי על דברת בני האדם לברם

מצודת דוד

אבל עכ"ז האלהים יבקש את הנרדף ויפרע מן הרודף: (טז) תחת השמש. בזה העולם מקום שהשמש זורח: מקום המשפט. מקום המוכן לשבת שם לשפוט בין איש לרעהו: שמה הרשע. נתהפך להיות שמה מקום הרשע כי ישבו שמה אנשי בליעל יחשבו לעשות תהבולות רשע: ומקום הצדק. מקום ישיבת אנשי הצדק שמה ישב גם הרשע ויסיתם אחרי דעת המשובש: (יז) את הצדיק. סיושב שמה הנפתה אחרי דעת הרשע: ואת הרשע. המסית והמדיח: ישפוט האלהים. לשלם לשם גמול רע זה כזה: כי עת. כי יבא עת התשלומין על כל חפץ ועל כל המעשה הנעשה שם ר"ל שמקום ישלם גמול בין עשו מעשה רש"י בפועל בין אם עדיין לא עשו כ"א רצו לעשות ולא עלתה בידם: (יח) על דברת. על ענין בני אדם איך יתנהגו ומה יעשו: לברם האלהים. ר"ל בשם יבררו ויבחנו רוממות גדולות האלהים ולראות

מצודת ציון

(יז) חפץ. רצון: (יח) על דברת. על ענין כמו על דבר הכסף (בראשית מג) ולפי שהוא דבוק אל בני האדם לזה אמר דברת כמו עזי וזמרת יה (שמות טו): לברם. מל' ברור דבר ובחינה:

קיצור אלשיך

שאלהים יבקש את הנרדף מיד רודפו ויצוה להמית הרוצח יען כי הוא בבחירתו עשה הדבר. (טז) ועוד ראיתי כי לא יוכל האדם לבחור בטוב ולמאום ברע אם הוראת המערכה עליו שיהיה רע ולא טוב, וגם בעניני המשפט ראיתי מה שנעשה תחת השמש במקום שהיה צריך להיות משפט כמו שהזהירה התורה, ובאמת היה להיפך שמה הרשע ומקום הצדק שמה הרשע (יז) אמרתי אני בלבי. כי פה בעולם הזה המשפט נתון לדייני בני אדם, ואין לו לדיין אלא מה שעיניו רואות ויוכלו לטעות אבל הקב"ה מהפך משפטם, ואת הצדיק ואת הרשע ישפוט אלהים, ואם הדיינים גטלו ממון מראובן ונתנו לשמעון שלא כדין ע"י טענות שקר של הבעלי הדינים, הקב"ה ישלים לראובן היזקו, ויפסיד את שמעון מה שנטל מראובן שלא כדין, כי פה בעולם הזה הבחירה לאדם לומר אמת או לומר שקר, להטות משפט או לשפוט אמת. כי עת לכל חפץ ועל כל המעשה שם הוא, בשמים ממעל ובעולם הנשמות שם הוא עיקר המשפט על כל אשר נעשה פה בתבל:

(יח) אמרתי אני בלבי על דברת בני האדם חשבתי מחשבות להבין דברי בני האדם, מה הם אומרים. לברם האלהים, מה הם מבררים בעניני הקב"ה

was, and God seeks the pursued. 16. And moreover, I saw under the sun, [in] the place of justice, there is wickedness, and [in] the place of righteousness, there is wickedness. 17. I said to myself, “God will judge the righteous and the wicked, for there is a time for every matter and for every deed there.” 18. I said to myself,

already done and cannot be undone, i.e., if one pursued someone and harmed him, what was done is done.

and that which is destined to be—And so, that which is destined to be at the end, that someone will pursue someone else to harm him, this is already decreed before he does it, and he will have the power to execute the deed.

but God seeks the pursued—Nevertheless, God seeks the pursued and will exact retribution from the pursuer.

16. **under the sun**—in this world, where the sun shines.—[*Mezudath David*]

the place of justice, etc.—*I saw with the holy spirit the place of the Chamber of Hewn Stone in Jerusalem, which was (Isa.1:21): “full of justice”; there they will judge wickedly, as it is said (Micah 3:11): “Its heads judge for bribes,” and I saw their punishment.*—[*Rashi*]

and the place of righteousness—*the middle gate, which was the place of deciding the laws.*—[*Rashi*]

there is wickedness—*there sat Sarsachim, Rab-Saris, Nergal-Sarezer, Rab-Mag (Jer. 39:3), and Nebuchadnezzar and his hosts, and they judged Israel with harsh tortures and death sentences.*—[*Rashi* from *Ecc. Rabbah*]

there is wickedness—Heb. הָרָשָׁע. *The accent mark is before the last syllable, indicating that it is a noun like* הָרֶשַׁע, *but since it is the end of the verse, it is changed to be vowelized with a “kamaz,” although we do not find another instance of this word that changes in the case of an ethnachta or a sof pasuk.*—[*Rashi*] [*Ethnachta* is a hiatus in the middle of a verse, equivalent to a semicolon. *Sof pasuk* is the end of a verse, equivalent to a period. In both cases, certain vowels are changed for emphasis.]

Mezudath David explains: In the place where men of righteousness gather, there a wicked man will also sit and entice them to follow his false ideas.

The *Targum* paraphrases: Moreover, I saw under the sun in this world, the place of the tribunal of false judges; there they will condemn the innocent to emerge guilty in his trial. And the place where an innocent man is found, there a wicked man is found to rule over him because of the sins of the evil generation. [Note that both the *Targum* and *Mezudoth* deviate from *Rashi*’s interpretation of הָרָשָׁע.]

17. **I said to myself, etc.**—*Therefore, I say: The Holy One, blessed be He, judges everyone after*

על־דברת בני האדם לברם האלהים ולראות שהם־
בהמה המה להם: יט כי מקרה בני־האדם ומקרה
הבהמה ומקרה אחד להם כמות זה כן מות זה
ורוח אחד לכל ומותר האדם מן־הבהמה אין כי
הכל הבל: כ הכל הולך אל־מקום אחד הכל היה
מן־העפר והכל שב אל־העפר: כא מי יודע רוח בני

תו"א ומותר האדם מן הבהמה. עקרים מ"ג פ"ב: הכל היה מן העפר. זהר פרשת נו. מי יודע רוח בני האדם העולה היא למעלה. זוהר פרשת בראשית:

תרגום

בגין לנסואיהון ובגין למבחניהון עבד יי למחזי אין תייבין בתיובתא ישתביק להון ויתסון ורשיעיא די אינון כבעירא לא תייבין בגין כן אינון מתעבחין בהון לאבאשא להון: יט כי ארום ארעון אנשא חייבא וארעון בעירא מסאבא ארעון חד לכולהון והיכמא דתמות בעירא מסאבא כן ימות דין דלא תאיב בתיובתא קדם מותיה ונשמת רוח תרויהון כחדא אתדן לכל גוון ושארות גברא חייבא מן בעירא מסאבא מדעם בין תרויהון אלהן בית קבורתא ארום כולא הבלו: כ הכל כורא אזלין לאתר חד כל דיירי ארעא אתבריאו מן עפרא וכד ימותון כולהון עתידין למתוב לעפרא: כא מי מן הוא חכימא דידע אם רוח נשמתא בני אנשא הסלקא היא לעילא לרקיעא ורוח נשמתא דבעירא

שפתי חכמים

נגדים לאן כדמתרגמינן הוטרין דען וכי דרי כדתנן הכונס לאן לדיר שם מטלס לא החשבון מכליותו שבהכס ושם מכה אותה כלומר האשה כבסיא בכליות פעמים שזכיותיה תולין ואין כח במקטרג להזכיר עונה אבל מסכניע לפתח הסכנה וצריכה לנסים שם מזכירים עונותיה ומעשיה אם ראוים היא לנס אם לאו כך דרשו בפ"ק במה מדליקין על הא דעל שלש עבירות נשים מתות: ע פירוש דאי כי נתינת טעם הוא למה שלפניו למה כבהמה שמה להם כדמפרש ואזיל: פ ופירושו גם כן מי אשר מבין ונותן לב:

רש"י

האדם. שאחזו להם מדת גאוה לנהוג שררה ורבנות בקטנים מהם: לברם. (ס"א לבררם) הקב"ה להודיעם שאין שררותם כלום ולהראותם שהם ואף השרים והמלכים: בהמה המה להם כשאר בהמה והיה המה לעצמם: (יט) כי מקרה בני האדם וגו'. הוא טעם הדבר אשר נתן הקב"ה מקרה ופגע לבני אדם ויש מקרה ופגע ע לבהמה ומקרה אחד לשניה' נתן. כי כשם שזה מת כך זה מת: ומותר האדם מן הבהמה אין. ויתרונו והצלחתו של האדם יותר מן הבהמה אינו נראה משמת כי הכל נהפך להיות הכל לשוב אל העפר: (כא) מי יודע. כמו (יואל ב יד) מי יודע ישוב פ מי הוא אשר מבין ונותן לב שרוח בני

ספורנו

האלהים. מן ההכרח הוא שישפוט גם את *הצדיק. כי אמנם כאשר אמר נעשה אדם בצלמנו והגיד בתורתו שברא אותו בצלמו כדמותו הגיד כל זה כדי שיבורו ויבחרו להם את החלק האלהי כאמרו אני אמרתי אלהים אתם: ולראות שהם בהמה המה להם. וכדי שיראו להם ומעצמם שהם מצד היותם בעלי חיים הלבד בזולת צלם אלהים השכלי בהמה המה: (יט) וזה כי מקרה בני האדם ומקרה הבהמה ומקרה אחד להם. כי אמנם יקרה להם מקרה המיוחד לבני האדם והוא צורך השגת לחם ושמלה. וכמו כן יקרה להם מקרה המיוחד לבהמה הקורה מצד היסודות שלא תשמר הבהמה ממנו. וכמו כן יקרה להם מקרה שהוא אחד ושוה באדם ובבהמה והוא מקרה המות ומכל זה מתחייב עול בחק המסדר שהוסיף חיי צער על היותר נכבד אשר לא יתכן ומזה יתחייב שקרה זה להם בסורם מן החלק האלהי: (כא) ומי יודע. ועכ"ז מי הוא המשתדל לדעת ולהכיר: רוח בני אדם. השכלית: העולה היא למעלה. שהיא עולה למעלה במדרגת אושר נצחי ושראוי להתנהג בה בעיון ובמעשה: ורוח הבהמה היורדת היא למטה לארץ. ולהכיר כמו כן את רוח הבהמה היורדת ושראוי להרחיק

אבן עזרא

פועל הדגוש לא ימצא העי"ן מבולע ואמר שהם בהמה ועניני כבהמה וכמוהו ועיר פרא אדם יולד אם אוכלה הוא כי שמש ומגן ואם יאמר מדקדק איך נכנס הלמ"ד על פועל עבר ואין כמוהו התשובה כי הבי"ת והלמ"ד אחים וצירוף זה כצירוף זה ודרך אחד לכל ונמצא בהכין לו דוד וגם הוא לבדו: (יט) כי מקרה. זה הפסוק על מחשבות בני אדם שלא חכמו והשכילו כי בראותם שמקרה אחד לאדם ולבהמה בחיים ובמות חשבו כי רוח אחד לכל ואין לאדם מותר מן הבהמה ומותר שם על משקל מושב מן הבנין הכבד והנה הוא תמורת פ' הפועל שהוא יו"ד ויתרון שם מן הבנין הקל והנו"ן נוסף: (כ) הכל. זה דבק עם הפסוק שלמעלה כי הכל הכל שמקומם אחד: (כא) מי יודע. ידוע כי ה"א הידיעה אם בא אחריו אחד מא"ח הע"ר הוא קמוץ ברוב ושל התימה לעולם בפת"ח וה"א העולה היא למעלה קמץ גם יש דגוש ביו"ד שאחריה"א הידיעה כמו היושבת ואינו היה לתימה היה שוא ופת"ח תחת הה"א והיו"ד רפה והענין מי ומי שידע בבני אדם ההפרש שיש בין רוח האדם ורוח הבהמה והענין כי לא ימצא אחד מני אלף ודעת הרוח עמוקה וצריכה לראיות ולא יוכלו להבין אפילו קצתה כי אם המשכילים שהתבררה במחשבתם במאזני החכמה ובארבעה יסודותיה שהשלשה מהם ספר וספר וספור ומורכב מן השנים ומתורת האלהינו יוכל להבין כי הנה אמר במיני הצמחים תדשא הארץ והנה יש לארץ כח להדשיא בדבר אלהים ובעבור היות המדשיא גוף ממנו יצאו ואליו ישובו

מצודת ציון

(יט) ומותר. מל' יתרון: אין. ענינו כמו לא יש כי אם:

מצודת דוד

בבחינת השכל שהם כמו בהמה שמה לעצמם וכאומר אבל מול רוממית האלהים שמה כאין · (יט) כי מקרה. כי יש מקרה מיוחד לבני האדם לבדם כמקרה השלטון וכדומה: ומקרה הבהמה. ויש מקרה מיוחד לבהמה לבדה בעבור חסרון הדעת: ומקרה אחד להם. ויש מקרה אחד לשניהם כי כאשר ימות זה כן ימות זה: ורוח. עודם חיים יש לכלם רוח החיוני זה כזה וכאומר ולזה שמה א"כ כבהמה כי עודם חיים יש רוח החיוני לזה כזה ומקרה המות יקרא לזה כזה ואם מה שיש מקרה לבהמה לבדה מה שאין לאדם הלא נגד זה יש מקרה לאדם לבדו מה שאין לבהמה: ומותר. ומעלת יתרון האדם מן הבהמה לא יש: כי הכל הבל. ר"ל זהו אם כל מעשה האדם היה הבל שלא עסק כ"א באסיפת הקנינים וכדומה אבל לא כן הוא אם עסק בתורה ובמעש"ט: (כ) הכל. בין אדם בין בהמה כולם הולכים אל מקום אחד הוא האמור בסוף המקרא אל העפר: הכל היה כו'. ר"ל כמו שילידת אדם הראשון וכל החי היה מן העפר כן כלם במותם ישובו אל העפר: (כא) מי יודע. ר"ל מעט המה אשר ישכילו לדעת את ההפרש אשר רוח בני האדם השובה אשר עולה היא אחרי המיתה

קיצור אלשיך

הקב"ה, וראיתי שהם כבהמות, ואינם מבינים מאומה שהם אומרים (יט) כי מקרה אחד וגו' (כ) הכל הולך אל וגו'. ואין יתרון לאדם מן הבהמה. ויכפרו בעניני הנשמה, ואחרי מותו לית דין ולית דיין, וכמו שיש מיני בהמות הרבה, בהמה המה להם, הם מין בהמה אחרת לבדה, (כא) מי יודע וגו' וראיתי

[that this is] because of the children of men, so that God should clarify for them, so that they may see that they are [like] beasts to themselves. 19. For there is a happening for the children of men, and there is a happening for the beasts—and they have one happening—like the death of this one is the death of that one, and all have one spirit, and the superiority of man over beast is nought, for all is vanity. 20. All go to one place; all came from the dust, and all return to the dust. 21. Who knows that the spirit of the children

a time, and even though the matter is delayed, it will ultimately reach its time, for there is a time for every matter, even for retribution, and there is a time for the visitation of judgement.—[*Rashi*]

and for every deed —*that man did, they will judge him there when the time of the visitation arrives; there at that time, a time is given for every deed, to be judged for it.* [The Rabbis say:] *At the gate of the fold there are words* (of bargaining), *but in the stall* (where the sheep are delivered) *there is strict accounting (Shab.* 32a*).*—[*Rashi*]

Mezudath David explains: God will judge the righteous who are enticed by the wicked and the wicked who entice and mislead the righteous, to punish them both equally, for a time of recompense will come for every desire and for every deed that is done, i.e., the Omnipresent will punish someone whether he committed a wicked deed or whether he merely desired to but was unable to carry it out.

The *Targum* renders: I said to myself, "God will judge the righteous and the wicked on the great Day of Judgment, for a time is set for each matter, and for every deed that they have done in this world, they will be judged there."

Sforno explains:

[17] I said to myself, "God will judge the righteous and the wicked."

18. **I said to myself**—*when I saw all this.*—[*Rashi*]

[that this is] because of the children of men—*who adopted the trait of haughtiness, to exert rulership and superiority over those smaller than they.*—[*Rashi*]

[so that God] should clarify for them—*The Holy One, blessed be He* [judges them], *to let them know that their rulership is nought, and to show them and also the princes and the kings*—[*Rashi*]

that they are like beasts to themselves—*like other cattle and beasts they are to themselves.*—[*Rashi*]

Mezudath David explains:

concerning the children of men—how they should behave and what they should do.

that they should clarify—and test the great exaltedness of God.

to see—with their intellects.

that they are like beasts to themselves—but compared to God, they are as nought.

The *Targum* renders: I said to myself, "It is because of the children of men, that plagues and evil occurrences come upon them; God does this in order to try them and test them, to show that if they repent , they will be forgiven, and they will be healed, but the wicked, who are like beasts, do not repent; therefore, they are chastised with them [plagues] and harmed by them."

19. **For the happening of the children of men, etc.** —*This is the reason for the matter, that the Holy One, blessed be He, gave a fate and a mishap to the children of men, and there is a fate and a mishap to the beasts, and He gave one fate to them both, for just as this one dies, so does that one die.*—[*Rashi*]

and the superiority of man over beast—*And the superiority and the success of man over the beasts is not apparent after he dies, for everything is converted to become vanity, to return to the dust.*—[*Rashi*]

Mezudath David explains:

For the happening—For there are phenomena that affect only the children of men, such as melancholy and the like.

and there is a happening for the beasts—And there are phenomena that affect only the beasts because of their lack of intelligence.

and they have one happening—There is one fate that is common to both, namely, that just as this one dies, so does that one die.

and all have one spirit—While they are still alive, they all have the spirit of life. In this respect, man resembles the beasts, because while they are alive, they both have the spirit of life, and death befalls them both, and the fact that some happenings befall only beasts is offset by the fact that some happenings befall only man.

and the superiority—The advantage that man has over beasts is nought.

for all is vanity—This holds true if all man's deeds are vanity, meaning that he occupies himself only with the accumulation of wealth and the like, but it is not so if he occupies himself with the study of Torah and the performance of good deeds.

The *Targum* paraphrases: For there is a happening for a wicked man, and there is a happening for an unclean beast. There is one happening for both, for just as the unclean beast dies, so will this one die who does not repent before his death, and the soul of the spirit of both of them will be judged as one in all cases, and the superiority of a wicked man over an unclean beast is nought—there is no difference between them except the graveyard, for all is vanity.

20. **All go to one place**—Both man and beast go to one place, namely the dust, mentioned at the end of the verse.—[*Mezudath David*]

all came, etc.—Just as the creation of Adam and all living things was from the dust, so, in death, will they all return to the dust.—[*Mezudath David*]

Sforno explains: [according to edition published by Mossad Harav Kook, 1983]:

[16] **And moreover, I saw**—in addition to the pursuit of the nations and their wickedness.

[in] the place of justice—of litigants, even Jewish ones.

there is wickedness—with false claims.

and [in] the place of righteousness—of decisions of law.

there is wickedness—of the judges who exonerate the wicked for a reward of bribery, (based on Isa. 5:23).

[17] **I said to myself, "God will judge the righteous and the wicked**—Therefore, I said that God will judge both Israel and the nations of the world.

· **for there is a time for every desire and for every deed there**—For indeed He will judge the evil intention as He judges the evil deed. Therefore, just as He judges the pursuers for their evil deeds, so will He also judge the pursued for the evil desires that they did not act upon because they were unable to do so.

[18] **I said to myself, the account of the children of men, is so that they choose God**—It is essential that He judge Israel also, for, indeed, when He said, "Let us make man in our image," and He related in His Torah that He created him, "in His image, after His likeness," He related all this in order that they choose and select for themselves the Godly part (i.e., that they follow their spiritual instincts rather than their physical ones), as the Psalmist states (82:6): "I said: You are angelic creatures."

so that they may see that they are [like] beasts by themselves—i.e., in order that they should see by themselves that, by dint of their being living creatures, they are like beasts, were it not for the intellect, described as "the image of God."

[19] **For there is a happening for the children of men and a happening for the beasts—and they have one happening**—for although people are subject to incidents that happen only to humans, such as the pursuit of a livelihood, they are also subject to incidents that happen to beasts as well, which occur because of their natural elemental composition, which animals cannot escape. Likewise, they are both subject to death. Because of all this, it would appear that the One Who arranged that the most esteemed creature experiences the most suffering is guilty of injustice. We must perforce conclude that people suffer because they have turned away from the Godly part of themselves.

האדם העלה היא למעלה ורוח הבהמה הירדת היא
למטה לארץ: כב וראיתי כי אין טוב מאשר ישמח
האדם במעשיו כי־הוא חלקו כי מי יביאנו לראות
במה שיהיה אחריו: ד א ושבתי אני ואראה את־כל־
העשקים אשר נעשים תחת השמש והנה | דמעת

תו"א ושבתי אני ואראה את כל העשוקים. זוהר פרשת משפטים סוף דברי הסבא ופרשת פינחס:

הנחתא היא לרע לארעא:
כב וראיתי וחזית ארום לית טב
בעלמא הדין מדיחדי אנש
בעובדוי טבין וייכול וישתי
ויוטיב לביה ארום הוא
חולקיה טב בעלמא הדין
למקני ביה עלמא דאתי דלא
יימר אנש בלביה למא דין
אנא מבזבז ממונא למעבד
צדקתא טב לי דאשבקיניה לברי בתרי או אהנן מיניה בעידן סיבתי ארום מן הוא דיעליניה
למחזי מה דעתיד למהוי בתרוי: ד א ושבתי ותבית אנא וחזית ית כל אניסין דאתעבידו לצדיקיא
וארדו בעלמא הדין תחות שמשא מן יד דוחקיהון ולית די מליל להון תנחומין ולית למפרקהון

רש"י

אדם היא העולה למעלה ועומדת בדין ורוח הבהמה היא היורדת למטה לארץ ואין לה ליתן דין וחשבון וצריך שלא להתנהג כבהמה שאינה מקפדת על מעשיה: (כב) וראיתי. בכל צ אלה: כי אין טוב ק. לאדם: מאשר ישמח האדם במעשיו. מיגיע כפיו ישמח ויאכל ולא להרחיב בשאול נפשו לחמוד להתעשר להרבות לא לו: כי הוא חלקו. יגיע כפיו הוא החלק הניתן לו משמים ובו ישמח: כי מי יביאנו לראות. לאחר שמת במה שיהיה לבניו אם ילליהו גם הם בעושר שאסף הוא והניח להם או לא ילליהו: (א) ושבתי אני ואראה. ברוח הקדש: את כל העשקים הנעשים עשוקים בגיהנם במעשים אשר נעשים: תחת השמש. תחת הליפים של התורה: והנה דמעת העשקים. בוכים על נפשותיהם העשוקות ביד מלאכי חבלה האכזרים וכן הוא אומר (תהלים פד ז) עוברי בעמק הבכא מעין ישיתוהו אלו יורדי גיהנם ואף מקרא זה כך נדרש

שפתי חכמים

צ דק"ל במה ראה עתה יותר מקודם לכן. לכ"פ בכל אלה: ק דק"ל חלילה שיאמר כן הלא כתיב טוב ה׳ והתורה ס"א לקח טוב ולמה אמר ראיתי כי אין טוב. לכ"פ לאדם:

אבן עזרא

ולא יעמוד הנולד שהולידה הארץ כי אם ימים קצובים בעבור שיש קץ לגדולו ובעמדו ולא יגדל ישוב לאחור ולכן אמר ישרצו המים נפש והנה המים הולידו נפש כל ארץ ועוף ודג בדבר אלהים וכן אמר תוצא הארץ נפש חיה למינה ולא אמר בתורה נפש אדם רק אמר נעשה אדם בצלמנו כדמותנו והזכיר שברא גופו מן האדמה ואחר כך ויפח באפיו נשמת חיים ורמז חיים בעבור שהיא עומדת ולא תאבד כנפש הבהמה והפרש יש בין נשמה ונפש כי לא מצאנו בכל המקרא נשמה כי אם על בני אדם כענין נותן נשמה לעם עליה וכל אשר נשמת רוח חיים באפיו שב על האדם לבדו ואמר שלמה בסוף הספר שרוח בני האדם תשוב אל האלהים ולא אל העפר: (כב) וראיתי. כי אלה החושבים שהם כמו הבהמו׳ אין טוב להם מאשר ישמחו בהייהם כי אין להם חלק אחר ולמה יתעסקו בדברים יעזבום אחריהם: (א) ושבתי. כאומר הזרתי כי ושבתי מזה הענין שחשבתי שהטוב לאדם שישמח בעבור שלא יוכל לשמוח בעבור שיש בעולם המם ויוקח ממנו ממונו בכח ויהיה עשוק שיעשקנו שר או שופט לוקח שוחד או גנב. ופירוש ומיד עושקיהם כח שיש כח ביד העושקים והעשוקים אין לאל ידם כי אם לבכות ואין להם מנחם כי דרך האבל הבוכה על המת שיבואו לו מנחמים ויתנחם והזכיר ואין להם מנחם פעמים בעבור שלא יועילו

ספורנו

תאותה: (כב) וראיתי. מכל אלה: כי אין טוב מאשר ישמח האדם במעשיו. שישתדל בעיון ובמעשים שישמח הוא בהם במה שידמה בהם לבוראו ויקנה אושר נצחי: כי הוא חלקו. ואין לזרים אתו: כי מי. איזה טעם: יביאנו לראות. לבזות כמו אל תראוני יביטו יראו בי: במה שיהיה אחריו הגמול והעונש שיקרה אחרי מות הגוף בהיותו דבר נצחי:
ד (א) ושבתי אני ואראה. ומלבד הסבות שאמרתי לענשם של ישראל שבתי וראיתי סבה אחרת:* ואין להם מנחם. לעורר אותם בזה שיש תקוה בתשובה* לנחמת ה׳: ואין להם מנחם. שיורם להתפלל בשם באופן שתהיה תפלתם מקובלת כאמרו ובקשתם משם את ה׳ אלהיך ומצאת כי תדרשנו

מצודת דוד

למעלה אל המקור אשר נחצבה משם אבל רוח הבהמה שפלה אשר יורדת היא אחרי המית׳ למטה אל הארץ אשר נחצב׳ משם ומוסב למעל׳ לומר הועיל ולא רבים יחכמו להבין את זאת לכן ידמו שהם בהמה המה להם: (כב) וראיתי. ע"פ אלה הדברים ראיתי בבחינת השכל אשר אין טוב ומאושר בכל הענינים ממה אשר ישמח האדם עם ההון שקנה במעשי ידיו לאכול ולשמוח מהם: כי הוא חלקו. שמחתו בזה העולם עם ההון שקנה זהו לבד חלקו ולא עוד כי כשימות ויניח ההון לבניו אחריו מי יביאנו אחר מותו לזה העולם לראות בשמחה ובטובה שיהיה לבניו אחריו עם ההון שקנה הוא למען ישמחו בטובתם: ד (א) ושבתי. חזרתי וראיתי את כל העלבונים אשר נעשים בעולם: והנה דמעת העשוקים. ר"ל דמעת הבכי של הנעשקים הנה זולגת ומטפטפת ואין להם מי לנחמם: ומיד עושקיהם כח. אף שהמה נעשקים מיד עושקיהם בכח הזרוע לא

מצודת ציון

ד (א) ושבתי. מל׳ השבה והחזרה: העשוקים. ענין עלבון וחמס כמו והיית אך עשוק וגזול (דברים כח): מנחם. מל׳

קיצור אלשיך

(כב) וראיתי כי אין טוב מאשר ישמח האדם במעשיו המיוחדים לו לבדו, הם מעשי המצות בין אדם למקום ובין אדם לחבירו, כי הוא חלקו, המיוחד לו לבדו, כי עניני עוה"ב הם יהיו עקרים לו, ועניני עוה"ז ישארו בעוה"ז כמו שאמר דוד הע"ה הון ועושר בביתו ישארו אחרי מותו. כי מי יביאנו מעולם העליון חזרה לביתו לראות במה שיהיה אחריו בביתו, אבל וצדקתו עומדת לעד אתו עמו בעולם הנצחי:
ד (א) ושבתי אני וגו׳, ושבתי לראות את כל העשוקים בתבל והנה ראיתי ביניהם גם דמעת עשוקים אומללים שאין להם מנחם, כאלמנה ויתום, שלזו אין בעל ולזה אין אב ושומע אין להם מהשופטים להצילם ולנחמם. ומיד עושקיהם כח להציל העשוקים מידם ועכ"ז ואין להם מנחם לא מלמעלה ולא מלמטה וכ"כ קצתי בחיי על הדבר עד כי ושבח אני את המתים שכבר מתו ולא יצטרכו לשוב עוד בגלגולים וזהו משובח בעיני מן החיים אשר הם חיים עדנה מיום הולדם כפנחס ואליעזר וכו׳ כי אין מיתת הצדיקים ההם כמות כל אדם כי אינו רק גויעה ודבקות הנפש עם קונה ויזכו עוד לעלות נפשותם מעלה מעלה מאלו היה להם עדיין שארית מחומרם באשר אשר הם חיים עדנה כי טעימת המיתה אין פוגמת בצדיק ועכ"ז אני אומר

of men is that which ascends on high and the spirit of the beast is that which descends below to the earth? 22. And I saw that there is nothing better than that man rejoice in his deeds, for that is his portion, for who will bring him to see what will be after him?

4

1. But I returned and saw all the oppressed who are made [so] under the sun, and behold, the tears

21. **Who knows**—*Like* (*Joel 2:14*): *"Whoever knows shall repent." Who is it who understands and puts his heart to* [the fact] *that the spirit of the children of men ascends above and stands in judgment, and the spirit of the beast descends below to the earth, and does not have to give an accounting. Therefore, one must not behave like a beast, which does not care about its deeds.*—[*Rashi*]

Mezudath David explains:

Who knows—There are few who understand the difference, that the human spirit is of such esteem that, after death, it ascends above to the source whence it originated, and that the spirit of the beasts is so lowly that, after death, it descends to the earth from whence it originated. Since few people understand this, most people see themselves as being like the beasts.

22. **And I saw**—*in all of these.*—[*Rashi*]

that there is nothing better—*for man.*—[*Rashi*]

than that man rejoice in his deeds—*in the toil of his hands he should rejoice and eat, but not to widen his desire like the grave, to covet riches, to accumulate that which is not his.*—[*Rashi*]

for that is his portion—*The toil of his hands—that is his portion given him from Heaven, and with it he will rejoice.*—[*Rashi*]

for who will bring him to see—*after he dies, what his sons will have; if they too will prosper with the riches that he gathered and left over for them or whether they will not prosper.*—[*Rashi*]

4

1. **But I returned and saw**—*with the holy spirit.*—[*Rashi*]

all the oppressed—*who were made to be oppressed in Gehinnom for the deeds that are done.*—[*Rashi*]

under the sun—*instead of the exchange for Torah.*—[*Rashi*]

and behold, the tears of the oppressed—*weeping for their souls, which are oppressed in the hand of the destructive and cruel angels, and so it says* (*Ps. 84:7*): *"Transgressors in the valley of weeping make it into a fountain." These are the ones who descend to Gehinnom* (*Mid. Ps.* 84:3). *And this verse too is expounded in this manner in Sifré* (Deut. 11:26).—[*Rashi*]

הָעֲשֻׁקִים וְאֵין לָהֶם מְנַחֵם וּמִיַּד עֹשְׁקֵיהֶם כֹּחַ וְאֵין
לָהֶם מְנַחֵם׃ ב וְשַׁבֵּחַ אֲנִי אֶת־הַמֵּתִים שֶׁכְּבָר מֵתוּ
מִן־הַחַיִּים אֲשֶׁר הֵמָּה חַיִּים עֲדֶנָה׃ ג וְטוֹב מִשְּׁנֵיהֶם
אֵת אֲשֶׁר־עֲדֶן לֹא הָיָה אֲשֶׁר לֹא־רָאָה אֶת־הַמַּעֲשֶׂה
הָרָע אֲשֶׁר נַעֲשָׂה תַּחַת הַשָּׁמֶשׁ׃ ד וְרָאִיתִי אֲנִי אֶת־
כָּל־עָמָל וְאֵת כָּל־כִּשְׁרוֹן הַמַּעֲשֶׂה כִּי הִיא קִנְאַת־

תו"א ושבח אני את המתים. שבת ל' זכור פרשת ויבא ופרשת אחרי מות ופרשת חקת: וטוב משניהם את אשר עדן לא היה. עקרים מד פכ"ט:

מן יד דאונסיהון בתקוף ידא ובחילא ולית די ינחים להון: ב ושבח ושבחית אנא ית שכיבא דהא כבר מיתו ולא חזי פורענותא דאתי בעלמא בתר מותיהון יתיר מן חייא די אינון קיימין בעלמא הדין בעקא עד כען: ג וטוב ושפיר מן תרויהון ית דעוד כען לא הוה ולא אתברי בעלמא די לא חזא ית עובדא בישא דאתעבדא בעלמא הדין תחות שמשא: ד וראיתי וחזית אנא ית כל טורחא וית כל אוטבות עובדא די עבדין בני אנשא ארום היא קנאתא דקני גבר לחבריה למעבד כותיה דמקני ליה למעבד טבא כוותיה מימרא דשמיא יוטיב ליה ודמקני ליה לביש למעבד כבישתיה מימרא דשמיא יבאיש ליה ואף דין הבלו לחיבא ותבירות רוחא:

רש"י

בספרי: ומיד עושקיהם כח עושקיהם מכריחים ותוקפים אותם בכח: (ב) שכבר מתו. עד שלא שלט ר בהם יצר הרע הזה לדחות' מן הקדוש ברוך הוא כגון אבות הראשונים שלא נענה משה ש אלא על ידיהן וכגון דוד אבי שלא נעניתי ת אני בכ"ד רננות עד שאמרתי (דה"ב ו מב) זכרה לחסדי דוד עבדך (ג) עדן. עדיין · אשר לא ראה את המעשה. ראיתי במדרש קהלת אלו תתקע"ד א דורות שקומטו להבראות ולא נבראו · (ד) וראיתי אני את כל עמל הן העבירות שהן עמל בעיני הקב"ה · ואת כל כשרון המעשה שאינו לשם שמים אלא לקנאת איש מרעהו שמניחם הכל: כי היא קנאת איש אשר היא

שפתי חכמים

ר דק"ל דכתיב סותרים זה את זה כאן משבח המתים ואחר כך אמר כי לכלב חי הוא טוב מאריה המת לכ"פ עד שלא שלט כו': ש פי' כשחטאו ישראל במדבר עמד משה לפני הקב"ה ואמר כמה תפלות ותחנונים לפניו ולא נענה וכשאמר זכור לאברהם ליצחק ולישראל עבדיך מיד נענה: ת פירוש דכשכנס שלמה את בהמ"ק בקשו להכניס הארון לבית קדשי הקדשים דבקו שערים זה בזה אמר שלמה שאו שערים ראשיכם רננו' ולא נענה כיון שאמר זכר' לחסדי דוד עבדך מיד נענה כך דרשו בריש פרק במה מדליקין. א פי' שלו במחשבה נגזרו להבראות ל' ונקמטו קודם שנברא העולם נגזר עליה' להבראות שיבאו קודם מתן תורה ראוים היתה תורה להנתן לאלף דור וכשראה שאין העולם מתקיים בלא תורה עמד וסלקן מן

ספורנו

בכל לבבך ובכל נפשך: (ב) ושבח אני את המתים שכבר מתו. בעת החרבן קודם הגלות: (ג) וטוב משניהם אשר עדיין לא היה. עד ימי הגאולה העתידה: אשר לא ראה את מעשה הרע. הנעשה לתכלית רע* בחורבן הבית: אשר נעשה תחת השמש. שכל המכוון ממנו הוא תכלית נפסד: (ד) וראיתי אני את כל עמל ואת כל כשרון המעשה. המעשה* אחר חורבן כמו הצדקה ובתי כנסיות ובתי מדרשו' וזולתם: כי היא קנאת איש מרעהו. קנאת האדם בחבירו בקנותו שם טוב וכבוד בהמון בעשותו כאלה בעשרו: גם זה. ההשתדלות לקנות שם טוב וכבוד בהמון באופן זה הוא הבל. דבר שתכליתו בלתי נחשב: ורעות רוח. השמחה

אבן עזרא

בכיתו וזעקתו פעם אחרי פעם: (ב) ושבח ושבח שם התואר כמו ירא אני ונפתח החי"ת בעבור היותו מאותיות הגרון: עדן חסר ה"א והוא עד הנה וזה הענין שאמר שהמתים יותר משובחים מן החיים הוא כנגד העשוקים שכל אדם יקבל כל מה שיבוא עליו מן השמים ולא יוכל לסבול עושק שיעשה לו בן אדם שהוא כמוהו ויבחר מות מחיים. (ג) וטוב. מלת עדן מורכב' והיא חסר' ה"א לפני הנו"ן ואחריו כמו עדנה והענין שהמתים שמתו כבר מלאו מנוחה ולא שמעו קול נוגש וטוב מן החיים והמתים אשר לא נבראו עד עתה בעבור היות העשוקים בגופם כמו האסורים והשבויים או עשוקי ממון שהם מצטערים ואם הם חיים והמתים אם שאיננו עתה כבר נעשקו גם הם ורבים תמהו איך יאמר וטוב למי שלא נברא וכן אמרו החכמים ז"ל אשרי מי שלא נברא ואיננו תמה בעבור קוצר הלשון לדבר כי אם על דרך דמיונות כמו שיאמרו חכמי שקול הדעת כי כל דבר הוא יש או אין ואם הוא דבר איך הוא אין (ד) וראיתי רוב עמל האדם גם כשרון מעשיהם בעבור בני האדם שיקנאו זה בזה וירצה להתפאר על חבירו ושלא יהיה הוא חסר ממנו בדירתו ומלבושיו ובניו ומאכלו וחכמתו וטוב

מצודת ציון

מנחומין (ב) עדנה. עדיין: (ג) עדן. עדיין: (ד) כשרון. ענין

מצודת דוד

במשפט עכ"ז אין להם מנחם: (ב) ושבח כו'. ר"ל טוב ויפה למתים שאינם יודעים מאומה מזה ואינם מצטערים ע"ז: שכבר מתו. אמר זה לתוספת ביאור: מן החיים. יותר מן החיים אשר עודם חיים: (ג) וטוב משניהם. מן החיים ומן המתים טוב יותר למי שעדיין לא היה ולא נולד ואמר כן דרך מליצה כי אין מקום לומר טוב למי שלא היה בעולם. אשר לא ראה. בעבור שלא ראה כלל את המעשה הרע הנעשה בזה העולם והיא העושק האמור למעלה: (ד) את כל עמל. הם העבירות שהמה עמל בעיני המקום ורע לפניו ולהסביר את האוזן אמר לשון הנופל בבן אדם שנחשב לו לעמל ויגיעה אם מי ימחה פיו: כשרון המעשה. מעשה כשר וישר אשר היא קנאת איש מרעהו ר"ל שלא עשהו לשם כ"א מחמת קנאה בראותו תפארת רעהו בעבור כשרון מעשיו ומתקנא בו ואוחז במעשיו למען לא תגדל תפארתו עליו: גם זה הבל. גם כי עשה כשרון מעשה מ"מ הוא דבר שאין בו ממש: ורעות רוח. כי אינו עושה מרצונו כ"א בע"כ יעשה המעשה

קיצור אלשיך

אומר (ג) כי טוב משניהם אשר עדן לא היה, לא על אשר לא יטעום טעם מיתה כי איננה פגם רק על כי לא ראה את המעשה הרע שלא יקוץ ויזהר בראיית דמעת העשוקים וכו' (ד) וראיתי אני והתבוננתי על עמל האדם ואשר כשר הדבר לפניו לאחוז במעשה הטוב מאין היא באדם, וראיתי כי היא קנאת איש מרעהו, כי קנאת סופרים תרבה חכמה וקנאת אנשי מעשה יחזיקו ידי רואיהם לעשות כמעשיהם, וע"כ היה מקום לומר שנוח לו לאדם שנברא, אך זה הבל ורעות רוח, כי אשר אמרת שע"י מדת קנאה יאושר החומר במעשי ידיו מצות מעשיות, לא הכל זוכים לזה רק חד בדרא. אשר הוא חכם לב ואמיץ כח נגד יצרו

אשר

of the oppressed, and they have no consoler, and from the hand of their oppressors there is power, but they have no consoler. 2. And I praise the dead who have already died, more than the living who are still alive. 3. And better than both of them is he who has not yet been, who has not seen the evil work that is done under the sun. 4. And I saw all the toil and all the excellence of work, which is a man's envy

and from the hand of their oppressors there is power—*Their oppressors overpower them and attack them with force.*—[*Rashi*]

Ibn Ezra explains: **But I returned**—I retracted what I previously thought, viz. that the best thing for a man to do is to rejoice, because one cannot rejoice in view of the injustice that is committed in the world, for many people are forcefully robbed of their possessions. They may be oppressed by a king or a judge who takes bribes, or by a thief.

and from the hand of their oppressors is power—The oppressors have power, and the oppressed can do nothing but weep. They have no consoler, unlike the mourner who bewails the death of his kinsman, whom people come to console, and he is consoled. These oppressed people, though they weep constantly, time after time, have no consoler.—[*Ibn Ezra*]

2. **who have already died**—*before the evil inclination overwhelmed them to repel them from the Holy One, blessed be He, like the early Patriarchs, for Moses was not answered except through them, and like my father David, for I was not answered with twenty-four praises until I said, (II Chron. 6:42): "Remember the kind deeds of David Your servant."*—[*Rashi* from *Shab.* 30a, *Ecc. Rabbah*]

Mezudath David explains:

And I praise the dead—i.e., It is better for the dead, who do not know anything about this and are not pained by it.

who have already died—This is an elaboration of the above.

Ibn Ezra explains that the dead are to be praised more than the living, because a person can tolerate whatever befalls him from Heaven, but he cannot tolerate the oppression that is meted out to him by his fellow man. Therefore, Solomon chooses death, meted out to him by God, over life, in which he is at the mercy of his fellow men.

3. **And better than both of them**—Better than the living and the dead is he who never existed and was not born. This is a poetic expression, because we cannot really say that a person who does not exist is better off.—[*Mezudath David*]

yet—Heb. עֲדֶן, [like] עֲדַיִן.—[*Rashi, Mezudath Zion*]

who has not seen—*I saw in Midrash Koheleth* (*Zuta* pp. 117, 125): *These are the 974 generations*

איש מרעהו גם-זה הבל ורעות רוח: ה הכסיל חבק
את-ידיו ואכל את-בשרו: ו טוב מלא כף נחת
ממלא חפנים עמל ורעות רוח: ז ושבתי אני ואראה
הבל תחת השמש: ח יש אחד ואין שני גם בן ואח
אין-לו ואין קץ לכל-עמלו גם-עיניו עינו ק' לא-
תשבע עשר ולמי אני עמל ומחסר את-נפשי

ת"א יש חד ולית תני. עקידה שער יא:

ה כסיל שטיא אזיל ומנפף ית
ידוי בקייטא ולא צבי למטרח
ובסתוא ייכול ית כל מה דאית
ליה ואפילו כסו מעל משך
בסריה: ו טוב טב לגבר מלי
חפני מיכלא בחניית נפש
ובלא גזילא וחטופין מן תרין
חפנין מליין מיכלא בגזילא
וחטופין ועתיד לשלמא בדינא
בטורחא ובתבירות רוחא:
ז ושבתי ותבית אנא וחזית הבלו דאתגזר למהוי בעלמא הדין תחות שמשא: ח יש אית גבר יחידי ולית תנין
בר מניה אף ברא ואף אחא לית ליה למירת ית נכסוי ולית סוף לכל טורחיה ואף עייניה לא תיכול

רש"י

קנאת איש מרעהו: (ה) הכסיל. הרשע: חובק את ידיו. ואינו יגע ואינו אוכל אלא מן הגזל: ואוכל את בשרו. ליום הדין ברואה צדיקים בכבוד והוא נידון. כך נדרש בספרי: (ו) טוב מלא כף נחת. להיות קונה נכסים מעט מיגיעו שיהא בהן נחת רוח ליוצרו: ממלא חפנים. נכסים הרבה בעבירה שהוא עמל ועצבות רוח לפני המקום: (ז) תחת השמש. כמו תחת השמים: (ח) יש אחד ואין שני. יש לך אדם שעושה דבריו ביחידי: גם בן ואח אין לו. אם ת"ח הוא אינו קונה לו ב תלמיד שהוא כבן ולא חבר שהוא כאח. ואם רווק הוא אינו נושא אשה להיות לו כאח לעזר ולהוליד בן. ואם סוחר הוא אינו קונה לו שותפים ויוצא לדרך יחידי: ואין קץ לכל עמלו. יגע בגירסא ואם סוחר הוא עמל בפרקמטיא: גם עינו לא תשבע עושר לא יהא שבע בטעמי תורה שהרבה תורה לומד אדם מתלמידיו. ולענין הממון רודף תמיד אחר הממון: ולמי אני עמל. מאחר שאיני מעמיד תלמידים

שפתי חכמים

הפוך' והמתין למתן תורה עשרים ושש דורות מאדם עד משה רבינו. כ"פ רש"י בפרק אין דורשין: ב דק"ל הכניס מדבר בבחיר' אדם מה בבכחו לעשו' שהרי אחר כך מוכיחו טובים השני' שישתדל שיהיה לו שנים והיך הוא בכחו לעשות שיהיה לו אח. לכ"פ אם תלמיד חכם הוא כו' ומה שלא פירש גם כן בתלמיד חכם כמשמעו כמו ברווק הוא דכיח' ליה לפרש בתלמיד שסוף בידו לקנות לו מבא"כ אם ישא אשה דלא פסיקא מלתא שיהיה לו ממנה בן הכל ברווק פ"ה בתלמיד

אבן עזרא

השם: (ה) הכסיל. גם יש באדם כסילים עצלים אין להם קנאה ולא יתעסקו במלאכה שיהיו ממנה רק הובקים את ידיהם ואוכלים מה שיש להם וישארו בלא מחיה ואחר שהוא אוכל כל מה שיש לו ולא יעמול להוסיף כאילו אוכל את בשרו בעבור שימות ברעב: (ו) טוב. דברי הכסיל הוא האומר די לי מלא כפי להם בנחת מן מלא חפנים בעמל ורעות רוח שיחשוב אדם לדבר עתיד מה יאכל מחר והוא לא ידע מה ילד יום: (ז) ושבתי. שבתי מהסתכל בדברי זה הכסיל וראיתי כסיל אחר הפך הראשון: (ח) יש אחד. יתכן היות שני חבר או משרת או אשה שהיא עזר כנגדו והוא יותר נכון: ואין קץ לכל עמלו. הענין שיש לו עושר אין קץ ונפשו לא שבעה ולא שקטה מעמל ולמה לא יחשב בלבו למי אני עמל ולמה אחסר את נפשי מכל תענוג והנה אין מי ירשני שתשמח נפשי שאעזוב בני או אחי בטוב: גם זה הבל. הוסיף גם להורות כי הכסיל הראשון הבל הוא כמו האחרון ואם שניהם

ספורנו

שישמח בהם הפועל: (ה) הכסיל חובק את ידיו. ולא בשביל זה אשבח לסור מהשתדלות הקנין כי אמנם הכסיל חובק את ידיו ותמנע מהשתדל להשיג ההכרחי: ואוכל את בשרו. מתוך צער מסכנות וחסרון ההכרחי לחיי שעה: (ו) אמנם טוב מלא כף נחת. מה שיושג בהשתדלות ממוצע משיג ההכרחי באופן שיהיה איזה עת הכושר לעיון ולמעשה: ממלא חפנים עמל להשיג מותרות: ורעות רוח. בכשרון מעשה לקנאה: (ח) יש אחד ואין שני ומכלל מעשה הרע שראיתי הוא כי יש מי שהוא אחד ואין לו שני אוהב וריע כי אין מקבל ממנו חסד שיחשב לו לצדקה: נ"ב ואח אין לו ואין קץ לכל עמלו. להשיג מותרות לאין תכלית: גם עינו לא תשבע עושר לא ישמח בו: ולמי אני עמל. בהיות העמל יותר מן המספיק להכרחי: ומחסר את נפשי מטובה שלא להשיג לי איזה שלמות נצחי. גם זה המושג כבר הוא הבל בלתי תכלית נחשב' וענין רע הוא. בהיותו בעמל אשר אין קץ לו כנזכר מחסר את נפשי מטובה

מצודת דוד

ונשכר א"כ הרלון: (ה) חובק את ידיו. יתחבק זה בזה ר"ל לא ינענע ידיו לעשות בהם מלאכה להחיות את נפשו: ואוכל את בשרו. בסוף אין לו מה לאכול ובע"כ יאכל בשר עצמו והוא ענין מליצה לומר שמאמן בשרו ירזה בעבור הרעבון וכאלו אכלו מחוסר המזון: (ו) טוב. ויותר טוב לסרוית מעט כמלא כף ויהיה בממתם יספקם מלסרוית הרבה כמלא חפנים ויהיה בעמל רב ובשכר רלון ר"ל לעשות דבר שאין דעתו נוטה אליו ואין חפצו בזה: (ז) ושבתי. חזרתי ולאיתי דבר כלל סנעשה בעולם: (ח) יש אחד. יש אדם שעושה מעשיו יהידי ואין שני עמו כי לא ישתתף עם מי לסייעו בעמל מעשיו: גם בן ואח אין לו. למען יירשו ההון שקבץ בעמל' ואין קץ לכל עמלו. בכל עת יעמול ולא ינוח: לא תשבע. אינה שבעה מהעושר שכבר קבץ כי אין די לו בזה ולכן לא ינוח כי יחפוץ להרבות עוד: ולמי אני עמל. ר"ל לא יחשוב לומר בשביל מי אני עמל ומחסר

מצודת ציון

יותר: כי היא. אשר היא: (ה) חובק. ענין סבוב היד בדבר מה: (ו) כף. כף היד' נחת. על' מנוחה: חפנים. כן יקראו כפות הידים

קיצור אלשיך

אשר לא יקנא לבו בחטאים כי אם ביראת ה', אך (ה) הכסיל אדרבה הוא מקנא את החובק את ידיו ומבטלן מעשות זמלעסוק במצות מכעם קנאתו ותחת השלים גופו אדרבה במדת קנאתו אוכל את בשרו בקבר ומאבד את גופו כמ"ש ורקב עצמות קנאה, ורמה ותולעה אוכלים בשרו. ועל הטענה כי מתחלה היתה הנפש אוכלת מעם מנהמא דכסופא מאשר לא עמלה בו, משא"כ בהבראה שתעמול בתורה ומצות ומעמלה תאכל, גם זה אינה טענה כי הלא טוב לה (ו) מלא כף נחת, כלומר מועט נחת שהיה לה קודם בואה לעולם, ממלא חפנים עמל. ר"ל ממלא חפנים נחת בעולם הבא אחרי עמלה בעוה"ז כמאמר חז"ל נוח לו לאדם שלא נברא, מחמת כי בעוה"ז רעות ושברון רוח, הנה אחר זאת (ז) שבתי אני ואראה הבל, דבר קל להבל דמה תחת השמש (ח) כי יש אחד הוא הקב"ה ואין לו שני חלילה שיתן מטובו לשני, גם בן ואח אין לו לתת להם מטובו ואין

לקוטי אנשי שם

(ח) יש אחד ואין שני לו. שלא כשתדל לישא אשה. ועי"ז גם בן אין לו לזכות אותו. ואח אין לו לתקן אותו ע"י יבום. כי אין לו יבמה. ואף אם יש לו אח אין אח מזכה אחיו רק ע"י יבום. ואין קץ לכל עמלו שהוא עומל ומיגע עלמו עד אין קץ לעמלו של תחת השמש יומם ולילה. ואינו עוסק בעניינים שהם למעלה מן השמש כלל וכלל. גם עינו לא תשבע

of his friend; this too is vanity and frustration. 5. The fool folds his hands and eats his own flesh. 6. Better is a handful of ease than two handfuls of toil and frustration. 7. And I returned and saw vanity under the sun. 8. There is one, and there is no second; yea, he has neither son nor brother, and there is no end to all his toil; neither is his eye sated from wealth. Now for whom do I toil and deprive my soul

that were decreed to be created, but were not created.—[*Rashi*] The Psalmist (105:8) refers to the thousandth generation, to which the Torah was given. In fact, the Torah was given to the twenty-sixth generation from the Creation. The remaining 974 generations were decreed to be created, but were, in fact, never created. *Rashi* (*Hag*. 14a) explains that God saw that the world would not be able to exist for a thousand generations without the Torah. Therefore, He did not create these 974 generations but "planted" them in every generation.

Mezudath David renders: because he did not see, at all, the evil that is done in this world, i.e., the oppression mentioned above.

4. **And I saw all the toil**—*These are the sins, which are toil in the eyes of the Holy One, blessed be He.*—[*Rashi*] This is an anthropomorphism, comparing God to a human being, to whom disobedience is like toil, something difficult to tolerate.—[*Mezudath David*]

and all the excellence of work—*which is not for the sake of Heaven, but for one's envy of his friend, both of which are vanity.*—[*Rashi*]

which is a man's envy—Heb. כִּי.—[*Rashi*] i.e., One performs the commandments in order to surpass his friend's performance, lest his friend be praised more than he.

frustration—lit. breaking the will. He performs these deeds against his will.—[*Mezudath David*]

5. **The fool**—*The wicked man folds his hands and does not toil, and he does not eat except from robbery.*—[*Rashi*]

and eats his own flesh—*on the Day of Judgment, when he sees righteous men experiencing honor, while he is being judged. It is explained in this manner in Sifré* (Deut. 11:26).—[*Rashi*]

Mezudath David explains:

The fool folds his hands—i.e., He does not move them to do any work to support himself.

and he eats his own flesh—Eventually, he will not have anything to eat and will be compelled to eat his own flesh. This is figurative, meaning that he will become emaciated from hunger, and it will be as if he had eaten his flesh because of the lack of food. *Ibn Ezra* explains that there are lazy fools who do not engage in any gainful occupation to support themselves, but eat what they have. Ultimately, they will have nothing to eat and will die of hunger.

מִטּוֹבָה גַּם־זֶה הֶבֶל וְעִנְיַן רָע הוּא׃ ט טוֹבִים הַשְּׁנַיִם
מִן־הָאֶחָד אֲשֶׁר יֵשׁ־לָהֶם שָׂכָר טוֹב בַּעֲמָלָם׃ י כִּי
אִם־יִפֹּלוּ הָאֶחָד יָקִים אֶת־חֲבֵרוֹ וְאִילוֹ הָאֶחָד שֶׁיִּפּוֹל
וְאֵין שֵׁנִי לַהֲקִימוֹ׃ יא גַּם אִם־יִשְׁכְּבוּ שְׁנַיִם וְחַם לָהֶם

הו"א טובים השנים מן האחד. מגילה ה עקידה שער יח ובשער יב זוהר פ' ויגש:

לְמִסְבַּע עַתְרֵיהּ וְלָא יֵימַר בְּלִבֵּיהּ לְמָא דְנַן אֲנָא טָרַח וּמְחַסֵר יַת נַפְשִׁי מְטִיבוּתָא אֵיקוּם כְּעַן וְאַעֲבִיד מִנֵּיהּ צִדְקְתָא וְאֶחְדֵּי בְעַלְמָא הָדֵין עִם בְּנֵי אֱנָשָׁא וּלְעַלְמָא דְאָתֵי עִם צַדִּיקַיָּא. אַף דֵּין הֲבָלוּ וְגַוָּן בִּישׁ הוּא: ט טובים טָבִין תְּרֵין צַדִּיקַיָּא בְּדָרָא יַתִּיר מִן חַד וְאִנּוּן דִּי רַבְרְבִין בְּמַזָּלָא וּמִשְׁתַּמְעִין מִלֵּיהוֹן דִּי אִית לְהוֹן אֲגַר טָב לְעַלְמָא דְאָתֵי בְּטוֹרְחֵיהוֹן דִּי טְרָחוּ לְסוּבָרָא יַת דָּרֵיהוֹן: י כי אֲרוּם אֱלָהֵן אִין יִפּוֹל חַד מִנְּהוֹן עַל עַרְסָא וְיִשְׁכּוּב מְרַע חַד יְקִים יַת חַבְרֵיהּ בִּצְלוֹתֵיהּ דְאִלּוּ חַד דְּהוּא זַכַּאי בִּלְחוֹדוֹהִי בְּדָרֵיהּ בְּעִידָן דִּי יִפּוֹל עַל עַרְסֵיהּ וְיִשְׁכּוּב מְרַע לֵית לֵיהּ בְּדָרֵיהּ חֲבַר תִּנְיָן לְצַלָּאָה עֲלוֹהִי אֱלָהֵן בִּזְכוּתֵיהּ יְקוּם מִמַּרְעֵיהּ: יא גם אַף אִין דִּמְכָן תְּרֵין גְּבַר וְאִתְּתֵיהּ וְשָׁחִין לְהוֹן בְּסִתְוָא

רש"י

ואיני נושא אשה להוליד בנים: (ט) טובים השנים. לכל דבר: מן האחד. לפיכך יקנה לו אדם חבר וישא אשה אשר יש להם יותר ריוח בעמלם הרבה מלאכה נעשית בשנים מאין היחיד מתחיל בה לבדו: (י) כי אם יפולו. כמשמעו. ולענין המשנה אם תקפה עליו משנה שלו חבירו מחזירה לו או אם יכשל ולא דקדק את אשר שמע מפי רבו בא חבירו ומעמידו על האמת· ואי לו. ואוי לו: (יא) והם להם.

שפתי חכמים

שולרך לדחוק ולפרש אף במילתא דלא פסיקא: נ דרש זה מדכתיב מלא ביו"ד. א"נ ק"ל דהל"ל ואלו האחד שיפול אין שני להקימו בלא וי"ו דהכי קאי אדלעיל כי אם יפולו האחד יקים את חבירו ואלו הא'

אבן עזרא

כסילים החכם יהיה כענין רש ועושר אל תתן לי: (ט) טובים. ישוב על הכסיל שהוא לבדו ויאמר הלא היה לו טוב להיות לו מי שיתחבר עמו ויעזור אותו אז יהיה להם שכר טוב בעמלם והוא המאכל והמשתה: (י) כי אם. ואם יארע לו חולי או יפול זה או זה יעזרנו חברו. ומלת אי כמו אוי ואין לה דומה כי אם בספר הזה אי לך ארץ: (יא) גם בהתחבר הגויות יחמו כענין ושכבה בחיקך והם

ספורנו

כמו שאמרתי: (ט) טובים השנים מן האחד. ומן המעש' הרע שראיתי הוא הקורה לתופשי התורה* להיות מפוזרים שכל אחד במקומו ישב בדד ללמוד. והנה טובים השנים כי אם יפולו באיזה טעות לא יקרה על הרוב טעות אחד לשניה': (י) ובזה האחד יקים את חבירו. מן הטעות שנפל בו: (יא) וגם אם ישכבו שנים וחם להם. וכמו כן יקרה

מצודת דוד

את נפשי מטובת השבעה והמנוחה הלא אין לי בן ואח לרשת אותי והעזוב א"כ לאחרים חילי· גם זה ר"ל אף שהעמל מגונה מ"מ מרבית העמל הוא הבל וענין רע: (ט) טובים השנים. שנים העוסקים יחד יותר טוב מן האחד העוסק יחידי אשר לשנים יש ריוח טוב בעמלם כי ישתכרו הרבה ולא כן האדם יחידי: (י) כי אם יפלו. אף אם שניהם יפלו בשפל שמלב מ"מ האחד יקים את חברו באופן מן האופנים: ואילו. אבל אוי לו אל האחד שיפול ואין לו שני להקימו: (יא) גם אם ישכבו שנים. הביא דוגמא מן המוחש ואמר הנה כאשר

מצודת ציון

הדבקות זה בזה: (ט) שכר. ענין ריוח: (י) ואילו האחד.

קיצור אלשיך

קץ לכל עמלו שהוא עמל לפעול להוסיף בו, כמו שכתבנו שמאז ברא העולם הוא פועל אורות וטובה, גם עיני המביט למרחוק לא תשבע עושר אושר לפעול עד אין קץ נמצא כי כל האושר הזה הלא לנו הוא אם נעשה רצונו וא"כ איפה למי אני עמל בהטפלי בעסקי העוה"ז ומחסר את נפשי מטובה שפעל ויפעיל הוא ית' ואיך אחסיר את נפשי מטובותיו יתברך הרב ולא אתגבר כגבור עריץ לילה ויום ולא ארפאנו הנה גם הבל וקל ליפול לב אדם על חשבון זה וענין רע הוא שלא יביט האדם לזה ולא ימה לעולם מדרך הטובה. ואם תאמר אלי ראה דבריך טובים ונכוחים במחשבה הטובה הזאת שהחי יתן אל לבו ולעולם לא ימוט לזכר עולם יהיה צדיק, אך הביטה וראה כי רע ומר יצרו הרע ומי יוכל לו ומי יעצור כח לפני פתויו הרבים ותחבולותיו כי הלא ג' המה כחותיו על היצר טוב, א' כח פתויו והתמדתו כי לא ישקוט עד יכשיל כארי אורב יום ולילה בין בשוגג בין במזיד בכל אשר יפנה ירשיע. ב' כי מלך הוא ורבים אשר אתו רמ"ח אברים כלם אנשי עצתו סרים למשמעתו עליזי גאותו. אבל היצר טוב בערער ואין עוזר לו. ג' היצר הרע מלומד מלחמה מנעוריו כי לפתח צאת הולד ממעי אמי, אתו עמו זקן בית האיש. והיצר טוב כילד יולד אחר י"ג שנה חדש ממש, ואיככה יוכל לעמוד ילד יולד נגד הזקן הרע ההוא, ע"כ בא שלמה כמדבר על לב היצר טוב וישא משלו ויאמר על הראשונה אל תירא ואל תחת כי הלא רבים אשר אתך כי לא יחידי אתה (ט) כי טובים השנים הם היצר טוב והנשמה מן האחד והוא היצר הרע כי הוא לבדו נשאר, ואל תחוש לומר אולי לא ישימו לב שניהם להתעורר להלחם בו תמיד כאשר הוא לא ינום ולא יישן בכל יום יגור מלחמות. כי הנה נהפוך הוא כי כפלים ביצר הרע יעזרו להלחם בו, כי הלא שני אלהזולת עשות רצון קונם יש לשניהם שכר טוב בעמלם אשר הם עמלים להלחם בו כי גם היצר טוב כח רוחני הוא כנודע מספר הזוהר פ' וישלח מה שאין כן היצר הרע כי לא יקבל שכר על החטיאו את אשר ינצח, וא"כ אמור מעתה כי שני אלה יעמדו על הברכה מאשר יעמוד היצר הרע על הקללה, וש"ת הלא כמה פעמים יכרעו ויפולו שניהם לפני היצר הרע ויחטיא את האדם בא' מג' דרכים או בשוגג על מצות לא תעשה או עצלה יפיל היצר הרע תרדמה על שניהם לבל יתעוררו לקיים ולעשות מצות עשה, ואחר אלה אם ינצח יעשה בעל הבית ויאחז באדם בעל כרחו ויהקפנו להחטיאו מזיד ואיך טובים השנים. והנה שלש אלה יעשה למו, לז"א עכ"ז יש תקוה לשניהם לחתחזק ממנו כי הלא (י) אם יפולו שהיא החלוקה הא' שיפילם לחטא שהוא משמעות שוגג, הנה יש תקוה כי הנה האחד יקים את חברו ויהיה בעזרו ולא יבצר משובה אל ה' אמנם אם תזכה ותפיל את היצר הרע מה רב טובך כי למה שהוא לבדו נשאר ואילו לאחד שיפול ואין שני להקימו נמצאת קרוב לשכר ורחוק להפסד כ"א יוכל לשניהם ויפילם יעזרו לקום ואם השנים יפילוהו לא יקום עוד, ולכן התאמץ להפילו כי אין מקימו. (יא) גם אם ישכבו שנים

לקוטי אנשי שם

עושר. איננו מסתפק עצמו ואיננו שמח בחלק העשירות אשר לו רק תמיד רב רב ולא יעלה על לבו לשאול לעצמו השאלה ולמי אני עמל ולמי אניחנה אחרי. הלא אחד הגני וזרים יאכלו יגיע כפי ומחסר את נפשי ונשמתי מטובה האמתית. הלא לא יחיה לי מקום ושורש למעלה ע"י שאהי פוסק תמיד בעניינים ששם תחת השמש מה שהנפש איננה מתמלאת מהם ואין לה נייחא מזה. גם זה הבל וענין רע הוא:

of pleasure? This too is vanity and an unhappy affair. 9. Two are
better than one, since they have good reward for their toil. 10. For
if they fall, one will lift up his friend, but woe to the one who falls
and has no second one to lift him up. 11. Moreover, if two lie
down, they will have warmth,

It will be as though they had eaten their own flesh.

The *Targum* paraphrases: The fool walks and clasps his hands in the summer and does not wish to toil, and in the winter he eats what he has, even the garment on the skin of his flesh.

6. **Better is a handful of ease**—*to acquire few possessions, but with his toil, so that his Creator should have satisfaction therefrom.*—[*Rashi*]

than two handfuls—*many possessions through sin, which is toil and grief to the Omnipresent.*—[*Rashi*]

Mezudath David explains: It is better to earn a little, like one handful, provided that it is with peace and tranquility, than to earn very much, like two handfuls, with great toil and frustration, i.e., to do something to which one has no inclination or desire.

Ibn Ezra explains that this statement represents the words of the fool, who says, "I have enough with one handful of bread with ease, rather than two handfuls with toil and frustration," i.e., having to think about what the future has in store for him, what he will eat tomorrow, and that he does not know what the day will produce.

The *Targum* paraphrases: A handful of food with ease of the soul and without robbery or violence is better for a person than two handfuls of food with robbery and violence, for which he is destined to pay in judgment with toil and the breaking of the spirit.

7. **And I returned**—I returned and saw a matter of vanity that is done in the world.—[*Mezudath David*]

Ibn Ezra explains: I returned from looking at the words of this fool, and I saw another fool, the opposite of the first.

under the sun—*like, "under the heaven."*—[*Rashi*]

8. **There is one, and there is no second**—*There is a man who does his work alone.*—[*Rashi*]

yea, he has neither son nor brother—*If he is a Torah scholar, he does not acquire for himself a disciple, who is like a son, or a companion, who is like a brother. And if he is a bachelor, he does not take a wife, to be to him like a brother, and to beget a son. And if he is a merchant, he does not acquire partners for himself, but he goes out on the way alone.*—[*Rashi*]

and there is no end to all his toil—*He toils in study, and if he is a merchant, he toils with merchandise.*—[*Rashi*]

neither is his eye sated from wealth—*He will not be sated from the insights of Torah, for a person learns much Torah from his pupils, and regarding money, he constantly pursues money.*—[*Rashi*]

וּלְאֶחָד אֵיךְ יֵחָם׃ יב וְאִם־יִתְקְפוֹ הָאֶחָד הַשְּׁנַיִם
יַעַמְדוּ נֶגְדּוֹ וְהַחוּט הַמְשֻׁלָּשׁ לֹא בִמְהֵרָה יִנָּתֵק׃
יג טוֹב יֶלֶד מִסְכֵּן וְחָכָם מִמֶּלֶךְ זָקֵן וּכְסִיל אֲשֶׁר לֹא־

תו"א והחוט המשולש לא במהרה ינתק. כתובות, סב קדושין מ בתרא נט מנחות מג: טוב ילד מסכן וחכם. זוהר פ' וישב:

וּלְחַד אֵיכְדֵין יִשְׁחַן׃ יב וְאִם וְאִין יְקוּם גְּבַר רַשִׁיעָא וְתַקִּיפָא בְּדָרָא וְעוֹבָדוֹהִי מְקַלְקְלִין וּמִסְתַּקְּפִין לְאַיְתָאָה פוּרְעֲנוּתָא בְּעָלְמָא קַיְמִין תְּרֵין צַדִּיקַיָּא לְקַבְלֵיהּ וּמְבַטְּלִין פוּרְעֲנוּתָא בִּזְכוּתֵיהוֹן וְכַמָּה יָאוּן תְּלָתָא צַדִּיקַיָּא דְהִנּוּן בְּדָרָא וּשְׁלָם בֵּינֵיהוֹן כְּתִיפָא דְמַגְדְּלָא תְּלַת תְּלַת נִימִין דְּלָא בִּבְהִילוּ אִתְנַתְּקָא׃ יג טוב טָב הוּא אַבְרָהָם דִּי הוּא רַבְיָא מִסְכֵּן וַהֲוַת בֵּיהּ רוּחַ נְבוּאָה (בת"ק חכמתא)

רש"י

כמשמעו ולענין זכר ונקבה מתחממים זה מזה ומולידים: (יב) ואם יתקפו האחד. אם באו לסטים עליו לתקפו אם שנים הם יעמדו לנגדו וכ"ש אם ג' הם והחוט המשולש לא במהרה ינתק ד"א מי שהוא ת"ח ובנו ובן בנו שוב אין תורה פוסקת מזרעו וכן הוא אומר (ישעיה נט כא) לא ימושו מפיך ומפי זרעך ומפי זרע זרעך ד"א חוט המשולש במקרא ובמשנה ובדרך ארץ לא במהרה הוא הותא. בפנים אחרים נדרש במדרש יש אחד ואין שני לו אבל אין סדר כל המקראות הללו מתיישב עליהם: (יג) טוב ילד מסכן וחכם. זה יצר טוב ולמה נקרא שמו ילד שאינו בא באדם עד י"ג שנה: מסכן. שאין האברים שומעים לו כמו ליצה"ר: חכם. שמשכיל את האדם לדרך טובה: ממלך זקן וכסיל זה יצה"ר שהוא שליט על כל האברים. זקן שמשעה שנולד הולד הוא נתון בו שנאמר (בראשית ד ז) לפתח חטאת רובץ: וכסיל. שמתעהו בדרך רעה כך

שפתי חכמים

שיפול אין שני להקימו. לכ"ש אוי לי והוא התחלה הענין אז לא יוכן בזולת וי"ו דוחק כלומר אוי לו להאחד שיפול בהם אין שני להקימו: ד כן היא במדרש ובמ"ש אינו כלל שהרי דלא ימושו:

אבן עזרא

לאדני המלך· (יב) ואם יתקפו. אם יתחזק עליו אדם אחד השנים יעמדו נגדו ומלת יתקפו מן הפעלים היוצאים כמו תתקפהו לנצח ובא חסר נו"ן או ה"א כמו וזה שמו אשר יקראו. ויש אומרים כי וי"ו של יתקפו נוסף וזה רחוק לא ימצא וי"ו נוסף בסוף המלה כי אם בשמות לבדם כמו למעינו מים בנו בעור: והחוט המשולש. אם ענין ואין שני הוא העזר יהי' המשולש הכן כענין לא יבשו כי ידברו את אויבים בשער: (יג) טוב כאשר השלים לאמר כי ענין הכסיל ואפילו שיש לו עושר רב הכל הוא הזכיר כי הטוב הזה החכם ואפילו יהי' עני כי מסכן כמו דל כמו אשר לא במסכנות וילד כנגד זקן. ומסכן כנגד מלך. והכם כנגד

ספורנו

טוב בהתחברות השנים שימצאו האמת מתוך הויכוח ההוה ביניה' כמו שיקרה חום נוסף בין שנים שוכבים יחד: (יב) ואם יתקפו האחד ועם זה יקרה טוב אחר בהתחברות השנים שאם יקום חולק עליהם באיזו טענה משובשת: השנים יעמדו נגדו. להראות טעותו בטעם נכון שמצאו בזכותם באופן שימשכו את החולק עליהם בדעת האמתי: והחוט המשולש. ואם יהיו הג' מתוכחים יחד למצוא אמתת איזה דרוש. לא במהרה ינתק. יקרה על המעט מחלוקת ביניהם כי בין שתי דעות הפכיות יבא השלישי ויכריע: (יג) טוב ילד מסכן וחכם. והטעם ששבחתי את העיון ההוה בחברת המעיינים הוא כי אמנם טוב ילד שאין בידו רב נסיון: מסכן. שלא הרבה לקבל מרבותיו לקוצר הזמן: וחכם. בעל סברא נכונה שקנה בויכוח עם חביריו ובזה נעשה כמעיין המתגבר: ממלך שהיה בידו חבילות חבילות של משנה ושל דעות חכמי הדור: זקן. שראה מעשים רבים שיוכל לקנות בהם נסיון: וכסיל. בלתי בעל סברא נכונה: אשר לא ידע להזהר עוד. באופן שלא ידע להשיג יותר

מצודת דוד

ישכבו שנים יחד בעת הקור הלא יתחממו זה מזה אבל לאחד השוכב יחידי איך אפשר להתחמם וכאומר כ"כ הוא בכל הדברים שטובים השנים מן האחד: (יב) ואם יתקפו. אם מי מבעלי הזרוע יאנוס את האחד מהם בחזקת היד יבוא השני לעזור לו וא"כ השנים יעמדו נגד האנס ויוכלו לו: והחוט המשולש. חוט השזור בשלשה כפולות לא במהרה הוא נקרע ולמשל נאמר ור"ל אם שלשה הם שנשתתפו יחד אין למעלה מהם (יג) טוב ילד ט'. יותר טוב אדם החכם אף אם הוא עדיין ילד ואף אם דל הוא וסמה סיבות שאין דבריו נשמעים כ"כ עכ"ז הוא יותר טוב מאדם כסיל אף אם הוא מלך וזקן בשנים וסמה סבת שיהיו דבריו נשמעים: אשר לא ידע להזהר עוד הכם במקרא אשר עוד לא ידע להזהר ור"ל זהו בעבור כי גם עוד זאת בו אשר לא ידע להזהר במעשיו כי יחשוב עצמו לחכם כי אם היה עביר ערכו והיה נזהר לא היה א"כ הדבר רע כ"כ:

מצודת ציון

ואוי לו וכן אי לך ארץ (לקמן י): (יב) יתקפו. מל' תקיף וחוזק ואמיצה בכח רב כמו ולא יוכל לדון עם שהתקיף ממנו (לקמן ו): ינתק ענין העתק וקריעה כמו וינתק את היתרים (שופטים טו): (יג) מסכן. עני ודל כמו וחכמת המסכן בזויה (לקמן ט): להזהר

קיצור אלשיך

שנים היא החלוקה הב' שירדימם ממצות עשה גם יש להם תקוה בטוחה כי הלא והם להם כי יחם לבבם ואם ימים יהיו נרדמים לא יתמידו כי עוד מעט ויעירו משנתם וקרא זה אל זה ואמר מה לך נרדם קומה ונקומה לעשות רצון קוננו כי חם לבם בקרבם כי בערה בם אש ה' ואהבתו כי מצות עשה היא ולא יבצר ממנו לימים יחם לבבו לשוב מדרכו אך ולאחד הוא היצר הרע אם תוכל להרדימו איך יחם ואז יבגע לעולם באופן כי טובים השנים וחזקים ליתקן ממנגדם, וגם אם תהיה החלוקה הג' (יב) שיתקפו האחד הוא היצר הרע שתחזק ידו על האדם והחטיאו מזיד כי יעשה בעל הבית, גם אז אל תתיאש מן הרחמים כי ברית כרותה לעם ה' כי לא יבצר מהם הרהורי תשובה קו לקו עד השנים יתאחדו ויעמדו כנגדו להלחם בו, והנה כל זה הוא לו יונח כי אין עם היצר הטוב בעזרו בלתי הנפש לבדה ומה גם כי הנה גם עוד כח שלישי מצטרף עם שניהם ונעשה חוט משולש שלא במהרה ינתק, וביאר מהו הכח השלישי באומרו (יג) טוב ילד מסכן והכם הוא מאמרנו

על פסוק אשת כסילות הומיה וגו' כי בא שלמה בחכמתו להעביר תלונת האומרים מה נשתנה היצר הרע מהיצר הטוב כ"א כאשר היצר הרע הומה ודוחק ומפציר עד בוש יומם ולילה לא ישבות עד יעשה הפצו, אם היה היצר הטוב עושה כך גם הוא עד נעשה רצונו היינו הכל צדיקים, אך לא יעשה כן רק פעם אחת יעורר וירמוז ולא ישנה, אך התשובה ידועה, כי היצר הרע לא בדעת ידבר כי מי ישמע אליו באומרו יחטא אל ה' וישחית נפשו ויירש גיהנום אך היצר הטוב כל אמריו אמרי דעת ושכל טוב כי בם ידבק בה' מן העולם ועד העולם ואשרי דרכיו ישמורו. ע"כ פיו יפתח בחכמה פעם אחד ומי האיש החפץ חיים ישמע ואם הדל יחדל, אך היצר הרע מורה סם המות ומי ישמע לו לדבר ההוא על כן תופס ההתמדה והומה ומסרב תמיד עד יפתה ויוכל, הנה היצר הטוב אמריו אמרי טוב טעם ודעת, ודברי היצר הרע הוא כסילות. וע"כ קרא לילד מסכן הוא היצר הטוב חכם. ולמלך זקן הוא היצר הרע כסיל אשר לא ידע להזהר עוד נגד היצר טוב, ולא יועיל לו לא היותו [מלך] ולא היותו

but how will one have warmth? 12. And if a man prevails against the one, the two will stand against him, and a three-stranded cord will not quickly be broken. 13. Better a poor and wise child than an old and foolish king, who no longer

Now for whom do I toil—*since I do not raise disciples, and I do not take a wife to beget children?*—[*Rashi*]

9. **Two are better**—*in all respects.* —[*Rashi*]

than one—*Therefore, a person should acquire for himself a companion and take a wife, for they have more profit in their toil. Much work is done by two, which the individual does not start alone.*—[*Rashi*]

10. **For if they fall**—[To be explained] *according to its apparent meaning. And regarding studies, if his studies were too difficult for him, his companion will restore them to him, or if he stumbles and was not exact in what he heard from his mentor, his companion will set him on the truthful course.*—[*Rashi*]

but woe—Heb. וְאִילוֹ, *but woe is to him.*—[*Rashi*]

11. **they will have warmth**—[To be explained] *according to its apparent meaning, and regarding male and female, they are aroused by one another and reproduce.*—[*Rashi*]

12. **And if a man prevails against the one**—*If bandits came upon him to prevail against him, if they are two, they will stand against him, and surely, if they are three, for a three-stranded cord will not easily be broken. Another explanation: Whoever is a Torah scholar, as well as his son and his grandson, the Torah will never cease from his seed, and so Scripture states* (*Isa. 59:21*): *"shall not move from your mouth or from the mouth of your seed or from the mouth of your seed's seed."*

Another explanation:

and a three-stranded cord—*in Bible, Mishnah, and good manners—will not quickly sin. "There is one, and there is no second," is expounded in the Midrash in other ways, but the sequence of all these verses does not fit them* [i.e., the midrashic explanations].—[*Rashi*]

Mezudath David explains:

[8] **There is one**—There is a person who does his work alone, and there is no second with him, for he does not join anyone to help him with the toil of his deeds.

yea, he has neither son nor brother—that they should inherit the wealth that he accumulated with toil.

and there is no end to all his toil—He constantly toils and does not rest.

is not even sated—It is not sated from the wealth that he has already accumulated, for this is not enough for him. Therefore, he does not rest, because he desires to increase it more.

Now for whom do I toil—He does not think, "For whom do I toil and deprive my soul of the pleasure of tranquility and rest? I have neither son nor brother to inherit me. So I will leave over my wealth to others."

This too—although idleness is ignoble, nevertheless, much toil is vanity and an unhappy affair.

[This is similar to the *Targum* which renders:

There is a lone man, and there is no second one besides him; yea, he has neither son nor brother to inherit all his property, and there is no end to all his toil, neither is his eye sated from wealth, and he does not say to himself, "Now for whom do I toil and deprive my soul of pleasure? I will arise now and perform charity therefrom, and I will rejoice in this world with the sons of men, and in the World to Come with the righteous." This too is vanity and an evil affair.]

[9] **Two are better**—Two who work together are better than one who works alone, for two have good profit in their toil, for they will earn much, unlike the single individual.

[10] **For if they fall**—Even if they both fall into poverty, one will lift the other up with some means.

but woe—but woe to the one who falls, and has no second one to lift him up.

[11] **Moreover, if two lie down**—He brings an example from experience, and says, "Behold, when two lie down together in the cold, they warm each other up, but if one lies alone, how can he be warmed?" It is the same in all matters that two are better than one.

[12] **And if a man prevails against the one**—And if a strong-armed man attacks one of them with strength, the second one will come to his aid, the result being that two will stand up against the attacker, and they will prevail against him.

and a three-stranded cord—A cord that is plaited with three strands will not quickly be torn. This is figurative of three who join together. Nothing is superior to them.

The *Targum* paraphrases:

[9] Two righteous men in a generation are better than one, and they are great in wealth (or they conduct themselves richly—*Kaffich*), and their words are obeyed, since they have good reward for the World to Come with their toil, which they toiled to bear their generation.

[10] For if one of them falls into a sick bed, one will lift up his friend with his prayer, but if one is the only righteous man in his generation, at the time he falls into a sick bed, he has no second companion to pray for him, but with his own merit, he will rise from his illness.

[11] Moreover, if two lie down, a man and his wife, they will have warmth in the winter, but how will one have warmth?

[12] And if a wicked and strong man arises in the generation, and his deeds are corrupt, and they plot to bring retribution into the world, the two righteous men rise up against him and abolish the retribution with their prayer. And how beautiful are three righteous men in the generation if there is peace among them, like a three-stranded cord, which will not quickly be broken!

Sforno explains :

[9] **Two are better than one**—This refers to the evil that I have seen happen to the Torah students in the Diaspora, viz., that because they are

scattered, each one sits alone in his place and studies, but—two are better.

[10] **For if they fall**—If they err, it is unusual that they should make the same error. Consequently, one will lift up his friend and assist him from the error into which he has fallen, and also—

[11] **If two lie down, they will have warmth**—It will similarly happen with two that they will find the truth out of the debate that arises between them, just as warmth results from two who lie together.

[12] **And if a man prevails against the one**—There is another benefit that results from the company of two people: if someone arises and differs with them with an erroneous argument, the two will stand against him.

13. **Better a poor and wise child**—*This is the good inclination, and why is it called a child? Because it does not enter man until thirteen years.*—[*Rashi*]

poor—*because the limbs do not obey it, as* [they do] *the evil inclination.*—[*Rashi*]

wise—*which gives a person intelligence to* [follow] *the good way.*—[*Rashi*]

than an old and foolish king—*the evil inclination, which rules over all the limbs.*—[*Rashi*]

old—*for when the child is born, it is put into him, as it is said* (*Gen. 4:7*): *"sin lies at the opening."*—[*Rashi*]

and foolish—*for it misleads him in the way of evil. In this manner, it is interpreted in the Midrash (Ecc. Rabbah).*—[*Rashi*]

who no longer knows to receive admonition—*for he has become old and does not accept reproof.*—[*Rashi*]

יָדַע לְהִזָּהֵר עוֹד׃ יד כִּי־מִבֵּית הָסוּרִים יָצָא לִמְלֹךְ
כִּי גַּם בְּמַלְכוּתוֹ נוֹלַד רָשׁ׃ טו רָאִיתִי אֶת־כָּל־הַחַיִּים
הַמְהַלְּכִים תַּחַת הַשָּׁמֶשׁ עִם הַיֶּלֶד הַשֵּׁנִי אֲשֶׁר יַעֲמֹד
תַּחְתָּיו׃ טז אֵין־קֵץ לְכָל־הָעָם לְכֹל אֲשֶׁר־הָיָה
לִפְנֵיהֶם גַּם הָאַחֲרוֹנִים לֹא יִשְׂמְחוּ־בוֹ כִּי־גַם־זֶה הֶבֶל

מִן קֳדָם יְיָ וְאִשְׁתְּמוֹדַע לֵיהּ מָרֵיהּ בִּמְהֵימְנוּתֵיהּ בַּר תְּלַת שְׁנִין וְלָא צָבֵי לְמִפְלַח לְטַעֲוָתָא עֲתִיד מִן נִמְרוֹד רְשִׁיעָא דַּהֲוָה מַלְכָּא סִיב וְטַפְּשׁ וּמִן בִּגְלַל דְּלָא צָבֵי אַבְרָהָם לְמִפְלַח לְטַעֲוָתָא רְמוֹהִי לְגוֹ אַתּוּן נוּרָא יָקִדְתָּא וְאִתְרְחִישׁ לֵיהּ נִיסָא מִן רִבּוֹנֵי עָלְמָא וְשֵׁיזְבֵיהּ מִתַּמָּן וַאֲפִילּוּ מִן בָּתַר הָכִי לָא הֲוָת סָנְדְּעָא בְּנִמְרוֹד לְאִזְדַּהֲרָא עוֹד בְּדִיל דְּלָא לְמִפְלַח לְטַעֲוָתָא דְהוּא פְּלַח מִן לְקַדְמִין׃ יד אֲרוּם מִן גְּנִיסַת פָּלְחֵי טַעֲוָתָא נְפַק אַבְרָהָם וּמְלַךְ עַל אַרְעָא דִּכְנַעֲנָאֵי אֲרוּם אַף בְּיוֹמֵי מַלְכוּתֵיהּ דְּאַבְרָהָם אִתְעֲבִיד נִמְרוֹד מִסְכֵּינָא בְּעָלְמָא׃ טו רָאִיתִי אֲמַר שְׁלֹמֹה מַלְכָּא בְּרוּחַ נְבוּאָה מִן קֳדָם יְיָ חֲזֵית יַת כָּל חַיָּיא דְּאָזְלִין בְּטִפְּשׁוּתְהוֹן לְקַרְבָא עַל רְחַבְעָם בְּרִי תְּחוֹת שְׁמַיָּא וּמְפַלְּגִין לֵיהּ יַת מַלְכוּתָא לְאִתְיַהֲבָא לְיָרָבְעָם בַּר נְבָט בְּרַם שִׁבְטָא דְבִנְיָמִין וִיהוּדָה הֲוָה לִבְהוֹן שְׁלִים עִם רַבְיָא הוּא רְחַבְעָם בְּרִי דַּהֲוָה תִּנְיָין לְמַלְכוּתִי דִּיקוּם וְיִמְלוֹךְ בַּאֲתַר אַחְסַנְתֵּיהּ בִּירוּשְׁלֵם׃ טז אֵין לֵית סוֹף לְכָל עַמָּא בֵּית יִשְׂרָאֵל לְכָל צַדִּיקַיָּא דַּהֲוָה מְדַבֵּר קֳדָמֵיהוֹן בְּרַם הֵגוֹן

רש"י

מדרש במדרש: אשר לא ידע להזהר עוד. שהרי הזקן ואינו מקבל תוכחה: (יד) כי מבית הסורים יצא למלוך. ממקום הטנופת וסרחון כדמתרגמינן ויבאש וסרי: כי גם במלכותו. משמלך באדם נולד הרש המסכן הטוב ממנו ובא מתוך טהרה ולא מתוך טנופת הרחם כך דרשוהו במדרש. ד"א כי טוב ילד מסכן וגו' כמשמעו אשר לא ידע להזהר עוד שכבר הזקין ברשעו וכסילותו. כי מבית האסורים יצא למלוך. כי הילד המסכן סופו שיאמרו עליו שילא למלוך מתוך עוניו ומבית אסוריו שהרי סמ"ך של הסורים נקוד רפי והרי הוא כמו האסורים (ס"א כמו (ישעיה יג כא) לא יהל שם ערבי כמו יאהל) שכן מלינו ביוסף שמלך מתוך יציאת בית האסורים. וכן דוד (ש"ב ז) אני לקחתיך מן הנוה מאחר הצאן: כי גם במלכותו נולד רש. כי כשר והגון הוא שימלוך כי גם במלכותו הוא נהפך ממנהג השררה ומקטין עצמו אצל החכמים כמדת הרשים וכן (איוב יא יב) ועיר פרא אדם יולד שיהפך וישתנה לו ממה שהיה כעיר פרא ויעשה אדם: נולד. נעשה ולשון הוה הוא (טו) ראיתי את כל החיים וגו'. מצאתי במדרש הספר הזה זה דור המבול שנאמר בהם (בראשית ז יט) ומכל החי' עם הילד השני. אשר יתקיים תחת אותו הדור שהם נח ובניו: (טז) אין קץ לכל העם. פרים ורבים היו יותר מדאי כמו שנאמר (איוב כא ה) זרעם נכון לפניהם אשה מתעברת ויולדת לשלשה ימים ישלחו כצאן עויליהם: לכל אשר היה לפניהם. אין קץ לכל טוב שהיה לפניהם והכל אבד וכרגע שאול יחתו: גם האחרונים. דור הפלגה: לא ישמחו. גם הם בטוב הניתן בידם: כי גם זה. סופו של הבל ורעיון רוח כאשר אדם מהלך אחר יצרו:

ספורנו

ממה שבידו. ומעם סכלות זה הזקן הוא: (יד) כי מבית הסורים יצא. יצא להורות מבית מדרש אנשים סרים מחברת המתוכחים יחד:*נולד רש. ואמרתי שהילד מסכן וחכם טוב מזה הזקן כי אמנם זה הזקן גם*ברבוי חבילות המשניות והדעות אשר בידו נולד רש שלא יבינם אל נכון ובלי שבוש מבלי אין אצלו דרכי ויכוח להשמר מן הטעות בהם: (טו) ראיתי את כל החיים. וזה בעצמו יקרה בעסקי הנפסדות אשר תחת השמש כי אמנם ראיתי את החיים המהלכים ומשתדלים*בעניני תבל נמשכים אחד עצת ילד חכם בעל סברא נכונה אשר יעמוד תחתיו אשר הוא למטה במדרגה ממדרגת הילד הזוכם בעיון שהזכרנו למעלה: (טז) אין קץ לכל העם אשר היה לפניהם. וזה שראיתי בימי מהשתדלות כל החיים בעסקי חיי שעה ונמשכים אחר עצת ילד חכם בזה ובניהים הילד הראשון וחכמתו להשיג חיי עולם לא בימי בלבד קרה אבל קרה ג"כ בדורות הראשונים שהיו לפני העם אשר בימי שהניחו רובם חיי עולם ועסקו בחיי שעה והנה היום אבד זכרם: וגם האחרונים לא ישמחו בו. בהשתדלות הילד השני החכם שכל חכמתו בעסקי חיי שעה: כי אמנם גם זה. המושג בעצת הילד השני החכם הוא הבל

אבן עזרא

כסיל. וענין ילד שכל יום יוסיף הכמה והזקן לא ידע להזהר עוד בעבור שזקן בכסילו': (יד) כי. יתכן שיהיה הילד שהוא חכם מלך ואפילו שיהיה בבית הסורים והמלה חסרת אל"ף כמו מלפנו מבהמו' ארץ שהוא מן ואאלפך חכמה וזה הילד כמו יוסף שהכמתו שמתהו לאדון ואמר שלמה אל תתמה איך יצא ההכם מדבר להפך כי גם הזקן שהוא מלך נולד רש כענין ערום יצאתי מבטן אמי: (טו) ראיתי. עם הילד השני. שהוא מלך תחת הזקן וקראו שני בעבור היותו ילד בא אחריו ועמד תחתיו: (טז) אין קץ. אע"פ שהוא הכם לא ישמחו בו כל ההיים כי משפטי המלוכה קשים. ותוספ' גם טרם האחרונים להורו' על אשר לפניהם כי גם

מצודת ציון

ענינו כמו זריזות ושמירה מן הנזק: (יד) הסורים. חסר האל"ף וכמו האסורים: רש. עני ודל: (טו) כל החיים. אדם הזריז וזריז יקרא בשם חי: המהלכים. ענין טיול:

מצודת דוד

(יד) כי מבית הסורים. כי זה הילד המסכן מלא עלמו מחמתו מבית האסורים אשר היו כלוא שם ויצא למלוך במדינה וכאשר קרה ליוסף במצרים: כי גם במלכותו נולד רש. ר"ל הנה היה למלוכה כי גם אמרו עליו כגם זה הרש נולד במלכות כלו' ראוי הוא למלוכה כאלו מלך נולד: (טו) ראיתי. בעיני ראיתי את כל האנשים החכמים והזריזים המטיילים בעולם: עם הילד השני. ראיתי עם הילד השני הבא אחר זה הילד המסכן אשר מלא עלמו בחכמתו ויצא למלוך: אשר יעמוד תחתיו. אשר ספקתי בדעתי שהוא יעמוד למלוכה תחת המלך הזה שמולך אחר המלך הזקן והאומר לפי שראיתי כל האנשים החכמים והזריזים וגם אותו ראיתי וכמוני מחכמתו מול מכמתם וכמוסם כאין נגדו לכן ספקתי שהוא ימלוך: (טז) אין קץ. בימי מלכות המלך הזקן ובימי מלכות הילד הראשון לא היה קץ

קיצור אלשיך

היותו זקן כי כל מלכותו הבל הוא (יד) כי הלא מבית הסורים מבטן האשה יצא למלוך, ע"כ מלכותו הבל הוא, ואשר הוא זקן מהיצר טוב בי"ג שנה גם זה הבל הוא, כי יש בחכמת היצר טוב להפילו ארצה ואומר שלמה (טו) הגם כי ראיתי את כל החיים המהלכים תחת השמש עם הילד השני הוא היצר הרע אשר יעמוד תחת ובמקומו של היצר הטוב, והולכים ומצליחים, אל תתמה על החפץ (טז) כי מה שאין קץ לכל העם
כי

knows to receive admonition. 14. For out of the prison he has come to reign, for even in his kingdom, he becomes humble. 15. I saw all the living who walk under the sun, with the second child who will rise in his stead. 16. There is no end to all the people, to all that were before them; also the last ones will not rejoice with him, for this too is vanity

14. **For out of the prison he has come to reign**—Heb. הָסוּרִים; *from the place of filth and stench, as we translate* : (*Exod. 16:29*) וְיִבְאַשׁ, *(and it became putrid) as* וּסְרִי.—[*Rashi*]

for even in his kingdom —*Since he reigned over man, the poor one was born; the poor one, who was better than he, and who came out of purity, not out of the filth of the womb. So did our Rabbis interpret it in the Midrash.* [See *Ecc. Rabbah.*]

Another explanation:

[13] **Better a poor and wise child, etc**.—*according to its apparent meaning.*

who no longer knows to receive admonition—*for he has already aged in his wickedness and foolishness.*

[14] **For out of the prison he has come to reign**—*For the poor child—it will ultimately be said about him that he came to reign from the midst of his affliction and from the place of his imprisonment, for the "sammech" of* הָסוּרִים *is punctuated without a "dagesh," which is equivalent to* הָאֲסוּרִים. *(Some editions: like (Isa. 13:20): "and no Arab shall pitch his tent (*יַהֵל*) there," like* יַאֲהֵל*), for so we found that Joseph reigned following his being freed from prison, and so David, (II Sam. 7:8): "I took you from the sheepcote, from following the sheep."*—[*Rashi*]

for even in his kingdom he becomes humble—Heb. נוֹלַד, lit. was born. *For it is fitting and proper that he should reign, because even in his kingdom, he changed from the custom of the ruling class and he humbled himself to the sages, like the custom of the poor. And so (Job 11:12): "and [from] a wild donkey a man will be born (*יִוָּלֵד*)", that he will be changed and converted from what he was, resembling a wild donkey, and he will become a man.* נוֹלַד *means "becomes," and it is in the present tense.*—[*Rashi*]

Mezudath David explains:

[13] **Better a poor and wise child**—Better a wise person, even if he is still a child, and even if he is poor, both conditions being conducive to his not being obeyed. Nevertheless, he is better off than a foolish person, even if he is a king and an aged man, both of which are conducive to his being obeyed.

who no longer knows to receive admonition—This is because he considers himself wise, for if he would recognize his lowly status and would accept admonition, it would not be so bad.

[14] **For out of the prison**—This poor child freed himself, with his

wisdom, from the prison in which he was confined, and he went out to reign in the province, as happened to Joseph in Egypt.

For even in his reign he was born as a poor person—i.e., fit for the throne, for people said about him, "This poor person was born on the throne," meaning that he was born to reign, and it was as though he were born a king.

The *Targum* paraphrases:

[13] Abraham, who was a poor child, but who had the spirit of prophecy from before the Lord, and who recognized his Master when he was three years old and refused to worship idols, was better off than the wicked Nimrod, who was an old and foolish king. And because Abraham refused to worship idols, they cast him into a fiery furnace, and a miracle transpired for him from the Lord of the Universe, and He saved him. Even afterwards, however, Nimrod did not have the sense to receive admonition not to worship the idols that he had worshipped before.

[14] For Abraham was descended from a family of idolaters, and he reigned over the land of the Canaanites, for even in the days of Abraham's reign, Nimrod became impoverished in the world.

15. **I saw all the living, etc.**—*I found in the Midrash of this Book (Ecc. Zuta): This refers to the Generation of the Flood, about which it says (Gen. 6:19): "And of every living thing."*—[*Rashi*]

with the second child—*who will exist instead of that generation, who were Noah and his sons.*—[*Rashi*]

16. **There is no end to all the people**—*They were fruitful and multiplied too much, as it is said (Job 21:8): "Their children are well established in their sight." A woman would conceive and bear in three days.* (Ibid. verse 11): *"They send forth their infants like sheep."*—[*Rashi*]

to all that were before them—*There was no end to all the good that was before them, but all was lost, and in a moment descended to the grave.*—[*Rashi*]

also the last ones—*the Generation of the Separation* [who built the Tower of Babel and were scattered over the face of the earth].—[*Rashi*]

will not rejoice—*with the good that was given into their hands.*—[*Rashi*]

for this too—*Its end is that of vanity and frustration, when one follows his evil inclination.*—[*Rashi*]

Mezudath David explains:

[15] **I saw**—With my own eyes, I saw all the diligent people who were walking in the world.

with the second child—I saw them with the second child, the one who was born after the poor child who freed himself from prison with his wisdom and went out to reign.

who will rise in his stead—who I imagined would rise to ascend the throne instead of the first one who reigned instead of the old king. i.e., Since I saw all these diligent and clever people, and I also saw him and tested his wisdom against theirs, and their wisdom was like nothing compared to his, I concluded that he would reign.

[16] **There is no end**—During the reign of the old king and during the reign of the first child, there was no end for all the people. Then Scripture explains: of all that was before them, meaning that it did not suffice them, that there should be an end to all the good that was before them, because they were not satisfied with their lot. It is as if to say that just as they were during the reign of the old and foolish king, so were they during the reign of the wise child who succeeded him, for with all his wisdom, he was unable to turn them away from their ways.

also the last ones—Also the people who will be later, under the reign of the second child—neither will they rejoice with the goodness of the wealth that they will have, because they will desire more. Although they will have two wise kings, reigning in succession, these two rulers will not be able to bring about a change of heart in the people, to cause them to rejoice with their portion.

for this too is vanity and frustration—Even enthroning wise kings is vanity and frustration, because they have no power to straighten out the people's outlook to the proper way. Consequently, there is no benefit and no fulfillment.

The *Targum* paraphrases:

[15] Said King Solomon with the spirit of prophecy from before the Lord: I saw all the living under the sun who went with their folly to rebel against my son Rehoboam, and they divided the kingdom to give it to Jeroboam the son of Nebat, but the tribes of Benjamin and Judah were wholeheartedly faithful to the child, i.e., my son Rehoboam, who is the second to my throne, and he will reign in the place of his heritage in Jerusalem.

[16] There is no end to all the people of the House of Israel, to all the righteous before whom he [Rehoboam] was going. However, they advised him with wisdom to lighten the yoke from upon them, but he went with the youths, and they advised him foolishly to make the yoke of the kingdom heavier upon the people of the House of Israel and abandoned the advice of the elders, but followed the counsel of the latter ones. Indeed, the latter ones regretted it later and they were not happy with him, but they brought about to conspire against him, that the Ten Tribes should separate from him, and the wicked Jeroboam reigned over them. I said, "This is vanity for my son Rehoboam, and frustration."

ורעיון רוח: יז שמר רגליך יתיר י׳ כאשר תלך אל־בית האלהים וקרוב לשמע מתת הכסילים זבח כי־אינם יודעים לעשות רע: ה א אל־תבהל על־פיך ולבך אל־ימהר להוציא דבר לפני האלהים כי האלהים בשמים ואתה על־הארץ על־כן יהיו

תו״א שמור רגלך כאשר תלך אל בית האלהים. ברכות כג עקרים מ״ג פל״ו: מתת הכסילים זבח. עקידה שער טו: אל תבהל על פיך ולבך אל ימהר. ברכות סא עקידה שער פה:

יעטוהי בחוכמתא למיקל נירא מעליהון ובטפשותיה אזל ואתיעט עם עולימא והנון יעטוהי בטפשותא ליקרא ניר מלכותא על עמא בית ישראל ושביק מלכת סביא ואזל במלכת בתראי ברם הנון בתראי הוו בתר כן לא חדו ביה ואינון גרמו עלוהי לאסתקפא למהוי מתפלגין מניה עשרתי שבטיא ומלוך עליהון ירבעם חייבא אמרית אף דין הבלו רחבעם ברי ותבירות רוח לדיליה: יז שמור אנת בר נשא טר רגלך בעידן דתיזיל לבית מוקדשא דיי לצלאה דלא תהך תמן מלי חובין קדם עד לא תתוב ותהי מקריב אודנך לקבלא אולפן אוריתא מן כהניא וחכימיא ולא תהי כטפשיא דמקרבין קורבנא על חוביהון ולא תייבין מן עובדיהון בישיא דאחידין בידיהון וליתוהי מקבל ברעוא ארום ליתיהון ידעין למעבד בהון בין טב לביש: ה א לא תבהל על מימרך לשבשא ית מלי פומך ולבך לא יוחי לאפקא ממלל בעידן דאת

רש״י

(יז) שמר רגלך כאשר תלך אל בית האלהים. היאך תלך אם תביא תודה ונדבת שלמים הוא הטוב ושמור עצמך שלא תצטרך לילך בהבאת חטאות ואשמות: וקרוב. הוי לשמוע דברי הקדוש ברוך הוא והוי טוב וקרוב להקב״ה: מתת הכסילים זבח. שיחטא ויביא קרבן: כי אינם יודעים לעשות רע. אין הכסיל מבין ה שהוא עושה רע לעצמו: (א) להוציא דבר לפני האלהים. לדבר קשה כלפי מעלה: כי האלהים בשמים ואתה על הארץ. ואפילו חלש מלמעלה וגבור מלמטה

שפתי חכמים

ה דקשה לרש״י א״כ לדיקים יכנסו. לכן פי׳ אין הכסיל מבין שמושם רע לעצמו פי׳ ואמר הקב״ה אין מבינים בין רע לטוב קרבן מביאין לפני וכעין זה דרשו בסוף פרק קמא דברכות:

אבן עזרא

הם לא שמחו בזקן הכסיל. ויש מפרש הילד השני הדור הבא אחריו והענין כי ראה החיים מהלכים תחת השמש והם עם יורשיהם שיעמדו תחתיהם כמו שהיו הם עם הראשונים אשר היו לפניהם והאלה והאלה לא ישמחו בעול׳: (יז) שמר. רובי המפרשים פירשו רגלך כמו לא עשה רגליו ודרך פשוטו הוא כאשר הזכיר המלך ושלא ישמחו בו הקרובים אליו בעבור שיפחדו ממנו והבא אל ארמונו ישמר במלבושיו ודברי פיו אמר יותר מזה יש עליך להשמר כאשר תלך אל בית האלהים וענין שמור רגלך כאדם שיאמר מקום פלוני מסוכן הוא ואם לא תדע להשמר שמור רגלך: וענין וקרוב לשמוע. אע״פ שאמרתי לך שמור רגלך אין האלהים רחוק כמלך בשר ודם רק הוא יותר קרוב לקבל דבריך אם תקרבנו באמת: מזבח. שיתנוהו הכסילים כי אינם יודעים רק לעשות רע כמו אין טוב באדם שיאכל ושתה והענין כי אין להם דעת נכונה לעשות טוב. ויש אומרים כי הכסילים אפילו לעשו׳ רע שהוא קרוב לב האדם אינם יודעים ואף כי הטוב ויש אומרים כי פירוש רע כמו רצון: (א) אל

ספורנו

דבר בלתי נחשב באמת: ורעות רוח. לרבים שתנוח דעתם בקניינים המדומים: (יז) שמור רגלך כאשר תלך אל בית האלהים וקרוב לשמוע. כאשר תלך אל בית אותו הנמצא הנכבד שהוא האלהים הגדול ועם זה הוא קרוב לשמוע תפלות כל פה שמור רגלך: מתת הכסילים זבח. השמר מאופן מתן הכסילים בהקריבם זבח: כי אינם יודעים. כי הם אינם יודעים שום טעם למה יעשו כן אבל מנהג אבותיהם בידיהם: לעשות רע. השמר מזה כי אמנם לא די שלא יהיה לרצון כלל אבל יהיה רע בעיניו ויקצוף כאמרו מי בקש זאת מידכם רמוס חצרי וכאמרו מי גם בכם ויסגור דלתים וכאמרו נתנה עלי בקולה ע״כ שנאתיה:

ה (א) אל תבהל על פיך. להתפלל על הרגל לשונך: ולבך אל ימהר להוציא דבר לפני האלהים. קודם שתכוין אליו לבך כאמרם ז״ל חסידים הראשונים היו שוהים שעה אחת ומתפללים כדי שיכונו לבם: כי האלהים בשמים. שוכן בכלם על ענין אחד להיותו בלתי גשמי: ואתה על הארץ.

מצודת דוד

לכל העם והוא׳ ומפרש לכל אשר היה לפניהם ר״ל לא היה די להם לסיום קץ לכל הטובה אשר היה לפניהם כי לא שמחו בחלקם וכאומר כמו שהיו לפני המלך הזקן הכסיל כן היו לפני הילד המסכן אשר מלך תחתיו כי יגע כל חכמתו לא היה בידו לשנותם מדרכם: גם האחרונים. גם בני העם אשר יהיו לאחרונה בימי מלכות הילד השני גם הם לא ישמחו בטובת העושר אשר יהיה בידם כי יתאוו תאוה לתרבות מוד עם כי ימלכו עליהם בני חכמים בזה אחר זה אין בידם להטות לבבם לשמוח בחלקם: כי גם זה הבל. גם העגבה חכמים הבל ושבר רצון כי אין בידם להשכיל דעת בני האדם אל הדרך הנכון א״כ אין תועלת ואין מלוי רצון: (יז) שמור רגלך כו׳. בעת אשר תלך לבה״מ ולא הנית רגליך ללכת שמה בעניין דבר הרע בעיני המקום כהבאת חטאות ואשמות כי טוב שלא תחטא ולא תביא כפרה: וקרוב לשמוע. יותר מתקרב האדם אל המקום ב״ה בחת לב לשמוע בקולו ולהיות נזהר מן החטא: מתת. ממתן הזבח של הכסילים שחוטאים ומביאים קרבן כפרה: כי אינם יודעים. ר״ל אינם נותנים לב לדעת מהו מעשה הרע ונקלות דהדט יחשבו שטוב בעיני המקום לחטוא ולהביא קרבן כפרה:

ה (א) אל תבהל על פיך. אל תמהר לדבר בפיך ואפילו לבך אל ימהר לפתוח להוציא מפיך דבר תלונה לפני מעלה להתרעם על מדותיו: כי האלהים בשמים. המקום ב״ה הוא בשמים ממעל ואתה על הארץ מתחת ואפי׳ חלש מלמעלה וגבור מלמטה

מצודת ציון

(יז) מתת. מל׳ נתינה כמו ביום תת ה׳ (יהושע י): ה (א) תבהל. מל׳ בהלה ומהירות: על פיך. מלת על באה במקום הבי״ת כמו וסגרו על מסגר (ישעיה כד):

קיצור אלשיך

כי לא יבא עליהם קצם, הלא לא מזכותם הוא רק בשביל מה שהיה לפניהם, בזכות האנשים הקודמים להם. גם האחרונים אשר יבואו אחריהם לא ישמחו בו בהיצר הרע כי גם זה הבל ורעיון ושברון רוח. כי משלם לשונאיו אל פניו וגו׳. (יז) שמור רגלך כאשר תלך אל בית האלהים לבית הכנסת להתפלל ולשוב מעונותיך, תשמור רגלך שלא לצאת מהר משם כפורק משא, כי הקב״ה קרוב לשמוע תפלתך יותר ממה שקרוב לקבל קרבנות הכסילים, כי אינם יודעים אם עושים רע, יען כי כסילים המה ואינם יודעים את התורה

ה (א) אל תבהל על פיך. בעת שאתה מתפלל אל תתפלל בבהלה, ולבך אל ימהר להוציא אל הפועל דבר שהוא לפני האלהים ולא לפניך שאין גלוי

and frustration. 17. Watch your feet when you go to the House of God, and be ready to obey rather than fools should give sacrifice, for they know not that they do evil.

5

1. Be not rash with your mouth, and let your heart not be hasty to utter a word before God, for God is in heaven, and you are on the earth; therefore,

17. **Watch your feet when you go the the house of God**—[Watch] *how you go: if you bring a thanksgiving offering or a donative peace offering, that is good, but watch yourself that you should not have to bring sin offerings or guilt offerings.*—[*Rashi*]

and be ready—*Be ready to obey the words of the Holy One, blessed be He.*—[*Rashi*]

rather than fools should give sacrifice—*that he should sin and bring a sacrifice.*—[*Rashi*]

for they know not that they do evil—*The fool does not realize that he is doing harm to himself.*—[*Rashi*]

Mezudath David renders:

and it is closer to obey—i.e., One is closer to the Omnipresent by directing his heart to obey Him and to beware of sinning.

than fools should give sacrifice—than the gift of the sacrifice of the fools who sin and bring a sacrifice.

for they know not —They do not direct their hearts to know which deeds are evil, and with their superficial understanding, they believe that it is better in God's sight to sin and bring a sacrifice to expiate their sins.

The *Targum* paraphrases:

Watch your feet when you go to the Temple of the Lord to pray, that you do not go there full of sins before the Lord before you repent, and listen intently to the teaching of the Torah from the priests and the sages; and do not be like the fools who offer a sacrifice for their sins and do not repent of their evil deeds, which they hold with their hands, and it is not accepted willingly, for they do not know to do either good or evil.

Saadia Gaon renders: Watch and weigh your steps and your affairs in all your ways and behave with clean hands and with the fear of Heaven just as when you go to the House of God, and be ready to obey, for the sacrifice represented by listening and obeying God is better than the sacrifice offered by fools, for they do not learn to change their ways when they are committing evil.

Sforno explains:

Watch your feet when you go to the House of God—when you go to the House of that honorable Being, the great God—

He is ready to listen—to the prayers of every mouth—

Watch your feet...from the fools' gift of sacrifice—Beware of sacrificing in the manner that is practiced by the fools when they offer a sacrifice.

for they do not know—For they do not understand the reason why they are sacrificing; they are merely continuing the tradition of their forefathers.

to do evil—Beware of this, for indeed, not only will the sacrifices not be accepted willingly, but they will displease God and He will become wroth, as the prophet Isaiah states (1:12): "Who requested this of you, to trample My courts?" and as the prophet Malachi states (1:10): "O that there were even one among you who would close the doors [of the Temple]," and as the prophet Jeremiah states (12:8): "She raised her voice against Me; therefore I hated her."

5

1. **utter a word before God**—*to speak harshly toward Heaven.*—[*Rashi*] *Mezudath David* too explains in this manner, as follows:

Be not rash with your mouth—Do not hasten to speak with your mouth, and do not even allow your heart to hasten to entice you to voice complaints against Heaven, to complain about His dispensations. —[*Mezudath David*]

for God is in heaven, and you are on the earth—*And even if a weak one is above, and a mighty one is below, the fear of the weak one is upon the mighty one, and surely if a mighty one is above and a weak one is below!*—[*Rashi*]

therefore, etc.—For, with many words, you will come to complain against the decree of the Omnipresent.—[*Mezudath David*]

Ta'alumoth Hochmah follows the same idea, deviating slightly from *Rashi*. He explains this verse as follows:

Be not rash, etc.—Here Koheleth addresses each individual of Israel and says to him: When you see that God behaves toward you with the Divine Standard of Justice, represented by His name אֱלֹהִים, be cautious with your words, and do not think evil of Him, but be silent, as Aaron was when his two sons were killed by heavenly fire (Lev. 10:3), and as Jeremiah states in Lamentations (3:28): "Let him sit solitary and wait, for He has imposed [it] upon him."

for God is in heaven and you are on earth—Since God is in heaven and you are on earth, and just as the heavens are high above the earth, so are His thoughts higher than yours, and you do not have the ability to refute any of His decrees.

Midrash Lekach Tov also explains in a similar manner:

Be not rash with your mouth, and let your heart not be hasty to utter a word before God—If troubles befall a person, let him not speak improperly about his Creator, as is stated concerning Job (2:10): "Despite all this, Job did not sin with his lips."

for God is in heaven and you are on the earth—i.e., He rules over you. He made you, and He established you. He raises up and He humbles; He impoverishes and He enriches. You should not think evil of His dispensations; therefore, let your words be few.

Sforno explains this verse in an

entirely different manner, as referring to devotion in prayer:

Be not rash with your mouth—to pray according to the way you are accustomed to praying.

and let your heart not be hasty to utter a word before God—before you direct your heart to Him, as the Sages state (Ber. 5:1): The pious people of ancient times would wait one hour and then pray, in order to direct their hearts to their Father in Heaven.

for God is in heaven—dwelling in the heavens, unchanging, since He is not material.

and you are on the earth—in one particular place, not spreading throughout the entire earth, as is fit for a physical being. Accordingly, there is a vast difference between your essence and His, and you cannot hastily direct your thoughts to Him.

therefore, let your words be few—Do not pray longer than necessary, lest you turn away from the proper intention, and bring guilt upon yourself.

The *Targum* paraphrases:

Do not be rash with your speech to utter erroneous words with your mouth, and let your heart not be hasty at the time that you pray before the Lord, for the Lord is the Ruler of the entire universe, and He sits on the throne of His glory in the highest heavens, whereas you dwell on the earth. Therefore, let the words of your mouth be few.

תבהל. אל יוציא פיך מלין לפניו בכיתו בבהלה ולכך אל ימהר כי אם תבינהו כי הלב כמו אובד ותועה בעסקי העולם על כן אמר משיח ה' מלא עבדך את לבו ודע כי האלהים נגד עליך ורואה אותך ושומע דבריך כי הוא בשמים בגבהי מרום הגבוהים ואתה על הארץ ואין למטה ממך על כן יהיו דבריך מעטים שלא תסתכן כמו שהיה כהן גדול ביום הכפורים מתפלל תפלה קצרה ויוצא:

אמר אברהם המחבר. הנה נא הואלתי לדבר. כי בעבור היות כבוד המקום מלא כל מקום ולא יוכל האדם להשמר בכל מקום הוכן לו מקום שיהיה לו קבוע לתפלתו והוא חייב לכבדו גם חייב* האדם להודו' ולשבח לאלהיו בכל רגע כי חסדו עמו בכל חלקי הרגע שיחיינו ויתענג בהרגשו' רק בעבור היות האדם מתעסק בעסקי העולם שושם לו זמן שיתפלל בו והם עתים ידועים ערב ובקר וצהרים כי כל מישים לו עינים ידע עת צאת השמש ועת נטותו ועת בואו על כן חייב אדם שיתפלל שישמור פתחי פיו ויחשוב בלבו שהוא עומד לפני מלך בידו להחיות ולהמית על כן אסור שיתפלל אדם ויבינם בתוך תפלתו פיוטין לא ידע עיקר פירושם ולא יסמוך על המחבר ברצונו הראשון כי אין אדם אשר לא יחטא או המעתיקים הטעו וכלל אומר יש בפיוטי רבי אליעזר הקליר מ"כ ארבעה דברים קשים. הדבר האחד כי רובי פיוטיו חידות ומשלים ואזכיר מפיוטיו אחד והוא. לירא"י יקפיל. וחדשים יכפיל. ליום זה פור הפיל. ומציון ימלוך. יש מפרשים כי לירא"י הוא ביו"ד ועניינו הוא המשיח יקפיל הארץ לפניו וחדשים יכפיל שיכפיל הדדי השני' וימהר ביאתו. ויש אומרים כי הוא בלא יו"ד ועניינו יעביר כמלת ראי דרכך בגי וחדשים יכפיל יסתיר.* וחכמי הדור יפרשו* לראי יקפיל שיעביר אלה השמי' המתבלים לראי מוצק וחדשים יכפיל הם השמים החדשים גם זה איננו נכון כי אין משמע לשונו כי אם יעביר ראי ויכפיל חדשים אולי עבותים הם ויכפילם כדי שתהיה המכה בהם קשה. היתכן שיאמ' אדם אין בכל החיים חכם כעיר ויאמר כי עניינו אדם שנאמר ועיר פרא אדם יולד או יאמר אחרי העם עובדי אש ומשתחוים לשמש ויאמר כי אש הוא השם הנכבד והנורא שנאמר כי ה' אלהיך אש אוכלה הוא אל קנא גם הוא שמש שנאמר כי שמש ומגן ה' אף כי אלה בלי כ"ף דמות כראי חזקים ולא דמה הכתוב השחקים לראי כי אם בחוזק היתפלל אדם ברוך אתה אריה בעבור שנמצא על המקום כאריה ישאג הייטב בעיני ה' ולמה לא נלמד משלמה שלא היה חכם אחריו כמוהו והנה תפלתו שהתפלל מודע' וכל יודע לשון הקדש יבין אותה ואיננה חידות ומשלים וכן תפלתו של דניאל שהיה מערת קטרין והנה אלה לא התפללו כי אם בדברים מבוארים שהיו חכמים אף כי המתפלל על הנשים רבים וכלם אינמו חכמים וכן כל תפלה לחול ולקדש שתקנו הראשונים אין בה חידות ומשלים ומה ענין יש שיכפיל השמים החדשים שיהיו שנים ויכפילם ולאמר על המקים ליום זה פור הפיל איננו נכון כי המשליך גורל לא ידע מה יהיה והיה ראוי שיברח ממלת פור הפיל כי לא תמצא כי אם במקום הגורל ועוד אחר שיעביר אלה השמים והארץ איך ימלוך מציון והיא חלק מהארץ. ענה אחד מחכמי הדור ואמר כי חרוז יקפיל הצריכו שיאמ' פור הפיל השיבותיו כי לא מצאנו הנביאים בכל תפלתם שיעסקו בחרוז ועוד כי היה לו לעשות על חרוז אחר ולמה רכב על פיל ואותו לארץ יפיל ואם ראה בחלום שיעשה חרוז על פיל והוצרך להקין לפתור חלומו יהיה אומר. ליחן יעפיל. למתנשא יפיל. ורמי לב ישפיל. ומציון ימלוך. והדבר השני שפיוטיו מעורבים בלשון* תלמוד וידוע כי יש כמה לשונות בתלמוד ואינמו לשון הקדש וכן אמרו לשון מקרא לחוד ולשון תלמוד לחוד ומי הביאנו בצרה הזאת להתפלל בלשונו' נכריות הלא נחמיה הוכיח המדברים לשון אשדודית ואף כי בעת התפלה ולמה לא נלמד מן התפלה הקבועה שהיא כלה דברי צחות בלשון הקדש ולמה נתפלל בלשון מדי ופרס ואדום וישמעאל. והדבר השלישי אפילו המלות שהם בלשון הקדש יש בהם טעיות גדולות כמו אנסיכה מלכי לפניו והנמצא מזה הענין ואני נסכתי מלכי והוא מן הבנין הקל על משקל נפלתי ונדרתי והעתיד אסוד או אנסוך כמו אפול ואדור ומן הבנין הכבד יאמר הפיל והעתיד אפיל וכן מן הסיך יאמר אסיך או אנסיך בהראות הנו"ן כמו ולנפיל ירך והנה יהיה פירוש אנסיכה מלכי אעשה ממנו נסוך כמו בל אסיך נסכיהם מדם ויש מפרשים נסכתי מלכי כמו משחתי ואם היה הפירוש אמת תהיה טעות שנית ולמה לא אמר ארומם מלכי או אשבח ואודה או אקדש רק בקש מלה להראות חכמתו לשומעים ואנחנו חייבים לדעת דקדוק הלשון היטב שלא נטעה כמו המברכים ברכ' המזון שיאמרו זכנו ולא ידעו כי זכנו הוא מן זכה כמו ענו מן ענה ולא יאמר מן זן כי אם זוננו כמו שובנו אלהי ישענו ופעם יאמר לו לשון עבר והוא לשון ציווי כאשר יאמרו רבים בתענית שאל עניו פניך וידוע שהשי"ן במקום אשר כמו מה שהיה הוא שיהיה ואל הוא לשון צווי לעתיד כמו חל נא את פני ה' והנכון לומר שחלה כמו ובהכנעו חלה את פני ה' ועוד כי לשון הקדש ביד ר' אליעזר כ"ע עיר פרוצה אין חומה שיעשה מן הזכרים נקבו' והפך הדבר ואמר שושן עמק איומה וידוע כי ה"א שושנה לשון נקבה וישוב הה"א תי"ו כשיהיה סמוך שושנת העמקים ובסור הה"א או התי"ו יהי' ל' זכר כמו צדק' וצדק ואיך יאמר על שושן איומה ולמה ברח מן הפסוק ולא אמר שושנת עמק איומה ועוד מה ענין לשושנה שיתארג' באימה התפחד השושנה ואין תואר השושנה כי אם קטופה או רעננה או יבשה. אמר אחד מחכמי הדור הוצרך לומר איומה בעבור שתהיה חרוזתו עשירה השיבותי אם זאת חרוזה עשירה הנה יש בפיוטיו חרוזים עניים ואביונים מחזרים על הפתחי' שיחבר הר עם נבחר אם בעבור היות שניה' מאותיו' הגרון אם כן יחבר עמם אל"ף ועי"ן ועם הבי"ת והוי"ו שהוא גם מחבר לוי עם נביא יחבר עמם מ"ם ופ"ה ויהיו כל החרוזים חמשה כמספר מוצאי האותיו' ואם סבת חבור ה"א עם חי"ת בעבו' היו' דומים קרובו' במכתב אם כן יחבר רי"ש עם דל"ת ואף כי מצאנו דעואל רעואל דודנים רודנים וכן יחבר משפטים עם פתים כי הם ממוצא א' ונמצא הטי"ת תמור' תי"ו במלת נצטדק הצטידנו ויצטירו וכן חבר יום עם פדיון ועליון. גם זה איננו נכון אע"פ שנמצא מ"ם במקום נו"ן כמו היין והטין איך יחליף מ"ם יום שהוא שורש עם נו"ן עליון פדיון שהוא מן עלה ופדה והוא איננו שרש ועוד מה ענין החרוז רק שיהיה ערב לאוזן ותרגיש כי סוף זה כסוף זה ואולי היתה לו הרגשה שנית שירגיש בה כי המ"ם כמו הנו"ן ואינמו ממוצא אחד ועוד חבר עושר עם עשר העשר גם זה איננו נכון רק אם הי' המתפלל אפרתי. יש אומרים אין משיבין את הארי אחר מותו התשובה רוח אל עשתנו כלנו ומחומר קורצנו הקדמונים כמונו ואוזן מלים תבחן וכלנו נדע כי דניאל היה נביא ורב על כל חרטומי בבל וחכמיה והנה אמרו החכמים ז"ל טעה דניאל בחשבונו והחשבון הוא דבר קל ועוד כי ירמיה הנביא בזמן דניאל היה ואחר שהראו חכמינו הראיה על טעותו האמור יאמר להם אולי היה דניאל חי היה מטעה המטעים אותו. ואחרים אמרו רחמנא לבא בעי א"כ למה נצטרך לדבר כי הוא יודע תעלומות לב והלא תקנו הקדמונים לאמר בלוס כפור היה עם פיפיות שלוחי עמך בית ישראל ואל יכשלו בלשונם. והדבר הרביעי שכל פיוטיו מלאים מדרשו' ואגדו' וחכמינו אמרו אין מקרא יוצא מידי פשוטו א"כ אין ראוי להתפלל אלא על דרך פשט ולא על דרך שיש לו סוד או הוא על דרך משל או הוא כענין שאין הלכה כמותו או שיתפרש לענינים רבים הלא ידענו במדרש שיר השירים שכל שלמה האמור שם הוא קדש

ועניינו

Rokeach presents many interesting insights on this verse by transposing the letters and computing the numerical values of the words:

Be not rash with your mouth etc.—The Generation of the Flood was punished because they spoke slanderously, (Job 21:14) "They said to God; Turn away from us." Likewise, the Spies were punished for the words of their mouths, as were Pharaoh, Sennacherib, etc.

Be...rash—Heb. תְּבַהֵל This word is composed of the same letters as לַהֶבֶת, *flame*. Do not bring about the flame of Gehinnom.

let not be hasty—Heb. יְמַהֵר. This word is composed of the same letters as רְמִיָּה, *guile*.

to utter—Heb. לְהוֹצִיא. This has the same numerical value as בִּלְעָם, [i.e., you shall not utter words] to curse them.

30 = ל	2 = ב
5 = ה	30 = ל
6 = ו	70 = ע
90 = צ	40 = ם
10 = י	142
1 = א	
142	

to utter a word—the law of the מְצֹרָע, who utters evil (הַמּוֹצִיא רָע).

to utter a word—Heb. לְהוֹצִיא דָבָר. This has the same numerical value as שָׁלִיחַ, *messenger*. This is the prayer leader of the congregation who prays improperly.

30 = ל	300 = ש
5 = ה	30 = ל
6 = ו	10 = י
90 = צ	8 = ח
10 = י	348
1 = א	
4 = ד	
2 = ב	
200 = ר	
348	

Another interpretation:

to utter a word—It is written concerning Nebuchadnezzar (Dan. 4:28): "The word was still in the king's mouth, [when] a voice fell from heaven, [which said]: To you it is spoken, O King Nebuchadnezzar, your kingdom is departed from you...."

for God is in heaven and you are on the earth—How was he permitted to say, (Isa. 14:13): "To the heavens will I ascend"? and so (ibid. 14) "I will ascend above the heights of the clouds"? And so many things that the nations of the world said.

therefore, let your words be few—He is addressing the generations.

few—Heb. מְעַטִּים. This word occurs twice in Scripture. Once here and once in Psalms (109:8): "May his days be few." Whoever speaks excessively—the Holy One, blessed be He, diminishes his days.

דְבָרֶיךָ מְעַטִּים: ב כִּי בָּא הַחֲלוֹם בְּרֹב עִנְיָן וְקוֹל כְּסִיל בְּרֹב דְּבָרִים: ג כַּאֲשֶׁר תִּדֹּר נֶדֶר לֵאלֹהִים אַל־תְּאַחֵר לְשַׁלְּמוֹ כִּי אֵין חֵפֶץ בַּכְּסִילִים אֵת אֲשֶׁר־תִּדֹּר

תו״א כי בא החלום. זוהר מקץ: כאשר תדור פקודים שער פא:

מצלי מן קדם יי ארום יי שליט על כל עלמא ויתיב על כורסי יקריה בשמי מרומא דאנת יתיב על ארעא בגין כן יהון מלי פומך קלילין: ב כי ארום היכמא דאתי חלמא על הרהורי לבא בסגיאות נוונן קל שטיא כדין בסגיאות פתגמין בטלין: ג כאשר בעידן דתדר נדרא קדם יי לא תעכב לשלמותיה ארום בגין כן לית רעוא דיי בטפשיא מן בגלל דמעכבין נדריהון ולא משלמין

רש״י

אימת הלב על הגבור וכ״ש גבור למעלה והלב למטה: (ב) כי בא החלום ברוב ענין. כי דרך החלום לבוא ברוב הרהורים שאדם מעיין ומהרהר ביום ודרך קול כסיל לבוא ברוב דברים כי בהרבותו דברים מוציא קול של כסילות מפיו כי לא יחדל פשע לכך אני אומר יהיו דבריך מעטים: (ג) אין חפץ בכסילים. אין חפץ לפניו ו הקב״ה

שפתי חכמים

ו דק״ל היאך שוה כי אין חפץ בכסילים נתינת טעם לאל תאחר לשלמו. לכ״ס אין חפץ וכו׳:

אבן עזרא

ועניינו המלך שהשלום שלו הנכון שיאמר אדם בתפלתו הושיענו המלך שלמה והנה מלאנו במקרא האומרים מה משא ה׳ וידוע כי יש משא כמו נבואה והמדברים לירמיה הנביא מה משא ה׳ לא ידע הנבי׳ סודם שלא היו אומרים כי אם מענין איש איש על משאו ואמר היודע הנסתרות לנביא שיאמר להם כי המשא יהיה לאיש דברו והפכתם את דברי וגו׳ אכן תאמרו מה דבר ה׳ ומה ענה ה׳ שאין במלה ספק כענין וכן לא תקראי לי עוד בעלי והלא הוא בעל נעורים כמו אישי לכן בעבור היות שם בעל ספק עם שם הבעל שהוא כלם אמר הנביא אפי׳ מלה שיש בה ספק כענין כלם לא תאמרי לי כי אם אישי והגאון רב סעדיה נשמר מאלה הארבעה דברים בבקשותיו השתים שלא הבר מהבר כמו הם והם על לשון המקרא ודקדוק הלשון באין חידות ומשלים ולא דרש. והכם היה בלרפת גם הוא חבר בקשה תהלת׳ אמרי האזינה ה׳ ויש בה דברים אינמו נכוני׳ מהם שאמר הרחבת עולמי׳ אין להם גבול ומה שאין לו גבול איננו נברא והאמר כי שמך בך ובך שמך ואילו ידע מה פירוש שם לא היה זה הדבור עולה על לבו ועוד אחר שאמר כי שמך בך הלא הוא בעצמו בך שמך כי מה הפרש בין שלום עליך או עליך שלום ראובן אתה או אתה ראובן תפשוש חיים או חיים תפשוש יברכך ה׳ וישמרך ה׳ ישמרך מכל רע ואין זה דרך תפלה אלא דרך שחוק והכם אחד שחבר שתי מלות והיו לאחדים בפיו כמו אברמל פירוש אבאר מלה או אברר מלה והנה עשה הפך מה שאמר כי לא באר המלה ולא דבר ברור רק בלל בשפתו שפת הקדש ולא אוכל לבאר אחד מני אלף מטעו׳ הפייטנים והטוב בעיני שלא יתפלל אדם בהם כי אם התפלה הקבועה ויהיו דברינו מעטים ולא נענש בדין: (ב) כי בא החלום כשיהיה החלום מעורב מענינים רבים ידוע שהוא מתערוב׳ המאכלים והתגבר אחת מן הארבעה שרשים לא יהיה לו פתרון ולא יורה על טוב או רע כי הכל הוא כן ידמה הכסיל שירבה דברים וכל המרב׳ דברי׳ בכל מקום מביא חטא אף כי במקום המוכן להזכיר שם הגבוה בו תמיד: (ג) כאשר תדור. כאשר צויתיך שתשמור בבית האלהים בדבריך גם כן אתה חייב להשמר בכל מקום וכל עת בתזכור השם או הדור נדר לו תשמור מוצא שפתיך ולא תהיה מן הכסילים כי אין חפץ בם:

ספורנו

במקום מיוחד בלתי מתפשט בכלם כראוי לגשמי באופן כי רב ההבדל בין מציאותך למציאותו ולא במהרה תוכל לכוין את דעתך אליו: ע״כ יהיו דבריך מעטים. לא תאריך דברים בתפלתך יותר מן הצורך פן תסור בהן מן הכוונה הראויה והבאת עליך אשם: (ב) כי בא החלום ברב ענין וקול כסיל ברב דברים. כי כמו שיקרה החלום בדברים בטלים וזה ברב ענין הדמיוני בהקיץ כאמרם ז״ל הרהר כולו יומא ולאורתא חזא כן יקרה בקול כסיל בתפלתו כשתהיה ברב דברים שיגבר עליו הדמיון ויסור מן הכונה: (ג) כי הדר נדר לאלהים לא תאחר לשלמו. וכמו שיקרה ברבוי הדברים בתפלה שיחשוב המתפלל למצוא חן בהם ויקרה מהם הפך זה כן יקרה בדבר הנדרים שיחשוב הנודר למצוא חן בהם גם שיאחר לשלם עד אשר יראה מה יעשה אלהים לו והנה יקרה לו הפך זה: כי אין חפץ בכסילים. החושבים שהיה הנדר לאל ית׳ כענין שוחד* ב״ו כאשר יהיה על הנאי שיעשה* הב״ו חפצו ובזה יגמול אותו בשוחד. וזה שקר כי אמנם ענין הנדר לאל ית׳ הוא ע״צ ההכנעה בלבד לא* צד גמול ולכן כשלא ישלם קודם שישיג חפצו יהיה כתוהא על ההכנעה אם לא ישיג. לכן אתה את אשר תדור שלם מהרה

מצודת דוד

אימה הלב על הגבור וכל שכן גבור למעלה והלב למטה: על כן כו׳. כי בתרבית דברים תבוא להתלונן ולהתרעם מול גזירת המקום: (ב) כי בא. כמו בדרך החלום לבוא במי שמהרהר בהרבה ענינים כן בא קול כסילות מהלונג ותרעומות במי שמרבה דברים: (ג) נדר לאלהים. לעשות לצדקה: כי אין חפץ בכסילים. אין הרצון מתקיים בכסילים כי פעם יחפוץ בדבר מה ולאחר זמן לא יחפוץ עוד בו והנודר הלא לכסיל יחשב כי יותר טוב לתת לצדקה מבלי נדר והואיל וכן אל תאחר לשלמו כי בהאריך הזמן פן לא תחפוץ עוד בהנדר

קיצור אלשיך

גלוי לפניך מה שאתה מוציא מפיך, ואז איננו שומע אותך ולא יתקרב אליך, כי אדרבה מסתלק ממך, וזהו אומר כי האלהים בשמים ואתה על הארץ ע״כ למען הוכל לכוון טוב הקיצור כי יהיו דבריך מעטים כי במעט תעצור כח לכוון יותר מבמרובה, ואל תהיה גרוע ומחלום חולם (ב) כי בא החלום ברוב ענין והמועט הוא דברים בטלים וקול כסיל כמרבה דברים ברוב דברים והענין מועט:

(ג) כאשר תדור וגו׳. ר״ל אם רואה אדם יסורים ממשמשין ובאין עליו, וזהו כשתדור נדר לאלהים הוא מדת הדין שבאה עליך, אל תאמר אמתין עד אחר זמן שאראה עצמי ניצול בעצם מאותה הצרה אז אשלם נדרי, לא תעשה כן, כי אם מיד טרם ראותך ההצלה בעצם תשלם, ולא תאמר הלא חפצי לקיימו ודי לי החפץ בלבי ואקיימנו אחר ההצלה, לא כן הוא, כי אילו היה בא הנדר שלא על חטא, היית מאחר עד שלש רגלים, אך זה בא על שהיית כסיל חוטא שנכנס בך רוח שטות, שעל היותה מדת הדין באה לפגוע בך ולסלק חרון אף אין מספיק לך היות לך חפץ טוב לקיים עד אחר ההצלה בעצם, וזהו כי אין חפץ בכסילים כי אם מיד אשר תדור שלם. וש״ת הלא לא יבצר מהיות לי איזה זכות במה שנדרתי

let your words be few. 2. For a dream comes with much concern,
and the voice of the fool with many words. 3. When you pronounce
a vow to God, do not delay to pay, for He has no pleasure in fools;
that which you vow,

2. **For a dream comes with much concern**—*For it is usual for a dream to come because of the many thoughts upon which a person ponders and thinks during the day, and it is usual for the voice of a fool to come with many words, because by increasing his words, he utters a voice of foolishness from his mouth, for* [from talking too much] *transgression is inevitable; therefore, I say that your words should be few.*—[*Rashi*] Just as it is customary for a dream to come to one who thinks about many matters, so is the voice of foolishness, complaining and lamenting, customary in one who increases words.—[*Mezudath David*]

Ta'alumoth Hochmah explains: Just as a dream is a display of imagination, without basis in fact, since a person's intellect is dormant when he is asleep, and only his imagination is active, and it shows whatever fantasies have attached themselves to his imagination, although many of them are false, so is it with many words: the intellect has no control over them. The person frequently utters fantasies, since the intellect has no control over his excessive words.

Midrash Lekach Tov explains: For just as a dream comes to a person from the many things he thinks about, as Scripture states (Dan. 2:29): "your thoughts came while on your bed," and just as the dream comes with many matters of thought, so does the voice of the fool come with many words, as it is said (Prov. 7:28): "Also, a fool who is silent will be thought of as a wise man," and because of his many words, he is known to be a fool. [Note that *Midrash Lekach Tov* renders the verse in Proverbs according to the *Targum* ad loc. Most commentators render: He who silences even a fool is considered a wise man.]

Sforno explains that, just as dreams always contain some falsehood, so do the prayers of the fool contain falsehood when they are lengthy, because his mind strays from devotion to his prayers.

3. **a vow to God**—to give charity.—[*Mezudath David*]

He has no pleasure in fools—*The Holy One, blessed be He, has no pleasure in the wicked who vow and do not pay.*—[*Rashi*]

Mezudath David renders: There is no desire in fools, meaning that fools have no stable desire, for one moment they desire one thing, and the next moment they no longer desire it. One who vows is considered a fool because it is better to give charity without a vow. Since it is so, do not delay in paying your vow, for as time goes on, perhaps you will no longer desire the vow, and you will fail to pay it. Therefore, pay what you vow, i.e., pay it immediately, without delay.

שלם: ד טוב אשר לא־תדר משתדור ולא תשלם:
ה אל־תתן את־פיך לחטיא את־בשרך ואל־תאמר
לפני המלאך כי שגגה היא למה יקצף האלהים
על־קולך וחבל את־מעשה ידיך: ו כי ברב חלמות
והבלים ודברים הרבה כי את־האלהים ירא: ז אם־
עשק רש וגזל משפט וצדק תראה במדינה אל־

ת"א טוב אשר לא תדור נדרים ט מנחות פא חולין ב: אל תתן את פיך שבת לב חגיגה טו כתובות עב שבועות לט זוהר פרשת בראשית: כי ברב חלומות והבלים. ברכות י:

תרגום: ואנת ית די תנדר שלם: ד טב לך די לא תנדר מן די תנדר ולא תשלם: ה אל לא תנבלית מימר דפומך למגרם דין גהינם עלי בסרך וביום דינא רבא לא תיכול למימר קדם מלאכא אכזרא דרדי בך ארום שלותא היא למה בין יתקף רוגזא דיי על קל מימרך דאתאמר בגנותא ויחבל ית עובדי ידך: ו כי ארום בסגיאות חלמין דנביאי שקרא והבלין דבעלי חרשין ומלין סגיאין דרשיעיא לא תהמין ארום חכימיא צדיקיא תהי משמש ומנהון תתבע אולפן ומן קדם יי תהי דחיל: ז אם אין אניסות

רש"י

ברשעים הנודרים ואין משלמים: (ה) אל תתן את פיך, בנדר: לחטיא את בשרך. שיפקוד העון על בניך: ואל תאמר לפני המלאך. שליח הבא לתובעך לדקה שפסקת ברבים: כי שגגה היא. בשגגה פסקתיה כסבור הייתי שתהי' יכולת בידי ליתן: וחבל את מעשה ידיך מלות שהיו בידיך שעשית כבר אבדתם כך נדרש במדרש: על קולך. בשביל קולך: (ו) כי ברוב חלומות וגו'. אשר כל מה שיאמרו לך החלומות ונביאי הבל ודברים הרבה לפרוש מאחר המקום: כי את האלהים ירא. הרי כי משמש בלשון אלא אל תשמע אל החלומות אלא את האלהים ירא: (ז) אם עשק רש וגזל משפט וצדק וגו'. אם תראה במדינה שהם עושקים את הרשים וגוזלים את המשפט ואת הצדק: אל

ספורנו

גם שאולי לא תשיג חפצך: (ד) לכן טוב שלא תדור. שלא תרגיל עצמך בנדרים: משתדור ולא תשלם. ממה שתרגיל עצמך בנדרים ויקרה לך שלא תשלם לפעמים והיה בך חטא. כמו שיקרה ברבוי הדברים בתפלה שלפעמים תסור בקצתם הכונה ואשם ונשא עונו: (ה) אל תתן את פיך לחטיא את בשרך. גם שיהיה עם לבבך לשלם אל תתן את פיך לבמא בשפתים באופן שיקרה חטא אם אולי יקרה הסרון בתשלומין או יקרה חטא מעילה בהקדש אבל יהיה הפועל הטוב בנדבה בלבד כאמרם ז"ל על הלל שמעולם לא מעל בעולתו: ואל תאמר לפני המלאך. לפני החכם שיבא להתיר הנדר: כי שגגה היא. שלא היו פיך ולבך שוים בשעת הנדר כמו שיקרה לפעמים ברבוי הדברים: פן יקצוף האלהים על קולך. אם כהתל באנוש תהתל בו לנדור אליו בלתי כוונה: (ו) כי ברב חלומות והבלים ודברי' הרבה. ואמרתי שתשמר מרבוי הדברים בתפלה ומן הנדרים פן תנקש בם כי יקרה זה בשניהם שיהיו למוקש כרב חלומות מבהילים מסובבים מרב דמיונות כוזבות ויחשוב החולם להשלם ברבוי הדברים בתפלה ובנדרים וכמו כן יקרה זה מרב הבלים שלפעמים ישתדל המתפלל להשיג מותרות עם תכלית בלתי נאות וכמו כן יקרה זה מההרגל ברב דברים אשר בהם לא יחדל פשע: כי את אלהים ירא. ואמרתי שתשמר מכל אלה כי ראוי שתירא את האל יתברך לרב גדלו ותחשוב לרעה רבה אם יקצוף ואל תכניס עצמך לסכנה כזאת: (ז) אם עושק

אבן עזרא

(ד) טוב. כענין וכי תחדל לנדור: (ה) אל תתן. למה יהיה פיך מוליד חטא ורע על בשרך שהוא גוף אם לא תשלם אשר דברת בפיך ודע כי נכח עיני ה' דרכי איש וכל צעדיו יספור ומלאך ממשרתיו ממונה לכתוב בספר כל הדבורים היוצאים מפי האדם ואל תאמר לפני המלאך כי שגגה היה הנדר שנדרת. וחבל את מעשה ידיך. כמו והשחית וכמוהו מחבלים כרמים ויש חבל מלשון לידה כמו יחבל און חבלתך אמך שמה חבלה ילדתך ויתכן היותו מן צירים וחבלים בעבור חבלי יולדה וחבל שליטי וכשוכב בראש חבל והוא התורן אשר בספינה שכל החבלים תלויים בו והוא שם התואר כמו איש אטר יד ימינו: (ו) כי ברב. כמו כי בא החלום ברוב ענין אך את האלהים ירא בכל דבר או עניינו ראה אתה חלומו' רבים ודבר הבלים והרבה לדבר רק ירא האלהים והענין שכל דבור מותר לך חוץ אם היה בו זכר לשם: (ז) אם עושק. שמא התחוב כי אין שומר על דבורך בעבור שתראה חמס בפרהסיא ואין

מצודת ציון

(ה) אל תתן. אל תעזוב כמו ולא נתן סיחון (במדבר כא): לחטיא. ענין חסרון כמו ולא יחטיא (שופטים כ): בשרך. כן יקראו הבנים כמ"ש והיו לבשר אחד (בראשית ב) ור"ל בשר האב והאם נעשה אחד בהבנים: המלאך. השליח: וחבל. ענין השחתה כמו וחבל עול מפני שמן (ישעיה י): (ו) ודברים. ענינים כמו על דבר הכסף (בראשית מג): כי. אלא: (ז) עושק. גזל: שומר. ממתין כמו ואביו שמר את הדבר (שם לז):

מצודת דוד

ותמנע לשלמו לכן את אשר תדור שלם ר"ל שלם מיד בלי איחור: (ד) טוב. יותר טוב שלא תדור כלום משתדור ולא תשלם ר"ל ולא תשלם מיד כי פן בהאריך הזמן תתחרט: (ה) אל תתן. אל תעזוב את פיך לנדור נדר כי זה יסיה סבה להחטיר את בניך מן העולם כי פן לא תשלם וימותו בניך בזה העון כן דרז"ל בשבת: המלאך. הנזכר של ההקדש הבא לתובעך הצדקה שנדרת ופסקת ברבים: כי שגגה היא. אשר כשוגג היתה פסיקתה כסבור הייתי שאוכל לשלם ועתה אין בידי מאומה: למה יקצוף. למה תעשה מתהלה את זאת אשר יחרה אף האלהים על קול הנדר שנדרת בפרסום וישחית את מעשה ידיך ולא תצליח בהם. כי בגלל הצדקה מתברך האדם במעשה ידיו ולכן כשידור ברבים ולא ישלם ישחת מעשה ידיו כי כן המדה: (ו) כי ברוב חלומות. אשר עם רוב חלומות ועם אמרי הבל ועם תרבית שאר ענינים לא תחוש עליהם אלא ירא את האלהים והוא ,שמרך מכל רע ומקרא קלר הוא ומאליו יובן החסרון: (ז) אם עושק

קיצור אלשיך

דע לך כי טוב היה לך (ד) שלא תדור משתדור ולא השלם תיכף כשנדרת, וע"כ אני מזהירך (ה) אל תתן את פיך במה שתדור בפיך להחטיא את בשרך, שע"י הנדר תחסיר ותזיק בשרך שתלקה בגופך. ואל תאמר לפני המלאך המיסרך כי שגגה היא לו שמכה בבשרך תחלה, ואינך ראוי לכך, כי הקב"ה אינו פוגע בנפשות תחלה, למה יקצוף האלהים על קול נדרך וחבל את מעשה ידיך, הם הנכסים ונמצאת לוקה בזה ובזה. ואם תאמר נא ישראל מה אעשה ויצעת אותי שלא אדור נדר בצרתי אם לא שאשלם מיד ואם אחלום חלום יבהילני או הוראת הגוברי שמים אשר לא טובות או דברים הרבה כאלה ולא אדע לתקן אם לא ע"י נדרים ואתה קורא תגר על מדה זו כי אם בשלם מיד אל תשית לב אל הנדרים (ו) כי ברוב חלומות אשר תראה נגדך והבלים של אותות הוברי שמים הנקרא מהנבי' הבלי הגוים וגם דברים הרבה כיוצא באלה כי את האלהים ירא כי תשוב מכל מעשיך או מיראת ה' אשר תדור מהרה שלם. (ז) אם עושק רש וגזל משפט וצדק תראה במדינה אל תתמה על החפץ איך יהפוך אלהי עולם בזה בנגוד הדברים המקיימים

את

pay. 4. It is better that you vow not, than that you vow and do not pay it. 5. Do not allow your mouth to cause sin to your flesh, and say not before the messenger that it is an error; why should God be wroth with your voice and destroy the work of your hands? 6. For despite many dreams and vanities and many words, only fear God. 7. If you see oppression of the poor and deprivation of justice and righteousness in the province, wonder not

Ibn Ezra explains: Just as I warned you to be cautious with your words when you go to the House of God, so must you be cautious everywhere and at all times when you mention God's name or utter a vow to Him, that you keep the utterance of your mouth, and do not be one of the fools, for there is no desire in them.

4. **It is better that you vow not**—It is better that you make no vows than that you vow and do not pay it immediately, for as time passes, you may regret your vow.—[*Mezudath David, Alshich*]

In the Talmud (*Hul.* 2, *Ned.* 9a), there is a dispute between Rabbi Meir and Rabbi Judah regarding the interpretation of this verse. "Better than both of these is one who does not vow at all." These are the words of Rabbi Meir. Rabbi Judah says: "Better than both of these is one who vows and pays." Rabbi Meir means that better than one who vows and pays and one who vows and does not pay, is one who does not vow, since he may fail to pay his vow and transgress the negative commandment of (Num. 30:3): "he shall not profane his word." He explains that this verse refers back to the preceding one. What you vow, pay. But it is still better if you do not vow, lest you vow and do not pay. Rabbi Judah means that one who vows and pays is better than one who vows and does not pay and than one who does not vow at all. The verse means simply that it is better not to vow than to vow and not pay, but it is not better than to vow and to pay. That is the best of all. See *Rashi* to *Hullin* 2 and *Ran* to *Nedarim* 9a.

5. **Do not allow your mouth**—*with a vow.*—[*Rashi*]

to cause sin to your flesh—*that He should visit the iniquity on your children.*—[*Rashi*] *Mezudath David* explains: that your flesh, viz. your children, be taken away. According to him, לַחֲטִיא is an expression of something lacking, like (Jud. 20:16): "and not miss (יַחֲטִא)."

and say not before the messenger—*the messenger who comes to demand of you the charity that you pledged in public.*—[*Rashi*]

that it is an error—*By error, I pledged it. I thought that I would have the ability to give.*—[*Rashi*]

why should God be wroth —Why should you do this from the onset, that God should be wroth with the voice of your vow which you uttered in public, and destroy your labors, so that you do not prosper with them? For, as a reward for giving charity, one's deeds are blessed. Therefore, when a person pledges charity in public and does not fulfill his pledge, his labors are destroyed, for so is the method of dispensation.—[*Mezudath David*]

and destroy the work of your hands—*The commandments that were in your hands, that you have already performed, you have lost. It is interpreted in this manner in the Midrash (Ecc. Rabbah).*—[*Rashi*]

with your voice—*because of your voice.*—[*Rashi*] [It is puzzling why *Rashi* inverts the order of the verse.]

The *Targum* paraphrases: Do not speak indecently to bring about the punishment of Gehinnom upon your flesh, and on the great Judgment Day, do not say before the cruel angel who punishes you that it is an error. Why should God be wroth with the voice of your words that were spoken disgracefully, and destroy the work of your hands?

6. **For despite many dreams, etc.**—*for* [despite all that] *dreams, false prophets, and many words tell you, to part with the Omnipresent*—[*Rashi*]

only fear God—כִּי *serves as an expression of "but." Do not obey the dreams, but fear God.*—[*Rashi*]

Mezudath David explains: For despite the many dreams with words of vanity and with many other matters, you shall pay them no heed, but fear God, and He will keep you from all evil. This is a short verse, and the missing words are understood.

Alshich explains:

[5] **Do not allow your mouth to lessen your flesh**—i.e., Do not allow the vow that you utter with your mouth to lessen and injure your flesh, for through a vow you will suffer bodily ills.

and do not say before the angel—who chastises you, that it is an error that he is smiting your flesh first, and that you do not deserve the chastisements, for the Holy One, blessed be He, never exacts retribution from the body first. First He punishes the sinner by depriving him of his property, for why should God be wroth with the voice of your vow and destroy the work of your hands, meaning your property, so that you will suffer with both your property and your body?

[6] And if you ask: What shall I do? You advise me not to make vows in my distress unless I pay immediately! Now what if my dreams frighten me, or I am informed of evil omens by stargazers, or similar cases, and I do not know how to rectify the matters except by making vows, but You are displeased with this behavior unless the vows are fulfilled immediately? Solomon tells people not to pay heed to the dreams you see before you and the vanities of the stargazers, called by the prophet the vanities of the nations, and also many things like these, but fear God, for you shall repent of all your deeds, and out of the fear of the Lord, pay up the vows you have made.

Sforno explains:

and many words—Beware of many words in both your prayers and your vows, lest you be caught in them, for there is a danger that both of them can become an obstacle for you.

with many dreams—frightening dreams brought about by fantasies. The dreamer thinks that he will escape with many words of prayer and vows. The same applies to vanities, e.g., sometimes a person prays to acquire luxuries with an improper goal in mind, and his request may be granted through his many words, which will ultimately lead to transgression.

only fear God—I said that you should beware of all these because it is proper that you fear God because of His immeasurable greatness, and you should deem it a great calamity if He becomes wroth with you. Therefore, do not put yourself into such grave danger.

7. **If you see oppression of the poor and deprivation of justice and righteousness, etc.**—*If you see in the province that they oppress the poor and deprive* [them of] *justice and righteousness.*—[*Rashi*]

wonder not—*about the will of the Omnipresent, when He brings evil upon them.*—[*Rashi*]

for the Highest over the high waits—*and sees their deeds, and there are higher ones* [i.e., angels] *over them who perform the agency of the Omnipresent, and they have a strong hand to punish them.*—[*Rashi*]

and deprivation of justice—Heb. וְגֶזֶל מִשְׁפָּט, *deprivation of justice. Since it is in the construct state, it is vowelized* גֶזֶל, *with a small "pattah"* (seggol), *for were it not in the construct state, it would be vowelized* גָזֵל *with a "kamaz."* [It appears that *Rashi* reads: וגֶזֶל], with a "seggol", not like our editions. See also *Minhath Shai*, who states that in some books, the reading is וגֵזֶל with a "zeireh." It appears that most books read וגֶזֶל.] *Another explanation: If you see that they oppress the poor and deprive them of justice, and you see charity coming to the city, that the Holy One, blessed be He, lavishes goodness upon them and does not mete retribution upon them, do not wonder about the will of the Omnipresent, for so is His custom, to be slow to anger.*—[*Rashi*]

תִּתְמַהּ עַל־הַחֵפֶץ כִּי גָבֹהַּ מֵעַל גָּבֹהַּ שֹׁמֵר וּגְבֹהִים עֲלֵיהֶם׃ ח וְיִתְרוֹן אֶרֶץ בַּכֹּל הִיא הוא קרי מֶלֶךְ לְשָׂדֶה נֶעֱבָד׃ ט אֹהֵב כֶּסֶף לֹא־יִשְׂבַּע כֶּסֶף וּמִי־אֹהֵב בֶּהָמוֹן

ת"א אהב כסף לא ישבע כסף. מכות י:

מסכנין וגזלתא ודין וצדקתא תחמי בקרתא לא תתמה בלבך למימר איכדין רעותא דיי על כל אלין ארום אל אדיר על שמי מרומא נטיר עובדי בני אנשא בין טב לבישתא ומן קדמוי משתלחין גוברין גיותנין ותקיפין למרדי ברשיעיא ולמהוויהון מתמנן רבנין עליהון: ח ויתרון ומותר שבח פולחנות ארעא על כולא היא דבעידן דמרודין בני מלכותא ומלכא מתיהב בפצחיהון מן קדמיהון אין לית ליה עבור למיכל ההוא מלכא לגבר פלח בחקלא מתעביד עבד משתעביד: (ובת"ק יש גירסאות מחולפות ושונות): ט אהב גבר הגר די רחים למקני כסף ומרי

רש"י

תתמה. על הפלו של מקום כשיביא עליהם רעה: כי גבוה מעל גבוה שומר. ורואה את מעשיהם וגבוהים יש עליהם העושים שליחותו של מקום וידם תקיפה ליפרע מהם: וגזל משפט. גזל של משפט לפי שהוא דבוק הוא נקוד גזל פתח קטן שאם לא היה דבוק היה נקוד גזל קמץ. ענין אחר אם תראה שהם עושקים רשים וגוזלים משפט ורואה אתה לדק בא לעיר שהקדוש ברוך הוא משפיע להם טובה ואינו נפרע מהם אל תתמה על חפצו של מקום כי כן דרכו להאריך אפו: כי גבוה מעל גבוה שומר. ממתין עד שתתמלא סאתם: וגבוהים. יש לו עליהם ליפרע מהם בבא עת פקודתם כמו (איוב יד טז) ולא תשמור על חטאתי (ישעיה כז ב) שומר אמונים (בראשית לז כא) שמר את הדבר: (ח) ויתרון ארץ בכל היא. ויתרון של יושבי הארץ שהם מתגאים ומכעיסים למקום. בכל הוא. בכל דבר הוא עושה שליחותו ליפרע ואפי' ע"י יתושין כדרך שעשה לטיטוס: מלך לשדה נעבד הקב"ה נעשה פועל לציון ז ליתבע עלבונה ממחריב' ולשלם שכרה לבוניה: (ט) אהב כסף לא ישבע כסף. אוהב מצות לא ישבע מהם: ומי אוהב בהמון.

שפתי חכמים

ז פי' שנקרא ה' מלך גאות לבש. נעשה פועל סוא פירושו של נעבד. לציון פירושו של שדה דכתיב ציון שדה תחרש ואמר כך פירשו במה הוא פועל לציון ליתבע עלבונם וכו':

אבן עזרא

מושיע: וזכר רש. בעבור שחייב אדם לעזרו והנה הוא עשוק: וגזל משפט. סמוך כמו וגדר אבניו ובמוכרת כענין גדר מזה או בגזל: וזכר במדינ'. לעיני הכל ולא במדבר: אל תתמה על החפץ. שתאמר מה חפץ יש למקום שלא יושיע דע כי יש שומר שרואה זה החמס ואיננו אחד רק הם רבים וכל א' גבוה מעל גבוה ושומרים רבים לא ידע איש מספרם כי הם גבוהים על אלה שמעלתם היננה שוה והיודע סוד השם ידע כי גבוה מעל גבוה הם המשים והמשה ולא אוכל לפרש: (ח) ויתרון. כאשר השלים לצוות על יראת אלהים שב להורות לו בדברי העולם איזו מלאכה טובה שיהיה ממנה ולא יהיה בה חטא ואמר כי יתרון עבודת הארץ בכל דבר הוא אפי' המלך שאין למעלה ממנו נעבד לשדה בעבור צרכו כי ממנו מחיתו: (ט) אוהב כסף נפשו לא תשבע: ומי אוהב בהמון לא תבואה. יש מי שאוהב לקבץ ממון בבגדים

ספורנו

רש וגזל משפט וצדק תראה במדינה. וכמו כן כאשר תראה חמס ושוד במדינה אל תחטא להרהר אחר מדות בוראך או להעלות על לבבך מחשבת הפושעים האומרי' כל עושה רע טוב בעיני ה' ובהם הוא חפץ: אל תתמה על החפץ. אל התמה על שחפץ האל בקיום אותה מדינה:* כי גבוה מעל גבוה. כי אמנם האל יתברך שהוא גבוה הרבה על כל דבר שהוא יותר גבוה ויותר נחשב מתקוני אותה המדינה: שומר. ממתין בזה דבר יותר נכבד ויותר נחשב אצלו מהם: וגבוהים עליהם. ויש דברים רבים גבוהים על משפטי העושק והגזל* הנעשים נגד חוקי הממשלה ויותר נחשבים אצלו כמו שלום המלכות וטובת הכלל אשר לא היה משיג אותם אם היה מעניש אותה המדינה. ומן הדברי' הנחשבים אצל האל יתברך הם צדיקי הדורות אשר הם דומים לבוראם במעשים טובים: (ח) ויתרון ארץ בכל היא. והנה זה היתרון המושג לאל יתברך מן הארץ לא יושג זולתי בקיום הכללות והמדיניות כי אמנם צדיקי הדורות החשובים אצלו בהיותם אדם הם המדיניים בטבע ולא ישיגו שום שלמות בזולת הכרחי המדיניות והוא שישיג האדם בו לחם ושמלה אשר הם הכרחיים גם לצדיקים לחיי שעה: כי אמנם מלך לשדה נעבד. המלך הוא נעבד מן ההמון בסבת השדה כי באמצעות המלך ישיג כל אחד את הראוי לו מן השדה לתת לו לחם ושמלה שאלמלא מוראו של מלך איש את רעהו חיים בלעו: (ט) אוהב כסף לא ישבע כסף. ואמרתי שהמלך נעבד בשביל השדה אע"פ שמפני מוראו ישיג כל אחד גם שמירת כספו וזהבו וזולתם. הנה אין זה התכלית האחרון המבוקש אבל הוא שיושג בהם תבואת השדה ההכרחית לחייו כי אמנם האוהב כסף לא יוכל לשבוע בכסף: ומי אוהב בהמון לא תבואה גם זה ומי שהוא אוהב בין ההמון דבר שאינו הבואת כמו אבנים טובות ומרגליות ואוהב גם זה שאמרנו שהוא פרי תבואה

מצודת דוד

רש. אם יש במדינה בפרסום עקית הרש וגזלת המשפט כי אינם עושים משפט ורואה אתה אשר הלדק בא ממש ר"ל שהקב"ה עושה עמהם לדקה אל תתמה על חפלו של המקום מה שמאריך אף ואינו משלם גמול המפעל: כי גבוה. כי המקום ב"ה שגבוה למעלה מעל כל הגבוהים למשול עליהם בכל עת ממתין הוא עד שתתמלא הסאה ואז ישלם הגמול: וגבוהים עליהם. יש לו שלוחים הרבה הגבוהים על אנשי המדינה ההיא למשול עליהם ועל ידם ישלם להם גמול המפעל: (ח) ויתרון ארץ. יתרון הטובה שהיה בכל אנשי הארץ היא לא נעדר אף בין הפחותים והשפלים כשתתמלא הסאה יקבלו אז הגמול משלם ויתוסף הדבר מן הספק אל הספק שאפילו המלך יחסר לחמו עד שיהיה נעבד לבעל שדה לעשות מלאכתו למען כלכלו מתבואת שדהו: (ט) אוהב כסף. מי שאוהב לאסוף כסף לא ישבע ממנו כי לעולם אין די לו במה שקבץ ורוצה להרבות עוד: ומי אוהב בהמון. מי שאוהב להרבות המון עם מעבדים ושפחות ובני בית

מצודת ציון

(ט) בהמון. מל' המיה ור"ל מרבית אנשים שגדלה קול המייתם

קיצור אלשיך

את העולם שהוא על הדין ועל האמת ועל השלום. כי ע"י עושק אין שלום ועל גזל משפט וצדק אין דין ואין אמת ומה שלא תתמה ע"ז הוא כי גבוה וכו' כי הקב"ה הוא גבוה מעל גבוה שומר וגבוהים עליהם על העושקים ועל הגוזלים כי מלא כל הארץ כבודו ורואה הכל, והטעם שהוא יתברך מרחם עם היות עושק רש וגזל משפט הוא (ח) כי ויתרון ארץ וגו' מה שנראה שהוא יתרון על הארץ ואינו מן הצורך ועוד הוא מקלקל ומפסיד, בכל היא, היא נצרכת לכל, כי הקב"ה הצופה ומביט עד סוף כל הדורות. הוא יתברך מקיים הרשעים האלה בשביל בניהם שיולדו להם כמ"ש יכין רשע וצדיק ילבש, אבל מלך לשדה נעבד, מי שהוא נעבד לשדה ואינו גוזל וחומס, רק יחיה מיגיע כפו, הרי הוא חי חיי שלוה כמלך. אבל מי שהוא גוזל וחומס מחמה (ט) אוהב כסף, לא ישבע כסף, הכסף לא ישביעו כי לא יאכל מהכסף, כי העדר

about the matter, for the Highest over the high waits, and there are higher ones over them. 8. And the loftiness of the earth is in everything; even the King is subservient to the field. 9. Whoever loves silver will not be sated with silver, and he who loves a multitude

for the Highest over the high waits—*He waits until their measure is full.*—[*Rashi*]

and...higher ones—*He has over them to recompense them when the time of their visitation arrives, like* (*Job 14:15*): *"You do not wait* (תִשְׁמוֹר) *for my sin"*; (*Isa. 26:2*): *"awaiting* (שֹׁמֵר) *the realization"*; (*Gen. 37:11*): *"awaited* (שָׁמַר) *the matter."*—[*Rashi*]

He has many agents who are higher than the people of that province, to rule over them, and through them He recompenses them for their deeds.—[*Mezudath David*]

The *Targum* renders :

If you see oppression of the poor and lack of justice and righteousness in the city, do not wonder in your heart, saying, "How can it be that God's will is over all these?" For over the lofty heavens the deeds of the sons of men are watched, whether good or evil, and from before Him are sent forth proud and mighty men to chastise the wicked and to be appointed masters over them.

Sforno explains:

If you see oppression of the poor and deprivation of justice and righteousness in the province—Similarly, when you see violence and robbery in the province, do not sin by questioning the ways of your Creator or by allowing the thought of the transgressors to enter your mind, who say that evildoers are pleasing in God's sight, and that He desires them.

wonder not about the desire—Do not wonder why God desires the existence of this province and why He does not destroy it.

for the Highest over the high waits—For indeed, God, Who is much higher than anything that is high and more esteemed than the benefits of that province—

waits—In this, there is a matter more important and more esteemed to Him than they.

and higher than they—And there are many things higher than the judgment of the aforementioned oppression and lack of justice, which He would not accomplish if He would punish that province in this world. Of importance to God are the righteous people of the generations, who resemble their Creator more than any other people.

8. **And the loftiness of the earth is in everything**—*and the loftiness of the dwellers of the earth, who are haughty and provoke the Omnipresent.*—[*Rashi*]

is in everything—*In everything, he performs His agency to recompense them, even through mosquitoes, as He did to Titus.*—[*Rashi* from *Ecc. Rabbah*]

even the King is subservient to the field—*The Holy One, blessed be*

He, became subservient to Zion, [which is described as being plowed as a field (Micah 3:12)] *to demand* [the punishment for] *their mistreatment from her destroyers and to pay her reward to her builders.*—[*Rashi*] According to *Rashi*, the King mentioned is the Deity. However, other exegetes explain this verse in an entirely different way, interpreting "the king" as a mortal sovereign, as does *Rashi* in his alternate interpretations.

9. **Whoever loves silver will not be sated with silver**—*Whoever loves the commandments will not be sated with them.*—[*Rashi*]

and he who loves a multitude—*of many commandments.*—[*Rashi*]

without increase—*and none of them has a specific and recognizable commandment, such as the building of the Temple or a synagogue, or a beautiful Sepher Torah.*—[*Rashi*]

this too is vanity—*So are these two verses expounded upon in the Midrash, and there are other suitable interpretations, but I stated this one first because it is related to the matter of* (verse 7): "*and there are higher ones over them,*" *which Scripture juxtaposed to them.*

Another explanation:

[8] **And the loftiness of the earth is over everything**—*The reward for tilling the soil is esteemed over everything, for even the king must be subservient to the field; if the earth produced fruits, he will eat, but if not, he dies from hunger.*

[9] **Whoever loves silver will not be sated with silver**—*He will not eat money, and he who loves a multitude—of money.*

without grain—*that he does not gather for himself produce—this too is vanity.* [Note that this interpretation coincides with *Ibn Ezra*]

Another explanation:

[8] **And the loftiness of the land is in everything**—*The reward of Israel is in all words of Torah, both in Scripture, in Mishnah, and in Gemara.*

the king is subservient to the field—*If he is* [well-versed] *in Scripture and in Mishnah, he must still be subservient to the one well-versed in Gemara, because he arranges before him the practical decisions of prohibition and permissibility, uncleanness and cleanness, and laws of jurisprudence.*

[9] **Whoever loves silver**—*Whoever loves Torah, will not be sated with it.*

and he who loves a multitude—*of Torah.*

without grain—[He] *who has* [knowledge of] *Scripture and Mishnah, but has no* [knowledge of] *Gemara, what use does he have? All these are in Leviticus Rabbah* (23:1-3).—[*Rashi*]

The *Targum* interprets these verses as follows:

[8] And the advantage of the work of the earth is over everything, for in the time that the inhabitants of the kingdom rebel, and the king is placed into their villages because of them, if he has no grain to eat, that king will became a slave to a person who works in the field.

[9] A merchant who loves to acquire silver and one who owns merchandise will not be sated by

gathering money, and he who loves to gather much money, has no praise in the World to Come if he does not give charity from it, for he will have no reward of produce; this too is vanity.

Mezudath David renders:

[8] **The plenty of the land**—which affects everyone, will result in the king being subservient to the field. The plenty that was lavished upon the inhabitants of the land, even among the most humble and lowly, when their measure of sin is filled, they will receive their complete punishment, The situation will then be completely reversed, to the extent that even the king will lack bread and will be compelled to be subservient to a field owner, to do his work, in order to derive his sustenance from the produce of his field.

[9] **Whoever loves silver**—He who loves to gather silver will not be sated from it because he will never have enough from what he gathered, and he will desire to increase it.

and he who loves a multitude—He who loves to increase a multitude of people, of slaves and maidservants and household members, will not have grain to sustain himself, for the necessities of a multitude are many, and they will eat everything.

לֹא תְבוּאָה גַּם־זֶה הָבֶל: י בִּרְבוֹת הַטּוֹבָה רַבּוּ אוֹכְלֶיהָ וּמַה־כִּשְׁרוֹן לִבְעָלֶיהָ כִּי אִם־רְאִיַּת ראות ק׳ עֵינָיו: יא מְתוּקָה שְׁנַת הָעֹבֵד אִם־מְעַט וְאִם־הַרְבֵּה

הר״א ברבות הטובה רבו אוכליה. מנחות קי: מתוקה שנת העובד. מנחות שם:

תרגום

פְּרַגְמַטְיָא לָא יִשְׂבַּע לְמִצְבּוֹר כְּסַף וּמַן דִּי רָחִים לְמִכְנוֹשׁ מָמוֹן יַתִּיר לֵית לֵיהּ שְׂכַר בְּעָלְמָא דְּאָתֵי אִין לָא יַעֲבֵיד מִנֵּיהּ צְדַקְתָּא בְּדִיל דְּלֵית לֵיהּ אֲגַר עֲלַל לְמֵיכַל אַף בֵּין הָבְלוּ: י בִּרְבוֹת בִּזְמַן דִּסְגֵי טַבְוָתָא בְּעָלְמָא סַגִּיאָן אוּף בְּנֵי אֱנָשָׁא דְּיֵיכְלוּנָהּ וּמַה הֲנָאָה אִית לְמָרְהָא דִּיצְבְּרִינָהּ אִין לָא יַעֲבֵיד מִנַּהּ טַבוּתָא בְּגִין דִּי יֶחֱזֵי בְּעָלְמָא דְּאָתֵי יְהָבִית אַגְרְהָא בְּעֵינוֹי: יא מְתוּקָה בְּסִימַת דְּמִיכַת גַּבְרָא דִּי פְּלַח לְמָרֵי עָלְמָא בְּלֵב שְׁלִים וְאִית לֵיהּ נַיְחָא עַל בֵּית קְבוּרְתֵּיהּ אִין זְעֵירוּת שְׁנִין יֵיחֵי אִין סְגִיאוּת שְׁנִין בָּתַר דְּפָלַח לְמָרֵי עָלְמָא בְּעָלְמָא הָדֵין לְעָלְמָא

שפתי חכמים

ח פי׳ מי שיש לו המון מלות ואין לו מלוה מסויימת וקבוע׳ לדורות גם זה הבל: ט פירוש אלו שמביא אחר כך: י אף שבמדרש איתא כלאשונה שהקדמתים לפי שהוא מענין וכו׳: כ הוא פירושו של גם זה הבל ובויקרא רבה מסיים למד תורה ולא למד תלמוד

רש״י

מלות רבות: לא תבואה. ואין באחד מהם מלוה מסויימת ח וניכרת כגון בנין בית המקדש ובית הכנסת וספר תורה נאה: גם זה הבל. כך נדרשים שני מקראות הללו במדרש ועוד פנים אחרים הגונים ט אך זה הקדמתי י לפי שהוא תענין ונגוזים עליהם שסמכן הכ׳ יחד. ד״א ויתרון ארץ בכל הוא. שכר עבודת האדמה הטוב הוא על הכל שאפי׳ הוא מלך צריך הוא להיות נעבד לשדה אם עשתה הארץ פירות יש לו מה יאכל ואם לאו מת ברעב אוהב כסף לא ישבע כסף. לא יאכל כסף: ומי אוהב בהמון. בממון: לא תבואה. שאינו אוסף לו פירות גם זה הבל. ד״א ויתרון ארץ בכל הוא. שכרן של ישראל בכל דברי תורה הוא בין במקרא בין במשנה בין בגמרא: מלך לשדה נעבד. מלך במקרא ובמשנה עודנו צריך להיות נעבד לבעל גמרא שהוא מסדר לפניו הוראות איסור והיתר טומאה וטהרה ודינין: אוהב כסף. אוהב תורה אינו שבע בה: ואוהב בהמון. תורה: לא תבואה. שיש לו מקרא ומשנה ואין לו גמרא כ מה הנאה יש לו. כל אלו בויקרא רבה: (י) ברבות הטובה. כשישראל מטיבין מעשיהם: רבו אוכליה. מתן שכר המלות: ומה כשרון לבעליה להקב״ה בכל הטבת מעשיהם: כי אם ראות עיניו. שרוא׳ שהם כפופים לו ונהנת רוח לפניו שאמר ונעשה רצונו וכן לענין הקרבנות: ברבות הטובה רבו אוכליה. שמביאים נדבות הרבה רבו הכהנים אוכליה: ומה כשרון לבעליה. לפני הקב״ה: כי אם ראות עיניו. שאמר ונעשה רצונו: (יא) מתוקה שנת העובד. עובד האדמה ישן וערבה שנתו עליו בין שהוא אוכל מעט ובין שהוא אוכל הרבה כי

ספורנו

חה להגדיל כבוד עשרו ובני ביתו: הבל. הוא אוהב הבל בזה כי אמנם ברבות הטובה רבו אוכליה. ובכן הוא מרבה על עצמו מחשבות לפרנס את כלם ואין לו תועלת בכל זה: כי אם ראות עיניו. שהוא שמח בראותו רבים מחלים פניו ונזונים מממונו: (יא) והנה מתוקה שנת העובד. יותר נהנה המשרת בשינתו מאשר יוכל העשיר ליהנות מהשינה חה כי השבע העושר אשר לעשיר איננו מניח לו לישון מדאגתו פן יאבד הממון או קצתו ומפני מחשבותיו לפרנס

אבן עזרא

ומיני סחורות ולא יאהב תבואה גם זה הבל. וגם ישוב על אוהב כסף והוא המקבץ כסף וזהב בלבד וי״א מי שאוהב בהמון לא תבואה לו ויפרש המון קנות עבדים ושפחות ושמשים רבים והענין שיאהב להיות המון לפניו: (י) ברבות הטובה רבו אוכליה. מפעלי הכפל והוא פעל עבר ויאמר מן הפעלים שהלמ״ד שלהם איננו שלם לשון ליווי לרבים כמו רבה לבאך ולאה: כשרון. כמו טוב וכשר הדבר אחר שהטובה שלו יאכלוה רבים לפניו מה טוב לו בטובה רק מראה עיניו: (יא) מתוקה ידוע כי העשיר יפחד ביום ובלילה על עשרו מן המלך והומסים וגנבים וענין שבע רוב ממון שיחשב בלילה מחשבו׳ איך תשבע נפשו מעושר או יהיה שבע שב אל המאכל כענין פן תשבענו והקאתו. ושנת העובד פתוח כדרך כל סמוך ואם אתן שנת לעיני קמוץ כי הלמ״ד הכרית הסמיכה ואמר רבי משה הכהן הספרדי נ״ע כי ענין שנת הקמוץ שנתי וכמוהו אף נחלת שפרה עלי עזי

מצודת ציון

ובן על הממון הזה (דה״ב יד): (י) כשרון. מל׳ כשר ועוד

מצודת דוד

לא יהיה לו תבואה לכלכל עצמו כי לרכי הממון מרובים ואוכלים את הכל: גם זה הבל. עם כי מטיב הוא לאחרים בזאת לאם די הספוק עכ״ז הבל יחשב כי אין מהראוי לבזבז ביותר: (י) ברבות הטובה. בעת שהטובה מתרבה בבית אדם וכלאחוו מרובה סדרך הוא אשר רבים באים לאכול מן הטובה ההיא ונשאר א״כ הבה טובה הבסיה: ומה כשרון לבעליה. ומהו הטובה ההיא לבעל הטובה המולחת רק מראה עיניו אשר ראה את הטובה ולא עוד הואיל ולא נשאר בידו: (יא) מתוקה שנת העובד. עובד האדמה הוא ישן וערבה שנתו עליו

קיצור אלשיך

העדר משפט מרעיב הארץ. כמ״ש ויהי בימי שפוט השופטים, ששפטו את שופטיהם, ויהי רעב בארץ, הפך ענין צדק צדק תרדוף למען תחיה, וזהו ומי אוהב בהמון לא יהיה לו תבואה, ע״כ גם זה הבל:

(י) **ברבות** הטובה וכו׳. הנראה כי בא שלמה בחכמתו להביאנו על האמת על דרוש אושר האדם אחר מותו, ומה כשרון לגוף אשר יגע וטרח כל ימי שנותיו בעבודת ה׳, ובאחרונה יסע תחתיו יוצע רמה ותולעה מכסהו, הנה רבותינו ז״ל הורונו כי בעוד הנפש בגוף טרם יגוע הצדיק מראין לו מתן שכרו וזהו ותשחק ליום אחרון. והנה היה אפשר לומר כי זה הוא הטוב הראשון אשר לגוף שנהנה קודם סלוקו שהגוף והנפש נהנים ושמחים באושר העתיד והוא תקוה לחומר אחר התחיה, אך בנתים יפסק טוב והנאת החומר, והנה שלמה בא לדחות סברא זו באומרו ברבות הטובה וגו׳. מחמת שטובות הקב״ה רבו מאד, ע״כ רבו אוכליה ונהנים מהם לא רק צדיקים גמורים אלא אף הבינונים, אבל מה כשרון לבעליה, להגוף, שהוא בעל הכל, שיגע וטרח בתורה ומצות, כי אם ראות עיניו, שמראין לו קודם מותו, ואחרי מותו אין כל מאומה בידו, לזה השיב ואמר (יא) מתוקה שנת העובד, כמ״ש חז״ל על פסוק ותשחק ליום אחרון כל מתן שכרן של צדיקים מתוקן להם לעתיד לבא ומראה להם הקב״ה עד שהם בעה״ז מתן שכרם שהוא עתיד ליתן להם לע״ל ונפשם שבעה והם ישנים משל לסעודה שעשה אותה המלך וזימן את האורחים והראה להם מה שהם אוכלים ושותים ושבעה נפשם וישנו להם, כך הקב״ה מראה להם לצדיקים עד שהם בעה״ז מתן שכרם מה שהוא עתיד ליתן להם לע״ל והם ישנים מרוב התענוג, ומחמת כי הגוף לא יתרוקן לגמרי מקדושת הנפש, כי קדושת הנפש נבלע בהגוף וכח מה מהנפש תשאר בו, כאשר יקרה לאיש הישן שעם שנפשו עולה למעלה לא יתרוקן גופו ממנה לגמרי כן הוא בסלוקו של הצדיק וע״כ יקראו ישני עפר כי לא

without increase—this too is vanity. 10. With the increase of good,
its eaters increase, and what is the advantage to its Master, except
seeing [with] His eyes? 11. The sleep of the laborer is sweet,
whether he eat little or much,

this too is vanity—Although he benefits others by giving them what they need, it is considered vanity because it is not proper to squander too much.

10. **With the increase of good**—*when the Israelites improve their deeds.*—[*Rashi*]

its eaters increase—*the giving of the reward for the commandments.*—[*Rashi*]

and what is the advantage to its Master—*to the Holy One, blessed be He, with all the improvement of their deeds.*—[*Rashi*]

except seeing [with] His eyes—*that He sees that they are subservient to Him, and He has satisfaction* [from the fact] *that He commanded* [lit. He said] *and His will was done, and so* [it is] *concerning the sacrifices.*—[*Rashi*]

With the increase of good its eaters increase—*When they bring many freewill offerings, the priests who eat it increase.*—[*Rashi*]

and what is the advantage to its Master—*to the Holy One, blessed be He.*—[*Rashi*]

except what He sees [with] His eyes—*that He commanded, and His will was done.*—[*Rashi*]

Mezudath David explains:

[10] **With the increase of good**—At the time a person enjoys much good and is very prosperous, it is customary that many people come to eat from the good that he has acquired, and he consequently remains bereft of his previous prosperity.

And what is the advantage to its master—What good does the master derive from his prosperity, except that he saw it with his eyes, but no more, since it did not remain with him?

11. **The sleep of the laborer is sweet**—*The one who tills the soil sleeps, and he enjoys his sleep, whether he eats little or whether he eats much, for he is already accustomed to it.* —[*Rashi*]

יֹאכֵל וְהַשָּׂבָע לֶעָשִׁיר אֵינֶנּוּ מַנִּיחַ לוֹ לִישׁוֹן׃ יב יֵשׁ
רָעָה חוֹלָה רָאִיתִי תַּחַת הַשָּׁמֶשׁ עֹשֶׁר שָׁמוּר לִבְעָלָיו
לְרָעָתוֹ׃ יג וְאָבַד הָעֹשֶׁר הַהוּא בְּעִנְיַן רָע וְהוֹלִיד
בֵּן וְאֵין בְּיָדוֹ מְאוּמָה׃ יד כַּאֲשֶׁר יָצָא מִבֶּטֶן אִמּוֹ
עָרוֹם יָשׁוּב לָלֶכֶת כְּשֶׁבָּא וּמְאוּמָה לֹא־יִשָּׂא בַעֲמָלוֹ
שֶׁיֹּלֵךְ בְּיָדוֹ׃ טו וְגַם־זֹה רָעָה חוֹלָה כָּל־עֻמַּת שֶׁבָּא

תו"א יש רעה חולה. זוכר פרשת בשלח: עושר שמור לבעליו לרעתו. פסחים קיט סנהדרין קי:

דאתי אגר עובדי ידוי יחסין וחוכמת אורייתא דיי לגבר דעתיר בחוכמתא היכמא דמעסק בה בעלמא הדין ואשתדל באולפנא כדין תנוח עלוהי על בית קבורתיה ולא תשבקיניה בלחודוהי היכמא דלא שבקת אתתא לגוברא בלחודוהי לדמכא: יב יש אית בישותא מרעיתא חמית בעלמא הדין תחות שמשא ולית ליה אסו גבר דיכנוש עתרא ולא עביד מניה טב לסוף יומיא ההוא עתרא נטיר ליה לאבאשא ליה לעלמא דאתי: יג ואבד וההוא עתרא די ישבק לבריה בתר מותיה יהובד על די קנא ליה בגון ביש ולא יתקיים ביד בריה די יוליד ולא אשתאר ליה בידוי מדעם: יד כאשר היכמא די נפק ממעי אמיה ערטילי בלא כסו (בת"ק הגירסא זכותא) ובלא מדעם טב כדין יתוב למיזל לבית קבורתיה חסיר מן זכותא היכמא די אתא בעלמא הדין ומדעם אגר טב לא יקבל בטורחיה לסוברא עמיה לעלמא דהוא אזיל למהוי לזכו בידיה: טו וגם ואוף דא בישתא מרעיתא ולית

רש"י

כבר הורגל בכך: והשבע לעשיר איננו מניח לו לישון. ושובע נכסים של עשיר בעל פרקמטיאות הרבה אינו מניח לו לישון כל הלילה מהרהר בהן. ד"א מתוקה שנת העובד את האלהים. אם מעט ימי שניו ואם הרבה ימי שניו יאכל שכרו המועט כמרובה. משה פרנס את ישראל מ' שנה ושמואל הנביא פרנסס עשר שנים ושקלן הכתוב זה כזה שנאמר (תהלים צט ו) משה ואהרן בכהניו ושמואל בקוראי שמו וגו' כך נדרש בתנחומא: והשבע לעשיר. בעל שמועות: איננו מניח לו לישון. בקבר שנאמר (שיר ז') דובב שפתי ישנים כל ת"ח שאומרים דבר שמועה מפיו שפתותיו דובבות בקבר: (יב) עושר שמור לבעליו לרעתו. כעשרו של קרח שעל ידי כן נתגאה וירד לשאול: (יג) ואין בידו מאומה. אף זכות אבות: (יד) ומאומה לא ישא בעמלו. כשימות לא ישא בידו שום זכות לדקה שעשה בממונו בחייו: (טו) כל עמת שבא. אותו הממון כך

אבן עזרא

וזמרת יה גם הם קמולין: (יב) יש רעה חולה. יתכן היות חולה מן נחלה מכתי מהפעלים שהלמ"ד שלהם איננו שלם והענין רעה בחלי רע כענין וחלי רע הוא. או תהיה מלת חולה על משקל טובה מן הפעלים שהעי"ן שלהם איננו שלם מן על ראש רשעים יחול. ועודנו בענין הראשון שעבודת האדמה טובה מכל ממון: (יג) ואבד העושר בענין רע. שהביא על בעליו והענין אילו אבד לבדו ולא הוליד רע היה הלא רע: (יד) כאשר. בי"ת בעמלו במקום מ"ם כמו והנותר בבשר ובלחם: (טו) וגם זה רעה חולה. היא לכל יתרון לו שיעמול לרוח. ואמרתי שמן הרע הקורה לעשיר

ספורנו

בני בית רבים. ובלעדי זאת: (יב) יש רעה חולה. (מגזרת על ראש רשעים יחול על משקל טובה. ואמר) שזאת הרעה היא חלה פתאום על האדם: עושר שמור לבעליו לרעתו. שלפעמים יעלילו עליו אנשי בליעל עלילות כדי לגזול אותו הממון. ולפעמים לצדק את עצמם יזיקוהו גם בגופו: (יג) ואבד העושר ההוא בענין רע. ולפעמים יאבד גם בזולת זה באיזה מקרה רע: והוליד בן. בעשרו: ואין אחריו מאומה. להורישו כדי שיהיה בו. ובזה מצטער גם על הבן. ובלעדי זאת: (יד) כאשר יצא מבטן אמו. בלתי שום שלמות: ומאומה לא ישא. שלא יקנה בעשרו שום שלמות נצחי: יוליך בידו. כאמרם ז"ל אשרי מי שבא לכאן ותלמודו בידו: (טו) גם זו רעה חולה כל עמת שבא כן ילך ומה הוא שלא יקנה בו שום שלמות כי מאחר שבלכתו אל בית

מצודת דוד

בין אכל מעט בין אכל הרבה ר"ל אף אם מעט יאכל ישן הוא כאלו אכל הרבה שמביא בטבע את השינה וזהו לפי שאין לו כ"א מלאכת השדה ולא עוד לזה אין לו במה לחשוב להרהר לנגד השינה מעיניו: והשבע. ר"ל שביעת רוב העושר אין מניח לבעליו לישון כי עסקיו מרובים ובכל עת יחשוב להרהר בהם ונגזלה שנתו: (יב) יש רעה חולה. נמצא רעה כחולי ביותר אשר ראיתי בעולם: עושר וגו'. העושר היה שמור לבעליו ולא יצא מתחת ידו עולם לא לטובתו היו שמור ליהנות ממנו באחרית הימים ולרשת לבניו אחריו כ"א לרעתו היה שמור על כי בעבור רוב העושר העלילו עליו המלשינים והיה מיוסר ביסורים: (יג) ואבד. גם העושר נאבד ממנו אז בענין הרע שהביא על בעליו הוא דבר העלילה כי פזר הון בתת שוחד להציל עצמו מן הרעה אשר הדביקתהו: והוליד בן. עוד העושר בידו לא היה לו בן להנחילו מן העושר ואחר אבדן העושר הוליד בן ואז אין בידו מאומה להנחילו ולרשת אותו: (יד) כאשר. כמו שיצא ערום מבטן אמו כן ישוב ללכת אל המקום הידוע הוא הקבר וכמו שבא מן הבטן: ומאומה כו'. בזה יפרש לומר לא ישוב ערום ממש כמו שבא כ"א מאומה לא יקח מן העושר אשר קנה בעמל להוליך עמו בידו: (טו) וגם זה כו'. למעלה אמר שזה רעה חולה מה שראה אשר

מצודת ציון

(יד) לא ישא. לא יקח כמו ונתים נשאו (מיכה ב): בעמלו. הבי"ת הוא במקום מ"ם כמו והנותר בבשר ובלחם (ויקרא ח): (טו) כל עומת. ענינו כמו כנגד ר"ל שוה ודומה וכן לעמת קלעי

קיצור אלשיך

לא מתים לגמרי המה, רק ישנים, ע"כ אומר מתוקה שנת העובד ה' אף אחרי מותו כי ישן הוא בעריבות ומתיקות, כי הרמה ותולעה אינם שולטים בגופו, אם מעט ואם הרבה יאכל, בין אם הוא צדיק גדול כהאבות ומשה אהרן שמואל שנהנו מעט מן העולם או צדיקים קטנים מהם שאכלו הרבה מן העולם עכ"ז מתוקה יהיה שנתם, כל זה הוא בצדיק שלא הרביץ תורה ברבים, אבל השובע לעשיר, מי שהוא עשיר ושבע בתורה איננו מניח לו לישון, כי כשאומרים דבר שמועה מפיו שפתותיו דובבות בקבר, ואחר הנחה זו אמר כמוכח (יב) הלא יש רעה חולה ראיתי וגו'. כלומר רעה המתרגשת והוא חולי בלתי מעלה ארוכה ע"י הנהגה זו, והוא כי יש עושה זכות מצוה מעין ענין עושר הנזכר בפסוק הקודם ושמור לו אצלו יתברך לרעת בעליו שהוא לנכות בעד רעה המעותד לו שהלמ"ד הוא לשון בעבור, כלומר בשביל רעתו כענין סכנת מות שינצל ומכנין לו זכותו ההוא, וזהו (יג) ואבד העושר ההוא בענין רע שנגזר עליו ינכו אותו ולמה עשו כן כדי ע"י שיהיה יוליד בן משא"כ אם היה מת בגזרתו, והנה הרעה חולה היא כי הלא ישאר ואין בידו מאומה רק (יד) כאשר יצא מבטן אמו וגו' (טו) וגם זה רעה חולה כאשר תאמר שיכול להיות

but the satiety of the rich does not allow him to sleep. 12. There is
a grievous evil that I saw under the sun; riches kept by their owner
for his harm. 13. And those riches are lost through an evil design,
and he will beget a son who will have nothing in his hand. 14. As
he left his mother's womb, naked shall he return to go as he came,
and he will carry nothing with his toil, that he will take in his
hand. 15. And this too is a grievous evil, that just as it came

but the satiety of the rich does not allow him to sleep—*But the satiety of belongings of the rich man, who owns much merchandise, does not allow him to sleep; all night he thinks about them. Another explanation: The year of the one who serves God is sweet; whether the days of his years are few or many, he will eat his reward, the one who had few years like the one who had many years. Moses led Israel forty years, and the prophet Samuel led them ten years, and Scripture equated them, this one like that one, as it is said (Ps. 99:6): "Moses and Aaron among His priests, and Samuel among those who call in His name, etc." So is it expounded upon in Tanhuma (Ki Tissa* 3).—[*Rashi*]

but the satiety of the rich—*the one who has taught many traditions.*—[*Rashi*]

does not allow him to sleep—*in the grave, as it is said (Song 7:10): "making the lips of the sleeping speak." Every Torah scholar, in whose name a traditional law is recited—his lips speak in the grave.*—[*Rashi* from *Tanh.* ad loc.]

Similar to *Rashi*'s former interpretation, the *Targum* paraphrases: The sleep of the man who serves the Lord of the Universe wholeheartedly is sweet, and he has peace in his grave, whether he lives few years or many years, since he served the Lord of the Universe in this world. In the World to Come, he will inherit the reward of the deeds of his hands, and the wisdom of the Torah of the Lord to a man who is rich in wisdom; just as he engaged in it in this world and toiled in studies, so will it rest upon him in his grave, and it will not leave him alone, just as a wife does not leave her husband alone to sleep.

Connecting this verse with the preceding one, *Akedath Yizhak* comments: Not only does the accumulation of wealth not avail him, but it is a great hindrance to the achievement of perfection. It has an additional disadvantage and that is that the one who labors to attain all his physical and spiritual needs will enjoy his sleep and rejoice with his portion, whether he eats much or little. But the satiety of luxuries does not allow a rich man to sleep. As a result, he has peace neither in this world nor in the next.

12. **There is a grievous evil**—There is a very grievous evil that I saw in the world.—[*Mezudath David*]

Saadia Gaon and *Sforno* render: There is an evil that falls, meaning that it suddenly befalls a person.

riches kept by their owner for his harm—*like the riches of Korah, because of which he became haughty and descended into the grave.*—[*Rashi* from *Ecc. Rabbah*]

Similar to this interpretation, the *Targum* paraphrases: There is a grievous evil that I saw in this world, under the sun, and it has no remedy: a man who accumulates wealth and does not do good with it. At the end of his days, that wealth will be kept for him to harm him in the World to Come.

Mezudath David explains: The riches were kept by their owner, and did not leave his domain, but they were not kept for his benefit, so that he would benefit from them at the end of days, and bequeath them to his heirs, but they were kept for his detriment, because people fabricated false accusations against him and he was subjected to tortures.

13. **And those riches are lost** —He also lost his riches through the evil design that they brought upon their owner, viz. the false accusations, for he squandered his money by giving bribes to save himself from the harm that had overtaken him.—[*Mezudath David*]

and he will beget a son—While the riches were in his hand, he did not have a son upon whom to bestow them, but after he lost his riches, he begot a son, and then he had nothing in his hand to benefit him and to bequeath to him.—[*Mezudath David*]

who will have nothing in his hand—*not even the merit of his fathers.*—[*Rashi*] See *Targum.*

Sforno explains:

And those riches are lost through an evil design—And sometimes, even without evil design, the riches are lost through a calamitous incident. [Apparently, *Sforno* defines עִנְיָן as "incident."]

and he will beget a son—when he is rich.

and there is nothing in his hand—to bequeath him so that he can live on it, and the rich man will grieve because of his son. [*Sforno* obviously explains בְּיָדוֹ as referring to the father, who loses his money after his son is born.] The *Targum*, however, renders: And those riches, which he left over to his son: after his death, they will be lost because he acquired them in an evil way. They will not be preserved in the hand of the son whom he begot, and nothing will remain in his hand.

14. **As**—Just as he left his mother's womb naked, so will he return to the known place, viz. the grave, just as he came from the womb.—[*Mezudath David*]

and he will carry nothing with his toil—*When he dies, he will not take in his hand any merit of charity that he did with his money during his lifetime.*—[*Rashi*]

Mezudath David comments that the second segment of the verse explains the first segment . The verse does not mean that he will literally go to the grave naked, but that he will not take any of the riches that he gathered with his toil to the grave.

The *Targum* paraphrases: As he left his mother's womb, naked without clothing (other editions: without merit) and without anything good, so will he return to his grave, lacking all merit, just as he came into this world, and no good reward will he receive for his toil, to carry with him to the world to which he is going, to be a merit in his hand.

Sforno compares this expression with the Talmudic maxim: Fortunate is he who comes here with his studies in his hand.

15. **And this too, etc.**—Above he states that it is a grievous evil that he saw that riches are kept by their owner for his harm, and now he says that this too is a grievous evil, that the riches do not remain in his hand, but just as they came, so do they go. Just as he gathered the riches with toil, so did they leave him with toil and with an evil design.—[*Mezudath David*]

just as it came—*that money, so will it go.*—[*Rashi*]

and to take his portion—*in his death, that He should enable him to engage in the Torah and in the commandments during his lifetime, so that he should receive reward.*—[*Rashi*] *Mezudath David* explains: to take with him to the grave the portion that God allotted him from above, i.e., to do charity and acts of kindness with the riches, to take this merit with him to the grave.

כן ילך ומה־יתרון לו שיעמל לרוח: טז גם כל־
ימיו בחשך יאכל וכעס הרבה וחליו וקצף: יז הנה
אשר־ראיתי אני טוב אשר־יפה לאכול ולשתות
ולראות טובה בכל־עמלו | שיעמל תחת־השמש
מספר ימי־חיו אשר־נתן־לו האלהים כי־הוא
חלקו: יח גם כל־האדם אשר נתן־לו האלהים עשר
ונכסים והשליטו לאכל ממנו ולשאת את־חלקו

הר"א הנה אשר ראיתי אני טוב. פקידה שער כג.

תרגום

לה אסו דכל קביל דאתא לעלמא הדין חסיר מן זכותא כדין ייזיל לעלמא ההוא ומה מותר הוה ליה די טרח לקבלת רוחיה: טז גם אוף כל יומוהי בחשוכא שרי בדיל דלחמוהי בלחודוהי טעים ובנכסים סגי חיי ובמרעין ורגיז הוו חיוהי: יז הא הויתא די חזית אנא טבא הוא לבני אנשא ודשפיר להון למעבד בעלמא הדין דיכלין וישתון מן טורחותהון בדיל דלא לאושטא ידא באניסא וחטוף ולמיטר ית פתגמי אורייתא ולמיחן עניי נכסא מן בגלל דיחזון טבתא בכל טורחותהון די טרחו בעלמא הדין תחות שמשא מנין יומי חיוהי דיהבר די יהב ליה יי במזליה ארום הוא חולקיה ולית אחורן בר מניה: יח גם אוף כל אינש דיהב ליה יי עותר ונכסין ואשליטיה יי למיכל מניה בעלמא הדין ולמעבד מניה צדקתא ולקבלא אגר שלים בעלמא דאתי ולמבדח בטורחיה (נ"א בחולקיה) עם צדיקיא הא דא

רש"י

ילך: (טז) וחליו. כמו וחולי והוי"ו יתירה כמו וי"ו של (תהלים קד כ) חיתו יער: (יז) לאכול ולשתות ולראות טובה. לעסוק בתורה שהיא לקח טוב ואל יקבץ הון רב אלא בחלק הניתן לו ישמח כי הוא חלקו: (יח) והשליטו לאכול ממנו. בחייו: ולשאת את חלקו במותו שיזכהו לעסוק בתורה ובמצות בחייו כדי שיקבל שכר:

ספורנו

עולמי מאומה לא ישא שיועיל לו אז הנה רע לו שבחייו יעמול לחיי שעה בלבד ולא יקנה דבר שיועיל לו אחר המות אשר יהיה לו או חיים נצחיים או אבדון נצחי: (טז) כי כל ימיו בחשך יאכל. ואכרתי שהיא רעה חולה כי אמנם זה העשיר הבלתי קונה שלמות בעשרו כל ימיו בחשך יאכל בלתי שידע איזה הדרך ישכן אור עולם: וכעס הרבה. על בלתי היותו משיג מותרות ברצונו: וחליו. והחולי המורגל בעשירים והוא הכיליות כאמרם ז"ל עשירי' בקמצי' באופן שיחיה בעניות כדי למות עשירי: (יז) הנה אשר ראיתי אני. הנה מכל זה התבאר שהאמת כן הוא כמו שאמרתי למעלה אשר יפה לאכול ולשתות. ההכרחי בלבד בלתי השגות מותרות: ולראות טובה. שלמות לחיי עולם: בכל עמלו שיעמול. גם שירבה לעמול בזה תהיה כוונת כל העמל לזה התכלית: מספר ימי חייו. בימי חייו בעולם הזה שהם ימי מספר ומעטים והמלאכה מרובה: (יח) וגם כל האדם אשר נתן לו האלהים עושר. וגם ראיתי שאם יזכה האדם להשיג עושר בהשתדלותו: והשליטו לאכול ממנו. ויזכהו האלהים שיהנ' ממנו הוא בעצמו: מתת אלהים היא. שזה יקרה על המעט שהקונה את העושר בהשתדלותו יזכה ליהנו' ממנו הוא בעצמו:

אבן עזרא

באי עולם כי ערומים באו וערומים ילכו כלם ומה יתרון לו שעמל לרוח: (טז) גם. ביום שהוא אור לא יאכל כי אם בחשך והענין מרוב עסקיו ועמלו לקבץ ממון לא יאכל עד בוא הלילה והוא מלא כעס וחלי הנפש שהוא הפחד: (יז) הנה. זה פסוק שלישי והענין בעבור שהאדם ילך עומת שבא כנגד שבא ראיתי אני שאין טוב לאדם המתעסק לקבץ ממון רק שיאכל וישמח: (יח) ולשאת את חלקו. זה החלק

מצודת ציון

כחלר (שמות לז): (טז) וקלף. הוא כרלות הכעס אל ההון: (יח) ונכסים. הם כלל זהב וכסף וכלים ומקנה כו' וכן בנכסים רבים שוכו (יהושע כב): והשליטו. ענין ממשלה ויכולת: ולשאת

מצודת דוד

העושר שמור לבעליו לרעתו ובזה אמר וגם זה רעה חולה שלא נשאר העושר בידו כנגד שבא כן ילך כמו שקבץ העושר בעמל כן הלך ממנו בעמל ובענין רע: ומה יתרון. מהו א"כ היתרון הבא לו בדבר אשר עמל לרוח ובכלי הועלת: (טז) גם כל ימיו. גם את היה בו אשר כל ימיו היה מוסרד בעסקיו ולא היה לו פנאי לאכול ביום ולא אכל עד כי בא חשכת הלילה: וכעס הרבה. היה מלא מהרבה כעס כבא מרוב העסק כי א"א שיהיה הכל לפי רצונו הועיל ומרובים היו: וחליו. היה מלא מחלאי הבא מהרבה כעס ובזה ילא הקלף והרבה נרבים: (יז) ראיתי. בהבנת הלב ראיתי כי טוב לבן אדם ולתוספת באור אמר עוד אשר יפה כו': ולראות טובה. ר"ל לעשות לדקה וחסד: בכל עמלו. בכל העושר שקבץ בעמל תחת השמש: מספר ימי חייו. כן יעשה בכל מספר ימי חייו אשר הגיע אותו האלהים כי הוא חלקו. כי כל העושר הוא חלקו אשר חלק לו אלהים מעמל וא"כ מהראוי שהוא יהנה בו וכוא יעשה עמו לדקה וחסד. (יח) גם כל האדם. מוסב על סוף המקרא זו מתת אלהים היא לומר גם ההשלם' לאכול כו' יחשב מתנה מאת המקום כמו העושר עלמו: והשליטו. המשיל את לבו ורלונו ליהנות מן העושר: ולשאת. לקחת עמו נקבר אם החלק אשר חלק לו הטב ממעל ר"ל לעשות עם העושר לדקה וחסד לקחת עמו זה

קיצור אלשיך

להיות שהגוף יאבד שכרו הוא מתיקת שנתו שזהו שכרו, ומאומה לא ישא בעמלו שעמל בעה"ז בתורה ומצוה, ומה יתרון לו שיעמול לרוח, היא הנשמה. ולא לו לעצמו, ולא עוד אלא שיקרה לו להגוף (טז) גם כל ימיו בחשך יאכל, שמחשך היסורים יאכל פתו, ואם חלה ע"י כן הגוף מרגיש לא הנשמה, וזה אומרו וחליו, ואח"כ וקצף, כי יהיה שכרו הקצף, שילך בלי הנאה תחתיו יוצע רמה ומכסהו תולעה והנפש השמה בעוה"ב ע"י הגוף, ע"כ אמר מסקנא דמלתא (יז) הנה אשר ראיתי אני טוב הוא שלא יצטער האדם על אבדן גופו כי יאכל וישתה וישמח אך לא ישליך נפשו אחרי גיוו כ"א יעשה באופן שיראה בגוף ונפש טובה בעמלו היא הטובה העתידה לו בשביל עמלו שעמל בתורה ומצות שהוא בעת כלוק נשמתו והטובה היא מספר ימי חייו שהימים עצמם שעמל בהם בתורה ומצות קנו קדושה ונעשו חיים וקיימים, וזהו כי הוא חלקו. ולא תאמר שזהו רק לגוף שלא נהנה בעה"ז, כי אם (יח) גם האדם אשר נתן לו האלהים עושר ונכסים והשליטו לאכול ולהתענג ממנו הפך בעלי הון המצמצמים עצמם ולשאת את חלקו בעוה"ב ולשמוח בעמלו שהוא בעת הסילוק ואז הוא השמחה כנ"ל, אל תאמרו כי ניכה טובת החומר בזה, כי זו מתת אלהים היא בתורת מתנה ולא בנכוי השכר, והטעם שאייהם אותם למתת ולא לנכוי פירושו הוא כי

so shall it go, and what advantage does he have that he toil for the
wind? 16. Also all his days he eats in the dark, and he has much
vexation and sickness and wrath. 17. Behold what I saw; it is
good, yea, it is beautiful, to eat and drink and to experience
goodness with all his toil that he toils under the sun, the number of
the days of his life that God gave him, for that is his portion.
18. Also every man whom God has given riches and property and
has given him power to eat thereof and to take his portion

and what advantage does he have—If so, what is the advantage that comes to him in the matter, for which he toils for the wind, without avail?—[*Mezudath David*]

16. **Also all his days**—This too was his lot, that all his days he was occupied with his affairs, and had no time to eat until nightfall.—[*Mezudath David, Ibn Ezra*]

and he has much vexation—He was full of anger that was caused by his many affairs. Since they were so numerous, it was impossible that all should be according to his desire.—[*Mezudath David*]

and sickness—Heb. וְחָלְיוֹ, *like* וְחֹלִי, *and the "vav" is superfluous, like the "vav" of (Ps. 104:20): "beast* (חַיְתוֹ) *of the forest."*—[*Rashi*] He was full of the sickness that results from much vexation, and thereby, the anger becomes manifest and visible to the public.—[*Mezudath David, Ibn Ezra*]

17. **what I saw**—with the understanding of the heart, I saw that it is good for a person..., and for clarification, he adds: yea, it is beautiful.—[*Mezudath David*]

to eat and drink and to experience goodness—*to engage in the Torah, which is a good doctrine; and he should not accumulate much wealth, but he should rejoice with the portion given him, for that is his portion.*—[*Rashi* from *Ecc. Rabbah*] *Mezudath David* explains: to do charity and acts of kindness.

with all his toil—with all the wealth that he accumulated with toil under the sun.—[*Mezudath David*]

the number of the days of his life—So should he do all the days of his life, which God allowed him to live.—[*Mezudath David*]

for that is his portion—For all the wealth is his portion that God allotted to him from above, and, consequently, it is proper that he derive benefit therefrom and that he use it to give charity and to perform acts of kindness.—[*Mezudath David*]

18. **Also every man**—This refers to the end of the verse: that is a gift of God, meaning that even the power to eat, etc. is also a gift of God, just as the riches themselves.—[*Mezudath David*]

and has given him power to eat thereof—*during his lifetime.*—[*Rashi*] He empowered his heart and his will to derive benefit from the riches.—[*Mezudath David*]

וְלִשְׂמֹחַ בַּעֲמָלוֹ זֹה מַתַּת אֱלֹהִים הִיא׃ יט כִּי לֹא
הַרְבֵּה יִזְכֹּר אֶת־יְמֵי חַיָּיו כִּי הָאֱלֹהִים מַעֲנֶה
בְּשִׂמְחַת לִבּוֹ׃ ו א יֵשׁ רָעָה אֲשֶׁר רָאִיתִי תַּחַת
הַשָּׁמֶשׁ וְרַבָּה הִיא עַל־הָאָדָם׃ ב אִישׁ אֲשֶׁר יִתֶּן־לוֹ
הָאֱלֹהִים עֹשֶׁר וּנְכָסִים וְכָבוֹד וְאֵינֶנּוּ חָסֵר לְנַפְשׁוֹ
מִכֹּל אֲשֶׁר־יִתְאַוֶּה וְלֹא־יַשְׁלִיטֶנּוּ הָאֱלֹהִים לֶאֱכֹל
מִמֶּנּוּ כִּי אִישׁ נָכְרִי יֹאכְלֶנּוּ זֶה הֶבֶל וָחֳלִי רַע הוּא׃

הו"א יש רעה אשר ראיתי תחת השמש. יוכר הרבה בכעלוקן: ראיתי תחת השמש. עקידה שער טו ושער כד·

תרגום

סְתָנָא דְאִתְיְהִיבַת לֵיהּ בְּמַזָּלֵיהּ
מִן קֳדָם יְיָ הוּא׃ יט כִּי אֲרוּם לָא
יוֹמִין סַגִּיאִין חַיֵּי אֱנָשׁ דִּי יִדְכַּר
יַת יוֹמֵי חַיוֹהִי כַּמָּה מִנְּהוֹן
עֲתִידִין לְמֶהֱוֵי טָבִין וְכַמָּה
מִנְּהוֹן עֲתִידִין לְמֶהֱוֵי בִּישִׁין
מְטוּל דְּלָא אִתְמְסַרוּ לִבְנֵי
אֱנָשָׁא אֲרוּם מִן קֳדָם יְיָ אִתְגְּזַר
עֲלוֹהִי כַּמָּה יוֹמִין יִסְתַּגֵּיף
וְכַמָּה יוֹמִין יְהֵי בְּחֶדְוַת לִבֵּיהּ׃
ו א יֵשׁ אִית בִּישְׁתָא דַחֲזֵית
בְּעָלְמָא הָדֵין תְּחוֹת שִׁמְשָׁא וְרַבְּתָא הִיא עַל בְּנֵי אֱנָשָׁא׃ ב אִישׁ גְּבַר דִּי הַב לֵיהּ יְיָ בְּמַזָּלֵיהּ עוּתַר
וִיקַר וְנִכְסִין וְלֵיתוֹהִי מַחְסַר לְנַפְשֵׁיהּ מִכֹּל דִּי יִתְרְעֵי וְלָא אַשְׁלְטֵיהּ יְיָ עַל חוֹבְתֵיהּ לְמִטְעַם מִנֵּיהּ אֱלָהֵן

רש"י

(יט) כי לא הרבה. שאין אורך ימים בעולם הזה: יזכר את ימי חייו. כי מעט הם ולא הרבה ולמה יטריח לאסוף הון יטריח בדבר העומד לו לעולם הבא בחייו: כי האלהים מענה וגו'. הקב"ה עדות קבועה לזה לעולם: בשמחת לבו. שמח לעשות טוב בחייו וראיתי במדרש זה אלקנה שהדריך את ישראל לעלות לשילה ברגלים ובדרך שמעלה הותן בשנ' זו לא הי' מעל' אותן לשנ' האחר' כדי לפרס' הדבר ולהרגילם ולפיכך יחסו הכ' ועלה האיש ההוא מעירו וגו'. והאומר אני שהמדרש הזה סוף המקרא הוא כי האלהים מענה בשמחת לבו זה אלקנה שקבע לו הקב"ה עדות בכתובים והעיד עליו (ש"א א ג) ועלה האיש ההוא מעירו: מענה. נקוד פתח קטן לכך אני מפרשו שם דבר כמו (איוב לב ה) כי אין מענה בפי שלשת האנשים: בשמחת לבו. שהיה שמח ברגל: (א) ורבה היא על האדם. שהרבה בני אדם היא נוהגת: (ב) עושר ונכסים. לפי פשוטו כמשמעו: ולא ישליטנו האלהים לאכול ממנו. שיהא שמח בחלקו

אבן עזרא

שיהא עמו: (יט) כי לא. יש מפרש אם לא יעמוד לו הטוב הרבה יזכור את ימי חייו שהתענג בהם ויש לו בזכירתם שמחת לבב. והנכון בעיני שהוא כן יזכור כי לא הרבה ימי חייו ואת נוסף כמו ובא האריו ואת הדוב: כי האלהים מענה. ענינו ממליא כמו אענה את השמים והם יענו את הארץ וי"א שהוא מלשון ענה וענינו יענה השואל והמבקש כפי שאלתו וכן יענה את הכל ומענה מן הבנין הכבד הנוסף על משקל מעלה נשיאים והענין שהמקום מסייע לו בשמחתו כי הוא נתן לו והשליטו לאכול ממנו. וענין ממנו שאין ראוי שיאכל ממנו יותר מדאי: (א) יש רעה. רב בלשון הקדש על ארבעה ענינים. האחד רב שהוא הפך מעט לרב תרבו את נחלתו. והשני רב את יורנו מלשון ריב. והשלישי רב מלשון רבה קשת. אך הוא מפעלי הכפל כמו השמיעו על בבל רבים והבא אחריו יורה עליו והוא על משקל דלים רכים ופעל עבר מן רכיס יען רך לבבך וכן וברקים רב ויהומם ויורה עליו תחלת הפסוק וישלח חציו ויפיצם. והרביעי גדול כמו מושיע ורב והצילם. על כל רב ביתו. קרית מלך רב. והוא דוד כענין קרית חנה דוד. ויש מפרשים שהוא המקום. ואיננו נכון בעבור שלא הודיע המלות והיינה למלך הרב ולשון רבים רבי המלך ולשון נקבה רבה. ורבה היא על האדם: (ב) איש. יש מפרשים נכסים כמו רכוש ומלת חסר ומלת מלא על דרך אחת והם שתיהם מן הפעלים העומדים אע"פ שצריכין סמיכה והענין כשיאמר

ספורנו

(יט) כי לא הרבה. כי לא על הרוב יקרה זה: יזכור את ימי חייו. שעם מה שזכה להתעשר יזכור ימים שהית בהם בטובה הנקראים ימי חיים: כי האלהים מענה בשמחת לבו. כי על הרוב בעת שמחת לבו בהצלחתו להשיג העושר האל ית' מענה אותו בדאגת ההשתדלות בזה האופן שלא יהנה ממנו:

ו (א) יש רעה אשר ראיתי תחת השמש. ואמרתי זה כי אמנם ראיתי זאת הרעת: ורבה היא על האדם. והיא קורה על הרוב במין האנושי: (ב) איש אשר יתן לו האלהים עושר ונכסים וכבוד ואיננו חסר לנפשו מכל אשר יתאוה ולא השליטו האלהים לאכול ממנו. בחייו: כי איש נכרי יאכלנו. אחרי מותו ולא יזכה אפילו להוריש לקרוביו. גם זה הבל. שנמצא שיגע הרבה להשיג הכלית גרוע: וחלי רע הוא. שלפעמים יקרה זה בשנאתו את קרוביו וזה חולי מטנה והוא כמו כן רע שיחטא בזה ונמצא שאבדה זכמו

מצודת דוד

הזכות אל סקבר: ולשמוח בעמלו. ר"ל שלא ירע נכבו בחתו מן סעושר שקבן בעמל: (יט) כי לא הרבה וגו'. הוא מקרא מסורס וכאלוי יזכור את ימי חייו כי לא הרבה ר"ל יחשוב בלבבו את ימי חייו אשר אינם מרובים לכן ימהר ליהנות מן העושר ולעשות צדקה וחסד בשמחת סלבב עודו חי: כי האלהים. כאומר מן מי יחשוב מי יודע תעלומות לב אם משיתי בשמחת הלב לזה אמר כי האלהים היודע מחשבות הוא לו לעד אם עשה בשמחת לבו:

ו (א) ורבה היא. סרעה הזאת היא גדולה על האדם ומליכה מאד: (ב) איש וגו'. ר"ל ראיתי איש כו': וכבוד. מן הבריות ושאר דבר המרחיב את הלב ומשמחו: ואיננו חסר לנפשו. אין סוא חסר אל נפשו מכל אשר יתאוה ר"ל יוכל הוא מלאות רצון נפשו בכל מה שיתאוה כי אין חסר לו כלום: ולא ישליטנו האלהים. לא נתן לו ממשלה ויכולת ליהנות מן העושר כ השה את לבבו לקמץ. איש נכרי. הזר ממנו שאינו ראוי לירשו הוא יאכל את העושר כי יבא לידו ויהנה ממנו: זה הבל. אסיפת ההון היה מבלי תועלת והוא

מצודת ציון

ולקחת: מתת. מל' נתינה כמו ביום תת ה' (שם י): (יט) מענה. ענין עדות כמו לא תענה (שמות כא)

ו (א) ורבה. גדולה כמו על כל רב ביתו (אסתר א):

קיצור אלשיך

(יט) כי לא הרבה יזכור האדם בעשרו הנזכר ימי חייו האמתיים של עוה"ב כי הלא האלהים דיין הוא ורונו הוא מענה פיו בשמחת לבו בעשרו כי נתגאה כי עשיר יענה עזות וע"כ מי שעב"ז מכשיר מעשיו יאות לו לא ינוכה לו אושרו בעשרו:

ו (א) יש רעה וגו'. שלמה ידבר על בני אדם עשירי ארץ שמצמצמים לעצמם כעני ודל ומשמרים אוצרות לאשר לא עמל בו כיורשיו או להגושא אלכנתו וכיוצא, וזה אומר יש רעה וגו' ורבה היא, רבים יכשלו בזה והוא (ב) והוא איש אשר נתן לו עושר ונכסים וכבוד ואיננו חסר במזונו לנפשו מכל אשר יתאוה האלהים שיעשה צדקה, שע"כ העשירו ולא ישליטנו האלהים לאכול ממנו הוא מדה כנגד מדה, הוא לא רצה להאכיל לעניים גם הוא לא יאכל ממנו, ולא

and to rejoice with his toil; that is a gift of God. 19. For let him remember that the days of his life are not many, for God is testimony of the joy of his heart.

6

1. There is an evil that I have seen under the sun, and it is prevalent among men. 2. A man whom God gives riches and property and honor, and his soul lacks nothing of all he desires, and God gives him no power to eat of it, but a strange man eats it; this is vanity and a grievous sickness.

19. **are not many**—*for there is no longevity in this world.*—[*Rashi*]

For let him remember that the days of his life—*for they are few and not many; so why should he toil to accumulate wealth? Let him toil in his lifetime with a thing that endures for him in the World to Come.*—[*Rashi*] *Mezudath David* explains that the verse is inverted: For let him remember that the days of his life are not many, i.e., let him think about the days of his life, that they are not many. Therefore, let him hasten to derive benefit from the wealth and perform charity and acts of kindness with a joyful heart while he is alive.

for God is testimony, etc.—*The Holy One, blessed be He,* [testifies] *a constant testimony about this forever.*—[*Rashi*]

of the joy of his heart—*that he rejoiced to do good in his lifetime, and I saw in the Midrash* (*Ecc. Rabbah*): *This refers to Elkanah, who led Israel up to Shiloh on the festivals, and on the way that he brought them up on one year he did not bring them up the following year, in order to publicize the matter and to accustom them* [to perform the pilgrimage]. *Therefore, Scripture praises him* (*I Sam. 1:3*): *"And that man was wont to go up from his city, etc." I believe* [lit., I say] *that this Midrash is* [based on] *the end of the verse: "for God is testimony of the joy of his heart." This is Elkanah, whom the Holy One, blessed be He, established in the Scriptures, and testified about him: "And that man was wont to go up from his city."*—[*Rashi*]

testimony—Heb. מַעֲנֶה. *This is vowelized with a "pattah kattan"* (seggol). *Therefore, I explain it as a noun, like* (*Job 32:5*): *"for there was no answer* (מַעֲנֶה) *in the mouth of the three men."*—[*Rashi*]

of the joy of his heart—*that he was happy on the festival.*—[*Rashi*]

Mezudath David explains: lest someone think: Who knows the inner recesses of the heart, whether I performed the commandments joyfully? Therefore, Scripture says that God, Who knows a person's thoughts, is a witness as to whether he performed the commandments joyfully.

Ta'alumoth Hochmah, basing his interpretation on Ibn Ezra, renders:

for he does not remember that the days of his life are not many—It is natural that because of a person's joy with his riches, he does not remember the brevity of his life, that it is vanity. And because of this, he becomes haughty with his wealth and sins.

that God supplies, because of the joy in his heart—Because of the joy of his heart, he does not remember the brevity of his lifespan and he does not think that the Holy One, blessed be He, supplies him with everything, but he thinks that he has acquired everything with his own strength.

Sforno explains: **For it is not usual**—It does not occur in the majority of cases.

that he remembers the days of his life—That together with meriting to become rich, he should remember the days that he enjoyed, which are called the days of his life.

for God afflicts [him] with the joy of his heart—For usually, at the time of the joy of his heart, when he succeeds in acquiring riches, God afflicts him with worries connected to his money-making efforts, preventing him from enjoying them.

Midrash Lekach Tov explains:

For let him remember—It is not proper for a person to say, "I will take money and put it away so that I will have it in my old age," for let him remember that the days of his life are not many. [Let him not say,] "I will live long, so I will not eat, and I will not drink, and I will not distribute [my money] to the poor." Why? Because God arranges for the joy of the heart. Since the Holy One, blessed be He, gives him his daily needs, he should say, "Blessed is the Lord every day. He Who provided for me today will provide for me in my old age." The Holy One, blessed be He, prepares his food for him as needed. מַעֲנֶה means "arranges" or "sets up."

6

1. **and it is prevalent among men**—*It affects many men.*—[*Rashi*] *Mezudath David* explains: it is severe upon men, causing them great distress.

2. **riches and property**—*According to its simple explanation, it should be interpreted as its apparent meaning.*—[*Rashi*]

and honor—from other people, which cheers a person up.—[*Mezudath David*]

and his soul lacks nothing—He lacks nothing that he desires, i.e., he can gratify his soul with whatever he wishes, for he lacks nothing.—[*Mezudath David*]

and God gives him no power to eat of it—*that he should rejoice in his portion to find satisfaction in his riches, for he strives to oppress and to accumulate much wealth, as it is said* (*Hab.* 2:5): *"and he is like death and shall never be sated," and God will also not give him power to perform charity, to eat therefrom in the future, but a strange man will take that money and perform charity with it and derive benefit therefrom. The Midrash Aggadah* (*Ecc. Rabbah, Yerushalmi Horayoth* 3:5) [explains it as referring] *to words of Torah.*—[*Rashi*]

riches and property and honor—*Bible, Mishnah, and Aggadah.*—[*Rashi*]

gives him no power—*Since he did not achieve* [knowledge of] *Gemara, he consequently has no benefit therefrom in any practical instruction.*—[*Rashi*]

but a strange man eats it—*This is the one versed in Gemara.*—[*Rashi*]

Mezudath David, explaining the verse according to its simple meaning, comments:

and God gives him no power—But God did not give him the power or ability to benefit from the riches, for He influenced him to be miserly.

a strange man—who is strange to him, who is not fit to inherit his property, will consume the riches, for they will come into his hand, and he will derive benefit therefrom.

this is vanity—The accumulation of wealth was of no avail, and it is a grievous pain to see someone else enjoying the money that he gathered.

The *Targum* explains the verse in a similar manner, that the person dies because of his sins, leaving no heirs. His wife takes his estate and marries a stranger, who enjoys the property that he toiled to acquire.

Sforno explains:

this is vanity—for it turns out that he toiled exceedingly to achieve an undesirable end.

and a grievous sickness—For sometimes this happens because he hates his relatives. This is a shameful sickness, which is also grievous, for he sins by doing this, and the result is that he has wasted his time and his toil to achieve wealth, only to be guilty of wrongdoing.

Midrash Lekah Tov, following *Rashi*'s former interpretation explains:

for a strange man will eat it—He does not give charity because he does not want a stranger to eat his money, one who has not worked for it.

ג אִם־יוֹלִיד אִישׁ מֵאָה וְשָׁנִים רַבּוֹת יִחְיֶה וְרַב
שֶׁיִּהְיוּ יְמֵי־שָׁנָיו וְנַפְשׁוֹ לֹא־תִשְׂבַּע מִן־הַטּוֹבָה וְגַם־
קְבוּרָה לֹא־הָיְתָה לּוֹ אָמַרְתִּי טוֹב מִמֶּנּוּ הַנָּפֶל׃ ד כִּי־
בַהֶבֶל בָּא וּבַחֹשֶׁךְ יֵלֵךְ וּבַחֹשֶׁךְ שְׁמוֹ יְכֻסֶּה׃ ה גַּם־שֶׁמֶשׁ

יְמוּת בְּלָא וְלַד וְלָא הֲסַק קְרִיבֵיהּ לְאַחְסָנוּתֵיהּ לֵיהּ אֲרוּם אִנְתְּתֵיהּ הָהִיא מִתְנַסְבָא לִגְבַר חִילוֹנָאֵי וְיַחְסְנִינֵיהּ וִיכַלִּינֵיהּ כָּל דֵּין גְּרָמוּ לֵיהּ חוֹבוֹהִי דְלָא עֲבַד מִנֵּיהּ מִדַּעַם טָב וְאִתְהַפִּיךְ עֻתְרֵיהּ לְמֶהֱוֵי לֵיהּ לְהַבְלוּ וּלְמַרְעָא בִּישָׁא׃ ג אִם אִין יוֹלִיד גְּבַר מְאָה בְּנִין וּשְׁנִין סַגִּיאִין יְחֵי בְּשַׁלְטָנוּתָא וְרַבְרְבָנוּתָא הוּא דִּי יְהוֹן יוֹמֵי שְׁנוֹהִי וְנַפְשֵׁיהּ לָא שָׂבְעַת מִן טַבְתָא דַּהֲוַת לֵיהּ עַל דִּי רָחִים עַל עֻתְרֵיהּ וְלָא קְנָא מִנֵּיהּ שׁוּם טָבָא אַף בֵּית קְבוּרְתָא לָא הֲוַת מְזַמְּנָא (ס"א מְהֵימְנָא) לֵיהּ אֲמָרִית אֲנָא בְּמֵימְרִי דְּטָב מִנֵּיהּ שְׁלִילָא דְּלָא חֲזָא עָלְמָא הָדֵין׃ ד כִּי אֲרוּם בְּהַבְלוּתָא אֲתָא בְּעָלְמָא הָדֵין וּבַחֲשׁוֹכָא יֵיזֵיל לְעָלְמָא הַהוּא וּבַחֲשׁוֹכָא שְׁמֵיהּ מִתְחַפֵּי מִן בְּגְלַל דְּלֵית לֵיהּ זְכוּתָא וְשׁוּם טָב לָא קְנָא לְמֶהֱוֵי מִדְּכַר׃ ה גַּם וְאַף נְהוֹר אוֹרַיְתָא לָא חֲמָא וְלָא יְדַע בֵּין טָב לְבִישׁ לְמִבְחַן בֵּין עָלְמָא

רש"י

למלאת קורת רוח בעשרו כי שואף לעשוק ולהרבות הון כענין שנאמר (חבקוק ב ה) והוא כמות ולא ישבע וגם לא ישליטנו לעשות צדקה לאכול הימנה לעתיד ואיש נכרי יטול אותו ממון ויעשה בו צדקה ויהנה ממנו. ומדרש אגדה בדברי תורה. עושר ונכסים וכבוד. מקרא משנה והגדה. ולא ישליטנו. שלא זכה לגמרא ומתוך כך אין הנאה ממנו בשום דבר הוראה. כי איש נכרי יאכלנו. זה בעל הגמרא: (ג) **אם יוליד** **איש מאה**. בנים: **ורב שיהיו ימי שניו**. (ורב הון וכל טוב ימי שניו) שלו. ורב לשון די. די לכל טובה: **ונפשו לא תשבע**. מאותה הטובה שאינו שמח בחלקו להתקרר רוחו במה שבידו: **וגם קבורה לא היתה לו**. פעמים שנהרג וכלבים אוכלים אותו וכל הדברים האלו נמצאו באחאב שהוליד בנים הרבה וממונו הרבה והיה חומד של אחרים ולא מצא קורת רוח בממונו וכלבים אכלוהו: **טוב ממנו הנפל**. של אשה כי הנפל בהבל בא והלך ולא ראה

ספורנו

ועמלו להשיג העושר לאשמה בו: (ג) **אם יוליד איש מאה.** ואמרתי שהתכלית המושג בזה העושר אשר לא יזכה זה העשיר ליהנות בו לא לחיי עולם ולא לחיי שעה. הוא תכלית גרוע מאד. כי אמנם **אם יוליד איש מאה**. ובכן יזכה לבנים: **ושנים רבות יחיה**. ועם זה יזכה לאורך ימים: **ורב שיהיו ימי שניו**. גם שיספיק זה בעיניו וישמח בו באופן שאורך ימיו עם הבנים יהיו אצלו ובעיניו ימי שני חיים אע"פ שיהיו חיי צער: **ונפשו לא תשבע מן הטובה**. שלא השיג בה נפשו שום תקות אושר נצחי שתשמח בה: **וגם קבורה לא היתה לו**. שלא מת עדיין ובאופן זה אינו לא מן המתים ולא מן החיים אבל מאריך ימי צער שאינם ימי חיים: **אמרתי טוב ממנו הנפל**. שלא הצטער כלל: (ד) **כי בהבל בא**. כי אמנם הנפל בא בהבל שאין בבואו ובלידתו השגת שום תכלית נאות: **ובחשך ילך**. בלתי השתדלות להשיג דבר ובכן אינו מאבד כלום: **ובחשך שמו יכוסה**. שלא בא לכלל מציאות ראוי לשם: (ה) **גם שמש לא ראה ולא ידע**.

אבן עזרא

האומר חסר הוא פלוני צריך שיוסיף לבאר חסרונו אם מהחכמה אם מהון אם מגדולה הלא תראה חסר משוגעים אני והוא סמוך וענינו חסר אני ממשוגעים וכן מלא ימים וכן ואיננו חסר מכל תאות נפשו והוא בבנינים הכבדים פועל יוצא כמו ותחסרהו מעט מאלהים שמתו חסר מעט מאלהים וטעם האומר כי הוא יוצא לשנים פעולים ונמצא מן הכבד הנוסף והממעיט לא החסיר ענינו לא הוליד חסרון והנה הוא כמו פועל יוצא כמו העדיף: (ג) אם יוליד. אם יוליד בנים רבים ודרך לשון הקדש לזכור עשרה ומאה ואלף בעבור היותם כלל החשבון הלא תראה כי בהשלמת העשרה תחל באחד גם יזכרו שבעה ובמקומו אפרשנו: ושנים רבות יחיה. עד שיהיה ישיש: ורב שיהיו ימי שניו. ממנהג העולם: וגם קבורה. התצריכין שיקבר בהם המת. והנפל הוא נפל אשת: (ד) כי בהבל וצריך שיתעלם שמו ולא יזכר: (ה) גם שמש. ישוב לנפל ואמר הנה הנפל שלא ראה אור העולם ולא ידע מאומה. נחת היה לו כי לא עמל בדברי העולם. וזה בעל העושר שראה אור העולם וידע כי לא היתה לו מנוחה כי אם עמל בלא שכר ולא תענוג בשתי

מצודת ציון

(ג) ורב. גדול ר"ל מכובד: הנפל. כן יקרא הנולד מת: (ה) **נחת.**

מצודת דוד

מכאוב רע בראותו שזולתו יהנה ממה שקבץ הוא: (ג) מאה. ר"ל מאה בנים המשמח לב מולידם: ורב כו'. בגודל ובכבוד אשר יהיו ימי שניו: ונפשו. אבל נפשו לא שבעה מן הטובים כי לא מילא תאותה בשום דבר: לא היתה לו. כי חית השדה אכלוהו: טוב ממנו. מי שאירע לו כ לה נפל האשה טוב ממנו: (ד) כי בהבל בא. הנפל הזה כשבא לעולם מתחלה בא מבלי השיג תועלת וכשהלך אל הקבר הלך בחושך ר"ל לא ראוהו מי ולא ידע ממנו אדם ולא יזכר שמו כאלו השם נתכסה בחושך ואין מי רואהו להזכירו והוא ענין מליצה כי באמת לא נקרא לו שם: (ה) לא ראה. הנפל הזה: ולא ידע. מעולם לא ידע נחת כלום שיש מדבר אחד יותר ממה שיש מדבר האחר [illegible] וכן

קיצור אלשיך

ולא ישאר אצלו כי יעשה לו כנפים ויעוף ממנו אל הזולת. או שלא יתנגו לאכול ממנו שישים בלבו אכזריות על עצמו שלא יאכל ויפזר עד יבא אחר, יורשיו או נושא אלמנתו ויקחנו במלואו כי היה כפקדון אצלו ולא יאכל ממנו וגם זה הבל וחלי רע הוא בלתי מעלה ארוכה כי אין מתרפא ממנו:

(ג) **אם** יוליד איש וגו', הנה עוד רעה יש, כי הצלחת האדם הוא בשלשה דברים בני חיי ומזוני, הנה העושר הוא מזוני, וצריך להצטרף אל העושר בני וחיי, וזהו **אם יוליד איש מאה**, זהו בני. ושנים רבות יחיה, ורב שיהיו ימי שניו, זהו חיי. הנה מהתנהגות האדם עם עשרו והצלחתו בו, כבר אמור בפסוק הקודם. בבנים יכול היות שאף **אם יוליד מאה** בנים נפשו **לא תשבע** מן הטובה ההיא, כי מי **יודע אם** יהיו צדיקים ויזכו את אביהם או יהיו רשעים ויחייבו את אביהם, ומענין החיים אף אם רוב שנים יחיה, מי **יודע** איך יהיה סופו, באיזה מיתה ימות, על מטתו, ופקודת כל **אדם** יפקד עליו, או ישבע בנהר וגם קבורה **לא** יהיה לו, אמרתי **טוב** ממנו הנפל (ד) כי בהבל בא לעולם, מטפה סרוחה, ופה לא היה יכול לעשות מאומה לא טוב ולא **רע**. ובחשך ילך חזרה מן העולם, ולא היה לו **שם**, **כי** אביו ואמו **לא קראו לו שם**, **שע"י** שמו יזכר להם, לומר היה לנו **בן ששמו** היה כך וכך, **ע"כ** ובחשך שמו יכוסה ונשכח מן הלב. (ה) **גם שמש לא** ראה ולא ידע נחת לזה מזה, **אינו יודע** אם יש נחת להיות בעולם

3. Should a man beget one hundred [children] and live many years, and he will have much throughout the days of his years, but his soul will not be sated from all the good, neither did he have burial. I said that the stillborn is better than he. 4. For he comes in vanity and goes in darkness, and in darkness his name is covered. 5. Moreover, he did not see the sun

3. **Should a man beget one hundred**—*children.*—[*Rashi*] who bring cheer to their father.—[*Mezudath David*]

and he will have much throughout the days of his years—*(and much property and all goodness the days of his life).* וְרַב*, is an expression of sufficiency, a sufficient degree of all goodness.*—[*Rashi*]

and his soul will not be sated—*from that good, for he is not happy with his portion, to be satisfied with what is in his hand.*—[*Rashi*]

neither did he have burial—*Sometimes he is slain, and dogs consume him. Now all these things were found in Ahab: he begot many sons, and he had much property, but he coveted the property of others and did not find satisfaction with his money, and dogs devoured him.*—[*Rashi* from *Ecc. Rabbah*] This verse applies very aptly to Ahab, as the Midrash illustrates. Ahab had seventy sons in Samaria, (II Kings 10:1), and seventy sons in Jezreel. He lived long, as the Midrash states. He was also fabulously rich, as is evidenced by the ivory palaces that he built. (See I Kings 22:39.) According to the Midrash, each of his sons had at least two ivory palaces, one for the summer and one for the winter (Amos 3:15): "And I will smite the winter house with the summer house, and the houses of ivory shall be lost." Ahab coveted the property of others, as in the case of Naboth. Concerning his failure to be buried, the Midrash explains that only his blood was not buried, because the dogs lapped it up (I Kings 22:38), but his body was buried, as Scripture states explicitly (ibid. verse 37): "and they buried the king in Samaria." *Midrash Zuta*, however, states that beasts and fowl devoured him, which appears to contradict the verse in Kings.

the stillborn is better than he—[The stillborn] *of a woman, for the stillborn comes in vanity and goes; he did not see good and did not desire it; so he need not be distressed.*—[*Rashi*] It is difficult to understand what *Rashi* adds to the verse. In *Ecclesiastes Rabbah*, the wording is as follows: This is the stillborn of a harlot. *Redal* explains in the name of Rabbi Moshe, the preacher of Shklov, that it means the stillborn of an adulteress, who is ashamed of her pregnancy and casts away the body at night. Even such a stillborn child is better than the man mentioned above.

4. **For he comes in vanity**—When this stillborn child came to the world, from the beginning he came

לָא־רָאָה וְלֹא יָדָע נַחַת לָזֶה מִזֶּה: ו וְאִלּוּ חָיָה אֶלֶף
שָׁנִים פַּעֲמַיִם וְטוֹבָה לֹא רָאָה הֲלֹא אֶל־מָקוֹם אֶחָד
הַכֹּל הוֹלֵךְ: ז כָּל־עֲמַל הָאָדָם לְפִיהוּ וְגַם־הַנֶּפֶשׁ
לֹא תִמָּלֵא: ח כִּי מַה־יּוֹתֵר לֶחָכָם מִן־הַכְּסִיל מַה־
לֶּעָנִי יוֹדֵעַ לַהֲלֹךְ נֶגֶד הַחַיִּים: ט טוֹב מַרְאֵה עֵינַיִם

תו"א כל עמל האדם לפיהו. זוהר פ' שמיני: טוב מראה עינים מהלך נפש. יומא עד:

תרגום

הָדֵין לְעָלְמָא דְאָתֵי: ו וְאִלּוּ וְאִלּוּלֵי הֲווֹ יוֹמֵי חַיּוֹהִי דְגַבְרָא תְּרֵין אַלְפִין שְׁנִין וּבְאוֹרַיְתָא לָא עָסִיק וְדִינָא וְצִדְקְתָא לָא עֲבַד בְּשְׁבוּעַת מֵימְרָא דַיְיָ דְבְיוֹם מוֹתֵיהּ נַחְתָּא נַפְשֵׁיהּ לַגֵּהִינָּם לַאֲתַר חַד דְּכָל חַיָּבָא אָזְלִין תַּמָּן: ז כָּל כָּל טוֹרַח דְּגַבְרָא בְּדִיל מָזוֹן פּוּמֵיהּ הוּא טָרַח וְעַל מֵימַר פּוּמָא דַיְיָ מִתְּזַן וְאַף נַפְשָׁא דְאֱנָשׁ לָא תִשְׂבַּע מִכְלָא וּמִשְׁתְּיָא: ח כִּי אֲרוּם מַה מוֹתְרָא אִית לְחַכִּימָא בְּעָלְמָא הָדֵין יַתִּיר מִן שַׁטְיָא בְּגִין דְּרָא בִישָׁא דְלָא מִתְקַבַּל עֲלַוֵיהוֹן וּמַה אִית לְהַהוּא גַּבְרָא עַנְיָא לְמֶעְבַּד אֱלָהֵן לְמֶעְסַק בְּאוֹרַיְתָא דַיְיָ בְּגִין דִּי יִנְדַּע הֵיךְ דִּין עָתִיד לְמֵהַךְ לְקֳבֵל צַדִּיקַיָּא בְּגִנְתָא דְעֵדֶן: ט טוֹב טָב לְגַבְרָא לְמֶחְדֵי עַל מַה דְאִית לֵיהּ וּלְמֶעְבַּד צִדְקְתָא וּלְמֶחֱמֵי אֲגַר טָב עַל

רש"י

טובה ולא נתאו' לה ואין לו להצטער: (ו) ואלו חיה. ואם היה אלפים שנה מה יתרון לו הואיל וטובה לא ראה הלא סופו לשוב אל העפר כשאר העניים: (ז) כל עמל האדם. בשביל פיהו ל הוא שיהנה ויאכל בעולם הזה והבא וזה לא נהנה בחייו: וגם הנפש לא תמלא. כתמי' כלומר וזה אפי' תאותו לא מלא בהנא' מועטת כמו (שמות טו ט) תמלאמו נפשי לשון השגת תאוה. ואחרי שכן הוא: (ח) מה יותר. לו בחכמתו משאם הי' כסיל: מה לעני. חסרון מן העשיר שאין לו קורת רוח גם הוא יודע להלוך בארץ אלל החיים. ד"א וגם הנפש לא המלא לעולם הבא שהרי לא עשה מעשים טובים בחייו: (ט) טוב מראה עינים מהלך

שפתי חכמים

אין לך הבל גדול מזה: ר"ל דק"ל וכי כל עמלו אם קנה פרקמטיא או עשה מלאכה וכי לפיהו הוא טוחן. לכ"פ בשביל פיהו פירוש עושה מלאכה או פרקמטיא להשתכר בשביל פיהו הוא:

אבן עזרא

העולמות: (ו) ואלו חיה. זאת המלה כמו ואילו לעבדים ולשפחות. ויש מפרש שאמר שהיא מורכבת מן אם ומן לו. ואלף פעמים אלף אלפים כמו עשרים פעמים הם ארבע מאות: אל מקום אחד. הוא הקבר: (ז) כל עמל. תמה על הכסיל שלא ראה טובה והלא עיקר כל עמל כדי שיאכל אדם ולא ימות. וענין וגם הנפש לא תמלא שלא תשבע ואילו היה לה כל הון שבעולם וכל (תאכל) חטה. וענין גם ישוב על הפה שלא ימלא כי מיד ירד המאכל ממנו: (ח) כי מה יותר להכם. אם יבקש החכם ממון אין קץ ונפשו לא המלא כנפש הכסיל מה יתרון יש לו. וענין מה לעני יודע. העני שהוא יודע ומבין מה לו להלוך בדרך הכסילים כנגד החיים. חיים במקום הזה שם התואר כמו חיים כלכם: (ט) טוב. אמר מה להכם שתהלוך נפשו בדרך הכסילים שנפשם לא תמלא די לו הנמצא הנראה לעין אע"פ שהנראה

ספורנו

ובכן לא יוכל להצטער על אבדת שום תכלית מכוון: נחת לזה מזה. לכן נחת לנפל שלא טרח ולא ידע אחת מכל אלה יותר ממה שיש לזה המאריך ימי צער בלתי שישיג בהם שום תכלית נחשב: (ו) ואלו חיה אלף שנים פעמים וטובה לא ראה. וגם שלא יהיו חיי צער מה התועלת באורך החיים כי גם שיחי' כפלי כפלים ובהם לא ראה ולא השיג תקוות נצחיות: הלא אל מקום אחד הכל הולך. הלא אל מקום אחד במדרגת אבדון ילך הכל הנפש השכלית עם החיונית וכחותיה ובכן לא יושג התכלית המכוון בחיי הזמניים שהוא שיקנה האדם בהם הנצחיות ואשורו: (ז) כל עמל האדם לפיהו וגם הנפש לא תמלא. ויקרה לזה כמו שיקרה למי שיעמול כל ימיו לפיהו ועם מה שאינו מכוין להיטיב בו לזולתו גם נפשו המתאוה לא תמלא ולא תשבע מן המושג אצלו וכן יקרה לזה אשר המכוון בחייו מאת האל ית' הוא שיקנה בהם שלמות נצחי לעצמו ויורה זה גם לאחרים והנה לא יושג בהם דבר מזה לא לעצמו ולא לאחרים: (ח) כי מה יתרון לחכם מן הכסיל. והטעם שהאדם ההמוני גם שיאריך ימים לא יתעורר בהם להשתדל בעיון לקנות איזה אושר נצחי הוא כאמרו שאין יתרון לחכם יותר מן הכסיל: מה לעני יודע. שגם שהחכם יתבונן בנצחיים ובעצמים הנבדלים אשר הם חיים לעולם מה אופן ודרך יש לזה העני היודע כל אלה שיוכל להלוך נגד אותם החיים בדרך ישר מגיע אליהם להשיג אותו הנצחיות כמו ויעל העם העיר' איש נגדו באופן שיתן לו מהלכים בין העומדים האלה ולכן אומר זה ההמוני הנזכר: (ט) טוב מראה עינים. טוב הקנין המושג בחוש: מהלך נפש

מצודת דוד

אין לו להצטער מה שהיה חסר מן הטובה כי מעולם לא ראה טובה ולא נתאוה לה אבל האיש שילד מאה כו' יודע הוא מהו טובה ועל שנעדרה ממנו לעולם מרובה: (ו) ואלו חיה. ואם חיה: פעמים. שני פעמים אלף בכסף שני אלפים: לא ראה. ר"ל לא התענג בטובה: הלא אל מקום אחד. ר"ל מהו הנאה שמלא באריכות ימיו הלא במותו ישוב אל העפר כאשר בעת כי הכל הולך אל מקום אחד היא הקבר וכאשר בתחלה כמוהו: (ז) כל עמל. מה שהאדם עמל לקבץ הון הוא למען יהיה לו מה לתת אל פיהו לאכול ולשתות: וגם הנפש. יאמר שלא תמלא ר"ל שיתן מהונו לצדקה לזכות את הנפש: (ח) כי מה יותר. מהו היתרון שיש לחכם יותר מן הכסיל ר"ל מה שנותן לב לעני לדעת את מחסורו ולהחיותו ברעב למען יוכל גם הוא ללכת נגד החיים ודומה להם: (ט) טוב מראה עינים. טוב היה אדם רואה בעיניו מהלך הנפש לאחר מיתה לאיזה מקום הולך נפש הצדיק

מצודת ציון

ר"ל נחת רוח: (ז) תמלא. ענינו כריתה ותיקה כמו התמלא בשכות עורו (איוב מ): (ח) נגד. ענין הנוכח ודמיון וכן

קיצור אלשיך

בעולם או יותר נחת כי לא ראה העולם. כי נוח לו לאדם שלא נברא. (ו) ואלו חיה אלף שנים. ולא פעם אחד, כי אם פעמים, שני פעמים אלף שנים, שנתגלגל שני פעמים וחיה אלף שנה בכל פעם וטובה לא ראה שלא עשה מצוה בפעם השני באופן שטובה שמראין לו בעת מותו לא ראה הלא לחנם בא כי הלא אל מקום אחד שהלך בפעם ראשונה הכל הולך גופו ונפשו ורוחו וא"כ איזה נחת יתוסף לו על הקודם משא"כ הנפל שע"י צער גלגולו שבא והיה נפל נוכה מאשמותיו ויש לו נחת על אשר היה לו מתחלה. (ז) כל עמל האדם לפיהו שיהי' לו לאכול גם הנפש לא תמלא, אין צריך לומר הגוף שהוא לקבורות יובל כי אם גם הנפש שעיקרה לה הוא שכר המצות לא תמלא (ח) כי הלא מה יותר, כלומר מה שהוא יתרון להשיג השלמות וחיי הנפש הוא לחכם מן הכסיל משולל חכמה שעל ידה היא השגת השלמות וזה לא יוכל להשיג העני כי הלא מה לעני שיהיה יודע הכמה להלוך נגד החיים שיהי' מגמת פניו להשיג החיים הנצחיים ע"י החכמה היא ההשגה והוא בעניו לא יוכל להשיג החכמה, וע"כ צורך השגת השלמות הוא העושר, ולא עוד אלא שבהיותו עני יתרפה מעבודת שמים והוא כי הנה (ט) טוב מראה עינים וכו' והוא כי

nor did he know [it]; this one has more gratification than that one.
6. And if he had lived a thousand years twice and experienced no
pleasure, do not all go to one place? 7. All of a person's toil is for
his mouth, and is the appetite not yet sated? 8. For what is the
advantage of the wise over the fool? What [less] has the poor man
who knows how to go along with the living? 9. Better is what he
sees with his eyes

without attaining any good, and when he went to the grave, he went in darkness, i.e., no one saw him, and no one knew of him, and no one will remember him. It is as though his name is covered in darkness, for no one sees him to remember him. This is a poetic expression, because, in fact, he had no name.—[*Mezudath David*]

5. **Moreover, he did not see the sun**—This stillborn child did not see the sun.—[*Mezudath David*]

nor did he know—He never knew of any pleasure that is to be derived from one thing more than from another. Since this is so, he has no reason to be distressed over the goodness he is missing, for he never saw any goodness and never desired it. But the man who begot one hundred, etc., knows what is good and what he is missing. Consequently, he is very distressed.—[*Mezudath David*] *Midrash Ecclesiastes Rabbah* expresses this idea with a parable of two men who were traveling on a ship. When the ship entered the harbor, one of them disembarked and went into the city, where he saw much food and drink and luxury. When he returned to the ship, he said to his friend, "Why didn't you go into the city?" He replied, "And you, who went into the city—what did you see there?" He replied, "I saw much food and drink and luxury." "And did you enjoy any of it?" "No," was the answer. His friend retorted, "I, who did not enter, am much better off than you, for I did not see anything." This is what Scripture means: "this one has more gratification than that one."

6. **And if he had lived**—*And if he had lived two thousand years, what advantage would he have, since he did not experience any pleasure? Will he not ultimately return to the dust like all the poor people?*—[*Rashi*]

and experienced no pleasure—lit. and saw no good. He did not enjoy any pleasure.—[*Mezudath David*]

do not all go to one place—i.e., What pleasure did he derive from his longevity? When he dies, will he not return to the dust like the rest of the populace? For everyone goes to one place. viz. the grave, he as well as they.—[*Mezudath David*]

7. **All of a person's toil**—*is for his mouth, that he should derive benefit and eat in this world and in the next, but this one derived no benefit in his lifetime.*—[*Rashi*]

and is the appetite not yet sated—*This is a question. But this one—did he not even gratify his desire with a*

מהלך־נפש גם־זה הבל ורעות רוח: י מה־שהיה
כבר נקרא שמו ונודע אשר־הוא אדם ולא־יוכל
לדין עם שהתקיף יתיר ה' ממנו: יא כי יש־דברים
הרבה מרבים הבל מה־יתר לאדם: יב כי מי־יודע
מה־טוב לאדם בחיים מספר ימי־חיי הבלו ויעשם

*חצי הספר בפסוקים.

עובדוי ליום דינא רבא מן די יזיל לעלמא ההוא בסיגוף נפש ברם דין לגברא חייבא הבלו ותבירות רוחא: י מה דהוה בעלמא הא כבר אתקרי שמיה ואשתמודע לבני אנשא מן יומא דהוה אדם קדמאה וכולא גזירת מימרא דיי היא ולית רשו לגברא למיקם בדינא עם מרי עלמא דתקיף מניה: יא כי ארום אית פתגמין סגיאין דמסגין הבלו בעלמא מה מותר אית לגבר דמתעסק בהון: יב כי ארום מן הוא די ינדע מה יוטיב

רש"י

נפש. טוב הי' והוכשר לזה לראות עושרו למראה עיניו ממאכל ומשת' ההולך בנפש. ד"א טוב מראה עינים מהלך נפש טוב הי' לזה והוכשר לכל' אחר עיניו לגזול ולעשוק מהילוך נפשו שלא נתן לב היכן נפשו הלך כשימות: גם זה הבל. הוא הניתן לרשעים: (י) מה שהיה כבר נקרא שמו. השיבות וגדולה שהית' לו בחייו כבר נקרא שמו כלומר ככר הי' ועבר כבר יצא לו שם בשררה ועתה הלך ונודע שהוא אדם ולא אל וסופו שמת ולא יוכל לדון עם מלאך המות שהוא תקיף ממנו: (יא) כי יש דברים הרבה. שמתעסק בהן בחייו כשחוק המלכים קופים ופילים ואריות הכל הרבו לו ומה יותר לו משמת: (יב) כי מי יודע. כי מי אשר יודע מעשים טובים ומה לאדם לעשות בחייו שיהיו טובים לו

ספורנו

יותר מהלוך הנפש* השכלית ההולכת להשיג אותו הנצחיות שלא ישיגוהו לעולם וכן הוא משתדל להשיג הקנינים המוחשים בלבד: גם זה הבל. שתכליתו גרוע: ורעות רוח. שלא ישיג ברב השתדלותו במוחשות שום טובה יותר ממה שנגזר עליו בעת הלידה: (י) כבר נקרא שמו. עוני או עושר או זולת זה: ונודע אשר הוא אדם. עפר מן האדמה: ולא יוכל לדין עם שתקיף ממנו. ולא יוכל לסתור את הדברים הנגזר עליו ממי שהוא תקיף ממנו: (יא) כי יש דברים הרבה מרבים הבל. וזה יעשה הגוזר לא בהסיר טבע האפשר ולא בהסיר הבחירה. אבל יהיה זה כי אמנם יש דברים הרבה מרבים הבל שמרבים על האדם עמל בלתי תכלית נחשב שירבה בהם לפעמים זמנו וקנינו כמו הבנינים* לפרסם שם כבודו בחייו: ומה יותר לאדם. והנה אין לו מהם שום תועלת נחשב* גם לפעמים לא ישיג המכוון אחר המות: (יב) כי מי יודע מה טוב לאדם בחיים מספר ימי הבלו כי גם שיהנה בהם בצד מה בקצת ימיו מי ידע שיישב לו בכל מספר ימי הבלו כי לפעמים יקרה שבקצתם יביא עליו בסבת אלה הבנינים קנאה ושנאה עם נזק: ויעשם כצל. והנה האדם כשנגזר עליו שיעני יעשה אלה המרבים

אבן עזרא

ואשר יעלה במחשבת הנפש הבל. פירוש אחר שיהיה טוב מראה עינים דברי החיים כענין ומה כשרון לבעליה כי אם ראות עיניו · (י) מה שהיה. כבר נקרא שמו ונודע שהוא אדם כך וכך ולמה יבקש הליכת הנפש עד שיהיה כפלוני ויתכן שלא ישיגנו ואין ראוי לאיש שכל שידין עם שתקיף ממנו על כן אין ראוי לו לבקש מה שהיים מבקשים ויעשה זאת כנגדם שיהיה כמו הם: (יא) כי יש דברים הרבה. הון מהליכת הנפש מתאות העולם לקבץ הון כמו לבקש שררה ודברי השק וכלם והדומה להם מרבים הבל יוסיפו על הבלו של אדם ודי לו שהוא הבל גם זה הפסוק ישוב על העני היודע שראוי לו להשמר מכל הבל כי מה יותר יש לו: (יב) כי מי גם זה ישוב לענין העני היודע כי לא ידע

מצודת ציון

ואלכה לנגדך (בראשית לג): (י) שהתקיף. ענין חוזק ואלמות כמו ואם יתקפו האחד (לעיל ד):

מצודת דוד

ולאיזה מקום הולך נפש הרשע והיה א"כ יודע ההפרש ועי"ז היה מיישר דרכו: גם זה הבל. הבל באמת שגם זה הבל מבלי תועלת כי אז היה עובד את המקום על מנת לקבל פרס ולהנצל מן העונש ויותר טוב לעבדו שלא על מנת לקבל פרס: ורעות רוח. בדבר הזה היה לו רעות רוח כי אז היה עובד את המקום שלא ברצון כ"א מאהבת השכר ויראת העונש משא"כ כשעובד מאהבת המקום כי אז יעבוד מרצונו: (י) מה שהיה. הגדולה שהיה לאדם כבר נקרא שמו בשם גדול עודו חי וכאומר מה שעבר אין: ונודע. אבל כמוהו נודע לכל שהיה רק בן אדם ולא היה בידו לרדת לדין עם מי שהוא תקיף ממנו הוא מלאך המות שחזק ממנו ולא יוכל למנוע את הנפש בדין: (יא) כי יש. באמת יש ענינים הרבה מה שהפליא זה לעשות בגדולתו עודו חי אבל כל אלה מרבים הבל הואיל ואינם נלחייב: מה יותר לאדם. מה יתרון ומעלה בה לאדם במה שהוא אדם מחונן דעה יותר מכל החי: (יב) כי מי יודע. ר"ל מעט המה אשר ישכילו לדעת מהו הטוב אל האדם לעשות בחייו במספר ימי חייו ההבל אשר חוקלם לו מן השמים:

קיצור אלשיך

כי אחד מהדברים שמרפין ידי עובדי ה' הלא הוא כי היצר הרע פורע לאלתר עובר עבירה וטועם טעמה גוזל וחומס ואוכל ומאכיל לבניו ממנו, אך בעבוד את ה' שכרו בהקפה לעה"ב, כי היום לעשותם ולמחר לקבל שכרם, וע"כ יתחמץ לב הצדיק עובד ה' ובביתו אין להם ואין שמלה ולעומתו איש הבליעל מלא ביתו כסף וזהב, כי הלא יצר סמוך יאמר אליו קרב אלי ואפרע לך ולא אל המאחר לשלמך. וזהו טוב מראה עינים שיראה האדם שכרו לפניו, מהלך נפש שהוא מאמר האדם לנפשו הלוך נפש עד מלון מושבך כי אז תקבל שכרך ולכן טוב ט"ב היה מראה הוא יתברך פה לאדם עולמו בחייו ולא שיהיה הכל בהקפה באופן כי העני יתמרמר בראות כי לא יראה את כל מאומה בידו, ולא שזו טענה מכפקת כי הלא גם זה הבל, כי טוב לגבר לקבל שכרו בעולם הגדול והקדוש מבעה"ז שהיא טוב גשמי, אך עב"ז יש רעות רוח ונפש בפתוי יצרו שמוצא מקום לפתותו ומה גם לעני כי לא יראה טוב, ושמא תאמר הלא מי פתי יסור אל פתיות הלזה ולא ישעה כי אלהים קדושים הוא יתברך ושכרו אתו ופעולתו לפניו בעולם העליון, לזה אמר (י) מה שהיה וכו'. לומר מי יעמוד לפני תוקף היצר הרע כי טענה חלושה תהיה עזר כנגדו כעבות העגלה להחטיא, כימי לנו קדוש וכמעט רוחני וגדול וחשוב מאד לפניו יתברך כאדה"ר ולא יכול להתיצב לפני היצה"ר עד שהחטיאו, וזהו מה שהיה, מי שהיה עיקר ההויה בעולם, שכבר נקרא שמו ונידע, שהוא אדם הראשון יציר כפיו של הקב"ה, ולא יכול לדון עם היצה"ר שהיא תקיף ממנו, ומה יעשו שאר האדם להנצל ממנו, כי יש עזר כנגדו שיפתהו ויוכל (יא) כי יש דברים הרבה בעולם מרבים הבל, הם הכנות רבות מרבים המשך האדם אחר ההבל, כענין ראות הצלחת הרשעים, ושמא תאמר שידין ק"ו מעצמו אם לעוברי רצונו כך לעושי רצונו על אחת כמה וכמה ויתנחם על מה שיחסר לו בעוה"ז ויעשה טוב, אל יאמר כן (יב) כי מי יודע מה טוב המוכן לאדם, מי הוא שיודע אותו עודנו בחיים שעי"כ ימשוך אחריו, וזהו מי יודע וכו' בחיים, ולא בלבד יסכל אותו האדם בילדות והשחרו' רק מספר

ימי

than that which goes to sate his appetite; this too is vanity and frustration. 10. What was, its name was already called, and it is known that he is a man, and he will not be able to strive with him who is stronger than he. 11. For there are many things that increase vanity; what will remain for a man? 12. For who knows what is good for man in his lifetime, the number of the days of his life of vanity, that he do them

small pleasure? [This is] like (*Exod. 15:9*): "*My lust shall be satisfied upon* them (תִּמְלָאֵמוֹ נַפְשִׁי)," *an expression of attaining a desire, and since this is so*—[*Rashi*]

8. **For what is the advantage**—[i.e., What advantage] *did he have with his wisdom, more than if he were a fool?*—[*Rashi*]

What has the poor man—*a disadvantage over the rich man who has no satisfaction? He too knows how to go along with the living. Another explanation:*

[7] **yet the appetite is not sated**—*for the World to Come, for he did not perform good deeds in his lifetime.*—[*Rashi*]

Mezudath David renders: and also the soul shall not be cut off. He should guard the soul that it not be cut off because of the penalty of *kareth* [excision]. He should give charity from his property to give merit to the soul.

Isaiah da Trani explains:

What is the advantage of the wise man—who deals wisely: who makes an effort to toil and to earn more.

over the fool—who is lazy and does not toil on his own behalf.

What less has the poor man who knows—and puts his heart to grieve over his poverty and wishes to go—

opposite—far away from the living, for he seeks to die during his lifetime.

The *Targum* paraphrases:

[8] For what is the advantage of the wise man in this world over the fool, because of the evil generation, which is not acceptable to them. And what does the poor man have to do, except to engage in the Torah of the Lord, in order that he should know that he will go opposite the righteous in the Garden of Eden.

9. **Better is what he sees with his eyes than that which goes to sate his appetite**—*It would have been better and more proper for this person to see his riches with the vision of his eyes, than food and drink, which go into his body. Another explanation:* טוֹב מַרְאֵה עֵינַיִם מֵהֲלָךְ נָפֶשׁ —*This person prefers and it seems better and more proper for him to follow his eyes, to rob and to oppress, rather than the course of his soul, that he did not put his mind* [to realize] *where his soul will go when he dies.*—[*Rashi*]

this too is vanity—*It is what is given to the wicked.*—[*Rashi*]

Mezudath David renders: It would have been good for a person to see with his eyes where his soul is going after his death, i.e., where the soul of the righteous goes and where the soul of the wicked goes, and he would consequently know the difference and rectify his ways.

this too is vanity—But, in fact, this too is vanity, without any benefit, for then he would be serving the Omnipresent on the condition that he receive reward and to save himself from punishment, and it is better to serve Him without expecting a reward.—[*Mezudath David*]

and frustration—In this matter he would experience frustration, because he would be serving God unwillingly, only out of love of reward and fear of punishment. If he would serve the Omnipresent out of pure love, however, he would do so willingly.—[*Mezudath David*]

Isaiah da Trani explains:

Better is what he sees with his eyes—This is a question: Is it better for a man to see it with his eyes than to benefit from it?

this too is vanity and frustration—not to benefit from his toil.

The *Targum* paraphrases: It is better for a man to rejoice with what he has and to do charity and to see a good reward for his deeds on the great Day of Judgment, rather than to go to that world with mortification of the soul. Indeed, this is vanity and frustration for the wicked man.

10. **What was, its name was already called**—*the esteem and greatness that he had during his lifetime. Its name was already called, i.e., it already was and passed. He already had a name in his office, and now it has passed, and it was made known that he was a man and not God, and his end was that he died, and he will not be able to strive with the angel of death, who is stronger than he.*—[*Rashi, Mezudath David*]

Isaiah da Trani explains:

What he was—i.e., what the man was, etc.

and he—the man.

to strive with—the Creator, Who is—

greater than he—and decrees upon him that he will not benefit from his money.

The *Targum* paraphrases: What was in the world—its name was already called, and it was known to the children of men from the day that Adam existed, and all is a decree of the word of the Lord, and a man has no permission to strive in litigation with the Lord of the Universe, Who is stronger than he.

Sforno explains:

its name was already called—poverty or riches or something else.

and it is known that he is a man—dust from the earth.

and he will not be able to strive with Him who is stronger than he—And he will not be able to annul what has been decreed upon him by the One Who is stronger than he.

11. **For there are many things**—*with which he occupied himself during his lifetime, such as the games of the kings: monkeys, elephants, and lions. They increased vanity for him, and what will remain for him after he dies?*—[*Rashi*]

Mezudath David explains: Indeed, there are many remarkable things that this person accomplished during his lifetime, but they all increased vanity, because they are transient.

what will remain for a man—What advantage does a man have with his humanity, gifted with superior intelligence over all living creatures?

The *Targum* renders:

What advantage does a man have who engages in them?

Isaiah da Trani also explains: What advantage does the man who engages in them have from them? It is not good to toil with them.

12. **For who knows**—*For who knows good deeds and what man should do during his life, so that it should be good for him in the everlasting world?*—[*Rashi*]

the number of the days of his life of vanity—*which are few in number.*—[*Rashi*]

that he do them—*those deeds, in the short time that he lives, for this time is as short as the shadow of a passing bird, and although Solomon said, "like a shadow," in general, and did not specify whether the shadow of a palm tree, or the shadow of a wall, which are permanent, his father David had already specified* (*Ps. 144:4*): *"his days are as a fleeting shadow." This is the shadow of a flying bird. It is interpreted in this manner in the Midrash* (*Ecc. Rabbah*).—[*Rashi*]

כצל אשר מי־יגיד לאדם מה־יהיה אחריו תחת השמש: ז א טוב ט׳ רבתי שם משמן טוב ויום המות מיום הולדו: ב טוב ללכת אל־בית־אבל מלכת אל־בית משתה באשר הוא סוף כל־האדם

תו״א טוב שם משמן טוב. ברכות יז פסחים מג פב ועקידה נפילת אפרים: טוב ללכת אל בית אבל מלכת אל בית משתה. כתובות עב: באשר הוא סוף כל האדם. עקידה שם:

תרגום

לאנשא בעלמא הדין אלהן למעסק באורייתא די אינון חיי עלמא וכל מניין יומי חיי הבלו די יהי בעדן מותיה אינון חשיבין בעינוי כטללא דמן הוא די יחוי לאנשא מה דעתיד למהוי באפוהי (נבת״ק בתרוהי) בעלמא הדין תחות שמשא: ז א טוב טב שמא טבא דיקנון צדיקיא בעלמא הדין יתיר ממשחא דרבותא דהוה מתרבי על ריש מלכיא וכהניא ויומא דישכוב גבר וכפטר לבית קבורתא בשום טב ובזכותא מן יומא די אתיליד רשיעא בעלמא: ב טוב טב למיזל לגבר אבילא לנחמותיה מלמיזל לבית

רש״י

לעולם הארוך: מספר ימי חיי הבלו. שהם מעט מספר: ויעשם. לאותם מעשים בשעה מ מועטת שהוא הי שהוא זמן קצר כצל עוף העובר ואע״פ שאמר שלמה כצל סתם ולא פירש אם צל דקל אם צל כותל שהם קבועים כבר פירשו דוד אביו (תהלים קמד ד) ימיו כצל עובר זהו צלו של עוף הפורח כך נדרש במדרש: אשר מי יגיד לאדם. במה יתקיים הון שקבץ מעושק לבניו אחריו תחת השמש: (א) טוב שם משמן טוב. יפה לאדם שם טוב משמן טוב. וביום המות טוב השם מיום הולדו לכך הוקש שם טוב לשמן יותר משאר משקין שהשמן אתה נותן לתוכו מים והוא צף ועולה וניכר אבל שאר משקים אתה נותן לתוכן מים והם בולעים. טוב שם משמן טוב שמן טוב יורד למטה שנאמר (תהלים קלג ב) כשמן הטוב על הראש יורד על הזקן שם טוב עולה למעלה שנאמר (בראשית יב ב) ואגדלה שמך. שמן טוב לשעה ושם טוב לעולם שנאמר (תהלים עב יז) יהי שמו לעולם שמן טוב הולך מקיטון לטרקלין ולא יותר ושם טוב לסוף העולם. אמר ר׳ יהודה בר׳ סימון מלינו בעלי שמן טוב נכנסו למקום החיים ויצאו שרופים והם נדב ואביהוא שנמשחו בשמן המשחה ומלינו בעלי שם טוב שנכנסו למקום המיתה ויצאו חיים חנניה מישאל ועזרי׳ שיצאו מכבשן האש: ויום המות מיום הולדו. נולדה מרים אין הכל יודעין מה היא מתה נסתלק׳ הבאר וכן אהרן בעמוד ענן וכן משה במן: (ב) טוב ללכת אל בית אבל. מדה הנוהגת בחיים

שפתי חכמים

מ דק״ל איך יעשם להמעשים כצל. לכן פירש כצל לא קאי על המעשים אלא על שימים והזמן ופי׳ לאותם המעשים בשעה מועטת וכו׳ ג

אבן עזרא

האדם מה טוב לו בחיים אם העושר ואם העוני וימי חיי הבלו הם במספר ראוי שיעשה אותם כצל עובר ולא יבקש הליכת הנפש עד שיעזוב הממון כי לא יועיל כל מה שיעזוב אפי׳ לא ידע מה יעשה אחריו בממונו. וענין יעשם כצל שיחשוב במחשבתו כמו שהצל איננו עומד רגע אחד כן ימיו ילכו ויעברו שהם העיקר אף כי כל מה שיקרה להם מטוב ועד רע ועושר ועוני. ופי׳ אחר בפסוק והשכל ירבה דברים: (א) טוב שם. גם זה הפסוק טוב שם דבק בראשונים כי העני היודע שמעשיו טובים יותר כבוד לו הוא השם משמן הטוב ויותר תענוג ויום המות הוא טוב לאשר יש לו שם טוב מיום הולדו כי ביום הולדו לא ידע איש מה יהיה אם טוב ואם רע ובמותו נקרא שמו ונודע שהוא אדם טוב ויתכן היות ויום המות טוב לבעל השם הטוב בעבור שימלא מנוחה ושכר טוב ולא יראה עמל ואין כן ביום הולדו כי אדם לעמל יולד. ויש מפרשים ויום המות חייב אדם שיעלה על לבו יום המות מיום הולדו והענין בעצמו טוב לכן איננו מענין הפסו׳: (ב) טוב ללכת. בעבור ראותו מה הוא סוף כל האדם

ספורנו

הכל למען יאבד זמנו וקנינו ועם זה יעשם כצל לזמן מועט: כי מי יגיד לאדם מה יהיה אחריו תחת השמש. כי לפעמים יהיו כל מעשיו בטלים תכף אחר מותו. ובכן לא ישיג את המכוון אצלו מהם:

ז (א) טוב שם. הנקנה בעיון ובמעשה: משמן טוב.* למשחת: ויום המות מיום הולדו. ואותו שם טוב הוא יותר טוב ביום המות שכבר נשלם בעל השם ולא יקרה לו קלקול מיו׳ הולד אותו השם טוב שלא נשלם עדיין ולפעמי׳ יתקלקל כאמרם ז״ל אל תאמן בעצמך עד יום מותך: (ב) ולכן טוב ללכת אל בית אבל. ששם יספר סוף שם המת לטוב או לרע: והחי יתן אל

מצודת דוד

ויעשם. למען עשות המעשים ההלה עודו חי בכל עת ולא ימוה כצל הזה אשר לא ינוח בעת מן העתים כי תמיד נוטה הוא ממקום למקום בעבור נטיית השמש ומוסב למעלה לומר הואיל ולא רבים יחכמו לסכין את זאת לכן לא בא יתרון מעלה לאדם במה שהוא אדם מחוכם דעה: אשר מי יגיד לאדם ר״ל לא סוף דבר שאין אדם יודע דבר מושכל מה לעשות בחייו כי אפילו דבר מוחש אשר יהיה מאחורי פרפי אין ידוע לו בזה העולם ולריך הוא שיהא מי יגיד לו מה הוא. ז (א) טוב שם. שם טוב שיוצא לאדם למרחוק בעבור מעשיו הטובים הוא יותר טוב משמן השוב השודף ריח טוב למרחוק כי שמן הטוב דרכו להפיג ריחו בכל עת והוא הולך וחסור אבל שם טוב דרכו ללכת ולהתגבר בכל פעם: ויום המות. יותר טוב לאדם יום המות מיום הולדו כי השם הטוב שילא לו בחייו לא יפסק אחר המיתה אבל ביום הולדו אין ידוע עדיין אם יזכה לשם טוב ואם יתקיים השם: (ב) טוב ללכת. יותר טוב ללכת לבית האבל לשמוע קנות ויללות המעליב את הלב מללכת לבית המשתה לראות שמחות ורקודין המרחיב את הלב: באשר. בעבור אשר מקרה האבל הוא סוף

קיצור אלשיך

ימי חיי הבלו ויעשם כצל, והוא כי עם היות כי הימים הבל ואין בם ממש, העוסק בתורה ומצות יקנה בם איכות קדושה והויה קיימת והם המתקרבים בעת מותו, וזהו ימי הבלו נעשים מהיות הבל כצל שיהיה בם עשיה בהויה וקיום להתוספף בם כצל אשר מי יגיד לאדם מה שיהיה אחריו לנפשו אחרי מותו אם ייטב לו אם לא, בעוד שהוא פה תחת השמש כי לא ידע עד עלות נפשו במותו לכן טוב טוב היה יהיה לו מראה עינים בחייו לראות קצת מהטוב שיעמול בע״ש מה שיאכל בשבת, ע״כ משיב ואומר ז (א) טוב שם טוב משמן טוב, שם טוב שהוא מאיר לעולם בתורתו, והוא כשמש המאיר לעולם בזכותו, טוב יותר משמן טוב שאינו מאיר רק במקום שהוא בו, ואע״פ שמיתת הצדיק נמשל לביאת השמש כאומרם על ובא השמש, אין אורו מתמעט במותו כי יום המות מיום הולדו כי משם מאיר למעלה ולמטה כענין זכור לאברהם וגו׳. (ב) טוב ללכת אל בית אבל וגו׳ הגם כי שני המקומות שוים, כי בית חתונה גם הוא מזכיר את האדם את אחריתו כי למה הוא נושא אשה להוליד בנים, מחמת כי דור הולך לעולמו, ובא דור אחר לירשו ולמלא מקומו, משא״כ אם היה קיום באיש, נמצא כי החתונה היא הכנה אל המות, ואם החתן יתן לבו לזה יתעצב מאד

like a shadow, for who will tell man what will be after him under the sun?

7

1. A [good] name is better than good oil, and the day of death than the day of one's birth. 2. It is better to go to a house of mourning than to go to a house of feasting, for that is the end of every man,

for who will tell man—*how the wealth that he gathered from oppression will remain for his sons after him under the sun?*—[*Rashi*]

Mezudath David explains:

For who knows—i.e., Few people understand what is good for man to do during his lifetime, the number of the days of his life of vanity, allotted him from Heaven.

that he may do them—that he may do these deeds at all times, while he is still alive, and he should not rest, like a shadow, which never rests, but constantly spreads from place to place as the sun declines. Since not many people understand this, man has no advantage with his humanity and his superior intellect.

for who will tell man—Not only does man not know things perceived with his intellect, what to do during his life, but even things perceived with his senses, which are behind his back, are not known to him in this world, and he needs someone to tell him what they are.

7

1. **A [good] name is better than good oil**—*A good name is better for a person than good oil, and on the day of death the name is better than on the day of his birth. For this reason, a good name is compared to good oil more than to other liquids, for oil—you put water into it, and it floats and rises, and is recognizable, but other liquids—you put water into them, and they absorb it.* **A [good] name is better than good oil**—*Good oil runs down, as it is said:* (*Ps. 133:2*): *"As the good oil on the head runs down upon the beard." A good name, however, goes up, as it is said:* (*Gen. 12:2*): *"and I will make your name great." Good oil is temporary, but a good name is forever, as it is said:* (*Ps. 72:17*): *"May his name be forever." Good oil flows from the flask to the palace, and no more, but a good name goes to the end of the world. Said Rabbi Judah the son of Rabbi Simon: We find that those who had good oil entered the place of life and emerged burnt up. These are Nadab and Abihu, who were anointed with the anointing oil. And we find those who possessed a good name, who entered a place of death and emerged alive, i.e., Hananiah, Mishael, and Azariah, who emerged from the fiery furnace.*—[*Rashi* from *Ecc. Rabbah*]

and the day of death than the day of one's birth—*When Miriam was born, no one knew what she was. When she died, however, the well*

וְהַחַי יִתֵּן אֶל־לִבּוֹ: ג טוֹב כַּעַס מִשְּׂחוֹק כִּי־בְרֹעַ

תו"א והחי יתן אל לבו. מ"ק כח נדרים פג כקידה שם: טוב כעס משחוק. שבת ל עקידה שער לט

מִשְׁתְּיָא דְחַמְרָא דְמִתְלַעֲבִין (תַּמָּן דִי) בְּבֵית אֲבִילָא תַּמָּן הוּא סוֹף כָּל אֱנָשָׁא לְמֵיזַל דִי עַל כּוּלְהוֹן אִתְגְּזָרַת גְּזֵירַת מוֹתָנָא וּמִן בִּגְלַל דִיהָךְ לְבֵית אֲבִילָא גַבְרָא צַדִּיקָא יָתִיב וְיִתֵּן לְלִבֵּיהּ מִילֵי דְמוֹתָא וְאִין אִית בִּידֵיהּ מַדַּעַם בִּישׁ יִשְׁבְּקִינֵיהּ וְיָתוּב בִּתְיוּבְתָּא קֳדָם מָרֵי עָלְמָא: ג טוֹב טָב רְגִיז דִרְגַז מָרֵי עָלְמָא עַל צַדִּיקַיָּא בְּעָלְמָא הָדֵין מִן חוֹבָא דִי הוּא מְחַיֵּיךְ עִם רַשִׁיעַיָּא אֲרוּם בְּאַבְאָשׁוּת אַפֵּי שְׁכִינְתָּא אָתֵי בְּצוֹרְתָּא וּפוּרְעֲנוּתָא בְּעָלְמָא בְּגִין לְאוֹטָבָא לִבָּא צַדִּיקַיָּא וִיצַלּוֹן קֳדָם מָרֵי עָלְמָא

שפתי חכמים

ג סמרים קולו כבכי ובמספד. כ"פ רש"י בפרק סמדיר ובפ"ק אלו מגלחין:

רש"י

ובמתים: מלכת אל בית משתה. שהיא מדה שאינה נוהגת אלא בחיים: באשר הוא סוף כל האדם. בשביל שהאבל הוא סוף כל האדם סופו של כל האדם לבא לידי כך לפיכך החי יתן אל לבו כל מה שאגמול חסד עם המת אצטרך אני שיגמלו לי כמותי דילל ב ידלוני' דיטען יטענוני' דיספד יספדוניה דילוה ילווניה ד"א באשר הוא סוף כל האדם שהמיתה היא סוף כל ימי האדם ואם לא עכשיו גומל לו חסד לא יגמול לו עוד אבל בית המשת' זימנו ולא הלך יכול לומר לו סופך שיולד לך בן ושם אלך: והחי יתן אל לבו. הדבר הזה שאם לא עכשיו יגמול לו חסד לא יגמול לו עוד: (ג) טוב כעס משחוק. מי שרודפת מדת הדין אחריו אל ילטער טוב הי' להם לדור המבול אם הראה הקב"ה פנים זעומות על עבירות שבידם משחוק ששחק עמהם שאילו הראה להם

ספורנו

לבו. להשתדל שיהיה שם שלו טוב בסופו: (ג) טוב כעס משחוק. וגם שזה לא יושג זולתי בהיות האדם כועס על הנפש המתאוה וגוער בה הנה אותו הכעס הוא טוב מן השחוק אשר ישחק במעשיה וישמח בהם: כי ברוע פנים. המתנגדים לנפש

אבן עזרא

שהוא המות ובעודנו חי יתן אל לבו: (ג) טוב כעס. כבר אמרו חכמי הראיות שיש באדם שלש נפשות האחת הנפש הצומחת והענין כי כמו שיש במיני הצמחים והדשאים וכל עץ כח קרא שמו נפש או מה שתרצה שיגדל גשם הצמח ויגביהנו וירחיבנו כן יש באדם וזאת הנפש מתגברת עד זמן קצוב וזאת הנפש היא המתאוה והצריכה לאכול והנפש השנית נפש הבהמה והיא בעלת ההרגשות המשה ובעלת התנודה ההולכת ממקום למקום וזאת הנפש גם היא באדם ולאדם לבדו נפש שלישית היא הנקראת נשמה היא המדברת המכרת בין אמת ושקר בעלת החכמה והנפש השנית היא אמצעית בין שתי הנפשות והאלהים נטע שכל באדם הוא הנקרא לב למלאת חפץ כל נפש בעתו וגם עזרהו במצות תעמודנה כל דבר על מתכונתו ואין זה הספר מוכן לדבר על סוד הנפש כי עמוק הוא ולא יוכל מבין לעמוד על האמת כי אם אחר קריאת ספרים רבים ולולא שהוצרכתי להזכיר חלקי הנפשו' בעבור פירושי הפסוקים לא רמזתי לכלל אף כי לפרט ועיקר הצורך הוא שיראו בדברי שלמה בספר הזה דברים קשים מהם שיאמר במקומות רבים דבר ויאמר הפך הדבר ובעבור זה אמרו חכמי ישראל ז"ל בקשו חכמים לגנוז ספר קהלת מפני שדבריו סותרין זה את זה אמר טוב כעס משחוק והפך זה כי כעס בחיק כסילים ינוח וכן כי ברוב חכמה רוב כעס והפך זה והסר כעס מלבך וכן טוב אשר יפה לאכול ולשתות והפך זה טוב ללכת אל בית אבל וכן ושבחתי אני את השמחה והפך זה ולשמחה מה זו עושה וכן כי מה יותר להכם מן הכסיל והפך שיש יתרון לחכמה וכן ושבח אני את המתים והפך זה כי לכלב חי הוא טוב וכן כי אין מעשה וחשבון ודעת וחכמה בשאול והפך כי עת לכל חפץ וכן וטוב לא יהיה לרשע ולא יאריך ימים והפך יש רשע מאריך ברעתו וכן אשר יהיה טוב ליראי האלהים והפך יש רשעים שמגיע אליהם כמעשה הצדיקים והמהפש היטב ימצא עוד כאלה בספר הזה וידוע כי הקל שבחכמים לא יחבר ספר ויסתיר דבריו בספרו. והוצרך אחד מן המפרשים לפרש מלת קהלת כמו קהלת יעקב ואמר כי תלמידיו חברו הספר וכל אחד אמר כפי מחשבתו וזה איננו נכון כלל בעבור ויותר שהיה קהלת חכם והנה הוא אדם אחד ועוד בקש קהלת למצוא דברי חפץ והראי' הגמור' אני קהלת הייתי מלך ואחר שהעיד הכתוב על שלמה שאחריו לא יקום חכם כמוהו ידענו שאין בדבריו הפך רק הם כלם נכוחים למבין וישרים למוצאי דעת. ועתה אפרש אותם בדרך קצרה אע"פ שהשלש נפשו' נקראו' בשם אחד בעבור שהאדם כי הנשמ' תקרא רוח ונפש לכן אשים שמות להם למען לא אאריך בתואר כל אחת ויהי' השם הנפש המתאו' לאכול ולשמוח והשק המשגל נפש ויהיה שם נפש בעלת ההרגש' המבקשת שררה וגדולה רוח ויהיה שם נפש בעלת החכמה נשמה. ג"כ חלקם רבינו סעדי' גאון ז"ל. וידוע כי בהתגבר הנפש תחלש הנשמה ואין לה כח לעמוד לכני' בעבור היותה גוף וכל יצריו עוזרים אותה על כן המתעסק באכילה ושתי' לא יחכם לעולם ובהתחבר הנשמה עם הרוח תנלחמ' הנפש אז תפקחנ' מעט עיני הנשמה להבין הכמות הגויו' לכן לא תוכל לדעת החכמות העליונות בעבור כח הרוח המבקשת שררה והיא המוליד' הכעס והנ' זה פירוש טוב כעס משחוק וענין כי ברוע פנים ייטב לב היא הדאג' כמו מדוע פניכם

מצודת דוד

של כל אדם כי כולם ימותו ויאבלו עליהם ואשר ההולך לבית האבל אף כי עודנו חי יתן אל לבו שגם עליו יתאבלו בבוא עת חליפתו ובזה יפחד ויכנע לבבו ויהיה נשמר מן החטא: (ג) טוב כעס. אם יחטא לחברו וזה מראה לו כעס יותר טוב לו מבראה לו פנים שוחקות כי כמה שמראה לו רוע פנים של זעם על החיטא וייטב שלב ולא יתנקש עוד כי כן הטבע אבל אם מראה לו פנים שוחקות השנאה טמונה

קיצור אלשיך

מאד וגם המסובין יתעצבו אל לבם, ולא יהנו כלום מסעודת ההתונה, וכמו ששר רב המנונא בהלולא ווי לן דמיתנן, נמצא כאשר ילך האדם אל בית המשתה יזכור את סופו, וכאשר ילך אל בית אבל יזכור ג"כ את סופו, ע"כ אולי יאמר האדם אם דא ודא אחת היא מה לי לילך דוקא אל בית אבל אלך אל בית חתונה ושמה ג"כ אזכור יום המיתה, ע"כ אמר שלמה לא כן הוא כי טוב ללכת אל בית אבל, כי הבא אל בית אבל הוא רואה את המות בעיניו וא"צ להתבוננות רק תיכף בבואו אל הבית רואה את סוף כל אדם וג"כ סופו יהיה למות, משא"כ בבואו אל בית החתונה' בתחלת בואו שומע קול המנגנים והופים ומחולות' ויין ושכר, לאכול ולשתות ולשמוח, וישכח את המות הרמוז בענין החתונה ויחזור משם לביתו שמח וטוב לב. ואולי תאמר להפך כי טוב יותר ללכת אל בית המשתה, מחמת כאשר יבא אל בית אבל יראה כי האבלים בכעס ומתרעמים על הקב"ה, ואולי יכנס בלבו גם הוא איזה מדה רעה, ע"כ אומר (ג) טוב כעס שיראה בבית אבל משחוק שיראה בבית המשתה, כי ברוע פנים שיהי' לו בבית האבל ייטב לב האבלים כי ינחמם

and the living shall lay it to his heart. 3. Vexation is better than laughter, for with a stern

disappeared, and so [it was with] *Aaron with the pillar of cloud and Moses with the manna.*—[*Rashi* from *Ecc. Rabbah*]

Mezudath David explains the verse in a similar manner: A good name, which spreads long distances for a person because of his good deeds, is better than good oil, which wafts a fragrant odor, for the fragrance of good oil dissipates, whereas a good name becomes constantly stronger.

and the day of death—is better for a man than the day of his birth, for the good name that a person possessed during his lifetime will not end when he dies, but on the day of his birth, it is not known whether he will have a good name, and if he does, it is not known whether it will last.

Sforno explains:

A [good] name is better—i.e., a name that has been acquired through study and good deeds is better—

than good oil—with which the kings and the high priests are anointed. [i.e., The status a person acquires through his own efforts and accomplishments is superior to that acquired through heredity, even though the latter are confirmed by those in authority and anointed with the holy oil.] This sentiment is echoed by the Rabbis in *Avoth* 4:13: There are three crowns: the crown of Torah, the crown of priesthood, and the crown of royalty, but the crown of a good name surpasses them all. *Sforno*, in his commentary on *Avoth*, explains that three crowns were given to Israel by God. These are crowns for those who merit them. The Jewish people can merit them only if they possess the crown of a good name.

and the day of death than the day of one's birth—A good name is better on the day of death than on the day of birth, for its possessor has already completed his life, and his good name is not subject to possible future deterioration.

than the day of one's birth—as the Sages say: (*Avoth* 2:4) Do not trust yourself until the day of your death.

Isaiah da Trani explains:

A [good] name is better—It is better for a person to have a good name in this world than to possess good, fragrant oil, and it is better for a person—

the day of death—when he leaves all his toil and the vanities of the world—

than the day of one's birth—when he enters the vanities of the world.

2. **It is better to go to a house of mourning**—*a type of conduct that serves both the living and the dead.*—[*Rashi*]

than to go to a house of feasting—*A type of conduct that serves only the living.*—[*Rashi* from *Ecc. Rabbah*]

for that is the end of every man—*Since mourning marks the end of every man, every man will ultimately come to this. Therefore, the living should put his heart* [to the fact] *that whatever loving-kindness I bestow upon the* *dead, I will require that they bestow the same to me upon my death. He who raises his voice in lamentation—they will raise their voices in lamentation for him; he who bears the dead—they will bear him; he who eulogizes—they will eulogize him; he who escorts* [the dead]—*they will escort him (Ecc. Rabbah, Keth.* 72a).

Another explanation:

for that is the end of every man: *For that is the end of the whole man, for death is the end of all man's days, and if now he does not bestow kindness upon him, he will no longer bestow it upon him, but if he invited him to a house of feasting and he did not go, he can say to him, "A son will ultimately be born to you, and there I will be with you. The joy of your children's wedding will come to you, and there I will go."*—[*Rashi*]

and the living shall lay it to his heart—*this matter, that if he does not bestow kindness now, he will no longer* [have the opportunity to] *bestow it upon him.*—[*Rashi*]

Mezudath David explains:

It is better to go to a house of mourning to hear lamentations and wailing, which sadden the heart, than to go to a house of feasting to witness joy and dancing, which gladden the heart.

for that is the end—Because mourning represents the end of every man, for all men will die and be mourned, and the living person who goes to the house of mourning, although he is still alive, shall lay to his heart that he will also be mourned when his time comes. With this, his heart will quake and be humbled, and he will beware of sin. The *Targum*, too, concludes: And because a righteous man goes to a house of mourning, he will bring back to his heart and lay to his heart matters of death, and if he has something evil in his hand, he will abandon it and repent before the Lord of the Universe.

Sforno explains this verse as connected to the preceding one, as follows:

It is better to go to a house of mourning—for there the final reputation of the deceased is discussed, whether good or bad.

and the living shall lay it to his heart—to strive to acquire a good reputation at the end of his life.

3. **Vexation is better than laughter**—*If one is pursued by the Divine Standard of Justice, let him not be distressed. It would have been better for the Generation of the Flood if the Holy One, blessed be He, had shown them an angry countenance because of the sins in their hands, rather than the laughter that He laughed with them, for had He shown them a slight expression of displeasure, they would have returned to do good* (*Ecc. Rabbah*). *It would have been better for Adonijah had his father caused him grief for every sin that he committed, rather than the laughter that he showed him, and for which he was ultimately slain* (*Ecc. Zuta*).—[*Rashi*]

the heart will rejoice—*It will turn over the heart of man to improve his ways.*—[*Rashi*]

The *Mezudath David* explains:

Vexation is better—If one sins against his friend, and his friend shows him an angry countenance, it is better for him than if he would show him a smiling countenance, for when he shows him an angry face, his anger is assuaged, and he is happy, and he will no longer avenge himself upon him, but if he shows him a smiling countenance, his hatred is hidden in his heart, and he will not have mercy on him when he sees an opportunity to avenge himself upon him.

The *Targum* paraphrases: The anger that the Lord of the Universe is wroth with the righteous in this world is better than the laughter that He laughs with the wicked, for with the angry countenance of the Shechinah, drought and retribution come to the world, in order to cheer up the hearts of the righteous, and they will pray before the Lord of the Universe, and He will have mercy on them.

Sforno explains:

Vexation is better than laughter—A good name can be acquired only if one is wroth with his lustful nature and rebukes it. Such wrath is better than the laughter entailed in the enjoyment of this side of man's nature.

for with a stern countenance—which opposes the lustful nature.

the heart will rejoice—A person's intellect will rejoice in study and good deeds.

פנים ייטב לב: ד לב חכמים בבית אבל ולב כסילים בבית שמחה: ה טוב לשמע גערת חכם מאיש שמע שיר כסילים: ו כי כקול הסירים תחת

דהוא מרחם עליהון: ד לב חכימיא אנן על חורבן בית מוקדשא ועציב על גלות בית ישראל ולב שטיא בחדות בית ליצנותהון אכלין ושתן ומתפנקין ולא יתבון על לבהון סיגוף אחיהון: ה טוב טב למהב במדרש בית אולפנא ולמשמע בזוף גבר חכימא באוריתא מגבר דאזיל למשמע קל טבלא דשטין: ו כי ארום כקל קיבלת

רש"י

קימעא רוע פנים היו הוזרים למוטב. טוב הי' לאדוניהו אם עלבו אביו על כל עבירה שהיה עושה משחוק שהראה לו ובסוף נהרג עליו: ייטב לב. יהפוך לב האדם להיטיב דרכיו: (ד) לב חכמים בבית אבל. מחשבתם על יום המיתה: ולב כסילים בבית שמחה אין הרדים מיום המיתה ולבם בריא כאולם: (ו) כי כקול הסירים. על' קוצים אשפינ"ש בלע"ז: תחת הסיר. תחת סיר נחושת הכפוי על הבערת קוצים והם מקשקשים לתוכה א"ר יהושע בן לוי כל קיסיא כד אינון דלקין לית קלהון אזיל ברם הלין סירייתא

שפתי חכמים

ס דקשה לרש"י הלא לב חכמים בנוסס הוא כמו כל אדם. לכן פירש

אבן עזרא

רעים ועניין לב הוא השכל ואחר שתתגבר הנשמה על הנפש בעזרת הרוח נריך' הנשמה להתעסק בחכמה שתעזור אותה עד שתגלה הרוח ותהיה תחת ידיה וזה פירוש אל תבהל ברוחך לכעוס ועניין כי כעס בחיק כסילים ינוח שהוא עמהם לעולם ולא יזוז מהם ועם החכם לא ימצא כי אם בעתו לא לעולם. ועניין כי ברוב חכמה רב כעס כעניין התחכם יותר כי רוב החכמה ירבה כעסו על הבלי העולם ועל בני העולם ויאמר מן הייטוב כעניין למה תשומם וימות בלא עתו על כן הטוב לאדם שישקול כל דבריו ועניינו במאזני צדק ויתן חלק לכל נפש בעתו ועניין והסר כעס מלבך הוא שלא תמשול הרוח עליך וכן והעבר רעה מבשרך היא התאו' כי אם יאכל כל מאכל שיתאוה יביא רעה על בשרו וכן אם הוסיף על המשגל יביא רעה הולה על בשרו ועניין בשר הוא גופו והנה הזכיר בפסוק הזה שיחלים אדם בכל יכולתו הרוח בעלת הכעס והנפש בעלת התאוה ועניין טוב אשר יפה לאכול ולשתו' כנגד הכסיל העמל לקבץ ממון ולא יתענג ממנו טוב ללכת אל בית אבל הוא האמת. ועניין כי מה יותר לחכם שאם יעשה החכם כמעשה הכסיל שלא תשבע נפשו מה יתרון יש לו ושיש יתרון להכמה הוא האמת וכן ושבחתי אני את השמחה כי היגיעים בעולם ואינם מבקשים הכמה השמחים הם יותר משובחים מהדואגים לאבל. ולשמחה מה זו עושה הוא האמת. ופי' ושבח אני את המתים כנגד העשוקים ועניין כי לכלב חי הוא טוב דברי בני האדם. וגם כתוב למעלה וגם לב בני האדם מלא רע והוללות בלבבם וכן כי אין מעשה והשבון דבריהם ועניין כי עת לכל חפץ הוא האמת ועניין וטוב לא יהיה לרשע ולא יאריך ימים בלל על הרוב ידבר. ועניין יש רשע הוא הנמלא לפרקים מעטים וכבר הזכרתי בתחלת הספר כי בעבור רע מעט אין בחכמה העליונה למנוע טוב רב וכמו זה בספר משלי שיאמר וקובץ על יד ירבה והוא האמת. ויש מפזר ונוסף עוד הוא המעט וכן יש רשעים שמגיע אליהם כמעשה הצדיקים אשר תמצא בספר הזה דבר ופעם שנית יראה שיאמר הפך הדבר גם כי תמצא בספר משלי כמו אל תען כסיל ענה כסיל ג"כ בדברי הנביאים ובתורת אלהינו שהוא העיקר כמו אפס כי לא יהיה בך אביון כי לא יחדל אביון וכלם אמת· (ד) לב חכמים אחר שהזכיר טוב ללכת אל בית אבל אמר כי הכמי לב אפי' כשלא ילכו אל בית האבל בית האבל תמיד בלבם: (ה) טוב. יותר טוב יהיה למי שאינו חכם לשמוע גערת חכם בו ויותר הועילנו ואם הגערה תועיל אף כי דברי הכמתו והעניין שאפילו גערת חכם שכעס יותר תועיל ותתענג הנשמה בה משמוע שיר כסילים: (ו) כי כקול הסירים. כמו קוצים מלשון הנני סך את דרכך בסירים והעניין שישים על דרכם סירים וקוצים. ותחת הסיר כמו בשבתנו על סיר הבשר ובא סיר עם

ספורנו

המתאוה: ייטב לב. ייטב הכח השכלי בעיון ובמעשה: (ד) לב חכמים בבית אבל. ועל זה יעיד הנסיון כי אמנם החכמים מתעצבים על חסרונם ידואגים לעתיד בימי הפקודה ומשתדלי' לקנות שלמות נצחי: ולב כסילים בבית שמחה. שמחים על התענוג שהוא הוה עתה בלבד בלתי רואים את הנולד: (ה) ולכן טוב לשמוע גערת חכם. כי אע"פ שיתעצב האדם בה הנה יושג ממנה תקון מעוות: מאיש שומע שיר כסילים. אף על פי שישמח בו לפי שעה: (ו) כי כקול הסירים תחת הסיר. כי כמו שיקרה בקול הקוצים הנשרפים תחת סיר הבשר שיאבדו הם בזה הקול באש ויקלקלו את הסיר גם שיבשלו

מצודת דוד

בלבי ולא יחמול ביום נקם לעת מלוא: (ד) לב חכמים. מחשבת החכמים הוא בבית אבל בכל עת יחשבו בעניין אבלות למען יכנע לבבם להיות נשמר מן החטא: בבית שמחה. תמיד יחשבו בעניין שמחת הרקוד וקלות הראש המרגיל לעבירה (ה) טוב לשמוע. יותר טוב לשמוע גערת מוסר מן החכם אף כי יחריד את הלב מ"מ לטובה יחשב כי אין דרך החכם להשמיע גערת מוסר כ"א לייסר כדרך א"כ הגערה היא לטובת השומע: מאיש. ר"ל אף אם הוא איש חשוב ירא אלהים אשר לא יקל ראש בעבור שמיעת השיר ויש א"כ בזה מן הטוב כי משמח את הלב ותסיר את היגון מ"מ הואיל והכסילים הם המשוררים א"א שלא ישמיעו לאזן השומע דבר קלות ראש ולפי שעה יבא בלבו מחשבת קלות ראש: (ו) כקול הסירים.

מצודת ציון

ז (ו) הסירים. שמות קוצים כמו עד סירים סבוכים (נחום א'): הסיר. כן יקרא קדרה של נחשת כמו והיו הסירות

קיצור אלשיך

ינחמם מיגונם. (ד) לב חכמים בבית אבל, אף בזמן שהם בביתם עכ"ז לבם לא ישכח אחריתם, ולב כסילים חושב תמיד באיזה בית ימצא שמחה וילך שמה לשמוח עמהם כדי לשכוח את יום האחרון, עד שהרגיל את לבו שיהיה תמיד שמח וטוב לב, ויום האחרון נשכח מלבו לגמרי. אולי יאמר אדם כאשר אהיה רגיל תמיד לילך לבית אבל לא יעשה רושם בלבי כי ההרגל נעשה כטבע ולבי לא יתעורר עוד והיה טוב יותר שאבא שמה לעתים רחוקות פעם אחת או שתי פעמים בשנה. ע"כ אמר (ה) טוב לשמוע גערת חכם, כשיהי' בבית אבל ישמע גערת חכם אשר יבא להספיד את המת בדברים המעוררים הלב מחדש, ובבית המשתה ישמע שיר כסילים שירי עגבים והוללות ושחוק המביאים את האדם לעבירות ואולי תאמר אף שאשמע שירי הכסיל לא יעשו בי רושם לחטוא, תדע (ו) כי כקול הסירים והקוצים הנשרפים תחת הסיר מפחמים ומשחירים הקדרה, כן שחוק הכסיל מפחמים ומשחירים את הלב, וגם זה הבל, כי איזה תועלת יש להכסיל אחרי שמחתו ששמח כל הלילה, ועוד טעם על אשר ילך אל בית אבל, כי העושק יהולל חכם, כאשר ירגיל א"ע בשמחה, יצטרך לזה ממון הרבה ואם רכושו לא יספיק לו יעשוק ממון אחרים, ואף אם חכם יהיה ויודע שאסור לעשוק עכ"ז ההכוח יהוללו ויערבבו ויאבד לב מתנה שהיה מהנה לאת־ים משלו, ועתה יעשוק

countenance the heart will rejoice. 4. The heart of the wise is in a house of mourning, whereas the heart of the fools is in a house of joy. 5. It is better to hear the rebuke of a wise man than for a man to hear the song of the fools. 6. For as the sound of the thorns under

4. **The heart of the wise is in a house of mourning**—*Their thought is about the day of death.*—[*Rashi*] After stating that it is better to go to a house of mourning than to go to a house of feasting, Koheleth states that the wise, even when they are not in the house of mourning, the house of mourning is in their hearts.—[*Ibn Ezra*] They think about mourning at all times, in order to humble their hearts, so that they should beware of sin.—[*Mezudath David*]

whereas the heart of the fools is in a house of joy—*They do not quake because of the day of death, and their hearts are as sound as a palace.*—[*Rashi*] They always think about the joy of dancing and levity, which brings a person to sin.—[*Mezudath David*]

The *Targum* renders: The hearts of the wise lament over the destruction of the Temple, and grieve over the exile of the House of Israel, but the hearts of the fools think about the joy of the house of their mockery, and they eat and drink and enjoy themselves, and they do not lay to their hearts the suffering of their brethren.

5. **It is better to hear**—It is better to hear a rebuke from a wise man; even though it startles him, it is for the good, because a wise man rebukes only to make a person improve his ways. Hence, the rebuke is for his good.—[*Mezudath David*]

than for a man—i.e., Even if the person is an esteemed and God-fearing man, who does not experience levity and light-headedness when he hears the song—and the song thus has a redeeming factor, that it cheers him up and drives away his sadness—nevertheless, since the singers are fools, it is inevitable that they will inject words of levity into their song, and at that time, this levity will enter the heart of the listener.—[*Mezudath David*] *Ibn Ezra* explains that it is good for a person who is not wise to hear the rebuke of a wise man, which will avail him, and if the rebuke will avail him, how much more so will his words of wisdom. The intention of the verse is that the rebuke of a wise man who is angry will afford more enjoyment to the soul than the song of fools.

6. **For as the sound of the thorns**—*the wood of the thorns, épines in French.*—[*Rashi*]

under the pot—*under a copper pot turned over a fire of thorns, and they rattle into it* (sic). *Said Rabbi Joshua the son of Levi: When all other woods are kindled, their sound does not travel far, but when thorns are kindled, their sound travels far, as if to say, "We too are wood." They let people know, "We too are wood, and we are needed." So are the fools very talkative, saying, "We, too, are important!"*—[*Rashi* from *Ecc. Rabbah*]

הסיר כן שחק הכסיל וגם־זה הבל׃ ז כי העשק
יהולל חכם ויאבד את־לב מתנה׃ ח טוב אחרית
דבר מראשיתו טוב ארך־רוח מגבה־רוח׃ ט אל־
תבהל ברוחך לכעוס כי כעס בחיק כסילים ינוח׃

תו"א כי כעס בחיק כסילים ינוח. נדרים כב.

כובין דמתוקדין תחות דודא קדם קל חובא דשטיא אוף דין הבלו: ז כי ארום אניסא יהתל בחכימא בגין דלא אזיל באורחתיה ומהובר במלוי בישיא ית הוכמת לב חכימא דאתיהיבת ליה במתנא מן שמיא: ח טב סוף עסקא מן שירויה דבשירויה לא אשתמודע לגבר מה דעתיד למהוי בסופיה אלהן סוף מילתא טב אשתמודע לגבר דטב הוא וטב מן קדם יי גבר די שליט ברוחיה ומכביש יצריה מגבר דאזיל בגסות רוחיה: ט אל ובעידן דהתי עלך אוכחתא מן שמיא לא תבהל בנפשך למרתח ולמימר פתגמי סרבנותא כלפי שמיא ארום אין אנת סביל (ושתיק) ישתביק לך חובך ואין את מסרב ומרתח דע ארום רתחא בעטף שטין ינוח עד כדון די

שפתי חכמים

תמשכתם וכו'. ע פירוש מלת כי האמור בראש המקרא כי העושק וגו' מוכיח שמחובר למקרא שלפניו: פ וקשה להבין מן מלך כל' כן מלך העניין דמהו זה שאמר דריש כולה מילתא דאלישע וכי מילתא דאלישע דריש קרא קדרים ואי אקרא קאי מה"ש קשה לסבין סוף. ועוד מהו כולה מילתא אי נאמר דדריש כולא מילתא דאלישע זה אינו תלך כל' שלא יובן כן גם אינו אמת דלא דריש העניינא דאלישע רק הדבר אחר לבד גם הדבר אחר לא דריש להו רבי מאיר במדרש קהלת רק דרשות וכו' אחרו' ואלישע השיב ורבי עקיבא רבך לא כך דריש אלא טוב אחרית דבר מראשיתו בזמן שהוא מראשיתו כמעשה דאלישע דתחלת לימודו לא היה לש"ש כמו שמאריך שם. לכך נראה לי דספו' סוף וכן צריך להיות רבי מאיר הוי קאי ודריש וכו' במלת

רש"י

קלהון אזיל למימר אף אנן מן קיסיא מודיעים שאף אנו מן העצים ויש צורך בנו אף הכסילים מרבים דברים לומר גם אנו מן החשובי': **וגם זה הבל**. ועמל הוא שמסר הקב"ה לבריות להיות ינעים ומקנתרים בהם: **(ז) כי העושק יהולל חכם**. כשהכסיל מקנתר את החכם מערבב דעתו וגם הוא נכשל דתן ואבירם קנתרו את משה לו' (שמות ה כא) ירא ה' עליכם וישפוט וגו' וערבבוהו ואבדו את לבו וגרמו לו שהקפיד כנגד הקב"ה ואמר (שם ה כג) והצל לא הצלת את עמך ונענש בדבר שהשיבו עתה תראה ולא תראה במלחמות ל"א מלכים: **לב מתנה**. לב חכמה שהיא מתנה לאדם שנא' (משלי ב ו) כי ה' יתן חכמה: **עושק**. לשון ריב וקנתורין יש פנים אחרים אך מפרידין המקראות זו מזו וכי האמור ע בראש המקרא מוכיח שמחובר למקרא שלפניו: **(ח) טוב אחרית דבר מראשיתו**. כמשמעו בראשית הדבר אין אנו יודעים מה יהא בסופו אבל כשאחרית טוב נגמר בטובה. ד"א טוב אחרית דבר מראשיתו בזמן שהוא מראשיתו טוב שנתכוונו לטובה כשהתחילו בו רבי מאיר הוה קאים ודריש כוליה מילתא באלישע בן אבויה פ במדרש קהלת: **ארך רוח**. המאריך רוגזו ואינו ממהר לריב: **(ט) אל תבהל**. אל תמהר:

ספורנו

את הבשר: כן שחוק הכסיל. מאבד בזה את עצמו ויקלקל גם השומע באבוד זמנו אע"פ שישמחהו לשעה מועטת: **גם זה הבל**. וגם זאת השמחה המושגת לשעתה הוא דבר שתכליתו בלתי נחשב: (ז) **כי העושק**. כי הזמן שיעשוק אדם מן העיון כדי לשחוק בו בדברים בטלים: **יהולל חכם**. במה שיבטל בו מן העיון: **ויאבד לב מתנה**. עד שלפעמים יקרה שישכח גם במושכלות הראשונות שנתנו לו במתנת הטבע או המסדר בלתי השתדלות האדם: (ח) **טוב אחרית דבר מראשיתו**. הנה בכל הפעולות יהיה הטוב המקווה בהם בתכליתם בלבד. מכל מקום **טוב ארך רוח מגבה רוח**. כי מדבר הכעס יקרה הפך זה שטוב שיהיה האדם ארך רוח קשה לכעוס אע"פ שיהיה קשה לרצות בסוף יותר ממי שיהיה גבה רוח נוח לכעוס גם שיהיה נוח לרצות בסוף: (ט) ולכן

אבן עזרא

סירים ביחד ואינמי מענין אחד והוא לשון להות כמו רוכבים על שלשים עירים ושלשים עירים להם. ואמר וגם זה הבל וישוב על שיר כסילים ועל השחוק והשמחה שלהם אין טעם לה וענין כי אם קול וצעקה כקול הסירים: **(ז) כי העושק**. הזכיר כי הטוב לחכם שלא יתעסק בדברי השחוק והזכיר שיש דבר שישיבנו מהולל והוא העושק ויחסר דבר פרס מתנה בעבור היות ויאבד ל' זכר כענין ושונא מתנות יחיה וכמוהו עד נמצא עולתה בך: **(ח) טוב אחרית דבר מראשיתו**. אמר כי החכם ראוי שלא יאהב מתנות וכל דבר שיעשה יביט מה אחריתו כי הוא העיקר הלא תראה כי החכם יאכל רפואה היא מרה בראשונה בעבור שתועיל באחרונה וימנע עצמו מלאכול מתוק שהוא טוב בראשיתו ורע באחריתו. ושיהיה ארך רוח. וארך הוא שם התואר על משקל ילד ויבא הלך יתר שאת: (ט) אל תבהל. ענין תבהל כמו אל תמהר וכן ויבהילו להביא את המן וכבר פירשתו

מצודת ציון

(זכריה יד) נאמר בלשון הנופל על הלשון: (ז) **העושק**. ענין קנתור ופרעות כמו את כל כעס קים (לעיל ד): **יהולל**. ענין ערבוב כדעת כמו ושופטים יהולל (איוב יב): **לב מתנה**. ר"ל לב חכמה שהיא מתנה לאדם מאת המקום כמ"ש כי ה' יתן חכמה (משלי ב): (ח) **רוח**. ענינו רוגז כמו הניחו את רוחי (זכריה ו): **גבה רוח**. ענין גאוה יתירה: (ט) **אל תבהל**. אל תמהר:

מצודת דוד

כמו קול תבערת קוצים שתחת הסיר ישמיעו קול קשקוש יקשקשו בסיר ולא יבא בסדר מיושר כדרך שבא מבני הניגון: **כן שחוק**. כן הוא שחוק שמחת השיר מהכסיל כי לא יבא בסדר מיושר כדרך השיר אבל יערב בו דברי קלות ראש: **גם זה הבל**. לכן גם זה הבל עם כי יש בו שיר עם מן הטוב כי משמח הלב ומסיר היגון עכ"ז הוא הבל הואיל ומעורב בו דברי קלות ראש: **(ז) כי העושק**. כאומר אף אם אהיה החכם הזה ינער בכסילים בזמעי כי ידבר דברי קלות ראש מכ"מ לא טוב לשמוע כי כשינער בהם ישיבו גם המה דברי קנתור ויערבבו דעת החכם ויאבד את לב חכמה וידבר גם הוא בלי דעת לכן טוב ללכת מעד: **(ח) טוב אחרית דבר**. ר"ל כמו באחרית הדבר הוא טוב יותר מן הראשית כי בראשית הדבר לא נודע מה יעשה בו אבל כשנגמר הדבר נודע הכל כן טוב יותר המאריך רוגזו ואינו ממהר לריב ממי שהוא גבה רוח אשר בעבור זה ימהר להתקלף כי הממהר להתקלף עומד הוא עדיין בתחלת הריב ולא נודע מה יהיה בסוף הכלל' אולי רפהו אבל אם מאריך אף מאליו ישקט הריב ואילו נשלם הדבר: **(ט) אל תבהל ברוחך**. בעת ההרגז אל תמהר להראות הכעס כי הראות הכעס מלא לעולם מקום מנוח ומשוער בחיק

קיצור אלשיך

יעשוק את אחרים, ועל זכירת המות עצמה לשית אל לבו (ח) **טוב אהרית דבר** שהוא בית אבל, **מראשיתו** שהוא שמחת נשואין לזכור ממנו האחרית, **טוב ארך רוח** של בית אבל **מגבה רוח** של בית המשתה, ובהיותך גבה רוח בבית המשתה (ט) **אל תבהל ברוחך לכעוס, כי כעס בחיק כסילים ינוח**, ר"ל בחיק מקום הלב של כסילים שם ינוח כבבית מנוח לדירה להיות מפסיד ומאבד אותך והוא מאמרם ז"ל כל הכועס כאילו כופר בעיקר כי מעט

מעט

the pot, so is the laughter of the fool, and this too is vanity. 7. For
the taunt makes the wise foolish, and it destroys the understanding,
which is a gift. 8. The end of a thing is better than its beginning;
better the patient in spirit than the haughty in spirit. 9. Be not hasty
with your spirit to become wroth, for wrath lies in the bosom of
fools.

this too is vanity—*And it is labor, which the Holy One, blessed be He, gave the people to toil and be vexed with them.*—[*Rashi*]

Mezudath David explains that just as the sound of the crackling of the thorns under a pot is not in any kind of rhythm as is the sound of a musical instrument, so is the laughter of the joy of the song of the fool not in any rhythm, for words of levity are intermingled with it. This too is vanity. Although the song contains some redeeming factors, viz. that it cheers a person up and takes away his sadness, it is vanity because words of levity are intermingled with it. *Ibn Ezra* points out that there is a play on words, using the word סִיר for a pot and סִירִים for thorns. Their song, their joy, and their laughter are vanity because they make no sense, but are like the sound of crackling thorns.

7. **For the taunt makes the wise foolish**—*When the fool taunts the wise man, he confuses his thoughts, and he too stumbles. Dathan and Abiram taunted Moses, saying,* (*Exod. 5:21*): "*May the Lord look down upon you and judge, etc.,*" *and they confused him and destroyed his understanding and caused him to speak in anger against the Holy One, blessed be He, and he said, "and You did not save Your people," and he was punished for this matter, when He replied to him, "Now you will see," but you will not see the war of the thirty-one kings.*—[*Rashi* from *Ecc. Zuta*]

the understanding, which is a gift—*the heart of wisdom, which is a gift to man, as it is said* (*Prov. 2:6*): "*For the Lord gives wisdom.*"—[*Rashi*]

the taunt—Heb. עֹשֶׁק, *an expression of conflict and taunts. There are other ways of interpretation, but they separate the verses one from the other, but* כִּי *stated at the beginning of the verse proves that it is connected to the preceding verse.*—[*Rashi*]

Mezudath David explains: Even if a wise man rebukes the fools when he hears them speaking words of levity, it is nevertheless not good to hear their song, because when the wise man rebukes them, they retort with taunts, and confuse the mind of the wise man, and destroy his understanding, so that he too will speak without reason. Therefore, one must stay away from them.

8. **The end of a thing is better than its beginning**—[This is to be interpreted] *according to its apparent meaning. At the beginning of a thing, we do not know what will be at its end, but when the end is good, it ends*

well. Another explanation: The end of a thing is good from its beginning: when it is good from its beginning, i.e., that they had good intentions when they started it. Rabbi Meir stood and expounded the entire matter as referring to Elisha the son of Abuyah in Midrash Koheleth (*Ecc. Rabbah*).—[*Rashi*]

The Midrash reads as follows: Rabbi Meir was sitting and expounding in the study hall of Tiberias, and Elisha his teacher, passed in the street, riding a horse on the Sabbath. It was told to Rabbi Meir, "Behold, Elisha your teacher is coming, riding on the Sabbath." He went out toward him, and Elisha asked him, "With what topic were you occupied?" He said to him, "Now the Lord blessed Job's latter days more than his beginning." (Job 42:12). He [Elisha] said to him, "He blessed him by doubling his wealth." He [Rabbi Meir] retorted, "Your teacher Akiva did not explain it in that manner, but: 'The Lord blessed Job's latter days because of his beginning,' in the merit of the repentance and good deeds that were his from his beginning." Rabbi Meir said to him, "How do you explain, 'The end of a thing is better than its beginning'?" He queried, "What do you say about it?" Rabbi Meir replied, "There is sometimes a person who buys merchandise in his youth and loses it, and in his old age he profits from it. Another illustration of *The end of a thing is better than its beginning*—Sometimes a man begets children in his youth and they die, and he begets children in his old age, and they survive. Another illustration of *The end of a thing is better than its beginning*—Sometimes a person commits bad deeds in his youth, and in his old age, he performs good deeds. Another illustration of *The end of a thing is better than its beginning*—Sometimes a person learns Torah in his youth and forgets it, and in his old age he reviews it." Elisha replied, "Akiva your teacher did not explain it in that way, but the end of a thing is good when it is good from its beginning, and so was the story: Abuyah my father was one of the greatest of the generation, and when he came to circumcise me, he invited all the great men of Jerusalem and all the great men of the generation, and he invited Rabbi Eliezer and Rabbi Joshua with them, and when they ate and drank, these people started singing songs and others alphabetical acrostics. Said Rabbi Eliezer to Rabbi Joshua, 'They are engaged in what interests them, and we are not engaged in what interests us?' And they commenced to discuss the Torah, and from the Torah they went on to the Prophets, and from the Prophets to the Holy Writings, and the words were as happy as when they were given on Sinai, and fire flamed around them. When they were originally given, were they not given from Sinai with fire? For so it says: 'and the mountain was blazing up to the heart of the heaven.' (Deut. 4:11). He said, 'Since the power of Torah is so great, if this son of mine survives, I will devote him to the study of Torah.' And since my father's intention was not for the sake of Heaven, my Torah did not endure...."

a patient one—*one who is slow to anger and does not hasten to quarrel.*—[*Rashi*] *Mezudath David* explains: Just as the end of a thing is better than its beginning, because at the beginning of a thing, it is unknown how it will end, but when the thing is ended, everything is known, so is one who is slow to anger, who does not hasten to quarrel, better than a haughty one who hastens to become angry and quarrel, because once a quarrel begins, we do not know what its outcome will be, but if a person is patient and slow to anger, the quarrel can be averted.

9. **Be not hasty**—Heb. אַל תְּבַהֵל. *Do not hasten.*—[*Rashi*] When you become angry, do not hasten to show your anger, for the display of anger has found itself a resting place in the bosom of fools, and will not leave there, because they do not realize that their friend will embarrass them. Therefore, an intelligent person remains silent at such a time and does not hasten to display his anger.—[*Mezudath David*]

Sforno explains:

Be not hasty with your spirit to become wroth—[This parallels the Mishnah:] Be not easily angered. (*Avoth* 2:10)

for wrath lies in the bosom of fools—It lies ready and unrestrained in their bosoms and apparent to all. Fools are moved by their natural impulses without aspring to achieve any desirable goals.

י אַל־תֹּאמַר מֶה הָיָה שֶׁהַיָּמִים הָרִאשֹׁנִים הָיוּ טוֹבִים
מֵאֵלֶּה כִּי לֹא מֵחָכְמָה שָׁאַלְתָּ עַל־זֶה׃ יא טוֹבָה
חָכְמָה עִם־נַחֲלָה וְיֹתֵר לְרֹאֵי הַשָּׁמֶשׁ׃ יב כִּי בְּצֵל
הַחָכְמָה בְּצֵל הַכָּסֶף וְיִתְרוֹן דַּעַת הַחָכְמָה תְּחַיֶּה
בְעָלֶיהָ׃ יג רְאֵה אֶת־מַעֲשֵׂה הָאֱלֹהִים כִּי מִי יוּכַל

תו"א אל תאמר מה היה שהימים הראשונים. ר"ס כה: טובה חכמה עם נחלה. בכורות נב זוהר ח' תקח: כי בצל החכמה בצל הכסף. פסחים נג: החכמה תחיה בעליה. יומא פג פד יבמות פד חולין נט:

תרגום

הוּבַד יַתְהוֹן׃ י אַל וּבְעִידָן עָקְתָךְ לָא תֵימַר מַה דַּהֲוָה קַדְמַת דְּנָא טָב בְּעָלְמָא דְיוֹמִין קַדְמָאִין הֲווֹ מְטַיְבִין וְאֶנָשֵׁי דָרָא הַהוּא הֲווֹ שַׁפִּירֵי עוֹבָדָא יַתִּיר מִן אִלֵּין בְּגִין כֵּן טָבָא הֲוָה מָטֵי לְהוֹן וְאַנְתְּ לָא עַל חוּכְמְתָא שְׁאֵלְתְּ עַל דְּנָא׃ יא טובה טָבְתָא חוּכְמְתָא דְאוֹרַיְתָא עִם אַחְסָנַת מָמוֹנָא וְיַתִּיר לִגְבַר לְמֶהֱוֵי מְדַבַּר בְּעִנְוְתָנוּתָא עִם גוּבְרִין דְּיָרֵי אַרְעָא דְחָזָן טָב וּבִישׁ תְּחוֹת שִׁמְשָׁא בְּעָלְמָא הָדֵין׃ יב כִּי אֲרוּם הֵיכְמָא דְמִסְתַּתַּר גַּבְרָא בִּטְלַל חוּכְמְתָא הֵיכְדֵין מִסְתַּתַּר בִּטְלַל כַּסְפָּא בְּעִידָן דִּי עָבִיד מִנֵּיהּ צְדָקְתָא וּמוֹתַר מַנְדְּעָא בְּחוּכְמְתָא דְאוֹרַיְתָא תְּחֵי יַת מָרָהָא מִבֵּית קְבוּרְתָּא לְעָלְמָא דְאָתֵי׃ יג רְאֵה הֲוֵי מִסְתַּכַּל יַת עוֹבָדָא דַייָ וּגְבוּרְתֵיהּ דִּי עֲבַד יַת סַמְיָא יַת גִּבְנָא וְיַת חֲגִירָא

רש"י

(י) **אל תאמר מה היה שהימים וגו'.** אל תתמה על הטובה שהיתה באה על הצדיקים הראשונים כדור המדבר ודורו של יהושע ודורו של דוד: **כי לא מחכמה שאלת.** שהכל לפי זכות הדורות: (יא) **טובה חכמה וגו'.** חכמתם עמדה להם עם נחלת זכות אבותם כי טובה היא החכמה: **ויותר לרואי השמש.** יתרון היא החכמה לכל הבריות: **לרואי השמש.** הן כל הבריות כדתנן הנודר מרואי החמ' אסור אף בסומין לא נתכוון זה אלא במי שהחמה רואה אותו: (יב) **כי בצל החכמ' בצל הכסף.** כל מי שישנו בצל החכמ' ישנו בצל הכסף שהחכמה גורמת לעושר שיבא: **ויתרון דעת החכמ' תחיה בעלי'.** ועוד החכמ' יתירה על הכסף שהחכמ' תחיה בעלי': (יג) **ראה את מעשה האלהים.** היאך הוא מתוקן הכל לפי הפעול' של אדם גן עדן לצדיקים גיהנם לרשעים ראה

אבן עזרא

הפסוק הזה בפסוק טוב כעס: (י) אל תאמר. עודנו מצוה ומזהיר לחכם שישמח בחלקו ואם היה עני כמו שכתוב למעלה מה לעני יודע ויאמר שלא יתעסק בדברי קנות ממון כי אם מה שיספיקו ולא יכעס בעבור שיש לכסיל ממון רב ממנו ויהיה ארך רוח. ואל יאמר מה היה כמו שיאמרו הכסילים אם ירדו מגדולתם שנהפך העולם כי המבין ידע כי הימים שוים והמערכו' העליונו' הם הם רק המקבלים ישתנו איש איש כפי חלקו: (יא) טובה חכמה. ואם יתכן שתהיה לחכם נחלה טוב הוא לו ויותר טוב לרואי השמש כי יכבדו אותו בעבור עשרו: (יב) כי בצל. אז יהי' החכם חוסה בצל החכמה ובצל הכסף אכן יש הפרש בין צל חכמה וצל הכסף שהחכמה תחיה בעליה כי החכמה היא נותנת הנשמה העליונה שאינה מתה במות הגוף: (יג) ראה.

ספורנו

אל תבהל ברוחך לכעוס. אל יהי נוח לכעוס כי כעס בחיק כסילים ינוח מזומן בחיקם וגלוי לכל מבלי אין מעצור לרוחם ונמשכים אחר התנועה הטבעית בלתי שיכוונו בו תכלית נאות: (י) אל תאמר מה היה שהימים הראשונים היו טובים מאלה. אל תאמר זה כמו תמה וכועס על הנהגת האל יתעלה שהיטיב לראשונים ולא כן מיטיב לאחרונים: כי לא מחכמה שאלת על זה. שאין ספק שהנהגתו לא תשתנה בלתי התחדשות סבה במתפעל מכרחת אל ההשתנות. ובכן ראוי לדעת: (יא) כי טובה חכמה עם נחלה. כי גם בימינו תיטב חכמת ההנהגה כשתהיה עם נחלת ממון או אומנות מקובל מהאבות כמו המסופר שקרה להרבה מהראשוני' שהתעשרו בחכמת מרעה הצאן ועבודת האדמה: ויותר לרואי השמש. ויותר יקרה זה לאותם הרואים ההנהגה הראויה במה שתחת השמש באופן שמכלכלים עסקיהם במשפט והנהגה נאותה ובזה היו הטובים הראשונים טובים לאותם שנזכרו בדברי הימים שהיו על זה האופן: (יב) כי בצל החכמה בצל הכסף ויתרון דעת החכמה תחיה בעליה. כי אמנם החכמה בהנהגה מדינית החיה בעליה בצל חכמת האומנות המקובלת כשתצליח או בצל הכסף שהיא נחלת אבות שיאכל האדם פירותית או ביתרון דעת באותה חכמת האומנות כשידע האדם בה יותר מרבים מבני דורו וזה יקרה גם בימינו לאיש אשר אלה לו: (יג) ראה

מצודת דוד

הכסילים ומהם לא נעזב על כי לא יתבוננו אשר רעיהם יכלימם לכן המשכיל ידום בעת ההיא ולא יתקצף מאד: (י) אל תאמר. אל תתמה מפני מה היה זה אשר ימים הראשונים כדורו של יהושע וכדורו של דוד היו טובים יותר מאלה הימים כי אז מלאו טובה מרובה אשר לא נמלא כזה באלה הימים: כי לא מחכמה שאלת על זה. השאלה הזה לא שאלת מן החכמה עצמה כי אלו שאלה אותה היא היתה משיבה אמריה בטוב טעם ודעת אבל האדם דעתו קצרה להבין את זאת או השאלה הזה לא שאלת מצד החכמה כ"א מצד הכסילות (כי דרך החכם לשאול שאלות הגונות כפי עומק חכמתו ודרך הכסיל לשאול שאלות שאין בהם ממש לפי כסילותו): (יא) טובה חכמה. הגם מי מלא בית והון נחלת אבות מ"מ החכמה טובה היא אליו כי בלעדה לא תתקיים נחלתו בידו: ויותר. וביותר יש צורך אל החכמה לאלו שהם רואי השמש ר"ל המסתכלים במערכת השמים להוריד מהם השפעה נעלמה כי אלו אין בידם מאומה וכל בטחונם במערכת השמים לזה צריך חכמה (והזכיר השמש לפי שהיא הגדולה מכלם ופעולתה רבה בתחתונים ולכן תקרא מלכת השמים מלשון מלכה וכמ"ש בתחלת הספר): (יב) כי בצל החכמה. החוסה בצל החכמה היא כאלו יחסה בצל הכסף כי לפעמים יוכל האדם לכלכל עצמו די מחסורו עם החכמה כמו בכסף: ויתרון. עוד יש יתרון מעלה בדעת החכמה כי היא תחיה את בעל החכמה אבל הכסף פעם היא סיבה על מיתת בעלי' כי יעמדו עליו רוצחים לקחת העושר: (יג) ראה. הסתכל את מעשה האלהים כמה הם מיושרים ומתוקנים כי מי מבני האדם יוכל

קיצור אלשיך

מעט יחטיאנו עד האבידו אותו, ואל תקשני והאמר (י) מה היה שהימים הראשונים, אם תאמר אם כדברך שטוב אחרית דבר מראשיתו הלא העולם הולך ומתמעט טובו דור דור כי הימים הראשונים היו טובים מאלה, אך תדע כי לא מחכמה שאלת על זה, כי אם היה לך חכמה לא היה נעלם ממך סוד הגלגול כמשז"ל בכל דור מתמעט העולם כי שיורי הנשמות הולכים ומתמרקים וכ'. (יא) טובה חכמה עם נחלה וגו' שיהי' לו נחלה להתפרנס מסגה לעסוק בחכמה בשלילת טרדת מזונות, ויותר תהיה טובה לרואי השמש, ויותר יהיה טובה להאנשים הרואים ומביטים בהנהגת השמש אשר משפעת מאורה לכל העולם כן ישפיע מפרנסתו ומחכמתו לאחרים ג"כ (יב) כי בצל החכמה וגו' כמו שאחז"ל עתיד הקב"ה לעשות צל וחופה למחזיק ביד לומדי תורה כתלמידי חכמים עצמם, ויתרון דעת ר"ל מה שיש יתרון להחכם מהמחזיק הוא זה שהחכמה תחיה בעליה, התורה נותנת אריכת החיים להלומד עצמו בעוה"ז, בעוה"ב שניהם שוים, אך בעה"ז יש יתרון להחכם מהמחזיק, ומי שיש לו שניהם מחזיק ולומד הצלחתו כפולה. וא"ת א"כ מדוע התורה אינה מצלת מן המיתה לגמרי, עז"א (יג) ראה את מעשה האלהים,

הזא

10. Do not say, "How was it that the former days were better than
these?" For not out of wisdom have you asked concerning this.
11. Wisdom is good with a heritage, and it is a profit to those who
see the sun. 12. For whoever is in the shade of wisdom is in the
shade of money, and the advantage of knowledge is that wisdom
gives life to its possessor. 13. See God's work, for who can

10. **Do not say, "How was it that the former days, etc.**—*Do not wonder about the good that came to the early righteous men, such as the generation of the desert and the generation of Joshua and the generation of David.*—[*Rashi*]

For not out of wisdom have you asked concerning this—*For everything is according to the merit of the generations.*—[*Rashi*] *Mezudath David* renders: for not of wisdom have you asked concerning this—You did not ask wisdom itself this question, for had you asked wisdom itself, it would have answered you satisfactorily and wisely, but the human intellect cannot grasp this. Another explanation: for not out of wisdom have you asked this, but out of foolishness, [for it is customary for a wise person to ask intelligent questions according to the depth of his wisdom, and for a fool to ask questions that have no substance.] *Ibn Ezra* explains that only fools ask such questions because, in fact, the times are the same. It is the recipients who are different.

11. **Wisdom is good, etc.**—*Their wisdom stood them in good stead with the heritage of the merit of their forefathers, for wisdom is good.*—[*Rashi* from *Ecc. Rabbah*]

and it is a profit to those who see the sun—*The wisdom is a profit for all mankind.*—[*Rashi*]

to those who see the sun—*This refers to all the creatures, as it was taught in the Mishnah (Ned.* 3:7)*: He who vows not to derive benefit from those who see the sun, is also prohibited from benefitting from the blind. The intention is to anyone whom the sun looks down upon.*—[*Rashi*]

12. **For whoever is in the shade of wisdom**—*Whoever is in the shade of wisdom is in the shade of money, for wisdom causes riches to come.*—[*Rashi*]

and the advantage of knowledge is that wisdom gives life to its possessor—*And moreover, wisdom has an advantage over money insofar as wisdom gives life to its possessor.*—[*Rashi*]

Mezudath David explains these two verses as follows:

[11] **Wisdom is good with a heritage**—Even if someone inherited a house and wealth from his fathers, nevertheless, wisdom is good as an accompaniment, for without wisdom, the wealth will not endure in his hands.

and more for those who gaze at the sun—And even more do those who gaze at the sun require wisdom, i.e., this refers to those who gaze at the heavenly bodies to bring down abundance from heaven, for they have nothing, and their entire trust is in the heavenly bodies. Such people require wisdom. He mentions the sun because it is the largest body in the solar system, and has the most influence on the earth. It is therefore called מַלְכַּת הַשָּׁמַיִם, *the queen of heaven.*

[12] **For whoever is in the shade of wisdom is in the shade of money**—Whoever shelters himself in the shade of wisdom is as though he shelters himself in the shade of money, because sometimes a person is able to sustain himself and to earn his necessities with wisdom, just as with money.

and the advantage of knowledge is that wisdom gives life to its possessor—There is another advantage to the knowledge of wisdom, namely, that it preserves the life of its possessor, but money is sometimes the cause of his death, for murderers may attack him to take his money.

Ibn Ezra explains the verse as follows:

[11] **Wisdom is good with a heritage**—If it is possible for a wise man to have a heritage, it is good, and even more so for the people who see the sun, meaning that he will receive more respect from the public if he is wealthy.

Ibn Lattif explains the two verses as follows:

[11] **Wisdom is good with a heritage**—Wisdom is good, but it is exceptionally good if the wise man records his words of wisdom and leaves them to posterity as a heritage, so that his wisdom is not lost when he dies.

and it will remain for those who see the sun—i.e., It will remain for those in the world after him.

[12] **For whoever is in the shade of wisdom is in the shade of money**—For just as the heirs shelter themselves in the shade of money that their predecessors bequeathed them, so do the disciples take shelter in the shade of wisdom that their mentors left for them in their books.

and the advantage of knowledge is that wisdom gives life to its possessor—Whereas in the case of material wealth, when its possessor dies, he leaves it completely to his heirs and nothing remains with him, the wise man, although he has departed this world, achieves perpetuity through his wisdom.

The *Targum* renders: For just as a person hides in the shade of wisdom, so does he hide in the shade of money when he gives it to charity, and the advantage of knowledge is that the wisdom of the Torah gives life from the grave in the World to Come.

13. **See God's work**—*how straight it is, everything according to man's deed: Paradise for the righteous and Gehinnom for the wicked. See for yourself to which one you will cleave.*—[*Rashi*]

for who can straighten out—*after death that which he made crooked during his lifetime?*—[*Rashi*]

Mezudath David explains:

See God's work, how straight it is, for which human being can straighten out what He made crooked because of the iniquity of the generation, but the Holy One, blessed be He, can indeed straighten what He made crooked because of the iniquity of the generation, as the Rabbis say in *Rosh Hashanah* (17b): If it was decreed upon them to have little rain because of the iniquities of the generation, and then the people improved their ways, He rectifies what He made crooked and causes the rain to fall in its proper time and in the place where it is required the most, and not a drop is lost.

Ibn Ezra connects this verse to the preceding one, as follows:

The wise man who has no heritage or money should rejoice with his wisdom, and he should not be wroth because of his poverty, for whatever was decreed upon him was decreed from the six days of Creation, and those who understand the workings of the heavens will understand this, and this is the meaning of (Gen. 2:3): "which God created to make," for God put into all His work the power of the original image. Accordingly, if one's fate was made crooked, either in financial matters or in any other matters, there is no way of improving it.

Sforno explains:

See God's work—that He created man in His image, and ponder the intention of His great final purpose.

for who can straighten out what he made crooked—for there is no way for man to rectify the effects of a sinful deed he has committed, which distorts God's intention in His works, as long as the sin is in existence and has not been obliterated by repentance. A person cannot obliterate a sin by performing a mitzvah. [He must repent of that particular sin.]

The *Targum* renders: Look at God's work and His might, for He created blind people, hunchbacks, and cripples, to be separated from the rest of the world, for who is wise enough to heal one of them, except the Lord of the Universe, Who made them crooked?

לתקן את אשר עותו: יד ביום טובה היה בטוב
וביום רעה ראה גם את־זה לעמת־זה עשה האלהים
על־דברת שלא ימצא האדם אחריו מאומה:
טו את־הכל ראיתי בימי הבלי יש צדיק אבד בצדקו

הג"א ביום טובה היה בטוב. זוהר פ' תולדות. גם את זה לעומת זה עשה האלהים. חגיגה טו: את הכל ראיתי בימי הבלי. זוהר פ' בא אל פרעה ובראשית זוריע והדרת החזינו עקידה שער לב

תרגום

למהויהון פרישן בעלמא ארום מן הוא חכימא די יכיל לתקנא ית חד מנהון אלהן מרי עלמא די עותיה: יד ביום ביומדיוטיב לך יי תהי אף אנת בטיבותא ותיטב לכל עלמא בגין דלא ייתי עלך יומא בישא חזי ואסתכל ואף ית דין כל קביל דין עבד יי בגין לאוכחא אנשי עלמא מן בגלל דלא ישכח איניש בתרוהי מדעם ביש לעלמא ההוא: טו את ית כולא חזית ביומי הבלותי דמן קדם יי מתגזרין טב וביש למהוי בעלמא על עיסק מזלא דאתבריאו בהון בני אנשא דאית גבר זכאי אבד בצדקותיה בעלמא הדין וזכותיה מנטרא ליה לעלמא דאתי ואית גבר חייב דמאריך יומין בחובוהי וחושבן עובדוהי בישיא נטרין ליה

שפתי חכמים

דאלישע בן אבויה במדרש ופירושו רבי מאיר קאים ודריש כי' ובסוף הענין הוא נדרש במילתא דאלישע בן אבויה לא שר"מ עצמו דריש כך רק שמביא התחלת הענין שבמדרש קהלת: צ דאם לא כן מהו לאה: ק קשה בזה למה ליה להביא סיפא דקרא די היה בזה אתה תהיה מן הרואים שנא' ויצאו וראו בפגרי האנשי' וגו' ולא תהי' מן הנראי' כאותם שנא' עליהם וראו בפגרי האנשים כי הפגרים הם הנראים. ועוד קשה דבמדרש איתא ולא מן הנראים שכתוב בהם ותולעתם לא תמות למה משנה רש"י וכתב והיו דראון. ונ"ל דק"ל על המדרש בכתב ולא תהיה מן הנראים שכתוב בהם ותולעתם לא תמות מה נראים שייך בזה אלא ע"כ דהרישא דקרא קאי וראו בפגרי האנשים כי תולעתם לא תמות אם כן כשאמר תהי' מן הרואים דכתיב ויצאו וראו בפגרי האנשים וגו' לא הל"ל רק ולא תהא מן הנראים ותו לא לכ"פ רש"י ולא תהא מן הנראים והיו דראון לכל בשר כאילו אמר ולא תהי' מן הנראים בגיהנם אבל הצדיקים יאמרו עליהם די ראיים וזהו פירושו של דראון לדעת התרגום ופירש"י בסוף ישעיה. ואפשר לומר לדעת רש"י שסובר שיש לגרום הכי במדרש או כוונת רש"י

רש"י

לך באיזה תדבק: כי מי יוכל לתקן. לאחר מיתה את הדבר אשר עותו בחייו: (יד) ביום טובה היה בטוב. ביום שיש בידך לעשות טובה היה בעושי הטובה וביום רעה ראה. כשתבוא הרעה על הרשעים אתה תהי' מן הרואים צ שנא' (ישעי' סו כד) ויצאו וראו בפגרי האנשים וגו' ולא תהי' מן הנראים ק והיו דראון לכל בשר: גם את זה לעומת זה הטובה ושכר פעולתה לעמת הרעה ושכר פעולתה: שלא ימצא האדם אחריו מאומה. נהרהר אחריו של הקב"ה: (טו) יש צדיק אבד בצדקו. אע"פ שהוא אובד עודנו עומד בצדקו מעשה ביוסף בן פנחס הכהן שעלת' נימא ברגלו קרא לרופא להתוך רגלו אמר ליה כשאת' מגיע לחוט השער' הודיעני וכן עשה קרא להוכיח בנו אמר לו בני עד כאן היית חייב ליטפל בי מכאן ואילך אין אתה חייב ליטפל בי שאין כהן מטמא

ספורנו

את מעשה האלהים. שברא את האדם בצלמו והבט אל כוונת גודל תכליתו. כי מי יוכל לתקן את אשר עותו. כי אין דרך שיתקן האדם את פועל החטא המעוות את כונת האלוה המכוונת במעשהו הנזכר בעוד החטא קיים שלא נמחק בתשובה שממנו שאין מצוה מכבה עבירה: (יד) ולכן ביום טובה היה בטוב. בעת שישפיע האל ית' לך טובה היה בשוב השתדל לקנות בה שלמות נצחי שהוא הטוב המוחלט: וביום רעה. כשיסורין באים עליך: ראה. מה סבתם בהיותך מפשפש במעשיך והסיר את החטא שהוא סבת היסורין וזה בתשובה ממנו: גם את זה לעמת זה עשה האלהים. כי אמנם עם מה שהאל יתברך לא יוסיף פורענות על הראוי עשה גם כן שיהיה הפורענות ממין החטא מדה כנגד מדה: על דברת. על אופן ההנהגה: שלא ימצא האדם אחריו מאומה שלא ימצא האדם מקום להתרעם על היסורין באמרו שלא ידע סבתם: (טו) את הכל ראיתי. שהוא מדה כנגד מדה לטוב ולרע. ובזה יש צדיק אובד בצדקו. על איזה עבירה שלא שב בשגגה ולא יכלו צדקותיו וזכיותיו להצילו מן העונש שאין מצוה מכבה עבירה: ויש רשע מאריך ברעתו. וזה כשישלם לו האל יתברך גמול על איזה פועל טוב שעשה ולא יכול רשעו למחות אותו הזכות, ולכן ראוי לשמור המצוה האלהית

אבן עזרא

והחכם שאין לו נחלה וכסף ישמח בחכמתו ולא יכעס בעבור עניו כי כבר נגזר עליו מה שנגזר מששת ימי בראשית ומביני מלאכת השמים יבינו והוא פי' אשר ברא אלהים לעשות כי אלהים שם בכל מלאכתו כח על הדמות הראשונה ומי שהיתה מערכתו מעוותת בדבר ממון או דבר אחר אין לו תקנה. (יד) ביום. והחכם שהוא בעל נחלה וכסף למה ישמח בדבר שלא יעמוד כאילו אומרים לו כשתהיה ביום טוב היה בטוב ושמח ולכן יש עליו להסתכל כי יום רעה יבא כענין שמה בהיר שיאמר לו שמח והלך בדרך תאות לבך ועיניך ודע כי על כל אלה והנה הענין אל תשמח: גם את זה לעומת זה. כענין שנאמר בספר יצירה שבע כפולות בנ"ד כפר"ת ועל דברת כמו בעבור והוא כמו על דבר אשר לא קדמו אתכם וכמוהו על דברתי מלכי צדק על דבר המת ועגוה צדק ויהיה היו"ד נוסף כיו"ד מלאתי משפט רבתי בגוים שרתי במדינות' ואחריו ישוב אל האלהים והענין שעשה זה לעומת זה ולא יוכל אדם לתקן בעבור שההסרון בא מן המקבל כמו שפירשתי בתחלת הספר: (טו) את הכל. יש הוא הנמצא לפרקים מעטים. וענין אובד בצדקו שצדקו יאבידנו כמו המתעטה תמיד ומאריך עליו מאריך ימים

מצודת ציון

(יג) עותו. ענין קלקול: (יד) על דברת. בעבור כמו על דבר הכסף

מצודת דוד

לתקן את הדבר אשר קלקל אותו בכל המקום ב"ה יוכל לתקן את הדבר אשר קלקל בשוב הסדור וכמ"ש רז"ל בר"ה אם בשוב הדיל נגזר על גשמים מועטים ולאח"כ הטיבו מעשיהם מתקן הוא את הקלקול כי טובה. ביום בוא טובה בעולם היה בטוב ר"ל קבל את הטובה והתענג בדשן נפשך: וביום רעה. בעת בוא רעה בעולם הסתכל בהרעה להבין על מה באה וקבל אותה למרק את העון: גם את זה. ר"ל הרעה עלמה שלא תבא מקום גם עשה אותם לעומת הטוב ר"ל מדה כמדה: על דברת. ואשה כזאת בעבור שלא ימצא האדם להרהר אחריו מאומה כי מגמול הטובה יכיר האדם לדעת את השפע הדומה לה: (טו) את הכל. כל הדברים שמפסיים והמשפטים בעולם השגחתי בהם בהתבוננות רב בכל ימי למען דעת תוכן הדברים ועומק הענינים:

קיצור אלשיך

הוא אדם הראשון, כמ"ש נעשה אדם, כי מי יוכל לתקן את אשר היצה"ר עותו באכילת עץ הדעת אשר ע"י נגזר המיתה לעולם. לכן (יד) ביום טובה היה בטוב גם לאחרים לעשות צדקה, וביום רעה ראה ופשפש במעשיך אולי עשית איזה עון וגם את זה לעומת זה, יום רעה נגד יום טובה, עשה האלהים. שלא ימצא האדם אחריו, אחרי הקב"ה, מאומה להתרעם עליו, ע"כ עשה לו הקב"ה יום טובה לזכותו בצדקה וג"ח, וביום רעה יפשפש במעשיו ואם און יש בידו ישוב אל ה' וירחמהו, ועוד אמר שלמה (טו) את הכל ראיתי

straighten out what he made crooked? 14. On a day of good, be among the good, and on a day of adversity, ponder: God has made one corresponding to the other, to the end that man will find nothing after Him. 15. I have seen everything in the days of my vanity; there is a righteous man who perishes in his righteousness,

14. **On a day of good, be among the good**—*On a day in which you have the ability to do good, be among those who do good.*—[*Rashi*]

and on a day of adversity, ponder—*When evil comes upon the wicked, you will be among those who see it, as it is said (Isa. 66:24): "And they shall go out and see the corpses of the people, etc.," and you will not be among those who are seen,* [i.e., the dead], *"and they shall be a sight for all flesh."*—[*Rashi*] Cf. *Rashi* ad loc.

Mezudath David renders: On a day of good fortune, be happy—on a day that good comes to the world, be happy. Enjoy the good fortune.

and on a day of adversity—When adversity comes into the world, ponder about the adversity to understand why it has come, and accept it to expiate your sins.

God has made one corresponding to the other—*the good and the reward for doing it, in contrast to the evil and the recompense for its being perpetrated.*—[*Rashi*] *Mezudath David* explains that God sent the adversity corresponding to the sin, measure for measure.

that man will find nothing after Him—*to complain about the Holy One, blessed be He.*—[*Rashi*] *Mezudath David* explains that this is done in order that man not complain about Him, because from the nature of the adversity, he can find a sin that corresponds to the adversity.

The *Targum* paraphrases: On a day that the Lord does good to you, you too do good to everyone; in order that a day of adversity should not come upon you, see and ponder. God made one corresponding to the other in order to chastise the people of the world, to the end that man will find nothing adverse after Him in the world.

15. **I have seen everything**—All my life, I thoroughly scrutinized everything that comes about and is done in the world in order to fathom their contents and the profundity of their matters.—[*Mezudath David*]

in the days of my vanity—The days of this life are called days of vanity because they are not eternal.—[*Mezudath David*]

there is a righteous man who perishes in his righteousness—*Even though he is perishing, he still persists in his righteousness. There was an incident concerning Joseph the son of Phinehas the priest who had an ulcerating sore on his foot. They called the physician to amputate his foot. He said to him, "When you reach* [the last remaining] *hairbreadth, let me know." He did so, and he called his son Hunia. He said to him, "My*

וְיֵשׁ רָשָׁע מַאֲרִיךְ בְּרָעָתוֹ׃ טז אַל־תְּהִי צַדִּיק הַרְבֵּה
וְאַל־תִּתְחַכַּם יוֹתֵר לָמָּה תִּשּׁוֹמֵם׃ יז אַל־תִּרְשַׁע
הַרְבֵּה וְאַל־תְּהִי סָכָל לָמָּה תָמוּת בְּלֹא עִתֶּךָ׃ יח טוֹב
אֲשֶׁר תֶּאֱחֹז בָּזֶה וְגַם־מִזֶּה אַל־תַּנַּח אֶת־יָדֶךָ כִּי־

ת"א אל תהי צדיק הרבה. שבת לא יומא כב:

תרגום

לְעַלְמָא דְאָתֵי לְאִתְפְּרַע מִנֵּיהּ
בְּיוֹם דִינָא רַבָּא׃ טז אַל לָא תְהֵי
זַכַּאי יַתִּיר בְּעִידָן דְאִתְחַיַּיב
חַיָּיבָא קְטוֹל בְּבֵית דִינָךְ בְּדִיל
לְחַיָּיסָא עֲלוֹהִי דְלָא לְמִקְטְלֵיהּ
וְלָא תִתְחַכַּם בְּבֵן יַתִּיר חוּכְמַת
רַשִׁיעַיָא דְקַיְימִין בְּדָרָךְ וְלָא
הָאלִיף אוֹרְחָתְהוֹן לְמָא דֵין תִּצְדֵּי יַת אוֹרְחָתָךְ׃ יז אַל לָא תְהַךְ בָּתַר הִרְהוּר לִבָּךְ לְאִתְחַיָּבָא סַגִּי
וְלָא תִּרְחַק אוֹרְחָךְ מִן בֵּית אוּלְפַן אוֹרַיְתָא דַייָ לְמֶהֱוֵי שַׁטְיָא לְמָא דֵין אַנְתְּ גָּרֵים מוֹתָא לְנַפְשָׁךְ וְיִתְקַצְרוּן
שְׁנֵי חַיָּיךְ לִמְמָת עַד דְלָא מָטָא זִמְנָךְ לִמְמָת׃ יח טוֹב טָב דְאִתְאֲחִיד בְּעִסְקֵי עַלְמָא הָדֵין לִגְמוֹל טוּבָא
לְנַפְשָׁךְ בְּאוֹרַח תַּגְרָיָא וְאַף מִדֵין סִפַר אוֹרַיְתָא לָא תִשְׁבּוֹק חוּלָקָךְ אֲרוּם גְּבַר דָחִיל מִן קֳדָם יְיָ נְפַק יַת דִי

רש"י

לאבד מן החי מאביו: (טז) אל תהי צדיק הרבה. כשאול שדימה להיות צדיק וריחם על הרשעים: ואל תתחכם יותר. לדון ק"ו של שטות ומה על נפש אחת אמרה תורה הבא עגלה ערופה וכו': (יז) אל תרשע הרבה. אפי' ") רשעת מעט אל תוסיף להרשיע: למה תמות בלא עתך. כשאול שנ' (דברי הימים א י יג) וימת שאול במעלו אשר מעל בנוב עיר הכהנים ובעמלק: (יח) טוב אשר תאחוז בזה וגו'. אחוז בצדק וברשע ש אם אמר לך הנביא הצדיק

שפתי חכמים

נ"ל פי' דמה שכתב במדרש ולא מן השכורים שכתוב גבי תולעתם לא תמות כוונת המדרש הוא על סיפא דמלתא דהיינו והיו דראון ויהיה גם שיהיה לפירש"י שלפנינו הוא נכון ואפשר שכך היה כתוב לפניו במדרש ובילקוט הוא הדרש בנוסחא אחר והוא נכון מאד וזה נוסחו תהא מן הרואים ולא הנראים תהא מאותם שכתוב בהם ויצאו וראו ולא מאותם שכתוב בהם כי תולעתם לא תמות ולפי זה ניחא מאד אך ממה שהביא רש"י והיו דראון מוכח כמו שפירשתי: ר דק"ל ולמה לא יהיה צדיק הרבה לכ"פ כשאול כו' וכן ק"ל באל תתחכם יותר:") דק"ל הרבה הוא דלא ירשע הא מעט ירשע. לכ"פ אפי' רשעת מעט פי' אל תאמר שכבר אבדת בסבת אותו חטא ותוסיף עוד להרשיע בחשבך שאין לך תקוה אל תוסיף להרשיע ותחטא תוהא על הראשונות וסר עוקר ומחטאתך הכופר זהו כוונת רש"י. דאל"כ מאי אפי' וכי בשביל שחטא מעט יוסיף עוד להרשיע: ש באתי לעיל גבי ולאחוז בסכלות:

אבן עזרא

ברשעתו שיאכל וישתה וישמח ויעשה תענוגים לגוף: (טז) אל תהי. אם התפללת מן הבקר ועד הערב ותתענה והדומה להם תשומם והענין תסור מדרך הישוב כמו שיעשו הרומיע"י בארץ אדום וישמעאל וכן אם בקשת להתחכם יותר מדאי. ומלת תשומם מבנין נפעל וי"א כי דגשות השי"ן איננה לחסרון נו"ן נפעל רק לחסרון תי"ו התפעל והיה ראוי שיהיה תשתומם כי לא ימצא מבנין נפעל בפעלי הכפל שימצאו שניהם רק ימצא בבנין התפעל בפעלים שהעי"ן שלהם אינו שלם כמו תכנה ותכונן: (יז) אל תרשע. בעבור שרוב הרשע יביא האדם לידי סכנה אמר למה תמות בלא עתך ודע כי הרשעות היא להתעסק בדברי העולם אמר שתתעסק במה שיספיק לך ואל תהי סכל כלל כי הסכלות ממית בלא עת: (יח) טוב. כבר פירשתי בפסוק טוב כעס משחוק מעט מחלקי הנפש ואיש השכל יתן לכל נפש חלק בעתו ואינו צריך להפש מה יעשה רק ילך אחר תורת אלהינו ולא יסור ממנה ימין ושמאל וישמור המצות אשר

ספורנו

בלי תוספת וגרעון ששניהם חטא ולא יציל מפורענותם שום מעשה טוב: (טז) ולכן אל תהי צדיק הרבה. כענין שאול שרחם על הרשעי' נגד מצות האל ית': ואל התחכם יותר. כמו לנדור נדרים למצוא חן וזה כשאינך צריך לכך להכניע יצרך: (יז) אל תרשע הרבה. להתאכזר אפילו על הרשעים יותר מן הראוי כאמרו ארבעים יכנו ולא יוסיף: ואל תהי סכל. לסור לגמרי מעסקי חיי שעה אפילו לעסוק בתור' ובמצות: למה תמות בלא עתך. שלא יעלה בידך לא זה ולא זה: (יח) אמנם טוב אשר תאחז בזה. שתעשה עיקר השתדלותך לקנות שלמות נצחי: וגם מזה. מהשתדלות בחיי שעה: אל תנח ידך. מכל וכל: כי ירא אלהים. השומר כוונתו: יצא את כולם. יכנס בשלום ויצא בשלום

מצודת דוד

בימי הבלי. כן יקראו ימי האדם לפי שאינם נצחיים: יש צדיק. והנה השכלתי אשר יש צדיק נאבד מן העולם כאשר יחטא מעט שזהו בעבור רב צדקו כי הקב"ה מדקדק עם הצדיקים כחוט השערה ואילו לא היה צדיק גמור לא היה נענש על זה: מאריך ברעתו. מאריך ימי טובה וזה בעבור רעתו אשר גברה כי אז יאריך ימי טובה להיות מוטרד מעוה"ב: (טז) אל תהי צדיק הרבה. לאסור על עצמך מה שהתירה התורה למען עשות סייג וגדר: ואל התחכם יותר. מאשר גזרה חכמתו יתברך: למה תשומם. למה תעשה כזאת לשבת משומם מבלי בוא מי להתחבר עמך בעבור מרבית הפרישות ותהיה מובדל מן האנשים: (יז) אל תרשע הרבה. אם בא לך דבר המחריד אל תחרד יותר מדאי ולא תבלבל דעתך: ואל תהי סכל. לבלי הרגיש כלום בדבר המחריד: למה תמות בלא עתך. למה תעשה כזאת אשר בעבורה תמות בעוד שלא נשלם ימיך כי המחרד ביותר הנה החרדה ממיתו ומי שאינו מרגיש כלום אינו נשמר מדבר המחריד והמות נכון בידו: (יח) טוב וגו'. ר"ל להחריד מדבר המחריד: וגם מזה וגו'. ר"ל לאמץ הלבב לבל ירגיש הרבה להטריד ביותר: כי ירא אלהים. מי שהוא ירא אלהים הוא יוצא ידי שניהם מעט להחריד ומעט לאמץ הלבב

מצודת ציון

(בראשית מג): (טז) תשומם. מלשון שממון: (יז) תרשע. ענין הרדם ובלבול כמו ובכל אשר יפנה ירשיע (ש"א יד): (יח) תנח

קיצור אלשיך

ראיתי במעט שנותי אשר המה להבל נדמו, יש צדיק אובד בצדקו, בשביל צדקו, מחמת שהוא צדיק ורע לו, ע"כ הוא מתרעם על הקב"ה, והקב"ה מדקדק עם הצדיקים כחוט השערה, ע"כ הוא נענש מהר, ויש רשע מאריך ברעתו, בשביל רעתו, הקב"ה רואה שבסוף ימיו יעשה תשובה או שיוליד בן צדיק ע"כ הוא מאריך ימים, ע"כ מה שנראה ליעץ את האדם יברח מהקצוות, כי הוא יתברך סביביו נשערה מאד הם גדולי הצדקות ביותר כי את אשר יאהב ה' יוכיח לכן (טז) אל תהי צדיק הרבה, כי טוב לך זכות מעט מהיותך מרבה בחסידות פן עליה תתעתד ליאבד וכן אל תתחכם יותר בתכלית כי התורה אינה אלא ע"י יסורים וכפי רוב חכמתך ירבו יסוריך ולא תוכל עמוד באמוד האם כל הקרב הקרב אל ה' תרבה רעתו באופן תהרהר ותאבד, וזהו למה תשומם, אך הזהר ג"כ מהקצה האחר והוא (יז) אל תרשע הרבה, אל תעשה באופן יהיו חטאתיך יתרים על זכיותיך, וזה אומרו הרבה, וגם על דבר החכמה שאמרתי אל תתחכם יותר השמר מהקצה, והוא אל תהי סכל, עם הארץ מסבל החכמה לגמרי למה תמות בלא עתך, והוא כי דרך אנשים שלא יקראו מתים עד עת למות בצאת נפשם אך אתה אם תהיה רשע, או עם הארץ, שחזקתו לחטוא תמיד, כי אין בור ירא חטא, תהיה מת טרם יבא עתך לצאת נפשך, באופן שהקצוות מסוכנות, אך בחר במצוע, והוא (יח) טוב אשר תאחוז בזה, ר"ל אחוז מזה הוא הצדקות יתר על העונות וגם מזה הוא החכמה אל תנך ידך, שהוא המצוע בשני הדברים, וש"ת א"כ איפה לא אשב באותו העולם לא בין הצדיקים גמורים

and there is a wicked man who lives long in his wickedness.
16. Be not overly righteous, and be not overly wise; why should
you bring desolation upon yourself? 17. Be not overly wicked, and
be not a fool; why should you die before your time? 18. It is good
that you should take hold of this, and also from this you shall not
withdraw your hand, for

son, until now, you were obligated to care for me. From now on, you are not obligated to care for me, because a kohen may not become unclean from a limb cut off from his father during his lifetime."—[*Rashi* from *Ecc. Zuta; Sifra,* beginning of *Emor; Yerushalmi Nazir* 6:5; *Semachoth* ch. 4]

Mezudath David explains: I determined that there is a righteous man who perishes from the world when he commits a slight infraction of the law. This is because of his extreme righteousness, for the Holy One, blessed be He, is exacting with the righteous even to a hairbreadth, and if he were not completely righteous, he would not be punished [for such a slight infraction].

and there is a wicked man who lives long in his wickedness—He lives long in happiness, and this is because of his wickedness, which is his dominant trait, for then God grants him many years of happiness in order to banish him from the World to Come.—[*Mezudath David*]

16. **Be not overly righteous**—*like Saul, who thought to be righteous and had mercy on the wicked.*—[*Rashi* from *Ecc. Rabbah*]

and be not overly wise—*to deduce from a foolish inference from a minor case to a major case, namely that if the Torah said that for* [the murder of] *one person, bring a decapitated heifer,* [surely we must not be allowed to slay an entire nation, i.e., this refers to Saul's erroneous concern about killing Amalek.].—[*Rashi,* see *Ecc. Rabbah*]

Mezudath David explains:

Be not overly righteous—to take upon yourself to prohibit what the Torah permits, in order to enact safeguards.

and be not wiser—than what Divine wisdom has decreed.

why should you bring desolation upon yourself—Why should you do such a thing, to remain desolate without joining anyone because of your extreme asceticism, and be separated from people?

17. **Be not overly wicked**—*Even if you have dealt wickedly in a small degree, do not continue to deal wickedly.*—[*Rashi* from *Shab.* 31b, *Rashi* ad loc.] It cannot possibly mean that one may be slightly wicked, as long as he is not overly wicked.—[*Ibid.*]

why should you die before your time—*like Saul, as it is said:* (*I Chron. 10:13*): *"And Saul died because of the treachery that he had committed" in the case of Nob the priestly city and in the case of Amalek.*—[*Rashi*]

The *Targum* paraphrases:

Do not follow the thoughts of your heart to be very wicked, and do not distance your way from the study house of God's Torah, to be a fool. Why should you bring death to yourself, so that the years of your life should be shortened before your time to die has arrived?

18. **It is good that you should take hold of this, etc.**—*Take hold of both righteousness and wickedness. If the righteous prophet told you something that appears to you as wickedness, e.g. what Samuel said to Saul, let it not be light in your eyes to doubt it.*—[*Rashi*]

will discharge himself of them all—*both of them, to preserve the righteousness and the wickedness according to their rule.*—[*Rashi*]

[17] *Mezudath David* renders: **Be not overly alarmed**—If a terrifying thing comes upon you, be not overly alarmed, and do not allow yourself to become confused.

but be not a fool—not to react at all to the terrifying thing.

why should you die before your time—Why should you behave this way, which will bring about your untimely death? For one who is overly alarmed may die from fright, while one who is completely insensitive to danger may die by making himself vulnerable to danger.

[18] **It is good, etc.**—to steel one's nerves not to be overly insensitive or overly alarmed.

for he who fears God—Whoever fears God will avoid both of these extremes and will be slightly alarmed and slightly insensitive; for if one is overly alarmed, it is as if he removes his trust from God, and if one is overly insensitive to danger, it is as if he does not fear the decree of God Who sent this alarming decree upon him.

Isaiah da Trani explains these two verses as follows:

[16] **Be not overly righteous**—Be not overly righteous, saying, "I will not marry, lest I stumble over the blood of the menstruant [i.e., to cohabit with a woman who has experienced a flow, before she has purified herself]. I will not eat meat, lest I come to eat forbidden fat and blood. I will not eat vegetables, lest I come to eat worms and insects."

and be not overly wise—saying, "Why should I have pleasure from this world, which is a passing pleasure? I do not wish to have any pleasure from this world, either to engage in sexual relations, to wear handsome clothing, or to dwell in a comfortable dwelling, but I will live in a cave in a rock, and I will fast all my life for the sake of the Creator." Concerning this, Koheleth says: Be not overly wise.

why should you bring desolation upon yourself—with your self-castigation?

[17] **Be not overly wicked**—Just as I exhorted you not to be overly righteous, so do I exhort you not to be overly wicked, to pursue women , not caring about the blood of the menstruant, and to eat meat without caring about fat and blood.

and be not a fool—Just as I warned you not to be overly wise, so do I warn you not to be overly foolish, to pursue the vanities of the world with eating, drinking, beautiful clothing, a luxurious dwelling, and not caring at all about the Creator.

why should you die before your time—for this will cause you to die prematurely.

[18] **It is good that you should take hold of this**—Occupy a middle position between righteousness and wickedness. How so? Marry, but be scrupulous in your observance of the laws of family purity to your utmost ability, and if you nevertheless inadvertently stumble upon any sin, it will not be counted to you as an iniquity. Similarly, you should occupy a middle position between wisdom and foolishness. How so? Eat and drink and wear handsome clothing, but remember the Creator in all your deeds.

Sforno explains:

[16] **Be not overly righteous**—like Saul, who showed mercy to the wicked, contrary to the commandment of God, blessed be He.

and be not overly wise—e.g., to pronounce many vows in order to find favor. This holds true only if you do not need them to subdue your evil inclination.

[17] **Be not overly wicked**—to be cruel even to the wicked, as the Torah commands (Deut. 25:3): "He shall strike him forty times; he shall not add."

and be not a fool—to set yourself completely apart from temporal matters, even for the purpose of engaging in Torah and mitzvoth.

why should you die before your time—for you will accomplish neither one. However—

[18] **It is good that you should take hold of this**—that you should make your main endeavor the acquisition of perpetual perfection.

and also from this—from endeavoring in temporal matters.

you shall not withdraw your hand—completely.

for he who fears God—who keeps His intention.

will discharge himself of them all—He will enter in peace and emerge in peace from the two types of endeavors, [i.e., both temporal and spiritual goals], and he will achieve what God intended.

יְרֵא אֱלֹהִים יֵצֵא אֶת־כֻּלָּם׃ יט הַחָכְמָה תָּעֹז לֶחָכָם
מֵעֲשָׂרָה שַׁלִּיטִים אֲשֶׁר הָיוּ בָּעִיר׃ כ כִּי אָדָם אֵין
צַדִּיק בָּאָרֶץ אֲשֶׁר יַעֲשֶׂה־טּוֹב וְלֹא יֶחֱטָא׃ כא גַּם

תו"א החכמה תעוז לחכם מעשרה שליטים. נדרים לב: כי אדם אין צדיק בארץ אשר יעשה טוב. סנהדרין מו קא עשר פ' תרומה עקידה שער סא:

חוכמת כולהון: יט חכמתא
וחוכמת יוסף בר יעקב
איסתייעא עלוהי לחכימותיה
כל קביל עשרתי אחוהי
צדיקיא דשלטין בדחלתא דיי
ולא שלט בהון יצרא בישא
בעידן דהוו יהיבין בקרתא דמצרים ולא קטלו ית יוסף אחוהון דהוה מצער להון בזמנא ההוא
בקל מלוי: כ כי ארום ליתגבר זכאי בארעא די יעביר טב כל יומוהי ולא ייחוב קדם יי אבל גברא
די ייחוב קדם יי חמי ליה למהדר בתיובתא עד דלא ימות: כא גם אוף כל מיליא דימללון לך

שפתי חכמים

ת כוונת רש"י לחבר הפסוקים. דאל"כ מה ענין זה לזה: א פי' אבל כל זמן שיהוידע חי היה צדיק גמור כדכתיב במלכים ויעש יהואש הישר בעיני ה' כל ימיו אשר הורהו יהוידע הכהן ואחרי מות יהוידע עשה הרע בעיני ה' כמ"ש בד"ה: ב דק"ל דמלת כי מוכיח שהוא מחובר למעלה לכן פירש לפיכך צריך לפשפש. אך קשה לי וכי בעבור שאין צדיק בארץ צריך לפשפש אדרבא אם היו מצלא צדיקים אז מי שאינו צדיק צריך לפשפש וישוב בתשובה כדי שיגיע למעלת הצדיק אבל אם אין צדיק בארץ אין סברא כ"כ שצריך לפשפש כי ה"א בלתי תשא. וי"ל דקאי אמה שפירש החכמה תעוז לחכם שהיא יועלתו לשוב בתשובה ולפשפש במעשיו ע"כ אמר כאן שלא תאמר אין אמר החכמה תעוז לחכם שיועלתו לשוב בתשובה אם הוא הכם החכמה יועלתו שלא יחטא כלל ולא יצטרך לעשות תשובה. לזה אמר כי אדם אין צדיק בארץ שלא יחטא לפיכך צריך לפשפש עוד כ"ל יען שאמר לעיל אם הרשעת מעט אל תוסיף להרשיע שמשכך דכל מי שחטא הסא מה נכתם עונו תמיד לפני השי"ת וכבר אבד בסבת מה שחטא ולא יועילו השמרו מהחטא במה שעתיד לא תתשיב כן והל תוסיף להרשיע. ואמר כאן הטעם למה לא יחשיב כן והגר שאם תחשוב כן אז ח"ו כולם אבודים כי אדם אין צדיק בארץ אשר לא יחטא אלא ע"כ בשובם מדרכם הרעה יכופר להם עונם לפיכך לא יוסיף להרשיע ויפשפש במעשיו הראשונים כמו שפירש רש"י לעיל מיהם אל תוסיף עליו אלא פשפש במעשיך וזהו שפירש רש"י לפיכך צריך לפשפש במעשיו פי' ולא יהשוב כי אין לו תקוה אלא יפשפש במעשיו וישוב ויכופר עונו: ג פי' לא תטה אזנך לשמוע את המקלל הפי' שיהיה עבדך כאשר עשה דוד מלך

רש"י

דבר שהוא דומה לך לרשע כגון שאמר שמואל לשאול אל יקל בעיניך לפקפק בו: **יצא את כלם.** ידי שניהם יקיים הצדק והרשע כהלכתן: **(יט) החכמה תעוז לחכם.** לפי שאמר ת אל תרשע הרבה אם רשעת מעט אל תוסיף עליו אלא פשפש במעשיך ותהא תוהא על הטאת אמר החכמה תעוז לחכם שהיא יועלתו לשוב בתשובה: **מעשרה שליטים.** מלינו ביאשיהו שהעיד עליו הכתוב (מלכים ב כג כה) וכמוהו לא היה לפניו מלך וגו' הרי עמדה לו הכנתו שפשפש במעשיו וטוב לו מעשרה מלכים שהרשיעו ולא שבו מדרכם: **אשר היו בעיר.** בירושלים רחבעם אביה אסא יהושפט ואחזיה יואש אחרי מות יהוידע א אמציה אחז מנשה אמון יהויקים לדקיהו: **(כ) כי אדם אין צריק בארץ.** לפיכך צריך לפשפש ב במעשיו: **(כא) גם לכל הדברים וגו'.** לפי שמדבר בשאול שקבל לשון הרע על נוב עיר הכהנים ועליו נא' אל תרשע הרבה אמר גם לכל הדברים וגו' אשר ידברו אליך הולכי רכיל אל תתן לבך לקבלן: **אשר לא תשמע את עבדך מקללך.** אין טוב אשר תטה ג אזנך לשמוע את עבדך

ספורנו

משני מיני ההשתדלו' וישיג את המכוון: **(יט) החכמה תעוז לחכם.** להגביר השכל על התאוה: **מעשרה שליטים אשר היו בעיר.** יותר מכל החושים הפנימיים ורוח צונים שהם בין כלם עשרה: **(כ) כי אדם אין צדיק בארץ אשר יעשה טוב ולא יחטא.** ואמרתי שהחכמה תעוז יותר מן החושים כי אמנם גם בחכם יגברו לפעמי' החושים ויחטא בהם בפרט בתוספת וגרעון בהסתת החושים המתעים: **(כא) גם לכל**

אבן עזרא

יעשה אותם האדם והי בהם בשני העולמות וכענין הזה התם ספרו כי ירא אלהים יצא את כלם להאמת: (יט) החכמה. בעבור שאמר אל תתחכם יותר הזר לבאר שאין מעלה גדולה הימנה רק הזהיר שלא יתעסק בה תמיד רק יתן חלק לגוף כדי שיחיה ואמר כי יותר עוז וכח יש להכמה מעוז שליטים רבים ומנין עשרה בעבור היותו סף החשבון והוא ראש הכלל כי כל מה שיש למעלה ממנו הם אחדים ובעבור היות עיקר כל דבר הראש והאמצעיתו וסופו היה האל"ף בלשון הקדש בתחלה והיו"ד בסוף והנה היו הה"א והוי"ו אמצעיים ואלה הארבע' אותיות הם למשך ולא יתכן שימלא אות או תנועה רק שיהיה אחד מהם נמשך עמו והאל"ף והיו"ד בחשבון שומרים עצמם כמוגדר והה"א והוי"ו והשבון עגול וסוד גדול יש בכלם בשם הנכבד והנורא שאינו שם מדה והוא מן האותיות הנזכרים וענין אשר היו בעיר הראות עוזם בהתחברם כלם במקום אחד בהסכמה אחת ויש מפרש כי זה רמז לגלגלים והוסיף אחד ואיננו נכון: (כ) כי אדם. הזר לבאר ענין אל תהי צדיק הרבה וענינו דע כי לא תוכל שלא תחטא כי אין אדם אשר לא יחטא בפועל או בדבור או במחשבה ככתוב בספר משלי בשבע התועבות לב חורש מחשבות און. וענין אשר יעשה טוב תמיד ולא יחטא לעולם: (כא) גם לכל. יאמר להכם אם תרצה למצוא מנוחה אל תתן לבך לכל דברי בני אדם

מצודת דוד

כי האחד ביותר הוא כאלו נמסר בטחונו מה' ומי שאינו מרגיש כלום הוא כאלו אינו חושש על גזרת המקום אשר שלח עליו החרדה: (יט) תעוז לחכם. תתן חוזק אל החכם: מעשרה. יותר ממה שיתחזק האדם כמעוז עשרה שליטים אשר היו בעיר למשול בה (ואמר מנין עשרה בעבור היותו סף החשבון): (כ) כי אדם וגו'. אין בכל הארץ אדם צדיק בכל דרכיו אשר תמיד יעשה הטוב ולא יחטא לעולם והחכמה היא למעוז להכם כי היא מועלתו לפשפש במעשיו ולחזר לטוב: (כא) גם לכל הדברים. ר"ל עוד תועיל החכמה אשר גם לכל

קיצור אלשיך

גמורים ולא בין חכמים גדולים כי לא נשלמתי באחת מהם, אל תירא, כי הנה ירא אלהים יצא את כולם, ועוד (יט) החכמה תעוז להכם, שתתן עוז לו לבל ימשלו בו הכחות ההם ומהיכן יש לזה ראיה לזה, מעשרה שליטים אשר היו בעיר, והוא כי הנה כאשר עלה משה למרום בקשו מלאכי השרת למשול בו ולשורפו בהבל פיהם ובזכות התורה שעל ידה נאחז בכסא הכבוד לא יכלו לו, והנה כל מיני המלאכים הם עשרה כאשר מנאם הרמב"ם ז"ל במספרם ובשמותם, וק"ו הדברים אם עשרה שליטים שהוא כללות כל סוגי המלאכים לא יכלו לו על זכות התורה, מה גם עתה כחות היסורין אשר לא מסוגם המה שלא יכלו לעוסק ברבוי בתורה, וגם העצה שלא תהי צדיק הרבה לא טובה היא, כי הלא למה בחרת בזה אם לא לבל תאבד בראותך יסורין באו עליך, וע"כ אם לא תהיה צדיק הרבה לא יבואו עליך, ואם יבואו תחלה בקצת אשמות, הנה גם אם תהיה צדיק מכל האדם אשר בארץ לא תאבד ביסורין כי הלא (כ) אין צדיק בארץ אשר יעשה טוב, ואפילו בטוב, ולא יחטא, באיזה פגיה בלתי טובה, ומה גם באשר לא טוב, וא"כ גם כי תהיה גדול מכל צדיק יש לך במה לתלות היסורין ולא תאבד. (כא) גם לכל הדברים אשר ידברו, הלא אמרתי כי

חכמת

he who fears God will discharge himself of them all. 19. Wisdom
affords strength to the wise more than ten rulers who were in the
city. 20. For there is no righteous man on earth who does good
and sins not. 21. Also,

for he who fears God will discharge himself of them all—i.e., he who fulfills these two types of behavior.

19. **Wisdom affords strength to the wise**—*Since he said: Be not overly wicked—if you have dealt wickedly in a small degree, do not add to it, but search your deeds and regret the sin—he says: Wisdom affords strength to the wise, for it counsels him to return in repentance.*—[*Rashi*]

more than ten rulers—*We find regarding Josiah, that Scripture testified about him* (*II Kings 23:25*): *"Now before him there was no king like him, etc." Hence, his wisdom stood him in good stead, and he searched his deeds, and it was better for him than the ten kings who behaved wickedly and did not repent of their ways.*—[*Rashi*]

who were in the city—*in Jerusalem, viz. Rehoboam, Abijah, Ahaziah, Joash after the death of Jehoiada, Amaziah, Ahaz, Manasseh, Amon, Jehoiakim, and Zedekiah.*—[*Rashi*]

20. **For there is no righteous man on earth**—*Therefore, he must search his deeds.*—[*Rashi*]

21. **Also take no heed of all the words, etc.**—*Because he is speaking of Saul, who accepted slander about Nob the priestly city, and concerning him it was stated: "Be not overly wicked," he says: "Also take no heed of all the words" that talebearers speak to you; do not take heed to accept them.*—[*Rashi*]

lest you hear your servant curse you—*It is not good that you bend your ear to hear your servant cursing you.*

Another explanation:

[19] **more than ten rulers**—*These are the ten things that condemn a person. His two eyes* [which] *show him sinful things, his two ears* [which] *enable him to hear idle talk, his two hands with which he robs and plunders, his two feet which lead him to sinful acts, and his mouth and his heart (Ecc. Zuta).*

Another explanation: **Wisdom affords strength to the wise**—*This is Noah.*

more than ten rulers—*more than the ten generations that were before him* (*Ecc. Rabbah*). [The Midrash adds that of all the ten generations, God did not speak to anyone except to Noah.]

Another explanation: **to the wise**—*This is Abraham.*

more than ten rulers—*more than the ten generations that were before him (Ecc. Rabbah).* [The Midrash adds that of all ten generations preceding Abraham, God did not make a covenant with anyone, except with Abraham.]

Another explanation: **to the wise**—*This is Joseph.*

לְכָל־הַדְּבָרִים אֲשֶׁר יְדַבֵּרוּ אַל־תִּתֵּן לִבֶּךָ אֲשֶׁר לֹא־
תִשְׁמַע אֶת־עַבְדְּךָ מְקַלְלֶךָ׃ כב כִּי גַּם־פְּעָמִים רַבּוֹת
יָדַע לִבֶּךָ אֲשֶׁר גַּם־אַתְּ אתה ק׳ קִלַּלְתָּ אֲחֵרִים׃ כג כָּל־
זֹה נִסִּיתִי בַחָכְמָה אָמַרְתִּי אֶחְכָּמָה וְהִיא רְחוֹקָה
מִמֶּנִּי׃ כד רָחוֹק מַה־שֶּׁהָיָה וְעָמֹק ׀ עָמֹק מִי יִמְצָאֶנּוּ׃

הנ"א כל זה נסיתי בחכמה. יומא יד נדה ט זוכר פ׳ רחי:

רַשִׁיעַא לָא תִמְסוּר לִבָּךְ לְקַבְּלוּתְהוֹן דְּלָא יֵיתוּן יוֹמִין דִּי תִשְׁמַע יַת עַבְדָּךְ דִּי יְלוּט לָךְ וְלֵית לָךְ חֵילָא לְאִשְׁתֵּיזָבָא מִן יְדוֹי: כב כִּי אֲרוּם חֲזֵי לָךְ לְמִצְדַּק יַת דִּינָא בִּזְמַן דִּי יְלוּט לָךְ גְּבַר דְּלֵית דִּכְוָתָךְ דְּאַף זִמְנִין סַגִּיאִין יְדַע לִבָּךְ דְּאוּף אַנְתְּ הֲוֵיתָא לָטֵי גּוּבְרִין אוּחֲרָנִין: כג כָּל דִּי אֲמָרִית בְּחָנִית בְּחוּכְמְתָא אֲמָרִית בְּמֵימְרִי אֶחְכּוֹם אַף כָּל חוּכְמַת אוֹרַיְיתָא וְהִיא רְחִקַת מִנִּי: כד רָחוֹק הָא כְבָר אִתְרַחַק מִבְּנֵי נְשָׁא לְמֵידַע כָּל מַה דַּהֲוָה מִן יוֹמֵי עַלְמָא וְרָז יוֹם מוֹתָא וְרָז יוֹם דְּיֵיתֵי מַלְכָּא מְשִׁיחָא מָן הוּא דִּישְׁכְּחִינֵיהּ בְּחוּכְמְתָא:

רש"י

מקללך. דבר אחר מעשרה שליטים אלו עשרה דברים המחייבים את האדם. שתי עיניו מראין אותו דברי עבירה. שתי אזניו משמיעין אותו דברים בטלים. שתי ידיו שגוזל וחומס בהן. שתי רגליו שמוליכין אותו לדבר עביר'. ופיו ולבו. ד"א ההכמה תעוז להכם זה נח מעשרה שליטים מעשרה דורות שלפניו. ד"א להכם זה אברהם מעשרה שליטים מעשרה דורות שלפניו. ד"א להכם זה יוסף מעשרה שליטים אלו אחיו. ד"א להכם זה משה מעשרה שליטים עשרה דברים המשמשין את הגוף על ידי מאכל מן פומא לוושתי ומן ושתי לכרשא וכו׳ כדאיתא במדרש קהלת וחכמתו עמדה לו למשה שלא נצטרך למאכל ארבעים יום וארבעים לילה. כל הפנים הללו במדרש ואיני יכול לייסב עליהן מקרא שלאחריו כי אדם אין צדיק בארץ. כל זה נסיתי בחכמה מוסב על מקראות שלמטן (ס"א ולא ודוק) ועל שלמעלן: (כג) נסיתי בחכמה. בתורה: אמרתי אחכמה. לדעת את ההכמה: והיא רחוקה ממני. ומה היא זו: (כד) רחוק מה שהיה. את הדברים הרחוקים שהיו ביצירת בראשי': ועמק עמק. הוא מי ימצאנו

אבן עזרא

ואילו היה מקללך ואפי׳ עבדך כי אם תתן לבך לדבריהם הכעס ויחשך אור חכמת הנשמה: (כב) כי גם. כל פעם בלשון הקדש חובר על לשון זכרים ולעולם הוא לשון נקבה חוץ מן אך הפעם הזה של שמשון. והענין אל תחוש לדברי המבזים והמקללים כי כבר תדע שגם אתה קללת אחרים או הם בפיך או במחשבותיך: (כג) כל זה. כל מה שאמרתי לך הכל נסיתי בחכמה ובקשתי שאחכם יותר ומצאתי שהוא דבר רחוק וזה מענין ואל תתחכם יותר כי עיקר מה שהיה הוא רחוק מאד שישיגנו האדם והוא עמוק מאד. פירוש אחר בקשתי ההכמ׳ ומצאתיה רחוקה אעפ"כ השגתיה והכמתי: (כד) וענין רחוק מה שהיה. כי מה שהיה הוא רחוק לבדו ודבר שלא עבר והיה יכול אדם להפש עד שימצאנו וזה ענין עמוק עמוק מי ימצאנו כענין מים עמוקים

ספורנו

הדברים אשר ידברו אל תתן לבך. ומאחר שגם הצדיק נכשל לפעמים בהסתת החושים ראוי שלא תקצוף על כל דבר פשע שידברו אחרים עליך אשר בזה: לא תשמע. לא תטה אזן לשמוע: את עבדך מקללך. שהוא מקלל מתוך עניו ושעבידו לא תצטרך לקצוף על אלה הנעשים בהסתת החושים אבל תזכור: (כב) כי גם פעמים רבות ידע לבך אשר גם אתה קללת אחרים. וזה בהסתת החושי׳ כמו שיקרה לעבד בשעבודו ותכיר שאין ראוי לקצוף על זה: (כג) כל זה. כל מה שאומר: נסיתי בחכמה. להתבונן ולצייר עניני: אמרתי אחכמה. בהיותו מפעולת הכח השכלי: והיא רחוקה ממני. בהיות מדרגת השכל האנושי שהוא כחוי בלבד רחוק ממדרגת העצם השכלי בפועל שהוא עם זה שכל בורא: (כד) ולכן רחוק. מהשגתי מה שהיה לצייר

מצודת דוד

הדברים אשר ידברו בך מדברי בוז וקלון אל תתן לבך להשים בהם ועל ידי ההכמה תסלם דרכך עד אשר לא תשמע את עבדך מקללך כלומר לא תחשוב בהם כאלו לא שמעת ועם כי תוכל לקחת נקם מעבדך: (כב) כי גם פעמים רבות. ר"ל לא פעם ולא שתים כי אפילו פעמים רבות ידע לבך וזכרת בדבר אשר גם אתה קללת אחרים והחכמה תלמדך לחשוב מדוע א"כ ירע לבבי מה שמקללים אותי: (כג) כל זה. כל מה שאמרתי הכל בהנהגתי בההתכמות רב: אמרתי אחכמה. ר"ל חשבתי להתחכם עוד יותר להשיג הכל אבל ההשגה היא רחוקה היא ממני ואין להשיגה: (כד) רחוק מה שהיה. הדבר אשר כבר היה רחוק הוא מלהשיגו: ועמוק. ר"ל אף דבר הסוף אם

מצודת ציון

מלשון הנחה ועזיבה: (כג) נסיתי. מלשון נסיון:

קיצור אלשיך

הכמת התורה, היא תקון לכל מצות ה׳. והלא גם כי לרוב מצות ה׳ אשר לא תעשנה תועיל, הנה ללשון הרע לא תועיל ע"כ אמר גם לכל הדברים אשר ידברו על ההכמה, שאמרתי ימשך שאל תתן לבך והוא כי תשית לב אל ב׳ מצות הלא המה לפני עור לא תתן מכשול ומצות ואהבת לרעך כמוך, כי לבל תעבור ב׳ עבירות אלו שהם בכלל חכמת התורה תשמש לבלתי קבל לשון הרע, והוא כי אם תקבל ותכעוס על מי שעליו אמרו לך לשון הרע אצ"ל שיקללך אפילו אם יהיה אנ"ש כערכך כי אם גם יהיה עבדך מקללך ואשמת כי תעבור על לפני עור לא תתן מכשול שתעבירנו על לא תקלל חרש ונשיא בעמך לא תאור, וזהו אשר לא תשמע את עבדך מקללך וזהו אם שקר הוא הלשון הרע, ואם אמת היה הדבר תשמע לבלתי כעוס ולקבל על (כב) כי פעמים רבות ידע לבך כי גם אתה קללת אחרים והוא ואהבת לרעך כמוך כי כאשר קללת אחרים והיית חפץ שיטחול לך כן מחול אתה ג"כ:

(כג) כל זה נסיתי וגו׳. אמר כמווכה, הנה כל זה שאמרת שע"י חכמת התורה נתקן האדם נסיתי בהכמה וראה כי כן אך מה נעשה וכמעט ההכמה בשלמות בלתי מושגת כי הלא אמרתי אהכמה והוא גדר חכם שהוא לדעת מה שילמדוני רבותי, אך החכמה עדיין היא רחוקה ממני כי אין שלמות הכמת התורה במה שילמד מרבותיו אם לא יבין אחרי כן דבר מתוך דבר וידמה מלתא למלתא. כי כמה דברים של איסור והיתר אינם מפורשים בתורה אם לא יבינם החכם מתוך דברים שילמדם ברוח מבינתו והוא הנקרא בינה, וש"ת הלא כל מה שעתיד אפילו תלמיד ותיק לחדש מרוח מבינתו קבלה נפשו בסיני וא"כ בקלות תוכל להביאו אל הזכירה הלא גם זה איננו שוה. (כד) כי הלא רחוק הוא מה שהיה מאז עד עתה מרוחק בעצם. וגם שיש סעד ע"י כללי התורה שהיא נדרשת הנה הא עמוק עמוק שאפילו מה שהיה לי תחלה נאמר ממני. מי ימצאנו ע"כ

take no heed of all the words that they speak, lest you hear your servant curse you. 22. For your heart knows that many times you too cursed others. 23. All this I tested with wisdom; I said, "I will become wise," but it was far from me. 24. What was is far off, and [it is] very deep, who can find it?

more than ten rulers—*These are his brothers (Ecc. Zuta).* [This interpretation also appears in the *Targum*. The latter paraphrases the verse as follows: And the wisdom of Joseph the son of Jacob. He was assisted by his wisdom as much as his ten righteous brothers, who ruled with the fear of the Lord, and the evil inclination did not overwhelm them when they were placed in the city of Egypt, for they did not slay their brother Joseph, who caused them pain at that time with his words.]

Another explanation: **to the wise**—*This is Moses.*

ten rulers—*the ten organs that minister to the body with food. From the mouth to the esophagus, from the esophagus to the stomach, etc., as appears in Midrash Koheleth (Ecc. Rabbah), but Moses' wisdom stood him in good stead so that he did not require food for forty days and forty nights. All these interpretations appear in the Midrash, but I do not know how to reconcile them with the following verse: For there is no righteous man on the earth.*—[*Rashi*]

Mezudath David explains simply:

[19] **more than ten rulers, etc.**—More strength than a person will attain with the stronghold of ten rulers who were in the city to rule over it. (The number ten is used because it is the base of all numbers.)

[20] **For there is no righteous man**—On the entire earth, there is no person who is righteous in all his ways, who does good and never sins, but wisdom is a stronghold for the wise, for it counsels to search his deeds and to hasten to repent.

Isaiah da Trani explains that this verse is connected to verse 18: "he who fears God will discharge himself of them all," meaning that one should not entirely separate from the ways of the world for fear that he err and sin, for there is no righteous man in the world who does not sometimes err.

Mezudath David explains:

[21] **Also take no heed of all the words that they speak**—Wisdom will also help you not to take heed of all the words of derision and ridicule that people speak about you. Through wisdom, you will speculate your ways, to the extent that you will not hear your servant cursing you, i.e., you will not pay heed to him. It will be as if you did not hear him, even though you have the power to avenge yourself upon him. *Isaiah da Trani* explains that even if you hear your servant—i.e., a low class person fit to be your servant—curse you, you will completely ignore him, and it will be as if you did not hear him.

22. **many times**—Your heart knows and you remember that you too

cursed, not only once or twice, but many times; wisdom will teach you to think, "Why then should I be distressed if others curse me?"—[*Mezudath David*]

Sforno explains:

[19] **Wisdom affords strength to the wise**—it gives the intellect power over physical desire.

more than ten rulers who were in the city—more than all the senses, both internal and external, which total ten.

[20] **For there is no righteous man on earth who does good and sins not**—Wisdom affords more strength than the senses. Nevertheless, even a wise man's senses will sometimes overwhelm him, mislead him, and cause him to sin, especially by enticing him to do more or less than required.

[21] **Also, take no heed of all the words that they speak**—Since even the righteous man sometimes stumbles through the enticements of the senses, it is proper that you do not become wroth over any sinful words that others speak about you.

for—thereby,

you will not hear—You will not bend your ear to hear.

your servant curse you—For he curses you out of his poverty and his status of involuntary servitude, and you will not be wroth with these who do so because of the enticement of the senses, because you will remember—

[22] **for your heart knows that many times you too cursed others**—This happened because of the enticement of the senses, as it happens to the servant, who curses because of his status of involuntary servitude, and you will realize that it is not proper to become angry about this.

23. **All this I tested with wisdom**—*This refers to the verses below and (some editions: not) to the verses above.*

I tested with wisdom—*with the Torah.*—[*Rashi*]

I said, "I will become wise"—*to know the Torah.*—[*Rashi*]

but it was far from me—*And what is this?*—[*Rashi*]

24. **What was is far off**—*the distant things that were in the Creation.*—[*Rashi*]

and very deep—*it is; who can find it, for I have no permission to think about them, what is above and what is below, what is ahead and what is behind.*—[*Rashi*] *Rashi* alludes to the Mishnah (*Hag.* 11b). *Rashi* (ad loc.) explains:

what is above—the expanse over the heads of the heavenly creatures.

what is below—them.

what is ahead—outside the confines of the expanse to the east.

and what is behind—to the west.

The *Tosafists* and *Rav* explain:

what was before—the creation of the world.

and what will be afterwards—after this world.

Tifereth Israel explains:

what is above—above the confines of the finite universe.

what is below—below the finite universe.

what was before—the creation of time, since, by definition, time can be measured only from a given starting point.

and what will be afterwards—at the end of time, for as a created entity, time must have an end.

The *Targum* paraphrases: It is far from human beings to know all that has transpired from the days of yore, the secret of the day of death, and the secret of the day that the King Messiah will come. Who can find it with wisdom?

Ibn Ezra explains:

[23] **All this**—Everything that I have stated before you, I have tested with wisdom. I sought to become wiser, but I found that it is a matter that is far off, for that which was, is very far from human understanding, and very profound. Another explanation is: I sought wisdom, and I found it to be far away, but I, nevertheless, grasped it, and became wise.

The Talmud explains these verses as alluding to the rite of the Red Cow, whose ashes render ritually clean one who has become contaminated by contact with a corpse, and simultaneously contaminates one who is ritually clean. Solomon sought to comprehend this enigma, but it was beyond his ken. See *Rashi* on the following verse.

כה סַבּוֹתִי אֲנִי וְלִבִּי לָדַעַת וְלָתוּר וּבַקֵּשׁ חָכְמָה וְחֶשְׁבּוֹן וְלָדַעַת רֶשַׁע כֶּסֶל וְהַסִּכְלוּת הוֹלֵלוֹת:
כו וּמוֹצֶא אֲנִי מַר מִמָּוֶת אֶת־הָאִשָּׁה אֲשֶׁר־הִיא מְצוֹדִים וַחֲרָמִים לִבָּהּ אֲסוּרִים יָדֶיהָ טוֹב לִפְנֵי

תו"א ומולא אני מר ממות את האשה. ברכות ח יבמות סג סנהדרין כב.

תרגום

כה סַבּוֹתִי חֲזָרִית אֲנָא לְחָשְׁבָא בְּלִבִּי וּלְמִידַע וּלְאַלָּלָא וּלְמִתְבַּע חוּכְמְתָא וְחוּשְׁבַּן אֲגַר עוֹבָדֵי דְצַדִּיקַיָּא וּלְמִידַע פּוּרְעֲנוּתָא חוֹבָא דְשַׁטְיָא וְסוּכַלְתָנוּ חוּלְחוּלְתָּא דְמַלְכְוָתָא: כו וּמוֹצֶא וְאַשְׁכַּחִית אֲנָא פִּתְגָם דִּמְרִיר עַל אֱנָשׁ יַתִּיר מִן מְרִיר יוֹם מוֹתָא יַת אִתְּתָא דְהִיא עֲבֵדַת עָקָן סַגִּיאִין לְבַעְלַהּ וּמְצַדְתָּן וְתַקְלָן בְּלִבָּא כְּפִיתָן יְדָהָא בְּדִיל דְּלָא לְמִפְלַח בְּהוֹן תַּקִּין קֳדָם יְיָ גְבַר דִּי יִפְטַר יָתַהּ בְּגֵט פִּטּוּרִין

שפתי חכמים

ישר"ל עם שמעי כן נגרס: ד פירוש סמיכס קשה: ה כי כן דרשו רז"ל והמש"לו סמיכות לאשה כדאיתא בפרק קמא דפ"ג פרקא מעליה דכבד

רש"י

שאין לי רשו' להרהר בהן מה למעלה ומה למטה מה לפנים ומה לאחור: (כה) ועוד. סבותי. לדעת ולתור ולבקש חכמת פרשת פרה אדומה וחשבון קץ הגאולה: ולדעת רשע כסל. לעמוד על סוף דעתה של אפיקורסו' וסכלו' הוללו' מעורבב ומשועמם שבה: (כו) ומוצא אני מר ממות. שהיא קשה ד מעשרה דברים הקשים שנבראו בעולם כדאיתא בבבא בתרא בהשותפין ומולא אני מר וקשה ממנה את האשה זו ה האפיקורסו': וחרמים לבה. לשון מכמורת כמו (חבקוק א טו) יגורהו בחרמו יאספהו במכמרתו: אסורים ידיה. ומשהחזיקה באדם הרי הוא כנקשר בקשורי עבותו': אסורים. שם דבר של קשורים כמו (שופטים טו יד) וימסו אסוריו קשוריו וכן פירשו

ספורנו

אופן מה שהיה במעשה בראשית: ועמוק עמוק. ענין הבריאה שהיא פעולת פועל בלתי"' אנושי: (כה) סבותי. פניתי אני ולבי. אני מן החמריות ולבי כמו כן פנה מכל עיון אחר: לדעת. במופת: ולתור. במחקר עיוני: ולבקש. בספרי הקדמונים: חכמה. כוונת האל במציאות: וחשבון. סבת המספר הקצוב במיני הנמצאים הנפסדים שהם באופן שאם ירצה האדם להוסיף עליהם איזה מין חדש בהרכבה לא יתמיד אותו המין המחודש שלא יוליד בדומה כמו שהתבאר בנסיון ממיני הפרדות והצמחים המורכבים מב' מינין: ולדעת רשע כסל. של נחש איך בהיותו ערום לא ירא מהעונש: והסכלות. של חוה שהתפתת' לתאות המאכל ולא יראה מהעונש שהזכירה היא בעצמה: הוללות. של אדם שנפתה לדברי הנחש ונהפך למינות ונפתה ג"כ לאכול מפרי העץ לבקשת אשתו עם סכנת עונש המות: (כו) ומוצא אני מר ממות. לגרום ולסבב אבדון נצחי: את האשה אשר היא מצודים וחרמים לבה אסורים ידיה את האשה שתהיה על זה האופן שיהיה לבה מצודים וחרמים למשוך האדם בתחבולות של פתוי מדרכי חיים אל הפכם כאמרם ז"ל כל המרבה שיחה עם האשה גורם רעה לעצמו ובוטל מדברי תורה וסופו יורש גיהנם. וכמו כן אסורים ידיה שאחר שהתחיל האדם להתפתות יהיה כמו אסור ומוכרח לעשות רצונה כמו שקרה בענין פעור: טוב לפני האלהים ימלט ממנה. שלא יתחיל להתפתות כלל פן יחטא: וחוטא. המתחיל להתפתות: ילכד בה. לירש גיהנם בטועצותיה:

אבן עזרא

עלה בלב איש ואיש תבונות ידלנה: (כה) סבותי. הסבותי פני ומחשבותי בלבי לדעת אם תתחבר החכמה והחשבון שהוא פירוש מחשבת הדעת עם הרשע והסכלות וההוללות: (כו) ומולא. ונולא ההשק יעור עיני חכמים ויסלף מחשבותם ותתבלע חכמתם. ומלת מולא פועל על משקל קורא ומולא רוח מאולרותיו מהבנין הכבד גם הוא פועל וראוי להיות מוליא ובא מלעיל בעבור היות הטעם באות הראשון במלה שאחריו. ומלודים הוא מן ליד ומשקלו מרומים והוא מן הפעלים שהעי"ן שלהם איננו שלם. וחרמים כענין רשת משפה חרמים כמוהו. והענין שאין לב האשה ומחשבותיה בכל רגע כי אם לבטוה חרמים ללודד נפשות וידיה כמו בית האסורים וענין ילכד בה ברשתה ואמר כי המות היה טוב

מצודת ציון

(כה) ולתור. ענין חפוש וחקור: וחשבון מל' מחשבה וכן כי אין מעשה וחשבון (לקמן ט): כסל. מלשון כסיל: והסכלות. השטות: הוללות. שגעון: (כו) מצודים. שם כלי מכלי הציידים וקן במצודה רעה (שם): וחרמים. רשתות כמו יגורהו בחרמו (חבקוק א): אסורים. קשורים כמו וימסו אסוריו (שופטים טו):

מצודת דוד

דבר עמוק הוא אין להשיגו סוחיל והוא עמוק ומי א"כ יוכל למלוא אות: (כה) סבותי אני ולבי. הסיבותי פני ומחשבות לבי לדעת ולחפש ולבקש. ענין החכמה: וחשבון. ר"ל מחשבת בינה להבין דבר מתוך דבר הבא במחשבה ובעיון לב: ולדעת. ר"ל מהם לסעריך ולדעת גרעון הרשע אשר באדם כסיל והשטות שיש בהוללות ושיגעון כי אין דבר ניכר אלא מפאת הפכו: (כו) ומולא אני. כאומר הן בזה הכרתי פחיתות הרשע כו' ומאד יש להזהר ממנה והנה בהם מלאתי דבר מר יותר מן המות ונראוי לבחור במיתה ממנה: את האשה. ר"ל והאת היא האשה המנאפת אשר היא כלי לדיי' ללודד נפשות ברשתים אחריה: וחרמים לבה. לבה היא כמו רשת כי במחשבת לבה תלכוד אנשים: אסורים ידים. ידים הנה כמו קשורים כי בשלוחות מי א"א להפרד ממנה: טוב וגו'. מי שמלא זכות לפני המקום ימלט ממנה עד לא הסתו ברוב לקחה. ילכד בה ובאשר נלכד שוב א"א להפרד ממנה למלט נפשו:

קיצור אלשיך

ע"כ (כה) סבותי אני ולבי, אני ע"י מה שלמדתי, ולבי להבין מתוך מה שלמדתי ופירש מה שאמרתי אני הוא לדעת הנלמד בעצם לבל אשכח, ומה שאמרתי ולבי הוא ולתור כתייר הזה החוקר ודורש מתוך מה שרואה לעין מצפוני ומסתרי העיר, כן חופש כל מה שלמד וחוקר בו להבין דבר מתוך דבר ולא לסמוך על בינתו לבדו כ"א ובקש מזולתו עד עמוד על בורין של הדברים ולא בלבד החכמה כ"א חכמה וחשבון הוא המעשה לדעת ההשבון העתיד ליתן לפני קוני, איך אהיה, כי שם הכל לפי רוב המעשה, וגם לדעת ע"י הכמה ובינה איך הוא רשע כסל ואיך הוא הסכלות הוללות, והוא מרגלא בפומייהו דרז"ל אין אדם חוטא אלא א"כ נכנס בו רוח שטות וזהו רשע כסל, שהוא רשע הבא מכסל וכן אמר התנא שגגת תלמוד עולה זדון וזהו והסכלות הוללות, הסכלות שהוא מסכל התורה ומשפטיה הוא הוללות הוא המזיד בהוללות רעה:

והנה שלמה עדיין עומד בווכוחו אומר הנה ראיתי אהרי רואי שיש דבר המטריד ומחטיא ואין כל החכמה מועלת להמלט ממנו והיא האשה, (כו) כי מוצא אני את האשה כי היא מר ממות אשר היא מצודים וחרמים לבה, הן תאות לבה בהמשך אחר תאוות משכבה או תאוות תכשיטיה והאוות לבה בפרטים אין מספר שהיא מצודים לצוד נפשו הן בביטול תורה הן בטכשולות אין מכפר, ואינה מדקדקת במשאו ומתנו אם יכול למלאות משאלותיה ולא יהיה רחוק מעושק וכיוצא, ואפילו בעת שאסורים ידיה במלאכתה רעיונותיה רק שבעלה ימלא רוב תשוקותיה, וטוב לפני האלהים ימלט ממנה בל יפול במצודתה וחוטא ילכד בה, ועכ"ז לא נוכל לומר כזאת

25. I turned about with my heart to know and to search out and to
seek wisdom and the reason of things, and to know the wickedness
of folly and the foolishness and madness. 26. And I find more
bitter than death the woman whose heart is snares and nets, her
hands are bonds; whoever is good in God's sight

25. *And again,* **I turned about**—*to know and to search out and to seek the wisdom of the section of the Red Cow and the computation of the end of the Redemption.*—[*Rashi*]

and to know the wickedness of folly—*to foresee the ultimate end of heresy.* וְהַסְכְלוּת הוֹלֵלוֹת, *and the confusion and madness therein.*—[*Rashi*]

Mezudath David explains:

I turned about with my heart—I turned my face and the thoughts of my heart to know, to search out, and to seek the matter of wisdom.

and the reason of things—thoughts of understanding, to understand one matter from another, which is attained through thoughts and profound study.

and to know—to evaluate and to know the disadvantages of the wickedness of a foolish person, and the folly that is in madness, for nothing is discernible except by contrasting it with its opposite.

Sforno explains:

I turned about with my heart—I turned away from material things, and my heart turned away from other studies.

to know—with proof.

and to search out—with speculative research.

and to seek—in the tomes of the ancients.

wisdom—God's intention in existence.

and the reason of things—the reason for a finite number of living things, i.e., if a person wishes to add a new species by grafting, that new species will not endure, for it will not beget its kind, as is apparent from the species of mules and plants grafted from two species.

and to know the wickedness of folly—of the Original Serpent, since he was cunning; how was he not afraid of punishment?

and the foolishness—of Eve, who was enticed to partake of the fruit and did not fear the punishment that she herself had mentioned.

and madness—of Adam, who was enticed by the serpent and turned to heresy, and who was also enticed by his wife to eat of the fruit despite the danger of the punishment of death.

26. **And I find more bitter than death**—*which is the most severe of the ten severe things that were created in the world, as appears in Baba Bathra, in* [the chapter entitled] *"The Partners"* (10a), *and I find more bitter and more severe than it, the woman, i.e., apostasy.*—[*Rashi*] *Rashi* refers to *Baba Bathra* 10a, which reads as follows:

Ten strong things were created in

the world. The rock is hard, but iron cleaves it. Iron is hard, but fire softens it. Fire is hard, but water extinguishes it. Water is strong, but clouds bear it. The clouds are strong, but the wind scatters them. The wind is strong, but the body bears it. The body is strong, but fright crushes it. Fright is strong, but wine banishes it. Wine is strong, but sleep works it off. Death is stronger than all.

This interpretation is based on *Avodah Zarah* 17a, where the Rabbis interpret Proverbs 5:8: "Distance your way from her," as referring to apostasy.—[*Sifthei Hachamim*] See Commentary Digest, Prov. ad loc., 2:16.

Surprisingly, *Rashi* quotes *Baba Bathra* rather than *Ecclesiastes Rabbah*, which enumerates fourteen strong things and concludes: Stronger than them all, however, is an evil woman. *Midrash Lekach Tov* states both interpretations, viz. that the verse refers to apostasy and also to an evil woman.

The Midrash also states: The Rabbis say, etc.,

and I find more bitter than death the woman—The Rabbis say: Because she demands of man things which are beyond his power, she ultimately kills him with a bitter death. A man once had a neighbor who was a bandit and used to go out and commit robbery at night, while by day he supported his sons and daughters [in comfort]. That man's wife exclaimed, 'How unlucky I am to be attached to you! Do you not see how [luxuriously] our neighbor's children eat and drink?' The husband said to her, 'Do you want me to act like him?' She replied, 'What of it!' He said to her, 'Come and persuade him to let me go with him.' They went and persuaded him, so that he agreed to take him with him. The bandit went out [with his men to rob] that night, but the guard had planned to go after them. Since he, [the experienced bandit], was familiar with the roads, he fled and was saved; but this man, being ignorant of the roads, was captured and hanged, and they quoted the proverb over him, 'The last of the robbers is the first of the hanged.'

whose heart is snares and nets—Heb. חֲרָמִים, *an expression of a net, like* (*Hab. 1:15*): *"he catches them in his net* (בְחֶרְמוֹ) *and gathers them in his trawl."*—[*Rashi*]

Since snares are used to catch beasts and nets are used to catch fish, the use of the double expression is used to intimate that the evil woman catches her prey both on land and in the sea.—[*Ecc. Rabbbah*]

her hands are bonds—*and as soon as she seizes a man, he is as though bound in bonds of ropes.*—[*Rashi*]

bonds—Heb. אֲסוּרִים, *a noun meaning bonds, like* (*Jud. 15:14*); *"and his bonds* (אֲסוּרָיו) *melted," meaning his bonds, and so did Menahem explain it* (*Machbereth* p. 28).—[*Rashi*] Note that the reference to Judges does not appear in the *Machbereth.*

Mezudath David explains:

And I find—This is as if to say: Behold, with this I recognized the baseness of wickedness and how important it is to avoid it, for behold, I have found something more bitter than death, and it is advisable to choose death rather than this.

the woman—This refers to the adulterous woman, who hunts the souls of those who are enticed to follow her.

whose heart is snares and nets—Her heart is like a net, for with the thoughts of her heart she catches men.

her hands are bonds—Her hands are like bonds, because whenever she seizes anyone, he cannot separate from her.

whoever is good—Whoever has found a merit before God will escape from her before she has turned away his heart with her smooth talk.

הָאֱלֹהִים יִמָּלֵט מִמֶּנָּה וְחוֹטֵא יִלָּכֶד בָּהּ׃ כז רְאֵה זֶה מָצָאתִי אָמְרָה קֹהֶלֶת אַחַת לְאַחַת לִמְצֹא חֶשְׁבּוֹן׃
כח אֲשֶׁר עוֹד־בִּקְשָׁה נַפְשִׁי וְלֹא מָצָאתִי אָדָם אֶחָד מֵאֶלֶף מָצָאתִי וְאִשָּׁה בְכָל־אֵלֶּה לֹא מָצָאתִי׃

תו"א אחת לאחת למצוא חשבון. סוטה ח ס: אדם אחד מאלף מצאתי ואשה בכל אלה לא מצאתי. גיטין סח ב

וּמִשְׁתֵּיזֵב מִנַּהּ וְחַיָּבָא קֳדָם יְיָ גְּבַר דְּיִסְבִּינַהּ וְאִתְלְכֵד בִּזְנוּתָהָא: כז רְאֵה חֲזֵי דֵין עוֹבָדָא דְּאַשְׁכָּחִית אָמְרָה קֹהֶלֶת דְּמִתְקְרֵי שְׁלֹמֹה מַלְכָּא דְיִשְׂרָאֵל כְּגוֹנֵי מַזָּלַיָּא חֲדָא עִם חֲבֶרְתָּא לְמִשְׁכַּח חֶשְׁבּוֹן בְּנֵי אֱנָשָׁא מַה יְהֵא בְּסוֹפֵיהוֹן: כח אֲשֶׁר אִית פִּתְגָם אוֹחֲרָן דְּעוֹד תְּבָעַת נַפְשִׁי וְלָא אַשְׁכָּחִית גְּבַר שְׁלִים וְזַכַּאי בְּלָא חִיבוּלָא מִן יוֹמֵי אָדָם קַדְמָאָה עַד דִּי אִתְיְלִיד אַבְרָהָם צַדִּיקָא דִּי אִשְׁתְּכַח מְהֵימַן וְזַכַּאי בֵּין אֲלַף

רש"י

מנהם: (כז) **ראה זה מצאתי אמרה קהלת אחת לאחת למצא השבון.** כל המצו' שהצדיקים עושים והעבירו' שהרשעים עוברים נמנים לפני הקב"ה אחת אל אחת עד שמצטרפו' לחשבון גדול כך פירשו רבותינו במסכת סוטה: **אמרה קהלת.** אמרה קבול' החכמה ו ואמרה נפשו המשכלת המקבלת החכמה. **קהלת.** לשון ז נקבה היא וכשהוא אומרו בלשון זכר מוסב על הקובלה והוא שלמה ובמדרש מצינו אמר רבי ירמיה בן אלעזר רוח הקודש פעמים משיחה בלשון זכר ופעמים משיחה בלשון נקבה כתוב אחד אומר (תהלים ע) עזרי ומפלטי אתה וכתוב אחד אומר (שם מ'יח) עזרתי ומפלטי אתה. כתוב א' אומר (נחום ב' א') מבשר משמיע שלום וכתוב א' אומר (ישעיה מ' ט') קול מבשרת ציון: (כח) **אשר עוד בקשה נפשי.** לכל אלה האמורים למעלה שבקשתים ולא מצאתים בקשה עוד נפשי כשרה בנשים ולא מצאתי כי כולן דעתן קלה עליהן: **אדם אחד מאלף מצאתי.** כנוהג שבעולם אלף נכנסים למקרא אין יוצאים מהם להצליח שראוים למשנה אלא מאה ואותם מאה שנכנסו למשנה אין יוצאים מהם לגמ' אלא עשרה ואותן עשרה שנכנסין לגמרא אין מצליח מהם אלא אחד להוראה

שפתי חכמים

זו מינות: ו דק"ל שאמר ל' נקבה. לכ"פ אמרה קבולת שחכמה ומ"ש ואמרה נפשו כו' בספרים מדוייקים איתו: ז דק"ל הכי כמה פעמים אמר בל' זכר לכן פירש קהלת ל' נקבה הוא וכשהוא

אבן עזרא

להכם מהחשק: (כז) **ראה.** עודנו מדבר בדברי האשה ומלת אמרה קהלת על לשון החכמ' ופירוש חשבון מחשבת והענין שלא יוכל האדם למצוא מחשבת שהוא ההפך עד שיסמו' האחת לאחת שידוע שהמחברת האחת נושא ונשוא וכן המחברת השני' רק תהיינה בהסמכם הנשוא בראשונה ונושא באחרונ' או שני הנושאים או שני הנשואים בשוה אז תוליד בין שתי המחברות דעת שלישית והנה כן בדברי הנפש אף כי בגויות והענין כי אין ראוי להכם להתחבר עם אשה כלל לולי שלא יתכן להשאיר דמותו תחתיו שהוא שלישי כי אם בהתחבר האב והאם. ופירוש אחר שיהיה זה הפסוק דבק עם הבא אחריו. ויהיה פירוש מלת חשבון מחשבת או מנין והענין כשתחשוב בכל דבר שתמצאנו הינו לבדו עד שיסמך לאחר כמו גדול וקטן כי לא יקרא גדול כי אם כנגד קטן ממנו והקטן בהפך וכן חכם וכסיל וכן צדיק ורשע גם כן בחשבון כי בהתחבר אחת לאחת יקום ראש המנין ואם יתחבר האחת לראש ישוב כמו סוף ובהתחבר האחת לסוף ישוב נגדר ובהתחבר אחת לנגדר ישוב עגול והעגול מיושר והמיושר שלם והשלם גוף והענין אפילו שלא ימצא איש שכל וחכמה ויראה והוא האדם הישר רק ימצא כנגד בני האדם האחרים ובזכרים לבדם ימצא אחד מני אלף. ומלת אחת לשון נקבה ודע כי האותיו' מתחלקים לשני חלקים הנים משרתים פעמים ופעמים הם עיקרים והמשרתים כשתי"ל א"ב המו"ן והשאר עיקרים תמיד ולא ימצאו נוספי' כי אם בכפל כמו שחרחורת וכן לא יגרעו חוץ מפעלי הכפל כהגרע דל"ת שדד מן שוד וכן בהתחבר תי"ו השרש עם תי"ו הנכח יחסר השרש כמו אותו תשחית וכרת וכן בהתחבר נו"ן השרש עם נו"ן נקבו' רבו' יחסר נו"ן השרש כמו בכל דליותיו תשכונ' והוא מבולע וכן מלת משרת את המלך בעבור התחברות תי"ו השרש עם תי"ו הנקבה חסרו תי"ו השרש ופתחו הרי"ש להורו' על לשון נקבה להפריש בינו ובין משרת משה שהוא לשון זכר וכן בהתחבר דל"ת אחד והוא רפה עם תי"ו רפה שהיא לשון נקבה והם קרובים במוצא חסרו הדל"ת שהוא שרש וזה מקרה הרה ללת וי"א כי שני שרשים הם בענין אחד ויפרש אח לא פדה יפדה איש ועשה אח מאחת מאלה כמו אחד וזה רחוק כי פי' אח לא פדה אין אח פודה נפש איש או אין איש פודה נפש אחיו ויהיה אח פועל והבא אחריו יורה עליו והוא ויקר פדיון נפשם והענין שלא יוכלו בני האדם לפדות אחיהם או אהוביהם מן המות ואיך יוכלו לפדותם והם צריכים לפדות נפשם ופירוש ועשה אח פועל או פעול וענין הפועל ועשה ישראלי וענין הפעול עשה עבירה היא אחות לאלה העבירו' הנזכרו' או דבר רע הוא אח להם ועוד איך יהי' פי' ועשה אח אחד והנה ישוב בעבור שבא אחריו מאחת מאלה ועשה אחד מאחת: (כח) **אשר.** מלת בקשה מן הבנין הכבד והחיר"ק יור' עליו ויחסר הדגש מן הקו"ף כמו שלחו באש מקדשך וכמו התל כי שהוא מן ויהתל

ספורנו

(כז) **ראה זה מצאתי.** שעבירה גוררת עבירה: **אחת לאחת.** וזה מצאתי שיקרה בכל אחד מהעבירות: **למצוא חשבון.** כשבקשתי למצוא מספר נחשב מאנשים בימינו שלא יקרה להם זה: (כח) **אשר עוד בקשה נפשי.** בספורי הקדמונים למצוא מספר מאנשים שלא קרה להם זה: **ולא מצאתי.** מספר נחשב: **אמנם אדם אחד מאלף מצאתי.** ששב בתשובה מן העבירה הראשונה ובכן לא נכשל בשניה: **ואשה בכל אלה לא מצאתי.** ובכל אלה שמצאתי אחד מאלף לא מצאתי

מצודת דוד

(כז) **ראה זה.** האמור בסוף המקרא: **אמרה קהלת.** אמרה נפש של המקבץ הדעות המנגדות (ואמר כאחד המדבר וכן דרך המקרא בהרבה מקומות): **אחת לאחת למצוא חשבון.** אין למצוא מחשבת ביגה כ"א להעריך אחת אל אחת ר"ל להעריך דבר אל הפכו כי אז יבין וישכיל איזה יכשר: (כח) **אשר עוד בקשה נפשי.** אשר הרבה בקשה נפשי יותר מן הרגיל למצוא דבר מבלי הערכו אל הפכו ולא יכולתי למצוא: **אדם וגו'.** מבין אלף אנשי'

מצודת ציון

(כז) **אמרה קהלת.** החסר מלת נפש ולזה אמר בלשון נקבה שעל הנפש ידבר וכאלו אמר נפש קהלת וכן ותכל דוד (ש"ב י"ג): **חשבון.** מחשבת ביגה: (כח) **עוד.** ענינו הרבה יותר מן הנהוג והרגיל כמו ויבך על צואריו עוד (בראשית מו):

קיצור אלשיך

כזאת על כל הנשים שבעולם, רק (כז) ראה זה מצאתי אמרה קהלת, נשים כאלה מצאתי אנכי, אבל יש נשים כשרות, אבל מעטים המה, אחת לאחת למצוא חשבון, אחדות הנה, נוכל לחשבן ולמנותן מי היו, האמהות וכיוצא בהן, (כח) אשר עוד בקשה נפשי למצוא כהנה ולא מצאתי, אדם אחד

will escape from her, and a sinner will be taken by her. 27. See, this I have found, said Koheleth, adding one to another to find out the account. 28. Which my soul sought yet, but I did not find; one man out of a thousand I found, but a woman among all these I did not find.

will be taken by her—and once he has been taken, it is impossible to part from her to save his soul.—[*Mezudath David*]

27. **See, this I have found, said Koheleth, adding one to another to find out the account**—*All the commandments that the righteous perform and the transgressions that the wicked commit are counted before the Holy One, blessed be He, one to another, until they add up to a large sum. So did our Rabbis explain it in Tractate Sotah* (8b).—[*Rashi*]

said Koheleth—*said the collection of wisdom, and said his intellectual soul, which collects the wisdom.*—[*Rashi*]

Koheleth—*This is a feminine noun, and when it is used in the masculine sense, it refers to the one who gathers it, and that is Solomon. In the Midrash (Ecc. Zuta) : Said Rabbi Jeremiah the son of Eleazar: The holy spirit sometimes speaks in the masculine gender and sometimes it speaks in the feminine gender. One verse says* (*Ps. 70:6*): *"You are my help* (עֶזְרִי) *and my rescuer," and one verse says* (*ibid. 40:18*): *"You are my help* (עֶזְרָתִי) *and my rescuer." One verse says:* (*Nahum 2:1*): *"a herald* (מְבַשֵּׂר) *announcing peace," and one verse says* (*Isa. 40:9*): *"the voice of* (sic) *the herald* (מְבַשֶּׂרֶת) *of Zion."*—[*Rashi*]

28. **which my soul sought yet**—*In addition to those stated above, which I sought and did not find, my soul sought a proper one among women, but I did not find* [one], *because they are all lightheaded."*—[*Rashi*]

one man out of a thousand I found—*It is customary in the world that* [out of] *a thousand who enter* [a school] *to learn Bible, only one hundred emerge from them to succeed to be fit for Mishnah, and* [of] *those hundred who enter to* [learn] *Mishnah, only ten emerge from them to* [learn] *Gemara, and of those ten who enter to* [learn] *Gemara, only one emerges who is capable of giving religious instruction, the result being one out of a thousand.*—[*Rashi* from *Ecc. Rabbah*]

but a woman among all these—*even in a thousand. Therefore, you must be cautious with her.*—[*Rashi*]

Mezudath David explains:

[27] **See this**—that which is mentioned at the end of the verse.

said Koheleth—Said the soul of the collector of opposing views (and Scripture speaks as an outsider, as in many places in the Bible).

adding one to another to find out the account—The thought of understanding cannot be found except by comparing one to another, i.e., comparing one view to its

כט לבד ראה זה מצאתי אשר עשה האלהים את
האדם ישר והמה בקשו חשבנות רבים: ח א מי
כהחכם ומי יודע פשר דבר חכמת אדם תאיר

ת"א מי כהחכם ומי יודע פשר דבר. ברכות י שופטים יג עקידה שער ס: חכמת אדם תאיר פניו. נדרים מט עקידה שער מט עקרים מב פכט:

מלכין דאתכנשו למעבד מגדלא בבבל ואתתא בכל אלין נשיהון דמלכיא כשרה לא אשכחית: כט לבד לחוד חזי דין אשכחית די עבד יי אדם קדמאה תקין קדמוי וזכאי וחויא וחוה אנהו אטעיו למיכל מן פיריא דאילנא דאכלין פירוי חכימין למידע בין טב לביש וגרמו לאסתקפא עלוהי יום מותא ולכל דרי עלמא ואינון תבעו למשכח חשבונין סגיאין בגין לאיתאה מחתא על דיירי ארעא: ח א מי מאן הוא חכימא דיכיל למיקם קביל חוכמתא וס"א

שפתי חכמים

אומר בלשון זכר מוסב על הקהלת פירוש הקובץ החכמה וסוף שלמה:

רש"י

הרי אחד מאלף: ואשה בכל אלה. אפי' באלף לכך אתה צריך להזהר בה: (כט) לבד ראה זה מצאתי. שבא לעולם תקלה על ידה: אשר עשה. הקדוש ב"ה את האדם הראשון ישר: והמה. משנזדווגה לו הוה אשתו ונעשו שנים ונקראו המה: בקשו חשבנות רבים. מזימו' ומחשבות של הטא כך נדרש במדרש: (א) מי כהחכם. מי בעולם חשוב כאדם חכם: ומי יודע פשר דבר. פתרון של דבר. כמו שמלינו בדניאל מתוך חכמתו שהיה חכם בירא' שמים נתגלו לו רזי פשרין. מי כמשה עושה פשרים בין ישראל לאביהם שבשמים: ועז פניו ישנא. משאר הבריות עד (שמות לד ל) כי יראו מגשת אליו כי קרן עור פניו:

ספורנו

שום אשה: (כט) לבד ראה זה מצאתי. שלא קרה זה למין האנושי לולא חטאו של אדם הראשון: אשר עשה האלהים את האדם ישר. קודם יצירת חוה. שהיה האדם יחיד היה ישר מוכן אל ההתבודדות השכלי בלתי ידיעת טוב ורע. שהוא הערב ובלתי ערב שהם המסיתים לחטוא: והמה. ואחר יצירת חוה שהיו שנים: בקשו. בידיעת הערב והפכו: חשבונות רבים. למצוא חשבונות ותחבולות רבות הקורות בבקשת לחם ושמלה בפרט להשיג מהם היותר ערב כאמרם ז"ל כמה טרחות טרח אדם הראשון עד שלא אכל פת:

ח (א) ולכן עתה מי כהחכם. מי הוא שיהיה כאותו החכם שמצאתי היותו אחד מאלף: ומי יודע פשר דבר. לפתור ענין ספור הנחש הקדמוני שהזכרתי: חכמת אדם תאיר פניו. באופן שחכמת זה החכם הפותר תאיר פניו לסור ממוקשי הנחש: ועוז פניו ישונא. ישתנה משאר בני

אבן עזרא

כהם אליהו ואין לו הבר כמוהו בכל הפעלים השלמים בלשון זכר ויחיד ופי' השלמים חוץ מן האותיו' הגרון וישוב בכל אלה לאלף הנזכר כי כן היה מספר נשי שלמה שבע מאות ברות ושלש מאות פילגשים: (כט) לבד. הוכר החשבון על לשון נקבו' והוא לשון זכר כמו עוונות והענין שעשה האלהים את האדם להיות ישר הולך בדרך ישרה והמה בקשו ארחות עקלקלות וגם זה הענין סמוך בפסוק שלמעלה שאשה אהת די לאיש: (א) מי כהחכם. יש מלה מוסכת עצמה ואחרת עמה כמלת אל בקלפך תוכיחני. יחי ראובן ואל ימות. מתן בסתר יכפה אף. וכן ימלא אות מוסך אחר כמו מאל אביך ויעזרך ואת שדי. הוא ומאת שדי והוא דבק עם הפסוק שלמעלה מידי אביר יעקב כל זה בא לך מאל אביך והוא יעזרך לעולם. ואמר הגאון רב סעדיה ז"ל שעניינו האאל מאל אביך ויעזרך ועל שני הפירושי' צריכה תוספת מ"ם על את וכן מישרים ההכוך ומישרים הוא תואר היין וכמוהו יתהלך במישרים וכן כיין הטוב הולך לדודי למישרים וישוב ההכוך על העלמו' הנזכרו' בפסוק הראשון וכן מי כהחכם ומי כיודע פשר דבר. ויתכן היות פירוש מי כהחכם מי שהוא יודע פשר דבר ומלת פשר ממשפחת ארמית והענין למה יתעסקו בני אדם להשוב השבונו' רבים שלא יועילו ואין מי שהוא על דרך ישרה כמו החכם המבקש חכמה וידרוש לדעת פשר כל דבר מה הפך יש בו ולמה כן ויתכן היות פשר הפוך סופו בתוכו מן כי לא פורש וענין חכמת אדם תאיר פניו תמיד אור בפניו והענין תכיר כעס כענין כאור

מצודת ציון

ח (א) פשר. ענין פתרון ופירוש כמו מפשר חלמין (דניאל ה):

מצודת דוד

מצאתי אדם אחד ישר והגון אף מבלי שעריכו מול הספו כי מפאת עצמו היה ניכר שהאדם ישר הוא: ואשה בכל אלה. אבל אשה ישרה והגונה מבלי הערכה מול הספה לא מצאתי בכל אלה הנשים המיוחדות לי שהיו כמספר אלף ברות שבע מאות ופילגשים שלש מאות כמ"ש במ"א והאומר מאד קשה למצוא דבר מבלי הערכתו מול הספו כי אף בין הנשים לא מצאתי מבלי הערכה לבד אחד מבין אלף ובין הנשים לא מצאתי אף אחת מאלף מבלי הערכות מול הספה: (כט) לבד ראה זה מצאתי. הוא מקרא מסורס והבאור ראה זה לבד מצאתי ר"ל התבונן מה שזה לבד מצאתי דהיינו אדם ישר אותו לבד מצאתי אשר הוא מבלי הערכיו מול הספו: אשר עשה האלהים. הוא בעבור כי ידעתי אשר האלהים ברא את האדם להיות ישר ר"ל ללכת בדרך הממוצע בענין המדות כבעס והוגה והענוה והדומים מבלי נטות אל הקלה מן הקצוות ולזה אשר אלה לו ניכר הוא מפאת עצמו (אבל אשה כזאת לא מצאתי והיא ניכרת מפאת עצמה כ"א בהעריכה מול הספה אז נראה בה שהיא ישרה והגונה למולה) והמה בני אדם הם הם המבקשים מחשבות רבות לנטות פעם אל הקלה האחד וזהו כשהוא בטבעו נוטה לבבו אל הקלה האחד אשר חכמים יגידו שאז מהכרחו לו לנטות אל הקלה האחר למען יבא אל הממוצע כי זהו דרך הישר ובעליו ניכר מפאת עצמו מבלי הערכו מול הספו:

ח (א) מי כהחכם. מי בעולם חשוב כאדם חכם: ומי יודע. ר"ל כהחכם משתמש בשתים כאלו אמר ומי כיודע ר"ל מי בעולם מאושר כאדם יודע פתרון כל דבר והוא כפל ענין במ"ש: תאיר פניו. כי בעבור שחכמה הולם מחבבים אותו ומשגיחין לו והוא דבר

קיצור אלשיך

מאלף מצאתי, ואשה בכל אלה לא מצאתי. (כט) לבד ראה זה מצאתי, ר"ל לבד זה ראה מצאתי עוד דבר שהוא מר ממות אשר אין תקון לזה בחכמת התורה והוא כי האלהים עשה את האדם ישר וגו', והוא אשר קרה לו כי בקש השבונות לומר למה אמרה תורה ולא ירבה לו נשים כדי שלא יסור לבבו אני ארבה ולא אסור והיקש בכיוצא בזה הנוטים אחר חשבונות דעם המתחכמים על גזרת התורה, ושמא תאמר משה גדול הנביאים עשה ג"כ חשבון על צוויו של הקב"ה, ופירש מן האשה, ואמר לא על כיוצא בי צוה הקב"ה פרו ורבו, ודעתו של הקב"ה הסכימה עמו, לז"א אינני כמשה ח (א) כי מי כהחכם הידוע כי אין בקי בחכמת התורה כמוהו בעולם, ומי יודע פשר דבר כמוהו, שיוכל לפתור ולומר באופן זה היתה מצותו יתברך ולא באופן אחר, והראיה כי אין צ"ל שלא הפסיד בדבר כ"א שחכמתו האירה פניו כד"א כי קרן אור פניו והוא מה שאז"ל מהיכן זכה משה לקירון פנים אלא כשהיה כותב נשתייר בקולמוס וקנחו בראשו מאשר נשתייר שלא נכתב כי אם נשאר לו ע"פ והיה הכל בראשו הבהיק האורה בפניו חוצה ואלו לא היה כל פשר דבר התורה אמתי לא היתה התורה שבעל פה מאירה פניו ועכ"ז ועוז פניו ישונא במה שביישוהו

29. See, only this one have I found, for God made man straight, but they sought many intrigues.

8

1. Who is like the wise man, and who knows the meaning of a thing? A man's wisdom makes his face shine,

opposite, for then the correct view can be determined.

[28] **Which my soul sought yet**—Which my soul sought more than usual, to find a thing without comparing it to its opposite, but I could not find it.

one man out of a thousand—I found one honest and proper man out of a thousand without comparing him to others, but among the women, I did not find even one out of a thousand, without comparing her to others.

29. **See, only this one have I found**—*for a stumbling block came into being through her.*—[*Rashi*]

that...made—*The Holy One, blessed be He* [made] *the first man straight.*—[*Rashi*]

but they—*when his wife Eve was paired up with him, and they became two and were called "they."*—[*Rashi*]

sought many intrigues—*plans and designs of sin. So is it explained in the Midrash* (*Ecc. Rabbah*).—[*Rashi*] [The meaning is that while Adam was alone, he was straight, but as soon as he was paired up with Eve, they sought intrigues together].

Mezudath David explains:

See, only this have I found—Ponder upon the fact that only this one have I found, viz. a straight person, who is straight without comparing him to his opposites.

for God made man straight—This is because I knew that God created man to be straight, i.e., to follow the middle path in character traits, e.g., anger, sadness, mercy, and the like, rather than to go to either extreme, and a person who follows this behavior is recognizable as a straight person, (but a woman such as this was not found, and she is not recognized by herself, except by comparing her to those opposite her in character. Then it is discernible that she is straight and proper in comparison to them.) But human beings seek many designs to turn sometimes to one extreme, when they see that their heart turns to the other, as the Sages say that then it is proper to turn to the opposite extreme in order to ultimately come to the middle path, for that is the straight way, and a person who follows that way is seen to be straight without comparing him to anyone else.

8

1. **Who is like the wise man**—*Who in the world is as esteemed as a wise man?*—[*Rashi, Mezudath David*]

and who knows the meaning of a thing—Heb. פֵּשֶׁר, *the interpretation, as we find regarding Daniel; because of his wisdom*—*for* [because] *he was*

פניו ועז פניו ישנא: ב אני פי־מלך שמר ועל
דברת שבועת אלהים: ג אל־תבהל מפניו תלך
אל־תעמד בדבר רע כי כל־אשר יחפץ יעשה:
ד באשר דבר־מלך שלטון ומי יאמר־לו מה

תו"א ועז פניו ישנא. תענית ז: באשר דבר מלך שלטון. שבת סג:

דגבר חכים) דיי ולמידע פשר מילא בנביאיא חוכמתא דגבר חכים תנהר זיו אפוהי בגין צדיקיא וחציף אפין מתחלפן כל אורחתיה מטב לביש: ב אני הוי זהיר ית פומך על גזירת מלכא למיטר מה די פקדינך ועל עיסק מומתא דיי אזדהר דלא תימי בשום מימריה על מגן: ג אל ובעידן רוגזא דיי לא תנוח לצלאה קדמוהי אתבהיל קדמוהי אזיל וצלי ותבעי רחמין מניה בגין דלא תקום בפתגם ביש ארום רבון כל עלמיא דיי כל די יצבי יעביד: ד באשר באתר דאית גזרת מימרא דמלכא

רש"י

(ב) אני פי מלך שמור. לפיכך אני צריך ונכון ח לשמור פי מלכו של עולם שהיא הטובה שבכולן: ועל דברת שבועת אלהים. שנשבעתו לו בחורב לשמור מצותיו. ד"א אני נכון לשמור פי מלכי האומות המושלים בנו בגולגליות וארנוניות. ועל דברת שבועת אלהים. ובלבד שלא יעבירוני את השבועה שנשבענו למקום. ועל דברת. ואלו ט דברת שבועת אלהים אשמור פי המלכים. וכן מצינו בחנניה מישאל ועזריה שאמרו לנבוכדנאצר (דניאל ג טז) לך אמרין מלכא נבוכדנאצר לא השחין אנחנא על הדא פתגם להתבותך אם מלכא למה נבוכדנאצר ואם נבוכדנאצר למה מלכא אלא כך אמרו לו לך אנו אומרים דאת מלכא לנו לעבודה ולמסים לגולגליות אך על דנא שאת אומר עלנא לעבוד כו"ס נבוכדנאצר את ולא מלך: (ג) אל תבהל מפניו תלך. אל תהי נבהל לומר שתלך ותברח מפניו למקום שאינו שליט שם שבכל מקום הוא שליט: אל תעמוד בדבר רע. אל תעמיד עצמך עוסק בדברים רעים: כי כל אשר יחפץ. להפרע ממך רשות ויכולת בידו לעשות: (ד) באשר דבר מלך שלטון. בשביל אשר דבר הקב"ה מושל הוא ומי יאמר לו מה תעשה. ואם שומר מצוה אתה לא תדע דבר

שפתי חכמים

חפי' אני מזומן: ט בתחלה מפרש כענין וא"כ מפרש כמלות ואמר וכו'

אבן עזרא

פני מלך הייס וענין ועז פניו ישונא סור עזות פנים ממנו כי החכמה תוליד הענוה כי בהתגבר הנשמה על הרוח יסור הכעס ועזות המצח: (ב) אני. כאשר השלים להוכיח החכם שישמר מפח החטא שב להזהירו שלא ישען על חכמתו ויבזה מלית מלך מקומו בעבור היותו כסיל כנגד. וענין אני אני אנוך או אזהירך על שני דברים שלא תמרה אותם האחד מה שיצא מפי המלך והשני מה שיצא מפיך גם אתה כנגד השם הנכבד והנורא כי המלך לא ינקה כל אשר ימרה את פיו ומלך האמת לא ינקה את אשר ישא את שמו לשוא: (ג) אל תבהל תלך. מצאנו בלשון הזאת ונדעה נרדפה. אל תרבו תדברו ועיקרם ונדע לרדוף אל תרבו לדבר. ויותר נכון הוא שיחסר שי"ן שהוא במקום אשר ויהיה כן ונדעה שנרדפה אל תרבו שתדברו וכן זאת מלת תלך אל תבהל מפניו ללכת או אל תבהל מפניו שתלך אל ימהר לבך שתחשוב שתוכל ללכת מפניו פני המלך פן תעמוד על דבר שהוא רע בעיניו כי כרצונו יוכל לעשות לך: (ד) באשר. בכל מקום שדבר המלך שם שלטון הוא עליך ואין מי יוכיחנו

ספורנו

אדם להגביר השכל על התאוה: (ב) אני פי מלך שמור אני אהיה כהחכם שאמרתי בלי ספק בשמור פי המלך הקדוש ומצותיו בעיון כאמרו והיו הדברי' האלה אשר אנכי מצוך היום על לבבך: ועל דברת שבועת אלהים. ובשמור גם כן דברת שבועת אלהים. שקבלנו עלינו בשבועת האלה: (ג) אל תבהל. ברבוי המצות: מפניו תלך. וכמו כן אל מפניו תלך בלתי התבונן בטעמי מצותיו באופן שתפנה לקיימם בלבד בלתי ידיעת טעמם מאחר שכבר קבלנו בשבועה: ואל תעמוד בדבר רע כי כל אשר יחפוץ יעשה. אל תעמוד בזאת המחשבה הרעה שהאל יתברך יעשה בלי שום טעם ושום תכלית טוב את כל אשר יחפוץ: (ד) באשר דבר מלך שלטון. וזה יעשה מפני שכל דברו הוא דבר מלך שלטון על כל זולתו ומפני זה אין לבקש

מצודת דוד

שמרהיב לב האדם ומאציל הפנים: ועוז פניו. חוזק מראית פניו נשתנה לשנה מאשר בני האדם והוא כפל ענין במ"ש: (ב) אני פי מלך שמור. סוה מקרא קצר וכאלו אמר אני מזהירך ומלמדך פי מלך שמור לכל תמרה אמרי פיו: ועל דברת. אבל כשמצותו היה אלא דברי השבועה שהשבענו האלהים ר"ל שלא יהיה הסך מצות המקום אשר עליהם נשבענו לו בחורב לעשותם ולקיימם: (ג) אל תבהל. אל תהיה נבהל לומר שתלך ותברח מפניו לבל ישיגך לעשות עמך רעה אני מזהירך אל תעמוד בענין רע לסמרות פי מלך בבטחון זה כי כל מה שיחפוץ המלך יעשה ואם יחפוץ ברעתך ישיגך במקום שברחת: (ד) באשר. בעבור אשר דבר מצות המלך הוא מושל בכל מקום ולא נמצא מי שימחה בידו לו' לו למה תעשה כזאת וקשה א"כ להנצל מידו:

מצודת ציון

ועוז. חוזק: ישנא. מל' השתנות: (ב) ועל. ואלל כמו והחונים עליו (במדבר ב): דברת. מלשון דבור: (ג) בדבר רע.

קיצור אלשיך

שביישוהו אהרן ומרים על הדבר שנשתנו פניו כי עם שהסכימה דעת עליון ובמה שחילק לא יצא ריק על שלא שאל רשיון תחלה ומה יעשה זולתו באופן שאיש כמשה הוא יודע פשר דבר התורה והוא היכול לומר ולחלק במה שצוה ה', אך אני אין בי כח לחלק ולומר מה שצוה ה' היה על שאר אנשים ולא על איש כמוני כי (ב) אני פי מלך שמור היוצא מפי מלכו של עולם, אני כיתר בני אדם ולא לחלק ביני לזולתי, ועל דברת שבועת אלהים, אשר משביעין האדם בעודו בבטן אמו תהי צדיק וכו' (ג) אל תבהל לשאל על מה הוצרך הקב"ה להשביעך ויצא עתק מפיך לומר כי מפניו תלך כי לא לפניו הוא התהלכך ועסקך, כי אם מפניו מסולק מהשגחתך ית' שהוא ע"י מערכות השמים שהוא מפניו והלאה כי את הטוב ואת הרע ישפטו הם ואם לא תצא כ"כ כ"א עודך עומד בהודעת השגחה אל תהיה עמידתך בדבר רע, וזהו אל תעמוד בדבר רע והוא לומר כי כל אשר יחפוץ יעשה בלי השקפה אל צער הצדיקים והטבה לרשעים בפרט לפרטים בקרב הכלל ואם לא תרצה להאריך הדבר כ"כ תאמר כי (ד) באשר דבר מלך שלטון והוא מאמר רבי יוחנן כל דבור ודבור שיוצא מפי הקב"ה נברא מלאך והוא נמשך ממה שכתבנו שהדבור עצמו הוא הפועל כי כח ואל לו, וזה יאמר שלמה פה אל תאמר כי באשר דבר מלך הוא מלכו של עולם הדבור עצמו הוא מלאך הוא שלטון מי יאמר לו מה תעשה באופן שע"י כן אם דבר יצא להיטיב צדיק והרשיע לעשות לא ישוב ויטיב לו ואם יצא דבר מלכות להצר לרשע ושב מרשעו לא תשוב רעתו מעליו ונמצא צדיק ורע לו רשע וטוב לו וע"כ תאמר כי זאת היתה סבת ודברת שבועת אלהים פן בראות בני אדם הנהגת הפכיית

and the boldness of his face is changed. 2. I [am prepared to]
observe the commandment of the King, and concerning the oath of
God. 3. Hasten not to go away from before Him; stay not in an evil
thing; for all that He wishes, He will do. 4. Inasmuch as the King's
word is the rule, and who will say to Him, "What

wise in the fear of Heaven, the secrets of interpretations were revealed to him. Who is like Moses, who made compromises (פְּשָׁרִים) *between Israel and their Father in Heaven?*—[*Rashi*] [*Rashi* appears to be explaining פֵּשֶׁר in two ways, one in the sense of interpretation, and the other in the sense of compromise. *Midrash Zuta,* however, explains that Moses interpreted the Torah to Israel.]

Mezudath David and *Ibn Ezra* both insert the word *like* in interpreting this verse.

They render:

Who is like the wise man, and who is like the one who knows the meaning of a thing?

Ibn Ezra also suggests:

Who is like the wise man? He who knows the meaning of a thing. Why should people engage in intrigues which will not avail them? There are none on the straight path like the wise man who seeks wisdom and strives to find the meaning of all things.

and the boldness of his face is changed—*from that of other people, to the extent that* (*Exod. 34:30*) *they feared to approach him because the skin of his face was radiant.*—[*Rashi* from *Midrash Zuta*]

Ibn Ezra explains:

A man's wisdom makes his face shine—It brings light to his face, i.e., it dissolves his anger.

and the boldness of his face is changed—It removes his arrogance, because wisdom begets humility, for when the soul overwhelms the spirit, it does away with anger and arrogance.

Mezudath David explains:

A man's wisdom makes his face shine—Because of his wisdom, everyone loves his words, and they obey him. This makes him jubilant and makes his face shine. The end of the verse is a repetition of the beginning in different words.

The *Targum* paraphrases:

Who is the wise man who can rise before the wisdom of the Lord and know the meaning of the words (of the Torah) like the prophets? A wise man's wisdom makes his face shine among the righteous, and a brazen-faced one—all his ways change from good to evil.

Saadia Gaon renders:

He who possesses knowledge like a wise man and he who knows the meaning of the matters—his wisdom will make his face shine, but the brazen-faced one—the expression on his face will change.

Sforno explains:

Who is like the wise man—Who is it that can be like the wise man that I found to be one out of a thousand?

and who knows the meaning of a thing—to interpret the narrative of the Original Serpent.

A man's wisdom makes his face shine—The wisdom of this wise interpreter will cause his face to shine, and cause him to avoid the snares of the Serpent.

and the boldness of his face is changed—It will be different from other people, to strengthen the intellect over the desires.

2. **I...observe the commandment**—*Therefore, I need to and I am prepared to observe the commandment of the King of the Universe, which is the best of them all.* [i.e., better than all intrigues.]—[*Rashi*]

and concerning the oath of God—*which we swore to Him on Horeb, to keep His commandments.* [See *Ecc. Rabbah.*] *Another explanation: I am prepared to observe the command of the kings of the nations who rule us with head taxes and property taxes.*

and alongside the oath of God—*provided that they do not cause us to transgress the oath that we swore to the Omnipresent.*

And alongside—*the oath of God, I will keep the command of the kings. And so we find with Hananiah, Mishael, and Azariah, who said to Nebuchadnezzar,* (*Dan. 9:16*): "*to you they say: O King Nebuchadnezzar* (sic), *we do not care to answer you about this matter." If he was king, why did they call him Nebuchadnezzar, and if Nebuchadnezzar, why did they call him king? However, this is what they said to him: To you we say that you are king over us regarding work and regarding the head tax, but concerning your ordering us to worship idols, you are* [merely] *Nebuchadnezzar, and not a king.*—[*Rashi* from *Lev. Rabbah* 33:6] Similarly, *Mezudath David* explains: I admonish you and teach you, "Observe the commandment of the king," that you should not disobey what he tells you.

but alongside the oath of God—This only holds if his command is alongside the oath of God, i.e., that it does not conflict with the oath that we swore to God on Horeb to keep His commandments.

Ibn Ezra explains: I admonish you to keep both the commandments of the king, and the oaths that you swear in God's name, for the king will not absolve one who rebels against him, and neither will God absolve one who takes His name in vain.

Sforno explains:

I will undoubtedly be like that wise man whom I mentioned by observing the commandment of the Holy King by studying it diligently, as the Torah states (Deut. 4:6): "And these words that I command you this day shall be upon your heart."

and alongside the word of the oath of God—and by also observing the word of the oath of God, which we accepted upon ourselves.

3. **Hasten not to go away from before Him**—*Do not hasten, saying that you will go and flee from before Him to a place where He does not rule, for He rules everywhere.*—[*Rashi*]

stay not in an evil thing—*Do not persist in engaging in evil things.*—[*Rashi*]

for all that He wishes—*to mete retribution upon you, He has the authority and ability to do so.*—[*Rashi*]

4. **Inasmuch as the King's word is the rule**—*The word of the Holy One, blessed be He, rules, and who will say to Him, "What are You doing?" But if you keep the commandment, you will not know any evil thing, and it will not befall you.*—[*Rashi*]

Mezudath David explains these verses as referring to a mortal sovereign, as follows:

[3] **Hasten not**—Do not hasten to say that you will go and flee from before him, so that he will not overtake you to do you harm. I warn you not to stay in an evil thing, to disobey the king's orders, relying on fleeing from him, because whatever the king wishes, he will do, and if he wishes to harm you, he will overtake you wherever you have fled.

[4] **Inasmuch as**—The king's word rules everywhere, and no one can protest what he does, by saying, "Why are you doing this?" Consequently, it is difficult to escape from him.

Ibn Ezra also explains the verses as referring to a mortal king, with a slight difference in verse 4, which he renders as follows:

Wherever the king's word [reaches], he is the ruler—over you, and no one can reprove him to rescue you from his clutches, for all fear him. If this is so with a flesh and blood king, how much more so is it with the true King Whose glory fills heaven and earth!

תעשה: ה שומר מצוה לא ידע דבר רע ועת ומשפט
ידע לב חכם: ו כי לכל חפץ יש עת ומשפט כי
רעת האדם רבה עליו: ז כי איננו ידע מה

הר״א שומר מצוה לא ידע דבר רע. פס.

דשליט על כל עלמא מתעבדא בבהילו ומן הוא גברא דמחי בידיה ויימר ליה מה עבדתא: ה שומר גבר די נטיר פקודיא דיי לא ינדע מדעם ביש לעלמא דאתי ועינן צלותא ודין וקשוט אשתמודע בלב חכימיא: ו כי ארום לכל עסקא אית עידן טב וביש ועל דין וקשוט אתבן כל עלמא וכד אתגזר מן קדם יי למהוי פורענותא בעלמא על חובת אנשין עבדי בישא דסגיאין עליהון: ז כי ארום ליתוי חכים מה דעתיד למהוי בסופיה

רש״י

רע ולא תבואך: (ה) ועת ומשפט ידע לב חכם החכם יודע שיש עת קבוע לפקודת רשעים ומשפטים יש לפני הקב״ה שסופו להפרע מהם. משפט יושטיצ״א בלע״ז והיא הפורענות: (ו) כי לכל חפץ. שהאדם עושה חפצו ועובר על דת יש עת להפרע ומשפט ופורענות מוכנת: כי רעת האדם רבה עליו. כאשר רבה רעת האדם וסאתו גדושה אז באה פקודתו וכי משמש בלשון כאשר כמו (שמות יח טז) כי יהי׳ להם דבר בא אלי: (ז) כי איננו יודע מה שיהיה. כשהרשע עובר עבירה איננו נותן לבו למה שעתיד הקב״ה להביאו במשפט ואוי לו בכך: כי כאשר יהיה. הפורענות מי יגיד לו להמלך בו וליטול בו עצה וליטול רשות כי פתע פתאום יבואנו:

ספורנו

טעם למצותיו אבל תמצא הפך זה: (ה) כי אמנם שומר מצוה לא ידע דבר רע. שומר ומתבונן במצוה לא ימצא בה רע שהוא חסרון תכלית נאות אשר הוא ה׳ טוב בכל פועל: ועת ומשפט ידע לב חכם. ידע ויבין העת שנתנו בו המצות והמשפט והטעם למה נתנו: (ו) כי לכל חפץ. לכל מצוה שחפץ האל יתברך לצוות. יש עת ראוי וצריך לאותה המצוה: ומשפט. טעם נכון: כי רעת האדם רבה עליו. בהסתת יצר הרע המחטיא והוצרך לתקן זה במצות להצילו מרעתו: (ז) כי איננו יודע מה שיהיה. כי לפעמים יעשה האדם איזה פועל מסבב עבירה עכ״פ והוא לא יכיר זה ובאת מצות האל הקודמת לשומרו ממנה כענין לא תתחתן בם לא ירבה לו נשי׳ וזולתם: כי כאשר יהי׳. כי בעת שיתחיל הקלקול: מי יגיד לו. הנמשך לזה באופן שישמר ממנו לעתיד:

אבן עזרא

להנצל מידו כי הכל יפחדו ממנו א״כ לבשר ודם אף כי למלך האמת שמלא כבודו מעלה ומטה: (ה) שומר מצוה לא ידע דבר רע. כי לא יבא לו ברוב: ועת ומשפט ידע לב חכם. יש מפרשים עת במקום הזה כמו חכמה ויאמרו כי כמוהו לעות את יעף דבר ביד איש עתי יודעי העתים יודעי בינה לעתים וזה איננו נכון כי פירוש לעות את יעף לשום לו עת והוא יעיר בבקר בבקר ואיש עתי שיהיה מזומן ללכת לאותה העת ולא יתעכב או יהיה פירושו שמנהגו ללכת בכל עת בשנה למדבר הנזכר וענינו כמו רגיל ויודעי בינה לעתים כאשר פירשו רז״ל שהיו מחשבי עבורי השנים ויודעי העתים הם אנשי המזלות. ופי׳ אחר שומר מצוה לא ירצה לדעת דבר רע. וענין עת ומשפט דבק עם הפסוק שלאחריו: (ו) כי לכל. ידע החכם כי לכל חפץ יש עת ולא יוכל להלחם עם איש שהשעה משחקת לו וענין כי רעת האדם אע״פ שידע כי עת לכל חפץ ולא ידע מתי תגיע העת וזו רעה רבה: (ז) כי איננו. לא ידע מה יהיה ואם ידע ידע דברים על דרך כלל או נסיונות שנסה מי יגיד לו בפרט

מצודת ציון

בענין רע: (ה) ומשפט. ענין מנהג כמו ומשפט הכהנים (ש״א ב): (ו) כי. כאשר: רעת. ענין מחשבה כמו בנתה לרעי (תהלים

מצודת דוד

(ה) ועת ומשפט. ר״ל אם אמנם אין לשמוע לעבור על אחת ממצות ה׳ אין כל העתים שוות כי יש עת שהשעה צריכה לכך לעבור על המצוה למען שמוע דבר המלך לעשות גדר ומשמרת וכן יש דבר מנהג המלכות הגוזר על כל אנשי המדינה שמסרהו לשמוע לה ואם היה לעבור על המצוה כי דינא דמלכותא דינא: (ז) כי איננו יודע. ר״ל כי בתחלת המחשבה אין האדם יודע להשכיל מה שיהיה לאחרונה למען דעת ממנו העת והמשפט: כי כאשר יהיה. ר״ל ואף אם ישכיל מה בתחלת המחשבה מדבר שיהיה לאחרונה זהו דרך כלל אבל מי יגיד לו פרטי הדברים כאשר יהיו באמת בעת כיוון כי מחשבת הלב לא תגיד כל זה לאדם בתחלת המחשבה כ״א אחר העמקת המחשבה בעיון רב אז ישכיל ויבין את כל אלה ולפיכך יוכל לדעת העת והמשפט:

קיצור אלשיך

הפכיית אל היושר יפרשו מעבוד אלהים ע״כ אסרם יתברך בשבועה ויהיה השכר אמונה עד עוה״ב, כי דע איפה כי כל הסברות אלו שקר הנה כ״א הכל בהשגחה פרטית מאתו יתברך והראיה (ה) כי שומר מצוה לא ידע דבר רע והוא כי ימצא איש נגזר עליו מיתה משונה ויעשה מצוה שלא במתכוון ותנצל נפשו ואין השגחה גדולה מזו נגד הוברי שמים כמעשה דבת ר׳ עקיבא שאמרו לו האצטגנינים כי בליל חופתה תמות ומצאה בבקר מחט תכשיטיה תחובה בראש נחש בריח ואמרה לה אביה מה עשית וסיפרה לו כי בא עני ושאל פת לחם ולא היה שום אדם משגיח עליו קמה היא מחופתה ונתנה לו לאכול יצא ר״ע ודרש וצדקה תציל ממות וכעובדא דשמואל ואבט ובזה יפלו בנופלים כל אותן הסברות וז״א שומר מצוה לא ידע דבר רע, ושמא תאמר עדיין אין ראיה מזה רק כי לא מסר הקב״ה ההנהגה למזלות כ״א בהשגחה שהרי ע״י מצוה שודד המזל. אך אולי לא על חטא נגזרה מיתה על האיש ההוא כ״א ע״פ עת לידתו נמשך שבעת פלוני ישכנו נחש וכיוצא המאורעות רעות ונתבטלו ע״י המצוה, הנה אשר הוא חכם יודע כי נוסדו יחד עת ומשפט עת המזל ומשפט עונו, וזהו ועת ומשפט שהוא היות עת ומשפט יחד ידע לב חכם, ושמא תאמר הלא העון המחייב את האיש תלוי בבחירה והעת תלוי בתנועת הגלגל ואיך יפגעו יחד ברגע אחד, לזה אמר (ו) כי לכל חפץ, היא לכל בחירת האדם להתחייב יש עת ומשפט יחד. כי בעת שהמזל מחייבו הוא צודק עם המשפט, וש״ת אם זה חטא ימים או עשור קודם עת גזרת המזל איך יבואו יחד בעת ההיא לז״א דע כי האדם נדון ע״פ הרוב אם רבו העונות על הזכיות, וזה אומרו כי רעת האדם רבה עליו כי לכל יש עת ומשפט והוא כאשר רעתו רבה עליו, כי הוא יתברך מאז כונן שמים הבין את כל מעשיהם ויכונם באופן יצדקו גזרותם עם המשפט, וזה אומרו ועת ומשפט ידע לב חכם, רומז על הקב״ה כי הוא יודע ליחד עת עם משפט, ושמא תאמר א״כ אם כח המצוה כ״כ גדול כמו שדרש ר׳ עקיבא כי מצות הצדקה מצלת אף ממיתה עצמה, א״כ לא ימותו אנשים לעולם, כי בעת שיקרבו ימיו למות יעשה צדקה וינצל ממות, שנית אחרי שיודע הקב״ה כי האדם יעשה מצוה ויבטל הגזרה למה סדר הקב״ה שפיטת המזל הרע ההוא, לזה אמר (ז) כי איננו יודע מה שיהיה, כי הם ב׳ דברים, א׳ שהוא פתאומי ולא כמות הטבעית הידוע, ב׳ כי יותר זכות היא העושה מצוה מעצמו על מה שלא ידע, שהוא מאהבה למכוון לזו סן חייו שהוא מיראת המות, ועוד אמר כי כאשר יהיה מי יגיד לו כ״א לא היתה

are You doing?" 5. Whoever keeps the commandment shall know
no evil thing, and the heart of a wise man knows time and justice.
6. For every desire has a time and judgment, when the evil of man
is great upon him. 7. For he knows not what

5. **Whoever keeps the commandment shall know no evil thing**—as a rule.—[*Ibn Ezra*] The *Targum*, however, renders: A man who keeps the commandment of the Lord will know no evil thing in the World to Come.

and the heart of a wise man knows time and justice—*The wise man knows that there is a set time for the punishment of the wicked, and there are judgments before the Holy One, blessed be He, with which He will ultimately recompense them.* מִשְׁפָּט *is justize in Old French, and that refers to the punishment.*—[*Rashi*]

Mezudath David renders: and the heart of a wise man knows time and custom. He explains: Although it is indeed true that one may not obey a king to transgress one of God's commandments, not all times are alike. There are times when one must transgress a commandment in order to obey the king's order in order to make a fence and a safeguard. Likewise, there is sometimes a custom, which the kingdom decrees upon all its subjects, which is proper to observe although it negates a commandment, for the law of the kingdom is the law. [This refers to a Jewish kingdom with the power of the Sanhedrin in the case of necessity to safeguard the law.]

Sforno explains: One who contemplates and studies a commandment will not find anything bad in it, i.e., no lack of purpose, and a wise man's heart knows the time and the reason, i.e., the time the commandment is to be observed and the reason it was commanded.

6. **For every desire has**—*When a person executes his desire and transgresses the Law, there is a time to exact retribution upon him, and justice and punishment are ready.*—[*Rashi*]

when the evil of man is great upon him—*When the evil of man is great and his measure is heaped up, then his punishment arrives;* כִּי *is used as an expression of "when," like* (*Exod. 18:16*): *"Whenever they have a concern, it comes to me."*—[*Rashi*]

7. **For he knows not what will be**—*When the wicked man commits a transgression, he does not put his heart to* [the prospect] *that the Holy One, blessed be He, is destined to bring him to judgment, and woe is to him because of that.*—[*Rashi*]

שֶׁיִּהְיֶה כִּי כַּאֲשֶׁר יִהְיֶה מִי יַגִּיד לוֹ׃ ח אֵין אָדָם שַׁלִּיט
בָּרוּחַ לִכְלוֹא אֶת־הָרוּחַ וְאֵין שִׁלְטוֹן בְּיוֹם הַמָּוֶת וְאֵין
מִשְׁלַחַת בַּמִּלְחָמָה וְלֹא־יְמַלֵּט רֶשַׁע אֶת־בְּעָלָיו׃
ט אֶת־כָּל־זֶה רָאִיתִי וְנָתוֹן אֶת־לִבִּי לְכָל־מַעֲשֶׂה
אֲשֶׁר נַעֲשָׂה תַּחַת הַשָּׁמֶשׁ עֵת אֲשֶׁר שָׁלַט הָאָדָם

הו"א עת אשר שלט האדם וגומר. זוהר פ׳ שמיני:

תרגום

עֲלוֹהִי אֲרוּם בְּעִידָן דִי יְהֵי
רַעֲוָא מִן קֳדָם יְיָ לְאַבְאָשָׁא
לֵיהּ מַאן הוּא דִי יְחַוֵי לֵיהּ׃
ח אֵין לֵית אֱנָשׁ דְיִשְׁלוֹט בְּרוּחַ
נִשְׁמְתָא לְמִמְנַע יַת נִשְׁמְתָא
דְחַיֵי בְּגִין דְלָא יִפְסוֹק מִן גוּפָא
דֶאֱנָשָׁא וְלֵית שָׁלְטוֹנָא בְּיוֹם
מוֹתָא לְשֵׁיזָבָא גְבַר לְחַבְרֵיהּ
וְלֵית מָנֵי זַיְינָא מְסַיְיעָן בִּקְרָבָא וְלָא יְשֵׁזֵיב חוֹב יַת מָרוֹהִי בְּיוֹם דִינָא רַבָּא׃ ט אֶת יַת כָּל דֵין חֲזֵית דִי הֲוָה
בְּעַלְמָא וִיהָבִית יַת לִבְּבִי לְמִדַע יַת כָּל עוֹבָדָא דְאִתְעֲבִיד בְּעַלְמָא תְּחוֹת שִׁמְשָׁא בְּעִידָן דִי יִשְׁלוֹט אֱנָשׁ

רש"י

(ח) אין אדם שליט ברוח. ברוחו ויצרו של שלוחו של מקום לכלוא ולמנוע ממנו את הרוח שבגופו י שלא יטלנו מלאך המות: ואין שלטון. של שום מלך ניכר ביום מותו בכ"מ אתה מוצא והמלך דוד וביום מותו (מלכים א׳ ב א) ויקרבו ימי כ דוד למות ולא הוזכר המלכות כאן: ואין משלחת במלחמה. ל לאמר אשלח בני או עבדי במקומי: (ט) את כל זה ראיתי. ונתון את לבי לכל מעשה. וגם לכל מעשה בני אדם נתתי את לבי וראיתי עת אשר שלט אדם בחבירו וגבר עליו וסופו נהפך לרעתו עמלק נתגבר על ישראל וסופו (במדבר כד כ) ואחריתו עדי אובד. וכן

שפתי חכמים

דברת ואלא דברת כו׳ כלו׳ אלא שבועת י"י אשמור פי המלכים אבל אם יעבירוני לא אשמור פיהם: י דק"ל ברוח ל"ל הל"ל אין אדם שליט ברוח לכלוא איתו. לכ"פ דהרוח קמא קאי על רוחו של שלוחו של מקום ורוח בתרא קאי על רוח שבגופו: כ במדרש רבות קרוב לחמשים ושפים פעמים כתיב והמלך דוד כיון שנכנס למות כתיב ויקרבו ימי דוד: ל דק"ל הרי לא במלחמה משתעי הכא לכ"פ במלחמה זו כו׳:

אבן עזרא

כאשר יהיו הדברים: (ח) אין אדם. ואילו היה יודע מתי ימות מה יועילנו כי אין אדם שיש לו יכולת לכלוא את הרוח וזה הפסוק יורה שהרוח דומ׳ לאסור בבית כלא כאשר הבלתי בההלת דברי: ואין שלטון. לא תועיל המלכות למלך ולא הנשק המוכן למלחמה. ומשלחת כמו נשק וכמוהו וחיתו מתכור בשלה ועניינו משלחת המלחמה. ויש מפרשים במלחמה מלחמת המתכונת השומרת הגוף עד עת קץ עם החלי הנכנס בגוף ואם תחלש המתכונת ימות בן אדם. ופירוש רשע רוב התנועה והגלוה כענין והוא ישקיט ומי ירשיע ובכל אשר יפנה ירשיע. ויש מפרשים שהוא ממון שרובו הוא תקובץ מרשע: (ט) את כל זה. עודנו בענין להזהיר הככם שלא ימרה פי המלך והוא שאני ראיתי אחר שנתתי לבי עת ששלט האדם באדם כמוהו לרע לו ועשה רע לו וזה הענין

ספורנו

(ח) הנה אין אדם שליט ברוח לכלוא את הרוח. אחר שהתחיל הקלקול בהיות יצרו תקפו לא יוכל להזהר: ואין שלטון ביום המות. לא יוכל הכח השכלי להתקומם ולנצח את התאוה ביום קלקול העבירה וההפסד בה: ולא ימלט רשע את בעליו. הנה החרדה אל הממון והכיליות בו יקרא רשע. אמר שאפילו הכיליות והקמציות לא ימלט את הכילי מהתגברות המתאוה באשר התחיל להכשיל אע"פ שיניעהו מזה רב הפסד ממון: (ט) את כל זה ראיתי. בנסיון: ונתון אל לבי את כל אשר נעשה תחת השמש. מן המין המוכר וראיתי שלפעמים יהיה איזה פועל נראה טוב או בלתי רע ועם זה יהיה סבת קלקול רב: עת אשר שלט האדם באדם לרע לו. כי אמנם השלטנות נראה דבר טוב בלי ספק בכל מקום יהיה לפעמים סבה לרע לזה השליט להביא עליו

מצודת דוד

(ח) שליט ברוח. אינגו מושל על רצון שליח המקום הבא ליטול את הנשמה כי לא יוכל לכלא את רצונו לכלוא את הנשמה בתוך הגוף לבל יוכל לקחתה: ואין שלטון. אין הממשלה מועלת ביום המות להציל את ידם מן המיתה: ואין משלחת במלחמה. כנשק המוכן בעת המלחמה אין מועיל להציל מן המות: ולא ימלט רשע. הההדרס והבלבול מה שבעל זרוע מחריד ומבלבל את העומד עליו הההדרס הסיא לא ימלט את בעליו מיד שליח המקום הבא לקחת את הנפש: (ט) את כל זה. המאמר למטה כל המעשה אשר נעשה ראיתי בעיני ושמתי לבי עליהם להבינם:

מצודת ציון

קלם): רבה. גדולה: (ח) ברוח. ברצון: לכלוא. מל׳ בית הכלא ומאסר: ברוח. ענינו נשמת רוח האדם: משלחת. ענינו נשק וכלי זיין כמו ויעש שלח לרוב (דה"ב לב): רשע. ענינו חרדה ובלבול כמו

קיצור אלשיך

העת גזרת הרע ההוא לא היה ניכר הנס כי כאשר יהיה מי יגיד לו, אך עתה בהבטל הגזרה ידע הדבר ויכיר הנס וגודל זכות המצוה כאשר ידע רבי עקיבא הגזרה לפי העת וראה המעשה ויצא ודרש ויהלל את ה׳ בקהל רב:

(ח) אין אדם שליט ברוח לכלוא את הרוח, הנה ספר העקרים שולל הנהגת המזלות מזה העולם בראיות ברורות, הא׳ אם המזל הוא המושל למה כאשר יש דבר בעיר ימותו אנשים אין מספר, והיתכן כי איש לא נעדר מכל המתים במגפה כקטן כגדול אשר לא תם לחות שרשו ומדת ימיו לפי מזלו ולמה ימותו, ולשמא תאמר אולי מזל הרוב הכריח את המיעוט למות גם הם כאחיו, ע"כ הביא עוד ראיה שנית מהמלחמה, כי אם יחייב מזל המלך שהוא איש אחד לפול למה יפלו עמו מחילו ועמו אלפים ורבבות אשר עדיין לא הגיע זמנם ליאסף, ולמה יתבטל שפיטת המזלות של מרובים בשביל מזל של אחד, אך אין ספק שהכל בידי שמים, עוד מענה כתב הרמב"ם ז"ל בפ׳ ח׳ משמונה פרקיו של מסכת אבות הלא הוא כי אם הכל תלוי במזל בהחלט חלילה א"כ תבטל התורה והמשפט, כי יצא משפט מעוקל, דהיינו כי יזיד איש על רעהו להרגו בערמה, כי הלא יפטור את עצמו מן הדין באמור אם איש הרגתי לפשעי לא פשעי ולא חטאתי כי המזל הכריחני כי נולדתי במזל אשיד דמא והאיש המוכה נולד במזל ימות בחרב, והדין עמו, כי אנוס רחמנא פטריה, והנה אחשוב כי הטענות האלה אמרם שלמה במקראות האלה, א׳ אין אדם שליט ברוח החיות שלו לכלוא את הרוח ולסגור אותו שלא יצא ממנו וחי לעולם אבל על כרחו הוא מת בבא קצו, ואין שלטון ביום המות לדחות את המות למחרתו רק מתי שיבא יום פקודתו ימות, ואין משלחת [המלטה והצלה] במלחמה, ר"ל ומלבד יום מותו המיועד לו ובטרם יגיע עוד קצו איננו חפשי להמלט מכל המקרים רעים שבעולם, אם במלחמה ירד ונספה או מקרה אחרת תהרגנו עוד בטרם יבוא יומו, ולא ימלט רשע את בעליו, ולא יוכל אדם להמלט בטענתו שמזלו הכריחו לחטוא, כגון שנולד במזל מאדים ע"כ הוא שופך דמים, הרשע הזאת לא ימלטנו שלא יענש, כי אמרו חז"ל האי מאן דבמאדים יהי׳ טבחא או מוהלא. ואמר (ט) את כל זה ראיתי לשאול ונתתי את לבי לחשוב ולהשגיח על כל מעשה אשר נעשה תחת השמש עת אשר שלט האדם באדם, לרע לו,

להשולט

will be, for how it will be, who will tell him? 8. No man controls the will [of God's messenger] to retain the spirit, and there is no ruling on the day of death; neither is there discharge in war, nor will wickedness save the one who practices it. 9. I saw all this, and I applied my heart to all the work that is done under the sun, a time that a man ruled

for how it will be—*the punishment. Who will tell him to confer with him and to take counsel with him and to ask permission, for it will suddenly befall him.*—[*Rashi*]

Mezudath David explains:

For he knows not what will be—i.e., at the beginning of one's thought, a person cannot discern what the end will be in order to know the time and the judgement.

for how it will be—Even if he knows how the matter will end, that is only the general result, but who will tell him the exact nature of the effects of an act? A person will be able to know this only after deep deliberation.

Isaiah da Trani explains: I exhort you to keep the command of the king because the evil of man is great upon him. A person does not know what is in store for him, for when evil comes, who can foretell what will befall him?

8. **No man controls the will**—*the spirit and the inclination of the agent of the Omnipresent, to retain and to withhold from him the spirit in his body, that the angel of death should not take it.*—[*Rashi*. See *Mid. Zuta*]

Ibn Ezra and *Isaiah da Trani* explain: No man rules over the spirit to retain the spirit, for the spirit is spoken of as imprisoned in the body.

and there is no ruling—*of any king discernable on the day of his death. Everywhere* [in Scripture] *we find mentioned, "King David," but on the day of his death it is written,* (*I Kings 2:1*): *"And the days of David drew near that he should die." No kingship is mentioned here.*—[*Rashi* from *Mid. Zuta*]

Mezudath David explains: No ruling avails on the day of death to save oneself from death.

neither is there discharge in war—[In] *this* [war], *saying, "I will send my son or my servant in my stead."*—[*Rashi* from *Mid. Zuta]*

Mezudath Zion defines מִשְׁלַחַת as being derived from שֶׁלַח, *sword*, as in II Chronicles 32:5. Accordingly, *Mezudath David* explains: Weaponry prepared for war is of no avail to save one from death. This derivation is also suggested by *Ibn Ezra* and *Isaiah da Trani*. The latter explains: Weapons never help to win a war, for victory is designated by Heaven.

nor will wickedness save the one who practices it—This translation follows the *Targum*. *Ibn Ezra* also quotes others who explain: No money, most of which has been acquired through wickedness, will save its master. He himself renders: No motion or victory will save the

בְּאָדָם לְרַע לוֹ׃ י וּבְכֵן רָאִיתִי רְשָׁעִים קְבֻרִים וָבָאוּ וּמִמְּקוֹם קָדוֹשׁ יְהַלֵּכוּ וְיִשְׁתַּכְּחוּ בָעִיר אֲשֶׁר כֵּן־עָשׂוּ גַּם־זֶה הָבֶל׃ יא אֲשֶׁר אֵין־נַעֲשָׂה פִתְגָם מַעֲשֵׂה הָרָעָה מְהֵרָה עַל־כֵּן מָלֵא לֵב בְּנֵי־הָאָדָם בָּהֶם לַעֲשׂוֹת

תו"א ובכן ראיתי רשעים קבורים ובאו. גיטין נו זוהר פ' וישב ו אשר אין נעשה פתגם מעשה הרעה. פקידה שער ג פקרים עד פי"ב:

תרגום בֶּאֱנָשׁ לְאַבְאָשָׁא לֵיהּ׃ י וּבְקוּשְׁטָא חֲזֵית חַיָּבַיָּא דְאִתְקְבַרוּ וְאִשְׁתְּצִיאוּ מֵעָלְמָא מֵאֲתַר קַדִּישׁ דְּצַדִּיקַיָּא שָׁרָן תַּמָּן וַאֲזָלוּ לְאִיתּוֹקְדָא בְּגֵיהִנָּם וְאִתְנַשְׁיָן מִבֵּין יַתְבֵי קַרְתָּא וְהֵיכְמָא דַעֲבָדוּ אִתְעֲבִיד לְהוֹן אַף דֵּין הֶבְלוּ׃ יא אֲשֶׁר וּמִן בְּגְלַל דְּלֵית מִתְעֲבִיד פִּתְגָם בִּישׁ פּוּרְעֲנוּת רַשִׁיעָא בִּפְרִיעַ עַל עוֹבָדֵיהוֹן בִּישַׁיָּא בְּגִין כֵּן

שפתי חכמים / רש"י

ם דק"ל וכי יש רשעים קבורים בחיים ומסכנים לכ"פ שהיו רחוקים פרעה וכן נבוכדנאצר וכן סנחריב: (י) ובכן. ואז: ראיתי רשעים קבורים. בנבואה זו ראיתי רשעים קבורים. שהיו ראוים להטמן בעפר שהיו נבזים בין שאר אומות שנאמר עליהם (ישעיה כג יג) זה העם לא היה ושלטו בביתו של הקב"ה שהוא מקום קדוש ובלכתם משם אל ארצם היו משתבחים בעירם אשר כך וכך עשו בביתו של מקום אל תקרי וישתכחו אלא וישתבחו כך דרשוהו רז"ל ולענין השכחה כך נדרש באגדה וסופם שישתכח שמם וזכרם מן העיר עצמה אשר כן עשו בה שנאמר (יואל ד ב) וקבצתי את כל הגוים אל עמק יהושפט במקום שניאצו לפניו יפרע מהם וכן הוא אומר (תהלים עג כ) ה' בעיר צלמם תבזה: גם זה. אחד מן ההבלים שנמסרו לעולם לייגע את הבריות שאין הקב"ה ממהר להפרע מעושי הרעה והבריות סוברים אין דין ואין דיין: (יא) אשר אין נעשה פתגם. משפט מעשה הרעה מהרה שאין הקב"ה ממהר להפרע מעושי הרעה וע"כ

ספורנו

חמאה גדולה כמו שקרה למצרים בממשלתם על ישראל: (י) ובכן ראיתי רשעים קבורים. ראיתי רשעים שהם מתים בחייהם: ובאו. מן המלחמה אל עירם: וממקום קדוש יהלכו. כענין סנחריב ומיטוס: וישתכחו בעיר אשר כן עשו. כמו שעשה סנחריב באמרו הנה אתה שמעת את כל אשר עשו מלכי אשור לכל הארצות להחרימם וכן טיטוס כמו שספרו רז"ל: גם זה. השבח שהשתבחו בו: הבל היה דבר בלתי תכלית נחשב וגרם להם הפסד בעול' הזה ובעולם הבא: (יא) על אשר לא נעשה פתגם עונש של מעשה הרע מהרה. והטעם שהרשעים העיזו פניהם לעשות הרע ולהשתבח בו הוא על שלא בא עונש העבירה תכף: על כן מלא לב בני האדם בהם לעשות רע. בחשבם שלא יקרה להם עונש וזה בראותם אשר חוטא עושה רע מאת ומאריך לו. בלי שום עונש והושבים שאחר המות אין עונש כלל:

אבן עזרא

דבק עם כי לכל חפץ יש עת ומשפט: (י) ובכן. המפרשים השתבשו בפסוק הזה יש מפרש קבורים שמורים בארמונם ויפרשו ובאו ויהלכו שיעשו רצונם. ויפרשו וישתכחו מתרגום וימלאו. ואחרים אמרו כי ובאו נעלמו כמו ובא השמש גם זה איננו נכון כי לא ימלא זה הענין כי אם בשמש בעבור היותו הפך יצא וכן הוא אומר השמש יצא על הארץ ומפרשים אמרו בא בשכרו שהוא כמוהו ואיננו כן רק בא לו זה הדבר שלא ישולם לו בעבור שכרו וכן טעו פייטנים רבים שאמרו מאורה וישלימו קומי אורי כי בא אורך ודבריהם סותרין זה את זה אם לא ישלימו הפסוק וזה פירושו קומי אורי כי נעלם אורך הקדמון וזרח עליך כבוד ה' וכן יפרש לא יהיה לך עוד השמש לאור יומם וזה פירוש הפסוק ובכן כמו תרגום אז. והענין כשנתתי את לבי אז ראיתי רשעים שמשלו באדם והרעו להם מתו בלא יסורין קבורים בקברם כענין כי אין חרצובות למותם. ובאו לעולם שנית והענין שיבואו בניהם ויעמדו במקומם ויעמוד זכרם ואשר ממקום קדוש יהלכו והענין כי הקדושים שימותו בלא בן וישתכחו בעיר שהיו שמה והם אשר עשו כן האמת כמו כן בנות צלפחד דוברות. תמה איך נכרת זכר הצדיק ונשכח כל טוב שעשה והרשע מת בשלוה והניח בנים במקומו גם זה הבל: (יא) אשר. בעבור שלא נעשה דבר נקמה ותשלום ותגמול על מעשה הרעה מהרה על כן מלא לב בני האדם הפך

מצודת ציון

ובכל אשר יפנה ירשיע (ש"א יד): (י) ובכן. ואז כמו ובכן אבוא אל המלך (אסתר ד): וישתכחו. מל' שכחה: כן. ענינו אמת וראוי כמו כן בנות צלפחד דוברות (במדבר כז): (יא) פתגם. ענינו כמו דבר

מצודת דוד

תחת השמש. ר"ל בזה העולם: עת. וכנה ראיתי ושכנתי אשר הזמן היא שבני האדם שולטים זה על זה לעשות רעה זה לזה על כי היכולת נתון ביד הרוצה להרע אל הזולת: (י) ובכן ראיתי. ואז ראיתי במופלים רשעים שהיו בשפל המצב ובני אדם חשבו שלא יוסיפו עוד לקום ולחזור לקדמותן כאלו כבר היו קבורים בארץ: ובאו. ועם"כ כאלו חזרו ובאו מקברם ושבו לקדמותן: וממקום קדוש יהלכו. והצדיקים המתהלכים ממקום קדוש אשר כל דרכם מקדושה לקדושה: וישתכחו בעיר. והם כאשר נפלו לא קמו עוד ונשתכחו מן הלב בעיר עצמה אשר עשו בה האמת והראוי: גם זה הבל. ר"ל אף שבזה יש מה מן התועלת כי בהיות כן יש שכל הרבה לאוחז במעשי הצדק בראות תקומת הרשעים אחרי נפלם ואבדן הצדיקים הנה עכ"ז להבל יחשב וכמו שמפרש במקרא שלאחריו: (יא) אשר אין נעשה. עתה יפרש למה נחשב להבל ואמר כי בעבור שלא נעשה בו דבר השלום גמול מעשה הרעה כי עודו חי לא נעשה מהרה הרעה לזה נתמלא מחשבת לב בני

קיצור אלשיך

להשולט, שע"י הרעה שרצה לעשות לאחרים נאבד הוא עצמו, ד"מ ענין המן, שע"י ששם אחשורוש את כסאו מעל כל השרים ע"כ ערב את לבו לבקש להשמיד את כל היהודים, וע"י זה היה מפלתו הגדולה, וזה לא היה ע"י הוראת הכוכבים, כי אין המזל מרים את האדם מעלה מעלה וכרגע יורידהו מטה מטה, כי דרך המזל לרומם או להשפיל לאט לאט, כי רק הכל מאתו יתברך. (י) ובכן ראיתי רשעים אשר היו קבורים שבו ובאו עוד פעם בעולם ונתגלגלו נשמתם בגוף אחר כדי לתקן הנשמה שקלקלה בגוף הראשון ובמקום שהיה להם לתקן עוד קלקלו יותר, כי הנה ידוע כאשר יחטא איש מתחיל לפרוש עצמו ממקור הקדושה וכל מה שהוא הולך וחוטא הוא הולך ומתפרד יותר שורש נפשו מהקדושה וע"כ הוא הגלגול לחזור להתקרב אל הקדושה בשובו פה לתקן את אשר עות, ואמר שראה רשעים שאחר שמתו והיו קבורים ובאו בגלגול אל העולם הזה ובמקום שהי' להם לתקן ולהתקרב אל הקדושה אדרבא יוסיפו לחטוא וממקום הקדוש יהלכו ויפ שו ממנו ומי גרם להם רעה זו הוא כי אלו בבואם שנית היו זוכרים מעשיהם הרעים שעליהם שבו לתקנם היו מתקנים, אך הנה וישתכחו בעיר הוא בבואם אל עיר קטנה היא הגוף אשר כן עשו בראשונה כמעשיהם אשר הם עושים עתה א"כ גם זה הבל שאינו תקון בטוח לכל. (יא) אשר אין נעשה וגו'. הנה התכונה הרעה אשר בלב האדם הולכת ומתקבצת בלבו מעט מעט בהדרגה, היום אומר לו עשה כך ולמחר אומר לו עשה כך עד שמעט מעט מתקבצים חלקי הרע עד אשר מלא לב בני אדם בהם לעשות כל רע בהחלט, פתגם מעשה הרעה הנקובה בהחלט בשם מעשה רעה זה אין נעשה מהרה פתאום

over [another] man for his [own] harm. 10. And so I saw the wicked buried, and they came , and from the place of the Holy One they go away, and they will be forgotten in the city that they did so; this too is vanity. 11. Because the sentence of the deed of evil is not executed swiftly; therefore, the heart of the children of men is encouraged to do

one who practices it. *Mezudoth* renders: No terror will save the one who practices it. He will not be able to frighten the messenger of the Omnipresent who comes to take his soul.

The *Targum* renders: There is no man who rules over the spirit of the soul to restrain the spirit of life so that it should not leave the body of a person, and there is no ruling on the day of death, so that a person can save his friend, and there are no weapons that help in battle, and wickedness will not save its master on the day of the Great Judgment.

9. **I saw all this**—*mentioned above.*—[*Rashi*]

and I applied my heart to all the work—*And also to all the work of the children of men I applied my heart, and I saw the time that a man ruled over his companion and overpowered him, and it ultimately turned to his own harm. Amalek overpowered Israel,* (*Num. 24:20*): "*and his end will be that he will be lost forever.*" *So it was with Pharaoh, so with Nebuchadnezzar, and so with Sennacherib.*—[*Rashi*]

Mezudath David explains: I saw all this—mentioned below. All the work that is done I saw with my eyes, and I laid my heart to understand it.

under the sun—i.e., in this world.

a time—Behold I saw and understood that it is now the time when men rule over each other to harm one another, for the ability is given into the hand of one who wishes to harm his fellow. *Ibn Ezra* explains that this verse refers back to the warning to keep the command of the king. Here he goes on to say that it is important to obey the king because there is a time that one person rules over another to harm him.

10. **And so**—*and then.*—[*Rashi*]

I saw the wicked buried—*In this prophecy, I saw wicked men buried, who were fit to be hidden in the dust, for they were despised among the nations, about whom it is said* (*Isa. 23:13*): "*this people has never been,*" *and they ruled over the Temple of the Holy One, blessed be He, which is a holy place, and when they went from there to their land, they boasted that they did such and such a thing in the Temple of the Omnipresent. Do not read* וְיִשְׁתַּכְּחוּ, *and they will be forgotten, but* וְיִשְׁתַּבְּחוּ, *and they will boast. So did our Rabbis of blessed memory expound it* (*Gittin* 56b). *Concerning the forgetting,* [i.e., the legitimate wording of the verse], *it is expounded as follows in the Aggadah*

רע: יב אשר חטא עשה רע מאת ומאריך לו כי
גם־יודע אני אשר יהיה־טוב ליראי האלהים אשר
ייראו מלפניו: יג וטוב לא־יהיה לרשע ולא־יאריך
ימים כצל אשר איננו ירא מלפני אלהים: יד יש־
הבל אשר נעשה על־הארץ אשר | יש צדיקים

הנ"א מאת ומאריך לו. עקידה שער ג: אשר יהיה טוב ליראי האלהים. עקידה שער מב: וטוב לא יהיה לרשע ולא יאריך ימים קדושין לט: יש הבל אשר נעשה על הארץ. הוריות י׳ זוהר פרשת בראשית ופ' במות בשני מקומות:

אתגלי לבא דבני אנשא בהון למעבד ביש בעלמא הדין: יב אשר ובזמן דחייבא יעביד ביש מאה שנין ומן קדם יי אתיהיבת ליה ארכא בגין דיתוב ארום אתגלי ליה ברוח קודשא וידעית אנא דיהי טב לעלמא דאתי לדחליא דיי דדחלין מן קדמוהי ועבדין רעותיה: יג וטוב וטב לא יהי לרשיעא ולא יהי ליה ארכא לעלמא דאתי ובעלמא הדין יתקטיעון יומי חיוהי ויערקון ויתלפון כטללא בגין דליתוהי דחיל מן קדם יי: יד יש אית הבלו דאתגזר למהוי מתעביד על אפי ארעא דאית צדיקיא דמטי להון ביש כאילו אינון עבדין כעובדי חייביא ואית חייבין דמטי להון טב כאילו

רש"י

הם סוררים אין דין ומלא לבם בקרבם לעשות רע: (יב) אשר חטא וגו'. לפי שרואים שהחוטא עושה רע מאת אלפים וריבואות ומאריך לו הקב"ה ואינו נפרע ממנו: מאת. מקרא קצר ודבוק לפניו לומר מאת ימים מאת שנים מאת אלף וכן (ישעיה נא כא) ושכורת מקרא קצר וחסר שכורת כעס ולא מיין כשאר שכרות: כי גם יודע אני. כי אף בכל זאת שאינו ממהר להפרע מן הרשעים ולהיות הפרש בין צדיקים לרשעים יודע אני בסוף כל אחד ואחד ליטול שכרו וליראיו יהיה טוב. (יג) וטוב לא יהיה לרשע. לפי אשר איננו ירא לפני האלהים: (יד) יש הבל. דבר המהביל את הבריות: אשר יש צדיקים. שמגיע אליהם רעה כמעשה הרשעים ויש רשעים שמגיע

אבן עזרא

בנפשם לעשו' רע כי סר הפחד מהם: (יב) אשר חטא. כי יראו חוטא אחד יעשה רע מאת פעמים ומאריך לו האלהים אע"פ שידעו המבינים בבני אדם וגם יודע אני אשר יהיה טוב ליראי האלהים ואם לא היה מהרה: (יג) וטוב לא יהיה לרשע. באחריתו ויש מהם שלא יאריך ימים כצל ובעבור היות רשע לענינים רבים פירש שזה הרשע הוא אשר איננו ירא מלפני האלהים: (יד) יש הבל. מתחלת זה הפסוק הבל אשר נעשה על הארץ אשר יש צדיקים אשר מגיע אליהם כמעשה הרשעים.

ספורנו

(יב) כי גם יודע אני אשר יהיה טוב ליראי האלהים. ואמרתי שמאריך לו אבל לא ינקה כי אמנם ידעתי שליראי האלהים יהיה טוב מוחלט לחיי עולם. (יג) וטוב לא יהיה לרשע. ושל רשע לא יהיה שום טוב נחשב אבל יהיה גמול גרוע: ולא יאריך ימים כצל. ועם זה יהיה אותו הגמול הגרוע זמן מועט כזמן הצל: אשר איננו ירא מפני האלהים. והטעם שהגמול שיהיה לו יהיה דבר גרוע ובזמן מועט אע"פ שיבואהו בשביל איזה פועל טוב שעשה הוא כי אמנם אותו הפועל הטוב הוא כמו כן דבר גרוע מאחר שאינו ירא אלהי' ויהי' הפועל ההוא שלא לשמו: (יד) יש לקנות שם רע בהמון כמו שיקרה

מצודת דוד

האדם בקרבם לעשות רע בהושב' שאין השגחה ואין דין: (יב) אשר חוטא. גם בעבור כי יראו אשר חוטא אחד עולם ועושה רע מאה פעמים והאלהי' מאריך לו אף ואינו משלם לו גמול והרשע כזה המאבד נפשות רבות לא יתכן כ"כ בעיני הבריות שהמקום יאריך לו אף וכאשר התלונן איוב באמרו מעיר מתים ינאקו כו' (איוב כד): כי גם יודע אני. כאומר לא יחשוב מי באני כאחד מהם בעבור זה גם לדי דברי מלאה נעשו את רע כי לא כן הוא כי כמו שהמשכילים המבינים דרכי ה' יודעים אמת שדבר כן גם אני יודע אשר בעולם הנצחי יהיה טוב רק ליראי האלהים ובגמול אשר ייראו מלפניו: (יג) וטוב לא יהיה לרשע. בעולם הנצחי לא יהיה טוב לרשע ומשר יוכרת נפשו ולא יאריך שם ימים ויהיה כצל הזה שאינו מאריך להיות במקום אחד כי משר ינטה ממקומו על ידי נטיית השמש: אשר איננו. זה יהי' לו בגמול אשר איננו ירא מלפני אלהים: (יד) על הארץ. בזה הפול': כמעשה הרשעים. מה שהיה ראוי להגיע אל הרשעים על מעשיהם:

קיצור אלשיך

פתאום בבת אחת, שאם היה פתגם מעשה הרעה נעשה כלו בבת אחת לא היה שום אדם ממלא לבו ממנו כי איך יתכן לאדם שימלאנו לבו מהרה להעשות רשע גמור פתאום בבת אחת, רק לאשר פתגם מעשה הרעה אין נעשה מהרה זולתי מעט מעט הוא מתקבץ עד שתתמלא בלב האדם בבלי ידיעתו להשמר בעת ומשפט להיות רואה את הנולד ולא יניח אותו עד שיתקבץ כלו. ופשוטו של ענין הוא מדבר על אשר דין ועונש העבירות אין נעשה בעולם הזה מהרה, רק מניחים העונש עד לאחר מותו, ע"כ מלא לב בני האדם לעשות רע, כי היצה"ר מוצא מקום לפתות את האדם לחטוא, ושמא תאמר כי פתויי היצר אינו כלום כי מה שמאריכין לו הוא אולי ישוב כי הבחירה חפשית, הלא נגד זה יש טענה כי אילו היה עובר עבירה פעם אחת ושתים הלא יש תקנה שישוב טמנה, אך (יב) אשר חטא עשה רע מאת, מאת פעמים, חוטא כזה לא ישוב עוד מהרע כי נעשה לו כהיתר גמור, ועכ"ז מאריך לו הקב"ה ע"כ יתפקרו לעשות הרע, ושמא תאמר הלא גם לזה יש תירוץ והוא כי אם היה הוא יתברך פורע לאלתר היו כל העם רואים ויראים מהעונש ההוא נמצאת עבודתם את ה' מחמת העונש ולא מלפניו יתברך למה שהוא אלהי אמת ע"כ לא יעשה פתגם מעשה הרעה מהרה וע"כ אמר מה שאמרתי שעל שלא נעשה פתגם הרעה מהרה שמלא וכו' לא נעלם ממני תשובה זו שהוא יתברך חפץ יעבדוהו לשמה למה שהוא ה' יתברך שמו לעד ולא מפני היראה כי הלא גם יודע אני תשובה זו שטוב ליראי האלהים שלא ייראו מחמת העונש כי אם מלפניו למה שהוא אלהים אמת אך לא חששתי לזה כי הלא אם תספיק טענה זו יהיה לבל ילקה ביסורין בהעותו אך לפחות גם קוב לא יקבנו גם ברוך לא יברכנו, וזהו (יג) וטוב לא יהיה לרשע לפחות לא יהיה לו רעה וגם לא יהיה לו טוב ולא יאריך לו ימים אשר איננו ירא מלפני אלהים, ושמא תאמר הנה יש תשובה אחרת אל טובות הרשעים בעוה"ז, והוא למען האכילם שכר מצותיהם וילכו נקיים מהם כדכתיב ומשלם לשונאיו אל פניו להאבידו הפך יסורי הצדיקים שהוא למרק אשמותם ויצאו נקיים מעונותם, אך גם זה איננו שוה אל תירוץ זה, כי הלא אילו כל הצדיקים היו בעלי יסורין וכל הרשעים ישבעון טוב החרשתי כי אומר אין זה כי אם חפץ ה' להאכיל לרשעים זכיותיהם בעולם הזה ולמרק אשמות הצדיקים ועל כן לצדיק רע לו פה וייטיב לרשעים, אך מה שאני דואג הוא כי בכל כת יש ב' הדברים, (יד) כי יש צדיקים שמגיע אליהם רעה כמעשה הרשעים, ולא לכולם, כי אם יש, שהוא מקצתם, וכן יש רשעים שמגיע אליהם טובה כמעשה הצדיקים,

אך

evil. 12. For a sinner does evil a hundred [years], and He grants him an extension; but I know too that it will be good for those who fear God because they fear Him. 13. But it will not be well with the wicked, and he will not prolong [his] days, like a shadow, because he does not fear God. 14. There is vanity that is done on the earth, that there are righteous men

(unknown): *and ultimately, their name and their remembrance will be forgotten from that very city, that they did so therein, as it is said* (*Joel 4:2*): *"I will gather all the nations and I will take them down to the Valley of Jehoshaphat." In the place where they angered Him, He will mete out retribution upon them, and so Scripture states* (*Ps. 73:20*): *"O Lord, in the city You will despise their form."*—[*Rashi*]

this too—*is one of the vanities that were given to the world to weary mankind, for the Holy One, blessed be He, does not hasten to mete out retribution upon evildoers, and mankind thinks that there is neither judgment nor Judge.*—[*Rashi*]

11. **Because the sentence of the deed of evil is not executed swiftly**—*The Holy One, blessed be He, does not hasten to mete out retribution upon the evildoers, and therefore, they think that there is no judgment, and their heart is encouraged to do evil.*—[*Rashi*]

12. **For a sinner, etc.**—*because they see that the sinner does evil a hundred thousand and myriads* [of times], *and the Holy One, blessed be He, grants him an extension.*—[*Rashi*]

a hundred—*This is an ellipsis, and it is connected to the words preceding it, saying: a hundred days, a hundred years, a hundred thousand. And so,* (*Isa. 51:21*): *"and drunk* וּשְׁכֻרַת *is an ellipsis, and it is missing* [the word כַּעַס]: *drunk from wrath and not from wine, like other drunkenness.* [See Commentary Digest ad loc.]—[*Rashi*]

but I know too—*For despite all this, that He does not hasten to mete retribution upon the wicked to make a distinction between the righteous and the wicked, I know that each one will ultimately receive his recompense, and that those who fear Him will fare well.*—[*Rashi*]

13. **But it will not be well with the wicked**—*because he does not fear God.*—[*Rashi*]

Mezudath David explains:

[10] **And then I saw**—I saw among the fallen, wicked men who were in such a low state that people thought they would never rise again to return to their former state, and it was as if they were buried in the earth. [e.g., they had lost all their wealth or health, etc.]

and they came—And afterwards, it was as if they returned and came from their graves and returned to their previous state. [e.g., they regained their wealth, etc.]

but those who go from the place of sanctity—but the righteous, who go from the holy place, whose entire path is from one [degree of] sanctity to another....

and they were forgotten in the city—But they, when they fell, no longer arose, and they were forgotten from the heart in the very city in which they did what was proper.

this too is vanity—i.e., This has usefulness, for there is great reward for one who adheres to deeds of righteousness even though he witnesses the rise of the wicked after their fall and the destruction of the righteous. It is nonetheless vanity, as the following verse explains.

[11] **Since the sentence of the deed of evil is not done**—Scripture now explains why it is called vanity. Koheleth explains that because the punishment does not come swiftly, for the wicked receive no punishment for their evil deeds in their lifetimes, people's hearts are filled with the thought of doing evil because they believe that there is no Divine control, and that there is no judgment.

[12] **For a sinner does evil to a hundred**—People also see that one sinner controls a hundred people and does evil to them, yet God grants him an extension and does not punish him. The people cannot fathom how such a wicked man, who destroys so many souls, should be granted an extension from God's wrath, as Job complained (24:12): "From the city people groan, and the soul of the slain cries out; yet God does not impute it for unseemliness."

but I know too—i.e., Let no one think that I am like one of them, who, because of this, also thinks to do evil, for it is not so. For just as wise men understand the truth of the matter, so do I know that in the eternal world, it will be well only for those who fear God.

[13] **But it will not be well with the wicked**—But it will not be well with the wicked in the eternal world, and there they will not last longer than a fleeting shadow.

does not fear God—This will be his as a recompense for his failure to fear God.

Ibn Ezra explains verse 10 to mean that the wicked die a natural death and are buried, but they come back in the person of their sons, but those who come from a place of holiness, viz. the righteous, die without being survived by children, and all the good that they did is completely forgotten.

[12] **For a sinner**—They see that a sinner does evil a hundred times. But the astute, as well as I, know that it will be well with the God-fearing, even though their reward does not come swiftly.

[13] **But it will not be well with the wicked**—in his end, and some will not enjoy longevity, but will be like a fleeting shadow, and since there are many types of wicked men, Scripture specifies: he who does not fear God.

14. **There is vanity**—*which causes people to think foolishly.*—[*Rashi*]

that there are righteous men—*to whom evil happens* [fitting as retribution for] *the deeds of the wicked, and there are wicked to whom good happens* [fitting as reward for] *the deeds of the righteous. I said that this too is one of the vanities that prevail in the world. However, our Rabbis expounded it in a different manner in Tractate Horayoth* (10b), *but to me, it is not explained satisfactorily, according to the line of thought here where the wise man* (Koheleth) *concludes by saying, "This too is vanity."*—[*Rashi*] *Rashi* refers to the interpretation stated in the name of the *Amora* Rava: Fortunate are the righteous to whom it happens in this world like the deeds of the wicked in this world, and woe to the wicked to whom it happens in this world like the deeds of the righteous in this world. This means that it is good for the righteous who enjoy good in this world just as the wicked experience in this world. Thereby, they enjoy both this world and the next. Woe to the wicked who experience troubles in this world like the righteous, who usually experience troubles. Thus, they have neither this world nor the next. *Rashi* does not accept this as the simple meaning of the verse, because of the conclusion: "this too is vanity."

Sforno explains:

There is vanity that is done on the earth, that there are righteous men to whom it happens according to the deed of the wicked—They acquire a bad name among the populace, as happens to a foolish saint (one who carries his piety to inappropriate lengths).

and there are wicked men to whom it happens according to the deed of the righteous—They acquire a good name among the populace, as happens when a cunning wicked man performs meritorious acts to brag about. It also refers to people who feign the "wounds of the pious"—i.e., one who walks very slowly, not lifting his feet off the ground, thus stubbing his toes, and one who keeps his eyes closed when he walks so as not to see women, and subsequently bumps his head on walls. See *Sotah* 20a, 22b.

I said that this—good name, acquired among the populace of fools, is—

vanity—something of no esteem.

אֲשֶׁר מַגִּיעַ אֲלֵהֶם כְּמַעֲשֵׂה הָרְשָׁעִים וְיֵשׁ רְשָׁעִים
שֶׁמַּגִּיעַ אֲלֵהֶם כְּמַעֲשֵׂה הַצַּדִּיקִים אָמַרְתִּי שֶׁגַּם־זֶה
הָבֶל׃ טו וְשִׁבַּחְתִּי אֲנִי אֶת־הַשִּׂמְחָה אֲשֶׁר אֵין־טוֹב
לָאָדָם תַּחַת הַשֶּׁמֶשׁ כִּי אִם־לֶאֱכוֹל וְלִשְׁתּוֹת וְלִשְׂמוֹחַ
וְהוּא יִלְוֶנּוּ בַעֲמָלוֹ יְמֵי חַיָּיו אֲשֶׁר־נָתַן־לוֹ הָאֱלֹהִים
תַּחַת הַשָּׁמֶשׁ׃ טז כַּאֲשֶׁר נָתַתִּי אֶת־לִבִּי לָדַעַת
חָכְמָה וְלִרְאוֹת אֶת־הָעִנְיָן אֲשֶׁר נַעֲשָׂה עַל־הָאָרֶץ

הו"א ושבחתי אני את השמחה. בבח ל זוהר פ' פקודי

אינון עבדין כעובדי צדיקיא וחזית ברוח קודשא דבישא דמטי לצדיקיא בעלמא הדין לא על חוביהון אלהן למגבי מנהון חובא קלילא למהוי אגריהון שלים לעלמא דאתי וטב דמטי לחיביא בעלמא הדין לא על זכותיהון אלא למפרע להון אגרא על זכותא קלילא דעבדו למהויהון אכלין אגריהון בעלמא הדין ולהובדא חולקהון לעלמא דאתי אמרית במימרי דאף דין הבלו: טו ושבחית אנא ית חדות אוריתא ארום לית טב לאנש בעלמא הדין תחות שמשא ארום אלהן למיכל ולמשתי ולמחדי בטורחיה ובחולקיה דאתיהיב ליה מן שמיא ולא יושיט ידיה בחטופין ואניסא והוא ילויניה לשלם לעלמא ההוא ויקבל אגר שלים על טורחיה די טרח בשלמותא כל יומי חיוהי דיהב ליה יי בעלמא הדין תחות שמשא: טז כאשר כמא די יהבית ית לבבי למנדע חוכמת אוריתא ולמחזי ית גוון דאתעביד על ארעא ארום אף חכימא דיצבי למעסק באוריתא ולאשכחא חוכמתא טורחא הוה ליה ארום אף

שפתי חכמים

כו׳: נ דק"ל הרי סותר דבריו שאמר ולשמחה מה זו עושה. לכ"פ שיהא שמח בחלקו: כו׳: ס מה שפירש"י זה פה ולא קודם לכן שהזכר כמה פעמים אכילה ושתיה היינו דמפסוק זה למדו רז"ל וז"ל המדר׳ על פסוק הזה כל אכילה ושתי׳ שנאמר במגלה זאת בתורה ובמעשים טובים הכתוב מדבר א"ר ירמיה זו בנין אב שבכולם שנא׳ והוא ילונו בעמלו בעולמו בעוה"ז ימי חייו לקבר וכי יש מאכל ומשתה בקבר אלא אלו תורה ומעשים טובים שעושה האדם עכ"ל. ולפי שמדרש הזה סתום כנוי לתורה והאכיל׳ למעשים טובים כ"כ מהור"ר משה

רש"י

אליהם טובה כמעשה הצדיקים אמרתי שגם זה אחד מן ההבלים הנוהגים בעולם ורבותינו דרשו לצד אחר במס׳ הוריות ואינו מיושב לי על שיטת דיבור שסיים החכם לומר שגם זה הבל: (טו) את השמחה. שיהא שמח נ בחלקו ועוסק בפקודים ישרים משמחי לב ולא יהא שסוף אחר הרבות הון בנשך ובמרבית וגזל כל מי שאינו שמח בחלקו וסוף אחר הממון בא לידי עבירות גזל והונאה ורבית ושאינו שמח בחלקו לענין אהבת אשתו שסוף אחרי הנשים להרהר אחר אשת איש: לאכול ולשתות. ממה שחנן לו הקב"ה ולשמוח בחלקו. ומדרש אגדה כל אכילה ושתיה שבקהלת אינה אלא ם תלמוד תורה כענין שנא׳ (ישעיה נה א) לכו שברו ואכלו וגו׳: והוא ילונו. יתחבר עמו כענין שנא׳ (שם נה א) והלך לפניך צדקך: ימי חייו אשר נתן לו האלהים. יעשה כך וסוף המקרא מוסב על ראשו ומקרא מסורס הוא אין טוב לאדם ימי חייו אשר נתן לו האלהים כי אם לאכול ולשתות ולשמוח והוא ילונו בעמלו: (טז) כאשר נתתי את לבי. אין כאשר זה משמש לשון דוגמא כמו כאשר עשה כן יעשה אלא לשון זמן כמו (בראשית לז כג) כאשר בא יוסף (שם מג ב) כאשר כלו לאכול וגו׳ אף זה כן

ספורנו

לחסיד שוטה: ויש רשעים שמגיע אליהם כמעשה הצדיקים. לקנות שם טוב בהמון כמו שיקרה לרשע ערום עושה להתיהר* ולמכות פרושי׳: אמרתי שגם זה. השם טוב הנקנה בין המון הפתאים: הבל. הוא דבר בלתי נחשב: (טו) ושבחתי אני את השמחה. שישמח האדם בחלקו כאשר ישיג מן הדברי׳ הזמניים את ההכרחי המספיק לו: והוא ילונו כי בו ישיג את השלמות המכוון בעיון ובמעשה ולא יאבד זמנו להשיג מותרות: (טז) כאשר נתתי את לבי לדעת הכמה. וזה שבחתי כאשר פניתי אל העיון וראיתי שיצטרך בו השתדלו׳ עם זמן רב: לראות את הענין אשר נעשה תחת השמש. וכמו כן פניתי לראות את רב ההשתדלות והזמן

אבן עזרא

עד פסוק גם זו ראיתי הכמה הם שש עשר פסוקים בענין אחד דבקים גם זה הפסוק הוא מן הענין של מעלה יש צדיקים שמגיע אליהם מה שהיה ראוי להגיע לרשעים על מעשיהם והפך הדבר וכאשר ראיתי זה אמרתי הכל הבל בין צדיק ורשע כענין ואני כמעט נטיו רגלי כי קנאתי בהוללים: (טו) ושבחתי. אז שבחתי את השמחה כי אין טוב לאדם רק האכילה והשתיה ופירוש ילונו בעמלו ילוה עמו זה הדבר שישמח ויתענג: (טז) כאשר. כמעט שבחתי את השמה׳ כאשר נתתי את לבי לדעת זה הענין ולמה יגיע לצדיק

מצודת ציון

וכן ונשמע פתגם המלך (אסתר א): (טו) ילונו. ענין ההתחברות

מצודת דוד

כמעש׳ הצדיקים. מה שהיה ראוי להגיע אל הצדיקים על מעשיהם: אמרתי שגם זה הבל. ר"ל אף כי אם רק מעט מן הזמן מגיע טובה אל הרשעים ורעה אל הצדיקים ויש בזה מה מן התועלת כי אם היה מגיע טובה לצדיקים ורעה לרשעים בכל זמן היה כמעט בטל הבחירה כי היה כאלו האדם מוכרח במעשה הצדק בעבור עונש הרשע וגמול הצדק והיה א"כ שכר הצדיק כמעט קט עכ"ז גם זה להבל יחשב כי עכ"פ בזמן ההוא כל מעשה הצדק שמה רפויים ביד האנשים ברואתם אז טובת הרשעים ורעת הצדיקים: (טו) ושבחתי אני את השמחה. משבח אני את ענין השמחה אשר אין טוב לאדם בעולם כ"א לאכול ולשתות כאות נפשו: לשמוח. ע"י כי האכילה והשתיה מביאים את השמח׳: והוא. השמחה יתחבר עמו בעת יעמול לבל יגיעהו הרבה בסורה העמל: ימי חייו. השמחה יתחבר עמו בעמלו בכל ימי חייו אשר נתן לו האלהים לחיות בזה העולם: (טז) כאשר. מוסב למעל׳ לו׳ מתי שבחתי את השמחה ואמר כאשר

קיצור אלשיך

אך לא לכולם, כאמור יש. ולפי הדרך הזה היה ראוי להיות טוב לכל רשע ויסורין לכל צדיק, ע"כ אמרתי גם זה הבל, כי גם תשובתם זו איננה מעלה ארוכה להקושיא שהקשיתי. ע"כ אמר הנה (טו) שבחתי אני את הבלתי שם לבו אל חקירות ודרישות אלו כי יתעצב אל לבו על ראותו הפכים אלו, וזולת צרת הרהורו גם לא יעבוד את ה׳ בשמחה מרוב עצבונו, כי טוב לגבר השמחה מבלי משים אל לבו כי אם לאכול ולשתות ולשמוח והוא ילונו ויחברנו בעמלו המיוחד לו הוא עמל עסק התורה דשמעתא בעי צילותא ושמחה והיא עמלו סתם המיוחד לו, וממני תראה והתלמוד ק"ו כי הנה (טז) כאשר נתתי את לבי לדעת חכמה שחכמתי מכל האדם וגם נתתי את לבי לראות ולהסתכל אל הענין אשר נעשה על הארץ מצדיק ורע לו ורשע וטוב לו

עד

…to the deed of the wicked, and there
…happens according to the deed of the
…oo is vanity. 15. And I praised joy, for
…r man under the sun than to eat and to
…nd that will accompany him in his toil the
…God gave him under the sun. 16. When I
appl… know wisdom and to see the conduct that is
done upon the earth,

Mezudath David explains:

There is vanity that is done on the earth—i.e., in this world.

according to the deed of the wicked—that which is fitting for the wicked according to their deeds.

according to the deed of the righteous—that which is fitting for the righteous according to their deeds.

I said that this too is vanity—Although only a small part of the time, the wicked experience what the righteous should experience, and the righteous experience what the wicked should experience, this serves a purpose, because if the righteous experienced good all the time, and the wicked experienced evil all the time, a person would be virtually compelled to do good because of the punishment befalling the wicked and the reward coming to the righteous. It is nevertheless considered vanity because the performance of righteous acts is weakened because people see the troubles experienced by the righteous and the good experienced by the wicked.

15. **joy**—*for he should rejoice in his lot and engage in the "upright commands,"* (See Ps. 19:9) *which cause the heart to rejoice, and he should not be absorbed in increasing his wealth with usury and interest and robbery. Whoever does not rejoice in his lot and is absorbed in amassing money, eventually commits the sins of robbery, fraud, and taking interest. One who does not rejoice in his lot concerning the love of his wife, has a passionate lust for women, and harbors erotic thoughts about married women.*—[*Rashi*]

to eat and to drink—*from what the Holy One, blessed be He, graciously granted him, and to rejoice with his lot. And* [according to] *the Midrash Aggadah* (*Ecc. Rabbah* 2:26): *All mention of eating and drinking in Ecclesiastes, refers only to the study of Torah, as it is stated* (*Isa. 55:1*): "*go, buy and eat, etc.*"

and that will accompany him—*will join him, as it is stated* (*ibid. 58:8*): "*and your righteousness shall go before you.*"—[*Rashi*]

the days of his life that God gave him—*he shall do so, and the end of the verse is connected to its beginning, and it is a transposed verse,* [to be interpreted thus:] *there is nothing better for man in the days of his life that God gave him than to eat and drink and rejoice, and that*

כי גם ביום ובלילה שנה בעיניו איננו ראה:
יז וראיתי את־כל־מעשה האלהים כי לא יוכל
האדם למצוא את־המעשה אשר נעשה תחת־
השמש בשל אשר יעמל האדם לבקש ולא ימצא
וגם אם־יאמר החכם לדעת לא יוכל למצא:
ט א כי את־כל־זה נתתי אל־לבי ולבור את־כל־זה

...ליא
...לא חזי:
...אנא ית כל עובד
...ייי ארום דחילא הוא
...ת ליה רשו לאנש לאשכחא
ית עובד גבורתא דיי
דאתעביד בעלמא הדין תחות
שמשא כד יטרח אנש למתבע
מה דעתיד למהוי ולא ישכח
ואף אם יימר גבר חכים במימריה למנדע מה דעתיד למהוי בסוף יומיא לית ליה רשו למשכח:
ט א כי ארום ית כל דין יהבית על לבי ולמבלוש ית כל דין די צדיקיא וחכימיא ותלמידיהון דמשתעבדין
להון על עיסק אולפן אורייתא ומסירין בידא דיי ומניה אתגזר על כל עלמא כל מה

רש"י

כשהייתי נותן לבי לדעת ולתור וגו' אז וראיתי את כל מעשה האלהים: שנה בעיניו איננו רואה. הרשע השטוף אחר הממון והעריות: (יז) וראיתי את כל מעשה האלהים. שמסר לבריות: כי לא יוכל האדם למצוא וגו'. אין הבריות יכולין לעמוד על סוף דרכיו של הקב"ה מה שכר כל המעשה שנעשה תחת השמש שרואין רשעים מצליחים וצדיקים יורדים: בשל אשר יעמל האדם לבקש. בשביל אשר ראיתי הרבה עמלים לבקש ולמצוא את סוף המדה ואינן יכולים: וגם אם יאמר החכם. שהוא יודע לא יוכל שהרי מרע"ה לא עמד על הדבר כשאמרו (שמות לג יג) הודיעני נא את דרכיך: (א) ולבור. ולברר את כל זה. בררתי והבנתי: אשר הצדיקים והחכמים

אבן עזרא

כמעשה הרשע עד נדדה שנתי מעיני ביום ובלילה ברוב המחשבו'. וי"ו עיניו שב אל לבי: (יז) וראיתי. קנות מעשה האלהים והבינותי עיקרם לכן זה המעשה הרע שנעשה תחת השמש לא אוכל להבינו בעבור שהוגיעו נפשם ועמלו חכמי האדם למצוא הענין ולמה זה ולא מצאו. ופירוש בשל כמו בעבור וכן כי בשלי הסער הגדול ועל זה הענין נעק איוב הצדיק: (א) כי את כל זה וגו' לבור. היה ראוי להיו' בחול"ם וכן ירון ושמה בעבור היות שניהם מפעלי הכפל והוא כמו לברור מן שפתי ברור מללו כי ראיתי הצדיקים והחכמים ומעשיהם כמו לכן יכיר מעבדיהם אינם ברשותם רק ביד האלהים גם כל מה שהם אוהבים או שונאים אינם יודעים

ספורנו

הצריכים בהשגת מותרות בעסקי חיי שעה: כי גם ביום ובלילה שינה בעיניו. כי המרבה השתדלות בעסקי חיי שעה נרדם תמיד מהתבונן אל שום שלמו' נצחי בהיות השגת המותרו' דבר בלתי מוגבל: איננו רואה. באופן שאיננו רואה מה הוא הטוב המוחלט כלל: (יז) וראיתי את כל מעשה האלהים. התבוננתי אל כל המעשה המכוון מאתו שהוא העיון והמעשה שהמלאכה מרובה: בשל אשר יעמול האדם לבקש. איזה דרוש עיוני: ולא ימצא. ופעמים שלא ימצאהו לעומק המושג וזה יורה שלהשיג המושכלות בעיון יצטרך זמן רב והשתדלות נמרץ ולכן לא ישיגהו הטרוד בהשגת מותרות: וגם אם יאמר החכם לדעת. ועם זה יש איזה דרוש שגם אם יאמר החכם להשיגו באמצעות דרושים רבים זולתו שכבר השיג כאמרם ז"ל אם שמעת בישן תשמע בחדש: לא יוכל למצוא. כמו שיקרה בענין הבריאה וזולתה כאמרם ז"ל להגיד כח מעשה בראשית לאדם אי אפשר:

ט (א) כי את כל זה נתתי אל לבי. גזרתי אומר שהדבר כן הוא כי אמנם נתתי אל לבי לראות בכל זה את הנסיון ברבי': אשר הרשעי' והצדיקי' ועבדיה'. פעולות השתדלותם בעיון ובמעשה ביד האלהים. כאמרו ונשמת שדי תבינם שיצטרך לאדם בהם סיוע אלהי להוציאם לפועל: גם אהבה גם שנאה אין יודע האדם. ובזה לא יכיר האדם שום אהבה ושנאה מאת האל ית' גם שיעזור לאיזה אדם יותר ממה שיעזור לחבירו באלה: כי אמנם הכל לפניהם. בבחירתם וזה כי לפי טוב התכלית המכוון מאת המשתדלים באלה יהי' בהם הבדל הסיוע האלהי כאמרם ז"ל הלומד ע"מ ללמד מספיקים בידו ללמוד וללמד

מצודת דוד

שמתי את לבי לדעת חכמ' ולהתבונן בה ולראות במוחש דבר הנעשה למען השכיל מהם הנהגת האדם: כי גם. כ"כ השבה לבי הרבה מהשכות עד כי נדד' שנתי מעיני ביום ובלילה: בעיניו איננו רואה. מוסב על הלב ר"ל עיני ולבי ואמר בדרך שאלה והוא ענין מליצה:

(יז) וראיתי. אז השכלתי והתבוננתי את כל מעשה האלהים והשכלתי אשר לא יוכל האדם למצוא ולדעת אמתת המעשה הנעשה בזה העולם: בשל. בעבור אשר אם יעמול האדם לבקש ולדעת לא יוכל למצוא: וגם. ואפי' אם חכם לבב יחשוב לדעת לא יוכל למצוא עם רוב חכמתו ומוסב למעלה לומר כאשר שמתי לבי לדעת חכמה וראיתי את זה אז שבחתי את השמחה הואיל ובענין זולתו יעמול האדם ולא ישיג תוחלתו:

ט (א) כי את כל זה. כאמור למעלה שמתי אל לבי ולברר ממנו את כל זה אשר הצדיקים והחכמים עלמם ומעשיה' אשר יעשו הכל המה ביד האלהים והם אינם שולטים לא בעצמם ולא במעשיהם: גם אהבה. אפילו האהבה שאוהבים את מי גם השנא' שבונאים את

מצודת ציון

כמו גם אשור נלוה עמם (תהלים פג): (יז) בשל. ענינו כמו בעבור וכן בשלי הסער הגדול (יונה א):

ט (א) ולבור. ולברר: ועבדיה'. מעשיה' כמו לכן יכיר מעבדיהם

קיצור אלשיך

עד גדר כי גם ביום ובלילה שנה בעיניו איננו רואה כי תמיד היו עיני ולבי פקוחות בעיוני. (יז) וראיתי אחר היגיעה הגדולה בחכמתי את כל מעשה האלהים ומה שהעלתי היא כי לא יוכל האדם במה שהוא אדם מן האדמה למצוא את המעשה אשר נעשה תחת השמש סבה אל צרת הצדיק וטובת הרשע והיות ג"כ צדיק וטוב לו בקצתם וקצת רשעים שמגיע אליהם כמעשה הרשעים, ולא אמרתי שאין טעם בדבר, בודאי צדק משפטו יתברך, רק בשל אשר יעמול האדם לבקש לא ימצא, אך לפניו יתברך טעם נכון על הנהגתו באמת ומשפט על כל דבר ודבר, לכן טוב טוב הוא להניח הדבר לאדון הכל יתברך מבלי חקור דבר:

ט (א) כי הנה את כל זה וגו', ר"ל עכ"ז אומר לך סברא אמתית שיתברר לך הדבר, והוא כי כל הצדיקים בעלי מעשה והחכמים העוסקים בתורה ומעשיהם הם עובדיהם הן מעשים טובים הן רעים ביד האלהים לפניו בעצם, ולא בפני זולתו יתברך והם הסנגורים הנעשים במעשים הטובים והקטגורים הנעשים במעשים הרעים כולם לפניו, וע"כ להיות הכל לפניו על פיהם יתנהג להרע או להטיב, מה שאין כן אנו בני אדם כי לא נדע את מעשה הצדיק והרשע להשכיל הראוי לכל אדם ודון וראה מכל אשר לפניך כי הנה גם אהבה גם שנאה אין יודע האדם כ"א ישבו אנשים יחדו האם יכיר מי הוא שבלבו אהבה אל חברו או מי הוא אשר לו שנאה לא יודע כי אפשר זה יכסה השנאה וזה לא יגלה אהבה וזהו גם אהבה גם שנאה

אין

for neither by day nor by night does he see sleep with his eyes.
17. And I saw all the deed of God, for a person will not be able to
fathom the deed that is done under the sun, because though a man
toils to seek, he will not fathom [it], and even if the wise man
claims to know [it], he will be unable to fathom [it].

9

1. For all this I laid to my heart and to clarify all this,

will accompany him in his toil.—[*Rashi*]

Mezudath David explains:

And I praised joy—I praise the matter of joy, for there is nothing better in this world for a person than to eat and drink to his heart's desire.

to rejoice—for eating and drinking bring about joy.

and that—Joy will accompany him when he toils, so that he will not suffer in his toil.

the days of his life—Joy will accompany him all the days of his life.

Sforno explains:

And I praised joy—A man should rejoice with his portion when he attains his temporal needs in the measure that he requires.

and that will accompany him—For with that, [i.e., if his basic needs are fulfilled], he will achieve the intended perfection in study and in deed, and he will not waste his time seeking luxuries.

16. **When I applied my heart**—Heb. כַּאֲשֶׁר. [Note that כַּאֲשֶׁר has two meanings: 1) when, and 2) just as.] *This* כַּאֲשֶׁר *is not used as an expression of an example, like* (*Lev. 24:19*): *"as* (כַּאֲשֶׁר) *he did, so shall it be done," but as an expression of time, like* (*Gen. 37:23*): *"When* (כַּאֲשֶׁר) *Joseph came";* (*ibid. 43:2*): *"when* (כַּאֲשֶׁר) *they finished eating, etc." This is similar: When I applied my heart to know...and to search, etc., then I saw all that God had wrought.*—[*Rashi*]

does he see sleep with his eyes—[i.e.], *the wicked man who has a passionate lust for money and for forbidden women.*—[*Rashi*]

Mezudath David explains that this verse is connected to the preceding verse: When did I praise joy? When I applied my heart to know wisdom, to fathom it and to perceive with my senses the things that are done, in order to understand man's conduct from them.

for neither—My heart thought so many thoughts that I could sleep neither by day nor by night.

does it see sleep with its eyes—The antecedent is "my heart," meaning that his eyes and his heart did not see sleep. This is a poetic expression. *Ibn Ezra* explains: I almost praised joy until I applied my heart to try to understand why there are righteous men to whom it happens according to the deed of the wicked, and I could sleep neither by day nor by night because of these troubling thoughts.

Sforno explains:

When I applied my heart to know wisdom—I praised this (i.e., the joy that one experiences when his basic needs are met, which makes it possible for him to achieve perfection) when I examined study, and I discovered that it requires much time and effort.

and to see the conduct that is done—under the sun. I also turned to examine the great effort and time required to acquire luxuries in temporal affairs.

for both by day and by night, he sleeps—For those who expend much effort in temporal affairs always "slumber." They have no time to ponder upon eternal perfection, since acquiring luxuries is a limitless task.

and he does not see with his eyes—[He labors for material wealth] to the extent that he does not see what constitutes absolute good. Accordingly, we render the verse: When I applied my heart to know wisdom and to see the conduct that is done on the earth, for both by day and by night, he sleeps, and he does not see with his eyes.

17. **And I saw all the deed of God**—*that He gave over to mankind.*—[*Rashi*]

for a person will not be able to fathom, etc.—*Mankind cannot fathom the way of the Holy One, blessed be He, what the reward is for all the deed that is done under the sun, for they see wicked men prospering and righteous men declining.*—[*Rashi*]

because though a man toils to seek—*because I saw many people toiling to seek and to fathom this phenomena, but they are unable* [to understand it].—[*Rashi*]

and even if the wise man claims—*that he understands it, he will not be able to, for* [even] *Moses our teacher could not fathom the matter, when he said,* (*Exod. 33:13*): "*please let me know Your ways.*"—[*Rashi*] i.e., Despite his profound wisdom, a wise man will not be able to fathom the ways of God. Therefore, when I applied my heart to know wisdom, and I saw this, I praised joy, because in any pursuit [except joy], a person toils without achieving his goal.—[*Mezudath David*] The *Targum* paraphrases: And I saw all the deed of God's might, that it is awesome and a person has no right to fathom the deed of God's might, which is done in this world under the sun, when a person toils to seek what is destined to be, and he will not fathom it, and even if the wise man claims to know what is destined to be at the end of days, he has no right to know it.

Sforno, connecting this verse to the preceding one, explains:

And I saw all the deed of God—I pondered all the deeds that God intended human beings to do, namely study and action, both of which require great effort...

because though a man toils to seek—some philosophic idea...

he will not fathom it—because of its profundity. One must expend great effort in order to grasp intellectual ideas. Therefore, one who is occupied with the pursuit of luxuries cannot fathom intellectual ideas.

and even if the wise man claims to know it—and even if there is an idea that the wise man claims to understand as a result of other ideas that he has already grasped, as the Rabbis say (*Ber.* 40a): "If you have heard the old material, you will understand the new [material]."

he will be unable to fathom it—as will occur in the case [where he attempts to understand] the Creation and other similar matters, as the Rabbis say: "To explain the power of the Creation to man is impossible." [See *Midrash Hagadol* Gen. p. 8, *Midrash Shnei Kethuvim* (*Botei Midrashoth* p. 4).

9

1. **and to clarify**—Heb. וְלָבוּר, [like] וּלְבָרֵר.—*[Rashi]*

all this—*I clarified and tested.*—*[Rashi]*

that the righteous and the wise and their works are in God's hand—*He helps them and He judges them in order to benefit them in their end.*—*[Rashi]*

and their works—*These are their disciples, their servants, who follow in their ways.*—*[Rashi]*

even love, even hate—*The rest of mankind does not know, and they do not discern to apply their hearts to what makes them beloved by the Omnipresent and what causes them to be hated.*—*[Rashi]*

everything is before them—*before the righteous and the wise.*—*[Rashi]* [i.e., the rest of mankind do not know what causes them to be loved by God and what causes them to be hated, but the righteous and the wise do understand it, and everything is before them.]

Mezudath David explains:

For all this—delineated above, I laid to my heart, and I clarified from it that the righteous and the wise and the deeds that they perform, are in the hand of God, and they rule neither over themselves nor over their deeds.

אשר הצדיקים והחכמים ועבדיהם ביד האלהים
גם־אהבה גם־שנאה אין יודע האדם הכל לפניהם:
ב הכל כאשר לכל מקרה אחד לצדיק ולרשע
לטוב ולטהור ולטמא ולזבח ולאשר איננו זבח
כטוב כחטא הנשבע כאשר שבועה ירא: ג זה |

ת"א מקרה אחד לצדיק ולרשע. שם נה זוהר שם; וס רע בכל אשר נעשה. זוהר פ' שלח נד:

תרגום

דיהי ביומיהון אף רחמתא די רחמינון גבר אף סניאתא דסנינון גבר לית נביא בעלמא די ינדע מה דיהי באנשא כולא במזליא אתגזר למהוי קדמיהון: ב הכל כולא במזליא תליא מן שמיא אתגזר מה דעתיד למהוי לכולא אירעון חד לזכאה ולחייבא לדתקנן אורחתיה ולמדכי נפשיה ולמסאיב נפשיה ולמקרב נכסת קודשיא ולדליתוהי מקריב נכסת קודשין כטבא כחייבא כגבר דיומי לשקרא כגבר דמומתא דחיל: ג זה דין מזל ביש בכל עלמא די

שפתי חכמים

אלמשינו ואין לורך כל כך: ע דק"ל מספר בשבחם של הלדיקים והחכמים ואיך אמר גם אהבה גם שנאה אינם יודעים. לכ"פ שאר הבריות. ואה"כ ק"ל אם בשאר הבריות קמיירי מהו הכל לפניהם.

רש"י

ועבדיהם ביד האלהים. הוא עוזרם והוא שופטם כדי להיטיבם באחריתם: ועבדיהם. הם תלמידיהם משמשיהם הולכי אורחותם: גם אהבה גם שנאה. אין יודעין שאר הבריות ואין מכירין לתת לבם במה יאהבו למקום ובמה הם שנואים: הכל לפניהם. לפני הלדיקים והחכמים: (ב) הכל כאשר לכל. הכל נותנים ללבם כאשר מגיע לכל אדם מקרה אחד ויודעים שסוף דבר לתת לכל איש כדרכיו: מקרה אחד. ויודעים שסוף הכל אשר לדיק ואשר רשע למות ומקרה אחד יש בעולם הזה לכלם כל זה הם יודעים ואע"פ כן בוחרים להם דרך הטוב לפי שיודעים שיש הפרש ביניהם לעולם הבא: לצדיק כגון נח: ולרשע. פרעה נכה זה נגלע וזה נגלע: לטוב. זה משה: ולטהור. זה אהרן: ולטמא. אלו המרגלים. אלו אמרו שבחה של ארץ ישראל ואלו אמרו גנותה אלו לא נכנסו לארץ ואלו לא נכנסו לארץ הרי מקרה אחד להם. ולזובח. זה יאשיהו שנא' (דברי הימים ב לה) ויזבח יאשיהו: ולאשר איננו זבח. זה אחאב שביטל את ישראל מלעלות לרגל זה מת בחלים וזה מת בחלים: כטוב. זה דוד: כחטא. זה נבוכדנאלר. זה בנה בית המקדש וזה החריבו זה מלך מ' שנה וזה מלך מ' שנה: הנשבע. זה לדקיהו שנשבע לשקר שנאמר (דברי הימים ב לו יג) וגם במלך נבוכדנאלר מרד אשר השביעו וגו': כאשר שבועה ירא. זה שמשון שנאמר (שופטים טו יב) ויאמר אליהם שמשון השבעו לי פן תפגעון בי אתם למדנו שהיתה

ספורנו

והלומד ע"מ לעשות מספיקי' בידו ללמוד וללמד לשמור ולעשר: (ב) הכל כאשר לכל. כל מדרגות הסיוע האלהי באלה שיקרה בהם הבדל במשתדלי' מתחלפי' הם כפי מדרגת התכלית המכוון מכל אחד מהם: מקרה אחד לצדיק ולרשע. באופן שיהי' הסיוע האלהי באלה לרשע ולטמא ולחוטא בפעולתם כמו שהיה לצדיק בפעולת הפכם וזה כפי התכלית המכוון מכל אחד מהם כאמרם ז"ל גדולה עבירה לשמה ממצוה שלא לשמה: (ג) זה רע בכל

אבן עזרא

מתי יבואם הכל לפניהם ולא ירגישו או פי' לפניהם קודם שיהיו ככר נגזר עליהם מה שנגזר: (ב) הכל. הכל יבא להם כמו שיבא לכל מקרה אחד לדיק ולרשע אין הפרש ביניהם לטוב ולטהור ולטמא הנה טמא במקום הזה הפך הטוב והטהור כמו שיש פקח בפסוק מי שם פה לאדם הפך העור והשומע כמו לפקוח עינים עורות פקוח אזנים. ודקדוק כטוב כחוטא כי הכפי"ן בלשון הקדש כמו כעבד כאדניו כי ישוב העבד כאדון והאדון כעבד אין הפרש ביניהם וכן כמוני כמוך כעמי כעמך כהשכה כאורה. והמפרש כימים אשר ישבתם הימים אין טעם וריח לפירוש הזה כי מה ענין ישבתם בקדש ימים רבים כימים אשר ישבתם והנכון כי מקדש הלכו המרגלים ובשנת הארבעים באו לקדש עיר מואב והנה כל השנים היו במדבר קדש וזה פירושו ותשבו בקדש ימים רבים כימים אשר ישבתם עד שוב התרים כענין כמספר הימים אשר תרתם את הארץ כי בבוא המרגלים אמרו הננו ועלינו אל המקום יתכן היות לדיק ורשע במעשיו טמא וטהור בגופו וזובח בממונו וטוב והוטא בלבו ונשבע בדבורו: (ג) זה רע. אין בכל מה שנעשה תחת השמש דבר

מצודת ציון

(איוב לד): (ב) כטוב כחוטא. בא בשתי כפי"ן ויורה על דמיון גמור וכן כעמי כעמך (מ"א כב):

מצודת דוד

מי אין שאדם יודע מהו הסיבה: הכל לפניהם. כל אלה נגזר מן השמי' לפני ביאם: (ב) הכל כאשר לכל. הכל יבוא להם כמו שיבוא לכל והוזר ומפרש מקרה א' לצדיק ולרשע כו': לטוב. המטיב עם הבריות: ולטהור. המחשב בדברי קדושה: ולטמא. המחשב בדברים מגונים וקלות ראש: ולזבח. קרבנות לשמים: כטוב כחוטא. בענין שמקרה כמו הטוב כן הוא החוטא וכמו החוטא כן הוא הטוב: הנשבע. הרגיל בשבוע' ולא יחוש פן לא יוכל לקיים': כאשר שבועה ירא. הבדל מן השבועה כי ירא פן לא יוכל לקיימה: (ג) זה רע וגו'. ר"ל בכל מה שנעשה בעולם אין דבר רע וקשה כזה אשר מקרה אחד

קיצור אלשיך

אין יודע האדם עם היות שהכל לפניהם כאוהב כשונא לפני בני אדם ועכ"ז אין אדם יודע מה שבלב האיש אשר לפניו בין הנאהב בין השנאוי בין העומדים אצלם לא ידעו אם ראובן או שמעון שונאו עם שהכל לפניהם ומה גם עתה היוכל איש לדעת זכיות או עונות אשר אינם לפניהם כ"א לפני ה' לדעת מעשיו בנלגול הראשון שאינו לפניהם כלל, באופן שטוב טוב הוא להניח הדבר אל אלהי עולם ה'. (ב) הנה אומר הכל כאשר לכל, כל הענינים ההווים ונעשים בעולם הן המה כחפצו יתברך בהטבע הכולל אשר שם בעולמו, ולפי הסדר יוכל להיות לפעמים מקרה אחד לצדיק ולרשע [צדיק ורשע לשמים] לטוב [המטיב עם הבריות] ולטהור [במדות טהורות] ולטמא [המתועב במדות השנואות בעיני אלהים ואדם] לזובח [קרבנות על כל חטא] ולאשר איננו זובח [על השוגגים] לכל הנזכרים האלה יקר מקריהם כטב כחוטא, ר"ל פעמים יקרה לכולם טובה רבה כאשר יאתה להיות להאדם שהוא מעולה ושלם בכל שלמות הטוב ולפעמים יקרה לכולם רעה רבה אשר יאתה להחוטא החסר וריק מכל מיני שלמות וטוב, לפי שאין דרך פועל הסידור השמימי להבדיל במקריו בין טוב לרע, והוסיף לומר הנשבע כאשר שבועה ירא, ר"ל לא רק בין הטובים והרעים שהזכרתי לא תבחין פעולת הסדר לטוב ולמוטב אבל כן הוא גם להגרוע ופחות בשפלותו מכל הרעים והחטאים שהזכרתי הנשבע בשם ה' כמו אשר היה באמת שבועה ירא והוא אך לשקר ישבע:

(ג) זה רע בכל אשר נעשה תחת השמש כי מקרה אחד לכל, לו לא היה טעם מספיק אל מיתת כל

that the righteous and the wise and their works are in God's hand;
even love, even hate, man does not know; everything is before
them. 2. Everything [comes to them] as [it comes] to all; [there is]
one occurrence for the righteous and for the wicked, for the good,
and for the pure, and for the unclean, and for he who sacrifices,
and for he who does not sacrifice; like the good, so is the sinner;
he who swears is like him who fears an oath. 3. This

even love—People are not even aware of the cause for the love or hatred that they feel for someone.

everything is before them—All these are decreed from heaven before they come about.

Sforno explains:

For all this I laid to my heart—I declared that the matter is indeed so, for, indeed, I perceived all this to be a test for the people.

that the righteous and the wise and their works—their accomplishments in study and in action.

are in God's hand—as Scripture states (Job 32:8): "and the breath of the Almighty permits them to understand," for man requires divine assistance to implement them.

even love, even hate, man does not know—And in this, man will not recognize any love or hate from God, even when He assists one person more than another, for indeed...

everything is before them—to choose; i.e., the motives of those who make an effort determine the degree of divine assistance, as the Rabbis state (*Avoth* 4:5): "Whoever learns with the intention of teaching will be assisted [by Heaven] to learn and to teach, and whoever learns in order to practice, will be assisted to learn, to teach, to observe, and to practice."

The *Targum* paraphrases:

To all this I applied my heart and to search all this out, that the righteous and the wise and their disciples who are subordinate to them because of the study of Torah, are delivered into the hand of God; and from Him is decreed upon the entire universe all that will transpire in their days, also their love that they love and the hate that they hate any man; there is no prophet in the world who knows what will happen to a person; all is by the heavenly signs (from before the Lord) to be before them.

Isaiah da Trani explains:

For all this—that I stated.

I applied—my heart to clarify, and I saw that...

the righteous and the wise—and their deeds are all...

in God's hand—and in His domain. The one whom He wishes to provide for He provides for, and the one whom He does not wish to provide for He does not provide for; all is according to His will and not according to human will.

to clarify—Heb. וְלָבוּר. The "vav" is superfluous, as (Gen. 36:24): "Aiiah (וְאַיָּה) and Anah."

even love, even hate, man does not know—Man does not know whether from love that the Creator loves him, He brings this occurrence to him, or from hate that He hates him.

2. **Everything as to all**—*All take heart when an occurrence happens to someone, and they know that ultimately everyone will receive his just deserts.*—[*Rashi*]

one occurrence—*And they know that the end of everyone —whether righteous or wicked—is to die, and they all have one fate in this world. All this they know, but nevertheless, they choose for themselves the good way, because they know that there is a difference between them in the World to Come.*—[*Rashi*]

for the righteous—*such as Noah.*—[*Rashi* from *Ecc. Rabbah* and *Zuta*]

and for the wicked—*such as Pharaoh-Neco. This one became crippled, and that one became crippled.*—[*Rashi* from *Ecc. Rabbah* and *Zuta*]

Noah became crippled when he was leaving the ark, and the lion struck him and wounded him. Pharaoh-Neco became crippled when he attempted to mount Solomon's throne, which he had received in his daughter's marriage settlement. Since he was unfamiliar with its mechanism, the mechanical lion struck him and crippled him.—[*Ecc. Rabbah* and *Zuta*]

for the good—*This is Moses.*—[*Rashi* from *Ecc. Rabbah* and *Zuta*] Moses is referred to as the good, as Scripture states (Exod. 2:2): "and she saw him that he was good."—[*Ecc. Rabbah*]

and for the pure—*This is Aaron.* [*Rashi* from *Ecc. Rabbah* and *Zuta*] Aaron is referred to as the pure one because he was engaged in Israel's purity.—[*Ecc. Rabbah*]

and for the unclean—*These are the Spies. These* [Moses and Aaron] *spoke well of the Land of Israel, but those spoke derogatorily about it. These did not enter the Land, and those did not enter the Land; hence, they have one fate.*—[*Rashi* from *Ecc. Rabbah* and *Zuta*]

and for he who sacrifices—*This is Josiah, as it is said: "And Josiah offered a sacrifice."*—[*Rashi* from *Ecc. Zuta]* [Note that this verse appears nowhere in Scripture. *Ecclesiastes Rabbah, Pesikta d'Rav Kahana* (ch. 27), and *Lev. Rabbah* (20:1) quote (II Chron. 35:7): "And Josiah separated, etc.," in which Scripture tells us that Josiah separated animals from the royal flocks for the people to bring the Passover sacrifice.]

and for he who does not sacrifice—*This is Ahab, who caused Israel to refrain from performing the festival pilgrimages.* [i.e., He prevented them from going to Jerusalem to bring their festival sacrifices. *Midrash Rabbah* states: who abolished offerings from the altar. The *Zuta* adds: This is what is written (II Chron. 18:2): "and Ahab slaughtered for him abundant sheep and cattle." For him—i.e., for Jehoshaphat—he slaughtered, but he did not slaughter for sacrifices. This is somewhat difficult to understand because Ahab could not offer up sacrifices in his land. Such service was permitted only in the Temple. He could therefore not be reproached for slaughtering sheep and cattle for Jehoshaphat rather than slaughtering them for sacrifices. *Pesikta d'Rav Kahana* states as in *Ecc. Rabbah.* Upon the question of whether he did indeed slaughter abundant sheep and cattle, the Midrash replies that he slaughtered them for Jehoshaphat, but not for sacrifices. It appears from these midrashim that Ahab was reproached for never going to Jerusalem to offer sacrifices.] *This one died from arrows, and that one died from arrows.*—[*Rashi* from aforementioned midrashim]

like the good—*This is David.*—[*Rashi* from aforementioned midrashim]

so is the sinner—*This is Nebuchadnezzar. This one built the Temple, and that one destroyed it. This one reigned forty years, and that one reigned forty years.*—[*Rashi* from midrashim] [i.e., David prepared the foundations for the Temple.]

he who swears—*This is Zedekiah, who swore falsely, as it is said* (*II Chron. 36:13*): "*And he also rebelled against King Nebuchadnezzar, who adjured him, etc.*"—[*Rashi* from midrashim]

like him who fears an oath—*This is Samson, as it is said* (*Jud. 15:12*): "*And Samson said to them: Swear to me, lest you strike me yourselves.*" *We learn that he was strict in his observance of an oath.* [Nevertheless], *this one died after his eyes were plucked out, and that one died after his eyes were plucked out. Therefore*—

רָע בְּכֹל אֲשֶׁר־נַעֲשָׂה תַּחַת הַשֶּׁמֶשׁ כִּי־מִקְרֶה
אֶחָד לַכֹּל וְגַם לֵב בְּנֵי־הָאָדָם מָלֵא־רָע וְהוֹלֵלוֹת
בִּלְבָבָם בְּחַיֵּיהֶם וְאַחֲרָיו אֶל־הַמֵּתִים׃ ד כִּי־מִי אֲשֶׁר
יְבֻחַר יחבר קרי אֶל כָּל־הַחַיִּים יֵשׁ בִּטָּחוֹן כִּי־לְכֶלֶב חַי
הוּא טוֹב מִן־הָאַרְיֵה הַמֵּת׃ ה כִּי הַחַיִּים יוֹדְעִים
שֶׁיָּמֻתוּ וְהַמֵּתִים אֵינָם יוֹדְעִים מְאוּמָה וְאֵין־עוֹד לָהֶם

תו"א כי לכלב חי הוא טוב מן האריה המת. שבת ל: כי החיים יודעים שימותו. ברכות יח: והמתים אינם יודעים מאומה. שם:

יתעביד תחות שמשא ארום ארעון חד לכולא לכל דיירי עלמא ואף לבא דבני אנשא אתמלי ביש על דא וחולחולתא בלבביהון כל יומי חייהון ובתר סופוהי דאנשא נטיר ליה לאתווכחא עם מתיא בדין חייביא: ד כי ארום מן גברא די אתחבר לכל פתגמי אורייתא ולמקני חיי עלמא דאתי אית ליה סבר ארום כלבא חייא הוא טב מן אריא די הוא מית: ה כי ארום צדיקיא ידעין דאין יחובון עתידין למהויהון חשיבין כמתיא לעלמא דאתי בגין כן נטרין אורחיהון ולא חייבין ואין יחובון תייבין בתיובתא

רש"י

שבועה המורה לו זה מת בניקור עינים וזה מת בניקור עינים. על כן: (ג) לב בני האדם מלא רע. שאומרים אין דין פורענות לרשעים אין הכל אלא לפי המקרה פעמים לצדיק ופעמים לרשע: ואחריו אל המתים. וסופן יורדין לגיהנם: (ד) כי מי אשר יחבר אל כל החיים יש בטחון. כי בעודו בחיים אפי' הוא רשע ונתחבר לרשעים כמו שנא' אל כל החיים אפי' לרשעים יש בטחון שמא ישוב לפני מותו: כי לכלב חי הוא טוב מן האריה המת. ושניהם רשעים פ טוב היה לו לנבוזראדן שהיה עבד רשע ונתגייר שלא הקדימתו מיתה מנבוכדנאצר רבו שנקרא אריה שנאמר (ירמיה ד ז) עלה אריה מסבכו ומת ברשעו בגיהנם ועבדו בגן עדן. ורבותינו דרשו לענין מחתכין את הנבילה צ לפני הכלבים בשבת ומת המוטל בחמה אסור לטלטלו אא"כ הניחו עליו תינוק או ככר: (ה) כי החיים יודעים שימתו.

שפתי חכמים

צ"ל לפני הצדיקים: פ כוונת רש"י שפסוק זה סוא כוכח' לפסוק שלפניו שאמר שאף לרשע יש בטחון שמא ישוב לפני מותו ומוכיח כי לכלב חי וגומר. וצ"ל רש"י ושניהם רשעים כו': צ דקדק' נסו קראי אסדדי דלעיל אמר ושבח אני את המתים וכאן אמר כי לכלב חי טוב

אבן עזרא

יותר קשה מזה על כן מלא לב בני האדם רע והוללות בלבבם בחייהם בעודם בחיים ועוד יאמרו על המתים וישוב אחריו ללב בני האדם ואמר בענין הזה בני האדם כי על הקטנים יותר קשה בעבור קוצר דעתם: (ד) כי מי. זו מחשבת בני האדם שיאמרו כי כל מי שהוא מחובר אל החיים יש לו בטחון. ופירוש אחר כי מי אשר יחובר מן המתים והענין שלא יתחבר עם כל המתפרדים ממנו אל כל החיים יש בטחון בלבד ולא למתים וכתוב יבחר וענינו כי המת לא יוכל לבחור: (ה) כי החיים. והחיים אפי' הם כסילים

ספורנו

אשר נעשה תחת השמש כי מקרה אחד לכל. שהמשתדל להשיג חיי עולם בעיון ובמעשה יצטרך גם הוא להשתדל להשיג חיי שעה כמו שיצטרך להשתדל בזה האדם ההמוני המשתדל להשיג חיי שעה בלבד כאמרם ז"ל רבים עשו כרבי שמעון בן יוחאי ולא עלתה בידם לא זה ולא זה: וגם לב בני האדם מלא רע בלבבם בחייהם. ועם מה שיקרה רע מזה שהמשתדל בתורה ובמעשים טובים יצטרך ליבטל מהם להשיג ההכרחי לחיי שעה ימשך גם כן לזה קלקול אחר שלב בני אדם מלא רע בענין לבבם ישכלם בחייהם שחושבי' שהתכלית המכוון במציאות השכל האנושי הוא שישתדל בחיי שעה בלבד: ואחריו. ואחר זה הדמיון הרע: אל המתים. חושבים רע כמו כן על המתים שחושבים שגם זה הכח השכלי האישי באישי האדם הוא דבר נפסד. באמר': (ד) כי מי אשר יחובר אל כל החיי'. שהדברים המחוברי' בכל מיני החיים שהם המרגיש והמתנועע הזן והמגדל: יש בטחון. גב בהפסד קצתם שיתקיים החיות בהם זמן מה בהשתדלות טבעי או נפשי מגיע המזון אל הנזון. ויעיד על זה כי לכלב גם שהוא נמצא פחות חי הוא. בעודו חי במיני החיים הצמחיים והמרגישים: טוב. יש לו טוב בטחון לאיזה קיום בכח טבעי והערה טבעית או נפשית וישתדל לזה באיזה אופן ובזה יהי' לו יותר טוב: מן הארי. יותר ממה שיהיה לארי גם שהי' בחייו נכבד הרבה מן הכלב: המת. וזה בהפסד ממנו מיני החיים הטבעיים והנפשיים: (ה) כי החיים יודעים. בהכרה נפשית או טבעית: שימותו. ומשתדלים באמצעות הכח הזן להמלט מזה

מצודת דוד

יקרה לכל בני האדם: וגם. בעבור זה גם לב בני האדם מלא מחשבת רע לחשוב שאין השגחה ואין משפט: והוללות. בכל ימי חייהם יש בלבבם שיגעונות ועירבוב הדעת: ואחריו. אחר השיגעונות יורדים אל המתים ר"ל לא הלכו מהם השיגעונות עד כי מתו ושכבו בקבר עם המתים ואבד א"כ סברם ותוחלתם: (ד) כי מי. מבני האדם ואפי' הוא רשע וחוטא: אשר יחבר. אשר יתחבר עמו אל כל החיים ואפילו גם המה רשעים מ"מ כשעוד הוא חי יש לו בטחון לרשת עוה"ב אולי ישים על לבו וישוב לפני מותו: כי לכלב חי. על הכלב החי יאמר שהוא טוב יותר מן האריה המת וכאומר כן הוא בבני אדם שהחי יותר טוב מן המת הואיל ולחי יש בטחון: (ה) יודעים שימותו. ומתפחדים א"כ

קיצור אלשיך

כל הילודים לא היה תימה מאשר העם לא יחרדו על יום המות כי הלא אדרבה משם מתפקרו להרע באומרם למה ימותו הבלתי ראוים למות על חטא אדם, וגם בראותם כי כצדיק כרשע כמות זה כן מות זה, אך עתה שיש טעם נכון הוא התימה איך טפש כחלב לבם כי לא יחרדו כי יראו מות כי מי יעלה על רוחו שלא ימות גם הוא ויתן אל לבו לשוב ולתקן את אשר עותו, וזה אומרו כגונת מלבו הנה זה רע כלומר זה המקרה שאמרתי הוא רע כולל בכל אשר נעשה תחת השמש כי אין ניצול זולתי מ"ה שלמעלה מן השמש הוא גלגל יומי הלא הוא כי מקרה אחד לכל הוא המות כלומר ולמה לא ישית איש על לבו כי גם עליו יעבור כוס ועכ"ז לב בני האדם מלא רע ולא תמנעם המות, ואלו לא היה זה להם כי אם עודם במשבר בנים פחותים מבני י"ג שנה שאין להם אלא לב אחד הוא היצר הרע, אך אחרי כן בבא היצר טוב יתנו אל לבם אימת מות לתקן עצמם ההרשתי, אך הנה תחלה בהיות להם לב אחד הוא מלא רע, כי יצר לב האדם הוא רע מנעוריו, אך הקשה הוא כי בהיות להם ב' לבבות יצה"ר ויצה"ט ואז יתהוללו ויתגאו וימשכו אחר טובות עוה"ז הנקרא הוללות ויאמרו שחפצים לשמוח בחייהם ואחרי מותם ילכו אל המתים, כי בשמחת חייהם לא ישגיחו אל מה שיהי' אחריהם: (ד) כי מי אשר יחובר אל כל החיים, כל זמן שהאדם חי יש בטחון, שיעשה תשובה, כי גם לכלב עז נפש אם הוא חי, הוא טוב מן הארי הגבור לכבוש יצרו אחרי שכבר הארי מת. (ה) כי החיים הם הצדיקים יודעים שימותו זוכרים תמיד את יום המיתה וע"כ שבים אל ה'

is the most evil in all that is done under the sun, that all have one occurrence, and also the heart of the children of men is full of evil, and there is madness in their heart in their lifetime, and after that they go to the dead. 4. For whoever is joined to all the living has hope, for concerning a live dog [it is said that] he is better than a dead lion. 5. For the living know that they will die, but the dead know nothing, and they have no more reward,

3. **the heart of the children of men is full of evil**—*for they say: There is no judgment of retribution for the wicked. Everything is pure happenstance. Sometimes* [bad things happen] *to the righteous, and sometimes to the wicked.*—[*Rashi*]

and after that, they go to the dead —*and they ultimately descend to Gehinnom.*—[*Rashi*] i.e., After this thought, they descend to Gehinnom without repenting of their evil deeds. See below *Mezudath David.*

Mezudath David explains:

[2] **Everything as to all**—Everything comes to them as it comes to all. Koheleth proceeds to explain: There is a common fate for the righteous and for the wicked, etc.

for the good—who benefits mankind.

and for the pure—who thinks holy thoughts.

and for the unclean—who thinks of disgraceful things and levity.

and for he who sacrifices—offerings to Heaven.

like the good, so is the sinner—As far as the matter of fate is concerned, the good person is like the sinner, and the sinner is like the good person.

he who swears—he who is accustomed to swearing and does not fear lest he be unable to fulfill his oath.

[3] **This is the most evil, etc.**—i.e., Of all that happens in the world, there is nothing as evil and harsh as this, that one fate befalls all mankind.

and also—because of this, the heart of the children of men is filled with a thought of evil, to think that there is no Divine Providence and no judgment.

and there is madness—All the days of their lives there is madness and confusion in their hearts.

and after that—After the madness, they descend to the dead, i.e., the madness does not leave them until they die and lie in the grave with the dead, and their hope is lost.

Sforno explains:

[2] **Everything is as it is to all**—The degrees of divine assistance received by those who strive to study and perform the commandments vary in accordance with the level of their individual motives.

[there is] one occurrence for the righteous and for the wicked—The divine assistance afforded the wicked, the sinner, and the unclean for their deeds, is the same as the divine assistance afforded the righteous for the deed of the wise man. This is according to their individual motives, as the Rabbis state (*Nazir* 23b): "A sin done in the name of Heaven is better than a precept performed with ulterior motives."

[3] **This is the most evil in all that is done under the sun, that all have one occurrence**—that those who strive to achieve eternal life through study and deed will find it necessary to acquire their temporal needs, just like the common man who strives only to acquire temporal life, as the Rabbis state (*Ber.* 35b): "Many followed the way of Rabbi Simeon the son of Yohai (to spend all their time in Torah study), and they were successful at neither one (i.e., neither in their studies nor in their livelihood)."

and also the heart of the children of men is full of evil...in their hearts, in their lives—and in addition to the evil that befalls them, that those who toil in the study of Torah and in the performance of good deeds must refrain from these pursuits in order to earn a livelihood, there is another evil, viz. that the hearts of the children of men are full of evil, insofar as their hearts and their minds are occupied with their lives; they think that the end purpose of the human intellect is to strive for temporal life only.

and after it—and after this evil fantasy...

to the dead—They believe evil about the dead, for they say that the power of the human intellect is mortal, and that only those who are joined to the living have hope.

4. **For whoever is joined to all the living has hope**—*For as long as he is alive, even if he is wicked and is joined to the wicked, as it is said: "to all the living"—even* [if he is joined] *to the wicked—he has hope, perhaps he will repent before his death.*—[*Rashi*]

for concerning a live dog he is better than a dead lion—*and they are both wicked. It was better for Nebuzaradan, who was a wicked slave and converted to Judaism, that death did not overtake him early, than for Nebuchadnezzar his master, who was called "lion," as it is said (Jer. 4:7): "A lion has come up from his thicket," who died in his wickedness,* [and ended up] *in Gehinnom, while his slave is in the Garden of Eden. Our Rabbis expounded upon this the rule that we may butcher a carcass for dogs on the Sabbath, but a human corpse, lying in the sun, may not be moved unless one places a child or a loaf of bread thereon.*—[*Rashi* from *Shab.* 30b]

Mezudath David explains:

for concerning a live dog—People say concerning a live dog, that he is better than a dead lion. The same applies to humans: a live person is better off than a dead one because he still has hope. *Ibn Ezra* explains that people say that whoever is joined to the living has hope. *Isaiah da Trani* explains that this is their madness, that they believe that as long as they are attached to the living, they are assured of life. Another explanation is that whoever is attached to eternal life has assurance of this world, for a live dog is better than a dead lion.

The *Targum* renders:

For any man who is joined to all

the words of the Torah and to acquiring the life of the World to Come has hope, for a live dog is better than a dead lion.

Alshich explains that a brazen dog, as long as it is alive, has more chance of vanquishing its evil inclination than a dead lion.

5. **For the living know that they will die**—*and perhaps their hearts will return on the day of death and they will repent of their ways, but after they die, they do not know anything, and they have no more reward for the actions that they do from their deaths and onwards, for whoever toils on the eve of the Sabbath will eat on the Sabbath.*—[*Rashi*]

but the dead know nothing—i.e., They have nothing to know, and there is no use in their knowledge, for after death, regret does not avail.—[*Mezudath David*]

and they have no more reward—They have no more ability to perform the precepts to receive reward for their deeds.—[*Mezudath David*]

The *Targum* renders:

For the righteous know that if they sin, they are destined to be like the dead in the World to Come. Therefore, they watch their ways and do not sin, and if they sin, they repent, but the wicked know nothing good, because they did not improve their ways in their lifetimes, and they do not know anything good for the World to Come. This coincides with the interpretation given by the Talmud (*Ber.* 18b): "But the dead know nothing"—these are the wicked, who, even in their lifetimes, are called dead. *Alshich* explains similarly: For the living, i.e., the righteous, remember the day of death, and therefore return to God, but the dead, i.e., the wicked, do not care to know anything about the day of death, and have no more reward in the World to Come, because they have already consumed it in this world.

שָׂכָר כִּי נִשְׁכַּח זִכְרָם: ו גַּם אַהֲבָתָם גַּם־שִׂנְאָתָם
גַּם־קִנְאָתָם כְּבָר אָבָדָה וְחֵלֶק אֵין־לָהֶם עוֹד לְעוֹלָם
בְּכֹל אֲשֶׁר־נַעֲשָׂה תַּחַת הַשָּׁמֶשׁ: ז לֵךְ אֱכֹל בְּשִׂמְחָה
לַחְמֶךָ וּשֲׁתֵה בְלֶב־טוֹב יֵינֶךָ כִּי כְבָר רָצָה הָאֱלֹהִים
אֶת־מַעֲשֶׂיךָ: ח בְּכָל־עֵת יִהְיוּ בְגָדֶיךָ לְבָנִים וְשֶׁמֶן

תו״א גם אהבתם גם שנאתם גם קנאתם כבר אבדה. סוריות יד: לך אכול בשמחה לחמך. ברכות ס פקידה שפר סה עקרים מד פ׳ כח: בכל עת יהיו בגדיך לבנים שבת קנג עשר פרשת פרוסה ופרשת דברים: ושמן על ראשך אל יחסר. תרומה שם:

תרגום

וחייביא ליתיהון ידעין מדעם טב על דלא אוטיבו עובדיהון בחייהון וליתיהון ידעין מדעם טב לעלמא דאתי ולית להון אגר טב בתר מותיהון ארום אתנשי דכרניהון מבני צדיקיא: ו גם בתר מותיהון דרשיעיא לית בהון צרוך אף רחימתהון אף שנאתהון אף קנאתהון הא כבר הובדון מן עלמא וחולק טב לית להון עוד עם צדיקיא לעלמא דאתי ולית להון הנייה מן כל מה דאתעביד בעלמא הדין תחות שמשא: ז לך אמר שלמה ברוח נבואה מן קדם יי עתיד מרי עלמא למימר לכל צדיקיא באנפי נפשיה איזיל טעום בחדוא לחמך דאיתותב לך על לחמך די יהיבתא לעניא ולחשיכא דהוו כפין ושתי בלב טב חמרא דאיצטנע לך בגן עדן חלף חמרך דמזגתא לעניא ולחשיכא דהוו צחי ארום הא כבר אתרעיאת קדם יי עובדך טבא: ח בכל בכל עידן יהוין כסותך חורין מן כל

רש״י

ואולי ישיבו אל לבם יום המיתה וישובו מדרכם אבל משמתו אינם יודעים מאומה ואין עוד להם שכר פעולה שיעשו מן המיתה ואילך אלא מי שטרח בערב שבת יאכל בשבת: **(ו) גם אהבתם.** שאהבו פתי ולצון: **גם שנאתם.** ששנאו דעת: **גם קנאתם.** שהקניאו להקב״ה במעש׳ ידיהם: **וחלק אין להם וגו׳ בכל אשר נעשה וגו׳.** לא הועיל להם זכות בן ובת לאותן רשעים שעבדו עבודת כוכבים ואין להם כפרה לאחר מיתה: **(ז) לך אכול בשמחה.** אבל אתה הצדיק שכבר רצה הקב״ה מעשיך הטובים ותזכה לעולם הבא לך אכול בשמחה: **(ח) בכל עת יהיו בגדיך לבנים.** התקן עצמך בכל שעה במעשה טוב שאם תמות היום תכנס בשלום. ומשל שלמה החכם את הדבר הזה לאדם שהזמינו המלך ליום סעודה ולא קבע לו זמן אם חכם הוא או פקח מיד מכבס כסותו ורוחץ וסך וכן עת מהר עד עת

ספורנו

זמן כה: והמתים. שאין להם כח טבעי ולא נפשי: **אינם יודעים מאומה.** אינם יודעים שום דרך להשתדל בהשגת החיים: ואין להם עוד שכר. וגם אם הי׳ אפשר להם איזה דרך להשיג החיוני׳ בלתי הכחו׳ הטבעי׳ והנפשיות אין בזה להם שום שכר ותועלת כי נשכח זכרם: (ו) גם אהבתם גם שנאתם גם קנאתם כבר אבדה. אבד זכרם ממה שעבר בחייהם מבלי אין כח נפשיי זוכר אותם ובזה אבדה אהבתם ושנאתם וקנאתם שלא יוכלו להתענג ולא להצטער בהם: וחלק אין להם עוד לעולם בכל אשר נעשה תחת השמש. מבלי אין להם אז חיים טבעיים ולא נפשיים שיצטערו או יתענגו בהם ואין צריך שישתדלו להשיג או לברוח דבר מהם: (ז) לך אכול בשמחה לחמך. אמנם אתה העוסק בתורת האל יתברך אל תדאג על יום המות כי לא תפסיד במות הגוף אבל תשיג כעלה ואושר: כי כבר רצה אלהים את מעשיך. בהשתדלות השגת העיוני והמעשי אשר בם תשיג נצחיות ואושר כאמרו והתקדשתם והייתם קדושים כי קדוש אני. לכן אתה: (ח) בכל עת יהיו בגדיך לבנים. על הפך לבוש בגדים צואים

אבן עזרא

כסילים יודעים שימותו והמתים אפילו הם הכנים אינם יודעים מאומה ולא יש להם מה יקוו כי נשכח שמם וזכרם: (ו) גם אהבתם. כשהיו בחיים ושנאתם וקנאתם אין להם חלק בכל העולם לעולם: (ז) לך אכול. זה דבור לב בני האדם והוא הוללות והענין אחר שאין למת חלק בעולם כשאתה בחיים לך אכול בשמחה לחמך ושתה בלב טוב יינך כי אלה המעשים רצה האלהים שתעשה: (ח) בכל עת. המפרשים הקדמונים פירשו על ענין אחד והוא אם ידעת שרצה האלהים את מעשיך לך אכול בשמחה לחמך וצריך אתה שיהיו בגדיך לבנים. והענין שלא יהיו מעשיך מגואלים. וענין ושמן על ראשך אל יחסר שיהיה לו שם טוב. ונכון שיקח האשה ולא ישנה בזרה. וכל אשר תמצא ידך לעשות טוב בעוה״ז עשה כי העוה״ב איננו עולם מעשה כי אם עולם הגמול. והפירוש הנכון שהפסוקים שים למעלה ולמטה הם דבקים והוא דבור לבני האדם כאילו מדבר עם נפשו ולבו הוא כנוי בעד נפשו והוא אכול ושתה ולבוש בגדים נקיים ותסוך תמיד שמן ושמח עם אשה שחשקת בה וכל אלה הם

מצודת דוד

מן סדין ומתחרטים על פשעם: **אינם יודעים מאומה.** ר״ל אין בהם מה לדעת ואין פועלת בידיהם כי אחר המיתה אין מועיל חרטה: ואין עוד להם שכר. אין מקום לעשות עוד מצות לקבל שכר פעולה: כי נשכח זכרם. אלא נשכח זכרם כי כשהאדם חי ומתחרט על פשעו הו עושה מצות זוכר אז לטובה משא״כ במתים: (ו) גם אהבתם וגו׳ כבר אבדה. ר״ל מעתה אין תועלת במה שאהבו דעת וישנאו רשע ויקנאו קנאת המקום להתקצף על עוברי רצונו: וחלק וגו׳. מעתה ועד עולם אין להם עוד חלק בכל הדבר אשר נעשה בזה העולם: (ז) לך אכול. ר״ל אין מהראוי לך להצטער ולסגף כי לך אכול כו׳: כי כבר רצה. ר״ל וזהו אם כבר רצה האלהים את מעשיך ע״י עשיית הטוב והישר ומעשיך רצויי׳ לפני המקום אז תתענג והשמח: (ח) בכל עת. גם תתענג במלבוש נקי ובכל עת יהיו בגדיך לבנים ונקיים

קיצור אלשיך

ה׳ והמתים הם הרשעים אינם יודעים מאומה, כלומר אין רצונם לידע ולזכור את יום המיתה, ואין עוד להם שכר בעוה״ב, כי אכלו שכרם בעוה״ז, כי נשכח זכרם, מעוה״ז ומעוה״ב. (ו) גם אהבתם שאהבו טובות עוה״ז לאכול ולשתות ולשמוח ולאסוף הון ועושר, שבהם חטאו בין אדם למקום, גם שנאתם גם קנאתם, שבהם חטאו בינם לחבריהם שהיה ע״י קנאה ושנאה כבר אבדה וחלק אין להם עוד לעולם בכל אשר נעשה תחת השמש בעוה״ז אשר בם בחרו:

(ז) לך אכול וגו׳ כלומר לא אמרתי לך שלא תהנה מעולם הזה, רק כה יהי׳ הנהגתך, אכול בשמחה לחמך, א׳ שיהיה לחמך, שלך, מיגיע כפיך, ב׳ רק לחם, לא מותרות ותסתפק אם לא יהי׳ לך רק לחם. וגם מן היין לא אמנעך מלשתות, רק שתה בלב טוב, ע״י יצר הטוב ביין של מצוה, כמו קידוש והבדלה וד׳ כוסות ש״פ. שבתות ויו״ט ופורים, וגם זה היין יהי׳ שלך מיגיע כפך, ולא להשתכר, רק לשתות, והוא רק בעת שכבר רצה האלהים את מעשיך, שעשית תשובה מאהבה לרצון לה׳. (ח) בכל עת יהיו בגדיך לבנים, זה משל על הגוף שהוא בגד ומלבוש על הנשמה, יהי׳ תמיד לבן בלא כתמי עונות, וגם שמן על ראשך אל יחסר, והוא האור שעל ראש הצדיק המדבק נפשו אשר בקרבו אל ה׳ אלהיו. אל יהיו עונותיך מחסרים אותו, ומבדילים בינך לבין אלהיך וקרא לאור ההוא שמן

for their remembrance is forgotten. 6. Also their love, as well as their hate, as well as their provocation has already been lost, and they have no more share forever in all that is done under the sun. 7. Go, eat your bread joyfully and drink your wine with a merry heart, for God has already accepted your deeds. 8. At all times, let your garments be white, and let oil

for their remembrance is forgotten—For when a man is living, and he regrets his transgressions or performs a precept, he is remembered for good, but not so with the dead.—[*Mezudath David*]

Ibn Ezra explains:

For the living—The living—even if they are fools—know that they will die, but the dead—even if they are wise—know nothing, and they have nothing to hope for, for their names and their memories are forgotten.

Isaiah da Trani explains: Humans, as long as they are alive, have no other worry but their impending deaths, but in all other matters, they are joyful. The dead, however, know nothing and feel nothing, and they have no more reward, for their memory is entirely forgotten. *Saadia Gaon* explains that they have no more profit or gain from this world because their remembrance has been forgotten from it. He takes this verse and the following one as proof that the dead know nothing of what transpires in this world. The Rabbis (*Ecc. Rabbah, Ber.* 18a), however, reject the idea that the dead are unaware of what transpires in this world. They explain this verse as follows: The living are the righteous, who are considered alive even after their deaths. The dead are the wicked, who are considered dead even during their lifetimes.

The *Targum* paraphrases:

For the righteous know that if they sin, they are destined to be considered like the dead in the World to Come. Because of this, they guard their ways and do not sin. If they do sin, they repent, but the sinners know nothing good because they do not improve their deeds in their lifetimes, and they do not know anything good for the World to Come, and they have no good reward after their deaths, for their remembrance is forgotten from among the righteous.

6. **Also their love**—*that they loved folly and scorn.*—[*Rashi*] *Ecclesiastes Rabbah* identifies this as their love for idolatry.

as well as their hate—*that they hated knowledge.*—[*Rashi*] *Ecclesiastes Rabbah* identifies this with the hate of the Holy One, blessed be He, for the deeds of their hands.

as well as their provocation—*that they provoked the Holy One, blessed be He, with the deeds of their hands.*—[*Rashi*] *Ecclesiastes Rabbah* states: that they provoked Him with their idolatry, as the Torah states (Deut. 32:16): "They provoked Him with alien practices."

and they have no more share, etc. in all that is done, etc.—*The merit of a son or a daughter did not avail those wicked men who worshipped idols, and they have no atonement after death.*—[*Rashi*] *Ecclesiastes Rabbah* appears to explain this verse as regarding the heathens, because the conclusion is: But Israel has a share and a good reward, as it is stated: "Go, eat your bread, etc."

Mezudath David explains this verse as referring literally to the dead. He interprets it as follows:

Also their love, etc. has already been lost—i.e., From now on, there is no more use from their love of knowledge, their hatred of wickedness, or their zeal for the Omnipresent.

they have no more share—From now on and forever, they have no more share in the entire matter that is done in this world.

The *Targum* renders: and they have no more good share with the righteous in the World to Come, and they have no pleasure from all that is done in this world under the sun.

7. **Go, eat your bread joyfully**—*But you, the righteous man, whose good deeds the Holy One, blessed be He, has accepted, and who will merit the World to Come, go, eat joyfully.*—[*Rashi*]

8. **At all times, let your garments be white**—*Prepare yourself at all times with good deeds, so that if you die today, you will enter in peace. And Solomon likened this to a man whom the king invited for a feast day, without setting a time for him. If he is wise or clever, he will immediately launder his garments, and bathe, and anoint himself. So did our Rabbis expound it in Tractate Shabbath* (153a).—[*Rashi*] Note that a similar allegory is found in *Ecclesiastes Rabbah.*

Mezudath David connects this verse with the preceding one and explains as follows:

[7] **eat your bread joyfully**—It is not fitting for you to mortify yourself, but go, eat your bread joyfully.

if God has already accepted your deeds—i.e., If God has already accepted your deeds because you have done what is good and upright, and your deeds are acceptable before the Omnipresent, then you should indulge in pleasure and rejoice.

[8] **At all times**—You should also enjoy yourself with clean garments, and at all times your garments should be white and clean, and let not oil be lacking from your head, for you should anoint your head regularly for pleasure.

The *Targum* paraphrases: [7] Said Solomon with the spirit of prophecy from before the Lord: The Lord of the Universe is destined to say to all the righteous, each one individually: Go, eat with joy your bread that was preserved for you because of the good bread that you gave to the poor and to the needy who were hungry, and drink with a good heart the wine that is preserved for you in the Garden of Eden in place of the wine that you mixed for the poor and the needy who were thirsty, for God has already accepted your good deeds.

[8] At all times, let your clothes be clean of all defilement of sin, and acquire a good name, which is likened to the anointment oil, in order that blessings should rest on your head, and your goodness will not be lacking.

Sforno follows this interpretation, comparing the white garments mentioned in this verse to (Zech. 3:3): "Now Joshua was wearing filthy garments," [denoting the sins of his sons]. Hence, the admonition not to defile oneself with sin. He parallels the image of the oil on the head to: (Song of Songs 1:3) "Your name is: Oil poured forth," denoting that one should be famed for one's studies and deeds, and bestow a fragrance upon all who come near, meaning that he should cause others to repent from their sins and follow the way of the Torah, as in Mal. 2:7: "and he brought many back from iniquity...and they shall seek the law from his mouth."

Alshich explains that the garments represent the body, which is the attire of the soul. This must always be kept clean of any stains of sin. The oil represents the light on the head of the righteous man who cleaves to God. Let your sins not diminish this light and create a barrier between you and God. That light is referred to as oil because oil is used to illuminate the world. This denotes the heavenly radiance bestowed upon the righteous. Similarly, the anointing oil with which the High Priest was anointed is referred to as "the crown of the oil of the anointing of his God."

עַל־רֹאשְׁךָ אַל־יֶחְסָר׃ ט רְאֵה חַיִּים עִם־אִשָּׁה אֲשֶׁר־
אָהַבְתָּ כָּל־יְמֵי חַיֵּי הֶבְלֶךָ אֲשֶׁר נָתַן־לְךָ תַּחַת הַשֶּׁמֶשׁ
כֹּל יְמֵי הֶבְלֶךָ כִּי הוּא חֶלְקְךָ בַּחַיִּים וּבַעֲמָלְךָ אֲשֶׁר־
אַתָּה עָמֵל תַּחַת הַשָּׁמֶשׁ׃ י כֹּל אֲשֶׁר תִּמְצָא יָדְךָ
לַעֲשׂוֹת בְּכֹחֲךָ עֲשֵׂה כִּי אֵין מַעֲשֶׂה וְחֶשְׁבּוֹן וְדַעַת
וְחָכְמָה בִּשְׁאוֹל אֲשֶׁר אַתָּה הֹלֵךְ שָׁמָּה׃ יא שַׁבְתִּי
וְרָאֹה תַחַת־הַשֶּׁמֶשׁ כִּי לֹא לַקַּלִּים הַמֵּרוֹץ וְלֹא

תו"א ראה חיים עם אשה אשר אהבת. קדושין ל' זוהר פ' מקץ ופ' קרח: כל אשר תמצא ידך לעשות בכחך עשה. זוהר פרשת מקץ ופרשת קרח ופ' פינחס:

סוּאֲבַת חוּבְתָא וּשְׁמָא טָבָא דְּמַתִּיל לִמְשַׁח רְבוּתָא קְנֵי בְּגִין דִּי יִמְטוּן בִּרְכָן עַל רֵישָׁךְ וְטִיבוּתָךְ אַל יֶחְסָר׃ ט רְאֵה חֲזֵי חַיִּין טָבִין עִם אִתְּתָא דִּרְחִימְתָא כָּל יוֹמֵי חַיֵּי הַבְלוּתָךְ דִּי יְהַב יְיָ לָךְ בְּמַזָּלָא בְּעָלְמָא הָדֵין תְּחוֹת שִׁמְשָׁא אֲרוּם הִיא חוּלָקָךְ בְּחַיִּין וּבְטוּרְחוּתָךְ דִּי אַנְתְּ טָרַח תַּבְעָלְמָא הָדֵין תְּחוֹת שִׁמְשָׁא׃ י כֹּל כָּל דִּי מִסְפְּקָא יְדָךְ לְמֶעְבַּד טִיבוּ וּצְדָקְתָא עִם מִסְכֵּינָא בְּכָל חֵילָךְ עֲבֵיד אֲרוּם בָּתַר מוֹתָא לֵית לִגְבַר עוֹבָדָא וְחוּשְׁבְּנָא וּמַנְדְּעָא וְחוּכְמְתָא בְּבֵית קְבוּרְתָּא דְּאַתְּ אָזִיל תַּמָּן וְלָא יְסַיְּיעוּן לָךְ אֶלָּהֵן עוֹבָדִין טָבִין וּצְדָקְתָא בִּלְחוֹדֵיהוֹן׃ יא שַׁבְתִּי אֲמַר

רש"י

יקרא אל הסעודה יהיו כל שעה בגדיו לבנים והוא רחוץ וסך כך דרשוהו רבותינו במסכת שבת: (ט) ראה חיים עם אשה אשר אהבת. ראה והכן ללמוד אומנות להתפרנס ממנו עם ת"ת אשר בידך: כי הוא חלקך בחיים. אם עשית כן יהיה חלקך זה חיים בעולם הזה להתפרנס מן האומנות ובעולם הבא שיגיעת שניהם משכחת עון: (י) כל אשר תמצא ידך לעשות. רצון קונך בעוד שאתה בכחך עשה: כי אין מעשה וגו' בשאול. לזכותך משתמות ואם עשית כן אין לך שום חשבון בשאול שתדאג ממנו. וכן המקרא מסורסק כי אין מעשה ודעת וחכמה בשאול לרשעים ולא חשבון לצדיקים כשיתנו החוטאים דין והשבון וכך נדרש במדרש והבא לפותרו בלא סירוס כמשמעו פותר חשבון לשון מחשבה מה יוכל עוד לעשות להפטר מן הדין: (יא) שבתי וראה. כמו ר זכור וואדינ"ט בלע"ז: לא לקלים המרוץ. לא עמדה לעשאל קלותו מהגיע

שפתי חכמים

טוב מן האריס שמת. לכך דרשו כך בפ' במה מדליקין: ק כי בלתי סירוס לא יובן הכ' כי הלילה שלא יהיה החשבון בשאול: ר ולאה

אבן עזרא

תענוגי הגוף לבדו: (י) כל אשר. כל מה שתמצא לעשות מדברי תענוג עשה כי אין מעשה ולא חשבון על מעשה או מחשבה ודעת וחכמה בשאול שהוא הקבר כי ימצא שאול לצדיקים כמו כי ארד אל בני אבל שאולה: (יא) שבתי. אמר שלמה שבתי והזרתי כי שכחתי השמחה וכי הטוב

ספורנו

וזה שלא יהיו מלוכלכים בחטא. וזה תעשה בכל עת כאמרם ז"ל שוב יום אחד לפני מיתתך: ושמן. רוקח על דרך שמן תורק שמך: על ראשך אל יחסר. שיהיה מפורסם בעיון ובמעשה למען יתן ריח לכל הקרב אליך בהישירך את זולתך ע"ד ורבים השיב מעון וע"ד ותורה יבקשו מפיהו: (ט) ראה חיים. בחר לך החיים האמתיים שהם חיי עולם כאמרו ובחרת בחיים: עם האשה. עם התענוג הזמני: אשר אהבת ימי חיי הבלך. אשר אהבת בימי הבחרו' שהם ימי חיים על הפך ימי הזקנה שנקרא' ימי הרעה וזה ע"ד וזכור את בוראך בימי בחורותיך: אשר נתן לך האלהי' תחת השמש כל ימי הבלך. ואמרתי שתראה ותבחר את החיים בימי הבלך כי אמנם זאת הראיה והבחירה אשר יש לאל ידיך לבחור בהנתן לך האלהים כל ימי חייך לא אחר המות והנה הם ימי הבלך שהם קצרים והמלאכה מרובה ותכלית המושג הוא רב המעלה כאמרו כי טוב יום בחצריך מאלף. וכאמרם ז"ל יפה שעה אחת של תורה ומעשים טובים בעוה"ז מכל חיי עוה"ב: כי הוא חלקך. זה בלבד הוא חלקך כי כל זולת זה הוא גם לזרים אתך. ולכן: (י) כל אשר תמצא ידך לעשות בכחך. באלו החיים: עשה. השתדל להשיג הנצחיות והאושר הנצחי בעוד שהרשות נתונה אין אונס כאמרם ז"ל עשה בעוד שאתה מוצא ומצוי לך ואתה בידך: כי אין מעשה. טוב או רע: ודעת. להשיג בהתבוננות עיוני: וחכמה. מקובלת: וחשבון. מחשבה לאיזה פעולה טובה או רעה שתצטרך למעשה: בשאול. כאמרם ז"ל כיון שמת אדם נעשה חפשי מן המצות: (יא) שבתי וראה תחת השמש. אעפ"י שאמרתי שהרשות נתונה לבחירה האנושית

מצודת דוד

ועל ראשך לא יחסר השמן כי בכל עת תסוך ראשך בשמן למען התענג: (ט) ראה חיים. עכשיו אמר דרך כלל ראה שיהא חייך חיים ר"ל להתענג בטוב כי חיי לצער לא יקרא חיים: עם אשה. גם אתה התענג גם האשה אשר אהבת לקחת לך לאשה למען לא תהיה עיניך לרה בך לכן עמה תתענג כל ימי חיי ההבל אשר קלב ונתן לך המקום לחיות בעולם (וקורא לימי חיי האד' ימי חיי הבל לפי שאינ' נצחיים). או ר"ל שב בשלום עם אשתך שתהא חייך חיים כי חיי מריבה לא יקראו חיים: כל ימי הבלך. כן התנהג כל ימי הבלך: כי הוא. הדבר הזה לבד הוא חלקך בימי החיים ולא יותר: ובעמלך. בכל העמל והטורח שאתה עמל בזה העולם אין לך בהם חלק רק זה לבד: (י) כל אשר כו'. עודך חי עשה כל אשר תשיג ידך לעשות בכחך הן מעשה המצות הן מעשה התענוג': כי אין מעשה כו' בשאול. כי כשתהיה בקבר אין שם מעשה התענוג ומחשבת בינה ודעת חכמה: אשר אתה הולך שמה. לפי שבכל עת מתקרב יום המיתה לבוא אל הקבר לזה אמר אשר אתה הולך שמה כאלו הולך להתקרב אל הקבר: (יא) שבתי וראה. הזרתי וראיתי

מצודת ציון

(ז) לך. הוא ענין זרוז: כי. אם: (י) תמצא. תשיג ותוכל: וחשבון. מחשבת בינה: בשאול. בקבר: (יא) כי. אשר: המרוץ. מל' רילה ורדיפה:

קיצור אלשיך

שמן כמו שקרא הקב"ה לשמן משחת קודש נזר אלהיו שהוא על אורו יתברך השופע בה על היות השמן מאיר לעולם:

(ט) **ראה** חיים עם האשה זו הנשמה שלך אשר אהבת אותה כל ימי חיי הבלך, אשר הורידה אותה משמי מעל ונתנה לך בעולם הזה תחת השמש על כל ימי הבלך, כי הוא חלקך בחיים, כאשר אתה עוסק בתורה החיים הנצחים שלך, ובעמלך אשר אתה עמל בפרנסתך תחת השמש, בכל עניניך תהיה דבוק בנשמתך ובו ית' כל עוד שהוא עמלך שאתה צריך לה ולא תעשה עיקר מעניני עולם הזה, ושמא האמר מי יוכל לקיים כל התרי"ג מצות, או מי זה האיש שכל דעת וחכמת התורה בידו, לא חציה ולא אחד מני אלף בידו, כי אין לה סוף וקץ, ע"ז אמר אל תירא (י) כל אשר תמצא ידך לעשות בכחך עשה כפי יכולתך וכח השתדלותך, עשה ואל תירא, כי אין מעשה וחשבון, שלא ישאלו ממך מעשה, שתעשה תמיד מצות, וגם חשבון לומר למה לא שלמת חשבון כל המצות, כי אחר שהוצאת ימיך במעשה המצות אינך מחויב להשלימם, וכן אין שואלים ממך דעת וחכמה, כי אם לא מצאה יד שכלך לשתיהן יחד כי אם לאחד מהם מה יכולת לעשות, ע"כ אל תירא מאומה: (יא) **שבתי** וראה תחת השמש וגו'. הנה השנת המבוקשים אפשר ליחס אל החריצות נהשתדלות

not be wanting on your head. 9. Enjoy life with the wife whom
you love all the days of the life of your vanity, whom He has given you under the sun, all the days of your vanity, for that is your portion in life and in your toil that you toil under the sun.
10. Whatever your hand attains to do [as long as you are] with your strength, do; for there is neither deed nor reckoning, neither knowledge nor wisdom in the grave, where you are going. 11. I
returned and saw under the sun, that the race does not belong to the swift, nor

9. **Enjoy life with the wife whom you love**—*See and understand to learn a craft to earn a livelihood therefrom, together with the study of the Torah that is in your possession.*—[*Rashi* from *Ecc. Rabbah* and *Kid.* 30b]

for that is your portion in life—*If you have done so, your share will be life in this world, by earning a livelihood from the craft, and in the World to Come, because toiling with both causes one to forget sin.*—[*Rashi*]

Mezudath David, connecting this verse with the preceding two verses, explains:

Enjoy life—He now makes a general statement: See that your life should be a life, i.e., to have pleasure from good things, for a life of pain is not called a life.

with the wife—You should have pleasure as well as the woman that you love, whom you have taken as a wife, in order that she should not be envious of you. Therefore, enjoy yourself with her all the days of the life of vanity that the Omnipresent gave you and allotted to you to live in the world. (He calls a person's life the days of the life of vanity because it is not eternal.) Alternatively, live peacefully with your wife, so that your life should be considered a life, because a life of quarreling is not considered a life.

all the days of your vanity—So should you conduct yourself all the days of your vanity.

for that—This thing alone is your portion in the days of your life, and nothing else.

and in your toil—in all the toil and the labor that you toil in this world. You have no portion in it but this alone.

Ibn Ezra explains:

[7] **Go, eat**—This is what a person's heart tells him, but this is madness. The idea is that since the dead have no portion in the world, while you are alive, eat your bread joyfully and drink your wine with a merry heart, for God wishes you to perform these deeds.

[8] **At all times, let your garments be white, etc.**

[9] **Enjoy life with the wife, etc.**— A person's heart tells him to enjoy life with all kinds of physical

לַגִּבּוֹרִים הַמִּלְחָמָה וְגַם לֹא לַחֲכָמִים לֶחֶם וְגַם לֹא
לַנְּבֹנִים עֹשֶׁר וְגַם לֹא לַיֹּדְעִים חֵן כִּי־עֵת וָפֶגַע יִקְרֶה
אֶת־כֻּלָּם׃ יב כִּי גַּם לֹא־יֵדַע הָאָדָם אֶת־עִתּוֹ כַּדָּגִים
שֶׁנֶּאֱחָזִים בִּמְצוֹדָה רָעָה וְכַצִּפֳּרִים הָאֲחֻזוֹת בַּפָּח
כָּהֵם יוּקָשִׁים בְּנֵי הָאָדָם לְעֵת רָעָה כְּשֶׁתִּפּוֹל עֲלֵיהֶם

הו"א כי גם לא ידע האדם את עתו סנהדרין פא. וכצפרים האחוזות זוהר פ' מצורע:

תרגום

שלמה מלכא כד הויתי יתיב על כורסי מלכותי אסתכלית וחזית בעלמא הדין תחות שמשא ארום לא נוברין דאינון קלילין כנשרין מסתייען למרהט לאשתיזבא מן מותא בקרבא ולא גבריא מסתייען באנחותהון קרבא בגבורתיהון ואף לא חכימיא מסתייען בחוכמתהון למסבע לחמא בעידן כפנא ואף לא סוכלתנין מסתייען בסוכלתנותהון למכנוש עותרא ואף לא ידעי בינה מסתייען (ס"א משמיעין) במנדעותהון למשכח רחמין בעיני מלכא ארום עידן וערעיתא במזליהון יערע ית כלהון: יב כי ארום אף לא אשתמודע לגבר ית זמניה בין טב לביש מן מה דעתיד למהוי בעלמא ולמיתי עלוי כנוני ימא דמתאחדין בחכא וכצפרי

רש"י

פקודתו: ולא לגבורים המלחמה. לא עמדה לאבנר גבורתו משהגיע יומו: וגם לא לחכמים לחם. כגון אני שהיה לחמי ליום (מלכים א ה ב) שלשים כור סולת וגומר ועכשיו זה חלקי מכל עמלי מקלי ומקידה: וגם לא לנבונים עושר. כגון איוב בתחל' (איוב א ג) ויהי מקנהו וגו' כשבאה שעתו אמר (שם יט כא) חנוני אתם רעי: וגם לא ליודעים חן. הרי משה אין יודע ונכון ממנו בישראל ולא מצא חן בתפלתו שיכנס לארץ: כי עת ופגע. כמשמעו דבר אחר כי עת יקרה אותם והפגיעה והתחנה יהיו רגילין בהם שלא יבואו לדברים הללו: (יב) כדגים שנאחזים במצודה. כדגים גדולים שנאחזים במצודה גרועה וחלושה ופירשו רבותינו היא חכה שאינה אלא כמין מחט ודג גדול נלכד בה: כהם יוקשים. במכשול קטן והלא כמו המצודה הרעה והפח

ספורנו

שבתי וראה שלא יתאמת זה זולתי בדברים שהם בני גמול ועונש אשר על אלה לא תוכל המערכת כלל. אמנם בדברים הזמניים שהם תחת השמש שתכליתם נפסד לא תמיד תשיג הבחירה את התכלי' המכוון אצלה: כי עת. מצד חלוף זמני המערכת ופגע מצד המקרה: יקרה את כלם נגד המכוון מאתם: (יב) כי גם לא ידע האדם את עתו. ועם זה שבתי וראיתי שיקרה זה גם כשלא ידע האדם את עתו של מקרה שיוכל להשמר ממנו כמו שאולי היה נשמר אם היה יודע

אבן עזרא

שיבקש האדם התענוג בעבור שלא יוכל אדם לשמוח בעוה"ז ולא יתענג בו כי ראיתי קלים יכשלו ואין להם כח לרוץ יברחו וימלטו: ולא לגבורים המלחמה. כענין וגבור לא ינצל ברב כח: וגם לא לחכמים לחם. שהיה ראוי להיותם מושלים בכסילים ויהיו ראשים והדבר הפוך ברוב: וגם לא ליודעים חן. כענין הממשלה שיאהבו אותו ויסורו אל משמעתו: כי עת ופגע יקרה את כלם. ענין כלם החכמים והכסילים והגבורים והחלשים והנכון בעיני כי כלם ישוב על אלה הנזכרים לבדם והענין כי אין יכול' ביד בן אדם לעשות זה והראיה כי החכמים בעלי הדעות אבות המלאכו' אין להם לחם. והאומרים כל אשר תמצא ידך לעשו' בכחך עשה הוללות ודבר לא יקום ופירוש עת מה שיש במתכונת המערכת העליונה הראשונה. ופירוש פגע פגיעת אחד מן המערכת באחד מהשבעה שהוא החצי וחציו לפניו ואחריו ושלישיתו וחציו לפניו ואחריו. ודע כי מלת עת חסרת נו"ן ועתה אבאר דע שאין בלשון הקדש אות מתהפך ומתחלף ומובלע ונוסף ונעדר כי אם אותיו' אהו"י כאשר פירש ר' יהודה ברבי דוד בעל הדקדוק ז"ל ואות הנו"ן ימצא בראש מובלע וחסר וכן באמצע ובסוף כמו נסע שבולע הנו"ן בדגש ויסע וכן וישא ויתן ויטע וידר ויפול ויגוף ויכול אלהו ובפועל יראו הנוני"ן כלם נוסע נושא נותן נוטע נודר נופל נוגף נוכל ובליווי יחסרו הנוני"ן כמו קומו סעו שאו את ראש. תנו יד לה'. ופעמים ישארו הנוני"ן על מתכונתם כמו נפלו עלינו ובאמצע ימצא מובלע בנו"ן שני במלת שתי כי הוא מן ולא אשנה לו וכן בת חסרת נו"ן בן וכן עת הוא ענת וכמוהו בדברי קדמונינו ז"ל עונה וכן בלשון ארמית וכעת וכענת ודגשו' תי"ו עתו להתבלע הנו"ן כדגשו' תי"ו כתו ונו"ן אני במלת אתה וכן חטים ושניהם נראים בארמי' ותי"ו אמתו כי שרשו מן אמונה והתי"ו לשון נקבה ויורה עליו ותהי האמת נעדרת וכן תי"ו עת לשון נקבה ויורה עליו ועל זה הדקדוק ישאר לעות את יעף לבדו ולא יהיה לו חבר במקרא: (יב) כי גם. אמר כי העת והפגע ימנענו שיעשה מה שיחפוץ ועוד דבר אחר קשה שיתכן שיגיע אליו המות פתאום והוא לא ידע ודמה בני אדם לדגים ולצפרים שלא ידעו עד שנפלו ולא יוכלו להנצל. ומלת יוקשים שם התואר. אמר רבי יהודה בעל הדקדוק ז"ל ארבעה מלות במקרא ואין להם חמישי' שהם על משקל פועלים והם פעולים. ואלה הם והסנה איננו אוכל. אם תראה אותי לוקח מאתך. ורגל מועדת. כהם יוקשים בני האדם. והוסיף ר' יונה כ"ע מלה אחרת חמשי' והיא לנער היולד ואמר רב שמואל הנגיד כי ה"א היולד במקום אשר כה"א ההוללה וכא פועל עבר

מצודת ציון

ופגע. ענינו מכת מות כמו גש פגע בו (ש"ב א): יקרה. מל' מקרה: (יב) שנאחזים. מל' אחיזה ולכידה: במצודה. מל' צייד והוא כעין רשת שלוכדין בו: רעה. ר"ל מכאיבה: בפח. הוא רשת: כהם. כמותם: יוקשי'. מל'

מצודת דוד

בעולם אשר הרדיפה לא הועיל' לקלי המרוץ כי לא נמלטו בנוסם מפני הרודף: ולא לגבורים המלחמה. הגבור' לא הועילה לגבורים להיות להם נצחון המלחמה: לא לחכמים לחם. לא הועילה החכמה לחכמים להשיג להם מאכלם: לא לנבונים עושר. התבונה לא הועילה לנבונים להשיג העושר: לא ליודעים חן. הידיעה לא הועילה אל היודעים ידיעות רבות מופלגו' למצוא ע"י חן בעיני הבריות: כי עת ופגע. עת רעה ופגיעות מות יקרה את כולם הקלי' והגבורים כו': (יב) כי גם. טרם בוא העת והפגע לא ידע האדם עת בואם כי פתאום יבואו: כדגים. כמו הדגים שנאחזים פתאום במצודה רעה ומכאיב' וכמו הצפרים האחוזות פתאום בפח: כהם. כמו אלו כן גם פתאום יוקש

קיצור אלשיך

השתדלו' או אל הטבע או אל החכמה, ובה שלש בחינות חכמה תבונה ודעת האמורים בבצלאל וימלא אותו וגו'. ועל ההשתדלות אמר לא לקלים המרוץ, ועל הטבע אמר ולא לגבורים המלחמה, ועל החכמה אמר גם לא לחכמים לחם, ועל הבינה אמר וגם לא לנבונים עושר. ועל הדעת אמר וגם לא ליודעים חן בעיני היוצר להשלים מבוקשם על שהגיעו לכלל דעת שהוא אחר החכמה ובינה, כי עת ופגע יקרה את כולם: (יב) כי גם לא ידע וגו'. אמר גם דרך כלל יש עוד רעה חולה לאדם גם למגיעים לזקנה והוא

the war to the mighty; neither do the wise have bread, nor do the understanding have riches, nor the knowledgeable, favor; for time and fate will overtake them all. 12. For a person does not even know his time, like the fish that are caught with an inferior trap and like the birds that are caught in the snare; like them, the children of men are trapped at a time of evil, when it falls upon them

pleasures, to wear white clothing, to anoint himself regularly, and to enjoy life with his wife, whom he desires.

10. **Whatever your hand attains to do**—*the will of your Maker, as long as you have your strength, do.*—[*Rashi* from *Devarim Rabbah*, Lieberman, p. 58] The *Targum*, too, renders: Whatever your hand attains to do goodness and charity with the poor, do so with all your strength.

Mezudath David, however, explains: As long as you are alive, do whatever your hand is able to do with your strength, either the performance of the precepts or the enjoyment of pleasures.

for there is neither deed, etc. in the grave—*for your merit after you die, and if you did so, you have no reckoning in the grave to worry about. The verse is transposed,* [to be explained]*: for there is neither deed nor knowledge nor wisdom in the grave for the wicked, nor reckoning for the righteous, when the wicked give their accounting. So is it expounded in the Midrash* (unknown). *And one who interprets it without transposing it, according to its apparent meaning, interprets* חֶשְׁבּוֹן *as an expression of "thought," what he can still do to free himself from judgment.*—[*Rashi*]

Ibn Ezra explains: Attain whatever pleasures you can, for there is neither deed nor reckoning for the dead, nor thought nor knowledge and wisdom in Sheol, which is the grave, for we find Sheol mentioned in regard to the righteous, e.g. (Gen. 36:35): "For I will go down to my son, mourning, to Sheol."

Mezudath David explains: **for there is neither deed, etc.**—in the grave, for when you will be in the grave, there will be neither pleasures nor thoughts nor understanding, knowledge or wisdom.

where you are going—Since every day the day of death comes closer, when one goes to the grave, Koheleth says, "where you are going," as if the person is walking towards the grave.—[*Mezudath David*]

11. **I returned and saw**—Heb. וְרָאֹה, *seeing, like* זָכוֹר *vadant or vedant in Old French, (continually) looking.*—[*Rashi*]

the race does not belong to the swift—*Asahel's swiftness did not avail him when his time arrived.*—[*Rashi* from *Ecc. Rabbah*]

nor the war to the mighty—*Abner's might did not avail him when his day arrived.*—[*Rashi* from *Ecc. Rabbah*]

neither do the wise have bread—*For example, I* (Solomon), *whose bread for a day was* (*I Kings 5:2*): "*thirty kor of fine flour, etc.,*" *and now,* (*above 2:10*): "*this was my portion from all my toil,*" *my staff and my cup.*—[*Rashi* from *Ecc. Rabbah, Gittin* 68b]

nor do the understanding have riches—*e.g., Job, in the beginning,* (*Job 1:3*): "*His livestock consisted of, etc.,*" *and when his time came, he said,* (*ibid. 19:21*): "*Have pity on me, you, my friends.*"—[*Rashi* from *Ecc. Rabbah*]

nor the knowledgeable, favor—*Moses, for example—there was no one more knowledgeable and wiser than he in Israel, and yet he did not find favor with his prayer to enter the Land.*—[*Rashi* from *Ecc. Rabbah]* [Peculiarly, *Rashi* does not follow the *Rabbah*, which takes this clause as alluding to Joshua, whom Moses rebuked when he suggested that he destroy Eldad and Medad for prophesying in his presence, or for being unable to identify the noise emanating from the camp when they returned from Mount Sinai. Instead, he takes this commentary from the second explanation of the *Rabbah*, which explains the entire verse as referring to Moses.]

for time and fate—*as its apparent meaning. Another explanation: for time will befall them, and they should be accustomed to entreaty* (פְּגִיעָה) *and supplication, that these things should not befall them.*—[*Rashi* from *Ecc. Rabbah*]

Ibn Ezra explains:

I returned—I retract what I said previously, when I praised joy, and I said that the best thing a person can do is to seek pleasure, because a person cannot be happy or enjoy pleasure in this world, because I have seen the swift stumble, with no strength to run and escape.

nor the war to the mighty—as the Psalmist states (32:16): "a mighty man will not be rescued with great strength."

neither do the wise have bread—It would be fitting for them to rule over the fools and to be leaders, but, as a rule, the opposite is true.

nor the knowledgeable, favor—as regards ruling, that people should love him and obey him.

for time and fate will overtake them all—This may refer to the wise and the mighty or the fools and the weak, but it appears to me that it refers only to the former, and the idea is that man does not have the power to achieve his goals, as is evidenced by the fact that the wise, who have knowledge and are skillful in crafts, have no bread, and those who say, "Whatever your hand attains to do with your strength, do," are mad, and will not be successful. The meaning of עֵת וָפֶגַע relates to the meeting of the stars.

Mezudath David explains the beginning of the verse as *Ibn Ezra*, but concludes:

nor the knowledgeable, favor—Knowledge did not avail those who possesed much knowledge in various fields to find favor in the eyes of their fellowmen.

for time and fate—An evil time

and fate of death will overtake them all, the swift, the mighty, etc.

12. **For a person does not even know**—Before the appointed time and the misfortune strike, a person does not know when they will strike, for they will happen suddenly.—[*Mezudath David*]

like the fish that are caught with an inferior trap—*Like large fish that are caught in an inferior and weak trap, and our Rabbis* (*Ecc. Rabbah*) *explained: This is a fishhook, which is no more than a sort of needle, yet a large fish is caught with it.*—[*Rashi*] *Redak (Shorashim),* followed by *Mezudath Zion*, define מְצוֹדָה as a net. Accordingly, *Mezudath David* explains: Like fish that are suddenly caught in an evil and painful net, and like birds that are suddenly caught in a snare. *Ibn Lattif* explains that men are similar to fish and birds in their ignorance of what is destined to befall them.

like them, the children of men are trapped—*with a small and weak trap, like the weak trap and the snare. People stumble at the time of the visitation of their evil, when the time comes for evil to fall upon them suddenly, in an inferior trap, malvayse in Old French, bad, evil.*—[*Rashi*] [Apparently, the French does not agree with *Rashi's* previous interpretation of מְצוֹדָה רָעָה as an inferior trap.]

like them—Heb. כָּהֵם, כְּמוֹתָם.—[*Rashi*] [*Rashi* defines the unusual word with the more usual form.]

The *Targum* paraphrases: For a man does not know his time, whether good or bad, of what is destined to be in the world and to come upon him, like the fish of the sea that are caught with a fishhook, and like the birds of the sky that are caught in a snare. Like them, the sons of men are caught at an evil time, which is destined to fall upon them one moment, from heaven.

פִּתְאֹם׃ יג גַּם־זֹה רָאִיתִי חָכְמָה תַּחַת הַשָּׁמֶשׁ וּגְדוֹלָה
הִיא אֵלָי׃ יד עִיר קְטַנָּה וַאֲנָשִׁים בָּהּ מְעָט וּבָא־
אֵלֶיהָ מֶלֶךְ גָּדוֹל וְסָבַב אֹתָהּ וּבָנָה עָלֶיהָ מְצוֹדִים
גְּדֹלִים׃ טו וּמָצָא בָהּ אִישׁ מִסְכֵּן חָכָם וּמִלַּט־הוּא
אֶת־הָעִיר בְּחָכְמָתוֹ וְאָדָם לֹא זָכַר אֶת־הָאִישׁ הַמִּסְכֵּן

ת"א עיר קטנה ואנשים מעט. נדרים לב עקידה שער פב:

שמיא דמתאחדין בתקולא כוותהון מתקלין בני אנשא לזמן בישתא דאתעתדת למהוי נפלא עליהון רוגזא חדא משמיא: יג גם אף דין חזיתי דהיא חוכמתא בעלמא הדין תחות שמשא ורבתא היא לותי: יד עיר גוף בר נשא דמתיל לקרתא זעירתא וגברין גברי חילא זעיר בגוה היכמא דקלילין זכותיה בגו לבא דאנשא ויעול לות גופא יצרא בישא דמתיל למלך רב ותקיף לאתכנעא ואכחר יתיה למטעי יתיה ובנא עלוהי אתר למיתב על די יצבי לאסטיותיה מן אורחן דתקנן קדם יי לאחדא יתיה במצודין דברבין דגהינם לאדלקותיה שבע זמנין על חובוהי: טו ומצא ואשתכח בגו גוף יצרא טבא מסכין וחכים ואתגבר עלוהי וכבש יתיה בחוכמתיה ושזיב ית גופא מן דינא דגהינם בתוקפיה ובחוכמתיה היכמא דגברא עביד לקרבא ומשזיב

רש"י

נכשלים בני אדם בעת פקודת רעתם כשבא עתם ליפול הרעה עליהם פתאום במצודה רעה מלאוויש"ה בלע"ז: כהם. כמותם: (טו) ואדם לא זכר לא היה חושבו לכלום:

אבן עזרא

במקום עתיד. אמר רבי משה הכהן נ"ע כי ארבעה הם בלבד לכן תוסר מלת מועדת מן החשבון ותהיה תחתיה מלת היולד בעבור היו' בחשבונם יוקשים והוכל ולוקה ויולד מהפעלים היוצאים ומועדת מהפעלים העומדים ואמר כי השור"ק במקום הול"ם והיה ראוי להיות על משקל וכהומה היא יושבת ומ"ם פתאום נוסף וממנו פתאים וכן שלשום ויותר נכון היות המ"ם סימן היום ותמול: (יג) גם זו. בעבור שאמר וגם לא לחכמים לחם אמר הפך הדבר להלל החכם: (יד) עיר קטנה. המפרשים הקדמונים אמרו כי זה על דרך משל ועיר קטנה גופו של אדם ואנשים בה מעט בעלי כח התולדות משרתי הנפש ומלך גדול הוא יצה"ר והאיש המסכן הוא השכל. והנכון שאינו מדבר על דרך משל כי אם כמשמעו ועניינו על החכם שאין לו לחם והוא בעצמו מה לעני יודע הע"פ שלא תועילנו חכמתו בעוה"ז ע"ד הרוב גם יש פעמי' שתועיל חכמתו יותר ממלכות. אמר עיר קטנ' כנגד וסבב אותה מלך גדול בעם רב ואנשי' בה מעט. והיא במקו' נמוך שיוכל לבנו' עליה מצודי' וגבוהי' ממנה והנה אין ספק שתלכד ואין מציל. ומצ' מצודים כמו למצד דוד מצודת ציון והמ"ם שרש: (טו) ומצא בה איש מסכן הוא שם התואר ומסכנו' הוא השם והמ"ם נוסף וזו הלשון ידוע' בארמי' וענין ואדם לא זכר שלא היה לאותו החכם המסכן זכר בפי אנשי העיר לפנים קודם שימלט אותם. יש מדקדקים אמרו כי הזוכר אינו בפה והענין כי כל זכר ויזכור הוא זכירת הלב ומלת אזכירה שהוא מן הבנין הכבד הנוסף הוא בפה והוצרכו לפרש כן ולא זכר שר המשקים שלא עלה על לבו ומלת וישכחהו ענין

ספורנו

הדבר קודם לכן: (יג) גם זו ראיתי חכמה. אע"פ שאמרתי שבדברים הזמניים לפעמים לא תועיל החכמה להשיג המבוקש כשיתנגדו לזה המערכה או המקרה ראיתי גם זה שלפעמים החכמ' תנצח את המערכת ואת המקרה בפרט כשלא יהי' פתאום: (יד) עיר קטנה ומצא בה איש מסכן וחכם ומלט הוא את העיר בחכמתו. ובכן תנצח חכמת המסכן את מערכת* הנלחם עליה וכל מעשה תקפו הבא עליה במקרה: (טו) וחכמת המסכן בזויה. ואע"פ שאפשר שתגבר החכמה על המקרה ועל המזל הנה יקרה שתמנע החכמה לעשות זה הטוב מפני היותה באדם מסכן אשר היא בזויה בו מפני המסכנות: ודבריו אינם נשמעים ובזה לא יושג אותו הטוב שאפש' שיושג בחכמתו:

מצודת דוד

על בני האדם לעת בוא הרעה כשתפול עליהם פתאום: (יג) גם זה ראיתי. על שאמר למעלה לא לחכמים לחם חזר לשלל את החכם וכאומר אף שאין החכמה מועיל להשיג את הלחם עכ"ז אין להשליך את החכמה מנגד כי גם זה ראיתי מדבר חכמה בזה העולם: וגדולה. החכמה הזאת חשובה היא אלי: (יד) עיר קטנה. ראיתי עיר קטנה ודבר קל הוא לכבוש עיר קטנה הואיל ואפשר לסבבה: ואנשים בה מעט להלחם מול האויב הבא עליה: ובא אליה. לכבשה: מלך גדול. ר"ל בעם רב: ובנה עליה. ממעל לה וגבוהים ממנה בנה מבצרים גדולים בקומה למען יפלו עליהם להשליך למטה לתוך העיר אבנים וכלי משחית וכאומר בהיות כן אין ספק שתלכד העיר: (טו) ומצא בה. ונמצא בתוך העיר איש דל שהיה חכם ביותר והוא בחכמתו מלט את העיר מיד המלך הבא עליה: ואדם. קודם שמלט את העיר לא זכר מי מבני האדם את האיש המסכן ההוא כי היה נבזה בעיני כל ולא עלה זכרונו בפי האנשים וכאומר אם היה נחשב מחכמה בעבור החכמה לא היה הלא כ"כ עד שמלט את העיר כי

מצודת ציון

מוקש: (יד) מצודים. מבצרים כמו מצודות סלעים (ישעיה לג): (טו) מסכן. עני ורש כמו ילד מסכן (לעיל ד):

קיצור אלשיך

והוא כי גם לא ידע האדם את עתו, והוא תוכחת מגולה לכל האדם כי כמה וכמה מתעצלים מלשוב עד ה' ולתקן מעשיהם באומרם עוד חזון למועד כי רחוקה המיתה בעיניהם באופן כי גם אם ע' שנה יחיה תבא עליו פתאום, וגם אומרים קצתם בלבם כי כאשר יראו עצמם נוטים למות אז יתודו וישובו מדרכם הרעה ואל אל יקראוהו יקבל תשובתם בהתפוס, והנה יש שלפעמים לא יזכו להתודות קרוב למיתתם כי תבא אסכרה החונקת גרונו ולא יוכל להתודות, ויש יוכל לדבר אך לא זו התשובה בחר לו יה, כי היא מאימת מות, ע"כ אל יתרפה האדם מלשוב ולתקן מעשיו עד עת למות, כי לא ידע האדם את עתו מתי ימות, שמא אחר שעה, כי הלא ב' הנה קורות בני האדם יש נאחזים כדגים במצודה רעה

היא חכה שנתפסים במזלג בגרונם כן הוא המת באסכרה שנאחז בגרונו ולא יכול להתודות כלל, ויוצא מן העולם בלי תשובה:

(יד) עיר קטנה ואנשים בה מעט, רז"ל אמרו עיר קטנה זה הגוף ואנשים בה מעט אלו אבריו ובא אליה מלך גדול זה יצר הרע, ולמה קורא ליצר הרע מלך גדול שהוא גדול מיצר הטוב י"ג שנה, וסבב אותה ובנה עליה מצודים גדולים כמנון ועקמון:

(טו) ומצא בה איש מסכן וחכם זה יצר הטוב ולמה קורא אותו מסכן שאינו מצוי בכל הבריות ואין רובן של בריות נשמעין לו, ומלט הוא את העיר בחכמתו, ואדם לא זכר את האיש המסכן ההוא:

ואמרתי

suddenly. 13. This also have I seen as wisdom under the sun, and it
seemed great to me. 14. [There was] a small city, with few people
in it, and a great king came upon it and surrounded it and built
over it great bulwarks. 15. And there was found therein a poor
wise man, and he extricated the city through his wisdom, but no
man remembered that poor man.

13. **This also have I seen as wisdom**—Since he said above, "nor do the wise have bread," he returns to praise the wise man, saying that even though wisdom does not avail in acquiring bread, it must not be abandoned, for this too have I seen of the words of wisdom in this world.—[*Ibn Ezra, Mezudath David*]

Sforno explains: Although I have said that wisdom does not help in the acquisition of temporal things if it is against the divine decree, I saw that sometimes it does help, that wisdom can supersede time and fate, especially if they do not come suddenly.

and it seemed great to me—This wisdom seems highly esteemed to me.—[*Mezudath David*] To me, this is a great wisdom.—[*Kara*]

14. **[There was] a small city**—I saw a small city, and it is easy to conquer a small city, since it is easy to surround it.—[*Mezudath David*]

with few people in it—to battle the enemy who attacks it.—[*Mezudath David*]

and a great king—with a great army.—[*Mezudath David*]

came upon it—to conquer it.—[*Mezudath David*]

and built over it—Above it and over it, he built lofty bulwarks, in order to climb upon them to cast rocks and instruments of destruction. He implies that in such a situation, the city would undoubtedly be vanquished.—[*Mezudath David*]

15. **And there was found**—An unusually wise poor man was found in this city, and with his wisdom, he extricated the city from the hand of the king who came to besiege it.—[*Mezudath David*]

but no man remembered—*No one attributed any importance to him.*—[*Rashi*] *Mezudath David* explains that before he extricated the city from the threat of conquest, none of the inhabitants of the city remembered this poor man because he was considered a wretched person, and no one mentioned him. This is to say that if he had been esteemed because of his wisdom, it would not have been so surprising that he extricated the city from its predicament, for his esteem would have availed him together with his wisdom, but since he was of no esteem, it was only his wisdom that availed him to accomplish this.

הַהוּא׃ טז וְאָמַ֣רְתִּי אָ֔נִי טוֹבָ֥ה חָכְמָ֖ה מִגְּבוּרָ֑ה
וְחָכְמַ֤ת הַמִּסְכֵּן֙ בְּזוּיָ֔ה וּדְבָרָ֖יו אֵינָ֥ם נִשְׁמָעִֽים׃
יז דִּבְרֵ֣י חֲכָמִ֔ים בְּנַ֖חַת נִשְׁמָעִ֑ים מִזַּעֲקַ֥ת מוֹשֵׁ֖ל
בַּכְּסִילִֽים׃ יח טוֹבָ֥ה חָכְמָ֖ה מִכְּלֵ֣י קְרָ֑ב וְחוֹטֶ֣א אֶחָ֔ד

תו"א טובה חכמה מכלי קרב. עקידה שער ל׳: וחוטא אחד יאבד טובה הרבה. קדושין מ׳:

יָת יָתְבֵי קַרְתָּא בְּחוּכְמַת לִבְבֵיהּ וֶאֱנָשׁ לָא דְכַר בָּתַר כֵּן לְיִצְרָא טָבָא דְשֵׁיזְבֵיהּ אֱלָהֵן יֵימַר בְּלִבְבֵיהּ זַכָּאָה אֲנָא הֵיכְמָא דְיָתְבֵי קַרְתָּא הַהִיא לָא דְכִירוּ יָת עַנְיָא הַהוּא דְשֵׁיזֵיב יַתְהוֹן׃ טז וְאָמְרִית אֲנָא בְּמֵימְרִי טָבָא חָכְמַת צַדִּיקַיָּא מִכֹּחַ גְּבוּרַת רַשִׁיעַיָּא דְחוּכְמַת צַדִּיקָא וּזְכוּתֵיהּ מְשֵׁיזְבָא לֵיהּ וְלַאֲנָשֵׁי דָרֵיהּ וּתְקוֹף רַשִׁיעָא דְקָאִים בְּתוֹקְפֵיהּ דְלִבֵּיהּ בְּדִיל דְּלָא לְמֶהֱדַר בִּתְיוּבְתָּא מְחַבְּלָא לֵיהּ בִּלְחוֹדוֹהִי וְחוּכְמַת צַדִּיקָא עַנְיָא מְזַלְזְלָא בְּעֵינֵי רַשִׁיעֵי דָרֵיהּ וּבְעִידָן דְּיוֹכַח יַתְהוֹן עַל עוֹבָדֵיהוֹן בִּישַׁיָּא וּפִתְגָמֵי אוֹכָחוּתֵיהּ לֵיתֵינוּן מִתְקַבְּלִין׃ יז דִּבְרֵי מִלֵּי דִצְלוֹתָא דְחַכִּימַיָּא בַּחֲשָׁאי מִתְקַבְּלִין קֳדָם מָרֵי עָלְמָא יַתִּיר מִקַּבָּלַת קָל גַּבְרָא רַשִׁיעָא דְהוּא שַׁלִּיט עַל שַׁטְיָין דְּפַגִּין וְלֵית מְקַבֵּל׃ יח טוֹבָה טָבָא חוּכְמַת חַכִּימָא בְּעִידָן עָקְתָא יַתִּיר מִן מָנֵי קְרָבָא בְּעִידָן אַגִּיחוּת קְרָבָא וְגַבְרָא חַיָּיבָא חַד דְּאִיתֵיהּ בְּדָרָא גָּרִים

רש"י

(טז) **ואמרתי אני**. כראותי כן טובה החכמה מגבורה והרי חכמתו של זה בזויה לכולם ועכשיו כולם נמלטו על ידו. ומדרש אגדה עיר קטנה זה הגוף. ואנשים בה מעט. אלו איבריו של אדם. מלך גדול זה יצר הרע שכל איבריו מרגישים בו. איש מסכן. זה יצר טוב: (יז) **בנחת נשמעים**. מקובלים הם לבריות: **מזעקת מושל בכסילים**. משה נפטר זה כמה שנים ועדיין גזרותיו מקובלים על ישראל וכמה מלכי אומות גוזרין יזירות על ישראל ואין דבריהם מתקיימין: (יח) **טובה חכמה מכלי קרב**. החכמתה של סרה שנאמר (שמואל ב כ כב) ותבא האשה אל העם בחכמתה עמדה להם יותר מכלי קרב שהיה בידם להלחם עם יואב: **וחוטא אחד יאבד טובה הרבה**.

ספורנו

(יז) דברי חכמים בנחת נשמעים. וכן יקרה כשיהיה שר הצבא מסדר עניניו בחכמתו בנחת וזה קודם שיכנס למלחמה כי אז יהיו דבריו נשמעים וישמרו אנשי הצבא את סדרו ויועיל: מזעקת מושל. יותר ממה שתועיל זעקת*מושל אם יזעק בכסילים על אנשי הצבא הנלחמים בסכלות ובלתי סדר נאות: (יח) ולכן אני אומר טובה חכמה מכלי קרב. טובה חכמה בתחבולות וסדר המלחמה יותר מכלי קרב וזה כשיהיו בלתי חכמה הסדר והתחבולה: וחוטא אחד יאבד טובה הרבה. ולפעמי׳

אבן עזרא

כפול ויותר נכון הוא בעיני להיות מלת זכירה פעם בלב ופעם בפה ויורה עליו ומשה ה׳ לא תזכרו עוד שעניינו לא תזכרו עוד לי בפה משא ה׳. כי מה ענין לא יעלה על לבבכם זכר משא: (טז) ואמרתי אני טובה הכמה מגבורה. אע"פ שהכמת המסכן בזויה ודבריו אינם נשמעי׳ לכן בשע׳ הצורך תעשה החכמ׳ מה שלא יוכלו לעשו׳ הגבורי׳ ותהי׳ מלת והכמת חסרת אם כאילו אמר ואם הכמת המסכן בזויה כמו ולמית והלכת אל הכליס ואם למית. ורבים כמו הם: (יז) דברי. יש מפרש הפסוק הראשון כך טובה הכמה מגבורה ואילו היתה הכמת המסכן בזויה אף כי יותר נשמעי׳ דבריו שהוא מדבר בשפלו׳ קול ונחת מדברי מושל בכסילים בצעקה. כי דברי החכם כמסמרו׳ נטועים בנפש. וי"א דברי הכם אחד אינם נשמעים עד שיתהברו וי"א כי אלה ההכמים הם עשירים. והנכון בעיני שאינו מדבר על עת אחת כמו שפירשתי ואם חכמת המסכן בזויה יש עת שישמעו דבריו יותר מדברי המלך: (יח) טובה. ההכמה אינה צריכה לכלי קרב וככר אמר טובה הכמה מגבורה מגבורת הלב ויותר תא"ל ותגן מכלי

מצודת ציון

(יז) בנחת. ר"ל בשפלו׳ קול: (יח) מכלי קרב. כלי מלחמה. כמו המלמד ידי לקרב (תהלים קמד):

מצודת דוד

החשיבות הועילה אל החכמה אבל הואיל ולא היה נחשב לכלום א"כ החכמה לבדה עשתה את זאת: (טז) ואמרתי. כראותי כן אמרתי טובה החכמה יותר מן הגבורה הואיל ועל ידי החכמה נמלטה העיר מיד המלך הגבור: והכמת המסכן בזויה. כאשר שנה החכמה לבדה עשתה את זאת כי הכמת המסכן היא בזויה ודבריו אינם מקובלים ולא קנה החשיבות בעבור החכמה וא"כ לא היה בו חשיבות שתועיל אל החכמה למלט את העיר: (יז) בנחת נשמעים. אף כי ידבר בנחת מבלי זעקה המה נשמעים ומקובלים: מזעקת. יותר מדברי זעקת מושל הנחשב בין הכסילים ר"ל אחד מהכסילים (כדבר הנאמר בזעקה מ...ז יותר מדבר הנאמר בנחת ובשפלות קול): (יח) טובה הכמה. יותר תועלת באה מן החכמה ממה שבא מכלי קרב כי על ידי החכמה

קיצור אלשיך

(טז) **ואמרתי** אני וגו׳, כלומר אני שלמה אמרתי טובה חכמה מגבורה, חכמת היצר טוב טובה מגבורת היצר הרע, אבל חכמת המסכן בזויה, כונתו, מדוע זה שהאדם הולך אחר עצת היצר הרע ולא אחר עצת היצר טוב, אך הוא מב׳ טעמים, א׳ כי חכמת המסכן בזויה כי אינו מיעץ את האדם אלא להתנהג בבזיון, שיהיה גבזה בעיניו נמאס, כי מזכיר את האדם שבא מטפה סרוחה, והולך למקום עפר רמה ותולעה, וילבש שק ואפר, ויענה בצום נפשו, ויבכה יומם ולילה על אשר חטא על נפשו, וכ"ז אין הגוף רוצה לשמוע, כי לא יערב לו עצתו, ע"כ הוא פונה עצמו לשמוע עצת היצר הרע אשר אמור יאמר אליו אכול משמנים ושתה ממתקים ולבוש שני עם עדנים בגאוה ובגודל לבב כי מי כמוך, וע"כ ימו בני אדם אליו. ועוד טעם ב׳ שדברי היצ"ט אינם נשמעים כי אילו היצ"ט היה מפציר ורודף אחרי האדם היה שומע עצתו ככל אשר יעשה היצה"ר שלא ישקוט עד אם כלה הדבר, היו כולם צדיקים, אך הנה היצר הטוב ירמוז בלבד כלאחר יד, והיצר הרע נעשה כבעל הבית וישתרר על כל האברים אנשי עצתו כמעט צועק ונוער בם, וזה אומרו ודבריו אינם נשמעים כי אם כמעט ברמז הפך היצר הרע, ע"ז משיב ואומר סבת הדבר הוא יען שמתבהל האדם מיד אחר עצת יצרו הרע ואינו מתיישב בדבר יום או יומים להתבונן בעצתו אם טובה היא, וזהו מחמת שמערבב שכלו ומשכחו את ה׳ ואת תורתו ואת נשמתו וזהו (יז) דברי חכמים בנחת נשמעים, דברי היצר טוב נשמעים בנחת ובישוב הדעת, מזעקת מושל [הוא היצר הרע] בכסילים, המה האברים, שאין אדם עובר עבירה אלא א"כ נכנס בו רוח שטות, ואולי תאמר שיש להיצר הרע כלי קרב להלחם נגד היצר טוב, כל כחות הטומאה המסייעים אותו כי עבירה גוררת עבירה, ע"ז אומר (יח) טובה הכמת היצר טוב מכלי קרב של היצר הרע, כי יסביר לו שהוטא אחד יאבד טובה הרבה כמאמר חז"ל לעולם יראה אדם א"ע חציו זכאי וחציו חייב, וכל העולם חציו זכאי וחציו חייב

16. And I said, "Wisdom is better than might, but the wisdom of the poor man is despised, and his words are not heard." 17. The words of the wise are heard [when spoken] softly, more than the shout of a ruler of fools. 18. Wisdom is better than weapons, and one sinner

16. **And I said**—*when I saw this, "Wisdom is better than might," for this one's wisdom was despised by all, but now, they were all rescued through him. The Midrash Aggadah,* [however, explains the verses as follows]:

[14] **[There was] a small city**—*This is the body.*

with few people in it—*These are the limbs of a person.*

a great king—*This is the evil inclination, which all his limbs feel.*

[15] **a poor man**—*This is the good inclination.*—[*Rashi* from *Ecc. Rabbah, Ned.* 32b]

The complete *derash*, as is presented in *Ecc. Rabbah,* is:

[14] **a small city**—This is the body.

with few people in it—These are its limbs.

and a great king came upon it—This is the evil inclination. Now why is it called great? Because it is thirteen years older than the good inclination.

and surrounded it and built over it great bulwarks—craft and wile.

[15] **And there was found a poor wise man**—This is the good inclination. Why is it called poor? Because it is not found in all people, and most of the people do not obey it.

and he extricated the city through his wisdom—For whoever obeys the good inclination is extricated. Said David (Ps. 41:2): "Praiseworthy is he who looks after the poor."

but no man remembered—Said the Holy One, blessed be He: You did not remember him, but I will remember him. (Ezek. 36:26): "and I will take away the heart of stone out of your flesh, etc."

The Talmud (*Ned.* 3b) explains it in the following manner:

[14] **a small city**—This is the body.

with few people in it—These are the limbs.

and a great king came upon it and surrounded it—This is the evil inclination.

and built over it great bulwarks—These are iniquities.

[15] **And there was found therein a poor wise man**—This is the good inclination.

and he extricated the city with his wisdom—This refers to repentance and good deeds.

but no man remembered that poor man—for at the time that the evil inclination reigns, no one remembers the good inclination.

17. **are heard [when spoken] softly**—*They are accepted by mankind.*—[*Rashi*]

more than the shout of a ruler of fools—*Moses passed away many years ago, but his decrees are still accepted by Israel, and how many kings of the nations make decrees over Israel, but their words are not accepted.*—[*Rashi* from unknown midrashic source] [From *Rashi's* commentary, it appears that he explains the verse to mean: more than the shout of a ruler, who is one of the fools. *Lekach Tov* also explains it in this manner: These are the words of the Midrash: Come and see. Moses said to Israel, (Exod. 35:3): "You shall kindle no fire in all your habitations on the Sabbath day," and all Israel obey him, throughout all the generations.

more than the shout of a ruler of fools—for Pharaoh decreed (ibid. 1:22): "Every son that is born you shall throw into the river," but his decree did not stand. He said, (ibid.1:16): "if it is a son, you shall put him to death." Even the midwives did not obey his decree. מוֹשֵׁל בַּכְּסִילִים means that if a fool rules over the people, his words are not heard. בַּכְּסִילִים —whose deeds are done with foolishness, like the deeds of the fools. *Mezudath David*, too, explains:

are heard [when spoken] softly—Even if he says them softly, without shouting, the people listen, and the words are accepted.

more than the shout of a ruler—More than the shout of a ruler who is counted among the fools, i.e., one of the fools.

18. **Wisdom is better**—*This refers to the wisdom of Serah, of whom it is said* (*II Sam. 20:22*): *"And the woman came to all the people in her wisdom,"* [which] *availed them more than the weapons that were in their hands, to fight with Joab.*—[*Rashi* from *Ecc. Rabbah*] *Ecclesiastes Rabbah*, however, explains: more than Joab's weapons.

and one sinner destroys much good—*Had she not slain Sheba the son of Bichri, they would all have been destroyed by him.* (*Ecc. Rabbah*). *Another explanation:*

and one sinner destroys much good—*If Israel were* [composed] *half of righteous people and half of wicked ones, and one person came and sinned and made the wicked the majority, the result would be that he weighed them all down to the guilty side.*—[*Rashi* from *Ecc. Rabbah* 10:1] Just as one wise man extricated the city with his wisdom, so did one sinner destroy much good, as is explained below.—[*Kara*]

Mezudath David explains:

Wisdom is better—More use results from wisdom than from weapons, for a person can save himself from death more through wisdom than with weapons.

but one sinner—If one sinner is found among the wise, this sinner will destroy much good, for because of him, people will abandon wisdom, which brings good.

Sforno explains:

[14-16] **[There was] a small city...And there was found therein a poor wise man, and he extricated the city with his wisdom**—And so the wisdom of the poor man will defeat the destiny of the king who is battling the city, and all his power, which comes upon the city.

but the wisdom of the poor man is despised—And although it is possible that the wisdom will supersede the event and the signs of the zodiac, it may happen that the wisdom will be prevented from accomplishing that benefit, because the wisdom of a poor man is despised because of his poverty.

and his words are not heard—Therefore, that benefit, which could have been accomplished with his wisdom, will not be accomplished.

[17] **The words of the wise are heard [when spoken] softly**—This can also happen when the general, in a soft voice, skillfully sets up the battle array before entering the battle, for then his words will be heard, and the soldiers will observe the battle array, and his order will avail—

more than the shout of a ruler—More than the shout of the king himself, if he shouts—

at fools—at the soldiers fighting foolishly in disarray. Therefore, I say—

[18] **Wisdom**—in military tactics and in battle array.

is better than weapons—used improperly, without heeding the military tactics.

and one sinner can destroy much good—It sometimes happens that the general is skillful and sets up the battle array properly, and one of the soldiers deviates from his array, thereby causing them to lose the battle, as happened in the case of Achan.

יאבד טובה הרבה: י א זבובי מות יבאיש יביע שמן רוקח יקר מחכמה מכבוד סכלות מעט: ב לב

תו"א זבובי מות יבאיש יביע שמן. ברכות סה: יקר מחכמה וגו'. אהר פ' בהלום ופ' תזריע עקידה שער פז: לב חכם לימינו. שם שבת ל:

להובדא טבתא רבתא מן עלמא: י א זבובי ויצרא בישא דשכן על תרעי לבא הי כדבובא וגרים מותא בעלמא על דמסרי חכימיא בעידן דחטי ומחבל שמא טבא דהוה דמי מן קדמת דנא למשח רבותא דמבסם בבוסמנין וכמה יאי ויקיר יתיר מן חוכמתא חכימין ועותר עתירין גבר דטפשותיה זעיר וקליל: ב לב לבא דחכימיא למקני אורייתא דאתיהיבת

רש"י

אילולי שהרגה לשבע בן בכרי היו כלם אבודים על ידו. ד"א וחוטא א' יאבד טובה הרבה. הרי שהיו ישראל מחצה לדיקים ומחצה רשעים ובא א' וחטא ועשאן מרובים נמצא שהכריע את כולם לחובה: (א) זבובי מות יבאיש יביע וגו'. כגון בימי החורף שאין בזבובין כח והם קרובים למות גם אם בא לתוך שמן רוקח ומתערב בבשמים הוא מבאישו והוא מעלה קצף שקורין אשקומ"א בלע"ז ונראה בו כמין אבעבועות וזהו משמעו של יביע הרי דבר קל שהפסיד דבר השוב כך יקר מחכמה ומכבוד הסכלות מעט שהרי הכריע את כולם הרי שהיה אדם זה שקול במחצה עבירות ומחצה זכיות ובא ועבר עבירה אחת והכריעתו לכף חובה נמצאת סכלות זה שהוא דבר מועט יקר ושקול וכבד יותר מכל החכמה והכבוד שהי' בו שהרי הכריע את כולם. יקר. לשון כובד. הוא כבד ושקול יותר מן החכמה וכבוד שבו. ומדרש אגדה מושלים יצר הרע לזבובי מות: יבאיש יביע. שם טוב שהוא ערב משמן רוקח: (ב) לב חכם לימינו. חכמתו מזומנת להטותו אל דרך המיומנת לטובתו: ולב כסיל לשמאלו.

שפתי חכמים

בחול"ם הוא כמו זכור פי' ל' הוה כי תמיד הוא רואה: ש דק"ל הרי לב כל אדם הוא בגופו לכ"פ חכמתו מזומנת כו' וכן לב כסיל

אבן עזרא

קרב לגבור והנה נמצאת החכמה תציל בעליה ואחרים עמו. כמו אנשי עיר קטנה והפך זה וחוטא אחד יאבד טובה הרבה ויסוב על מושל בכסילים: (א) זבובי מות. נמצא בכל המקרא לשון יחיד במקום רבים במקומו' רבים והנכון בעיני שדרכם דרך קצרה זבובי מות יבאיש ענינו כל זבוב יבאיש במקומו כמו בנות צעדה עלי שור כל בת צעדה כל אחת ואחת במקומה ותקח האשה את שני האנשים ותצפנו צפנה כל אחד ואחד במקומו ויקח הזקיהו את הספרים ויקראהו קראן כל אחד ואחד לבדו ופי' הספר שהיו בו הדברים הכתובים במקרא. ומלת יביע קשה במקום הזה יש מפרשים בה מן אבעבועו' ולא אבה דקדוק הלשון כי שרש אבעבועו' בעה מהפעלים שהלמ"ד שלהם איננו שלם וכמוהו מים תבעה אש נבעה בחומה נשגבה והקרוב אלי היותו ממבוע כי דגשות הבי"ת להתבלע הנו"ן שהוא פ"א הפעל ויורה עליו נחל נובע והענין כי הזבובים המתים יבאישו שמן רוקח שאין למעלה מריחו הטוב ולא יפסק הביאוש כי הזבובים יביעוהו ויהיה פועל יוצא. ודע כי יקר הקמוץ הוא תואר השם ומלת יקר בשוא תחת היו"ד הוא שם כמו כבוד ולעולם הוא קמוץ והוא שוה במקום המוכרת והסמוך. כמו בגדי השרד. וכל יקר ראתה עינו. ואת יקר תפארת גדולתו ונקמץ הסמוך להפריד בינו ובין תאר השם הסמוך יקר רוח איש תבונה על כן יטעה האומר בתפלת ר"ה ולכבוד שמך יקר יתנו בקמצת היו"ד והאמת שהוא בשוא כמו וכל הנשים יתנו יקר לבעליהן. וענין יקר בפסוק הזה הוא האדם. והענין כמו זבובים המתים יבאישו מהן השמן הרוקח כן יש לאדם שהוא יקר מחכמה ומכבוד שיש בו סכלות מעט לחכם ישחית זכרו ויבאישנו וזה הסכלות הוא הטא וזה הפסוק דבוק בפסוק שלמעלה וחוטא אחד יאבד טובה הרבה גם הטא אחד לחכם הוא דבר קשה. הלא תראה שלמה המלך נראה אליו המקום פעמים ובנה מקום לכבוד השם ונסבה ורחבה חכמתו למעלה מהקדמונים והאחרונים ולא נמצא עולתה בו ובעבור הטא אחד שלא הפש על נשיו מה היו עושות והן בנו בית לאלהיהן מעושר שלמה נכתב עליו כל מה שנכתב במקרא בדברי אחיה ונהמיה. ואל תתמה כי כל הטא הוא קטן וגדול לפי מעלת העושה כענין בקרובי הקדש ומה נכבר דרש קדמונינו ז"ל במלת וסביביו נשערה מאד וכן נכתבו מלות קשות על גדולים משלמה המלך על דבר קל ולא נעשה בזדון רק אחרים סבבו הדבר: (ב) לב חכם. לא יאמר על גוף הלב כי באמצע הוא לכל לחכם

ספורנו

יקרה שיהיה שר הצבא הכם ומסדר המלחמה היטב ואחר מן ראשי הנלחמים שיחטא מסדרו יאבד הנצחון אשר ממנו תמשך טובה הרבה כמו שקרה בענין עכן וזולתו: י (א) זבובי מות יבאיש יביע שמן רוקח. וכמו שיקרה במלחמה שחטא מועט יאבד טובה שהיתה נמשכת לנצחון כן יקרה בזולת זה כי לשמן הרוקח אשר הוא דבר חשב מאד קרה הפסד רב בזבובי מות שהם דבר בלתי חשוב כלל: יקר מחכמה ומכבוד סכלות מעט. וכמו כן יקרה שהסכלות מעט שיעשה האדם יבאישהו לפעמים בעיני ההמון ויפילהו מכבודו וחשיבותו גם שהיה קודם לכן יקר מחכמה ומכבוד: (ב) לב חכם לימינו. החכם יהן השכל בימינו והתאוה בשמאלו באופן

מצודת דוד

יוכל יותר לסגלל מן המיתה ממה שיוכל ע"י כלי קרב: וחוטא אחד. אם מבעלי החכמה נמצא חוטא א' אז רבים מושכים ידיהם מן החכמה באומרם מה תועלת החכמה לזה החוטא א"כ החוטא הזה יאבד טובה הרבה כי ע"י רבים מושכו ידיהם מן החכמה המביא טובה:

י (א) זבובי מות. זבובים מתים כל אחד מהם שיפול לתוך שמן רוקח המריח הרבה על"ז סוף הזבוב יבאיש את השמן ולא יפסיק הביאוש כי הזבוב יביע את הביאוש כמעין הנובע א"כ הרי דבר קל הפסיד דבר חשוב: יקר מחכמה. כן אדם היקר והחשוב בעבור החכמה והכבוד הנמצא בו על"ז אם גם ימצא בו סכלות מעט משחית הסכלות את חשיבותו: (ב) לב. ר"ל השכל הנטוע בלב:

מצודת ציון

י (א) יבאיש. ענין סרחון: יביע. מל' נביעה: רוקח. מעורב בבשמים כמו רוקח מרקחת (שמות ל): יקר. ענין

קיצור אלשיך

חייב עשה עבירה אחת אוי לו שהכריע את עצמו ואת כל העולם לכף חובה נמצא שבעבירה אחת איבד מהעולם טובה הרבה, וזה די לדחות היצר הרע ממנו. ותמה שלמה על עצמו ואמר:

י (א) **זבובי מות.** הנה יש זבובים שארסם בפיהם וכשנושכים את האדם בתחלה לא ירגיש האדם אך ביום או יומים מתפשט הארס בכל הגוף, וימות האיש, והם נקראים זבובי מות. והן הן הנשים שארס בפיהן שצודין אנשים בתרמן בחלקת שפתן והארס מתפשט בגופי האנשים עד שממיתין אותם, כאשה הראשונה שהביאה מיתה בעולם, ע"י רבוי דבריה עם הנחש, וכן קרה לשלמה שאסף לביתו אלף נשים, ולא הרגיש עד שנשיו הטו לבבו להחטיאו, וב' כתרים היו לו לשלמה, כתר מלכות שנמשח בשמן רוקח שמן המשחה, ונטרד ממלכותו ע"י נשיו, וזהו זבובי מות [אלו נשיו] הבאישו הביעו שמן רוקח שנמשח בו למלכו' וגם יקר מחכמה מכבוד סכלות מעט, המעט סכלות נשיו היה יקר לו מחכמת התורה ומכבודה. (ב) לב חכם צריך לפנות תמיד לימין זו התורה. ולב כסיל פונה עצמו

destroys much good.

10

1. Dying flies make putrid and foamy the oil of a perfumer; so does a little folly outweigh wisdom and honor. 2. The heart

10

1. **Dying flies make putrid and foamy, etc.**—*e.g., in the winter season, when the flies have no strength, and they are near death: if it falls into the oil of a perfumer and becomes mingled with the perfumes, it causes it to become putrid and it assumes a foam, which is called zécume in Old French, foam, froth, bubbles, and a sort of bubbles* (אֲבַעְבּוּעוֹת) *appears in it, and this is the meaning of* יַבִּיעַ. *Hence we have an insignificant thing spoiling an important thing. So does a little folly outweigh wisdom and honor, for it outweighed them all. Let us suppose that this man was equal with half transgressions and half merits, and he came and committed one transgression, which weighed him down to the scale of demerit. It is found that this folly, which is a small thing, is heavy and weighs and is heavier than all the wisdom and the honor that were in him, for behold, it outweighed them all.* יָקָר *is an expression of weight. It is heavy and weighs more than the wisdom and the honor in him. The Midrash Aggadah* (*Ber.* 61a) *states: Scripture compares the evil inclination to dying flies.*—[*Rashi*]

makes putrid and foamy—*a good name, which is more pleasant than the oil of a perfumer.*—[*Rashi* from *Ecc. Rabbah* 7:1]

Ibn Ezra and Mezudath David explain:

Dead flies—each one of them that falls into the oil of a perfumer, which has a strong aroma. [Despite the strong aroma], this fly will make the oil putrid, and its stench will not end, for the fly will cause the stench to flow (יַבִּיעַ) like a flowing (נוֹבֵעַ) spring. If so, an insignificant thing has spoiled a thing of importance. [Note that these commentators derive יַבִּיעַ from נבע, *to flow*.]

wisdom and honor—So is a man who is highly esteemed because of his wisdom and honor. Despite this wisdom and honor, if a little folly is found in him, the folly destroys his aroma and makes it putrid. Folly, in this context, denotes sin. Just as in the above verse, Koheleth tells us that one sinner can destroy much good, he now tells us that one sin for a wise man is a serious matter. An example of this is King Solomon, to whom God appeared twice, who built a Temple in God's honor, whose wisdom surpassed that of his predecessors and his successors, and in whom no injustice was found. Because he did not seek to know what his wives were doing, namely, that they built temples to their gods from his riches, he was described by Ahijah (I Kings 11:31-33) and Nehemiah (13:26) as having

חָכָם לִימִינוֹ וְלֵב כְּסִיל לִשְׂמֹאלוֹ: ג וְגַם־בַּדֶּרֶךְ
כְּשֶׁהַסָּכָל יתיר ה׳ הֹלֵךְ לִבּוֹ חָסֵר וְאָמַר לַכֹּל סָכָל הוּא:
ד אִם־רוּחַ הַמּוֹשֵׁל תַּעֲלֶה עָלֶיךָ מְקוֹמְךָ אַל־תַּנַּח כִּי
מַרְפֵּא יַנִּיחַ חֲטָאִים גְּדוֹלִים: ה יֵשׁ רָעָה רָאִיתִי
תַּחַת הַשָּׁמֶשׁ כִּשְׁגָגָה שֶׁיֹּצָא מִלִּפְנֵי הַשַּׁלִּיט: ו נִתַּן

הו"א וגם בדרך כשהסכל הולך לבו. זוכר סוף פ׳ נרחשים עקידה שער פד ❊ כשגגה שיולא מלפני השליט. מ"ק יח כתובות פג מליעא סח:

בְּגִיר יַמִּינָא דִּיְיָ וְלִבָּא דְשַׁטְיָא לְמִקְנֵי נִכְסִין דִּכְסַף וּדְהַב: ג וְגַם וְאַף בְּאוֹרְחָא סְרִיכָא בְּעִידָן דְשַׁטְיָא אָזִיל לִבֵּיהּ חָסִיר מִן חוּכְמְתָא וַעֲבַד מִלִּין דְּלָא תַקְנִין לְאִתְעוֹבָדָא וְכוֹלָּא אָמְרִין דְשַׁטְיָא הוּא: ד אִם אִין רוּחָא דְיִצְרָא בִישָׁא מְהַל בָּךְ וּמִתְגַּבַּר לְמֵיסַק עֲלָךְ אַהַרְךְ טָב דִּי הֲוֵיתָא נָהִיג לְמֵיקָם בֵּיהּ לָא תִשְׁבּוֹק אֲרוּם פִּתְגָמֵי אוֹרַיְיתָא אִתְבְּרִיאוּ אָסוּ בְעָלְמָא לְמִשְׁבַּק וּלְמִנְשֵׁי מִן קֳדָם יְיָ חוֹבִין רַבְרְבִין: ה יֵשׁ אִית בִּישְׁתָא דְחָזִית בְּעָלְמָא הָדֵין תְּחוֹת שִׁמְשָׁא וּמָה נִזְקָא בְּעָלְמָא בְּפִתְגָמָא דְשָׁלוּתָא דְנָפְקָא מֵהַחְצְפָא עַל גַּבְרָא וּמִן קֳדָם שׁוּלְטָן: ו נִתַּן יְהַב יְיָ יָת

רש"י

לעקשו מן הדרך המיומנת שהיא תפארת ונוחה לו: (ג) ואמר לכל סכל הוא. בהליכתו ובדיבורו הכל מכירין שהוא שוטה: (ד) אם רוח המושל. מושל העולם תעלה עליך לדקדק אחריך במדת הדין: מקומך אל תנח. מדתך הטובה אל תנה לומר לו מה יועיל לדקתי לי:להטיב: כי מרפא דקדוקי הדין ביסורין הבא עליך מרפא הוא לעונותיך ויניח לך חטאים הגדולים: (ה) כשגגה שיצא מלפני השליט. דומה הוא לשליט שהוליא דבר שגגה מפיו שוגג ואי אפשר להזור כך אומר הקב"ה ואין (ו) נתן הסכל במרומים רבים. זו היא הרעה

ספורנו

שיגביר השכל על התאוה. ולכן כאשר יעשה החכם הפך זה שהוא ממעשה הכסיל יבאישהו אותו הסכלות בעיני ההמון ויהי לחרפות לו: (ג) וגם בדרך כשהסכל הולך. להשיג איזה דבר בלתי נאות להשיגו: ואמר לכל סכל הוא. ובזה יתקוממו עליו רבים להפר מחשבתו:❊(ד) אם רוח המושל תעלה עליך מקומך אל תנח. ולפעמים תצטרך❊לדבר על לב המושל

אבן עזרא

ולכסיל אע"פ שראשו נטוי לצד שמאל ועניינו שמכל החכם עמו ובשעת הצורך ימלאנו מיד בכל עניניו במהרה והפך זה הכסיל כאילו לב חכם לימינו כי לימין יותר כח מן השמאל ויותר מהירות בעבור היות מבוע הדם שהוא הכבד לפאת ימין. ואין איש אשר יד ימינו טעבה כי המשל הוא על דרך הנמצא ברוב בני אדם: (ג) וגם בדרך. הסכל בכל עסקיו ודבריו יראה חוסר שכלו ודעתו ואפי׳ כשהוא הולך בדרך וכאילו הוא קורא על נפשו ומראה קלונו ומודיע חסרונו לכל וזה ענין ואמר לכל סכל הוא כאילו בפיו יאמר לכל שהוא סכל: (ד) אם רוח בעבור שהזכיר למעלה כי דברי החכם נשמעים יותר מדברי המושל בכסילים שב להזהיר החכם אם עלית בהכמתך עד מעלת הממשלה כענין כי מבית הסורים יצא למלוך מקומך אל תנח והענין שפלות רוח או עניינו שיתעסק גם בחכמה תמיד כמו שהיה בתחלה כאילו לא זז ממקומו ולא עלה למדרגה עליונה כנגד האדם. ודע שאם התרפית יניקך הרפוי עם חטאים גדולים. ויותר נכון היות מרפא פועל מהבנין הכבד שממנו הרפה לה והאל"ף במקום ה"א כאל"ף על כן הוא מרפא שהוא מהבנין הכבד והענין כי העוזב הממשלה יעזוב חטאים גדולים. וי"א כי אים מרפא יעזוב חטאים גדולים כמו בעל הרפואה לא יאכל דבר שיזיקנו היזק רב רק ישמר. ויפרש זה המפרש אם רוח המושל תעלה אם תעלה עליך חמת המושל לא תסור מדרוש החכמה והחכם לא יכעים המושל. והענין כי החכם יעזוב כל דבר שיביאנו לידי חטא שבעבורו יכעס המושל כמו הרופא שישמו בתחלה מן המאכלים הקשים: (ה) יש רעה. באה מלת יוצא שהלמ"ד שלה אל"ף כמו הפעלים בעלי ה"א כמו ואת מאמר מרדכי אסתר עושה והיא לשון נקבה כי הזכר יוצא וכמוהו כעגלה דשא ואם היא באל"ף באה על מנהג בעלי הה"א כמו דוה. למען ספות הרוה. אע"פ שאמר בעל הדקדוק שאל"ף של דשא תמורת ה"א וענין זה הפסוק דבק בשל מעלה כי המושל תצריכנו ממשלתו שיעשה דברים הפך האמת ויראה כאילו הם שגגה ולא ידע: (ו) נתן הסכל. מפרשים אמרו שהיה ראוי להיות בשי"ן והענין שבעלי השכל ראויים לשבת במרומים רבים והעשירים בהפך והענין בעצמו נכון. לכן איננו מענין

מצודת ציון

חשיבות כמו אבנים יקרות (מ"א ז): (ד) רוח. ענינו כעס וחמה כמו יכהל רוח (משלי יח): תנח. ענין עזיבה: מ פא. מלשון רפיון: יניח. מל׳ הנחה: (ו) הסכל. הכסיל: במרומים. מל׳ מרום וגובה׳ רבים. ר"ל גדולים: בשפל. מקום נמוך:

מצודת דוד

לימינו. ר"ל מזומן לו בכל עניניו ומיד ימלאנו בעת שלירך ואמר בלשון משלה ולפי שימין האדם מזומן ומהיר׳ יותר מן השמאלי׳: לשמאלו. ר"ל אינו מזומן ואינו מכיר בעת שלורך: (ג) וגם בדרך. אפילו בהיותו בדרך שלא במקום מושבו אפילו כשהוא הולך ואינו מתעכב נראה לכל שהוא חסר שכל: ואמר לכל ר"ל מעשיו ועניניו לא בהשכל יכאלו בפיו יאמר לכל שהוא סכל: (ד) אם רוח המושל. אם תעל׳ עליך חמת המושל אל תניח מקו׳ מושבך לברוח מפניו: כי מרפא. כי הרפיון מה שתחזיק רפוי ממנו ואינך נמסר בידו זה יניח ויזכור חטאי׳ גדולי׳ כי בברחך תוסיף חטא ולא יחמול עליך כאשר ישיג אותך: (ה) יש רעה. אשר ראיתי תחת השמש: כשגגה. ממשלת המושל מלריכו לעשות פעמי׳ ספוך הראוי ומרא׳ לעם כאלו שגג בדבר אשר לא כן הוא: (ו) נתן הסכל. ר"ל וזהו הכסיל נתן במקומות גבוהים מקומות שאין ראוי לו והעשירים הראויי׳ לכבוד

קיצור אלשיך

עצמו לשמאלו, לעושר וכבוד וליתר עניני עוה"ז, (ג) וגם בדרך, ר"ל בהדרך המיוחד, זו דרך התורה, כשהסכל הולך לעשות איזה מצוה, לבו חסר, שעושה המצוה בלי כונת הלב, כ"א מצות אנשים מלומדה, ויתוב טעות בהמעשה, ויצטרך לומר לכל רואה מעותו כי סכל הוא מחכמת התורה:
(ד) אם רוח המושל תעלה עליך. ותגיע לך איזה ממשלה, מקומך אל תנח, וברח מן השררה, ואם נעשית שר לא יגדל ערכך בעיניך ולא תגדיל כסאך, כי אם מקומך השפל שהיה לך עד כה אל תנח, כי מרפא השפלות הזה יניח לך מלחטוא חטאים גדולים המתרגשים בשררה:
(ה) יש רעה ראיתי תחת השמש כשגגה שיוצא מלפני השליט, כמה פעמים יצא מלפני השליט איזה טעות שלא נתכוון לזה, ואילו לא היה שליט, השגגה לא עשה רושם, ומחמת ממשלתו נתקיים מעותו אף להרוג איזה אדם בטעות, ע"כ ברח לך משררות (ו) נתן הסכל במרומים רבים, אנשים רבים אשר רם לבבם בהם נמצא הסכלות יותר מבאנשים שפלים ע"כ ועשירים בשפל ישבו:

ראיתי

of the wise man is at his right, whereas the heart of the fool is at his left. 3. Also on the road, when a fool walks, his understanding is lacking, and he says to all that he is a fool. 4. If the spirit of the Ruler ascends upon you, do not leave your place, for a cure assuages great sins. 5. There is an evil that I saw under the sun, like an error that goes forth from before the ruler. 6. Folly was set

abandoned God. Do not be surprised about this because every sin is considered major or minor according to the one who commits it. Similarly harsh words were written about people greater than King Solomon because of an insignificant matter that was not even committed intentionally but was brought about by others. *Sforno* explains similarly that even a man who is esteemed because of his wisdom and honor can fall into the disfavor of the public because of an indiscretion.

2. **The heart of a wise man is at his right**—*His wisdom is ready to turn him to the way that is "righted" for his good.*—[*Rashi*]

and the heart of a fool is at his left—*to turn him in a crooked way from the right way, which is a glory and a comfort for him.*—[*Rashi*] *Ibn Ezra* explains that whether a person is wise or foolish, his heart is in the center of his chest, pointing to the left. Koheleth means that the wise man's intellect is with him, and when necessary, he will find it immediately for whatever he needs. Not so the fool. Therefore, it is as though the wise man's heart is at his right, the side that is stronger and more useful. *Mezudath David* follows this interpretation. *Sforno* explains that a wise man puts his intellect at his right and his desire at his left, so that his intellect dominates over his desire. Therefore, if a wise man behaves in a manner opposite to this, which is the conduct of a fool, this folly makes him "putrid" in the eyes of the public, and he is disgraced by them.

The *Targum* paraphrases: The heart of the wise is to acquire [knowledge of] Torah, which was given from God's right hand, but the heart of a fool is to acquire possessions of silver and gold.

3. **and he says to all that he is a fool**—*with his walk and with his speech, everyone recognizes that he is a fool.*—[*Rashi*] *Ibn Ezra*, too, explains: The fool, in all his affairs and his words, demonstrates his lack of intelligence and knowledge, even when he walks on the road. It is as if he is calling attention to himself, showing his disgrace, and letting everyone know his faults. This is the meaning of, "and says to everyone that he is a fool."

Ecclesiastes Rabbah explains that the fool thinks that everyone is as foolish as he, but he does not know that everyone else is wise, and he is a fool.

Mattenoth Kehunnah explains that the Midrash means that he tells everyone that they are just as foolish as he.

Sforno explains:

Also on the road, when a fool walks—to acquire something that is improper—

his understanding is lacking—because of his overwhelming desire, and it may happen that even though he may desire a proper thing, he will adopt an improper method for acquiring it.

and he says to all that he is a fool—and thereby, many will oppose him to thwart his plans, as in the case of Ahasuerus.

The *Targum* paraphrases:

And also on the crooked road, when a fool goes, his heart is devoid of wisdom, and he does things that are improper to do, and all say that he is a fool.

4. **If the spirit of the Ruler**—*the Ruler of the World, ascends upon you to scrutinize you with the Divine Standard of Justice.*—[*Rashi*]

do not leave your place—*Do not leave your virtue to say to Him, "What will my righteousness avail me?"*—[*Rashi*]

for a cure—*The stringencies of the judgment with the afflictions that come upon you are a cure for your iniquities, and will assuage great sins for you.*—[*Rashi*]

Mezudath David interprets this verse as referring to a mortal sovereign.

He explains as follows:

If the wrath of the ruler—If the wrath of the ruler rises up against you, do not leave your dwelling place to flee from him.

for evasion—for evading him so that you are not delivered into his hand, will lay up and accumulate great sins, because when you flee from him, you will compound your sin, and he will not forgive you when he catches up with you.

Ibn Ezra renders:

If the spirit of the ruler ascends upon you, do not leave your place, for laziness will leave [you with] great sins.

He explains as follows:

If the spirit of the ruler ascends upon you—that with your wisdom, you reach the status of a ruler.

do not leave your place—Do not leave your previous humility because of your lofty position. (See *Ecc. Rabbah.*) Alternatively, do not leave your study of wisdom.

for laziness—i.e., Neglecting the trait of humility or the study of wisdom will leave you with great sins. He also suggests: for the one who lets go [of the rulership] will leave great sins, i.e., if he leaves the position of ruler, he will also avoid many sins that are involved in a position of power.

The *Targum* paraphrases:

If the spirit of the evil inclination rules over you and it strengthens itself to ascend upon you, do not leave your good place, which you used to occupy, for the words of the Torah were created as a cure in the world so that great sins should be forgiven and forgotten by the Lord.

5. **There is an evil**—that I saw under the sun.—[*Mezudath David*]

like an error that goes forth from before the ruler—*It is like a ruler who let an error out of his mouth unintentionally, and it cannot* *be retracted. So does the Holy One, blessed be He, speak, and it cannot be retracted.*—[*Rashi*]

Ibn Ezra explains that sometimes the ruler finds it necessary to do things that contrast with the truth, and it appears as if they are an error.

Alshich explains:

It frequently occurs that a ruler makes an error which he did not intend. Had he been an ordinary person, this would not have any undesirable results, but because of his position, it has far-reaching implications, to the extent that capital punishment may be meted out to an innocent person. Therefore, a person should avoid rulership.

Ta'alumoth Hochmah explains:

There is an evil that I saw under the sun—He saw an evil in the world, i.e., that people attribute all that occurs to the sun.

like an error that goes forth from before the ruler—i.e., They deny individual Providence and say that God delegated everything to the constellations, and that at the time of Creation, He empowered the constellations to carry out all that was preordained at that time. This is how they explain why there is sometimes disorder in the world, viz. that a righteous man suffers. They think that the seeming disorder is like an error that went forth from before a ruler, for when a king promulgates a decree, he may not rescind it. They say that the same applies to the decrees of the Lord. Or they say that God does not wish to alter the decree of the stars for the sake of one individual matter, or to alter His decrees because of one individual.

6. **Folly was set at great heights**—*This is the evil that is like an error which goes forth from before the ruler: that folly and wickedness are set at the loftiest heights, for the Holy One, blessed be He, raised the fools and the wicked, for I see with the holy spirit, that they are destined to stretch out a hand upon His Temple and to make their signs for signs."* (*Psalms 74:4*. See Commentary Digest ad loc. See also *Gittin 56b*.)—[*Rashi*]

מלכא רשיעא ושטיא למהוי בריא במזליה ומשמש באצלחותא מן שמי מרומא וחילותהי גיותנין וסניאין ועסך בית ישראל משתעבדין תחותהי בגלותא ומן סגיאות חוביהון עתירי נכסין מתמסכנין ובמסכנותא יתבין ביני עממיא: ז ראיתי אמר שלמה מלכא ברוח נבואה חזית עממיא דהוו משתעבדין מן קדמת דנא לעמא בית ישראל מתגברין ורוכבין על סוסון כארכונין ועמא בית ישראל ורברבניהון אזלין הי כעבדין על ארעא: ח חפר עגת מדת דינא ובן אמרת אינון גרמו להון כל דא היכמא דגבר דקרי שוחא בפרשת אורחא ביה אתחייב למיפל ואומא די עברת על גזירת מימרא דיי ותקיפו נודא דעלמא נפלו ביד מלכא רשיעא דנכית להון כחויא: ט מסיע אמר שלמה מלכא נביא גלי קדמי דמנשה

ו הַסֶּכֶל בַּמְּרוֹמִים רַבִּים וַעֲשִׁירִים בַּשֵּׁפֶל יֵשֵׁבוּ׃
ז רָאִיתִי עֲבָדִים עַל־סוּסִים וְשָׂרִים הֹלְכִים כַּעֲבָדִים
עַל־הָאָרֶץ׃ ח חֹפֵר גּוּמָּץ בּוֹ יִפּוֹל וּפֹרֵץ גָּדֵר יִשְּׁכֶנּוּ
נָחָשׁ׃ ט מַסִּיעַ אֲבָנִים יֵעָצֵב בָּהֶם בּוֹקֵעַ עֵצִים יִסָּכֶן

תו״א ופורץ גדר ישכנו נחש. שבת קי כבודם אגוליס כג: מסיע אבנים יעצב בהם בוקע עצים יסכן בם . בתרא קמב סנהדרין ק:

רש״י

שהיא כשגגה שיוצא מלפני השליט שניתן השטות והרשע במרומי גובה שהגביה הקב״ה את הכסילים ואת הרשעים שאני רואה ברוח הקודש שהם עתידים לפשוט יד בהיכלו ולשום אותותם אותות: ועשירים בשפל ישבו: ישראל שכל הגדולה והכבוד שיש להם עכשיו בימי עתידים לישב בשפל שנאמר (איכה ב י) ישבו לארץ ידמו: (ז) ראיתי עבדים על סוסים. הם כשדים שנאמר בהם (ישעיה כג יג) זה העם לא היה יתעלו להיות על סוסים מוליכים את השבויים ישראל אסורים בקולרין: הולכין כעבדים על הארץ. לפני קרונין של כשדים: (ח) חפר גומץ. שוחה: בו יפול פעמים שהוא נופל בו כלומר יש לך חורש רעה וסופו לשוב עליו בסוף שכלה זרעו של נבוכדנאצר על ידי כלי בית המקדש שנאמר (דניאל ה כג) ועל מרי שמיא התרוממת: ופרץ גדר. סייג של חכמים לעבור על דבריהם: ישכנו נחש מיתה בידי שמים ולפי שדבר בלשון פרילת גדר הזכיר בתשלומין לשון נשיכת נחש שהוא דר בחורי נקבי כתלי בתים פרוצים: (ט) מסיע אבנים יעצב בהם. מסיע אבנים ממחצבתם בהרים מתיגע בהם: יעצב. לשון יגיעה כמו (בראשית ג יז) בעצבון תאכלנה כלומר כל אדם לפי מלאכת עצבונו אף עושה רעה לפי זריעתו יקצור: יסכן בם. יתחמם בהם כמו (מלכים א א ב) ותהי לו סוכנת אף

שפתי חכמים

לשמאלו. ת דק״ל נמה כינה למיתה בידי שמים בשם נחש. לכ״פ

אבן עזרא

הפסוק שהוא לפניו ואחריו. וכן פירושו נתן איש הסכל שהוא הכסיל להיות במרומים ויתכן היות סכל שם התאר כמו ילך והלך ופירוש רבים כמו גדולים ועשירים שיש להם מעלה בעולם כמו שאמר בספר משלי עשיר ברשים ימשול יושבים בשפל: (ז) ראיתי. זה הפסוק מענין הפסוק הראשון ועל כלם אמר בתחלה יש כמו שפירשתי שהוא הנמלא לפרקים מעטים: (ח) חופר גומץ. דע כי גומץ אחד ואין שני גם בן ואח אין לו במקרא וחופר יורה על ענינו שהוא כמו בור כרה ויהפרהו ויתכן שזה הענין ישוב על השליט שיעשה הפך האמת ופרץ גדר בגוהו חכמים קדמונים או יהי ענינו על הכסיל. והענין אע״פ שימצאו דברים בעולם הפך האמת הוא במעט אך ברוב חופר גומץ בו יפול והחכם הרואה את הנולד לא יפול. (ט) מסיע. רובי המפרשים פירשו יסכן בם יתחמם בם ואמרו כי כמוהו ותהי למלך סוכנת. וזה הענין בלשון ערב לא ימצא מהבנין הקל כי אם פועל עומד והנכון כי סוכנת בעלת אוצרות המלך כמו ערי מסכנות וכמוהו אל הסוכן הזה וזה הפירוש בלא ראש ורגל כי מה ענין אם קהה הברזל. והקרוב אלי שמלת יסכן בם מלשון סכנה והוא ידוע בדברי הראשונים ושני הפסוקים דבקים ועודנו בהלול החכמה והוא גם דבק בפסוק שלמעלה שהכסיל בסכלותו יפרוץ גדר והחכם ישמר מזה והענין שאין דבר בעולם שיוכל אדם להשיגנו בלא עצבון ועמל וסכנה אפי׳ האבנים שהם ברשות האדם ומי שירצה יקח אותם

ספורנו

בחכמתך כי מרפא יניח חטאים גדולים כי אמנם לשון חכמים מרפא יעשה שהמושל* ישה אזן לדברי עצתו כאמרו ולשון חכמים מרפא*. (ט) מסיע אבנים. וכמו כן יקרה למסיע אבנים אל מקום בלתי הגון שיעצב ויכשל בהם הוא בעצמו: ובוקע עצים יסכן בם. וכן יקרה לבוקע עצים כדי שיתחמם בהם אע״פ שעושה זה לתכלית טוב יקרה לו בהם לפעמים איזה

מצודת דוד

ישבו במקום שפל ונמוך וזה נראה כאלו בשגגה נעשה הכל לא כן הוא: (ז) על סוסים. רוכבים על סוסים מה שאין ראוי להם: כעבדים. כמו שראוי לעבדים: על הארץ. הולכים ברגליהם על הארץ: (ח) חופר גומץ. החופר בור שיפול בו הזולת הזי החופר עצמו יפול בו ר״ל המכין תקלה לחבירו היא בעצמו נתקל בו: ופורץ גדר. ההורס גדר של אבנים למען ילאו החולה שנחשים סרים בנקבי חורי הגדר ויזיקו לבני אדם אזי הנחש ישך את ההורס עצמו והוא כפל ענין במ״ש: (ט) מסיע אבנים. העוקר אבנים ומסיעם ממקומם להכשילם בחולות למען יכשלו בהם בני אדם אזי המסיע עצמו יעצב ע״י כי הוא עצמו יוכשל בהם: בוקע עצים. להפיל הבקיעות על בני אדם להרגם אזי הבוקע בא על ידם לידי סכנה כי עליו יפלו

מצודת ציון

(ח) חופר. כורה: גומץ. גומא ובור ואין לו חבר ומשמעו יובן מעצמו: ופורץ. ענין הריסה: גדר. כותל אבנים: ישכנו. מל׳ נשיכה והכאה: (ט) מסיע. מל׳ הסרה ועקירה ממקומם כמו ויסיעו אבנים גדולות (מ״א ה): יעצב. מל׳ עצבון: בוקע. ענין חתוך:

קיצור אלשיך

(ז) **ראיתי** עבדים על סוסים, יכול היות שעל הגלות התנבא שהיו אנשי רומי שחרבו הבהמ״ק ונטלו כל רכוש היהודים היו אף העבדים רוכבים על סוסים ושרי ישראל הלכו כעבדים על הארץ:

(ח) **חופר** גומץ בו יפול, הנה בפסוקים אלה מראה ע״פ ענינים הרבה שאין לאדם לבטוח בשום דבר שהשכל מחייבו, כי תבוא ההשגחה העליונה ותהפך מטובה לרעה או מרעה לטובה, למשל מהראוי שהשרים ירכבו על סוסים ועבדים ילכו רגלי וראיתי שההשגחה הביאה להיפך אשר אלו שהיו מלפנים עבדים נתעשרו עד שרכבו על סוסים, ואלו שהיו מלפנים שרים ירדו עד שהולכים רגלי, ועוד חיפר גומץ שיפלו בו שונאיו, וההשגחה עשתה היפך, ששונאיו נמלטו, והוא עצמו נפל בו, ופורץ גדר, שיוכלו כל אדם לבוא בשדה להפסיד תבואתו של בעל השדה, ינשכו נחש, שאף הוא עצמו לא יכול לבא אל השדה:

(ט) **מסיע** אבנים מרשותו לרשות הרבים שיכשלו אחרים, סופו יהיה שהוא עצמו יכשל ויעצב בהם. בוקע עצים, ויכול היות שכוון שהגרון או

at great heights, and the rich sit in a low place. 7. I saw slaves on horses and princes walking like slaves on the ground. 8. One who digs a pit shall fall therein, and one who breaks a fence—a snake shall bite him. 9. One who quarries stones shall be wearied by them; one who hews wood shall be warmed

and the rich sit in a low place—*Israel, for despite all the greatness and honor that they have now in my days, they are destined to sit in a low place, as it is said* (*Lam. 2:10*): *"sit on the ground in silence."*—[*Rashi*] (See *Ecc. Rabbah.*) *Ibn Ezra* and *Mezudoth* define סֶכֶל as "fool." They explain simply: And it appears to be an error, that the fool is set in high places, which he is unfit for, and the rich, who are deservant of honor, sit in a humble and low place, and it appears as if it is an error, but it is not so.

Ta'alumoth Hochmah explains:

Folly was set at great heights—They base this statement on the fact that folly was set at great heights.

and the rich sit in a low place—i.e., Those rich in wisdom sit in a low place. [Because of this seeming injustice,] they deny the doctrine of Divine Providence.

7. **I saw slaves on horses**—*These are the Chaldeans, about whom it is said* (*Isa. 23:13*): *"this people has never been."*; [They] *will be elevated to be on horses, leading the captives of Israel, bound with neck irons.*—[*Rashi*]

and princes walking like slaves on the ground—*before the chariots of the Chaldeans.*—[*Rashi*] *Ibn Ezra* explains that it sometimes, but rarely, happens that slaves ride on horses and princes walk on the ground like slaves. *Ecclesiastes Rabbah* takes this as referring to Ahab, who rode in a chariot, while Elijah ran before him. Ahab should have respected the prophet and taken him into his chariot.

Ta'alumoth Hochmah explains:

I saw slaves on horses—This does not present a problem, because ultimately, the matter will be reversed, and the perpetrators of evil will be recompensed. The slaves riding on horses symbolize the exile of Egypt and the exile of Nebuchadnezzar, as *Rashi* explains, and see what happened to them at the end, for at the time of redemption, the matter is recognized, and he who digs a pit shall ultimately fall therein.

8. **One who digs a pit**—Heb. גּוּמָּץ, *a pit.*—[*Rashi*]

fall therein—*Sometimes he falls into it, i.e., sometimes you have someone plotting evil and it ultimately returns upon him in the end, for Nebuchadnezzar's seed was destroyed through the Temple vessels, as it is said* (*Dan. 5:23*): *"but over the Lord of Heaven you exalted yourself,"* [and the vessels of His House they brought before you, and you, your dignitaries, your queen, and your concubines drank wine in them, etc.].—[*Rashi*] *Midrash Rabbah* gives the example of Haman, who plotted to annihilate the Jewish people, but instead, was slain. Or, as *Midrash Lekach Tov* presents it, he prepared a gallows on which to hang Mordecai, and he himself was hanged on it. *Mezudath David* explains simply that the one who digs a pit so that someone else should fall into it will fall into it himself, i.e., one who plots evil against another will ultimately meet his end by that very plot. *Ibn Ezra* explains that although there are things in the world that appear unjust, the one who plots against another is oftentimes caught in his own plot.

and one who breaks a fence—*the fence of the Sages, to transgress their words.—*[*Rashi*]

a snake shall bite him—*death by the hands of Heaven, and since he spoke with an expression of breaking a fence, he mentions his recompense with an expression of the biting of a snake, which occupies the holes of the broken walls of houses.—*[*Rashi*] *Midrash Lekach Tov* explains that if one breaks the fence of the Torah, he will be bitten by Moses' curse (Deut. 27:26): "Cursed is he who does not uphold the words of this Torah, to carry them out!" *Mezudath David* explains that if one breaches a stone wall, constructed to keep the snakes nesting within it from going outside and harming people, this very person will be bitten by the snake.

9. **One who quarries stones shall be wearied by them**—*One who takes stones from their quarry in the mountains is fatigued by them.* יֵעָצֵב *is an expression of weariness, like (Gen. 3:17): "with toil* (בְּעִצָּבוֹן) *shall you eat it," i.e., every man, according to his work is his weariness. So will he who commits evil reap according to what he sows.—*[*Rashi*]

shall be warmed by it—Heb. יִסָּכֶן בָּם, *shall be warmed by it, like (I Kings 1:2): "and she shall be to him a warmer* (סֹכֶנֶת)*." So will one who engages in the Torah and in the precepts ultimately benefit from them.—*[*Rashi*]

Mezudath David interprets both segments of the verse in an unfavorable sense: One who quarries stones will be saddened by them; one who hews wood will be endangered by it. He who quarries stones and strews them on the road to cause people to stumble on them will eventually stumble himself and be injured. He who hews wood to cast the chips on people will himself be endangered by them, because they will fall on him. This idea is repeated to teach us that this happens often.

Ibn Ezra explains that Koheleth wishes to bring out the idea that a person cannot accomplish anything without weariness, toil, and danger. Even stones, which are in a person's domain, and which may be taken at will, cannot be quarried without causing weariness, and one who hews wood cannot obtain the wood without becoming weary or endangering himself.

The *Targum* renders these verses as follows:

[5] There is an evil that I saw in this world under the sun, and it does harm in the world like an inadvertent decree that goes forth from before the ruler.

[6] The Lord made a wicked and foolish king to be healthy in his fortune, and he serves successfully from the high heavens, and his hosts

are proud and numerous, and the people of the House of Israel are subjugated under him in exile. And because of their many sins, the wealthy become poor, and in poverty, they dwell among the nations.

[7] Said King Solomon with the spirit of prophecy: I have seen nations that were heretofore subservient to the people of the House of Israel, gaining strength and riding on horses as rulers, and the people of the House of Israel and their great ones, walking like slaves on the ground.

[8] Replied the Divine Standard of Justice, and so it said: They themselves caused all this to happen to themselves, like a man who digs a pit in the valley at the crossroads. He deserves to fall into it, and the nation that transgressed the decree of the word of the Lord and broke off the yoke of the Lord of the Universe, fell into the hand of a wicked king, who bit them like a serpent.

[9] Said King Solomon (the prophet): It is revealed to me that Manasseh the son of Hezekiah is destined to sin and to prostrate himself to an image of stones, for which he will be delivered into the hands of the king of Assyria, and he will bind him with rings because he completely abolished the words of the Torah that were written on the stone tablets; because of this, he will suffer with them. His brother Rabshakeh is destined to prostrate himself to a wooden image and to forsake the words of the Torah that were given in the Ark of acacia wood. Because of this, he is destined to be burned with fire through an angel of the Lord. [This refers to the destruction of the Assyrian camp by an angel. See II Kings 19:35.]

תרגום

בם: י אם־קהה הברזל והוא לא־פנים קלקל וחילים יגבר ויתרון הכשיר חכמה: יא אם־ישך

ת"א אם קהה כברזל והוא לא פנים. פסחים ע: וחילים יגבר. שם ח: אם ישוך הנחש בלא לחש. שם ערכין טו ספרים נמר כב:

בר חזקיהו עתיד למיחב ולמסגד לצלמיא דאבנין בגין כן אתמסר ביד מלכא דאתור ויכפתיניה בזכמין על דאבטיל פתגמי אורייתא דכתיבין בלוחי אבנין מן עקריהון בגין כן יצטער בהון ורבשקיה אחוהי עתיד למסגד לצלמיא דקיסין ולמשבק פתגמי אורייתא דאתיהיבן בארונא קיסי דשיטי בגין כן עתיד לאתוקדא בנורא על יד מלאכא דיי: י אם וכד יחובון עמא בית ישראל ויתעבדון שמיא תקיפין כפרזלא כלאחתא מטרא והוא דרא לא צלו קדם יי בגין כן אתקלקל כל עלמא בכפנא וכדו תייבין ומתכנשין אוכלוסין ומתגברין על יצריהון ומסגן כרזיליהון למבעי רחמין קדם אלהי שמיא אית בהון רעוא על מותר אכשרות חוכמתהון: יא אם כד מתגרן חיון קלן לטראקא ולנזקא בעלמא על חוביהון דבית ישראל דלא עסיקו בפתגמי אורייתא בחשאי ואף לית מותר לגבר אכיל קורצין דמשתעי לישן תליתי ארום

רש"י

העוסק בתורה ובמלות סופו ליהנות מהם: (י) אם קהה הברזל. הרבות לוריס שקיהה פיהס והקודס· והוא לא פנים קלקל. ואינס לטושים ומרוטים (יחזקאל כא טו) למען היות להם ברק. אעפ"כ וחיילים יגבר מגביר הוא במלחמה את גבורי החיילים לנלה: ויתרון הכשיר חכמה. ומעלת כשרון יש עוד להכמה יותר מן הברזל אם תלמיד הכם משחיר פניו כרעב ואתה רואהו מסכן בין העשירים הרבה חיילים מתגברים על ידו ואל תתמה על וי"ו והיילים כי הרבה ווי"ן טפלים כן בלשון עברית כמו (תהלים כ יח) אם ראית גנב ותרן עמו (שמות טו ב) עזי וזמרת יה ויהי לי לישועה והרבה מפורשים כזה: (יא) אם ישך הנחש. את היש: בלא לחש. מחמת שלא להשו ההבר שלא ישוך: ואין יתרון. לחבר הרשע שהיה רגיל ללהשו בלא להם כך אם בני עירך נכשלים באיסורין מחמת שאין הכם דורש להם

ספורנו

רעה: (י) וזה אם קהה הברזל והוא לא פנים קלקל וחילים יגבר. וזה יקרה לו כשיבקע העצים בגרזן בלתי הגון שכבר קהה הברזל של גרזן ועם זה שאין הברזל מוכן חיילים יגבר ויתאמץ לבקע בו. ולשון קלקל הוא מלשון נחשת קלל. ויתרון הכשר חכמה: (יא) אם ישוך הנחש בלא לחש. ויתרון ומעלת תקון החכמה בכמו אלה הוא שאם יקרה שישוך הנחש הסכלות הפורץ גדר שיהיה התקון בלתי שילחוש וידבר באזני הפורץ הסכל להזהירו שלא יוסיף לחטוא: ואין יתרון לבעל הלשון. כי גם שידבר בעל הלשון

אבן עזרא

יעלב בהסיעם אל המקום בירלה וכן על היער ייגע בבקועם ופעם יסתכן: (י) אם קהה. אף כי קהה הברזל ולא קלקל פניו והענין שלא יהיה ממורט וקלקל הוא מפעלי הכפל והוא כפול והוא מענין נחשת קלל אז יתים כה הבוקע. ומלת יגבר כמו יגלה כמו וגברתי את בית יהודה וחיילים יגבר כמו כה כענין אלהים ה' חילי אנשי חיל. ויתרון הכשיר חכמה. והענין שיש להכמה יתרון על כל עלב כי תכשיר האדם ותייסרנו בלא עלבון והחשת כח וכשר הדבר פועל עומד מן הבנין הקל והכשר פועל יוצא מן הבנין הכבד הנוסף: (יא) אם ישך. חוזר לענין שלמעלה והוא ופורץ גדר ישכנו נחש. ויתכן שזה הגדר הוא שגדר השליט ודמה המלשין לנחש והענין אין יתרון לבעל הלשון מן הנחש הנפעוני

מצודת ציון

יסכן. מלשון סכנה: (י) קהה. ענינו עכירות וחושך כמו וסנה כהה בנגע (ויקרא יג) ובאה הקו"ף במקום כה"ף כי גיכ"ק מתחלפו: קלקל. ענין לטישה וזכוך כמו קלקל בחלי' (יחזקאל כא) והוא מל' נחושת קלל (שם א): וחילים. אנשי חיל יוצאי מלחמ': ויתרון. מל' יתר ומר בה: הכשיר. ענין ישר וס"ב: (יא) ישוך. מלשון נשיכה: לחש. הם דברים ידועים ידבר על הנחש שלא ישך ועל שהדרך להומרו בשפלות קול לכן יקרא לחש: לבעל

מצודת דוד

וכפל הדבר פעמים רבות וכדרך המקרא ולומר שבכל פעם הוא כן: (י) אם קהה הברזל. אם ברזל לשב החרב נעכר ונחשך ולתוספת ביאור אמר והוא לא פנים קלקל ר"ל שמראית פניו אינו לטוש וזכוך: וחילים יגבר. ע"ז מגביר הוא במלחמה את אנשי החיל לנלח את בנלחמים בהם: ויתרון הכשיר חכמה. עוד יתר כשרון יש לחכמה וכמ"ש טובה חכמה מכלי קרב (לעיל ט): (יא) אם ישך הנחש. את היש הוא בעבור שלא לחשו החבר שלא ישוך הבל אם כיו לחשו ומזיכו לא היה נושך: ואין יתרון לבעל הלשון.

המלשין אין לו מעלה יתירה מן הנחש וכאומר שהוא עוד גרוע מן הנחש כי דומים הם במה שאין להם הנאה במעשיהם והנחש אם

קיצור אלשיך

או בקעת יפול על שונאו, והי' להיפך, יסכן בם, הביא הסכנה על עצמו:

(י) אם קהה הברזל, אם נתעכר ונתאלח הברזל הוא החרב אצל איש חיל אחד אשר היא חגורה וצמודה תמיד על ירכו להיות מוכנת לו להפיל חללים במלחמה, והוא האיש החיל הזה לא פנים קלקל, את פניה וצדדיה של החרב הברזל הזה, לא קלקל והוחד ולטש אותה ולא השגיח עליה לנקותה מכל סיג וחלאה ועי"ז העלתה חלודה, האם וחילים יגבר, בחטיה, היוכל להיות בדרך הטבע שעם ברזל עבה ומגושמת כזו יגבר האיש חיל הזה הילים וינצח אותם הלא בודאי לא יוכל להיות זאת, כי לא יוכל האיש חיל להרבית חללים בחרבו רק אם היה לו הכנה כראוי מקודם בתכלית ההכנות כמו לנקותה וללטושה ולמרטה להבריקה בהרבה לטישות ומורימות, ואז יוכל להגביר הילים ולנצח אותם. וזאת היא אצל ברזל, ויתרון הכשר חכמה, ר"ל ויותר הכנות ועבודות צריך לכשרונות של החכמה לעבוד להבורא ב"ה וב"ש, שיהיה מלוטש ומנוקה, בלב תמים ונקי מהרהורי העבירות:

(יא) אם ישוך הנחש בלא לחש, ר"ל אם ישוך הנחש של חבר טלחש את איש ומת, מי הוא המחייב במיתת האיש, הנחש או החבר, הוי אומר החבר, יען כי הנחש נשך בלא לחש, שלא לחש עליו החבר שלא ישוך, כי נשיכת הנחש תלוי בהחבר בעל הנחש, וא"כ בעל הנחש הנזות את האיש, כן הוא ואין יתרון, ר"ל אין שום חילוק וג"ם בין בעל הנחש לבעל הלשון, ואין יתרון מזה לזה, הלשון ביד האדם הוא כמו הנחש ביד החבר, וכח ביד הלשון להמית כמו הנחש, ואם הלשון המית, בעל הלשון חייב, כי היה לו ללחוש על לשונו שלא ידבר דברי כסילות כאלו הממיתים ומאשימים את השומעים והורגים אותם בשני עולמות בעוה"ז ובעוה"ב, ומבואר היטב איך לשונו ממית את המקבלים דעותיו בזה

by it. 10. If the iron is dull, and he did not sharpen the edge, it [still] strengthens the armies, but wisdom has a greater advantage.
11. If the snake bites,

10. **If the iron is dull**—*sharp swords, whose edges have become dull.—[Rashi]*

and he did not sharpen the edge—*And they are not sharpened and burnished (Ezek. 21:15): "in order that they may glitter"; Nevertheless, it still strengthens the armies. It strengthens the mighty men of the armies to be victorious in battle.—[Rashi]*

but wisdom has a greater advantage—*But wisdom has another advantage over iron, namely, that if a Torah scholar blackens his face with hunger, and you see him as a poor man among the rich, many armies are strengthened by him. Do not wonder about the "vav" of* וַחֲיָלִים, *for many "vavin" appear like that in Hebrew, like (Ps. 50:18): "If you saw a thief, you agreed* (וַתִּרֶץ) *with him"; (Exod. 15:2): "The strength and the cutting of the Lord was* (וַיְהִי) *to me a salvation," and many are explained in this manner.—[Rashi]*

The *Targum* paraphrases: And when the people of the House of Israel will sin, and the heavens will be as strong as iron, not bringing down rain, and that generation did not pray to the Lord, because of this all the world will be destroyed by hunger, but when they repent and multitudes gather, and they overpower their [evil], and they appoint their "irons" to beg mercy from the God of the Heavens, there is good will in them because of the advantage of their wisdom. [This resembles the explanation of the Talmud (*Ta'an.* 7b.]

Isaiah da Trani explains:

If the iron is dull—i.e., it lost its power to cut.

and he did not sharpen the edge—if its surface is not shiny but rusty, what is the remedy of the hewer?

exert strength—He should add strength to cut with all his might.

but wisdom is the method of improvement—i.e., what is the method for improving a person and straightening him out to go in the good way? That he have wisdom, for wisdom straightens a person in his ways.

11. **If the snake bites**—*a man.—[Rashi]*

הַנָּחָשׁ בְּלוֹא־לָחַשׁ וְאֵין יִתְרוֹן לְבַעַל הַלָּשׁוֹן׃ יב דִּבְרֵי
פִי־חָכָם חֵן וְשִׂפְתוֹת כְּסִיל תְּבַלְּעֶנּוּ׃ יג תְּחִלַּת
דִּבְרֵי־פִיהוּ סִכְלוּת וְאַחֲרִית פִּיהוּ הוֹלֵלוּת רָעָה׃
יד וְהַסָּכָל יַרְבֶּה דְבָרִים לֹא־יֵדַע הָאָדָם מַה־שֶּׁיִּהְיֶה
וַאֲשֶׁר יִהְיֶה מֵאַחֲרָיו מִי יַגִּיד לוֹ׃ טו עֲמַל הַכְּסִילִים

תו"א ואין יתרון לבעל הלשון. תענית סס:

תרגום

בְּאֶשָּׁתָא דְגֵיהִנָּם עֲתִיד לְאִתּוֹקָדָא׃ יב דִּבְרֵי מִלֵּי פּוּם גְּבַר חַכִּים דְּאִשְׁתַּכַּח בְּדָרָא כַּד אָתֵי פּוּרְעָנוּתָא בְּעָלְמָא מְצַלֵּי וּמַעֲדֵי יַת פּוּרְעָנוּתָא וּמַשְׁכַּח רַחֲמִין קֳדָם יְיָ וְסִפְוָתֵיהּ דְּגַבְרָא שַׁטְיָא מִלִּין דִּנְזִיפוּתָא (ס"א מִלַּיָּן נזיפותא) וּבְגִין כֵּן כּוּלֵּי עָלְמָא מִתְגַּמְּרִין׃ יג תְּחִלַּת שֵׁירוּי מִלֵּי פּוּמֵיהּ שְׁטוּתָא וְסוֹף מֵימַר פּוּמֵיהּ חוּלְחַלְתָּא בִּישָׁא׃ יד וְהַסָּכָל וְשַׁטְיָא מַסְגֵּי פִּתְגָּמִין סְרִיקִין דְּלֵית בְּהוֹן צְרוֹךְ עַד דְּלָא יִנְדַּע אֱנָשׁ מַה דַּעֲתִיד לְמֶהֱוֵי בְּיוֹמוֹהִי וּמַה דַּעֲתִיד לְמֶהֱוֵי בְּסֵיפֵיהּ מַאן יְחַוֵּי לֵיהּ׃ טו עֲמַל טַרְחוּת שַׁטְיָא דְטָרַח בִּשְׁטוּתָא אִיהוּ מְשַׁלְהֵי לֵיהּ עַל

רש"י

ומלמדם את חוקי התורה אין יתרון לו בשתיקתו ולא ישתכר: (יב) דברי פי חכם חן. על שומעיהם ונשמעים לו וטוב לו שנוטל גדולה עליהם: ושפתות כסיל תבלענו. זה המסית את חבירו מדרך טובה כגון בלעם שפרץ גדרו של עכו"ם שגדרו עצמן מן העריות מדור המבול ואילך והוא יעץ להם להיות מפקירין בנותיהם לזנות: (יג) תחלת דברי פיהו סכלות. כשאמר לו הקב"ה (במדבר כב ט) מי האנשים האלה עמך היה לו להשיב ה' אתה יודע והוא אמר בלק בן צפור מלך מואב שלח אלי כלומר אם בעיניך אני כבזה השוב אני בעיני מלכי הארץ: ואחרית פיהו הוללות. שיעמוס וערבוב לכה איעצך זמת אולת: (יד) והסכל ירבה דברים. שהיה מתפאר בעצמו שהיה יודע דעת עליון: לא ידע האדם מה שיהיה. לו לאחר זמן שהרי הלך ליטול שכרו במדין ולא ידע שיפול בחרב. ולפי פשוטו הסכל ירבה דברים גוזר והומר מחר אעשה כן לפלוני ואינו יודע מה יהיה מחר: ואשר יהיה מאחריו מי יגיד לו. כלומר לא סוף דבר שאינו יודע מה יהיה לאחר זמן אלא אף ההוה עכשיו מאחריו שלא כנגד עיניו אלא מאחורי ערפו מרחוק צריך הוא שיהא מי יגיד לו: (טו) עמל הכסילים תיגענו. כסילותם גורם להם עמל המיגען אשר לא למדו דרכי מבואות העיר ומתיגע לכנוס דרך פחתים ובלעי המים ויגע בטביעות רגליו בבוץ כלומר עללות של עוזבי התורה

אבן עזרא

שלא ישמע להם שיזיק ולא יהנה: (יב) דברי פי. הלילה להיות החכם בעל לשון רקכל הדברים שיוצאים מפיו הם חן והכסיל ישחית על נפשו בדבורו ואמר תבלענו לשון יחיד. כענין זבובי מות. שמש ירח עמד זבולה: (יג) תהלת. אין טעם לדבריו תהלה וסוף: (יד) והסכל. יאמר אוכל ואשתה כי לא אדע מה שיהיה בחיי ובמותי ויתכן היות כמוהו כי מי יודע מה טוב לאדם בעבור היות למעלה כי יש דברים הרבה מרבים הבל: (טו) עמל. דמה הכסיל שיעמוד לבקש גדולות ונפלאות ממנו והוא לא ידע הנראות והידועות כאדם רוצה ללכת אל עיר ולא ידע הדרך וייגע ולא יראה חפצו. וכל עמל במקרא הוא לשון זכר וזה לבדו לשון נקבה כמו כל

ספורנו

באזני הסכל בלשון נקיה לא יועיל כלל: (יב) כי אמנם דברי פי חכם חן. ומכל מקום שפתות כסיל תבלענו. תבלע אותו החן בשפתות הכסיל שישיב כאשר תדבר באזניו: (יג) תחלת דברי פיהו סכלות. היא תשחית אותו החן: ובכן אחרית פיהו. שהיא הוללות רעה. ועם זה הסכל ירבה דברים. ויהיה תחלת דברי פיהו: (יד) לא ידע האדם מה שיהיה. באשר יגער בו החכם על הקלקול שגרם בסכלותו ויזהירהו שלא יוסיף לקלקל ישיב ויאמר הנה לא ידע האדם מה שיהיה עתה סבת זה הקלקול ואומר שלא היה הקלקול בסכלותו: ואשר יהיה מאחריו מי יגיד לו. וכאשר יעירהו החכם ויאמר לו שלא יוסיף לפרוץ גדר פן יוסיף נחש נושך ישיב באחרית פיהו הוללות רעה באמרו אשר יהיה מאחריו אחר זה המקרה מי יגיד לו כלומר שאין דרך לאדם לשפוט בעתידות. וזה בחשבו שתהיה הנפש השכלית כמו הנפש הבהמית שלא תרגיש זולתי המוחש ההוה: (טו) עמל הכסילים תיגענו. לכן אתה אל תחוש לגעור בו ולעורר אותו על העתיד אבל בשתיקתך תיגענו בעמל הכסילים העמלים להסיר איזה היזק קורה מבלי אין אצלם ידיעת סבתו: אשר לא ידע ללכת אל עיר. וזה יקרה לו מחסרון

מצודת דוד

לחשו עליו ומזהירו אינו נושך והמלשין הלא הוא מוזהר ועומד ואינו עוזב דרכו: (יב) דברי פי חכם חן. הדברים היוצאים מפי חכם מעלים חן בעיני הבריות ולכן כלם אוהבים אותו ומפלים בטובתו: ושפתות כסיל. הדברים היוצאים משפתות הכסיל הם משחיתים אותו כי לא בדעת ידבר ועי"ז מוקן סוא אל ההשחתה: (יג) תחלת. ראשית מאמריו היא סכלות וסופו היא שיעמום רעה ר"ל מתחלה עד סוף המה דברי שטות ושיגעון: (יד) והסכל. אף בהסכל מרבה דברים על"ז עם כל רבוים אדם השומע אמריו לא ידע מה שיהי' תכלית מאמריו ועיקר כונתו: ואשר יהי'. ואפי' אם השכל יאמר להדם דבר מיהם אשר יהיה מאחרי האדם שלא כנגד עיניו אלא מאחורי ערפו אף שהוא קל לדעת ולהבין מ"מ אין ידיע לו כי מי יגיד לו הוהיל והסכל אין אומר ואין דברים: (טו) עמל הכסילים. טורח הכסילים תיגע את כל אחד מהם כי לפי כסלותם טורחים הרבה בדבר שאין בו טורח והרי הם יגעים בעבור רוב הטורח וחוזר ומפרש לדוגמא שזהו הכסיל אשר לא ידע ללכת אל עיר כי לא מלא

מצודת ציון

בלשון. זה המלשין ומדבר לה"ר: (יב) תבלענו. ענין השחתה כמו בלע ה' (איכה ב): (טו) תיגענו. מלשון יגיעה:

קיצור אלשיך

בזה ובבא, וענשו גדול מאד, והוא כי זאת ידוע כי (יב) דברי פי חכם, כל מה שהחכם מדבר הם דברי חן וטעם ורצוים, כי ה' יתן חכמה, ע"כ דבריו דברי הקב"ה הם, ושפתות כסיל תבלענו, דברי הכסיל יבלע דברי החכם כי (יג) תחלת דברי פיהו סכלות, תיכף כאשר יפתח פיו לדבר, דבריו הם דברי פתיות, ואחרית דבריו, יסיים בדברי הוללו' אשר רעים הם בעיני ה'. (יד) והסכל ירבה דברים, בלי דעת, והוא שלא ידע האדם מה שיהי' לו למחר אף בחייו ומכש"כ ואשר יהיה מאחריו אחרי מותו בעולם הבא מי יגיד לו, אין מי שיגיד לאדם מה יהיה שם, והוא כופר הכל ומפתה אנשים שיסורו מה':

(טו) ועמל הכסילים, מה שהכסיל הזה יעמול להשריש אצל הכסילים חבריו דעות זרות של מינות ואפיקורסות. זאת תיגענו. כי מהדעו' הרעות נבראו מלאכים מקטריגים ומשחיתים והם מיגעים אותו בתוך כף הקלע שיקלעוהו מסוף העולם עד סופו יען אשר לא ידע, לא רצה לידע ללכת אל עיר שתלמידי חכמים מצוים שם בבתי מדרשות ולומדים תורה ומוסר איך לעבוד ה'. והכסיל הזה לא רצה ללכת

it is because it was not charmed, and there is no advantage to one
who has a tongue. 12. The words of a wise man's mouth [find]
favor, but a fool's lips will destroy him. 13. The beginning of the
words of his mouth is folly, and the end of his speech is grievous
madness. 14. And the fool increases words; a man does not know
what will be, and what will be behind him, who will tell him?
15. The toil of the fools

it is because it was not charmed—Heb. בְּלֹא לָחַשׁ, lit. without charming, *because the charmer did not charm him so that he should not bite.*—[*Rashi*]

and there is no advantage—*to the wicked charmer who was accustomed to charm it, if he does not charm it. So, if the people of your city stumble over prohibitions because the wise man does not preach to them or teach them the statutes of the Torah, he has no advantage with his silence, and he will not profit.*—[*Rashi*]

Mezudath David explains:

and there is no advantage to one who has a tongue—The informer has no advantage over the snake. Indeed, he is inferior to the snake, for they resemble each other insofar as both do not derive benefit from their deeds, but the snake, if it is charmed and warned not to bite, will not bite, while a human being who is warned, does not abandon his way. *Ibn Ezra* connects this verse with verse 8, "and one who breaks a fence—a snake bites him." The meaning is that if one breaks a rule set down by the ruler, he will be bitten by a snake. He now compares the informer to a snake. The idea is that the informer has no advantage over a snake that does not obey the charmer, that hurts and does not derive any benefit from biting.

The Talmud (*Arachin* 15b) explains this verse as follows: In the future, all the beasts will assemble and come beside the snake and say to him, "The lion tramples and devours, and the wolf tears and devours, but you—what pleasure do you have?" He will answer them, "and there is no advantage to one who has a tongue," i.e., he who speaks evil about his friend also has no pleasure therefrom.

Ta'alumoth Hochmah explains this passage as follows: If the Jews were righteous, nothing in the world could harm them, as will be the case in the future, when (Isa. 11:6-8): "the wolf shall dwell with the lamb...and an infant will play on the hole of the adder, etc." It is only our sins that bring uncleanness upon the earth and cause wild beasts to harm people. The Rabbis express the correspondence between sin and punishment in a poetical fashion, as follows: Since people desire to experience pleasure when they sin, they are correspondingly destroyed by beasts who derive pleasure from attacking and biting them. But since those who gossip and speak with an evil tongue derive no physical pleasure from their speech, they are punished by being bitten by the snake who similarly bites without experiencing any pleasure.

The *Targum* paraphrases: If fiery serpents challenge each other to bite and bring injury in the world because of the sins of the House of Israel, it is because they do not engage in the Torah in secret, and also there is no advantage to the informer, who speaks with an evil tongue, for he is destined to burn in Gehinnom.

12. **The words of a wise man's mouth find favor**—*in the eyes of their listeners, and they listen to him, and it is good for him that he assumes greatness over them.*—[*Rashi*]

but a fool's lips will destroy him—*This refers to someone who misleads his fellow man from the good way to the bad way; e.g., Balaam, who broke the restrictions that the nations had imposed upon themselves, that they restricted themselves from immorality from the time of the Generation of the Flood and onwards, and he advised them to offer their daughters for prostitution.*—[*Rashi*]

13. **The beginning of the words of his mouth is folly**—*When the Holy One, blessed be He, said to him,* (*Num.* 22:9): *"Who are these men with you?" he should have replied, "O Lord, You know," but he said, "Balak ben Zippor the king of Moab sent them to me," meaning that if I am despised in Your eyes, I am esteemed in the eyes of the earthly kings.*—[*Rashi*]

and the end of his speech is...madness—Heb. הוֹלֵלוּת, *madness and confusion, "Come I will counsel you with foolish lewdness."* —[*Rashi*]

14. **And the fool increases words**—*for he was boasting that he* (*ibid.* 24:16): *"knows the thoughts of the Most High."* —[*Rashi*]

a man does not know what will be—*to him after a while, for he went to take his pay in Midian, and he did not know that he would fall by the sword. According to its simple meaning:*

the fool increases words—*He declares and says, "Tomorrow I will do this to so-and-so," but he does not know what will be tomorrow.*—[*Rashi*

and what will be behind him, who will tell him—*i.e., Not only does he not know what will be after a time, but even what is present now behind him, which is not in front of his eyes, but behind his back, from afar, he needs someone to tell him* [what is happening].—[*Rashi*]

Mezudath David explains:

[12] **The words of a wise man's mouth [find] favor**—The words emanating from a wise man's mouth find favor in the eyes of mankind, and therefore, they all love him and desire his benefit.

but a fool's lips—The words emanating from a fool's mouth destroy him because he speaks without sense, and thereby, he is prone to destroying himself.

[13] **The beginning of**—his statements is folly, and its end is grievous madness; i.e., from beginning to end, they are folly and madness.

[14] **And the fool**—Although the fool increases words, with all their increase, the person who hears them

does not know what their end will be, and what their meaning is.

and what will be behind him—Even if the fool tells a person a thing that is perceptible to the senses, what is behind him, not in front of his eyes, but behind his back, although this is easy to know and understand, it is not known to him, for who will tell him, for the fool has no words.

The *Targum* renders:

[12] The words of the mouth of the wise man who is found in the generation, when retribution comes into the world, he prays and removes the retribution and finds favor before the Lord, and the lips of a foolish man are words of reproach, and because of this, the whole world is destroyed.

[13] The beginning of the words of his mouth is folly, and the end of his speech is grievous madness.

[14] And the fool increases empty words, which have no necessity, until a person cannot know what is destined to be in his days, and what is destined to be at his end, who will tell him?

Midrash Lekach Tov explains:

The fool increases words, but a person does not know what will happen to him during his lifetime, and what will be after him, who will tell him?; therefore, he has nothing to do but to trust in his God.

15. **The toil of the fools wearies him**—*Their folly causes them toil, which wearies them, for they did not learn the ways of the approaches to the city, and he wearies himself by entering by way of pits and marshes, and he is wearied by his feet sinking into the mire; i.e., the laziness of those who abandon the Torah causes them wearying toil in Gehinnom.*—[*Rashi*]

תְּיַגְּעֶנּוּ אֲשֶׁר לֹא־יָדַע לָלֶכֶת אֶל־עִיר׃ טז אִי־לָךְ
אֶרֶץ שֶׁמַּלְכֵּךְ נָעַר וְשָׂרַיִךְ בַּבֹּקֶר יֹאכֵלוּ׃ יז אַשְׁרֵיךְ
אֶרֶץ שֶׁמַּלְכֵּךְ בֶּן־חוֹרִים וְשָׂרַיִךְ בָּעֵת יֹאכֵלוּ בִּגְבוּרָה
וְלֹא בַשְּׁתִי׃ יח בַּעֲצַלְתַּיִם יִמַּךְ הַמְּקָרֶה וּבְשִׁפְלוּת

הו"א אשר לא ידע ללכת אל עיר. עקידה שער מג: אי לך ארץ שמלכך נער. שבת יא ושריך בבקר יאכלו. עקידה שער ח וזוהר פ' לך לך ופרשת חיי שרה ופרשת תרומה: אשריך ארץ שמלכך בן חורין. שם עקידה שער עג: בעצלתים ימך המקרה. תענית ז מגילה יא סנהדרין ז:

תרגום: דלא אליף למיזל לקרתא דחכימיא שרי בגוה למתבע מניה אולפנא: טז אי וי ליך ארעא דישראל בזמן די ימלוך עלך ירבעם חייבא ויבטל מנך תקרובתא דצפרא ורברבניך עד דלא יקרבון תמידא דצפרא ייכלון לחמא: יז אשריך טב ליך ארעא דישראל בעידן די ימלוך חזקיהו בר אחז די הוא מן יחוס בית דוד מלכא דישראל די הוא גיבר תקיף באורייתא ונפיק ידי חובת פיקודיא ורברבניך בתר דמקרבין תמידא אכלין לחמא בזמן ארבע שעין מן עמל ידיהון בגבורת אורייתא ולא בחלשות ובסמיות עינא: יח בעצלתים בחלשות עיסק אורייתא ופיקודיא מתמסכן גבר מבנין ובמסכיכות תפקידתא דאתפקדת אתתא

רש"י

גורם להם יגיעת עמל בגיהנם: **אשר לא ידע ללכת** אל נתיב האמת לפרוש מן העבירה לפי שלא למד תורה שנא' (תהלים קיט קה) נר לרגלי דבריך · (טז) **אי לך ארץ שמלכך**. בזמן שמלכך ודייניך מתנהגים בנערות: (יז) **בגבורה ולא בשתי**. שעוסקין בגבורת החכמה והבינה ולא בשתיית יין: (יח) **בעצלתים ימך המקרה.** כשאדם מתעצל ואינו מתקן הפרצה קטנה שבתקרת הבית: **ימך המקרה**. יפול הבנין המקרה את הבית והמסכך עליו:

ספורנו

ידיעתו גם במדיניות באופן שלא היה בעיר מעולם ולא ללכת שם לחיות עם בני העיר: (טז) אי לך ארץ שמלכך נער* ומנהיג המדינה ע"י בני גילו כשהם נערים ואוכלים בבקר כמנהג הילדים באופן שאין בהם שלמות חכמה ולא נסיון וצריכים לעצת אחרים ועם זה פונים להנאתם ותאוותם ובכן לא יפנו לטובת מלכם לשמור המדינה מן הקלקול: (יז) אשריך ארץ שמלכך בן חורין. משעבוד התאוה והתגברו'. ובזה יהיה בעל עצה מעצמו ויפנה לתקן עניני המדינה: בגבורה. בזריזות וחריצות לתקן המדינה: ולא בשתי. על הפך גבורים לשתות יין: (יח) בעצלתים ימך המקרה. ואמרתי שלתקון המדינה יצטרך גבורה וזריזות. כי אמנם יקרה בזה כמו שיקרה למקרה את הבית שימך וישפל טחזקת אומנתו בעצלתים בשני מיני עצלות שהם עצלות המביא את העצים המתעצל מהביאם ועצלות המקרה המאחר לעשות בם את הקרוי: ובשפלות ידים. ובשפלות וחסרון ידי כל אחד משניהם שאינם עושים מלאכתם בשלמות: ידלוף הבית. יקרה

אבן עזרא

כבוד במקרא לשון זכר הון מאחד אל תחד כבודי: (טז) אי. כאשר הזכיר דבר הכסיל שהוא הבל אמר אם הי' זה הכסיל מלך יהיה דבר קשה אף כי אם הי' גם נער ומלת אי כמו אוי כמו ואי לו האחד שיפול ואין להם שליטי בעינים: ושריך בבקר יאכלו. בעבור שלא יתעסקו כי אם באכילה הפך דינו לבקר משפט: (יז) אשריך. זאת המלה באה בלא סמיכ' דבוק בלשון רבים כמו אשרי האיש ובסמיכה פעם בלשון רבים כמו ובוטח ה' אשריו ובמקום אחר בלשון יחיד ושומר תורה אשרהו. אמר רבי משה הכהן נ"ע כי אשרהו לשון רבים וכן עיניהו ידהו גבורהו בהתפללו בעד רעהו וראיותיו כי נכה עיני ה' דרכי איש. ושכח הגה עין ה' אל יראיו. ג"כ ידהו לשון יחיד. וגבורהו כן מגן כל גבור שיש בו. ובעבור מלת בהתפללו בעד רעהו נהפך העולם וא"כ ביד רעהו העדלמי שניס היו. ומה הפרש בין רעו ורעהו. שיו שיהו גם בפעלי' ירדפו ירדפהו. אולי התפלל איוב בעד כל אחד וא' מרעיו תפלה בעלמה ולקח כל אחד מהם שבעה פרים ושבע' אילים. ויורה על מלת אשרהו שהוא לשון יחיד אשרך ארץ. ועניין בן חורים שיעשה מעש' הגדולי' והפך בן בליעל. אמר א' מהמפרשים ידוע שאין בעינים כדמו' הלובן שהוא דומה לאור ואין למט' מן השחור והכתוב ידמה הגדולי' ללובן והקטני' שאין להם מעלה וגדולה להפך ויפרש חורים לבני' כמו חור כרפס והכלת. ג"כ יפרש ואורגים חורי. סלי חורי ולכן בל' ארמית חיור והפך החורים השוכים כל יתילב לפני השוכים. יש מפרש ולא בשתי כמו בשתיה וי"א כי בשתי כענין דלות כמו ונשתו מים. לשונם בלמא נשתה. והענין כי כל מעשיהם בגבורה. וענין סמיכת גבורה לאכילה עד שיתאוו ויתעכל המאכל הראשון והענין שאינם אוכלים כ"א לצורך ולא בשביל התענוג: (יח) בעצלתי'. ידוע כי כל מלה שהיא על שנים היא שנים כמו עינים רגלי' ידים שוקים שיהיו בעבור

מצודת ציון

(טז) אי לך. אוי לך וכן ואי לו האחד שיפול (לעיל ד): נער. ר"ל עושה מעשה נערות: (יז) אשריך. ענין שבח והלול כמו כי אשרוני בנות (בראשית ל): בן חורים. כן יקראו הגדולים אנשי השם כמו ולחורים ולסגנים (נחמיה ב): בשתי. מל' שתיה: (יח) בעצלתים. מלשון עצלות ור"ל ידי עצלתים לזה אמר בלשון רבים: ימך. ענין

מצודת דוד

חכמים ללכת בדרך כבושה והולך הוא בשביל קטן ותועה בדרך וטורח הרבה ומתיגע: (טז) אי לך ארץ. אוי לך ארץ אשר מלכך מתנהג בנערות ואינו משים לבו בתקון המדינה: ושריך. עי"ז גם שריך אוכלים בקומם בבוקר הפך מ"ש דינו לבוקר משפט (ירמיה כא): (יז) אשריך ארץ. מאושר ומשובח אתה ארץ אשר מלכך הוא בן גדולים כי מלך כזה לא יתנהג בנערות: ושריך. עי"ז גם שריך לא יאכלו עד בוא עת האוכל וטרם יאכלו ישפטו משפט העם: בגבורה. כל עסקם בגבורת המלחמה ובהתגדלותיו ואינם עוסקים בשתיית היין: (יח) בעצלתים. בעבור

קיצור אלשיך

ללכת שמה, רק פרק מכנו עול התורה ויראת ה', זאת תיגענו ותעופפנו כן העולם, ולא יהיה לו חלק לא בעולם הזה ולא בעולם הבא:

(טז) **אי** לך ארץ שמלכך נער, הנה מלת „נער" הוא לשון משרת משועבד אל אדוניו, ידוע אשר ישהעבד ליצרו הרע יקרא משועבד כמשרת ועבד לו, אך אשר ישתעבד ליצרו הטוב עושה רצונו תמיד הוא יקרא בן הורין ולא משועבד, כי אין לך בן חורין אלא מי שעוסק בתורה ומצות, כי העושה רצון יצרו הטוב עושה רצון קונו והאדם הוא חלקו ית' נמצא הוא עבד לעצמו, והוא גדר החירות בעצם, והענין הוא ללמד דעת את השר ומנהיג את העם כי בו תלויה תרבות טובה או רעה, כאשר הוא שלם ידריכם לעשות עיקר מהנוגע אל הנפש, וההפך בבלתי שלם שילמדם לעשות עיקר מעניני הגוף, וזה יאמר אי לך ארץ שמלכך נער משועבד אל היצה"ר, שנעשה אדונו משתרר עליו, ומזה נמשך כי ושריך, שרי המלך, גם הם הולכים אחר יצרם הרע ובבקר יאכלו, אך (יז) אשריך ארץ שמלכך בן חורין משעבור היצה"ר, שהוא צדיק וכובש יצרו הרע, ולפי זה ידריך גם השרים שלו שילכו אחר היצ"ט ע"כ בעת הידוע לת"ח יאכלו בגבורה של תורה ולא בשתי להנהגת הגוף, רק לצורך סעודת מצוה:

(יח) **בעצלתים** ימך המקרה, על שני מיני עצלות, עצלות ללמוד תורה ועצלות ליתן צדקה

wearies him, for he does not know to go to the city. 16. Woe to you, O land whose king is a lad, and your princes eat in the morning. 17. Fortunate are you, O land, whose king is the son of nobles, and your princes eat at the proper time, in might and not in drinking. 18. Through laziness the rafter sinks, and with idleness

for he does not know to go to the city—*to the path of truth, to part from transgression, because he did not learn Torah, as it is said* (*Ps. 119:105*): "*Your words are a lamp for my feet.*"—[*Rashi*]

Mezudath David explains: The toil of the fools wearies every one of them, thus making the object agree with the subject. Because of their folly, they toil uselessly for something that does not require toil. An example is the fool who does not know how to enter the city. He does not have the intelligence to enter via the paved road, but instead, enters through narrow paths, which lead him astray and cause him much unnecessary fatigue.

Ibn Ezra explains that the fool strives and toils to fathom profound and enigmatic matters, whereas he does not know such simple matters as how to enter a city. Since he does not know the way, he toils and wearies himself and does not attain his goal.

Midrash Lekach Tov explains:

The toil of the fools wearies him—and he cuts himself on thorns and thistles. So does the fool abandon the paved road and go by way of the vineyard, and becomes weary for nothing.

Another explanation:

The toil of the fools wearies him—He does not go to the city to do his work, earn his livelihood, and rest, but wanders hither and thither and toils with his folly.

Another explanation: This refers to a Torah scholar, who toils to study the halachah, but does not go to his mentor, known as עִיר, as in Daniel (4:10,14,20).

A similar interpretation appears in the *Targum*, which renders: The toil of the fool, who toils with folly—that wearies him, because he did not learn to go to the city where the wise man lives, to seek teaching from him.

16. **Woe to you, O land whose king**—*when your king and your judges behave childishly.*—[*Rashi*] i.e., He does not put his mind to improving the country.—[*Mezudath David*] *Ibn Ezra* explains that this verse is connected to the preceding one, meaning that if the king is a fool, it is a serious situation. How much more so if he is also a lad!

and your princes —And because of that, your princes eat when they arise in the morning, deviating from the practice of judging the people in the morning before eating a meal.—[*Mezudath David*]

The *Targum* renders: Woe to you, O Land of Israel, when the wicked Jeroboam will reign over you, and he will abolish from you the morning sacrifice, and your princes, before they offer up the daily morning sacrifice, eat bread.

ידים ידלף הבית: יט לשחוק עשים לחם ויין ישמח
חיים והכסף יענה את־הכל: כ גם במדעך מלך אל־
תקלל ובחדרי משכבך אל־תקלל עשיר כי עוף

תו"א גם במדעך מלך אל תקלל. כתרא ד: ובחדרי משכבך אל תקלל עשיר. שם: כי עוף השמים יוליך את הקול. שם פ"ו י:

למטר מן ריחוק סואבות דמא ולא נטרא מה עבדא דותא בגו ביתה: יט לשחוק לחוכא עבדין צדיקיא לחם לפרנסא עניין כפינין וחמרא דמזגין לדצחיין (ס"א לרצוציין) יהי להון לחדוא
לעלמא דאתי וכסף פורקניהון יסהיד עליהון זכותא לעלמא דאתי באנפי כולא: כ גם אף במנדעך
בהביוני לבך מלכא לא תלוט ובאידרון בית משכבך לא תלוט חכימא ארום רזיאל מלאכא מכריז
בכל יומא מן שמיא על טורא דחורב ומהלך קליה בכל עלמא ואליהו כהנא רבא אזיל ופרח

רש"י

ידלף. יטפטף דלף גשמים כלומר כשישראל מתעצלים בתורה הם נמקים ובית גאון עוזם הרב ומך: (יט) לשחוק עשים לחם. לחדות מזמוטיא התנים וכלות עושים סעודה וסתם סעודה גדולה קרויה לחם כמו דאת אמר (דניאל ה ד) בלשצר מלכא עבד לחם רב: ויין. משקין בסעודה אשר ישמח החיים: והכסף יענה את הכל. אם אין כסף אין סעודה לפיכך לא יתעצל אדם מן המלאכה כדי שיהא לו מה להוציא: (כ) גם במדעך מלך. אפי' במחשבותיך ב בלא דבור. גם אפי'. מלך אל תקלל. אל תרגיז למלכו של עולם. דבר אחר כמשמעו מלך בשר ודם: עוף השמים. נשמה הנתונה בך שסופה לעוף על השמים: ובעל

שפתי חכמים

ולפי שדיבר בל' כו': א ל' גמרא הוא כפרק אין דורשין כבני אדם שמתקבצים לראות במזמוטי חתן וכלה פי' זמירו' שאומרים לפני חתן וכלה כדי לשמחן: ב גם במדעך אפי' במחשבותיך כל"ל ולא כרש"י מרבים גם מלת מלך דלא עביד פירושא רק על מדעך. ואחר כך ק"ל היכן רמוז בקרא אפי' ומסיק תיתי לי לומר אפי' במחשבותיך. לזה כתב גם אפי' ואחר כך מרבים מלך אל תקלל אל תרגיז כו' לא שמלת אפי' יסי' דבוק למלך דפשיטא ואדרבא שיותר יש ליזהר לקלל מלך מהדיוט אלא הוא פירושו של גם וקאי אמחשבה אפי' במחשבותיך כו':

אבן עזרא

היותם כ' מערכות רהיס וכן שמים ומבין סיד הגלגלי' יודה כן וכן פעמים גם מים ויש לו סוד סתום והתום ואת כל לוחותים שים ספינות כשתי לוחות מעקש דרכים כן ויורה עליו סוף הפסוק יפול באחת וכן פירש רבי משה הכהן נ"ע אהרים א"כ תהיה מלת עצלתים הוזרת לידים כאילו אמר בידים עצלו' והוא לשון קלרה והמקרה במקום הזה שם. וי"א שהיא פועל כמו המקרה במים עליותיו המה קרוהו וכלם מן הבנין הכבד הדגוש ויהי' הרי"ש ראוי להדגש ויאמ' כי המקר' בעצלות ידיו עשה מעשה מך וזה רחוק בעבור היות ימך מבנין נפעל כמו ידל כבוד יעקב והוא מפעלי הכפל: ובשפלות ידים. ענינו עניות ומסכנות וידלוף מלשון דלף טורד וענינו הטפות היורדות וזה הפסוק דבוק בפסו' שלמעל' כאילו יאמר על אותו המלך והשרים המתעסקים באכיל' ויעצלו להבין בדברי המלוכ' והנה יתהדשו עליה' בעבור עצלות' ב' דברי'. האחד שתשחת מלכותם כמו הבית שיהרס מעט מעט וימך המקרה והדבר השני שלא יסתכלו כדי להוסיף ממון ולאצור אותו בעת הצורך וזה ענין ובשפלות ידים: (יט) לשחוק. והלא יראו כי כל שמחה שבעולם ושחוק עיקרם בלחם שעושים העושים ויין המשמח היי אדם ויתכן היות היים תואר השם כי היין ישמח החיים שעל פני האדמה והכסף יענה את הכל. וענין יענה ימציא ויתכן שהוא מן עת כמו שפירשתי והענין שימציאנו בעת שירצה הרוצה: (כ) גם במדעך. אע"פ שהמלך נער השמר לך שלא תקללנו אפילו במדעך וענינו בלבך ובמחשבותיך שהש' יודע אותם לבדך ובמקום הסתר אל תקלל עשיר כי אם ישמע המלך יזיקך בכחו והעשיר בעשרו: כי עוף השמים. דרך משל כמו כי היא שמע' את כל. ובעל כנפים הוא עוף השמים והענין כפול:

ספורנו

שידלוף הבית ויפלו בתוכו מי גשמים מבלי אין בקרוי שלמות נאות*: (יט) לשחוק עושים לחם ויין ישמח חיים. וזה בהיות* עבדי המלך פונים אל המשתאות: והכסף יענה את הכל. והכסף של שוחד וחמדת הממון ישפיל את הכל את המדינה ואת מנהיגיה בסור מהם צדקה ומשפט: (כ) גם במדעך מלך אל תקלל. וגם אם הדע* זאת אל תעיז לקלל את המלך כי העול הנזכר נגד רצונו. ומלכותא דארעא כעין מלכותא דרקיעא. יש צדיקים השומעים לשוכן מרום ויש

מצודת דוד

ידים עצלתים נעשה תקרת הבית מך ודל ר"ל במתקלקל התקרה אם בעליו מתעצלים לתקנו בכל עת: ובשפלות ידים. בשביל שמשפיל ידיו למטה ואינו מריס אותם לעשות בהם מלאכה תקון הגג אזי יטפטף אל הבית מי גשמים ופל הדבר במ"ש: (יט) לשחוק. על שמחה לבדה עושים סעודה גדולה אבל בזולת שמחה אין דרך לעשותה ויין משמח את החיים לבדם ר"ל בני אדם בריאים כי לחולשי הטבע יזיק היין ותביא עוד עלבון: והכסף. אבל הכסף ישיב את הכל למלאות באמת כלם כי הכל צריכים אל הכסף בין על שמחה בין זולתה בין בריא ובין חולה וכלם שואלים עליו וממלא הוא שאלתם ומוסב על המקרה שלפניו מה שמגנה את העצלות ואמר הלא הכסף צריך לכל ובעבור העצלות הלא יחסר לו: (כ) גם במדעך. אפילו במחשבתך אל תקלל את המלך ולא תחשוב שאין מי יודע מחשבתך לגלות אותך לפני המלך: ובחדרי משכבך. באחד מחדרי משכבך מקום שאין שם איש: עשיר. ע"פ רוב משלם יד העשיר לעשות רעה אל המקללו: כי עוף השמים. ר"ל איש מסר יסיס מדע לו כאלו עוף השמים הוליך אליו את קול הקללה ואף אם קלל במחשבה מ"מ ימלא מי שיבין הדבר ברמיזותיו ויגיד לו: ובעל כנפים. הוא עוף השמים וכפל הדבר במ"ש: יגיד דבר. ר"ל דבר הקללה:

מצודת ציון

עניות ודלות כמו כי ימוך אחיך (ויקרא כה): המקרה. התקרה המסכך על הבית: ידלוף. ענין הזלה וטפטוף כמו דלף טורד (משלי כז): (יט) לשחוק. ענין שמחה וחדוה: לחם. סעודה גדולה קרוי בשם לחם וכן עבד לחם רב (דניאל ה): חיים. ר"ל בריאים כמו עד חיותם (יהושע ה) שר"ל עד שנתרפאו ונעשו בריאים: יענה. מלשון עני' והעבה שאלה ואמר בלשון שאלה ומליצה ודוגמתו אענה את השמים וכו' (הושע ב): (כ) במדעך. בדעתך ובמחשבתך: תקלל. מלשון קלות ובזיון:

קיצור אלשיך

צדקה נעצר ההשפעה, ונעשה הקב"ה כאילו הוא מך ואינו יכול להשפיע עוד, וזהו ימך המקרה, הוא הקב"ה שנאמר המקרה במים עליותיו, ובשפלות ידים, כשבני אדם משפילים ידיהם ליתן צדקה, ידלוף מטר כ"כ עד שידלוף לתוך הבית והיה ברכה ושובע בעולם: (יט) לשחוק עושים לחם, לכל מיני שחוק שיש להם אף שאינם של מצוה, עושים סעודה מרעים. ויין, ושותים יין. ישמח חיים, מחמת שהיין משמח את החיים, והכסף יענה את כל הדברים הנצרכים אל הסעודה:

(כ) גם במדעך ומחשבתך אל תקלל ותבזה את המלך השליט במדינה. ובחדרי משכבך אל תקלל עשיר, אשר המלך נתן המשרה על שכמו לנהל את בני מדינתו. כי אם לא תטהר רעיונתיך מכל הרהור רע עליהם, הלא לפעמים יקרך עון ע"ז מאשר בלי דעת יבהל הדמיון להוציא דבר מפיך והייבת

ıands the house leaks. 19. On joyous occasions, a feast is made, and wine gladdens the living, and money answers everything. 20. Even in your thought, you shall not curse a king, nor in your bedrooms shall you curse a wealthy man, for the bird

17. **Fortunate are you, O land**—You are fortunate, O land whose king is the son of great men, for such a monarch does not behave childishly.—[*Mezudath David*]

and your princes—Through this, your princes also will not eat until mealtime, and before they eat, they will judge the people.—[*Mezudath David*]

in might and not in drinking —*They engage in the might of wisdom and understanding and not in drinking wine.*—[*Rashi*] *Mezudath David* explains:

They are busy with the might of war and its strategies, and do not engage in drinking wine.

The *Targum* paraphrases:

Fortunate are you, O Land of Israel, when Hezekiah the son of Ahaz reigns over you, for he is of the pedigree of the House of David, who is mighty in the Torah and discharges the obligation of the precepts, and your princes, after offering up the daily sacrifice, eat bread at the time of four hours (the fourth hour of the day) from the toil of their hands, with the might of the Torah and not with weakness and blindness. [This probably means that they possess a thorough and clear knowledge of the Torah, not weak knowledge or unclear knowledge, referred to as blindness.] Similarly, *Ecclesiastes Rabbah* contrasts the kings of Judah with the kings of Israel. The preceding verse deals with the kings of Israel, and this verse deals with the kings of Judah.

18. **Through laziness the rafter sinks**—*when a person is lazy and does not repair a small breach in the ceiling of the house.*—[*Rashi*]

The unusual construction of עֲצַלְתַּיִם, which usually denotes the dual number, leads *Saadia Gaon* to interpret the verse as follows: "Through constant laziness, the rafter sinks, etc." *Ibn Ezra* explains it as an ellipsis of עַצְלוּת יָדַיִם, *laziness of the hands.*

the rafter sinks—*The structure that ceils the house and covers it will sink.*—[*Rashi*]

Mezudoth derives יִמַּךְ from מָךְ, poor. Through laziness and neglect, the ceiling will become poor, i.e., it will deteriorate if the owner neglects to repair it.

leaks—*The dripping rain drips, i.e., when the Israelites are lazy with the Torah, they melt, (i.e., they are defeated) and the House of the pride of their strength* (viz. the Temple) *becomes destroyed and impoverished.*—[*Rashi*]

The *Targum* paraphrases:

As a result of weakness in engaging in the Torah and the precepts, a person becomes impoverished from children; and because of idleness in [observing] the precepts that a woman is commanded; to observe the laws regarding menstrual blood; if she did not observe them, she experiences an unusual flux within her house.

Ibn Ezra interprets this verse as a continuation of the preceding one, which deals with rulers who neglect the matters of the kingdom, and engage in eating and drinking instead. First, the royal house will disintegrate, and then, because they did not exercise care to accumulate money for the upkeep of the kingdom, they will not have money at a time of necessity. That is described as שִׁפְלוּת יָדַיִם.

19. **On joyous occasions, a feast is made**—*For the joy of the musical entertainment at a wedding, we make a grand feast, and an undefined grand feast is called* לֶחֶם, *as it is stated* (*Dan. 5:1*): "*King Belshazzar made a great feast* (לְחֶם)."—[*Rashi*]

and wine—*they give to drink at the feast, which gladdens the living.*—[*Rashi*]

and money answers everything—*If there is no money, there is no feast; therefore, a person should not neglect work in order that he should have what to spend.*—[*Rashi*]

Mezudath David explains:

On joyous occasions—For joy alone they make a grand feast, but without a joyous occasion, it is not customary to make one, and wine gladdens the healthy alone, but if sickly people drink wine, it causes them depression.

but money answers all—But money answers all, to fill everyone's request, for everyone needs money, either for joyous occasions or other occasions, whether in health or sickness; all ask for it, and it fulfills their requests. This verse refers back to the previous verse, which scorns laziness, and he says that everyone needs money, and that laziness will cause people to lack it.

Ibn Ezra explains: On joyous occasions, we make a feast. The main part of the joy is the feast, and wine gladdens life, (or: wine gladdens the living on the face of the earth), and money provides everything, (or: money provides everything in its time.)

The *Targum* paraphrases: For joy, the righteous make a feast to sustain the hungry poor, and the wine that they mix for the thirsty will be their happiness in the World to Come, and the money of their redemption [of captives] will testify favorably in the World to Come before everyone.

20. **Even in your thought...a king**—*even in your thoughts, without speech.* גַּם *means "even." You shall not curse a king; do not provoke the King of the World. Another interpretation is that this is a king, according to its apparent meaning, a mortal king.*—[*Rashi*] Do not think that no one knows your thoughts in order to inform upon you to the king.—[*Mezudath David*] Even if the king is a lad, as in verse 16, do not curse him in your thoughts.—[*Ibn Ezra*]

nor in your bedrooms—in one of your bedrooms, a private place, where no strangers are found.—[*Ibn Ezra, Mezudath David*]

a wealthy man—In general, a wealthy man has the power to harm one who curses him.—[*Mezudath David*]

the bird of the heaven—*the soul, which is placed within you, which will ultimately fly up to the heaven.*—[*Rashi*]

Mezudath David explains that he will find out about it very fast, and it will be as if the bird of the heavens had carried the sound of the curse to him, and even if you cursed him only in your thoughts, there may be someone who will understand your connotations and tell him.

and the winged creature—*the angel who escorts you, as it is stated:* (*Ps. 91:11*): "*For He will command His angels on your behalf," and according to its apparent meaning, the passersby. You should worry about every person, perhaps there are people listening, and they will tell the matter to others.*—[*Rashi*]

The *Targum* paraphrases: Even in your thoughts, in the hidden recesses of your heart, do not curse a king, and in your bed chamber do not curse a wise man, for the angel Raziel announces every day from heaven on Mount Horeb, and his voice travels throughout the entire world, and Elijah the High Priest goes and flies in the air of the expanse of the sky like a winged eagle, and he tells the things that are done in secret to all the inhabitants of the earth.

Ecclesiastes Rabbah explains: When a man sleeps, the body tells the נְשָׁמָה [what he has done], and the נְשָׁמָה tells the נֶפֶשׁ, the נֶפֶשׁ tells the angel, the angel tells the cherub, and the cherub tells the winged creature. Who is this? This is the seraph, and the seraph bears the word and tells it before the One Who spoke and the world came into existence. [The נֶפֶשׁ and the נְשָׁמָה are different parts of the soul, untranslatable into English.]

השמים יוליך את־הקול ובעל הכנפים יתיר ה' יגיד
דבר: יא א שלח לחמך על־פני המים כי־ברב
הימים תמצאנו: ב תן־חלק לשבעה וגם לשמונה
כי לא תדע מה־יהיה רעה על־הארץ: ג אם־ימלאו

הו"א מן חלק לשבעה וגם לשמונה. עירובין מ:

באויר שמיא בנשרא מרי גדפין ומחוי מילין דמתעבדין במסורתא לכל דיירי ארעא: יא א שלח אושיט לחם פרנסיתך לעניי דאזלין בספינן על אפי מיא ארום בתר עידן יומין סגיאין תמן תשכח אגריה לעלמא דאתי: ב תן הב חולק טב מן זרעא לחקלך בתשרי ולא תתמנע מלמזרע אף בכסליו ארום לא תנדע מה יהא בישא עלוי ארעא אי חרפי נצחן אי אפילי: ג אם אין מתמלין ענניא מטרא עלוי

שפתי חכמים

ג דקשה לרש"י אם ישלח על פני המים היאך ימצאנו. ועוד למאי כ"א ישלח לחמו על פני המים ואח"כ ימצאנו אם כן יחזיקנו מתחלה בידו ולא ישלחנו. ולכ"פ עשה טוב' והסד כו' ולבסוף תקבל תשלומיך ראה מה נא' ביתרו כו': ד פי' ע"י הצדקה א לא צדקה סתם דאם כן למה אמר ותצטרך לכולם אלא שכולם יעזרוך שתנצל מן הרעה וישלמו לך הצדקה נמצא שתנצל ע"י צדקה זו ובספרים מדויקים הוא בסדיא ברש"י ע"י צדקה זו: ה ר"ל אם לא תעשה עתה כשיש הרעה אז

רש"י

כנפים. מלאך המלווה אותך כענין שנא' (תהלים צא יא) כי מלאכיו יצוה לך ולפי משמעו העוברים והשבים. יש לך לדאג מכל בריה שמא יש שומעין ויגידו לאחרים: (א) שלח לחמך על פני המים. עשה טובה וחסד לאדם ג שיאמר לך לבך עליו אל תראנו עוד כאדם שמשליך מזונותיו על פני המים: כי ברב הימים תמצאנו. עוד ימים באים ותקבל תשלומך ראה מה נאמר ביתרו (שמות ב כ) קראן לו ויאכל לחם וסבור שהוא מצרי ולא יראנו עוד מה היה סופו נעשה חתנו ומלך על ישראל והכניסו תחת כנפי השכינה וזכו בניו ובני בניו לישב בלשכת הגזית: (ב) תן חלק לשבעה וגם לשמונה. חלקת מלחמך ומשתך לשבע' צריכי חסד חלק עוד לשמונה שיבאו אחריהם ואל תאמר די: כי לא תדע מה יהיה רעה. שמא עוד ימים באים ותצטרך לכולם אז תנצל ע"י הצדקה זו ד מן הרעה ואם לא עכשיו ה אימתי. ורבותינו אמרו תן חלק וגו' אלו שבעת ימי בראשית תן אחד מהן חלק ליוצרך לנוח בשבת. וגם לשמונה אלו שמונת ימי המילה. ד"א תן חלק לשבעה קרבנות לבור של שבעת ימי פסח. וגם לשמונה. של שמונת ימי החג. כי לא תדע מה יהיה רעה. אם יחרב הבית ולא תקריבו עוד ויועילו קרבנות הראשונים לבטל גזרה הרעה. ד"א כי לא תדע מה יהיה לא ידעת מה נגזר על הגשמים בחג ויועילו הקרבנות ויבטלו גזרות רעות: (ג) אם ימלאו העבים גשם. אם ראית עבים מלאים גשם ידעת שסופן יריקו גשמיהם על

ספורנו

רשעים הסרים מדרכו: כי עוף השמים. בתנועת האויר יגיע את קולך לאזני איזה שומע בחוץ בלתי נודע אצלך: ובעל כנפים. ואיזה מהיר להגיד בתקות שכר: יגיד דבר ובכן כל דבר לא יכחד מן המלך ויגיעך נזק כאשר ידע שחרפת נגד הדרת כבודו:

יא (א) שלח לחמך.* גם בלי גמול אל תחדל שלח לחמך להיטיב לזולתך: על פני המים. המוליכים במהירות גם אל ארץ מרחק: כי ברב הימים. שתתמיד בזה: תמצאנו. שתקנה שם מטיב לכל וימציאך חן בעיני אלהים ואדם:* (ג) אם ימלאו העבים גשם על הארץ יריקו. כי אמנם יקרה בזה כמו שיקרה כאשר ימלאו העבים גשם שהם יריקו על

אבן עזרא

(א) שלח. יזהיר מי שיש לו שיהיה נדיב ותהיינ' ידיו פתוחות למי שיכיר ולמי שאינו מכיר וי"א כי אלו המים הם מימי בריכה ויש שם דגים ואין לנו צורך לפירוש הזה: (ב) תן חלק. עיקר שבעה במקרא מה שאמר בעל ספר יצירה והיכל הקדש מכוון באמצע ואמר לשמנה כנגד ימי השבוע כי היום השמיני הוא כמו היום שהחל בו והענין תמיד בלי הפסק וענין מה יהיה רעה שיבא לידי עוני ואמר יהיה עם רעה כמו כי יהיה נערה בתולה: (ג) אם ימלאו. דרך משל לעושר שלא נתן לעשיר כי אם לעשות טוב לכל מצטרך אליו.

ומלת יהוא לשון רבים והאל"ף נוסף כאל"ף ההלכוא אתו. ולא אבוא שמוע. כי בתחלה הוא יהי בלשון יחיד ואין לו

מצודת דוד

יא (א) שלח לחמך על פני המים. ולא תחשוב שהמים יוליך אותו למרחוק למקום שלא תמצא אותו כי ברבות הימים תמצאנו והוא ענין משל לומר תן מלחמך אף למי שתחשוב עליו שלא תראנו עוד לקבל ממנו הגמול כי אחר ימים רבים תקבל ממנו תשלום גמול: (ב) תן חלק. חלוק מתן לשבעה בני אדם כאמור ר"ל תן לכל ולא ירבו בעיניך ואחז מספר שבעה כי הוא כלל החשבון ואמר שמונה כאומר אף אם נתת לכלל החשבון תן עוד: מה יהיה. כי פן יבא' רעה בארצך והצטרך לשוטט בארצות ואולי תצטרך לכלם: (ג) אם ימלאו

קיצור אלשיך

וחייבת את ראשך להם, כמאמר חז"ל אפילו ריש גרגותי משמיא מוקמי, א"כ התנשאות המלך ושרים הוקמו על מאת הקב"ה, ואם הוא יקלל אותם, הלא לפי דעתו אינם שוים להיות מושלים וטעה הקב"ה בהם אין לך כפירה גדולה מזו בידיעת הקב"ה, הלא דע כי עוף השמים. הוא נשמתך אשר בכל לילה תעוף השמימה יוליך את הקול למעלה ויבואו דבריך לפני המקטרגים ויקטרגו עליך לפני הקב"ה, ובעל כנפים הוא המלאך גבריאל יגיד הדבר למעלה ותענש ע"ז:

יא (א) הנה הרמב"ם מונה שבע מעלות בצדקה, והשביעית העולה על כלם הוא, שהנותן אינו יודע למי נתנה, והמקבל אינו יודע ממי קבלה. ולמעלה מזו יש מעלה שמינית שיתן להעני בהלואה, בא שלמה ומיעץ את האדם שידבק במעלה הז' שהנותן והמקבל לא יכירו אחד את חברו, והמשיל הדבר ואמר שלח לחמך על פני המים, והוא כי כאשר אם ישלח איש ככר להם שיצוף על פני המים דרך הלוך הנהר, ומוצאה איש שהלך בסירת דוגה וישלח ידו ויקחה נמצא כי המשלחה לא ידע מי נוטלה, והנוטל לא ידע מי שלחה, וע"ז נשא שלמה משלו ויאמר שלח לחמך על פני המים, שהנמשל הוא שהנותן לא יראה פני המקבל והמקבל לא יראה פני הנותן. ומה תרויח מזה כי ברוב הימים תמצאנו, שע"י הצדקה תתעשר, כמו שדרשו חז"ל עשר בשביל שתתעשר. או יאמר שע"י הצדקה תבא לרוב ימים, וגם תמצאנו, את השכר מהצדקה:

(ב) תן חלק לשבעה המעלות של הצדקה, וגם לשמונה, למעלה השמינית שמנה הרמב"ם ז"ל. וע"כ תקדים הצדקה כי לא תדע מה יהיה רעה על הא"ץ, והצדקה תצילך מכל רע [כמעשה דבת ר' עקיבא וכשמואל ואבלט], והנה בימי דוד היו נשיאים ורוח וגשם אין, ואמר דוד שמא יש ביניכם פוסקי צדקה ברבים ואין נותנים, הרי ראינו שבשביל העדר הצדקה העבי' לא יריקו מים, ע"כ אמר שלמה אם יתנו צדקה (ג) אם ימלאו העבים גשם על הארץ יריקו. ועוד סיבה אחרת יש שלא ירד הגשם על הארץ

of the heaven shall carry the voice, and the winged creature will tell the matter.

11

1. Send forth your bread upon the surface of the water, for after many days you will find it. 2. Give a portion to seven and even to eight, for you do not know what evil will be on the earth. 3. If the clouds be full

11

1. **Send forth your bread upon the surface of the water**—*Do goodness and kindness to a person about whom your heart tells you that you will never see him again, like a person who casts his food upon the surface of the water.*—[*Rashi*]

for after many days you will find it—*Days will yet come, and you will receive your recompense. Note what is said about Jethro (Exod. 2:20): "Call him that he should eat bread," and he thought that he* (Moses) *was an Egyptian and that he would never see him again. What was his end? He became his son-in-law and reigned over Israel and brought him under the wings of the Shechinah, and his sons and grandsons merited to sit in the Chamber of Hewn Stone.*—[*Rashi*]

Do not think that the water will carry it far away, to a place where you will never find it, for after many days you will find it. This is an allegory, meaning, "Give of your bread even to one whom you think you will never see again to receive recompense from him," for after many days you will indeed receive recompense from him.—[*Mezudath David*]

Midrash Lekach Tov explains the image to mean that one should sow in a moist place, where the seed is blessed, for after many days, at harvest time, he will find it. Allegorically, it applies to giving charity.

Along this line, the *Targum* paraphrases: Extend the bread of your support to the poor who go on ships over the surface of the water, for after the passage of many days, you will find its reward in the World to Come.

Sforno explains similarly:

Send forth your bread—Although the kings and the princes do not do what they should do, i.e., to do favors for others, do not refrain from doing so yourself.

Send forth your bread—to benefit others.

upon the surface of the water—which carries it off with speed to a distant country.

for after many days—that you continually practice this.

you will find it—You will acquire a name as a benefactor to all, and it will give you favor in the sight of God and man.

Ibn Ezra explains that Koheleth teaches us to give charity both to people we know and to people we do not know.

Alshich explains this verse in a very interesting manner, as follows:

Rambam (Laws of Gifts to the Poor 10:7-14) writes: There are eight levels of charity, each higher than the one before. The highest level is supporting a Jew who has become impoverished, and giving him a gift or a loan, or forming a partnership with him, or providing him with work so that he should not have to beg, etc. On the rung below is a person who gives charity to a poor person, where he does not know the identity of the recipient and the recipient does not know the identity of the donor, for this is a commandment performed for its own sake.

Solomon advises people to cling to this level of charity, in which neither the donor nor the recipient are aware of the other's identity. He presents his advice using the image of a person who cast a loaf of bread upon the face of the water to flow with the current, and a man in a small boat found it, stretched out his hand and took it. Hence, the sender did not know who found it and the finder did not know who sent it. Now what do you gain from this type of charity? That after many days you will find it, for through charity one becomes wealthy, as our Rabbis expounded: Tithe in order that you become wealthy. It may also mean that through charity, you will merit many days, and also find it, i.e., the reward for your charity.

2. **Give a portion to seven and even to eight**—*If you have shared your food and your drink with seven who need kindness, share further with eight who come after them, and do not say, "Enough."*—[*Rashi*]

for you do not know what evil will be—*Perhaps days will yet come and you will need them all. Then you will be saved from the evil by this charity, and if not now, when? Our Sages, however, said:*

Give a portion, etc.—*These are the seven days of Creation. Give one of them as a portion to your Creator, to rest on the Sabbath .*

and even to eight—*These are the eight days preceding circumcision.*

Another explanation:

Give a portion to seven—*the communal sacrifices of the seven days of Passover.*

and even to eight —*days of the Festival* [of Succoth].

for you do not know what evil will be—*if the Temple will be destroyed, and you will not sacrifice any longer, and the first sacrifices will avail to annul the evil decree.*

Another explanation:

for you do not know what will be—*You do not know what has been decreed on the rains on the Festival* [of Succoth], *and the sacrifices will avail, and they will annul evil decrees.*—[*Rashi* from *Ecc. Rabbah*]

Ta'alumoth Hochmah explains that the verse refers to the seven days of Creation and the eight days preceding circumcision, as follows: The seven days of Creation denote the earning of a livelihood by working, for (*Avoth* 2:2): "all study of Torah that is not accompanied by work will ultimately cease." The eight days preceding circumcision denote the subordination to the will of God, for one who enters the covenant of circumcision becomes a servant of God. One must incorporate both these elements into one's behavior.

Mezudath David explains:

for you do not know what evil will be—Lest there be evil in your land, and you be compelled to wander throughout the lands, and perhaps you will need these people.

Alshich explains that Koheleth refers to the seventh and eighth levels of charity prescribed by the *Rambam.*

for you do not know what evil will be on the earth—from which you will be saved through your charity.

The *Targum* paraphrases: Give a good portion of the seed to your field in Tishri, and do not refrain from also sowing in Kislev (sic), for you do not know what evil will be on the earth, whether the early seed will prosper or the late seed.

3. **If the clouds be full of rain**—*If you have seen clouds full of rain, you know that they will ultimately empty their rains upon the earth. In the place where the benefit grows and is discernible, there it is destined to come to rest. Likewise, you should know that if a tree rests, etc. If a wise and righteous man resides in a city or in a province, the place where he resides, there his deeds will be discernible after his demise, and his words of wisdom and his exemplary traits and his bestowal of goodness upon the inhabitants of the place through his good custom that he guided them on the straight road.*—[*Rashi*]

העבים גשם על־הארץ יריקו ואם־יפול עץ בדרום
ואם בצפון מקום שיפול העץ שם יהוא: ד שמר רוח
לא יזרע וראה בעבים לא יקצור: ה כאשר אינך
יודע מה־דרך הרוח כעצמים בבטן המלאה ככה

ארעא מערן ית מייהון בגין זכותא דצדיקיא ואין לית זכו בדרא ההוא כימא ובמדברא נחתן דלא יתהנון מנהון בני אנשא ואי אתגזר מן שמיא למנפל מלכא ויעטוהי מן שרורהון מן קדם מימרא דשמיא הני ואי סובעא וכפנא בדרומא או בציפונא אתר דאתגזר למתקיימא ההיא עיטא תמן משתלחא למהוי: ד שמר גבר דנטיר חרשין וקוסמין לא יעביד טב לעלם ודמסתכל במזליא לא מגבי אגר ארום חרשין מתילין לרוחא דלא מתפס בידוי דבר נש ומזליא מתילן לעננא שמיא דאזלו ולא תייבין: ה כאשר היכמא דליתך ידע איכדין יהלך רוח נשמתא דחיי בגוף עולימא שלילא דשרי במעינא דאמיה מעברא והיכמא דלא תנדע או דכר

רש"י

הארץ במקום שהטובה לומחת וניכרת שם סופה לנוח אף כן דע שאם יפול עץ וגו' אם ישכון אדם חכם ולדיק בעיר או במדינה מקום שישכון שם יהיו נכרין מעשיו אחרי מותו וחכמותיו ומדות תרומיותיו ותשלום טובה ליושבי המקום על מנהגו הטוב שהדריכם בדרך ישרה: יפול. ישכון כמו (בראשית כה יח) על פני כל אחיו נפל: עץ. תלמיד חכם שמגין בזכותו כעץ המסיך על הארץ: (ד) שומר רוח. ממתין ומלפה עד בא הרוח: לא יזרע. פעמים ממתין ואינו בא: וראה בעבים. נותן עיניו בעבים וכשרואה אותם קודרים ירא לקלור מפני הגשמים לעולם לא יקלור לפי שירא תמיד: (ה) כאשר אינך יודע וגו'. כעצמים בבטן המלאה. דברים הנסגרים והנעלרים בבטן שהיא מלאה

שפתי חכמים

לא תוכל לסגלג ע"ד מי שטרח בע"ש יאכל בשבת: ו דקשה לרש"י ומי יוכל לשמור הרוח. לכ"פ ממתין כו' ושומר הוא כמו ואביו שמר

אבן עזרא

דומה במשקלו במקרא והענין אל המקום שיפול פרי העץ בלפון או בדרום שם יהיו האוספי' והענין על העשיר. וי"א כי על העץ בעלמו יאמר ואלי הפסוק הזה הוא כנגד חלי הפ' הראשון והליו האחרון כנגד הליו האחרון ואמ' זה המפר' כי יו"ד יהוא לעתיד ממלת הוא והוא לשון יחיד והענין כי העץ בעבור שיתן פרי ישקוהו ויעבדוהו ובשע' שיפול ידעו שלא יתן פרי לעולם יעזבוהו במקום שנפל. ואמר מפרש אחד כי זה העץ הוא מן עלה והאומר כזה לא אכל מעץ הדעת: (ד) שומר. גם זה משל על הנדיב כי הזורע העלל הכילי יאמר זה הרוח יורה שלא ירד גשם בימים הבאים ולמה אקח מה שיש לי והוא הזרע ואטמנהו בארץ. וי"א שהיא מלוה כמשמעה לזורע שכבר זכר שלמה שאין במלאכות כמו עבודת האדמה לכן אל ישען על דעתו ועל כל מה שנסה כי העתים משתנות: (ה) כאשר. מפרשים אמרו כי כעלמים הוא כעולם וזה הכל ועניינו גוף הילוד טרם יולד וקראו עלמים כי הם מוסדי הגוף כי הבשר והעור כמו מלבוש והמלאה הוא ההרה ויתכן שתהיה המלאה תואר לאשה ותהי' מלת בטן סמוכה וגם יתכן להיות שתהיה תואר לבטן כי לעולם היא בלשון נקבה בלשון הקדש והיה ראוי להיות

ספורנו

הארץ אפילו במקום שמקבל היזק בהם: ואם יפול עץ בדרום ואם בצפון מקום שיפול העץ שם יהוא. באופן שאע"פ שבגללם יפול עץ בדרום או בצפון לא ימנעו מי הגשם מהיות באותו המקום עצמו שיפול שם בגללם העץ וכן המערכת לפעמים תנשא אנשי רשע במצות בוראם להרע לרשעים ולהפרע מהם אעפ"י שתזיק גם לקצת בלתי ראוים לכך: (ד) שומר רוח לא יזרע. אע"פ שלפעמים יאבד הזרע ברוח סערה שתפזרהו. מ"מ אין ראוי להמנע מלזרוע בשביל דאגה מזה: ורואה בעבים לא יקצור. וכן יקרה בענין הקציר כי אם יעשה כן לא יזרע האדם ולא יקציר לעולם: (ה) כאשר אינך יודע מה דרך הרוח. אם יועיל לזרע או יפזרהו:

מצודת דוד

וגו'. אם העבים נתמלאו גשם הנה לא יחזיקו לעלמם רק יריקו וישפכו על פני האדמה ומוסב למעלה לומר שראוי הוא לחלק ממון לזולת כמו שהעבים אינם מחזיקים הגשם לעלמם ויריקו על הארץ וכזה תתלה ההכן הדים למעל' ונתמלא גשמים פעם בפעם כן מי שנתמלא בעושר אין מהראוי לו להחזיקו לעלמו לבד רק ישפיע ויתן לאחרים ואז כאשר ילטרך הוא יהיה נשפע מאחרים: ואם יפול עץ. מן פרי עודו נטוע ותקוע בארץ בעבור שיתן פרי ישקוהו ויעבדוהו ובשעה שיפול העץ בכל מקום שהוא בין בפאת הדרום בין בפאת הלפון בכל מקום שיפול שם יהיה כי מעתה עזבוהו במקומו ואין מי מטפל עמו עוד הואיל והיא נותן פרי וכאו' כן מי שאינו משפיע לאלה בשיבא עת שילטרך הוא לאחרים לא יפנו אליו: (ד) שומר רוח. הממתין בזריעת שדהו עד בוא הרוח כי אז טוב לזרוע כי ברוח יפזר הזרע בכל מקום: לא יזרע. פעמים ממתין ואינו בא: ורואה בעבים. הנותן עיניו בעבים וכשרואה אותם קודרים ירא לקלור מפני הגשמים זה לא יקלור לעולם לפי שירא תמיד: (ה) כאשר אינך יודע. כמו שאינך יודע באיזה דרך הרוח מהלך עם כי תשמע קולו וכמו הולד הנסגר בבטן המלאה שאינך יודע אם הוא זכר או נקבה עם כי הראה בליטת הבטן ככה לא תדע את כו': את הכל. ר"ל שום דבר ממעשה ה' לא תדע ומוסב למעלה לומר אין לך להמתין על הרוח ולפחוד מן הגשמים כי לא

מצודת ציון

יא (ג) העבים. ענניס: יריקו. ענין הולא ושפיכה כמו שמן תורק (ש"ה א): יהוא. כמו יהיה. או היו"ד מורה על העתיד וכאילו אמר יהי' הוא: (ד) שומר. ממתין כמו ואביו שמר את הדבר (בראשית לז): (ה) אינך. אין אתה: כעלמים. ענין

קיצור אלשיך

הארץ, כאשר אמרו לדוד על אשר לא הספיד לשאול כהלכה, והוא כי האדם עץ השדה, ע"כ אמר אם יפול עץ בדרום ואם בצפון, אם יפול איזה אדם גדול בתורת המכונה לדרום [הרוצה להחכים ידרים] או איזה עשיר בעל צדקה המכונה בשם צפון [הרוצה להעשיר יצפין] אם במקום שיפול העץ שם יהוא, מונח, ולא יספידוהו להוריד הנשמה למקום ההספד, יהי' נעצר הגשם:

(ד) שומר רוח לא יזרע, הנה ידוע כי מעשה המצות נקראים בשם זריעה שזורע אותם פה בעולם הזה, ושכרם יקצור בעולם הבא, אם יאמר אדם לא אעשה שום מצוה עד שרוחי בקרבי תתעורר לעשות המצוה, ע"ז אמר שומר רוח, אם ימתין על התעוררות רוחו, לא יזרע, לא יוכל לקיים המצות, ורואה בעבים, בעביות עניני עוה"ז, מאין יקציר שכרו בעה"ב. (ה) כאשר אינך יודע וגו' הלא אמרתי לך שומר רוח לא יזרע שלא תמנע מלזרוע מצות עד בא הרוח שהיא מדרגה גדולה כי שמא לא תבא לך אמר עתה עוד אני אומר לך כי הלא גם כי תבא לך הרוח לא תדע עת בואה, והנה לך ראיה מן החוץ מק"ו, כי הנה לפניך דבר שתשמע הברתו

לקוטי אנשי שם

(ד) שומר רוח וגו'. הזהיר על המדות כולם שיהיו במילוע ישר. להשביע את חלק נפשו משמן הטוב שיוריד עליה על פי מדותיו. וגם אברי הגוף יקחו חלקם כפי לרכם להבריאם ולחיותם. כי כלבוש אחר תענוגים ישחית נשמתו שהיא חלק אלקי. והסוכר שאכו ובשרו להמיר מכל מאכל ומשקה ג"כ הוא חוטא לאלהים שיחלה וימות בלא עתו. וזה אמרו שומר רוח.

of rain, they will empty it upon the earth, and if a tree rests in the south or in the north, the place where the tree rests, it they will be. 4. He who waits for the wind will not sow, and he who looks at the clouds will not reap. 5. As you do not know what is the way of the wind, just as things enclosed in the full womb; so

rests—Heb. יִפּוֹל, *will rest* (or dwell), *like* (*Gen. 25:18*): "*before the face of all his brothers did he settle* (נָפָל)."—[*Rashi*]

a tree—*A Torah scholar, who protects with his merit like a tree, which shades the earth.*—[*Rashi* from unknown midrashic source]

A similar interpretation is given in *Ecc. Rabbah.* If the clouds are full of rain, they will empty it upon the land. If the Torah scholars are full of Torah, they will empty it upon Israel, called land, as it is said (Mal. 3:12): "for you shall be a desirable land."

and if a tree rests in the south or in the north—If the time arrives for a Torah scholar to give instruction in the south or in the north, all Israel assemble there, preserve his wisdom, hearken to his Torah, and learn from him.

Ibn Ezra and *Mezudath David* explain:

If the clouds, etc.—If the clouds are full of rain, they do not keep if for themselves, but empty it out upon the earth. Likewise, a person blessed with wealth must bestow his fortune upon others if they need his assistance. This is connected to the preceding verse: Give a portion to seven, etc.

and if a tree falls, etc.—A fruit tree, as long as it grows and provides fruit, people water it and take care of it, but when it falls and no longer provides fruit, it lies wherever it falls, and no one pays attention to it. The same applies to a wealthy man. If he helps others, they will help him when he needs them. But if he does not help others, no one will help him.

4. **He who waits for the wind**—*he who waits and looks forward until the wind comes.*—[*Rashi*] i.e., he who waits for the wind before he sows his field, because the wind scatters the seeds.—[*Mezudath David*]

will not sow—*Sometimes he waits, and it does not come.*—[*Rashi, Mezudath David*]

Sforno explains this in the opposite manner, that the farmer watches for the wind and does not sow because the wind blows the seeds away.

and he who looks at the clouds—*He looks at the clouds, and when he sees them darkening, he is afraid to reap because of the rains;* [such a person], *will never reap because he is always afraid.*—[*Rashi*]

5. **As you do not know, etc., as things enclosed in the full womb** —*things closed in and confined in the womb which is full, even though it protrudes outward, just as you do not know the way of the wind. This is a transposed verse, expounded from its end to its beginning. Just as you do not know the way of the wind, i.e., the*

לֹא תֵדַע אֶת־מַעֲשֵׂה הָאֱלֹהִים אֲשֶׁר יַעֲשֶׂה אֶת־
הַכֹּל׃ ו בַּבֹּקֶר זְרַע אֶת־זַרְעֶךָ וְלָעֶרֶב אַל־תַּנַּח יָדֶךָ
כִּי אֵינְךָ יוֹדֵעַ אֵי זֶה יִכְשַׁר הֲזֶה אוֹ־זֶה וְאִם־שְׁנֵיהֶם
כְּאֶחָד טוֹבִים׃ ז וּמָתוֹק הָאוֹר וְטוֹב לַעֵינַיִם לִרְאוֹת

ה"א בבקר זרע את זרעך ולערב אל תנח ידך. יבמות סב ערב פ' ויש:

תרגום

או נוקבא עד זמן דאתיליד היכדין ליתך ידיע ית עובדא דיי דעבד בחוכמתא ית כולא: ו בבקר ביומי עולימתך תיסב איתתא דתוליד בנין ולעידן סיבותך לא תשבוק אתת חולקך מלמילד בנין ארום לא אשתמודע לך אידין מנהון אתבחר למהוי טב הדין אי דין אי תרויהון כחדא טבין: ז ומתוק ובסים נהורא דאורייתא וטב לאנהרא עיינין חשיבין למחזי יקר אפי שכינתא דעתיד לאנהרא אפי צדיקיא

שפתי חכמים

את הכל: ז ענין זה הוא מסורס בדברי רש"י ומהופך וצריכי' להגיה כפי אשר הוא בספרים מדויקים ואז יובן שפיר וכך היא הנוסחא האמיתית כאשר אינך יודע הרי זה מקרא מסורס נדרש מסופו לראשו כאשר אינך יודע עצמי' בבטן המלאה דברי' הנסגרי' והנעלמי' בבטן המלאה ואע"פ שבולטות לחוץ אינך יודע מה בבטנה כך אינך יודע דרך הרוח כלו' ידיעות שתי אלו שוות כו': ח כוונת רש"י להכל פסוקים כולם בענין צדקה. דאל"כ מה ענין העצים והרוח לכאן:

רש"י

ואע"פ שבולטת לחוץ. כאשר אינך יודע הרי זה מקרא מסורס נדרש מסופו לראשו כאשר אינך יודע דרך הרוח כלומר ידיעות שתי אלו שוות לא זו גלויה לך ולא זו גלויה לך פעמים אתה סבור להכיר בעצים שיבא הרוח והינו בא כאן כי עובר והולך לו אל ארץ אחרת והרי לשון זה כמו (בראשית יג י) כגן ה' כארץ מצרים (ישעיה כד ב) כשפחה כגברתה (שם כד ב) כקונה כמוכר ופעמים שהוא משוה מוקדם למאוחר ופעמים שהוא משוה מאוחר למוקדם אף כאן למד ידיעת הרוח מידיעת הבטן כלומר אין לך לשמור את הרוח לראות בעבים: (הגה"ה ענין זה הוא מסורס בדברי רש"י ומהופך וצריכים להגיה כפי אשר הוא בספרים המדוייקים ואז יובן שפיר וכך היא הנוסחא האמתית: כאשר אינך יודע. הרי זה מקרא מסורס נדרש מסופו לראשו כאשר אינך יודע עצמים בבטן המלאה דברים הנסגרים והנעלמים בבטן המלאה ואע"פ שבולטת לחוץ אינך יודע מה בבטנה כך אינך יודע דרך הרוח כלומר ידיעות שתי אלו שוות וכו' מספר שפתי חכמים): בעצמים. אינקלשירי"ש בלע"ז כמו עוצם עיניו: ככה לא תדע וגו' אף גזירותיו של מקום לענין עניות ועשירות כך עלומות ח הם ממך ולא תמנע מן החסד לדאג שמא אחסר מנכסי ואעני לא אעסוק בתורה ואתבטל ממלאכתי ואעני לא אשא אשה ויהיה לי בנים ואצטרך להוציא עליהם: (ו) בבקר זרע את זרעך וגו'. אם למדת תורה בילדותך למד תורה בזקנותך אם היו לך תלמידים בילדותך יהיו לך תלמידים בזקנותך נשאת אשה בת בנים בילדותך תשא אשה בת בנים בזקנותך עשית צדקה בילדותך עשה צדקה בזקנותך: כי אינך יודע אי זה יכשר. אם תלמידים ובנים שבילדותך יתקיימו לך או שמא לא יתקיימו אלא שבזקנותך. מצינו בר"ע שהיו לו כ"ד אלף תלמידים מגבת ועד אנטיפרס וכולן מתו מפסח ועד עצרת ובא אצל רבותינו שבדרום ושנאה להם ולענין הבנים מצינו כאבצן שלשים בנות שלח חוצה ושלשים בנות הביא לבניו וכולם מתו בחייו. ובזקנותו הוליד את עובד ונתקיים לו: (ז) ומתוק

ספורנו

בעצמים בבטן המלאה. וכאשר לא תדע את פעולת הטים אשר בעבים אם תועיל או תזיק: ככה לא תדע את מעשה האלהים. שהיא הבריאה: אשר יעשה את הכל שבזה המעשה לא המורכב בלבד הוא עושה אבל יעשה את הכל גם החומר והצירה ובהיות השכל האנושי דבר נברא כאמרו ויברא אלהים את האדם בצלמו הנה בהיותו כחיי לא תדע אם בפועל יהיה טוב או רע לכן אני אומר בזה כמו שאמרתי בזריעה ובקצירה: (ו) בבקר זרע את זרעך. השתדל להוליד בעת הבחרו': ולערב. בעת הזקנה: אל תנח ידך. אע"פ שהולדת בעת הבחרות: כי לא תדע איזה יכשר. ובשביל אחד מהבנים שיכשר ראו להשתדל בבחרות ובזקנה להשיגו: (ז) ומתוק האור. וזה כי המושג

אבן עזרא

הבי"ת הראשון פתוח והשני דגוש וכמוהו לאיש העשיר: (ו) בבקר. ענינו תמיד על שני הפירושים ותי"ו תנח לשון נקבה בעבור היו"ד והענין אל תניח ידיך מן הזרע כי מלאכו מלת הניח יוצא' לשני פעלים: (ז) ומתוק. זה הפסוק דבק

מצודת ציון

סגירה וסתימה כמו ועוצם עיניו (ישעיה לג): (ו) יכשר. מלשון כשר

מצודת דוד

תוכל לדעת מתי יסיו: (ו) בבוקר. לכן בבוקר זרע שדך וגם בערב אל תנח ידך מן הזריעה ר"ל בכל עת הזרע שדך ולא תמתין על הרוח: כי אינך יודע. ולא תוכל לדעת איזה הזריעה יהיה כשר ושוב אם זה של בוקר או זה של ערב ואפשר יהיו שניהם יחד טובים זה כזה: (ז) ומתוק האור. ישה הוא האור יאמר בלשון שאלה כי האור אינו דבר הנאהל שיומתק ור"ל יפה חיי האדם עוד כנסה מאיר סיום: וטוב.

לקוטי אנשי שם

מי שישמור רק עניניס רוחניים. לא יזרע ולא יעסוק בכל מלאכה וסופו למות ברעב. וגם להפך שבטל תאוה הרוחני ובוחר רק בעדי גסי החומר בעניני סגוף המשוכים והעבים. הוא לא יקצור. ולא יאסוף תבואתו. ר"ל לא יקבל הגמול שהוא תכלית האדם [גמול המעשה יקיה בלשון קליה שהוא תכלית כל עמל זריעה]. כי לא נברא האדם להיות כבהמה:

קיצור אלשיך

הברותו באזניך ואינך יודע דרכו ומציאותו, כי הלא תשמע רוח סועה מסער כי את קולו תשמע ולא תבין דרכה, וכן דבר שתמשש בידך ולא תדע מה הוא, כעצמים בבטן המלאה שתמשש על בטנה, ותרגיש הולד בפניו ולא תדע מה הוא אם זכר אם נקבה, ומתי בא הרוח אל תוכו, ואיך יחזיק מועט את כל גוף העובר, כן לא תדע את מעשה האלהים, גם כי תראה בעיניך שאתה מרגיש וממשש הדברים, לא תדע הענין כלל, ואיך יעלה על רוחך תרגיש עת בא רוחך אליך:

(ו) בבקר וכו', אפשר לומר שכונתו על זריעת מצות המע"ט, ואמר בבקר הוא בבחרות זרע זרעך זרע מצות ומע"ט, ואל תאמר כי בעת הזקנה יוכשרו יותר מעשיך, ואם עסקת בהם בבחרו' אל תנח ידך בערב הזקנה באמור כי די לך מה שיגעת בילדותך כי אינך יודע איזה יכשר אם של בחרות כי אז הכנעת תוקף יצרך, או אם טוב הוא מה שבזקנה שהם מעשים יותר נקיים מחלאת פניות, או אם שניהם כאחד, התחברותם אלו עם אלו כאחד הם טובים, ועוד הלא טוב הוא ההרגל בבחרותך, כי הרגל הבחרות יסייע לך לעת זקנותך, ועוד שאור מעשה הבחרות אינו מאיר כ"כ כאור מעשה הזקנה, למה הדבר דומה לאור בוקר שבין עלות השחר ליציאת השמש כי למה לא תנץ החמה תיכף בעלות השחר, אך הוא להכין עיני האדם שיוכל לסבול אור השמש ולא תכהין עיניו מראות אחר החשך אור השמש, ולצאת פתאום מאפלה לאור גדול מכהה העינים, וזהו מאמרנו בסדר תפלתנו המאיר לארץ ולדרים עליה ברחמים, וזהו הרחמים שמזריח השמש בהדרגה מעט מעט שלא יכהו העינים, וזהו אומרו (ז) ומתוק האור של עלות השחר וטוב לעינים לראות אח"כ את השמש

will you not know God's work, Who does everything. 6. In the morning, sow your seed, and in the evening, do not withhold your hand, for you know not which will succeed, this one or that one, or whether both of them will be equally good. 7. And the light is sweet, and it is good for the eyes to see

knowledge of both these things is equal. Neither is this one revealed to you nor is that one revealed to you. Sometimes you think to recognize in the clouds that the wind will come, and it does not come here, but it passes and goes away to another land. This expression is like (Gen. 13:10): "like the garden of the Lord, so the land of Egypt"; (Isa. 24:2): "as with the maidservant, so with her mistress; as with the buyer so with the seller." Sometimes Scripture compares the former to the latter, and sometimes it compares the latter to the former. Here too, it teaches the knowledge of the wind from the knowledge of the womb, i.e., you should not await the wind by looking at the clouds. (GLOSS: This matter is transposed in Rashi's words, and it is in the opposite order. We must therefore emend it as it is in exact editions, and then it will be understood well, and this is the authentic version: **As you do not know**—*This is a transposed verse, explained from the end to the beginning: Just as you do not know the things enclosed in the full womb, things closed in and confined in the full womb, and even though it protrudes outward, you do not know what is in her womb, so do you not know the way of the wind, i.e., the knowledge of both these things is equal.—[from the book Sifthei Hachamim])*

as things enclosed—Heb. כַּעֲצָמִים, *enclos in Old French, like (Isa. 33:15): "and closes (וְעֹצֵם) his eyes."—[Rashi]*

so you will not know, etc.—*Also the decrees of the Omnipresent in matters of poverty and riches are hidden from you, and you should not refrain from doing kindness because you are worried, perhaps I will lack some of my possessions and become impoverished. I will not engage in Torah and neglect my work and become poor. I will not wed and have children, because I will have to spend money on them.—[Rashi]*

The *Targum* renders:

Just as you do not know how the spirit of the soul goes, which is the life in the body of the fetus that dwells in the womb of its pregnant mother, and just as you do not know whether it is male or female until it emerges, so do you not know the deed of the Lord, Who does everything with wisdom.

Sforno explains:

As you do not know what is the way of the wind—whether it will help the seed or scatter it.

just as things enclosed in the full womb—And just as you do not know the quality of the water that is in the clouds, whether it will help or hinder.

so will you not know God's work—which is the Creation.

Who creates everything—For in this work, He does not only combine the elements, but He creates everything, even matter and form, and since the human intellect is a created thing, as Scripture states (Gen. 1:27): "And God created man in His image," it is in a state of potential, and you do not know whether in actuality it will be good or bad. Therefore, I say in this matter as I said regarding sowing and reaping, "In the morning sow your seed, etc." See below.

6. **In the morning, sow your seed** —*If your learned Torah in your youth, learn Torah in your old age. If you had disciples in your youth, you should have disciples in your old age. If you married a woman of child-bearing age in your youth, you should marry a woman of childbearing age in your old age. If you performed acts of kindness in your youth, perform acts of kindness in your old age.*—[*Rashi* from *Ecc. Rabbah, Yev.* 62a, *Targum, Avoth d'Rabbi Nathan* 3:6]

for you know not which will succeed—*whether the disciples and the children of your youth will survive you, or perhaps only those of your old age will survive. We find in the case of Rabbi Akiva that he had twenty-four thousand disciples from Gabbath to Antipatris, and they all died between Passover and Shavuoth, and he came to our Sages in the south and taught them. And concerning children, we find in the case of Ibzan, (Jud. 12:9): "and thirty daughters he sent abroad, and thirty daughters he brought in for his sons," and they all died in his lifetime* (*Baba Bathra* 91a), *but in his old age, he begot Obed, and he survived him.*—[*Rashi* from afore-mentioned sources] [Note that these sources do not contain *Rashi*'s entire commentary. Perhaps *Rashi* had another midrash, no longer found.]

Sforno adds:

And because of one of the sons who will succeed, it is worth striving both in youth and in old age to beget him.

The simple meaning of the verse is found in *Mezudath David*:

In the morning—Therefore, in the morning, sow your field, and also in the evening, do not withhold your hand from sowing, i.e., sow your field at all times and do not wait for the wind.

for you know not—You cannot know which sowing will succeed and be good, whether the morning sowing or the evening sowing, or perhaps they will both succeed equally. A similar interpretation appears in *Ecclesiastes Rabbah*: Rabbi Eliezer says: If you have sown in the early season, sow in the late season, for you do not know which will succeed for you, whether the early sowing or the late sowing.

7. **And the light is sweet**—*The light of Torah is sweet.*—[*Rashi* from *Ecc. Rabbah*] In *Midrash Psalms* (49:1) the wording is: How sweet are the words of Torah, which is compared to light!

and it is good for the eyes to see the sun—*And fortunate are the disciples whose eyes see a halachah whitened and clarified thoroughly. So is it expounded in Midrash Psalms* (ad loc.).—[*Rashi*] [Surprisingly,

Rashi does not quote *Ecclesiastes Rabbah*, which reads: Fortunate is he whose study enlightens him like the sun. Perhaps the wording in *Midrash Psalms* is clearer.]

Mezudath David explains:

And the light is sweet—The light is beautiful. The expression "sweet" is a borrowed term, for the light is not an edible substance, perceivable with the sense of taste. The meaning is that man's life is beautiful as long as he can derive benefit from light.

and it is good—It is a good thing for the eyes that they can still see the sun. This is a repetition in different words.

The *Targum* paraphrases: The light of the Torah is sweet, and it is good to enlighten dark eyes to see the glory of the countenance of the Shechinah, which is destined to enlighten the faces of the righteous from the splendor of the Shechinah, that their beauty should be like the sun.

Sforno explains:

And the light is sweet—This means that what you achieve in the existence of proper sons is a thing of esteem, for indeed, the eternal light attained in the image of God which is within them, is a sweet and superior thing.

and it is good for the eyes to see the sun—[it is good] for the eyes of this image (i.e., the sons, created in the image of God), whose power is in a state of potential...

it is good to see the sun—[it is good for them] to live a temporal life, for through them, (i.e., through the opportunity to study Torah and observe mitzvos in this world) they will achieve eternal perfection in actuality, as the Rabbis state (*Avoth* 2:20): "One hour of Torah and good deeds in this world is better than the entire life of the World to Come."

אֶת־הַשָּׁמֶשׁ׃ ח כִּי אִם־שָׁנִים הַרְבֵּה יִחְיֶה הָאָדָם
בְּכֻלָּם יִשְׂמָח וְיִזְכֹּר אֶת־יְמֵי הַחֹשֶׁךְ כִּי־הַרְבֵּה יִהְיוּ
כָּל־שֶׁבָּא הָבֶל׃ ט שְׂמַח בָּחוּר בְּיַלְדוּתֶךָ וִיטִיבְךָ לִבְּךָ
בִּימֵי בְחוּרוֹתֶךָ וְהַלֵּךְ בְּדַרְכֵי לִבְּךָ וּבְמַרְאֵי וּבמראה
קרי עֵינֶיךָ וְדָע כִּי עַל־כָּל־אֵלֶּה יְבִיאֲךָ הָאֱלֹהִים

הו"א שמח בחור בילדותך. סכם סג פקידה שפר סו:

מִן זִיו שְׁכִינְתָּא וּלְמֶהֱוֵי
שׁוּפְרֵיהוֹן כְּשִׁמְשָׁא׃ ח כִּי אֲרוּם
אִם יוֹמִין סַגִּיאִין חָיֵי אֱנָשָׁא
בְּכוּלְהוֹן חָזֵי לֵיהּ לְמֶחְדֵּי
וּלְמֶעְסַק בְּאוֹרַיְיתָא דַייָ יְהֵא
דְּכִיר יַת יוֹמֵי חֲשׁוֹכָא דְמוֹתָא
וְלָא יֵיחוּב אֲרוּם סַגִּיאִין אִינוּן
יוֹמַיָּא דְיִשְׁכּוּב שְׁכִיבָא בְּבֵית
קְבוּרְתָּא דְחָמֵי לֵיהּ לְקַבָּלָא דִינָא מִן שְׁמַיָּא בְּחַיּוֹהִי דִי רְחִים כָּל זְמַן דְּיֵיתֵי עֲלוֹהִי פּוּרְעֲנוּתָא עַל
הֲבָלוּתָא דִי עֲבַד׃ ט שְׂמַח חֲדֵי עוּלֵימָא בְּיוֹמֵי עוּלֵימוּתָךְ וִיהֵי לִבָּךְ טָב עֲלָךְ בְּיוֹמֵי רְבִיוּתָךְ וַאֲזִיל
בְּעִנְוְתָנוּתָא עִם אוֹרְחֵי לִבָּךְ וּתְהֵי זָהִיר בְּחֶזְוָנֵי עֵינָךְ וְלָא תִסְתַּכַּל בְּבִישׁ וְאִשְׁתְּמוֹדַע לָךְ

רש"י

האור. מתוק היא אורה של תורה: **וטוב לעינים לראות את השמש**. ואשרי התלמידים שעיניהם רואים הלכה מלובנת ומהוורת על בוריה כך נדרש באגדת תהלים: (ח) **בכולם ישמח**. יהיה שמח בחלקו ובלבד שיזכור ימי החשך וייטיב מעשיו שינצל מהם והם ימי מיתת עולם הם ימי הרשעים: **כי הרבה יהיו**. באותן הימים יותר מימי החיים: **כל שבא** עליו יהיה הבל וחשך יש הבל שהוא לשון פורענות וגרות כמו כי בהבל בא ובחשך ילך: (ט) **שמח בחור בילדותך**. כאדם שאומר לעבדו ולבנו הטא חטא כי פעם אחת תלקה על הכל אף כאן החכם אמר שמח בחור

אבן עזרא

עם הבא אחריו ואמר על האור מתוק ואינו דבר שיאכל ועיקר זה בעבור התחברות ההרגשות במקום שעל המלה והוא מקום יאמרו מלה שהיא ידועה לזאת ההרגשה להרגשה אחרת וכמוהו ראה ריח בני וכל העם רואים את הקולות וענין הדבק זה הפסוק בראשון שיתעסק תמיד לעשות טוב ולא יתעסק בשמחה אחרת: (ח) כי אם. אילו ידע האדם שיחיה שנים רבות וישמח בכולם כשיזכור ימי החשך שהם ימי הקבר כי הרבה יהיו ימר לו האור הנזכר וכל שבא הבל ענינו יבין כי כל שבא לעולם כמו דור הולך ודור בא הוא הבל: (ט) שמח. אחר שהכל הבל שמח עתה בחור בילדותך וענינו כמו אומר עשה רע ותראה מה יבא עליך כמו עלי פלשת התרועעי שהוא במקום אחר עלי פלשת אתרועע והענין על אדום השלכתי נעלי שהוא תקיף והזק התרועעי עלי פלשת עתה ותראי מה אעשה לך. וכן שישי ושמחי בת אדום יושבת בארץ עוץ. וכן חתם הפסוק ודע כי על כל אלה וישוב אלה על השמחה והטבת הלב והלוך בדרך לב ומרא' עין. וענין

ספורנו

לך במציאות בנים הנינים הוא דבר נחשב כי אמנם האור הנצחי המושג בצלם אלהים אשר בהם הוא דבר מתוק ומעולה: וטוב לעינים לראות את השמש. ולעיני זה הצלם שהוא שכל בחיי טוב לראות את השמש ולחיות חיי שעה כי בם יקנה בפועל שלמות נצחי כאמרם ז"ל יפה שעה אחת של תורה ושל מעשים טובים בעולם הזה מכל חיי העוה"ב: (ח) כי אם שנים רבות יחיה האדם בכלם ישמח. ואמרתי שחיי העוה"ז טובים תמיד לשכלנו הכחיי להשלימו כי גם שיהיו החיים ארוכי' הרבה בכלם ישמח שיוסיף תמיד שלמות שישבח בו שמחה של תורה כאמרם ז"ל לא עליך המלאכה לגמור ואין אתה בן חורין ליבטל ממנה: ויזכור את ימי החשך כי הרבה יהיו. וראוי שיזדרז להשיג מה שיוכל מהשלמות בעודו באלה החיים אשר זה תכליתם ויזכור את הימים שיבאו אחר המות שהם חשך מהשגת זה האור הרוחני ולא יבטל מהשתדל להשינו באלו החיים. כי אמנם ימי החשך אחר המות אשר בם יבטל מהשגת זה האור הרבה יהיו כאמרם ז"ל כמה נגום בהנך שני דאריכי וקטיני: כל שבא הבל. פי' אמנם התכלית המושג במעשים הנעשים בשם האדם אחר מותו כמו ההקדשית וזולתם. אע"פ שיהיו טובים בצד מה הם מעטי התכלית בפרט בערך אל מה שנעשה מהם בחייו: (ט) שמח בחור בילדותך. שמח במה שהשגת מן השלמות בילדותך שאין בו טרדות ורעיונים מבהילים ובזה הוא לזכרון תמיד כאמרם ז"ל למאי נפקא מינ' לגרסא דינקותא: ויטיבך לבך בימי בחורותיך. ומה שהשגת אז יעזרך להשיג ולהוסיף שלמות בימי בחורותיך כאמרם ז"ל אם שמעת בישן תשמע בחדש: והלך בדרכי לבך. בדרכי השכל שהשגת כבר שהם תמיד לתכלית טוב: ובמראה עיניך. ובמה שתראה מחדש בעיני שכלך שתכליתו טוב: ודע כי על כל אלה יביאך האלהים במשפט. ובשעת

מצודת דוד

דבר טוב היא לעינים עודם יכולים לראות את השמש וכוא כפל ענין במ"ש: (ח) כי אם ינו'. כי אפילו אם יהיה האדם שנים הרבה ישמח בכל הימים ואף יום אחד לא יקוץ בחיים עם רב ייסורים: ויזכור. אבל בחייו יזכור את ימי החשך אשר ישכב בקבר אשר יהיו מרובים יותר מימי החיים ועי"ז יגלה להכשיר מעשיו: כל שבא הבל. כל הייסורים שבא שמה הכל המה מבלי תועלת כי בעוד האדם חי בא תועלת מן הייסורים כי ע"י מפשפש במעשיו אבל אחר המית' אין מקום לפשפוש מעשים ולכן יזכור בהם למען יכשיר מעשיו עודו חי: (ט) שמח בחור. אמר בחור עתה שמח בטובה שהיה לך בימי ילדותיך כי אז בודאי לא תשמח מרוב הטובה הואיל ואז היית ילד וגם עתה בימי בחורותיך עשה טוב ללבך ותהיה שמח והלך בדרכי לבך לעשות מה שלבך חושק ומה שעיניך מראים לך ותתאוה תאוות אבל דע כי על כל אלה המעשים יביאך האלהים למשפט ואם ימלא הסאה דבר חטא ועון אזי יעניש אותך ולכן מאד תפשפש בכסף שלא ימלא בהם דבר עון. או כאדם האומר לעבדו ולבנו חטא חטא כי כשתתמלא הסאה תלקה על הכל אף כאן גם זה ואמר שמח בחור בעת ילדותך את שכליך מתגבר ולא תדמה מגמול המעשה וכפל הדבר במ"ש ואמר ויטיבך לבך כו' ועשה מה שלבך חפץ ובסוף תסים כי על כל אלה

קיצור אלשיך

השמש, כן התורה שאדם לומד בבחרותו אף שאין אורם גדול כ"כ, הם הכנה להתורה שילמוד בזקנותו אחרי הלישת היצה"ר. ועוד כי יש שני דרכים לפני האדם, יש חוטא בבחרות ומתקן בזקנה, וישמח בזקנה, ויאמר אשרי זקנותי שכפרה על ילדותי, נמצא כי לא ישמח על ימי הבחרות כי רעים וחטאים היו, רק ישמח על ימי הזקנה המתקנים את ימי הבחרות, אך מי שלא חטא בילדותו כעצת שלמה בבקר זרע את זרעך, בבחרותך למוד תורה ותעשה מצות ומע"ט אז (ח) כי אם שנים הרבה יחיה האדם בכולם ישמח, בימי בחרותו ובימי ילדותו, ועוד טעם על שצריך להזדרז בתורה ומצות ומע"ט בימי ילדותו ויזכור את ימי החשך שצריך לשכב זמן רב בחשך בקברו עד זמן התחיה ועוד רואה כי כל שבא בעה"ז הוא הבל, כי כצל יחלופו, אבל תורה ומצות ומע"ט לעולם יהיו:

(ט) **שמח** בחור וגו', הנה בגמרא חלקו עושי רצונו ית' לב' יש שבים ומתקנים בזקנותם את אשר עותו בילדותם, ועל עצמם אמרו אשרי זקנותינו שכפרה על ילדותינו, ושלמה אמר טוב יותר שלא תחטא עד זקנתך לכפר על ילדותך רק שישוב בימי הבחרות מי"ג שנה ואילך מזמן שהיצ"ט בא אליו, על אשר חטא בילדותו עד י"ג שנה, קודם בוא אליו היצה"ט, וזהו שמח בחור בילדותך, שימי הבחרות יכפרו

the sun. 8. For if a man lives many years, let him rejoice in them
all, and let him remember the days of darkness, for they will be
many; all that befalls [him] is vanity. 9. Rejoice, O youth, in your
childhood, and let your heart bring you cheer in the days of your
youth, and go in the ways of your heart, and in the sight of your
eyes, but know that for all these God will bring you

8. **let him rejoice in them all**—*Let him be happy with his lot, provided that he remember the days of darkness and improve his deeds so that he be saved from them, and these are the days of eternal death; they are the days of the wicked.*—[*Rashi*]

for they will be many—*in those days, more than the days of life.*—[*Rashi*]

all that befalls—*him will be vanity and darkness. There is* הֶבֶל, *that is an expression of retribution and troubles, like* (above 6:4): *"for he comes in vanity and goes in darkness."*—[*Rashi*]

Isaiah da Trani explains:

[7] **And the light is sweet**—"And" is superfluous as in several other Biblical verses. Light refers to the atmosphere of this world. This world is sweet and pleasant to those who are alive, for no one wishes to leave it. Proof of this is that—

[8] **For if a man lives many years**—in this world,

and he rejoices in them all—i.e., he experiences joy in all his years, and finally—

he remembers the days of darkness—and he puts to his heart —

that they will be many, whatever happened is vanity—All the good that happened to him from the day of his birth until now appears to him as vanity, as if it were nothing, since the days of death are so many.

Mezudath David explains these verses as follows:

[8] **For if, etc.**—For even if a man lives many years and rejoices in all of them, and is not wearied with his life for even one day although his days be many....

and let him remember—In his lifetime, let him remember the days of darkness when he will lie in the grave, which will be many more than the days of his life, and thereby he will see to improve his deeds.

all that befalls [him] is vanity—All the torments that will befall him there are vanity, of no use, because as long as a person is living, he derives benefit from the torments, for through them he searches his deeds, but after death, there is no possibility of rectifying one's deeds. Therefore, let him remember this through these torments in order to improve his deeds during his lifetime.

9. **Rejoice, O youth, in your childhood**—*like a man who says to his slave or to his son, "Sin, sin, for one time you will suffer for all." Here too, the wise man says: "Rejoice, O youth, in your childhood...and go in*

במשפט: י והסר כעס מלבך והעבר רעה מבשרך
כי־הילדות והשחרות הבל: יב א וזכר את־בוראיך
בימי בחורתיך עד אשר לא־יבאו ימי הרעה
והגיעו שנים אשר תאמר אין־לי בהם חפץ: ב עד
אשר לא־תחשך השמש והאור והירח והכוכבים

הו"א והסר כעס מלבך. מסי"מ ד נדרים כא: כילדות והשחרות הבל. שבת קנב: וזכור את בוראיך בימי בחורותיך. שבת קנה. זוהר פ' מקץ: עד אשר לא תחשך השמש והאור. שם פקודה שפר כו:

ארום על כל אלין עתיד יי לאעלותך בדינא: י ואעדי רגיז מלבבך ולא תגרום ביש על בסרך ארום עולימות ויומי אוכמות שער הבלו: יב א ודכר והוי דכיר ית ברייך ליקרותיה ביומי רביותך עד דלא ייתון לוותך יומי בישות וימטון עלך שנין דתימר לית לי בהון רעוא: ב עד עד דלא ישתני זיו יקרא דאפך דמתיל לשמשא ונהורא דעינך עד דלא יסתמון

שפתי חכמים

ט דרש בסוף נוטריקון בוראך בורך באהך וכן סיא במדרש רבות בקהלת

רש"י

בילדותך והלך בדרכי לבך ובטוח תהי' כי על כל אלה יביאך השופט במשפט: (י) והסר כעס דברים המכעיסים את המקום: והעבר רעה. יצר הרע: מבשרך. שיהיה לך לב בשר: והשחרות. נערות שראש אדם שחור בימי עלומיו: (א) וזכר את בוראיך. תמן תנינן עקביא בן מהללאל אומר הסתכל בשלשה דברים וכו' וממקרא זה דרש ט וזכור את בוראך שתתן דין וחשבון לפניו. וזכור את בורך קברך מקום עפר רמה ותולעה. וזכור בארך באר שנובעת ממקורה היא טפה סרוחה של זרע ושל לובן: ימי הרעה. ימי הזקנה והחלשות: (ב) עד אשר לא תחשך השמש. אמרו

ספורנו

העיון והמעשה דע לפני מי אתה עמל ושלפניו אתה עתיד ליתן דין וחשבון: (י) והסר כעס מלבך. אל תכעוס על שלות הרשעים בעולם הזה: והעבר רעה מבשרך. יצר הרע המסית בעת הילדות והבחרות: כי הילדות והשחרות. התכלית המושג בהסתתם הוא התענוג בחיי שעה: הבל. הוא דבר בלתי נחשב:

יב (א) וזכור את בוראיך. להשתדל בעיון ובמעשה לכבודו: בימי בחורותיך. בזמן שתוכל למאוס ברע ולבחור בטוב ולעשות כמו כן הפך זה כאמרם ז"ל עשה בעוד שאתה מוצא ומצוי לך ואתה בידך: עד. בעוד: אשר לא יבואו ימי הרעה. אפיסת הכחות בזקנה: והגיעו הימים אשר תאמר אין לי בהם חפץ. אין לי בהם תאות שום תענוג בחיי העולם הזה כי אז לא תחשב לך לצדקה כ"כ אם תחדל בהם מחטוא כאמרם ז"ל חסריה לגנבא נפשיה בשלמא נקט. (ב) עד. בעוד: אשר לא תחשך השמש. הלב בתגבורת

אבן עזרא

סוד הלב בלשונינו על שלשה פנים. האחד וייטב מעצמו כמו וייטב לבו. והשני שהלב ייטיב לבעל הלב כמו וייטיבך לבך. והשלישי שהאדם ייטיב לבו כמו המה מטיבים את לבם וענין זה הפסוק כמו ולא תתורו אחרי לבבכם ואחרי עיניכם: (י) והסר. פירשתיו למעלה. ומלת שחרות מן כי עלה השחר כי דמה ימי השחרות לשחר כשיבקע. כענין אז יבקע כשחר אורך. או יהיה השחרות רמז לשער השחור מענין שחורה אני ונאוה: (א) וזכור. מלאכו נעורים עלומים זקונים כלם לשון זכרים רק בחורותיך יצא מן הדרך. וי"א שהם שתי לשונו' ויפרש משרת משה מבחוריו כמו מבחורותיו כי כל בחורים אם יסמכו לא ישתנו: ימי הרעה. הם ימי הזקנה לזקן וימי החולי לכל הוא החולי שימות בו: (ב) עד.

פירוש והאור הזה אור השחר שיעלה טרם זרוח השמש ויעמוד אחר בואו שעה ושליש שעה מהשעות השוות ואחר

מצודת ציון

וסוכ: (י) והשחרות. כן יקראו ימי הנעורים שהם תחלת ימי האדם כמו השחר שהוא תחלת היום:

מצודת דוד

יביאך האלהים במשפט: (י) והסר וגו'. אם לכך תכית אותך לעשות דבר המכעיסים את המקום ב"ה הסר הדבר הזה מלבך ולא תעשה אותה: והעבר וגו'. אם בשרך יתאוה להתענג בדבר הרע בעיני המקום העבר הדבר הרעה הזאת מבשרך ולא תתענג בה: כי הילדות והשחרות הבל. התאוה שיש לאדם בימי הילדות והנערות המה מבלי תועלת ולכן הזהר מאד מאד:

יב (א) וזכור את בוראך. את המקום ב"ה אשר ברא אותך אותו זכור בימי הבחרות בעוד הכח בידך ללכת בדרכי ה' לעבדו: עד אשר. טרם שיבואו ימי רעה הם ימי הזקנה ותשות הכח כי אז יקשה מאוד יותר מימי הבחרות: והגיעו שנים. אז הגיעו השנים אשר תאמר אין לי בהם חפץ ורצון כי מגודל החלשות יבחר אז במיתה: (ב) עד אשר. טרם שתחשך השמש ואור היום כו' ר"ל

קיצור אלשיך

יכפרו על הילדות, ויטיבך לבך בימי בחרותך, כי תקנת את ילדותך, ותתנהג בבחרותך בתורה ומצות ונמצאת שלם מיום הולדך עד כל ימי חייך, כי מן אז והלאה ויהלך, תוכל להלך, בדרכי לבך, שהלכת עד כה. ובמראי עיניך, מעתה מראי עיניך לא יזיקו לך להביאך לידי עבירה, ולא תתור אחרי לבבך ואחרי עיניך, כי לא תירא עוד מהיצר הרע, מאחר שהורגלת כ"כ שנים בתורה ומצות ומע"ט, ודע כי לא מדת חסידות הוא כי אם לא תעשה כן יביאך האלהים במשפט, ואולי אחרי כל אלה יבואו עליך יסורים, אל תכעוס על הקב"ה רק (י) והסר כעס מלבך, כי אולי באו היסורין כדי והעבר רעה מבשרך, והוא כי אין לך בשר ודם שלא יהיה בו קצת מהלאת זוהמת הנחש והיא הגורמת למת רמה מה שאין כן לצדיקים ומה גם למסייקים חומרם ביסורין כרבי אלעזר ברבי שמעון שעל כן תמה אשתו בראותה רמה אחת והוצרך הוא בחלום הלילה להגיד לה כי על שלא חס על כבוד איש אחד כראוי היה הדבר וזהו והסר כעס מלבך ולא תאמר לא הן ולא שכרן רק והעבר רעה מבשרך היא זוהמת הנחש וגם לא תחוש על אזהרתי מהילדות למה

תכניע עצמך מאז כי דע לך כי הילדות והשחרות הבל ולמה תמשך אחריהם לענגם כי המה הבל הנה הזהרתיך תהיה מהסוג הא' אשר לא תחטא מעולם, רק מהילדות תהי צדיק, ואם לא זכית להיות צדיק מהילדות היה מהסוג הב' והוא יב (א) וזכור את בוראך בימי בחורותך, הם ג' זמנים של בחרות מי"ג עד כ', ומכ' עד רוב ימיך שתשוב בא' או לפחות בב' עד אשר לא יבואו ימי הרעה הוא טרם תאסף אל עמך כי לא תדע את עתך כי אז על אשר לא שבת יקבצו ויבואו ימי הרעה, הם ימים שפעלת בהם רעה שיקרבון ויאתיון להגיד מעשיך לייסרך הפך הצדיקים שלעת מצוא זו מיתה יקרבו ימיהם להעיד על כל אחד כל התורה והמצוה אשר עשה בהם ואם יקרה שתחי' טוב טרם יגיעו שנים אשר תאמר אין לי בהם חפץ והם ימי הזקנה ושיבה אשר לא תטעם מערבות הנאה, וזהו אשר תאמר אין לי בהם חפץ ותאוה, ואם לא שבת עד הנה, לפחות שוב (ב) עד אשר לא תחשך השמש והאור והכוכבים וגו'. כי הנה איתא בס' הזהר פ' ויחי כי שלשים יום קודם פטירת האדם נחשכת ממנו פניו כי בכל לילה מסתלקת ממנו נשמתו ומוליכים אותה ומראים לה מקומה למעלה

וכעובדא

to judgment. 10. And remove anger from your heart, and take evil
away from your flesh, for childhood and youth are vanity.

12

1. And remember your Creator in the days of your youth, before
the days of evil come, and years arrive, about which you will say,
"I have no desire in them." 2. Before the sun, the light, the moon,
and the stars darken,

the ways of your heart," but be assured "that for all these, the judge will bring you to judgment."—[*Rashi*] Apparently, *Rashi* interprets הָאֱלֹהִים as *the judge*. However, this interpretation is not found in any other commentary. In fact, the *Targum* explicitly states: the Lord will bring you to judgment. *Ibn Ezra*, too, explains the verse in this manner: Since everything is vanity, enjoy yourself now. It is as if to say, "Do evil, but you will see what will happen to you."

Isaiah da Trani explains:

Rejoice, O youth, in your childhood—Gratify all your desires in this world, in whatever your heart desires, but in all your deeds you should recognize, know, and think in your heart that the world is not free, but—

for all these, God will bring you to judgment—and because of this, you will do everything with fear and with the yoke of Heaven, and you will not sin. *Mezudath David* brings both interpretations.

The former appears to be the interpretation of the Talmud (*Shab.* 30b) and the Midrash (*Ecc. Rabbah* 1:3, 11:9; *Lev. Rabbah* 28), which tell us that the Sages sought to suppress the Book of Ecclesiastes because they discovered therein words that tend toward heresy. They declared, "Is this the wisdom of Solomon, that he said, 'Rejoice, O youth, in your childhood'? Moses said, (Num. 15:39): 'that you go not after your heart,' whereas Solomon said, 'and go in the ways of your heart.' Is restraint to be abolished? Is there no judgment and no judge?" But since he continued, 'but know that for all these God will bring you to judgment,' they said, 'Well has Solomon spoken.' Although the commentators of the Midrash explain it to conform with the latter interpretation, the allegories presented further in the Midrash definitely explain the verse in the former manner.

Sforno explains:

Rejoice, O youth, in your childhood—Rejoice with the perfection that you have accomplished in your childhood, when you had no distractions or troubling thoughts, and thereby, you will always remember it. The Rabbis state (*Shab.* 21b) that what is learned in the childhood years is more readily remembered.

and let your heart bring you cheer in the days of your youth—And that which you achieved then [in childhood] will help you to achieve and to attain additional perfection in the days of your youth, as the Rabbis state (*Ber.* 40a): "If you hearken to the old, you will hearken to the new."

and go in the ways of your heart—i.e., in the intellectual attainments that you have already achieved, which are directed toward a good end.

and in the sight of your eyes—and what you will see anew with the eyes of your intellect, which is aimed toward a good end.

and know that for all these God will bring you to judgment—And at the time of study and deed, know before Whom you are toiling, and that before Him you are destined to give account and reckoning.

10. **And remove anger**—*things that anger the Omnipresent.*—[*Rashi, Midrash Lekach Tov, Mezudath David*]

and take evil away—*the evil inclination.*—[*Rashi*]

from your flesh—*that you should have a heart of flesh.*—[*Rashi*] *Rashi* alludes to Ezekiel 11:19: "And I shall remove the heart of stone from their flesh, and I shall give them a heart of flesh." *Rashi* (ad loc.) explains: A heart that is soft and easily submissive.

Mezudath David explains: If your flesh desires anything that is evil in God's sight, take that thing away from your flesh and do not indulge in that enjoyment.

and youth—Heb. וְהַשַּׁחֲרוּת, lit. blackness, *youth, called thus because* [the hair on] *a person's head is black in his youth.*—[*Rashi*]

vanity—The desire that a person has during his youth is vanity and of no avail. Therefore, be very careful.—[*Mezudath David*]

The Talmud (*Ned.* 22a) states: Anyone who becomes angry—all kinds of Gehinnom will overwhelm him, as it is said: And remove anger from your heart, and take evil away from your flesh. Now, evil means only Gehinnom, etc. [The Talmud obviously interprets the verse to mean that you should rid yourself of the trait of anger.] *Isaiah da Trani* also explains it in this manner, concluding: Then you will experience true joy in your youth.

for childhood and youth are vanity—not long lasting. Therefore, take advantage of them and rejoice while you can.

Ecclesiastes Rabbah combines this verse with the following one: Since childhood and youth are vanity, remember your Creator.—[*Ecc. Rabbah*]

Sforno explains:

And remove anger from your heart—Do not be angry about the tranquility that the wicked enjoy in this world.

and take evil away from your flesh—the evil inclination, which entices you in the times of childhood and youth.

for childhood and youth—the end achieved by their enticement, viz. temporary pleasure.

are vanity—something of no value. [According to *Sforno*, "childhood" is until twenty, and "youth" is until forty. See sermon, chapter 16.]

12

1. **And remember your Creator**—*There* (*Avoth* 3:1) *we learned: Akabia the son of Mahalalel says: Reflect upon three things* [and you will not come within the power of transgression: Know whence you have come, and where you are going, and before Whom you are destined to render account and reckoning] *etc. And he derived it from this verse: And remember your Creator* (בּוֹרְאֶיךָ), *that you will give an accounting and reckoning before Him; and remember your pit* (בּוֹרְךָ), *your grave, a place of earth, maggots, and worms; and remember your well* (בְּאֵרְךָ) *the well that flows from its source: that is the putrid drop of semen and of whiteness.*—[*Rashi* from *Ecc. Rabbah*]

in the days of your youth—while you still have your strength.—[*Ecc. Rabbah*] to go in God's ways and to serve Him.—[*Mezudath David*] i.e., when you have the power to sin.—[*Sforno*]

the days of evil—*the days of old age and feebleness.*—[*Rashi* from aforementioned source] For then it will be much more difficult to serve Him than in the days of your youth.—[*Mezudath David*]

and years arrive—Then years will arrive, in which you will say, "I have no desire for them," for because of your extreme feebleness, you will choose to die rather than to continue living.—[*Mezudath David*]

Sforno explains: **I have no desire in them**—At this age, I have no desire for any worldly enjoyment or pleasure. Accordingly, you will not be rewarded for refraining from sin.

2. **Before the sun...darken**—*Our Sages said: This is the forehead, which gives light and shines on a young man, but when he grows old, it becomes wrinkled and does not shine.*—[*Rashi* from *Shab.* 151b] *Rashi* to *Shabbath* writes: This refers to the forehead, which is smooth and shines more than the entire countenance.

וְשָׁבוּ הֶעָבִים אַחַר הַגָּשֶׁם: ג בַּיּוֹם שֶׁיָּזֻעוּ שֹׁמְרֵי הַבַּיִת וְהִתְעַוְּתוּ אַנְשֵׁי הֶחָיִל וּבָטְלוּ הַטֹּחֲנוֹת כִּי מִעֵטוּ

תו"א ביום שיזעו שומרי הבית והתעותו אנשי החיל. שם דף קנב: ובטלו הטוחנות. זוהר פרשת פנחס:

וַהֲדַר לֵיסְתָּךְ עַד דְּלָא יִתְקַדְרוּן וּבָבֵי עֵינָךְ דְּמַתִילָן לְכוֹכְבַיָּא עַד דְּלָא יִתְעַמְּמוּן רִיסֵי עֵינָךְ יְהוֹן זָלְגִין דִּמְעוֹת כַּעֲנָנִין בָּתַר מִטְרָא: ג בְּיוֹם בְּיוֹמָא דִּי יְזוּעוּן אַרְכּוּבָתָךְ וְיִתְנַקְשׁוּן אֶדְרָעָךְ וְיִתְבַּטְּלוּן כַּכֵּי פּוּמָךְ עַד לָא יָכְלִין לְמִלְעַס מֵיכְלָא וְיִתְעַמְּמוּן עֵינָךְ דְּמִסְתַּכְּלִין בְּחַרְכֵּי רֵישָׁךְ:

רש"י

רבותינו זו פדחת י שהיא מאירה ומאהבת באדם בחור וכשמזקנת היא מעלת קמטין ואין מאהבת: והאור. זה החוטם שהוא תואר קלסתר פנים: והירח. זו נשמה שמאירה לאדם שכיון שניטלה הימנו אין לו מאור העינים: והכוכבים. אלו הלסתות רומני דאפי ב שקורין פומלי"ש של לחיים שמאהיבים: ושבו העבים אחר הגשם. תבוא כהיית המאור אחר דמעות הבכי מכמה צרות שעברו עליו: (ג) שיזועו. ירתיתו: שמרי הבית. אלו הצלעות והכסלים המגינים על כל חלל הגוף: והתעיתו. יאחזם עוות שקורין קראמפ"ף והתעותו אנקרופירונ"ט בלע"ז: אנשי החיל. אלו השוקים שנשען כל הגוף עליהם: ובטלו הטחנות. אלו השינים: כי מעטו. לעת זקנה רוב שיניו נושרות: הראות

שפתי חכמים

בקהלת ובויקרא רבה פ' י"ח: י פי' המצח שהיא חלק ומאהבת יותר מכל הפרצוף כן פירש רש"י בתמ' שבת פרק שואל: כ פי' בל' תלמוד קורין אותו רומני דאפי ומ"ש של לחיים פעות הוא וצ"ל שהן

אבן עזרא

שהזכיר השמש מה צורך היה לו להזכיר האור והירח והכוכבים בעבור שימצאו נבראים כמו עופות שלא יוכלו לעוף ביום מפני להט אור השמש והקרוב כי זה דרך המקר' להקדים או לאחר כמו הנה לא ינום ולא יישן והתנומ' יותר קלה מן השינה. יש מפרשים ושבו העבים על הבכי ואחרים אמרו על הליהה המתגבר' עליו והנכון בעיני שהוא כמשמעו כי החולה בעת מותו יחשך לו העולם ויתראה לו כאילו העבים הסתירו האור וכן הוא ושבו העבים להגשים אחר הגשם: (ג) ביום. מלת יזועו כמו ולא קם ולא זע ממנו: מעטו. פועל יוצא והענין מעטו השחינה י"א כי שומרי הבית הם הכסלים והצלעות. וי"א שהם הארבעה הממונים בכל אבר ואבר לשמרו והם המושך והמעכל והמוליד והמצייר והמטהר. גם יפרש אנשי החיל הזן והמוליד והמצייר והקרוב אלי ששומרי הבית הם הידים עם הזרועות שהם שומרי הגוף שלא יגע בו רע ואנשי חיל הם השוקים ויורה עליו והתעותו כי אין להם כח לעמוד. וענין חיל כח בעבור היות כל הגוף עליהם. והטחנות הם השנים. והרואות

ספורנו

הליחה השחורה בו: והאור. הרוח החיוני אשר בו: והירח. המוח המקבל האור החיוני בן הלב: והכוכבים. החושים החיצוניים והפנימיי': ושבו העבים. האדים החוזרים חלילה: אחר הגשם. אחר ירידת הנזלים: (ג) ביום שיזעו שומרי הבית. העצבים אשר סביב לעצמות: והתעותו אנשי החיל. העצמות ילפתו ארחות דרכם מפני חולשת העצבים: ובטלו הטוחנות. השנים: כי מעטו. ואין הנשארים עוזרים זה לזה לטחון: וחשכו הראות. הלחיות אשר בעין אשר בהן יהיה הראות והם הזכוכיית והפדריית* והתלבוניית*י בארובות.

מצודת דוד

טרם שתחלה ותבול לעבכב כי החולה כשיקשה עליו החולי נראה לו כאלו חשכו השמש והאור כו': ושבו העבים. יחזרו העבים לבא להחשיך האורה אחר ירידת הגשם שהיה אז מעט אורה ר"ל אחר שירווח לו מעט מן החולשה ונראה שהוא יחזור לחולשה ויחשך לו: (ג) ביום שיזועו. זה יהיה ביום שיחלש מאד וירתתו שומרי הבית הם הידים והזרועות שהם שומרי הגוף שלא יגע בו דבר רע וכשהאדם נחלש מאד מרתתין ידיו וזרועותיו: והתעותו אנשי החיל. הם השוקים שסובלים את הגוף שנשען עליהם ודומי כחלשות כאילו נתעקמו ואין להם עוד כח לעמוד: ובטלו הטוחנות. הם השינים הטוחנות את המאכל ובעת החולשה בטלים הם מן הטחינה: כי מעטו. ממעטו את הטחינה ואינם יכולים אז לטחון הרבה: וחשכו הראות בארובות. הם העינים הרואות דרך פתחת חורי העינים

מצודת ציון

יב (ג) שיזועו. ענין רעד ורתת כמו וכי' רק זועה (ישעיה כח): והתעותו. מל' עוית ועקום כמו ודרך רשעים יעות (תהלים קמו): החיל. ענין כח: הטוחנות. מלשון טחינה: בארובות.

קיצור אלשיך

וכעובדא דר' יצחק שאמר לר' יוסי שהיה רואה שנשמתו לא היתה מאירה לו בלילה כאשר בתחלה ושהצלם והבבואה חשך ממנו ולא היה רואה אותה בעת שומע תפלה, והענין כי הנשמה הולכת ומתפרדת ממנו מעט מעט משלשים יום קודם והנה אין ספק כי הנשמה מתחלת להתפשט מהגוף ואח"כ הרוח ואח"כ הנפש והם כדבר מושאל בנוף, וזהו עד אשר לא תחשך השמש, כי בהיות השמש על הארץ יש אור גדול ובנסוע השמש עדיין יש אור בעולם מבהיקת השמש והיא למטה מאור השמש וזך מאור הירח והירח זך אורו מאור הכוכבים ולכן משל אל הנשמה יהיה השמש והרוח אל האור והנפש אל הירח והכוכבים אל החושים כי בתחלת השלשים יום תחשך ממנו הנשמה הרחוקה יותר מהחומר ואח"כ הרוח ואח"כ הנפש ואח"כ הכוכבים הם החושים ישתברו ונפל למשכב ואז בהיות כחות הרוחניות משוללות מעביות האברים יהפכו אל היובש וכל ישעם וכל חפצם לשתות מים תמיד ולא יחפצו באוכל וזהו ושבו העבים אחר הגשם, כאשר בהיותו עפר טרם נפיחת הנשמה בעפר, והענין עד אשר לא תחשך וגו' שוב אל ה' ואם לא שבת באלה כי תחשוב הגם שחלית נחית על המשכב עוד מייחל להבריא ולמה תפתח פה לשטן להתודות כמורה שימות כדרך האנשים נמהרי לב מקרובי החולה ונשים רחמניות כשומעם איש בא לבקר את החולה ופתוח יפתח לו שערי תשובה באמור אליו שים נא כבוד לה' אלהיך ותן לו תודה וזכור את בוראך אשר חטאת לו ושובה ישראל עד ה' אלהיך בטרם תבא ותראה פני אלהים, ואיככה תוכל וראית ברעה אשר תמצאך פן תאכלך האש הגדולה ואוי לה לאותה בושה אשר מפניו תבהל ע"כ מהרה חושה עמוד על נפשך קום קרא אל אלהיך, ואם לא שבת עד כה לפחות שוב לך כי תראה סימני מיתה והוא

(ג) ביום שיזועו שומרי הבית הם הידים שומרי הגוף כי בהתקרב יום המות בהניפו ידיו וזרועותיו יזועו וירתתו ועדיין יש כח להתודות ולשוב טרם תחלש ותמות כי עוד מעט ויתעותו אנשי החיל כי עד כה היו האצבעות ביושר ואח"כ יתעותו ויתכוצו האצבעות הם אנשי החיל משרתי האברים כולם הראשים כלפי היד ויהיו כמתעתעים וכממששים בתוהו על גב השמלה אשר יכסה בה כי זו הוראת קרבת עתו למות יותר מהקודם ואחרי כן יבטלו הטוחנות מללעוס ומלאכול שום דבר כלל, ועדיין אפשר להתודות ולשוב בצד מה כי עוד מעט וחשכו הרואות בארובות, ואחרי זאת אין תקנה כי הלא קל

מהרה

and the clouds return after the rain. 3. On the day that the keepers of the house tremble, and the mighty men are seized by cramps, and the grinders cease since they have become few,

and the light—*This is the nose, which is the form of the features of the face.*—[*Rashi* from previous source]

and the moon—*This is the soul, which gives light for a person, for once it is taken away from him, he ceases to have light in his eyes.*—[*Rashi*] *Rashi* to *Shabbath* connects this with (Prov. 20:27): "Man's soul is the Lord's lamp."

and the stars—*These are the cheeks, the pomegranates of the face, called pomels* (cheekbones) *of the cheeks, which shine.*—[*Rashi* from aforementioned source]

and the clouds return after the rain—*The dimming of the light will come after the tears of the weeping for the many troubles that passed over him.*—[*Rashi* from previous source]

Ibn Ezra and *Mezudath David* explain as follows:

before—the sun and the daylight, etc., become darkened, i.e., before you take ill and become bedridden, for when a sick person becomes severely ill, it appears to him as if the sun and the light have become dark.

and the clouds return—The clouds return to darken the light after the rain, when he had a little light, i.e., after a short relief from his illness, when he saw the light, he returns to his weakness, and again the world becomes dark for him.

3. **tremble**—Heb. שֶׁיָּזֻעוּ, *tremble.*—[*Rashi*]

the keepers of the house—*These are the ribs and the flanks, which protect the entire body cavity.*—[*Rashi* from *Shab.* 152a] *Rashi* to *Shabbath* explains that the ribs protect the intestines and man's life and enclose them. *Ibn Ezra* and *Mezudath David* identify them as the hands and the arms, which guard the body so that no harm befall it, and when the person becomes feeble, his hands tremble.

and the mighty men are seized by cramps—Heb. וְהִתְעַוְּתוּ. עִוּוּת, *called crampe, will seize them.* וְהִתְעַוְּתוּ *is encranpiront in Old French, will be seized with cramp.*—[*Rashi*]

the mighty men—*These are the legs, upon which the body supports itself.*—[*Rashi* from *Shab.* 152a]

and the grinders cease—*These are the teeth.*—[*Rashi* from aforementioned source]

since they have become few—*In old age, most of his teeth fall out.*—[*Rashi* from previous source]

and those who look out of the windows—*These are the eyes.*—[*Rashi* from aforementioned source]

The *Targum* renders: On the day that your knees tremble, and your arms knock, and the teeth in your mouth become useless until they are unable to chew your food, and your eyes, which look out of the windows of your head, become dim.

וְחָשְׁכוּ הָרֹאוֹת בָּאֲרֻבּוֹת׃ ד וְסֻגְּרוּ דְלָתַיִם בַּשּׁוּק
בִּשְׁפַל קוֹל הַטַּחֲנָה וְיָקוּם לְקוֹל הַצִּפּוֹר וְיִשַּׁחוּ כָּל־
בְּנוֹת הַשִּׁיר׃ ה גַּם מִגָּבֹהַּ יִרָאוּ וְחַתְחַתִּים בַּדֶּרֶךְ

ת"א וסגרו דלתים בשוק. שם: גם מגבה ייראו. זוהר פ' פנחס:

ד וְסַגִּיר וִיהוֹן רִיגְלָךְ כְּבִיכַן מִלְמִיפַּק בְּשׁוּקָא וְיֶעְדֵּי מִנָּךְ רְעוּת מֵיכְלָא וּתְהֵי מִתְּעַר מִשֵּׁינְתָךְ עַל עֵיסַק קָל עוֹפָא כְּאִילּוּ עַל גַּנְבַיָּא דְּאִילָּן בְּלֵילְיָא וְיִתְרַפְסוּן סִפְוָותָךְ מִלְּמֵימַר שִׁירָתָא׃ ה גַּם אַף מִן עוֹבְדִין דַּהֲווֹ מִן קַדְמַת דְּנָא תְּהֵי דָחִיל לְמִדְכַּר יַתְהוֹן וּבְשׁוּשִׁיתָא קְלִילָא מְתִילָא בְּאַנְפֵּי נַפְשָׁךְ לְטוּר רָם בְּעִידָן מֵהַלָּכָךְ בְּאוֹרְחָא וְהַפִּיץ

רש"י

בארבות. אלו העינים: (ד) וסגרו דלתים. אלו נקביו: בשפל קול הטחנה. קול ריחים הטוחנים מאכל שבמעיו והוא הקורקבן והמסס: ויקם לקול הצפור. שאפילו קול צפור מנערתו משנתו משהזקין: וישחו כל בנות השיר. כל קולות של כלי השיר דומות עליו כשיחה ולפי פשוטו משמעו ישחו כמו ישפלו כל שרים ושרות יהיו שפלים בעיניו וכן ברזילי הגלעדי אמר לדוד (שמואל ב יט לו) אם אשמע עוד בקול שרים ושרות: (ה) גם מגבה ייראו. מגבשושית ותלוליות שבדרכים הוא דואג ללכת לשוק פן יכשל בהם: וחתחתים בדרך. אימות וחתות הרבה בדרכים

שפתי חכמים

לחיים. כלומר דומה דאפי' שהן לחיים ועיין לעיל בפי' רש"י כ"ש

ספורנו

בנקבים העגבניים: (ד) וסגרו דלתים. השפתים בעת הלעיסה: בשוק. לעין כל: בשפל קול הטחנה. בטעום פעולת השנים. ויקום לקול הצפור. יעור משנתו על נקלה מבלי אין עכול מזון נאות מסבב שינת קבע: וישחו כל בנות השיר. ימאס כל תנועות השיר לחלשת כח האזן הנהגה בשיר: (ה) גם מגבוה. מעלות אל המקומות הגבוהים: ייראו. שומרי הבית ואנשי החיל הנ"ל: וחתחתים בדרך. ובזה הדרך שהיא הירידה הדורכת אל ההפסד יקרו אימות מות ופחדים במיני

אבן עזרא

העינים: (ד) וסגרו דלתים. הם השפתי' וכמוהו דלתי פניו מי פתח: בשפל קול הטחנה. הוא הקרב העליון והוא המסס שהוא טוחן המאכל ומלת בשפל שם ואיננו תואר וכמוהו טוב שפל רוח ועניינו שפלו' ועניין בשוק על דרך משל כשיש שפל קול הטחנה אין קמח נמצא ויהיו הגויות שוק האוספים סגורים ונמצא דלתי ודלתות כמו שפתי ושפתות: ויקום לקול הצפור. ידוע כי המאכל יוליד השינה ובהסגר הפה נכרת המאכל ויקץ לדבר קל: וישחו כל בנות השיר. הוא הגרון שהיה לפנים בו משורר ישח קולו עד שלא ישמע ובאה מלת ישחו שהוא לשון זכרים עם בנות שהן נקבות כמו וכל הנשים יתנו יקר לבעליהן ויתכן שבתיהם שבות למלת כל: (ה) גם מגבוה. י"א כי על הזקנים ידבר שאין להם כח לעלות אל המקום הגבוה ויאמרו כי וי"ו יראו נוסף וי"א

מצודת ציון

מלשון ראי': בארובות. מלשון ארובה וחלון כמו וכעשן מארובה (הושע יג): (ד) דלתים. על השפתים יאמר וכן נאמר דלתי פניו מי פתח (איוב מא): וישחו. ענין השפלה ובמילה כמו ושח גבהות האדם (ישעיה ב): (ה) וחתחתים. מלשון חתת ופחד וכפלו הפ"א וכעי"ן הפעל ויורה על פחד הרבה כמו אדמדם שיורה על אדמימות

מצודת דוד

בעת שהחולשה כהה ותכנו: (ד) וסגרו דלתים בשוק. הם השפתים שהם בשוק ר"ל במקום מגולה ובעת החולשה המה סגורים בעבור כי נשפל קול הטחנה הם השנים שבטלו אז מן הטחינה ולכן סגר השפתים כולל ואינו מניח בהם המאכל: ויקום לקול הצפור. ידוע שהמאכל מוליד השינה ובהעדר המאכל יקץ לדבר קל: וישחו כל בנות השיר. הוא הגרון שבו היה מעורר לשיר אז ישח וישפיל קולו עד שלא ישמע (ואמר בנות השיר לפי שקול נקבות משוררות נעים ביותר): (ה) גם מגבוה ייראו. גם מחשבותיו מתפחדים מאת שיחשבו שהרוח נוסעת והולכת אל מקום גבוה אל השמים ממעל ליתן דין וחשבון והרבה פחד יש מן הדרך פן יפגעו בה

קיצור אלשיך

מהרה (ד) וסוגרו הדלתים בשוק. הם השפתים דלתות הפה כי תאלמנה שפתיו ולא יוכל להתודות, ועדיין יש קצת ניחור בראש האצטומכא הטוחנת המאכל וזהו בשפל קול הטחנה, ושמא תאמר כי הלא אחרי אלה יתעורר ויתנועע בכח כאלו הוא שיפקדנו הבריאות, אל תחוש כי אינו רק שיקום לקול הצפור הוא הכרוז המכריז ברגע יציאת הנשמה אז יקום כמתעורר להעזר ופותח פיו והוא יציאת הנשמה ואז וישחו כל בנות השיר, הוא הדבור והגרון וחיך ושניים ושפתים וחוטם כולם נאלמו דומיה, ושמא תאמר הנה אחרי כן ינוח המת ואז טוב לו, לזה אמר (ה) גם מגבוה ייראו מן הדין של מעלה ייראו כחות הנפש כי הלא בנס"ע הנפש לעלות הנה כמשא כבד יכבדו עליה כמה כחות הטומאה יסתבוה אלה מפה ואלה כפה והם המשהיתים אשר ברא במעשיו הרעים וזהו וחתחתים בדרך, כי כאשר ינאץ השקד מהרה כן הנשמה ממהרת לעלות מיד אל מקורה ואז יסתבל החגב, כחות הטומאה אשר יתרבו עליו כחגב נעשו עליו כמשא כבד ואז ותפר האביונה היא התאוה לעלות למעלה ועל כל אלה ראוי החי יתן אל לבו כי יראה במות רעהו כי גם עליו יעבר כוס כי מי יחיה ולא יראה מות ומי זה האיש נכון לבו בטוח מחתחתים בדרך ומדינה של גיהנם אלא שאין איש שם על לב ע"כ לעוררם מתרדמתם הלא מהראוי כי כאשר הולך האדם אל בית עולמו אל יבכו למת כי הלא מה יועיל לו להצילו כי הולך הוא אל בית עולמו אם טוב או הפכו אך וסבבו בשוק הסופדים ולא בבית הקברות אל המת כי אם אל החיים אשר בשוק למען ידעו שימותו גם הם וישובו מדרכם הרעה ויקראו אל אלהים בחזקה כי הן דא תהוה ארכא לשלוותם. או יאמר ענין מאמרם ז"ל במדרש חזית וז"ל נולד אדם הכל שמחים מת הכל בוכים, אינו כן אלא נולד אדם אין שמחים לו שאינם יודעים באיזה פרק ומעשים יעמוד אם יהיה צדיק או רשע אם טוב ואם רע, מת צריכין לשמוח שנפטר בשם טוב, ויצא מן העולם בשם טוב משל לב' ספינות פורשות לים הגדול אחד יצאה מן הנמל ואחד נכנסת היוצא' הכל שמחים והנכנסת לנמל לא שמחו לה, פיקח אחד היה שם אמר להם חילוף הדבר אני רואה, זו שהיתה יוצאה מן הנמל לא היו צריכים לשמוח שאין יודעין באיזה פרק עומדת וכמה ימים מזדווגות לה וכמה עלעולים מזדווגות לה, ושנכנסה לנמל הכל צריכין לשמוח שנכנסה בשלום כך מת אדם הכל צריכין לשמוח לשבח שנפטר בשם טוב ובשלום מן העולם הוא ששלמה אמר טוב שם טוב משמן טוב ויום המות מיום הולדו, ע"כ והוא הדעת האמתי כי בהולד איש לא נודע אם צדיק או רשע יהיה שמחה מה זו עושה משא"כ בצאתו מן העולם בשלום אל הקודש הולך ואור כי הן הוא משוש דרכו ועת לשחוק ועת רקוד כי אז טוב לו, ומן הטעם הזה כל ילד אשר יולד מיד יתן את קולו בבכי כי נפשו מצירה כי באה מהיכלי מלכו של עולם אל מקום תתעתד לרדת שאולה היפך הצדיק שמת מתוך שחוק כי יראה כי אז טוב לו כמ"ש חז"ל על ותשחק ליום אחרון.

או יאמר כאשר הולך האדם אל בית עולמו אל תבכו למת ואל תספדו לו, מה שטרח יאכל ואין תקנה כעת אך מה שראוי ואצוה הוא וסבבו בשוק

and those who look out of the windows become darkened. 4. And the doors shall be shut in the street when the sound of the mill is low, and one shall rise at the voice of a bird, and all the songstresses shall be brought low. 5. Also from the high places they will fear, and terrors on the road,

4. **And the doors shall be shut** — *These are his orifices.*—[*Rashi* from *Shab.* 152a, *Ecc. Rabbah*]

when the sound of the mill is low—*the sound of the mill grinding the food in his intestines, and that is the stomach.*—[*Rashi* from *Ecc. Rabbah* and *Shab.* 152a] [Note that the קֻרְקְבָן is the gizzard, the stomach in fowl and the מְסָס is the third stomach of ruminants. In this instance, both refer to the stomach of humans.]

The *Targum* paraphrases: And your feet will be bound, not allowing you to go out to the street, and the desire for food will leave you.

and one shall rise at the voice of a bird—*For even the voice of a bird awakens him from his sleep since he has become old.*—[*Rashi* from *Shab.* 152a] *Ecclesiastes Rabbah* comments: When the old man hears birds chirping, he imagines that bandits have come to rob him. The *Targum* also paraphrases: and you awaken from your sleep because of the voice of a bird, as if because of thieves who come at night.

and all the songstresses shall be brought low—Heb, וְיִשַּׁחוּ. *All the sounds of musical instruments seem to him like conversation* (שִׂיחָה). *Its apparent meaning is like its simple interpretation, that יִשַּׁחוּ is like יִשְׁפְּלוּ, shall be brought low. All the singers and songstresses shall be low in his eyes, and so did Barzilai the Gileadite say to David,* (*II Sam. 19:36*): "*or can I still listen to the voice of singers and songstresses?*"—[*Rashi*] [Note that in our editions of the Talmud, the reading is כְּשׁוּחָה, like a pit. However, the reading in *Ein Yaakov* is as *Rashi* brings it here.]

Mezudath David explains:

And the doors shall be shut in the street—These are the lips, which are in the street, i.e., uncovered to the outside, and when a person becomes weak, they are closed, because the sound of the mill, viz. the teeth, stop grinding. The lips are closed, because he does not put any food in.

and one shall rise at the voice of a bird—It is known that eating induces sleep, and when he stops eating, he is easily aroused from his sleep.

and the songstresses shall be brought low—That is the throat, with which he used to sing in his youth. His voice will become low so that it will not be heard. The feminine form is used because the voice of female vocalists is more pleasant than that of males.

The *Targum* renders: and your lips will be too weak to sing.

5. **Also from the high places they will fear**—*from the mounds and bumps in the streets: he is afraid to go out into the street lest he stumble on them.*—[*Rashi* from *Shab.* 152a]

וינאץ השקד ויסתבל החגב ותפר האביונה כי־הלך האדם אל־בית עולמו וסבבו בשוק הסופדים׃
ו עד אשר לא־ירחק ירתק קרי חבל הכסף ותרץ

ת"א כי הולך האדם אל בית עולמו. שם: וסבבו בשוק הסופדים שבת קנב: עד אשר לא ירתק חבל הכסף. שם קנא:

(ס"א ותציץ) ריש שנרתך מן כחישותא כשיגדא ויתנפחון אסתורי רגלך ותתמנע מן משכבא ארום אתפני אנשא למהך לבית קבורתיה ויסחרון מלאכיא תבעי דינך כספדניא דמסתחרין בשוקא למכתב דין חושבנך׃ ו עד די לא יתאלם לישנך מלמללא ותהי רעיעא

רש"י

יש לו: חתחתים. לשון כפול הוא בתיבה כמו גלגלים קשקשים זלזלים: וינאץ. ל' (שיר ז) הנצו הרמונים שהרי הא' לא נקראת בה אמרו רבותינו ז"ל ליבוסת הנק"א בלע"ז שעלם הירך תקוע בה ובזקנותו בשרו כחוש והעלם בולט כמו נץ האילן שהוא בולט: השקד. אילן של שקדים כלומר שתקפון הזקנה עליו כשקד זה הממהר להניץ לפני כל האילנות: ויסתבל החגב. אלו העגבות ל' שיהיו עגבותיו דומות עליו כסובל משא כבד: ויסתבל. איסדריי"ד שורפייש"ן בלע"ז: ותפר האביונה. חמדת תאות נשים שאינו נזקק לנשים לתשמיש. אביונה תאוה כמו (דברים א כו) ולא אביתם (תהלים קיט קעד) תאבתי לישועתך: (ו) עד אשר לא ירתק חבל הכסף. זה חוט השדרה שהוא לבן ככסף ובמותו חסר מוחו ומתרוקן ויבש ומתעקם בתוך החוליות ונעשה כשלשלת. ירתק לשון רתוקות מ כסף: ותרץ גלת הזהב. זה האמה שהיתה מקלחת מים ונובעת כמעין כמו גולות עליות. ותרוץ ל' רציצה: ותשבר כד על המבוע. זה הכרס שהיא עבה ונבקעת במותו: ונרוץ הגלגל אל הבור. יתרוצץ גלגל העין בתוך גומו ולפי פשוטו גלגל שדולין בהם מים מן הבור כך נדרש כל הענין במס' שבת. ומדרש קינות נ פיתרו כנגד כל ישראל וזכור את בוראיך בימי בחורותיך בעוד שהבחירות שבכם קיימת בעוד שהכהונה קיימת שנא' (שמואל א ב כח) ובחור אותו מכל שבטי ישראל לי לכהן. בעוד שהלויה קיימת שנא' (דברים יח

שפתי חכמים

ספירים בפסוק כפלת סרמין כו': ל כי חגב כמו ענב בחילוף אותיות אחה"ע ומ"ש שיהיו עגבותיו דומו' עליו כסובל מלת ויסתבל קדרים: מ ורתוקות כסף לורך פירוש שרשרות: נ בפתיחתא דאיכה:

אבן עזרא

יראו שוקיו: והתחתים. כפול הפ"א והלמ"ד כי העי"ן מובלע יהוא מן תראו התת כמו פחד: וינאץ השקד. אמרו שהוא מן עלתה נלה והענין השיבה: ויסתבל החגב. הקרסול וי"א השקד הוא האבר שיכתו אחר הראש והזקן ויסתבל החגב המבוסים שימשכו למטה. ואחרים אמרו כי החי"ת במקום עי"ן גם זה הבל כי לא יתחלף אות באות חוץ מהותיות יהו"א בעבור שהם נראים פעמי' ונעלמים: ותפר האביונה. אמרו שהוא מן ולא אבה ועניינו תאות המשגל ואמר ר' אדונים בן תמים המזרחי נ"ע כי אביונה כנוי לרוח בני האדם וכן דקדוקו אביון תואר השם לזכר. ואביונה לשון נקבה והם תנעירנה תהיה אביונה וכן מלת אמינון וגשמו אומר (במקום גשם) וזהו דקדוק עניות כי אין בלשון הקדש מלה שהקטינו כלל ואילו היה זה ביסוד הלשון להקטין יהיו נמלאים במקרא למאות ולאלפים ואולם אמנון ואמינון שני שמות לאיש אחד כמו שלמה ושלמון אבשי אבישי אבנר אבינר ותוספ' וי"ו גשמו כמו יתר ויתרו. ועתה אפרש הפסוק אחר שאמר והשכו הרואות בארובות ולא יאכל ולא ישמע קולו איך יחזור לאחור לאמר גם מגבוה ייראו ודבר השיבה אכן הוא בענין אחר וכן הוא גם מגבוה יראו מהמשבותיו שהרוח הושבת שהיא נוסעת והולכת אל מקום גבוה ותפחד מן הדרך וסוף הפסוק יורה עליו כי הולך האדם. ומלת ינאץ הוא באל"ף והיא כמו וינאץ בזעם אפו שהוא כמו וימאם אף על פי שניהם משני בניינים והשקד הוא תואר השם במשקל והיה דשן ושמן ועניינו שומר מתכונת הגוף כענין שקדו שמרו שוא שקד שומר וכן נמר שוקד על עריה' ועניינו מואס לשקוד: ויסתבל החגב. שהוא קלקל וחומר הגוף ותי"ו ויסתבל מבנין התפעל והתאחר כמנהג כל סמ"ך ושי"ן כמו מסתולל משתולל. ותפר האביונה ידוע כי מלת הפיר לעולם היא יוצאת והענין תפר היועלת מועלותיה והיא הרוח וזה דקדו' הלשון כבר באר רבי יהודה בר דוד נ"ע בעל הדקדוק כי מלת קם ושב והביריהם שרשם משלשה אותיות והאמלעי יו"ד ויורה עליו קים דברי הפורים ומלת בינה כמו שבתם וקימתם והבין כמו הקים. ובנת לרעי כמו קמת. ותואר השם קם כמו הנגי שב שבות והשלם קים ועל משקל גנב ולנקבה קיימ' ובה"א קימה מלרע. אשוב לענין אביונה ואמר כי האל"ף נוסף כאל"ף אקדה באזרועך והאזניחו ותהיה זאת המלה תואר מבינה והוא כנוי לרוח בעלת הבינה: אל בית עולמו. היא הקבר והוא הבית שידור שם לעולם ויש עולם קלון כמו וישב שם עד עולם ועבדו לעולם: וסבבו בשוק. כשיוליכו אותו ישאוהו על כתף יסבלוהו: (ו) עד. זה משל

ספורנו

כאבים וחלאים: וינאץ השקד. יראו ראשי העצמות בחסרון הבשר אשר עליהם: ויסתבל החגב. ובשר העגבות הנזכר יהיה למשא מחסרון הכח: ותפר האביונה. והדרך הנזכר הדורך אל ההפסד תפר את תאות המאכל והמשגל וזולתו: כי הולך האדם אל בית עולמו. ואמרתי זכור את בוראך עד אשר לא יבאו כל אלה. כי אמנם בזמן שיבאו הולך האדם אל בית מועד לכל חי שיהיה שם לעולם לפי מדרגתו והראוי לו: וסבבו בשוק הסופדים. המספרים מעשיו כאמרם ז"ל עשה דברים שלפני משתך: (ו) עד. ובעוד: אשר לא ירתק

מצודת דוד

מלאכי דין: וינאץ השקד. כח השומר את הגוף כהתמדם ובהשתדלו' ימאס את הגוף ולא יאבה להתמיד עוד בשמירתו ולהשתדל בו: ויסתבל החגב. אם ישכון עליו חגב תכבד עליו כסובל משא כבד וזהו לגודל החולשה: ותפר האביונה. הרוח בעלת הבינה תבטל כי אז תלך ממנו. או אז תבטל תאות חמדת נשים לתשמיש: כי הולך האדם. כי אז האדם הולך ומתקרב לבוא אל בית עולמו זהו הקבר אשר ישכב שם עד עולם: וסבבו. ולהוות הסופדים מסבבים בשוק לעורר קינות ויללות: (ו) עד אשר וגו'. מוסב על המקרא של מעלה בראשית הענין שאמר וזכור כו' לומר זכור בוראך טרם שיהיה נעשה חבל הכסף כמו שלשלת ועל חוט השדרה יאמר שהוא לבן ככסף ובמות

מצודת ציון

רב: וינאץ. ענין בזיון ומיאום כמו וינאץ בזעם אפו (איכה ב) ועם כי לא נקראת האל"ף הואיל והיא כתובה: השקד. ענין השתדלות והתמדה כמו שקדו ושמרו (עזרא ח): ויסתבל. מלשון סבל ומשא כבד: החגב. מין הרבה כמ"ש ואת החגב למינהו (ויקרא יא): ותפר. מל' הפרה ובטול: האביונה. האל"ף נוספת כמו והאזניחו נהרות (ישעיה יט) והוא מלת בינה והוא כנוי לרוח בעלת הבינה או הוא ענין תאוה כמו לא אבה יבמי (דברים כה): (ו) ירתק. ענינו

קיצור אלשיך

בשוק הסופדים לספוד על הנשארים בחיים על הרעה אשר תביאם אם לא יתקנו מעשיהם וישובו עד ה', ומה יאמרו להם הסופדים הלא הוא (ו) **עד אשר לא** ירתק חבל הכסף, **כי הנה ג' המודות הן המאבדים** את האדם, א' חמדת הממון לצבור כעפר בצר, ב' **חמדת** אכול מעדנים ושתה ממתקים, **ג' חמדת ותאות נשים, והנה**

and the almond tree will blossom, and the grasshopper will drag itself along, and sexual desire will fail, for man goes to his everlasting home, and the mourners go about in the street. 6. Before the silver cord snaps, and the

The wording there is: For even a small mound appears to him like a lofty mountain.

and terrors on the road—Heb. וְחַתְחַתִּים. *He has many fears and terrors on the road.* חַתְחַתִּים— *This is a word consisting of doubled language, like* גַּלְגַּלִּים, *wheels,* קַשְׂקַשִּׂים, *scales,* זַלְזַלִּים, *tendrils.*—[*Rashi*]

Mezudath David explains: Also, he experiences frightening thoughts, believing that the spirit is leaving to a high place in the heaven to give an accounting and reckoning, and he has much fear on the way lest he encounter angels appointed to execute judgment against him.

and...blossoms—Heb. וְיָנֵאץ, *an expression of* (*Song 7:13*): *"whether the pomegranates have blossomed* (הֵנֵצוּ)," *for the "aleph" in it is not pronounced. Our Rabbis said: This is the haunch, hanche in French, into which the hip-bone is thrust, and in his old age, the flesh is emaciated, and the bone protrudes, like the blossom of a tree, which protrudes.*—[*Rashi* from *Shab.* 152a] Note that *Rashi* to *Shabbath* explains that the bone protrudes because of the person's extreme weakness.

the almond tree—Heb. הַשָּׁקֵד, *an almond tree, i.e., old age will spring upon him like this almond tree, which hastens to blossom before all the other trees.*—[*Rashi*] *Mezudath David* renders: and the power that constantly and tenaciously guards the body despises it and no longer wishes to guard it and protect it.

and the grasshopper will drag itself along—*These are the buttocks, for his buttocks will seem to him to be as one who bears a heavy burden.* וְיִסְתַּבֵּל—*E ert porfèssèz in Old French, and will be overburdened.*—[*Rashi* from *Shab.* 152a] *Midrash Lekah Tov* explains that the word חָגָב is derived from עָגָב, by changing the "ayin" to a "heth," both being guttural letters. *Mezudath David* explains that if a grasshopper alights upon him, he will feel it as a burden.

and the sexual desire will fail—*the desire for women; for he will have no need to be intimate with women.* הָאֲבִיּוֹנָה, means *desire, like* (*Deut. 1:26*): *"But you did not want* (אֲבִיתֶם)"; (*Ps. 119:174*): *"I yearned* (תָּאַבְתִּי) *for Your salvation."*—[*Rashi* from *Shab.* 152a] *Ibn Ezra* and *Mezudoth* define הָאֲבִיּוֹנָה as understanding, from בִּינָה, the "aleph" added as a prefix. Thus we render: and his understanding will fail.

for man goes to his everlasting home—For then man goes and draws near his everlasting home, the grave, where he will remain to eternity.—[*Mezudath David*] The Talmud (ad loc.) and the Midrash explain that every righteous man has an individual abode in the world of the souls, each one according to what he deserves.

גֻּלַּת הַזָּהָב וְתִשָּׁבֶר כַּד עַל־הַמַּבּוּעַ וְנָרֹץ הַגַּלְגַּל אֶל־

הו"א ותרן גלת כזכב. עקידה שער סו זוהר פ' חיי שרה ופרשת משפטים:

מוּקְרָא דְבֵישָׁךְ וְתִתְבַּר מְרִירְתָּךְ עַל עֶבְדָּךְ וְיִרְהַט נוּפָךְ

שפתי חכמים

פ פי' דכתיב ויסיר את מראתו בנוצתה והשליך אותה אצל המזבח. דבר קל הוא פירוש וקשה לזורקה למרחוק אם לא בכח גדול וביד חזקה והכהן זורקה יותר מל' אמה שהיה זורקה על מקום הדשן ומכל זה מוכח כי גבורי כח היו ע שם איש עשיר ונדיב גדול: פ וקראו חגב דרך גנאי כי חגב כמו עגב כדלעיל ודרש ויסתבל שלא יכול לסבול משאו מפני גובהו: צ פירוש זה עכו"ם שמטמאה

רש"י

ה) כי בו בחר ה' אלהיך מכל שבטיך. בעוד שהמלכות בית דוד קיימת שנא' (תהלים עח ע) ויבחר בדוד עבדו. בעוד שירושלים קיימת שנא' בה (מלכים א יא) העיר אשר בחרתי בה. בעוד שבית הבחירה קיימת שנא' בה (דברי הימים ב ז טז) ועתה בחרתי והקדשתי הבית הזה. בעוד שאתם קיימים שנאמר (דברים יד) ובך בחר ה': **עד אשר לא יבואו ימי הרעה**. אלו ימי הגולה **עד אשר לא תחשך השמש**. זה מלכות בית דוד שנאמר (תהלי' פט לז) וכסאו כשמש נגדי: **והאור**. זו תורה שנאמר (משלי ו כג) כי נר מצוה ותורה אור: **והירח**. זו סנהדרין דתנן סנהדרין היתה כחצי גורן עגולה: **והכוכבים** אלו הרבנים שנאמר (דניאל יב ג) ומצדיקי הרבים ככוכבים: **ושבו העבים אחר הגשם**. צרה אחר צרה קשה. אתה מוצא בכל הנבואות הקשות שנתנבא עליהם ירמיה לא באו עליהם אלא לאחר חורבן הבית: **ביום שיזעו שומרי הבית**. אלו משמרות כהונה ולויה: **והתעותו אנשי החיל**. אלו הכהנים שהם גבורים בכח אמר רבי אבא בר כהנא כ"ב אלף לוים הניף אהרן ביום אחד אמר רבי חנינא פ המוראה הזו דבר קל היא והכהן זורקה יותר משלשים אמה: **ובטלו הטחנות**. אלו המשניות הגדולות משנת רבי עקיבא ומשנת רבי חייא ומשנת בר קפרא: **וחשכו הרואות**. שיטתכה הגמ' מן הלב: **וסגרו דלתים בשוק**. כגון דלתי נהושתא בן אלנתן ע שהיו פתוחים לרוחה: **בשפל קול הטחנה**. ע"י שלא נתעסקו בתורה א"ר שמואל נמשלו ישראל לטחינת הרחים מה רחים אינן בטלות לא ביום ולא בלילה אף כאן (יהושע א ה) והגית בו יומם ולילה: **ויקום לקול הצפור**. זה נבוכדנאצר הרשע, א"ר לוי י"ח שנה היתה בת קול יוצאת ומפוצצת בפלטין של נבוכדנאצר עבדא בישא זיל אחריב ביתיה דמרך דבני מרך לא שמעין ליה: **וישחו כל בנות השיר**. (ישעיה כד ט) בשיר לא ישתו יין: **גם מגבה יראו**. מגבוה של עולם יתיירא וידאג לבו פן יעשה בו כאשר עשה בראשונים: **וחתחתים בדרך**. מתוך כך יבקש לו אותות ורמזים אם יצליח בדרך שילך כענין שנאמר (יחזקאל כא כו) כי עמד מלך בבל על אם הדרך לקסום קסם קלקל בחצים שאל בתרפים: **וינאץ השקד**. תלמה נבואת ירמיה שנא' (ירמיה א יב) מקל שקד אני רואה אמר רבי אליעזר השקד הזה משעה שהוא מציץ עד גמר פירותיו כ"א יום כך מי"ז בתמוז עד תשעה באב כ"א יום: **ויסתבל החגב**. זה צלמו פ של נבוכדנאצר (דניאל ג א) רומיה אמין שתין פותיה אמין שית ואם אין עוביו אלא שש אינו יכול לעמוד ואת אמרת אוקמיה בבקעת דורא אמר רב ביבי מעמידין אותו ונופל מעמידין אותו ונופל עד שהביאו כל זהב שבירושלים ושפכו דימוס על רגליו לקיים מה שנאמר (יחזקאל ז יט) וזהבם לנדה צ ולמם יהיה: **ותפר האביונה**. זו זכות אבות תופר משענת אבות שלכם ויהיה האביונה מלשון אב: **כי הולך האדם**. ישראל שנקראו לאן אדם אדם אתם: **אל בית עולמו**. מבבל באו לבבל חזרו תרח אבי אברהם מעבר הנהר היה: **וסבבו בשוק הסופדים**. גלות יכניה קדמה לגלות צדקיהו י"א שנה כשהגלה נבוכדנאצר את גלות צדקיהו בקולרין היו יוצאין גלו' יכניה לקראת נבוכדנאצר על כרחן עם שאר בני העיר לקלסו שהוא גבור ומצליח והיו רואין את השבוים ושואלין אותם איש על קרובו מה נעשה בו והיו משיבין אותם (ירמיה טו ב) אשר למות למות ואשר לשבי לשבי ואשר לחרב לחרב והיו מקלסין בידם אחת ובידם אחרת מספקין ומטפחין הספד על אהיהם ועל בניהם: **עד אשר לא ירתק חבל הכסף**. זו שלשלת יוחסין: **ותרץ גלת הזהב**. אלו דברי תורה שנא' (תהלים יט יא) הנחמדים מזהב: **ותשבר כד על המבוע**. כדו של ברוך בן נריה על מבועו של ירמיהו שבניהם גלו לבבל ופסקו מלמודם **בעוני הדרך**. תחלה גלו למצרים שהגלם יוחנן בן קרח וכשהחריב נבוכדנאצר את

ספורנו

חבל הכסף. גם בעת זקנה השתדל להשיג שלמות נצחי כפי מה שתוכל קודם שיתפרק השדרה אשר בה חוט השדרה הלבן ככסף: ותרוץ גלת הזהב. הכבד שהוא מעין הדם: ותשבר כד. המרה: על המבוע. הכבד שהוא מבוע כל

אבן עזרא

ככבד והגולה היא בראש הגלגל המתגלגל בהבל וראש החבל קשור בגולה. וירתק מן עשה הרתוק כשיתקשר החבל כאילו ישתלשל לא ישיג אל המבוע גם כן ענין מלת ירתק שהוא כתוב ומלת ונרוץ מן ותרץ את גלגלתו מענין וירוצצו כאשר תשבר הגולה. וירוץ הגלגל אל הבור. ישבר הכד ואין מים עולים ומלת ונרוץ בנין נפעל כמו נכון פועל עבר יהיד מן נכונו ללצים שפטים: וחבל הכסף. הוא חוט השדרה וקראו כסף בעבור היותו לבן: וגולת הזהב. הוא המוח ודמהו לזהב בעבור הקרום שהוא אדום אשר הוא עליו והכד היא המרה ונקרא כד בעבור שמשם תתחבר המרה האדומה:

מצודת ציון

כמו שלשלת כמו ורתקו' כסף צורף (ישעיה מ): ותרוץ. מל' רצוצים ושבירה כמו וירעצו וירצצו (שופטים י): גלת. ענין כמו גלת מים (שם א): כד. שם כלי כמו וכדה על שכמה (בראשית כד): המבוע. מעין הנובע: ונרוץ. מל' רצוץ ורציצה: הגלגל. גלגולת הראש:

מצודת דוד

שאדם חסר מוחו ומתבוקן וייבש ומתעקה בתוך הגולת ונפסק כשלשלת: ותרוץ גולת הזהב. על מוח הראש יאמר על שהוא כמעין הנובע לנחלה ולהשקות את חוט השדרה ולפי שהקדו' שעליו הוא אדום קראו זהב כי מראה הזהב היא אדום ור"ל אז ירוצץ מוח הראש ולא ישקה עוד את חוט השדרה: ותשבר כד. על כוס המרה יאמר שנקרע אז ומי המרה נשפך על הכבד במקום מושבו ולזה במשל מכד מלא מים שנשבר על המעין והמים שבכד יורדים אל המעין מקום שאין צורך אל המים וכן היא בסיבת מי המרה על הכבד כי בהיות האדם חי אמרז"ל כבד כועס והמרה זורקת בו טפה ונח מכעסו אבל אז אין הכבד כועס ואין צורך אל טפת המרה: ונרוץ הגלגל. גלגולת הראש שסיתה למעלה מרוצים אז

קיצור אלשיך

והנה בהיות לאיש חמדה לאחד משלשתן לא יכבד תקונו אך אם תהיינה לאיש ב' חמדות יכבד עליו להקנם, אך אם ישתלשו מעמד שלשתן ביד איש אחד תאבד תקוה כי לא במהרה תנתק גם אחד מהנה כי אפפו עליו רעות רבות אשר לא יוכל להרפא. ונבא אל הענין בשום לב אל ביאור תיבת ירתק שהוא מלשון עשה הרתוק שהוא מעשה עבות של חוט המשולש, והענין כי הסופדים הסובבים בשוק ידברו על לבם ואמרו עד אשר לא ירתק, לומר שובו אל ה' השטופים בחמדת העולם הזה טרם ישולש וירתק הבל הכסף והחימוד שיהיו כחבל הזה העשוי מג' חוטים ויהיה כסף מלשון חמדה כד"א נכסוף נכספת נכספה וגם כלתה, והביטו וראו כי הבל המה כל אחד מהנה, כי הלא האחד לא תתמיד כי הלא ותרוץ גולת הזהב כי לא לעולם חוסן ועטרת זהב ועושר כי הלא התרושש ותתפוצץ ותאבד כי עשה יעשה לו כנפים. וגם הב'

היא

golden fountain is shattered, and the pitcher breaks at the fountain, and the wheel falls shattered

and the mourners go about in the street—And the mourners go about in the street to arouse lamentation and wailing.—[*Mezudath David*]

6. **Before the silver cord snaps**—*This is the spinal cord, which is as white as silver, and when he dies, its marrow diminishes and empties out and dries and becomes crooked within the vertebrae, and it becomes like a chain.* יֵרָתֵק *is an expression of silver chains* (רַתֻּקוֹת).—[*Rashi* from *Ecc. Rabbah*]

and the golden fountain is shattered—*This is the male member, which emits a flow of water* (urine), *which flows like a fountain, like* (*Josh. 15:19*): "*the upper springs* (גֻּלֹּת)." וְתָרֻץ *is an expression of shattering* (רְצִיצָה).—[*Rashi*]

and the pitcher breaks at the fountain—*This is the stomach, which is thick and splits upon his death.*—[*Rashi* from *Ecc. Rabbah*]

and the wheel falls shattered into the pit—*The eyeball will be shattered within its socket. According to its simple interpretation, this is a wheel with which they draw water from the cistern. So is this entire matter expounded in Tractate Shabbath* (151b-152a). *Midrash Kinoth (Lam. Rabbah,* Proem 23), *however, interprets it as referring to all Israel:*

[1] **And remember your Creator in the days of your youth**—*As long as your choseness still endures, as long as the priesthood still endures, as it is said* (*I Sam. 2:28*): "*And I did choose him from all the tribes of Israel to be My priest*"*; as long as the covenant of the Levites still endures, as it is said* (*Deut. 18:5*):"*For the Lord your God has chosen him out of all your tribes*"*; as long as the kingdom of the House of David still endures, as it is said* (*Ps. 78:70*): "*And He chose His servant David*"*; as long as Jerusalem still endures, as it is said* (*I Kings 11:32*): "*the city that I have chosen*"*; as long as the chosen Temple still endures, about which it is stated* (*II Chron. 7:16*): "*And now I have chosen and consecrated this House*"*; as long as you still endure, as it is said* (*Deut. 7:6*): "*the Lord your God has chosen you.*"

before the days of evil come—*These are the days of the exile.*

[2] **Before the sun...darken**—*This is the kingdom of the House of David of which it is written* (*Ps. 89:37*): "*And his throne is like the sun before Me.*"

and the light—*This is the Torah, as it is said* (*Prov. 6:23*): "*For a commandment is a candle and the Torah is light.*"

and the moon—*This refers to the Sanhedrin, of which we learned* (*Sanh.* 4:3): "*The seating of the Sanhedrin was in the shape of a semi-circular threshing floor.*"

and the stars—*These are the Rabbis, as it is said* (*Dan. 12:3*): "*and those who bring the multitudes to righteousness are like the stars.*"

and the clouds return after the rain—*calamity after hard calamity. You find concerning all the harsh prophecies that Jeremiah prophesied about them, that they only befell them after the destruction of the Temple.*

[3] **On the day that the keepers of the house tremble**—*This refers to the watches of the priests and the Levites.*

and the mighty men are seized by cramps—*These are the priests, who are mighty in strength. Said Rabbi Abba bar Kahana: Aaron lifted twenty-two thousand Levites in one day. Said Rabbi Hanina: The bird's crop is a light thing, yet the priest would throw it more than thirty cubits.*

and the grinders cease—*These are the great collections of Mishnah: the Mishnah of Rabbi Akiva, the Mishnah of Rabbi Hiyya, and the Mishnah of Bar Kappara.*

and those who look...become darkened—*that the Talmud will be forgotten from the heart.*

[4] **And the doors are shut in the street**—*for example, the doors of Nehushta the son* (read: *the daughter*) *of Elnathan, which were wide open.* [Nehushta the daughter of Elnathan was the mother of King Jehoiachin, as in II Kings 24:8. There was a tradition that the doors of her house were always open to offer hospitality, but in the national disaster, they were closed.]

when the sound of the mill is low—*because they did not engage in the words of Torah. Said Rabbi Samuel: Israel is compared to the grinding of the millstones; Just as the millstones are idle neither by day nor by night, here too,* (*Josh. 1:8*): *"you shall meditate therein day and night."*

and one rises at the voice of a bird—*This is the wicked Nebuchadnezzar. Rabbi Levi said: For eighteen years a heavenly voice would go forth and scatter in Nebuchadnezzar's palace and proclaim: "Wicked slave, go and destroy your Master's House because His children disobey Him."*

and all the songstresses are brought low—(*Isa. 24:9*): *"In song, they shall not drink wine."* [*Lamentations Rabbah* takes this to mean that Nebuchadnezzar abolished singing in the house of feasting. *Ecclesiastes Rabbah,* however, takes it to mean that he abolished the songs in the Temple.]

[5] **Also from the Most High they fear**—*He was afraid of He Who is Supreme in the universe, and his heart was concerned lest He do to him as He did to his predecessors.*

and terrors on the road—*Because of this, he will seek omens and portents* [to see if] *he will succeed on the way that he will go, as it is stated* (*Ezek. 21:26*): *"For the king of Babylon stood at the crossroads, to divine; he furbished the arrows, he inquired of the teraphim."*

and the almond tree will blossom—*Jeremiah's prophecy will grow, as it is said* (*Jer. 1:11*): *"I see the rod of an almond tree." Said Rabbi Eliezer: This almond tree, from the time it blossoms until its fruits are ripe, are twenty-one days. Likewise, from the seventeenth of Tammuz until the ninth of Av are twenty-one days.*

and the grasshopper will drag itself along—*This is Nebuchadnezzar's image, (Dan. 3:1): "its height sixty cubits, its width six cubits." Now, if its thickness is not six, it cannot stand, and you say that, "he set it up in the plain of Dura"? Said Rav Beivai: They set it up and it fell; they set it up and it fell, until they brought all the gold in Jerusalem and poured it out as a base on its feet, to fulfill what is stated (Ezek. 7:19): "and their gold will be repugnant."*

and the avionah fails—*This is the ancestral merit; the support of your Patriarchs will fail; accordingly, אֲבִיּוֹנָה is derived from אָב, father.*

for man goes—*Israel, who were called (Ezek. 36:37) "men—like a flock of sheep"; (ibid. 34:31) "you are men."*

to his everlasting home—*They came from Babylon, and they returned to Babylon. Terah, the father of Abraham, was from the other side of the river* [Euphrates].

and the mourners go about in the street—*The exile of Jeconiah preceded the exile of Zedekiah by eleven years. When Nebuchadnezzar exiled the exile of Zedekiah in neck irons, the exile of Jeconiah came out toward Nebuchadnezzar against their will, with the rest of the city dwellers, to praise him, that he was a hero and a victor, and they would see the captives and ask them, each one about his kinsman, what happened to him, and they would answer them, (Jer. 15:2): "Such as are for death to death, and such as are for captivity to captivity, and such as are for the sword to the sword." And they would praise with one hand, and with their other hand, they would clap their hands and beat their sides in mourning for their brothers and for their children.*

[6] **before the silver cord snaps**—*This is the genealogical chain.*

and the golden fountain is shattered—*These are the words of Torah, as it is said (Ps. 19:11): "They are to be desired more than gold."*

and the pitcher breaks at the fountain—*The pitcher of Baruch the son of Neriah on the fountain of Jeremiah. They were both exiled to Babylon and stopped their studies because of the hardship of the journey.* [The one who was exiled first is compared to the fountain, and the one who was exiled after him is compared to the pitcher. The meaning of the verse is that the "pitcher" was broken after the "fountain," namely that the second one discontinued his learning after the first one. There is a dispute in the Midrash about who the "fountain" represents and who the "pitcher" represents.] *At first, they were exiled to Egypt, for Johanan the son of Kareah exiled them, and when Nebuchadnezzar destroyed Egypt, he exiled them to Babylon.*

and the wheel falls shattered into the pit—*This is Babylon, which is the depository of the world.*

אֶל־הַבּוֹר׃ ז וְיָשֹׁב הֶעָפָר עַל־הָאָרֶץ כְּשֶׁהָיָה וְהָרוּחַ
תָּשׁוּב אֶל־הָאֱלֹהִים אֲשֶׁר נְתָנָהּ׃ ח הֲבֵל הֲבָלִים
אָמַר הַקּוֹהֶלֶת הַכֹּל הָבֶל׃ ט וְיֹתֵר שֶׁהָיָה קֹהֶלֶת
חָכָם עוֹד לִמַּד־דַּעַת אֶת־הָעָם וְאִזֵּן וְחִקֵּר תִּקֵּן

הר"א וישוב העפר על הארץ כשהיה. בס"ר עקידה כב: ויותר שהיה קהלת חכם. עירובין כא: ואזן וחקר תקן משלים. יבמות כא:

בגו קברך: ז ויישב ויתוב בסרך דאתברי מן עפרא עלוי ארעא היכמא דהוה מלקדמין ורוח נשמתך תתוב למיקם בדינא קדם יי דיהבה לך: ח הבל כד אסתכל שלמה מלכא דישראל בהבלו דעלמא הדין ובהבלין דעבדין בני אנשא אמר קהלת במימריה כולא הבלו: ט ויתר ויותר מן כל בני אנשא הוה שלמה די מתקרי קהלת חכים ותוב הוה מאלף מנדעא ית עמא בית ישראל ואצית לקל חכימיא ובלש בספרי חוכמתא

רש"י

מאריס הגלם לבבל: ונרוץ הגלגל אל הבור. זו בבל שהיא זווסוק של עולם: (ז) וישב העפר וגו'. מבבל באו לבבל חזרו: והרוח תשוב. זו רוח הקודש שכיון שנסתלקה רוח הקודש גלו: (ח) הבל הבלים. אני רואה בעולם: אמר הקוהלת. מי שבו קבולת ר החכמה: הכל הבל. כל מה שנברא בששת ימי בראשית: (ט) ויותר שהיה קהלת חכם. ויותר ממה שנכתב בספר זה היה קהלת חכם: ואזן. עשה אזנים לתורה כקופה זו שאין לה אזנים לאחוז בה ובא ועשה לה אזנים שתיקן עירובין לסייג ש שמירת שבת ונטילת ידים סייג לטהרה וגזר על

שפתי חכמים

כנדס שאמר תורס כמו דוה לא תאמר לו: ק פי' פתחיתו: ר דקשה לרש"י למה אמר ל' זכר ולעיל אמר ל' נקבה אמרס לכ"ס פי' שבו קבילת החכמה כדפירש לעיל: ש פי' ע"י כך אוחזין ישראל במצות שנתרחקו מן העבירה כדרך שנוח לאחוז בכלי שיש לו בית יד יותר

אבן עזרא

והמבוע. הוא הכבד ונרוץ הגלגל גלגולת הראש שהיתה למעלה לעולם ירדה אל הבור מתחת לארץ: (ז) וישוב. לא ישאר בגוף כי אם העצמות גם הם ישובו עפר: והרוח תשוב. זה הפסוק יכחיש האומרים שהרוח היא מקרה כי המקרה לא ישוב: (ח) הבל. יתכן היות מלת הבל שתי לשונות. האחד כמשקל זהב והשני הידוע על משקל ארץ כמו ויעל עשנו כעשן הכבשן ויסמך בגרי כמו חלב עזים ויש אומרים כי הבל ל' ניווי והענין כמו עזוב. ובא ה"א הידיעה על קהלת בעבור היותו תואר השם כי לא יבא על שם העצ' וכאשר זכר מות האדם אמר נתברר לך מה שאמרתי לך בתחלה הבל הבלים. (ט) ויותר. עוד יתמיד כמו עוד עומאתו בו: ואזן. שירים או חבור מאזני החכמה או הוא מן אזנים כענין השמיע: וחקר. הורה דרכים לעם לחקור

ספורנו

הליחות: ונרוץ הגלגל. הכרם: אל הבור. הטעים התחתונים: (ז) וישוב העפר. החלק הארציי: והרוח תשוב. לתת דין וחשבון: (ח) הבל הבלים. ובכל זה התבאר מעט חשיבות התכלית הנפסדים חה כי מלבד סה שהתכלית בהם מצד עצמם הוא דבר בלתי נחשב. הוא עם זה הבל הבלים התכלית מכלם אינו המכוון האחרון בלי ספק: (ט) ויותר שהיה קהלת חכם. ועם מה שהיה קהלת יותר חכם ויודע משאר חכמי דורו: עוד למד דעת את העם. עוד השתדל יותר מהם ללמד את העם דעת: ולזה אזן וחקר. הורה אותם דרכים להאזין ולחקור דברי הקדמונים: ולזה תקן משלים הרבה. לשבר את האוזן כאמרו וידבר שלשת אלפים

מצודת דוד

לסורידה אל בור הקבר מתחת לארץ: (ז) וישוב כעפר. הגוף שהוא מעפר כי התחלת ילידת האדם כראשון היה מן העפר ישוב או אל כמכן להתהפך להיות עפר כמו שהיה בתחלת היצירה: והרוח. נשמת האדם תשוב אל המקור אשר ממנה נחלבה למעלה אל האלהים אשר נתנה לו בעת הלידה: (ח) הבל הבלים אמר הקהלת. יתכן שאלה דברי המעתיק את הספר ואמר הנה המלך שלמה המאסף הדעות המעמדות יפה הזכיר להבדיל את הסבנים אותם שבהם הכל הבל בלא בא מהם תכלית ראוי ויקר (אבל אין ראוי להבדיל את באחרונה בא מהם תועלת יען נמלא בהם דבר טוב ומועיל) וכאומר סופיל וכן הוא סוף האדם כאמור הנה נתאמת האמור בראשית הדברי' הבל הבלים וגו': (ט) ויותר וגו'. יותר ממה שהיה קהלת חכם בעצמו עוד היה בו מעלה יתרה כי למד דעת את העם והיה מחכים את האחרים: ואזן. היה מאזין להם דברי החכמה כי היה לו לשון למודים להבין לזולת: וחקר. חורה דרכים לעם לחקור בהם החכמה: תקן. עשה וחבר משלים הרבה כמ"ש וידבר שלשת אלפים משל (מ"א ה):

מצודת ציון

(ו) על הארץ. אל הארץ: (ח) הקוהלת. ענין אסיפה וקבוץ כמו קהלת יעקב (דברים לג): (ט) ואזן. מלשון האזנה ושמיעה כמו האזינו

קיצור אלשיך

היא תאות בטן המלאה לה בשר ויין ואל תפתח תאוה זו כי הלא זכור נא כי הלא תשבר כד על המבוע ויהיה נודע מאמר רז"ל על פסוק וזריתי פרש על פניכם כי אחר שלשה ימים שמונה בקבר יבקע כרסו וישפך כל פרשו אשר שבע ודשן על פניו ועל פיו כאומר אליו טול לך מה שנתת בי וזהו וזריתי פרש על פניכם, ואוי לה לאותה בושה, וזה יאמר פה ותשבר כד על המביע, כד הוא הכרס אשר הוא ככד יבקע על המבוע הוא הפה שהוא מבוע הגוף וחרפה היא לך, לכן מעתה המלט ממנה, וגם הנ' היא זמה נגעל בה ושוב ממנה כי הלא זולת עוניך ימהרו רוין נלגלתך אל בור שחת כי יתרוקן כח הראש וחושיו וקל מהרה יכהרו מרוצות הגולגולת אל הקבר ולא יחצו ימיו וזהו ונרוץ הגלגל אל הבור וזה אשר צויתיך תעשה עד אשר לא ירתק חבל הכסף כי אם לא תעשה כה וירתק כי ישתלשו שלש החמדות דע כי (ז) וישוב העפר הוא עצמך ובשרך עודנו על הארץ כמו שהיה מתחלה טרם הנתן בה נשמה רק משולל נפש לעולם כי לא תשוב תחיה עוד גופך ויהפך לגוש עפר ארץ כשהיה כי הנפש אשר היתה בו עפר אחר יקח לה אך זאת תלונתי עליך כי אחר שהעפר חוזר אל עיקרו וישיב נא דרוה אל עיקרו אל האלהים, וזהו מאמר רוח הקודש כמתלוננת ואומרת והרוח מי יתן תשוב אל האלהים אשר נתנה כי נתנה לך טהורה ובמעשיך טמאתיה, כלל הדברים כי טוב לגבר ליזהר שלא יחטא ואם חטא לא יאחר מלשוב עד ה' מהבחרות טרם יזקין ואם יזקין ישוב בראשית זקנתו ולא אחריה וגם לא לפני מותו סמוך למיתתו כי גם שלא ינעלו בה איננה תשובה מעולה:

(ח) הבל הבלים. הנה שלמה בתחלת הספר ההביל כל עניני העולם הזה אשר לא עבודת שמים הוא וכן במקומו בספר אמר גם זה הבל ועתה בחתימת הספר באה רוח הקודש לתת סמיכה למאמריו בל יראה שההביל מה שהי' ראוי שלא להבל ותאמר שכל הבל הבלים שאמר הקהלת הידוע הכל הבל במאמר וכי אין דבר שלא יהיה כן זולתי עבוד את ה' וע"כ הוטלה ה"א בראש תיבה כ"א היה אומר אמר קהלת היה נראה שהוא דברי שלמה בעצמו כדרכו ע"כ נאמר הקהלת שהם דברי רוח הקדש על הקהלת כידוע:

(ט) ויותר שהיה, עוד באה רוח הקדש בסוף הספר הזה ללמדנו דעת בכמה דברים, א' שלא יאמר איש די לי חכמתי אשר חכמתי לי, ומה לי עוד ללמד

into the pit. 7. And the dust returns to the earth as it was, and the spirit returns to God, Who gave it. 8. "Vanity of vanities," said Koheleth; "all is vanity." 9. And more [than this], Koheleth was wise, he also taught knowledge to the people; he listened and sought out, he established

7. **And the dust returns, etc.**—*They came from Babylon and they returned to Babylon*—[*Rashi*]

and the spirit returns—*This is the holy spirit, for as soon as the holy spirit departed, they were exiled.*—[*Rashi*]

According to the first interpretation, *Mezudath David* explains the end of verse 6 as follows:

[6] **and the golden fountain is shattered**—This is the brain, which is like a flowing fountain, conveying moisture to the spinal cord, and because the membrane is red, it is called the golden fountain, since the color of gold has a reddish tinge. After one's demise, the brain no longer conveys moisture to the spinal cord.

and the pitcher breaks at the fountain—This is the gall bladder, which will tear, and the bile will spill onto the liver at the place where it is connected. This is compared to a pitcher full of water being broken on a fountain, and the water in the pitcher runs back into the fountain, which does not need the water. Similarly, the bile is not needed by the liver, for while a person is alive, the Rabbis tell us that when the liver is angered, the gall bladder injects a drop into it, and it calms down. After a person's demise, however, there is no need for it.

and the skull is hastened to the pit—The skull, which was always held aloft, is hastened to the grave, under the ground.

[7] **And the dust returns**—The body, which is derived from dust, for the beginning of the creation of Adam was from dust. It will return to the earth to turn into dust as it was originally.

and the spirit returns—Man's soul returns to the source from which it was hewn above, to God, Who put it into him at the time of his birth.

8. **Vanity of vanities**—*I see in the world.*—[*Rashi*]

said Koheleth—*he who had a collection of wisdom within him.*—[*Rashi*]

all is vanity—*all that was created in the six days of Creation.*—[*Rashi*]

Mezudath David conjectures that the copyist wrote this verse. He says that King Solomon, who collected all conflicting existing wisdom, was right in his warning to declare all things that are of no value to be vanity, (but it is not fitting to declare things vanity if any desirable end can be attained from them). This is to say that since that is the end of man, as stated above, the premise stated at the beginning of the book: "Declare vanities to be vanity," is hereby substantiated. *Ibn Ezra* also states that when he mentions man's death, he has

מְשָׁלִים הַרְבֵּה׃ י בִּקֵּשׁ קֹהֶלֶת לִמְצֹא דִּבְרֵי־חֵפֶץ
וְכָתוּב יֹשֶׁר דִּבְרֵי אֱמֶת׃ יא דִּבְרֵי חֲכָמִים כַּדָּרְבֹנוֹת
וּכְמַשְׂמְרוֹת נְטוּעִים בַּעֲלֵי אֲסֻפּוֹת נִתְּנוּ מֵרֹעֶה אֶחָד׃
יב וְיֹתֵר מֵהֵמָּה בְּנִי הִזָּהֵר עֲשׂוֹת סְפָרִים הַרְבֵּה אֵין

תו"א בקש קהלת. ר"ה כה: דברי חכמים. חגיגה ג: ויותר מהמה. ערובין כא:

תרגום

וברוח נבואה מן קדם יי תקין ספרי חוכמתא ומתילין דסוכלתנו סגיאין לחדא: י בעא שלמה מלכא דמתקרי קהלת בחוכמתיה למידן דינין על הרהורי לבא דאנשא ובלא סהדי בכן אתאמר ליה ברוח נבואה מן קדם יי הא כבר אכתיב בספר אורייתא על ידוהי דמשה רבהון דישראל תקין פתגמין ומהימנין על מימר סהדיא יקום פתגם: יא דברי פתגמי חכימין מתילין לזקתין ולקלשונין דאציתין דאנצין לאלפא חוכמתא לסריקי סנדעא היכמא דמאלף זיקת להורתא ורבני סנהדרין מרי הלכתין ומדרשין דאתיהיבו על ידוי דמשה נביא דרעא בלחודוהי ית עמא בית ישראל במדברא במנא ובריגוגין: יב ויתר ויתיר מנהון בני הזדהר למעבד ספרי

שפתי חכמים

מצאין לו כ"ס רש"י בפ' ב' דעירובין: ת קשה מה בקש שלא בפסוק שקודם אמר שלימד דעת וגומר. לכ"ס נתן לבו וכו': א נראה בעל כן

רש"י

השניות סייג לעריות: (י) בקש קהלת. נתן לבו והזרת על הדבר ומלאו: דברי חפץ. הלכ' למשה מסיני: וכתוב ישר. זה התורה שבכתב והנביאים: (יא) דברי חכמים. שעשו סייג לתורה בגזירות להרחיק את האדם מן העבירה כגון אכילת קדשים עד השחר והם אמרו עד חצות וקריאת שמע דערבית כמו כן: כדרבנות מה דרבן זה מכוון את הפרה לתלמיה כך דבריה' מכווני' את האד' לדרכי חיים: וכמשמרות נטועים. מה מסמר זה קבוע אף דבריה' קבועים ומה נטיע' פרה ורבה אף דבריהם פרים ורבים למוצא בהם טעם: בעלי אסופות: מסמרים שיש להם גולגולת אסופה ונסה גרוס"ה בלע"ז כן פירשו דונש בן לברט: נתנו מרעה אחד. כל דבריהם דברי אלהים חיים הוא אמרן ורועה אחד א נתנן משה מפי הגבורה: וכמשמרות. כתוב בשי"ן שהתורה בעשרים וארבעה ספרים כמנין משמרות כהונה ולויה: (יב) ויותר מהמה בני הזהר. ויותר מיושר דברי אמת דברים הכתובים בספרים הנזכרים למעלה. בני הזהר. נשמור דברי חכמים ואם תאמר אם יש בהם צורך למה לא נכתבו: עשות ספרים הרבה אין

כפורנו

משל: (יא) דברי חכמים כדרבנות. מישרים את האדם אל האושר הנצחי ובכן התכלית בהבנתם דבר נחשב מאד: וכמשמרות נטועים. אמנם קשה להבינם כמו שיש טורח רב להוציא מסמר נטוע ממקומו ולכן הרבה להורות דרכים להבינם: בעלי אסופות. כי אעפ"י שהם כמסמרות נטועים כמו הבעלי אסיפות מהם שיש בראשם אסיפת ברזל אשר בו יוכל החפץ בם להוציאם לאור בצבת או בזולתה: נתנו ברועה אחד. מרועה ישראל בתורתו שבכלל דבריו דבריהם: (יב) ויותר מהמה. יותר מאותם החכמים שאמרתי: בני הזהר. להבין ולהורות: עשות ספרים הרבה אין קץ. והטעם שלא פירש הרועה את דבריו הוא כי היו צריכים לזה ספרים רבים ויחברו מחברות אף על פי שיחלקו. כלם לימדם בורא אחד: ומלת רועה. בעבור שדימה האדם לבהמה הצריכה דרבונות. (יב) ויותר. הזהר מעשות ספרים כמו השמרו לכם עלות בהר וענין עשות קצות או כתיב' כי אין קץ להם.

אבן עזרא

בהם החכמ' ויהי' פועל יוצא לשנים פעולים. תקן משלים הרבה וידבר שלשת אלפים משל: (י) בקש קהלת למצוא דברי חפץ היא החכמה העליונה עד שמצא והענין מה החפץ יש בזה שנברא כך ולמה כך: וכתוב יושר. הוא פירוש וכמוהו על ספר הישר ואינו אללנו: (יא) דברי. יש בדברי הקדמונים דברים שהם כדרבונות לבהמה שמיסרים ומפקחים הנפש ויש כמסמרות נטועים הגדולים שיאספו הדלתות שלא יתפרדו וזאת תורת האדם ויש אומרים וכמסמרו' נטועים דברי בעל אסופות הם הלוקטים מספרים

מצודת ציון

השמים (שם לה) וסוא מל' אזן: תקן. עשה וחבר: (יא) כדרבנות. הוא כעין מחט תחוב בראש מלמד הבקר לכוין אותם להחרישה כמו ולהציב הדרבן (ש"א יג): וכמשמרות. וכמו וכמסמרות בסמ"ך והוא מל' מסמר ויתד: נטועים. מלשון נטיעה: אספות. מל' אסיפה וקבוץ: (יב) ולהג. אין לו דומה ולפי ענינו פתרונו ענין התעסקות בלמוד וכן תרגומו ולמעסק בפתגמי אורייתא ובפייט של ר"ס בלהג

מצודת דוד

(י) בקש קהלת כו'. כל הדברים שהיה חפץ לדעת' היה מבקש למצוא אותם כי היה מטריח עצמו לעמוד על האמת: וכתוב ישר. גם היה מבקש ומחפש כתיבת יושר מבלי עול ודברי אמת מבלי הטעה' וזהו השכל' מה שהשכיל: (יא) דברי חכמים. כי דברי החכמים המה כדרבנות מה דרבן מכוון את הפרה לתלמי השדה כן דברי חכמים מכוונים את האדם לדרכי החכמה: וכמשמרות נטועים וגו'. דברי בעלי האסופות הם המלקטים מספרים שונים ויחברו מחברות המה דברים קבועים כמסמר התקוע במקום תחיבתו ועוד המה פרים ורבים כאלו היו נטועים באמרו ר"ל דבריהם קיימים ועוד יוכל החכם להוציא מהם טעמים רבים: נתנו מרועה אחד. אף שיש בהם דעות מבני אדם שונים כלם מאהיים כי חכמת כולם נתנו מן המקום ב"ה החונן לאדם דעת ולפי שדימה את האדם לבהמה הצריכה דרבונות אמר לשון רועה המלמד את הבהמה: (יב) ויותר מהמה בני הזהר. אמר דרך חיבה אתה בני הזהר עוד יותר במעשיך ממה שנאמר בספרים האלה המלמדים לזהר: עשות וגו'. כאומר אם תשאל

קיצור אלשיך

ללמד גם את זולתי, על זה אמר ויותר שהיה קהלת חכם לא אמר די לי כי חכמתי כי עוד למד דעת את העם והוא למוד גדול אל כל חכמי לב הבאים אחריו לעשות ספרים של חכמה ומוסר והדרכות בל יעשה אותם מרוח מבינתי מענין שכלי משולל תורת ה' תמימה כדרך חכמי א"ה רק על פי התורה ומיוסד על פיה שע"כ אמרו רז"ל שכל מה שכתוב בכל הנביאים וכתובים הכל רמוז בתורה וז"א אזן וחקר וכו' לומר אזן מרבותיו חקר דבר מתוך דבר ומהן תקן משלים הרבה ולא מגזרת שכלו והוא (י) כי בקש קהלת למצא דברי חפץ שיהיו משליו הנזכרים דברים של חפץ ה' ומצא כתוב יושר באמרי אמת הם אמרי התורה שהם דברי אמת כי בם מצא כתוב כל אמרי מוסריו, הלא הוא כי הנה (יא) דברי חכמים כמו דרבונות שהם מוסרים המיישרים את האדם לעבודת ה' כדרבן המיישר את הפרה לעבודת בעליה וכמו מסמרות נטועים הם משפטי התורה שבמשנה ובריתא שהם כמוסרים שאין לשנות מהם כמלא נימא כמשפטי הדת שהיו כמסמרות נטועים שאין לנטות מהם דבר וכל בעלי אסופות הן מימרות שמאספין מכאן ומכאן כל הדברים האלה נתנו מרועה אחד הוא משה רועה ישראל מסיני מפי הגבורה, עוד למיד ג' והוא לעשות כמעשה שלמה בספריו כי אהב הקצור בתכלית, וזה יאמר כמיעץ את עושה ספרים וזה יאמר (יב) ויותר מהמה בני הזהר שהוא לשון הגייה ודבור כמו שאמרו רז"ל כי הגייה הרבה היא יגיעת בשר וטוב טוב הקצור והוא מאמר רז"ל לעולם

many proverbs. 10. Koheleth sought to find words of delight and properly recorded words of truth. 11. The words of the wise are like goads, and like well-fastened nails with large heads, given from one shepherd. 12. And more than they, my son, beware; making many books has no

substantiated the statement made at the beginning of the Book.

9. **And more [than this], Koheleth was wise**—*And more than what is written in this Book, Koheleth was wise.*—[*Rashi*]

he listened—Heb. אִזֵּן. *He made ears* (handles) *for the Torah, like a basket which has no ears with which to hold it, and he came and made ears for it, for he instituted "Eruvin" as a safeguard for the observance of the Sabbath, and he instituted the ritual washing of the hands as a safeguard for purity, and he instituted secondary forbidden marriages as a safeguard for the prohibitions against incest.*—[*Rashi* from *Eruvin* 21b, *Yevamoth* 21a]

Mezudath David renders: And in addition to the fact that Koheleth was wise, he also taught the people wisdom, i.e., in addition to the fact that Koheleth was a wise man for himself, he had another virtue, viz. that he taught the people, and made others wise.

and he let them hear—He let them hear words of wisdom, for he was a talented teacher.—[*Mezudath David*]

and sought out—He taught the people the ways to fathom wisdom.—[*Mezudath David*]

he established—He formulated and composed many proverbs, as it is written (I Kings 5:12): "And he spoke three thousand proverbs."—[*Mezudath David*]

The *Targum* renders: Solomon, who was called Koheleth, was wiser than all the sons of men, and he further taught knowledge to the people of the House of Israel, and he listened to the voice of the wise, and he searched in books of wisdom, and with the spirit of prophecy from before the Lord, he composed books of wisdom and many astute proverbs.

10. **Koheleth sought**—*He set his heart and sought the matter and found it.*—[*Rashi*]

words of delight—*the halachah to Moses from Sinai.*—[*Rashi*]

and properly recorded—*This refers to the Written Torah and the Prophets.*—[*Rashi*]

Mezudath David explains:

Koheleth sought, etc.—He sought all the things that he desired to know, for he toiled to arrive at the truth.

and properly recorded—He also sought to find written treatises recorded properly, without any injustice, and words of truth, without any misleading language.

The *Targum* paraphrases: King Solomon, who was called Koheleth for his wisdom, sought to promulgate legal decisions by judging people's thoughts, dispensing with witnesses. Then it was said to him with the spirit of prophecy from before the Lord, "It has already been written in the Book of the Torah through Moses, the master of Israel, perfect and faithful words (Deut. 19:15): By the word of...witnesses shall a decision be made." The Talmud (*Rosh Hashanah* 21b) gives a similar interpretation: Koheleth sought to judge what was in people's hearts, without witnesses and without fore-warning. A heavenly voice emerged and said, "And properly recorded words of truth. By the word of two witnesses, etc."

Another explanation given by the Talmud (ad loc.) is that Koheleth sought to be like Moses. A heavenly voice emerged and said to him, "And words of truth recorded properly." (ibid. 34:10): "And no prophet has arisen in Israel like Moses."

11. **The words of the wise**—*They made a fence for the Torah with decrees to distance a person from sin, e.g. eating hallowed things until dawn, and they said "Until mid-night," and likewise, the evening recitation of the Shema* [which the Torah permits until dawn, and the Sages limited to midnight](*Ber.* 1:1).—[*Rashi*]

are like goads—*Just as this goad directs the cow to its furrows, so do their words direct a person to the ways of life.*—[*Rashi*, adapted from *Ecc. Rabbah*] *Ecclesiastes Rabbah* reads: Like this goad, which directs the cow in order to plow and in order to give life to its owner, so do the words of Torah direct those who study them from the ways of death to the ways of life.

Mezudath David explains that the words of the wise direct a person in the ways of wisdom.

Sforno explains that they direct a person to eternal happiness. Consequently, the aim in under-standing them is a matter of great importance.

and like well-fastened nails—*Just as this nail is fastened, so are their words fastened* [i.e., permanent], *and just as a sapling* (נְטִיעָה) *is fruitful and multiplies, so are their words fruitful and multiply, to find for them a reason.*—[*Rashi*]

with large heads—Heb. אֲסֻפּוֹת, *nails that have a large and thick head, grosse in French, large. So did Dunash the son of Labrat explain it (Teshuvoth Dunash*, p. 44).—[*Rashi*]

Ibn Ezra and *Mezudoth* follow *Menahem* (*Machbereth Menahem*, p. 28), who explains אֲסֻפּוֹת as gathering. Like nails that join two boards together, so are the words of the wise gathered from various books and joined together.

given from one shepherd—*All their words are the words of the living God. He said them, and one shepherd gave them, viz. Moses from God.*—[*Rashi* from *Ecc. Rabbah*] *Sifthei Hachamim* points out that the letters of the word מֵרֹעֶה, spelled defectively, are the initials of מֹשֶׁה רַבֵּנוּ עָלָיו הַשָּׁלוֹם.

וּכְמַשְׂמְרוֹת—*This is written with a "sin,"* [rather than a "sammech"], *for the Torah (Tenach), with the twenty-four books coincide with the number of the watches* (מִשְׁמָרוֹת) *of the priests and the Levites.*—[*Rashi* from *Ecc. Rabbah*]

Ibn Ezra and *Mezudath David* explain that although the views expressed by the Sages from all these books sometimes differ, they were all taught by one Creator. He is referred to as "One Shepherd" because man was compared to an animal that requires a goad.

Sforno explains that the words of the wise are as difficult to comprehend as it is difficult to pull out nails that have been hammered into a board, whose heads are balls of iron, which can be pulled out with tongs.

from one Shepherd—from the Shepherd of Israel in His Torah, for included in His words are their words.

Note that in *Ecclesiastes Rabbah*, both Moses and God are referred to as a shepherd.

12. **And more than they, my son, beware**—*more than the uprightness of the words of truth, the words written in the aforementioned books.*—[*Rashi*]

my son, beware—*to observe the words of the Sages. Now if you ask, "If they are necessary, why were they not written down?"*—[*Rashi*]

making many books has no end—*If we would attempt to write, we would be unable to do so.*—[*Rashi* from *Eruvin* 21b] *Mezudath David* explains the verse similarly, elaborating as follows:

And more than they, my son, beware—He speaks affectionately: You, my son, be more heedful with your deeds than is written in these books, which teach you to be heedful.

making many books, etc.—It is as if to say: If you ask, "Why did they not write in the books all that one should be heedful of?" I will tell you that if they wrote many books to warn people of everything they should beware of, there would be no end to such books, for one must be heedful of many things, and it is impossible to write everything in books.

קץ ולהג הרבה יגעת בשר: יג סוף דבר הכל נשמע
את־האלהים ירא ואת־מצותיו שמור כי־זה כל־
האדם: יד כי את־כל־מעשה האלהים יבא במשפט
על כל־נעלם אם־טוב ואם־רע:

תרגום — חוכמתא סגי עד לית סוף ולמעסק בפתגמי אוריתא ולאסתכלא בליאות בשרא: יג סוף פתגם דאתעבד בעלמא בצנעא כולא עתיד לאתפרסמא ולאשתמעא לכל בני אנשא בגין כן ית מימרא דיי הוי דחיל וית פקודוי הוי נטיר דלא למיחב בסתרא ואין תחוב הוי זהיר למיתב ארום כדין חזי למהוי אורח כל אנש: יד כי ארום ית כל עובדא דיי יעיל ליום דינא רבא ועתיד לפרסמא על פתגם דאתכסי מן בני אנשא אין טב ואין ביש:

סוף דבר הכל נשמע את האלהים ירא ואת מצותיו שמור כי זה כל האדם: סימן יתק"ק

סכום פסוקי ספר קהלת מאתים ועשרים ושנים. וסימנו מה שהיה כבר נקרא שמו. וגם חציו מה שהיה כבר נקרא שמו. וסדריו ארבעה וסימנו אבא בם אודה יה. ופרקיו י"ב וסימנו כי זה כל האדם:

תו"א סוף דבר. ברכות ו שבת ל: כי זה. גיטין סח: על כל נעלם. חגיגה ה

רש"י

קץ. אם באנו לכתוב לא הספקנו: ולהג הרבה יגיעת בשר. ואם בא לתת לב לגירסא ב הבילות יותר ממה שאין הלב משיג יגיעה היא לבריות שאין להשיג ואל יאמר הואיל ולא אוכל לגמור המלאכה למה אתחיל. אך: (יג) סוף דבר הכל נשמע את האלהים ירא. מה שתוכל עשה ילכך לשמים: ואת מצותיו שמור כי זה כל האדם. כי לדבר הזה נברא כל האדם: (יד) כי את כל מעשה. אשר אדם עושה ג יביא האלהים במשפט. ולכך נקוד מעשה פת"ח והטעם למעלה לפי שאינו דבוק לשם: על כל נעלם. אפילו על השוגג: אם טוב ואם רע. אפילו נכשל במצוה ד כגון נותן צדקה לעני בפרהסיא: סוף דבר הכל נשמע את האלהים ירא וגו':

נשלם פירוש ספר קהלת

שפתי חכמים

מרעה חסר להורות על נוטריקון משה רבינו ע"ה: ב רש"י מוליא מלה להג מל' הגים כמו לסגות והלמ"ד שמושית אלא ששנה שרשית מרוב הרגל המלה ומקרה הסוף קרה לה כמו שקרה למלת תורמין כי הת"ו איננה עיקר ונעשית שרשית אלל חז"ל וכמו שכתב ר' יונה המדקדק אשר הביאו הרלב"ע בפירושו למגלת אסתר על מלת מתיהדים שלדעת ר' יונה גם היא ככה: ג ק"ל למה יביא במשפט על מעש' האלהים שהם טובים וישרים. לכ"פ אשר אדם כו' ומביא ראיה מנקוד ושעם המלה ולכך נקוד מעשה פת"ח פי' השי"ן נקוד בסגו"ל שהוא פת"ח קטן ואלו היה דבוק היה נקוד השי"ן בקמ"ץ קטן בליר"י והטעם למעלה פי' זקף על השי"ן ואלו היה דבוק היה נקוד במונח תחת השי"ן: ד דקשה לרש"י למה יביא אותו במשפט על טוב לכ"פ אפילו נכשל במצות וזהו אם טוב:

אבן עזרא

ולמ"ד להג שרש כלמ"ד למד דעת כמשקל להם החרב ואין לה דומה ובלשון ישמעאל הוא כמו קריאה: (יג) סוף דבר. כבר השמעתיך הכל או שמעת כל מחלוקת החכמים. זה עשה את האלהים ירא: כי זה כל האדם. ישוב לענין שעבר שהוא האדם בחייו ובמותו הבל ועניינו כי זה מקרה כל האדם. או כי זה עיקר כל האדם וישוב ליראת השם הנכבד והנורא: (יד) כי את. סוד שלא זכר בספר בראשית עד ויכלו לשם שם כי אם האלהים הוא סוד ספר קהלת. וענין על כל נעלם כל מעשה נראה שתעשה יובא במשפט כפי הנעלם והענין כפי כונת הלב אם טוב ואם רע. ויש אומרים ואפילו כל דבר שנעלם ממך והראשון יותר נכון בעיני. וברוך היודע האמת ומחסדיו אשאל לכפר שגיאותי ויעיר *כבודי עד יודיעני אורח חיים:

ספורנו

אין קץ: ולהג הרבה. הנה להגות בהם הרבה: יגיעת בשר. היו הכחות החומריות נלאות ולא יספיק זמן חיי האדם לעשות כל זה: (יג) סוף דבר. סוף והתכלית כל האמור למעלה הוא הכל נשמע שהכל כבר נשמע במתן תורה: ולכן אתה את אלהים ירא. בהבנת גדלו בעיון אמתי בתורתו: ואת מצותיו שמור. במעשה מכוון לשמור מצותיו לכבודו: כי זה שתמצא ותבין בתורת קדשו: כל האדם. הוא המכוון במציאות כל כחות האדם לא באשר הוא בעל חי בלבד. אבל באשר הוא עם זה משכיל ובעל בחירה: (יד) כי את כל מעשה האלהים. כל מעשי רצוניי שנעשה עם ידיעת והכרת השכלי שהוא אלהים ועצם רוחני. יביא במשפט. אותו בלבד יביא במשפט לא מעשה החיונית והטבעית: על כל נעלם על כל גמול ועונש נצחי אשר נעלם ממנו מהותו: אם טוב ואם רע. הן שיהיה אותו המעשה טוב וראוי לגמול והן שיהיה רע וראוי לעונש להגיד לאדם ישרו וחסדיו כי חפץ חסד הוא אמן:

מצודת דוד

מפני מה לא כתבו בספרים מכל מה שראוי להזהר ואמר לעשות ספרים הרבה להזהיר בהם מכל מה שיש להזהר לא יהיה קץ אל כספרים ההם כי מדברים הרבה מאד יש לה זהר ולא"א לכתוב הכל בספרים: ולהג הרבה. ועוד לקרוא הרבה בספרים מרובים יגיעה היא לבני האדם הקריאה והזכירה ולכן משכלו יזכר האדם ממה שראוי להזכר: (יג) סוף דבר. תכלית כל דבר: הכל נשמע. כל מה שהאדם עושה נשמע הוא לפני המקום ב"ה ולא נכחד ממנו דבר לכן את האלהים ירא שלא לעבור על דבריו מה שהזהיר שלא לעשות: שמור. לעשות אותם: כי זה כל האדם. ר"ל מה שנאמר למעלה מה מיקרה לאדם בחייו ובמותו זהו המקרה של כל האדם אין נעדר ולכן מאד הזהר במצות המקום ב"ה: (יד) כי את כל מעשה. את כל מעשה האדם אשר יעשה: האלהים יביא במשפט. המקום ב"ה יביא אותם במשפט לשפוט עליהם: על כל נעלם. ר"ל לא לפי הנראה לבני האדם רק כפי כוונת הלב הנעלם מן הבריות: אם טוב. בין אם היה הכונה לטובה בין אם היה הכונה לרעה לפיכן ישפוט וישלם גמול וכאומר לכן את האלהים ירא ואת מצותיו שמור:

מצודת ציון

מלהגים ובלשון ישמעאל היא כמו קריאה: בשר. כן יקרא האדם וכמ"ש יבוא כל בשר להשתחות לפני אמר ה' (ישעיה סו):

קיצור אלשיך

לעולם ילמד אדם לתלמידיו דרך קצרה:
(יג) **סוף** דבר הכל נשמע בספרי והעולה הוא את האלהים ירא אלו מצות ל"ת ואת מצותיו שמור זו מצות עשה בקום ועשה כי זה שהוא מל"ת ומ"ע כל כללות האדם רמ"ח מ"ע כנגד רמ"ח אבריו ושס"ה מל"ת כנגד שס"ה גידיו נמצא כל האושר כלול בו כי בהם יתקדש כלו כענין אשר קדשנו במצותיו. (יד) כי את כל מעשה. הן מוזן הבחרות והן מעת הזקנה האלהים יביא במשפט, ועל כל נעלם אם טוב ואם רע, רצה בזה כי על גוף ועצם המעשה הטובה היא אם רעה יביאך במשפט, והנה חתם המלך החכם את ספרו בהשלשה עקרים הגדולים אשר מחויב כל איש ישראל להיות אמונתו נשרשת בהם, הלא המה מציאות ה' ותורה מן השמים ושכר ועונש, נגד הא' אמר את האלהים ירא, נגד הב' אמר ואת מצותיו שמור, נגד הג' אמר כי את כל מעש' יביא במשפט להעניש ולהשכיר פרטי האד' וכחותיו:

תם ונשלם שבח לאל בורא עולם

end, and studying much is a weariness of the flesh. 13. The end of
the matter, everything having been heard, fear God and keep His
commandments, for this is the entire man. 14. For every deed God
will bring to judgment—for every hidden thing, whether good or
bad. 13. The end of the matter, everything having been heard, fear
God and keep His commandments, for this is the entire man.

and studying much is a weariness of the flesh—*And if he comes to memorize large amounts, more than the heart can grasp, that is weariness to man, but let one not say, "Since I cannot complete the work, why should I begin?" But*—[*Rashi*]

13. **The end of the matter, everything having been heard, fear God**—*What you can, do, and let your heart be to Heaven.*—[*Rashi*]

and keep His commandments, for this is the entire man—*Because, for this matter, the entire man was created.*—[*Rashi*] The Rabbis (*Ber.* 6b) explain: The entire universe was created only because of this one. Others interpret it to mean that this one is equated with the entire universe. Still others say that the entire universe was created only to accompany this one, i.e., to remove his grief, his desolation, and his loneliness.—[*Rambam*, Introduction to Mishnah Commentary on *Seder Zeraim*]

Mezudath David explains:

The end of the matter—The end of each thing.

is that everything is heard—Everything a person does is heard before the Omnipresent, blessed be He, and nothing is concealed from Him. Therefore, fear God, not to transgress His words, but to keep what He interdicted.

keep His commandments—to do what He commanded.

for this is the entire man—i.e., what is stated above: that which happens to a person in his lifetime and after his death is the fate of every man, without exception. Therefore, be very careful to keep the commandments of the Omnipresent, blessed be He.

The *Targum* paraphrases: The end of everything that is done in the world in secret is that it will ultimately be publicized and heard by all people. Therefore, fear the word of the Lord and keep His commandments, not to sin in secret, and if you do sin, be careful to repent, for this is the way of all men.

Ibn Ezra explains:

The end of the matter, all has been heard—I have let you hear, or you have heard, all the controversy of the wise men. Do this: fear God.

for this is the entire man—All that happens to man in his lifetime and after his death is vanity. Therefore, fear God. Alternatively: fear of the Lord is the entire man.

14. **For every deed**—*that a person performs, God will bring to judgment. Therefore,* מַעֲשֶׂה *is vowelized with a "pattah,"* [meaning a "*seggol*"], *and*

the cantillation sign is above, since it is not connected to the name [of God].—[*Rashi*] *Rashi* means that we should not connect the two words and interpret them to mean, "for every deed of God," for were that the case, it would be vowelized מַעֲשֵׂה, but since it is vowelized מַעֲשֶׂה, it is not in the construct state, but in the absolute state. Another proof is that the cantillation sign is a *zakef katon*, which appears above the accented syllable. This sign denotes a slight pause, separating it from the following word. If this were in the construct state, it would be cantillated with a *munnah*, which appears below the accented syllable. This would connect it to the following word.—[*Sifthei Hachamim*]

for every hidden thing—*even for the unintentional sin.*—[*Rashi*]

whether good or bad—*even if he stumbled in* [the performance of] *a commandment, such as giving charity to a poor man in public,* [causing him embarrassment].—[*Rashi*]

The end of the matter, everything having been heard, fear God, etc.—[*Rashi*] [*Rashi* inserts the preceding verse to end his commentary on a positive note. See the end of Lamentations.]

The *Targum* paraphrases: For every deed God will bring to the great Judgment Day, and He is destined to publicize the matter that is hidden from mankind, whether good or bad.

Ibn Ezra and *Mezudath David* explain:

for every hidden thing—not according to what appears to people, but according to the intention of the perpetrator, which is hidden from other people.

whether good—Whether the intention was good or bad, God will judge accordingly. Therefore, fear God and keep His commandments.—[*Mezudath David*]

BIBLIOGRAPHY

BIBLIOGRAPHY

I. Background Material

1. Five Megillot with twelve commentaries, including *Targum*, *Rashi*, *Ibn Ezra*, *Mezudoth*, an abridged edition of *Alshich* and other commentaries. Jerusalem: Lewin Epstein-Wechsler Publishers.

2. *Talmud Bavli* (Babylonian Talmud). Multi-volume corpus of Jewish law and ethics, compiled by Ravina and Rav Ashi, 500 C.E. All Talmudic quotations, unless otherwise specified, are from the Babylonian Talmud.

3. *Midrash Rabbah*. Homiletic explanation of the Pentateuch and Five Megillot. Compiled by Rabbi Oshia Rabbah (the Great), late *Tannaite*, or by Rabbah bar Nahmani, third generation *Amora*. *Exodus Rabbah*, *Numbers Rabbah*, and *Esther Rabbah* are believed to have been composed at a later date. In this volume, *Lamentations Rabbah* and *Ecclesiastes Rabbah* are generally quoted.

4. *Midrash Lekach Tov*. Talmudic and Midrashic anthology on the Pentateuch and Five Megillot, by Tobias the son of Eliezer, medieval scholar and exegete, believed to have lived in Greece at the end of the eleventh and the beginning of the twelfth centuries. *Midrash Lekach Tov* on Lamentations was published by Albert Greenup, London, 1908. *Midrash Lekach Tov* on Ecclesiastes was published by Gerson Feinberg, Berlin 5664 (1904). Reprinted, Jerusalem, 5727 (1967).

5. *Midrash Tanhuma*. A midrash on the Pentateuch, based on the teachings of R. Tanhuma bar Abba, Palestinian *Amora* of the fifth century C.E. An earlier *Midrash Tanhuma* was discovered by Salomon Buber. It is evident than this is the *Tanhuma* usually quoted by medieval scholars, e.g. *Rashi*, *Yalkut Shimoni*, and *Abarbanel*.

6. *Midrash Psalms*. Known in Hebrew as *Midrash Tehillim*, *Midrash Shoher Tov*, or *Aggadath Tehillim*. Homiletic explanation on Book of Psalms. Authorship not definitely established. New York: 1947.

7. *Midrash Zuta*. Homiletic explanation of the Five Megillot with the exception of Esther, quoted by many early commentators. Published by Salomon Buber in 1895 and reprinted in Tel Aviv without a date.

8. *Pesikta d'Rav Kahana*. Homiletic dissertations of special Torah readings and *haftoroth*. Composed by Rav Kahana, early *Amora*, at the time of the compilation of *Talmud Yerushalmi*. First published by Salomon Buber. Recent edition published in Jerusalem, 5723.

9. *Sifré*. Tannaitic work on Numbers and Deuteronomy. Some attribute its authorship to Rav, first generation *Amora*. Printed with *Malbim* below text of Numbers and Deuteronomy.

10. *Targum*. Aramaic paraphrased translation, believed to have been composed during the Talmudic era.

11. *Yalkut Shimoni*. Talmudic and Midrashic anthology on the Bible, composed by R. Simon Ashkenazi, thirteenth century preacher of Frankfort am Main. Earliest known edition dated 1308, in Bodleian Library. Sources traced by Dr. Arthur B. Hyman, in "The Sources of the Yalkut Shimoni," Mossad Harav Kook, Jerusalem, 1965.

II. Medieval Commentaries and Source Material

1. *Abraham Ibn Ezra*. Noted ninth century Spanish Bible commentator. Commentary on all Five Megillot.

2. *Rabbi Shmariah Akriti*. Commentary by eleventh century philosopher and Bible commentator, rabbi in Crete. Published together with the commentary of Saadiah Gaon on the Five Megillot, Jerusalem: Rabbi Joseph Kaffach, 1962.

3. *Rabbi Isaac Ibn Latif*. Kabbalist and philosopher, 1220-c. 1290. Commentary on Ecclesiastes. No date or place of publication.

4. *Rabbi Isaiah da Trani*. Commentary on Hagiographa, including Proverbs, Job, Daniel, Ezra, Nehemiah, and the Five Megillot. Jerusalem: Wertheimer, 1978.

5. *Rokeach, Rabbi Eleazar of Worms*. Commentary on Ecclesiastes and Lamentations by noted German scholar in the fields of halachah and ethics, mid-twelfth century. Bnei Brak: Julius Klugman, 1975.

6. *Saadia Gaon*, Gaon of the Academy of Sura, Babylonia. Noted Biblical exegete, halachic authority, and philosopher, 892-942. Arabic translation and commentary on the Five Megilloth. Translated into Hebrew by Rabbi Joseph Kaffich, Jerusalem, 1962.

III. Modern Commentaries

1. *Rabbi Moshe Alshich*. Commentary on the Five Megilloth by renowned scholar in Safed, 1508-c. 1600.

2. *Mattenoth Kehunnah*. Commentary on *Midrash Rabbah*, by Rabbi Yissachar Ber Hakohen, sixteenth century scholar.

3. *Mezudath David* and *Mezudath Zion*, by Rabbi Yechiel Hillel Altschuller. Simple and concise 18th century Bible commentary.

4. *Palgei Mayim*, commentary on Lamentations by Rabbi Jacob Lorberbaum, renowned Talmudic and halachic scholar, 1760-1832.

תקונים והשמטות

הקדמה לפירוש רש"י על ס' שיר השירים

אחת דבר אלהים שתים זו שמעתי. מקרא אחד יוצא לכמה טעמים וסוף דבר אין לך מקרא יוצא מידי פשוטו ומשמעו, ואף על פי שדברו הנביאים דבריהם בדוגמא צריך ליישב הדוגמא על אופניה ועל סדרה, כמו שהמקראות סדורים זה אחר זה, וראיתי לספר הזה כמה מדרשי אגדה, יש סודרים כל הספר הזה במדרש אחד, ויש מפוזרים בכמה מדרשי אגדה מקראות לבדם ואינם מתיישבים על לשון המקרא וסדר המקראות, ואמרתי בלבי לתפו' משמע המקרא, ליישב ביאורים על סדרם והמדרשות מרבותינו אקבעם מדרש ומדרש, איש איש במקומו, ואומר אני שראה שלמה ברוח הקודש שעתידין ישראל לגלות גולה אחר גולה, חורבן אחר חורבן, ולהתאונן בגלות זה על כבודם הראשון ולזכור חבה ראשונה אשר היו סגולה לו מכל העמים לאמר, אלכה ואשובה אל אישי הראשון כי טוב לי אז מעתה, ויזכרו את חסדיו ואת מעלם אשר מעלו ואת הטובות אשר אמר לתת להם באחרית הימים, ויסד ספר הזה ברוח הקדש, בלשון אשה צרורה אלמנות חיות, משתוקקת על בעלה מתרפקת על דודה, מזכרת אהבת נעוריה אליו ומודה על פשעה, אף דודה צר לו בצרתה ומזכיר חסדי נעוריה ונוי יופיה וכשרון פעליה, אשר בהם נקשר עמה באהבה עזה, להודיע כי לא מלבו ענה ולא שילוחיה שילוחין, כי עוד היא אחותו והוא אישה והוא עתיד לשוב אליה.

תקונים והשמטות לפירוש הראב"ע

מגילת אסתר

א א. ולפי דעתי שהוא ארתחשסתא וזה פירוש וכו'.

א ב. אחר שאמר בימי אחשורוש תחלת הדברים כי הראשון כלל וכו'.

ח טו. והטעם כאדרת שיעולף בה.

שיר השירים – הקדמות

זה הספר נכבד וכולו מחמדים ואין בכל שירי שלמה המלך חמשה ואלף כמוהו, על כן כתוב שיר השירים אשר לשלמה כי זה השיר מעולה מכל השירים אשר לשלמה ובו סוד סתום וחתום כי החל מימי אברהם אבינו עד ימות המשיח וכן כתוב בשירת האזינו בהנחל עליון גוים החל מן דור הפלגה עד שוב ישראל מהגלות אחר מלחמת גוג ומגוג ואל תתמה בעבור שהמשיל כנסת ישראל לכלה והמקום דודה כי כן דרך הנביאים ישעיה אמר שירת דודי לכרמו ועוד כמשוש חתן על כלה יחזקאל אמר שדים נכונו ושערך צמח ואת ערום ועריה ועוד ואכסה ערותך ואעדך עדי וכל הפרשה כולה הושע אמר וארשתיך לי לעולם לך אהב אשה ובספר תהלות משכיל שיר ידידות וכתוב בו שמעי בת וראי והטי אזנך וחלילה חלילה להיות שיר השירים בדברי חשק כי אם על דרך משל ולולי גודל מעלתו לא נכתבה בסוד כתבי הקדש ואין עליו מחלוקת כי הוא מטמא את הידים. ולהיותו בדרכיו תמים. פירשתיו שלש פעמים. בפעם ראשונה. אגלה כל מלה צפונה. ובפעם השנית יהיה משפטו. על דרך פשוטו. ובפעם השלישית יהיה מפורש. על נתיבות המדרש:

הפעם הראשונה נאם אברהם בר' מאיר הספרדי המחבר: אנשי המחקר הואילו לבאר זה הספר על סוד העולם ודרך התחברות הנשמה העליונה עם הגוף שהוא במדרגה התחתונה. ואחרים פירשוהו על המתכונות ואת כולם ישא רוח כי הבל המה ואין האמת כי אם מה שהעתיקו קדמונינו ז"ל שזה הספר על כנסת ישראל וכן אפרשנו בפעם השלישית ופירוש כל שלמה שלמה המלך הוא שלמה המלך בעצמו חוץ מהאלף לך שלמה לכן אפרשנו בפעם השנית על דרך המשל שהוא בדברי חשק גם כל שלמה שיש בו הוא שלמה המלך בעצמו ובעבור שיש בספר הזה מלות קשות הואלתי לבאר אותם בתחילה ואחר כן אבאר עניני המשל והנמשל בו.

הפעם השנית לא יתכנו דברי חשק במדינה לעיני כל הרואים על כן הוא המשל נערה אחת קטנה מאד שאין לה עדיין שדים היתה נוטרת כרם וראתה רועה עובר ונפל החשק בלב כל אחד מהם.

הפעם השלישית אין למעלה ממדרש שיר השירים שדרשו רבותינו ז"ל לכן כאשר ראיתי גדולים ועמודי עולם עשו גם הם דרש והוסיפו וגרעו גם אני יצאתי בעקבותיהם וכל שלמה הוא שלמה המלך חוץ מהאלף לך שלמה שהוא המשיח ונקרא שלמה בעבור שהוא בנו כאשר נקרא דוד ודוד עבדי נשיא להם וכן נקראו בני ישראל עבדי יעקב ויתכן היות כמוהו תפלה למשה איש האלהים על דרך רב סעדיה גאון ז"ל שאמר שהתפלה היא לדור והיו מנגנים בה בני משה והנכון שהיא למשה. ודע כי בנות ירושלם השתבשו בו אנשים רבים אחר שכנסת ישראל היא המדברת מה ענין בנות ירושלם יש אומרים כי שתים הנה אחת בשמים ואחרת בארץ תחתיה כנגדה וענין בנות ירושלם המלאכים של מעלה ואחרים אמרו שהם אומות העולם כטעם ונתתי אותם לך לבנות והנכון בעיני שהמשל הוא על אשה המדברת עם נפשה ותשיב אמריה לה וכאילו תאמר עם מחשבותיה והן בנות ירושלם ואחר שהעיד הפסוק שנראה המקום לשלמה פעמים

מה תימה יש בו שיתנבא על דבר עתיד כי ברוח הקדש דיבר זה הספר וכן תמצא באסף המשורר והימן שחברו שירות ברוח הקדש שנקראו נביאים וחוזים וזאת היא הדרך הנכונה לא יוכל לכחש כי אם פתלתל ועקש. ועתה אחל לפרש על פי אשר תשיג ידי ואתחנן לאל בכל מאדי היודע סודי להחכים כבודי והוא יהיה עמדי.

א ה. הפעם השנית. חזוה הנערה להן ואמרה וכו׳.

א יד. הפעם השנית. והייתי חושבת שאני מחבקת אשכול הכופר.

ב א. הפעם השלישית. כמו חבצלת שהיא בשרון שהוא מקום מישור וכו׳.

ב ו. הפעם השנית. אין את נמשלת וכו׳.

ב יז. עד שיפוח. רוח היום.

ג ו. סוחר כמו המה רוכליך.

ג ט. ופירושו לפי ענינו בנין סכך נכבד.

ד א. הפעם השלישית. וענין עיניך. נביאים כי כן יקראו רואים וחוזים.

ד יב. הפעם השלישית. והייתי מאכיל לרעי שהם וכו׳.

ה י. הפעם השלישית. מדוע אדום ללבושיך וענין דגול מרבבה אלף אלפין ישמשוניה.

ח ט. נצור עליה. מן וצרת עליה.

ח יב. [אחרי המלים „הנוטרים ששכרו אותו אלף כסף" מסומן בדפוס ויניציה „הפעם השנית" והקטע הבא עד „לעפר האילים" מודפס אחרי המלים „וכל שבט מאה כסף" של הפעם השלישית].

מגלת רות

הקדמה. בשם אל יחזק ידי וזכרי יעמיד הודי פירוש מגלת רות לאברהם הספרדי.

א ב. ושם כתוב אשר בעלו בנות למואב וכו׳.

ב כב. עם נערותיו. ולא עם נעריו או טעמו עם הנערים אשר לי עם אחד מן הנערים שהוא וכו׳.

ג ח. וקול אשה לעולם מוכר או וכו׳.

ד ד. וכן ובאשת נעוריך אל יבגוד וכו׳

מגילת איכה

ג סב. בדפוס ויניציא הסר כל הפסוק.

ה ח. נותני מס לנו כארם משלו וכו׳.

מגילת קהלת

א טז. אהב נפשו.

ב כו. או יהיה פי׳ שמחה שמחתו בחלקו וכו׳.

ג ג. כמו עת לפרוץ.

ג ד. נ"א: עת לבכות עם דאגה וכו׳.

ד א. ויהיה עשוק שיעשקנו מלך או שופט וכו׳.

ה א. גב חייב הוא האדם וכו׳.

שם. וחדשים יכפיל יסתיר הם העצבים וחכמי הדור יפרשו ליראי יקפיל.

שם. בלשון הגמרא וידוע וכו׳.

ח א. חכמת אדם תאיר פניו תשים אור בפניו וכו׳.

ח יא. מלא לב בני האדם אפילו בנפשם וכו׳.

ט יא. מושלים בכסילים ויהיו רשים והדבר וכו׳.

י ו. שם התאר כמו ילד והלך וכו׳.

יב ד. וכמוהו דלתי פניו מי פתח.

יב ה. כי האל"ף נוסף כאל"ף וכו׳.

יב יג. ויעיר כבודכם עד יודיעני אורח חיים.

והספר נשלם
בפירוש כל נעלם
בעזרת אל עולם
מלמד כל דעה:
ורוב הודות לשמו
וכל חסד עמו
יצוה אל עמו
גאולה וישועה:
לחשבון היודעים
תעודת שעשועים
תשע מאות יש עם
אלפים ארבעה:

תקונים והשמטות לפירוש ר׳ עובדיה ספורנו

שיר השירים

א א. בפרט המתאוננים רע בשעבוד מלכיות לאהוב וכו׳.

שם. ובכן הגיד המחבר חסדי האל ית׳ ורחמיו על כל מעשיו וכי מהם בחר לו זרע אוהביו ויודעי שמו ובכן גבר חכדו על עמו ועל חסידיו ובכן ראוי וכו׳.

שם. בפרט בהיותם בצרת שעבוד מלכיות ותשובתו וכו׳.

שם. מעל זולתם וחסדיו עמהם ובפרט בשעבוד מלכויות והתחיל ואמר וכו׳.

א ב. שתפנה מדת טובך לי יותר מזולתו כי טובים וכו׳.

שם. אני ראויה לנשיקה הנזכרת יותר מכל זולתי.

א ג. כי אמנם גם שיהיה קצת מחסידי או"ה שיאהבון וכו׳.

שם. היותן מאתך אהבוך חסידי או"ה ובסור מהם אותן הטובות תסור אהבתם התלויה בדבר כאמרם ז"ל חסיד אחד היה באומות ואיוב שמו וכו'.

א ה. הקדים המחבר דבור עדת ה' לאומות הנקראות וכו'.

שם. שיחפוץ בי האל ית' יותר מכל שאר האומות כי גם וכו'.

שם. ויראתו ואהבתו יותר מכל זולתי.

א ו. נקנו מצד ההרגל אצל האומות ורעי כותים שגדלתי בתוכם ובלעדי זאת.

שם. בני אמי נחרו בי. הכבידו עלי מסים וארנוניות כענין מצרים ויותר מהמה.

שם. כרמי שלי. שהיה שלי בלבד ואין לזרים אתי והוא העסק וכו'.

שם. מקוצר רוח ומעבודה קשה ובכן וכו'.

א ז. הגידה לי. אחר שהגיד בטול טענת האומות התחיל המחבר בדברי עדת ה' אליו וכו'.

א ט. כמו שקרה לך בהיותך סוסתי וכו'.

שם. כן דימיתיך בין האומות בהיותך רעיתי גוי אחד בארץ כמו שאני יחיד בעולמי וזה כי אמנם ישובו המה אליך ויודו את וכו'.

שם. ואתה לא תשוב אליהם ובהיותך וכו'.

א יא. עם תשלום כל נקודות הכסף והמעט ששללו מאתך כאמרו תחת הנחשת אביא זהב.

א יג. דרכי טובך בתוכנו בערך אל מה שאתה מראה בין האומות.

ב א. ודבקה בך אפילו בשעת גזרות האמות ולכל אלה וכו'.

ב ב. באופן אחר כאמרו ה' בצר פקדוך.

ב ג. כתפוח בעצי היער כן דודי בין הבנים. משיבה עדת ישראל ה' הנה ראוי לחוש לכבוד שמך כי אמנם כמו התפוח שהוא נכבד מכל עצי היער ואין שם מכיר מעלתו על השאר כן אין מן האמות מכיר מעלתך על בני האלהים שהם שרי האמות כאמרו וידברו על אלהי ירושלם כעל אלהי גויי הארץ ובכן אני לבדי.

ב ד. עלי אהבה. נלחם בעדנו באהבה וכו'.

שם. ואור פנך כי רציתם אתם בני האלהים שרי האמות: סמכוני עזרוני: באשישות. בקיום המצות שלא יבטלוני גזרות האמות וזה תעשו כשלא תלמדו עליהם זכות: רפדוני. היו לי לקרקע קיים שלא יטלטלוני בגזרותם.

ב ה. כי חולת אהבה אני. כי אמנם כל גזרותם נגדי הם בשביל וכו'.

ב ו. תהיה תחת לראשי להקימני משפלות גלותי.

ב ז. השבעתי אתכם בנות ירושלים. שהן האמות השבעתי וכו'.

שם. בצבאות או באילות השדה. שתהיו כצבאות וכאילות שאין להם כח להמלט מיד מתקומם זולתי בנוסם מפניו.

שם. אם תעירו. אותה בגזרותיכם להתפלל.

שם. לרחם מרוב גזירותיכם עלי.

ב ח. כמתאוננות על הגלות הנה קול וכו'.

שם. מקפץ. כאמור (ואחר) [וארד] להצילו ועתה בשעבוד מלכיות הנה.

ב ט. משגיח מן החלנות. שלא יכלונו העומדים עלינו לכלותנו.

שם. ואין מפגיע ומכפר עלינו עבטיט של גלות.

ב יא. כי הנה הסתיו. גזרת פרעה על הילדים.

ב יג. ועכשיו בשעבוד מלכויות אין נביא וכו'.

ב יד. וישלח מלאך אבל עתה בשעבוד מלכיות שאת בחגוי הסלע להמלט ולהסתר מגזירות האמות.

ב טו. אחזו לנו שועלים. מתיהרים בלבוש של וכו'.

ב טז. הרועה בשושנים. הרועה בצדיקי הדורות שהם בין החוחים וצרות הגלות.

שם. שתהיה לאור עולם ושלמו ימי אבלנו.

שם. ונסו הצללים. מחשכי ארץ בעיון ובמעשה אשר בגלות.

ג ד. ובכן השבעתי את האומות שלא ילחצוני בגזרותם למען יוכלו צדיקי הדורות להתעסק בתורה ותפלה ולהשיב עטרה ליושנה.

ג י. מבנות ירושלים. יותר מכל האמות.

ד א. בהיותך רעיתי יחידה בעולמה בין כל האמות.

ד ג. מבעד לצמתך. שהיא שער נכרי וזה כאשר לא התערבי בגוים.

ד ה. הרועים בשושנים. בין החוחים במלחמות האמות.

ד ח. שמשם ולחוץ מעונות האמות שהן חיות רעות טורפות וכו'.

ד יא. ראוי שתתעסקו גם בגלות בתורה וכו'.

ד יב. הלא תראי שאין התשועה מן האויבים תלויה וכו'.

ד יג. כי אמנם עתות בצרת מלחמות האמות היו וכו'.

ה ב. שלא היו ישראל כ"כ פרוצים בע"ז כמו עכשיו וכו'.

ה ז. ובכן נשאו את רדידי מעלי שומרי החומות נכנסו הגוים שהיו שומרי החומות מבחוץ וכו'.

ה ח. מה תגידו. לאמות.

ה ט. מה ההבדל אשר בין זה האלוה לזולתי מאלהי העמים שתמסרי עצמך וכו'.

ה יא. ובזה יסורו ספקות ופקורי התועים.

ה יד. עשת שן. מנוקים מכל טמאה ושקוץ כאמרו אל תטמאו ואל תשקצו.

ו א. אנה הלך דודך. אמרו א"ה מה היה וכו'.

ו ב. שרידי עמו מבין החוחים.

ו ד. כענין שמעון הצדיק שהשתחוה לפניו אלכסנדרוס.

שם. במערכות ישראל בנצחונם מכל מקום.

ו ז. מהיותם נבדלים מדעות חכמי האמות שהם כמו הצמות שהיא תכשיט שער נכרי וזה כי וכו'.

ו ח. המורים עניני העולם בהנהגת הבית והמדינה.

ו ט. אחת היא יונתי. האמה הדבקה בי וכו'.

שם. תמתי. השלמה מכל אמה זולתה בכל אלה.

שם. ברה היא ליולדתה לרבקה אוהבת את יעקב לא את עשו בהכירה את דרכי שניהם.

ו יב. תשרה שכינתו בתוכנו ויוליכנו קוממיות.

ז א. ואשובה אליכם הוי הוי ונוסי מארץ צפון הוי ציון וכו'.

ז ה. שהיא בעבר הירדן סמוך לגבולות הגוים שיוכלו שם להמלט מהרה אל ארצות הגוים מגזרת ינאי המלך וחכמיו.

ז ו. ראשך. המלך הוא.

שם. כן הוא היה למאכל מלכות הרשעה.

שם. ודלת ראשך. נציב מלכות הרשעה שהיה מתנשא וכו'.

שם. המורה על מעלת לובשו כן הוא היה מורה על מעלת מלכות הרשעה על ישראל.

שם. מלך אסור ברהטים. כי אמנם המלך היה משועבד למצות המלכות ביד הרצים.

ז ח. כן הם מלאו חכמות של מעט וכו'.

ז י. וחכך. בעת הויכוח.

ז יב. לכה דודי. נצא מגלות שעבוד מלכיות.

ז יג. שם. בצאתי משעבוד מלכיות.

ח ד. לבא ולבטל ובכן לא ינקר ממלתי.

ח ה. מה היה לה לזאת העולה משעבוד מלכיות בארצות העמים שהיו כמו מדבר לא אדם בו אבל חיות טורפות בלבד.

שם. על איחור ביאת המשיח שהוא האדון אשר אתם מבקשים וחפצים כאמרה וכו'.

שם. כמו בצל תפוח בעצי היער.

ח ו. כי עזה כמות אהבה. כי עליך הורגנו כל היום על קדושת שמך אע"פ וכו'.

שם. קשה כשאול קנאה. בלבנו המקנא על דבר כבוד שמך.

ח ז. מים רבים. מים הזדונים: לא יוכלו לכבות. בכל השתדלותם להדיחנו מעל ה' אלהינו.

שם. ונהרות. מלכי האמות: לא ישטפוהו. כרב מתנות וגזומיהם כענין נבוכדנצר עם חנניא מישאל ועזריה וזה כי וכו'.

ח י. אני השתדלתי במעשי גם בגלות להיות חומה להגין מצרת האויבים.

שם. ובכן הייתי אפילו בגלות כמוצאת שלום וכו'.

ח יא. בבעל המון. בארצות הגוים בגולה כי כרם וכו'.

ח יג. היושבת בגנים עושה מקנה וקנין בקבוץ גלויות.

קהלת

א יז. וסכלות. ודעות של סכלות וכו'.

ג יד. עליו אין להוסיף וממנו אין לגרוע. לא היה שום חסרון ידיעה אשר בו יחסר וכו'.

ג טו. והאלהים יבקש את נרדף. וכאשר יעשה זה שכבר היה יבקש את עמו הנרדף מן האמות כאמרו וכו'.

ג טז. ועוד ראיתי. מלבד רדיפת האמות ורשעם.

שם. מקום המשפט. של בעלי הדין אפילו בישראל.

ג יז. אמרתי אני בלבי את הצדיק ואת הרשע ישפוט אלהים. ולכן אמרתי שהאל יתעלה ישפוט את ישראל ואת אומות העולם.

ג יח. שישפוט גם את ישראל הצדיק וכו'.

ד א. את דמעת העשוקים בגלות על ידי האמות כאמרו עשוקים בני יהודה ובני ישראל יחדו.

שם. בתשובה להוציא מצרה נפשם: ומיד עושקיהם כח. וכמו כן אין בהם כח להמלט מיד עושקיהם בכל מיני השתדלותם.

ד ג. הנעשה לתכלית רע בגלות.

ד ד. הנעשה בגלות כמו הצדקה וכו'.

ד ט. לתופשי התורה בגלות להיות וכו'.

ד יד. כי גם במלכותו נולד רש. ואמרתי וכו'. כי אמנם זה הזקן גם במלכותו ברבוי וכו'.

ד טו. ומשתדלים במדיניות נמשכים וכו'.

ה ג. השוחד למלך ב"ו כאשר יהיה על תנאי שיעשה המלך חפצו וכו'.

שם. ההכנעה בלבד לא על צד גמול וכו'.

ה ז. בקיום אותה מדינה ואיך לא יכריתה.

שם. משפטי העושק והגזל הנז' ויותר וכו'.

ה ח. בהיותם אדם הם מדיניים בטבע ולא ישיגו שום שלמות בזולת המדיניות כי אמנם תכלית המדיניות הוא שישיג האדם בו וכו'.

ה ט. ומי אוהב בהמון לא תבואה גם זה. ומי שהוא וכו'.

ה יב. עושר שמור לבעליו לרעתו. שיעלילו התקיפים עליו עלילות כדי לגזור וכו׳.

ה יז. אשר יפה לאכול ולשתות. ההכרחי בלבד בלתי השגת מותרות.

ו ט. מהלך נפש וכו׳ שלא ישיגוהו לעולם ולכן הוא משתדל וכו׳.

ו יא. שמרביב זמנו וקנינו כמו הבנינים והמצבת וספרי ד״ה הנעשים לזכרון אחר המות או לפרסם וכו׳

שם. שום תועלת נחשב בחייו גם לפעמים וכו׳.

ז א. משמן טוב. שבו מושחים מלכים וכהנים גדולים.

שם. מיום הולד אותו השם וכו׳.

ז כג. והיא רחוקה ממני. בהיות מדרגת השכל האנושי שהוא כחיי בלבד וכו׳.

ז כד. ועמוק עמוק. ענין הבריאה שהיא פעולת פועל בלתי נושא.

ז כט. שלא קרה זה למין האנושי קודם חטאו וכו׳.

ה י. ובכן ראיתי רשעים קבורים. ומזה המין ראיתי וכו׳.

שם. וכן טיטוס כאמרו שהרג את עצמו כמו וכו׳.

ח יב. ליראי אלהים. ואמרתי שמאריך וכו׳.

ה יד. שיקרה לרשע ערום עושה להתיהר ולמנות פרושי׳.

ה יז. אל כל המעשה המכוון מאתו שהוא העיון והמעשה וכו׳.

ט יד. ובכן תנצח חכמת המסכן את מערכת המלך הנלחם וכו.

ט יז. מזעקת מושל. יותר מה שתועיל זעקת המלך בעצמו אם יזעק וכו.

י ג. ובזה יתקוממו עליו רבים להפר מחשבתי כענין אחשירוש.

י ד אם רוח וכו׳ מקומך אל תנח. ולפעמים תצטרך לנצח את סכלות המושל בהכמתך וכו׳, יעשה שהמושל הסכל יניח מעשות חטאים גדולים כאמרו יש בוטה כמדקרות חרב ולשון חכמים מרפא.

י ה. יש רעה תחת השמש כשגגה שיצא מלפני השליט. והטעם שיקרה זה שרוח המושל תעלה עליך בלתי טעם נאות הוא שלפעמים יקרה כאלו המערכת תשגה. בזה.

י ו. נתן הסכל במרומים רבים. נתן המלכות ביד איזה סכל מקלקל המדינות ובזה : עשירים בשפל ישבו. שירדו מנכסיהם בסכלות המלך הסכל.

י ז. ראיתי עבדים (רוכבים) על סוסים ושרים הולכים כעבדים על הארץ. וכמו כן יקרה קלקול בהנהגת המלך הסכל שירומם עם נבל ועבדים וישפיל את השרים ונדיבי העם.

י ח. חופר גומץ בו יפול. ויקרה על הרוב שאל ההמון המסכים להמליך את הסכל יקרה קלקול ע״י אותו המלך והנהגתו כמו שיקרה לחופר גומץ ובור בר״ה הממציא תקלה שיפול בו הוא בעצמו : ופוו״ץ גדר ישכנו נחש. וכמו כן יקרה לפורץ גדר שישכנו נחש שהיה נסתר בו.

י טז. אי לך ארץ שמלכך נער. וכמו שקרה הקלקול בפרטים בסבת הנהגת הסכלים כן יקרה בכללות המדינה קלקול בסבת סכלות המלך והשרים כשהם נערים וכו׳.

שם. ולא בשתי. על הפך גבורים לשתות יין כמנהג רב השרים.

י יח. אין בקרוי שלמות נאות וכן יקרה במדינה מחסרון זריזות המלך והשרים.

י יט. וזה בהיות המלך והשרים פונים וכו׳.

י כ. וגם שתדע שהמלך והשרים יגרמו קלקול למדינה ברוע הנהגתם אל תקלל את המלך פן יקרך נזק בזה. (השאר אין בדפוס ויניציאה).

שם. ויגיעך נזק כאשר ידע שקללת אותו.

יא א. שלח לחמך. אע״פ שהמלך והשרים לא יעשו הראוי להם להיטיב לזולתו אתה אל תחדל וכו׳.

יא ב. תן חלק לשבעה וגם לשמנה. וגם שהמלך והשרים שעלו לגדולה מצד מערכת שבעה כוכבי לכת או מצד כוכבי הגלגל השמיני והם בהתנהגתם בלתי ראוים לכבוד, מכל מקום לא תמנע מחלוק להם כבוד כי לא תדע מה יהיה רעה על הארץ. כי אולי תצלח מלכותם כדי שירעו ויקלקלו את המדינה מרעת יושבי בה.

יא ז. ולעיני זה הצלם שהוא שכל כחיי טוב וכו׳.

יא ח. כי גם שיהיו החיים ארוכים וכו׳.

יב ג. והם הזכוכיית והכדריית והחלבוניית. בארובות. בנקבים הענביים.

ישתבח הסומך האמתי אשר חננו להשלים אלה הבאורים המאירים לארץ ולדריב הוא ברחמיו יוסיף אונים ירבה עצמה לנו על דבר כבוד שמו לגלות עמוקות מני חשך עד היותם כאור נוגה לפני מביני מדע אשר עיניהם ולבם לתורה ולתעודה וידעו כל עמי הארץ כי שם ה׳ נקרא עלינו אכי״ר.